D1271549

# LE GRAND GUIDE

MARABOUT

## DU JARDIN

# LE GRAND GUIDE
## MARABOUT
# DU JARDIN

• MARABOUT CÔTÉ JARDIN •

# • MARABOUT CÔTÉ JARDIN •

**Auteurs**
Louise Abbott
Lynn Bresler
Pamela Brown
Clare Calman
Joanna Chisholm
Alison Copland
Annelise Evans
Lin Hawthorne
David Joyce
Fiona Wild

**Traduction**
Sabine Boullongne
Catherine Bricout
Valérie Morlot
Catherine Pierre

**Packaging**
Domino

Publié pour la première fois en Grande-Bretagne en 2000
sous le titre original *The Royal Horticultural Society Gardening Manual*
par Dorling Kindersley Limited, 9 Henrietta Street, London WC28PS
Copyright © 2000 Dorling Kindersley Limited, London

Copyright © 2001 Marabout pour l'édition française
Tous droits de traduction, d'adaptation et de production,
sous quelque forme que ce soit, réservés pour tous pays.
Dépôt légal : 40427 - janvier 2004
ISBN : 2-7028-7337-5
Imprimé en Chine par Toppan

# Sommaire

## COMMENT ENTRETENIR SON JARDIN

# SAISONS

Dans ce livre, l'année de jardinage est divisée en douze saisons
qui correspondent aux mois calendaires :

Début du printemps : mars

Milieu du printemps : avril

Fin du printemps : mai

Début de l'été : juin

Milieu de l'été : juillet

Fin de l'été : août

Début de l'automne : septembre

Milieu de l'automne : octobre

Fin de l'automne : novembre

Début de l'hiver : décembre

Milieu de l'hiver : janvier

Fin de l'hiver : février

# SYMBOLES

Les symboles de niveaux de rusticité indiquent
la température minimale à laquelle peut survivre
une plante sans protection, à l'extérieur.
Voici la classification utilisée dans la troisième partie du livre :

✻✻✻ Rustique, jusqu'à − 15° C

✻✻ Assez rustique, jusqu'à − 5° C

✻ Semi-rustique, jusqu'à 0° C

❀ Gélive, jusqu'à − 5° C

Le symbole ↕ indique la hauteur maximale,
le symbole ↔ l'envergure maximale.

# PARTIE I

# COMPOSER SON JARDIN

# COMMENT CHOISIR SON JARDIN ?

## VOTRE JARDIN SERA CE QUE VOUS EN FEREZ

Fleurs et feuillage créent des impressions si intenses dans un jardin qu'on en oublie parfois que ces enchantements ne se produisent pas naturellement. La création d'un jardin requiert du talent, et il sera d'autant plus réussi qu'il reflétera vos goûts et sera adapté à vos besoins. Définissez bien vos objectifs : souhaitez-vous y recevoir vos amis, cultiver des légumes, récolter des fruits ? Évaluez le temps que vous pouvez consacrer à votre passion. Pensez à son entretien. Votre jardin vous apportera d'autant plus de satisfactions qu'il vous permettra de concilier avec bonheur vos désirs et les possibilités qu'offre la nature.

## DÉFINIR SES PRIORITÉS

L'aménagement de l'espace – l'équilibre entre les parties en dur, murs et pavés, et les zones cultivées – doit être déterminé par l'usage que vous entendez en faire. Si vous désirez recevoir des amis en plein air, prévoyez une grande terrasse en bois ou en carrelage. Si vous avez une passion pour les plantes ou si vous voulez un potager ou un verger, vous vous contenterez d'allées étroites entre les plates-bandes. Vous voulez attirer les oiseaux ? Un plan d'eau s'impose !

Une fois que vous aurez défini la fonction de votre jardin et le meilleur moyen de tirer parti du site, vous pouvez commencer à vous organiser.

△ UN JARDIN ÉQUILIBRÉ
*Dissimulé derrière une haie et agrémenté au centre d'une fontaine, c'est un mélange harmonieux de revêtements aux textures variées – briques, gravier, dalles, bois – et de plates-bandes. Les fleurs, y compris en pots, ajoutent des touches colorées, mais le feuillage joue aussi un rôle important.*

◁ UN JARDIN PEUT EN CACHER UN AUTRE
*Un changement de niveau et une rangée de pots somptueusement plantés marquent l'accès à une enceinte cachée. Grâce à des écrans garnis de plantes, on tire pleinement profit de l'espace tridimensionnel d'un jardin tout en créant des "coins" abrités et intimes.*

#### ◁ UN JARDIN REPOSANT

*Ce simple banc entouré de fleurs
vives et parfumées devient un lieu
de repos et de détente. L'entretien
du jardin est réduit lorsqu'on
a recours à des surfaces dures
et à des plantes peu exigeantes.*

#### △ LA PASSION DES PLANTES

*Cet amalgame de formes, de textures et
de tons est l'œuvre d'un amoureux
des plantes. Le choix d'espèces
en fonction de leurs formes intensifie
la beauté d'un jardin au-delà
de la période de floraison.*

#### △ UN MOYEN DE S'EXPRIMER

*À de très nombreux égards, un jardin reflète les goûts
et les intérêts de son créateur. Son agencement, le choix
et la décoration des bâtiments portent son empreinte
tout autant que la sélection et la disposition des plantes
et des différents végétaux.*

#### △ UNE SOURCE DE PRODUITS

*Certains jardiniers ne songent qu'à faire pousser
des légumes, des fruits ou des herbes. Même si l'on ne
dispose que de quelques pots, le jeu en vaut la chandelle.
Avec un peu d'imagination, un potager peut s'avérer
aussi décoratif que productif.*

#### △ LE DÉFI DE L'ESPACE

*On aurait tort de croire qu'un beau jardin requiert beaucoup
de place. Certains aménagements nécessitent des hectares,
mais on obtiendra des résultats tout aussi satisfaisants
sur un terrain miniature, comme celui-ci composé de
plantes en pots, voire sur un balcon ou une terrasse.*

# UN JARDIN À VOTRE IMAGE

Si votre jardin doit être conforme à l'usage que vous en ferez, il doit aussi être adapté à votre genre de vie. Même sur une surface exiguë, vous pouvez choisir d'avoir un jardin hyper-classique ou au contraire une petite forêt vierge en vous inspirant de modèles extra-européens.

On oppose souvent les jardins "à la française" et les jardins "à l'anglaise", mais la différence est de moins en moins nette. Les jardins d'aujourd'hui s'inspirent surtout des jardins "à l'anglaise", à la végétation exubérante. Certaines des plantes qui le composent étaient déjà à la mode il y a très longtemps, mais elles sont encore d'actualité aujourd'hui. Bien ordonné ou plus fouillis : à vous de choisir. Vous êtes tenté par la sobriété monacale d'un jardin minimaliste, mais sera-t-il adapté si vous avez des enfants ? L'idée d'un jardin plus sauvage vous plaît, mais quel travail cela va vous demander ? Dans tous les cas sachez qu'il ne suffit pas de planter quelques graines au hasard et l'option que vous aurez retenue vous demandera peut-être beaucoup d'efforts.

△ UN JARDIN MINIMALISTE
*Des pierres choisies avec soin et serties de gravier, une touche de mousse sur un fond d'arbustes et de buissons aux feuillages variés et voilà un paysage plein de poésie et de sobriété. Ce type de jardin s'inspire de la tradition japonaise.*

◁ UN JARDIN "NATUREL"
*Une grande variété de plantes vivaces adaptées au climat, comme on en trouve à l'état sauvage, donne à ce jardin une apparence de naturel. Textures et couleurs sont également importantes. À la différence des plates-bandes d'herbacées, un jardin comme celui-là réclame peu d'entretien.*

◁ UN JARDIN DE FLEURS DES CHAMPS
*Pour obtenir cet effet naturel qui fait penser à une prairie, il faut planter des fleurs des champs à même la pelouse. Laisser pousser l'herbe et ne la tondez pas avant que les fleurs soient sorties. Effet écolo garanti!*

UN JARDIN TRÈS "BRITISH" ▷
*Ces massifs de coquelicots et ces nombreuses variétés de fleurs communes, associées à des herbes et même à des légumes, donnent un caractère très familier à ce jardin. On dirait que le chemin dallé de brique conduit à la porte d'un cottage anglais.*

## AMBIANCE CLASSIQUE

L'ordre et la sérénité du jardin classique
reposent sur la symétrie et l'équilibre de
l'espace. Toute son harmonie est basée sur
des petits détails. Ainsi, deux pots plantés
de part et d'autre d'une entrée, d'un banc
ou d'une allée bordée d'arbres permettent
de structurer le paysage.

Le côté classique peut être accentué par des
haies, des topiaires soigneusement taillés ou
par différents arbustes bien élagués, comme
des arbres fruitiers aux formes peu étendues.
Cependant, un rythme plus souple et des
intervalles réguliers suffisent parfois à créer
une harmonie plus subtile.

**AMBIANCE CLASSIQUE** ▷
*La pelouse impeccable est entourée de dalles et de buissons taillés.
La symétrie donne à ce jardin un aspect soigné mais pas trop sévère.*

## THÈMES ET TENDANCES

Les variétés de plantes, autant que les aménagements en dur, influent sur l'atmosphère
d'un jardin. Pour plus de fantaisie, on choisira
des pots et des mosaïques colorés plutôt que
des formes simples en pierre ou en terre cuite.

L'ambiance créée par un feuillage aux
subtiles nuances de vert sera totalement
différente d'une végétation où dominent les
couleurs vives. Ainsi des tons blancs ou très
pâles dans une gamme de coloris restreinte
donneront une sensation de légèreté.

Le choix des végétaux permet aussi
d'évoquer d'autres latitudes : bambous
et feuillus produiront une impression
de chaleur méditerranéenne ou de jungle,
même sous des climats tempérés.

△ **SCULPTURES AU JARDIN**
*Des sculptures ou d'autres objets comme du bois flotté,
des pierres aux formes insolites, ou même un beau
morceau de ferraille suffisent à créer une atmosphère
particulière. Ils peuvent être placés en évidence
mais aussi dans des endroits plus discrets.*

◁ **COULEURS VIVES**
*Les tulipes s'épanouissent de la fin de l'hiver à la fin
du printemps. La variété de leurs coloris permet
des compositions pleines de fantaisie. Ici, une barrière
peinte en bleu-vert contraste brillamment avec
les fleurs orange et noires des tulipes.*

△ **MÉDITERRANÉEN**
*Dans ce jardin, qui évoque la Méditerranée, des bignones
(Campsis) aux fleurs orange forment un dais au-dessus d'un grand
nombre de plantes fleuries et feuillues, presque toutes en pots.*

# UN JARDIN CLOS

La plupart des jardins sont des espaces fermés, séparés du paysage environnant par des murs. Jadis, on se réfugiait dans ces retraites fraîches et verdoyantes pour se protéger d'un monde naturel rude et hostile. De nos jours, l'univers que l'on fuit est généralement urbain ; on cherche à échapper au bruit et à l'agitation de la ville. Le plus souvent, les jardins sont clos par des murs mitoyens ou perchés sur un toit, voire aménagés sur un balcon. Même si vous disposez d'une surface réduite ou que vous composez seulement des plantations en pot, en prenant le soin de bien agencer l'espace, votre jardin vous inspirera un sentiment de paix et d'intimité.

## UNE COUR DE JARDIN

Même si votre cour est entourée de murs, vous créerez une impression d'espace grâce à un agencement ingénieux et un choix judicieux de plantes. Ici, la végétation luxuriante fait oublier la proximité des murs et offre un cadre verdoyant à cette retraite paisible.

### ▽ DÉTAIL D'ANGLE

On peut orner de plantes peu exigeantes les coins à l'écart des lieux de passage. Autre solution attrayante : y loger un ornement. Ici deux vases gracieux sur une plate-forme surélevée, complétés par une plante minimaliste.

Voir aussi : p. 29

## MUR D'ENCEINTE

Un portique en ciment peint de couleur vive laisse entrevoir un jardin pavé de briques, agrémenté de haies basses et d'une végétation luxuriante. C'est une variation sur le thème classique du jardin clos garni de briques patinées. Ces sites abrités sont généralement peuplés d'arbres fruitiers, d'arbustes et de plantes grimpantes disposés de manière à tirer parti de la réflexion de la chaleur.

## CONSERVER L'EAU

Dans les régions peu pluvieuses, ou si vous avez de nombreuses plantes en pots, l'arrosage est parfois une tâche ardue. Vous éviterez bien des problèmes en choisissant des espèces qui tolèrent la sécheresse. Prenez certaines mesures pour tirer pleinement partie de l'eau disponible :

▪ Quand vous arrosez, privilégiez les nouvelles plantes et les spécimens en pots.

▪ Paillez la surface du sol ou du terreau afin de ralentir l'évaporation; en pots, le sable est une protection efficace.

▪ Incorporez des granules ou cristaux rétenteurs d'eau au terreau des plantes en pots.

▪ Si vous ne pouvez pas arroser régulièrement avec un arrosoir, optez pour un "goutteur" équipé d'un programmateur.

### TOUCHES DÉCORATIVES △

Ces deux sculptures en métal – un relief scellé dans le mur et une tête dressée –, attirent irrésistiblement le regard malgré leur sobriété. Dans un petit jardin, les ornements tels que masques et reliefs muraux ont l'avantage de ne pas encombrer la surface au sol. Ici, le profil géant presque bi-dimensionnel qui se dessine dans le feuillage varié prend étonnamment peu de place tout en apportant une dimension surréaliste.

Voir aussi : p. 29

### MEUBLES DE JARDIN ▽

Même dans ce jardinet à la végétation dense, il y a la place pour une assez grande table ronde. Elle remplit presque le salon de plein air près du plan d'eau, mais cinq ou six personnes peuvent aisément s'y tenir. Les fauteuils pliants légers sont faciles à ranger lorsqu'on ne s'en sert pas.

VOIR AUSSI : pp. 34-35

### POUR PLUS D'INTIMITÉ ▽

Les pots garnis de foisonnantes impatientes (*Impatiens*) apportent des taches de couleurs vives, mais le feuillage a la part belle. Arbustes en espaliers, bambous et palmiers, y compris un bananier (*Musa*), composent ce site intime et chaleureux, comme taillé dans l'exubérante végétation.

VOIR AUSSI : pp. 38-41

### JARDINS SUSPENDUS △

Grâce à des paniers accrochés à des supports scellés dans le mur, on peut inclure des plantes colorées dans une cour de jardin où la place manque pour disposer des pots. Rien n'empêche de les mettre en pleine terre par la suite ; elles seront alors une source d'agrément presque toute l'année – même en hiver si le climat est doux.

VOIR AUSSI : pp. 42-43

### ◁ L'ATTRAIT DE L'EAU

Pour souligner l'aspect tropical de ce jardinet, un filet d'eau fraîche coule d'un bassin surélevé sur de grosses pierres amoncelées dans le plan d'eau en contrebas. Le flux de l'eau véhiculé grâce à une pompe électrique immergée s'accompagne d'un murmure constant et apaisant.

VOIR AUSSI : pp. 32-33

### ◁ AMÉNAGEMENT EN DUR

Les surfaces nettes qui représentent une proportion assez restreinte du jardin permettent d'accéder de la maison à l'espace aménagé pour recevoir en plein air. Le "salon" est garni de dalles en pierre et l'allée de lattes en bois.

VOIR AUSSI : pp. 24-27

### UN JARDIN SUR LE TOIT

Ces banquettes en L forment un coin agréable assez abrité et protégé des regards indiscrets par des plantes en pots suspendus à la balustrade. La végétation désordonnée incite à la détente ; le plancher en bois offre une surface nette et propre au contact des pieds et des coussins douillets recouverts d'un tissu imperméable ajoutent au confort des sièges. La relative fragilité des balcons et des toits en terrasse oblige souvent à recourir à des matériaux légers, plastique ou fibre de verre, pour les pots posés au sol. Il convient de bien les arrimer afin que le vent ne les renverse pas.

# UN JARDIN FAMILIAL

Un jardin familial est un compromis heureux entre
les aspirations contradictoires des adultes et des enfants.
Dans l'idéal, il s'agit d'un lieu clos, sans danger, où
les plantes ont leur place et où des bambins ont assez
d'espace pour s'ébattre tandis que les grands se détendent.
La sécurité et la commodité sont des paramètres
essentiels, ce qui n'empêche pas le jardin d'être
agréablement agencé et décoré avec goût. Pensez
que les besoins changent à mesure que les enfants
grandissent : il vaut mieux prendre en compte d'emblée
l'évolution future de votre jardin en prévoyant
des cultures plus ambitieuses et plus fragiles une fois
que la jeune génération aura délaissé les jeux de plein air.

## UN JARDIN POUR TOUS

**Une toile de fond composée d'arbres feuillus offre un joli
cadre à ce jardin conçu pour conjuguer les intérêts des
parents et de leurs enfants. La terrasse dallée près de la
maison mène à la pelouse bordée de massifs luxuriants
agrémentés d'ornements et d'une balançoire. Le belvédère
au bout du jardin souligne la symétrie tout en reprenant
l'audacieux motif coloré qui unifie l'ensemble.**

### DES PLANTES ROBUSTES ▷

Vivaces, bulbes, arbustes et plantes grimpantes garnissent les
massifs de part et d'autre de la pelouse qui fait office d'aire de jeux.
Un palmier de Chine (*Trachycarpus fortunei*), aux feuilles en éventail,
rompt agréablement la symétrie. Les tons vibrants des plantes
en pots disposées sur la terrasse rivalisent avec les couleurs
tranchantes du mobilier et des structures.

### BAC À SABLE ENCASTRÉ △

Ce bac à sable encadré de bois est situé de manière à pouvoir aisément
surveiller de la maison ou du "salon" les enfants qui jouent en plein air.
La bordure évite que le sable se disperse et permet de s'asseoir sans risque.
VOIR AUSSI : pp. 34-35

### ◁ STRUCTURES DE JEUX

Il est essentiel que les aires de jeux et les équipements qui ravissent les enfants soient solidement construits afin de garantir une sécurité maximale. La base doit reposer sur un sol bien drainé. Un épais tapis d'écorces broyées amortira les chutes, le cas échéant.
VOIR AUSSI : pp. 34-35

### ◁ BALANÇOIRES

Les balançoires, comme celle-ci en harmonie avec le thème coloré du jardin, attirent les jeunes enfants tel un aimant. On peut toujours les démonter plus tard sans qu'elles laissent un vide dans l'agencement du jardin.

### ◁ LA TERRASSE

Ce carrelage décoratif, disposé selon deux motifs contrastés, constitue une surface solide et facile à entretenir, convenant à toutes les activités fami-liales, y compris les repas en plein air. Les pots fleuris en adoucissent l'effet par trop imposant.
VOIR AUSSI : pp. 24-27

### SANS RISQUES

Des précautions particulières doivent être prises pour que les enfants puissent jouer au jardin sans danger.

• Assurez-vous que la clôture est solide afin d'empêcher les petits téméraires d'aller sur les routes.

• Placez les aires de jeux là où vous pouvez facile-ment les surveiller depuis les fenêtres de la maison.

• Évitez de faire pousser des plantes armées d'épines ou connues pour leur toxicité.

• Méfiez-vous de l'eau, même peu profonde.

• Rangez les produits chimiques et les outils de jardin hors de portée des petits curieux.

### ◁ DES FLEURS À EUX !

Les enfants se sentent impliqués dans le jardin quand on leur alloue une petite parcelle de terrain. Pour qu'ils se piquent au jeu, choisissez des plantes qu'ils feront pousser tout seuls et qui grandissent vite. Le tournesol (*Helianthus annuus*) est particulièrement recommandé à cause de sa croissance phénoménale et de ses fleurs gigantesques, ainsi que les radis et les laitues de printemps.

### L'AIRE DE JEUX

Les enfants deviennent de plus en plus remuants en grandissant. Mieux vaut alors leur consacrer une partie du jardin. Cette vaste zone abritée est tapissée d'un gazon résistant. Les structures de jeux de couleurs vives sont disposées de manière à laisser assez d'espace pour courir autour sans risque de collisions ; elles sont suffisamment légères pour être déplacées si l'herbe se fait trop rare. Plus tard, quand elles n'intéresseront plus personne, on pourra aisément transformer ce site en une vaste pelouse ou l'agrémenter de plates-bandes décoratives.

# UN JARDIN D'AGRÉMENT

Si vous menez une vie trépidante et que vous n'avez
guère de loisirs, l'idéal pour vous est un jardin offrant
un cadre agréable sans être astreignant. Il s'agit
de trouver le bon équilibre entre le temps passé
à en profiter – soit en le contemplant de la maison, soit
en s'y détendant – et les heures de travail qu'il nécessite.
Les surfaces en dur sont plus faciles à entretenir que
les massifs et les plates-bandes, mais vous pouvez tout
de même choisir de belles espèces couvre-sol décoratives,
résistantes et peu exigeantes.

## POUR LA DÉTENTE

Ce jardin tout en longueur a été divisé en trois afin de créer
des zones distinctes nécessitant divers degrés d'attention :
près de la maison, une terrasse dallée ; tout au bout, au
niveau le plus haut, la pelouse. Entre les deux, parterres
classiques et plantes en pots disposés en gradins requièrent
davantage de soins, mais n'occupent qu'une place
restreinte, donc gérable.

### UNE VÉGÉTATION SIMPLE ▷

Arbres, arbustes et grimpantes estompent les murs, mais la plupart
des plantes, dont certaines en pots, sont regroupées sur les gradins.
Les parterres jumeaux sont mis en valeur par un pourtour de buis
(*Buxus sempervirens* 'Suffruticosa') qui rehausse l'aspect classique du
jardin. Les espèces peu exigeantes, au-dessus, sont plus naturalistes.
VOIR AUSSI : pp. 38-41 ; pp. 42-43

### △ LA PISCINE

Ici on a profité d'un site en gradins pour y intégrer une piscine au pourtour
irrégulier et audacieux, comportant petit et grand bassins. Au-dessus
du mur de soutènement blanc, une terrasse destinée aux bains de soleil,
entourée d'une végétation sage et dominée par une amphore géante. Le
local technique, peint en bleu, fait circuler l'eau par le biais d'une cascade.
VOIR AUSSI : pp. 34-35

### △ LES SIÈGES

Deux bancs à angles droits permettent de jouir pleinement du soleil
presque toute la journée. Cette disposition, tout comme le blanc
immaculé du mobilier, souligne le style classique du jardin.
Un arrangement plus libre créerait une ambiance plus décontractée.
VOIR AUSSI : pp. 34-35.

## DE L'OMBRE

Pour être agréable quand il fait chaud, un jardin doit comporter des parties ombragées. Si un arbre peut prendre des années avant d'atteindre la taille propice, des structures édifiées à cet effet se couvriront rapidement de plantes grimpantes.

• Faites grimper des plantes sur vos pergolas et tonnelles pour ombrager sièges et allées.

• Plantez des arbres au feuillage léger comme le genêt de l'Etna (*Genista aetnensis*) qui projette une ombre tachetée.

• Utilisez un parasol pour abriter du soleil le mobilier que l'on déplace.

### ◁ UN BEAU GAZON

Cette pelouse n'étant pas soumise à rude épreuve, sa texture moelleuse sera agréable à fouler aux pieds. Vue de la maison, c'est un prolongement verdoyant et serein du jardin. En la tondant régulièrement, une tâche facilitée par sa forme rectangulaire, on la conservera en bon état.
VOIR AUSSI : pp. 24-25

### ◁ POTS EN GRADINS

Ces deux volées de marches incitent à déambuler dans le jardin pour l'explorer. Elles font aussi office de supports pour les plantes en pots, créant un décor immuable ou changeant au rythme des saisons.
VOIR AUSSI : pp. 26-27

### BARBECUE ▽

Bien qu'utilitaire, un barbecue encastré peut être décoratif s'il est construit dans des matériaux en harmonie avec les autres surfaces en dur du jardin.
VOIR AUSSI : pp. 34-35

### △ TERRASSE, LIEU DE PASSAGE

En plus d'offrir une surface nette où disposer tables et sièges pour se détendre ou recevoir, la terrasse est souvent un lieu d'accès de la maison au jardin. Le recours à un revêtement unique, du carrelage par exemple, permet de renforcer le lien entre intérieur et extérieur.
VOIR AUSSI : pp. 24-27

## À L'ÉCART

**Votre jardin a peut-être pour fonction essentielle de vous offrir un havre de paix, loin du monde agité qui vous entoure. Un arrière-plan de feuillage dense et de plantes abondantes transforme celui-ci en un lieu magiquement isolé, encadré par les montants d'une délicate pergola.**

## POUR RECEVOIR

**Cette vaste aire dallée, accolée à la maison, tel un salon en plein air, semble sur le point d'être envahie par une foule distinguée et loquace. Le ton est donné par le cadre architectural, constitué en partie de haies et d'arbres taillés, et de meubles judicieusement disposés pour libérer le passage.**

**Les plantes en pots, disposées telles de minutieuses compositions florales, ajoutent une touche d'élégance.**

# Un jardin à savourer

Un jardin productif, fournissant légumes et fruits de saison à toute
la maisonnée, peut prendre diverses formes. Le potager traditionnel,
composé de planches séparées par un réseau d'allées, sera à même de
satisfaire tous vos besoins, mais demande de l'espace et beaucoup de travail.
Faute de place ou de temps, optez pour un jardin mixte. Vous disposerez
les plantes comestibles – y compris de petits arbres fruitiers –, de manière
à tirer partie de leurs qualités décoratives et vous les mêlerez aux espèces
ornementales. Dans vos bordures, associez légumes et fleurs. Beaucoup
de plantes comestibles prospèrent en pots ; un mini-jardin, une terrasse
ou une jardinière peuvent aussi être une source appréciable de produits frais.

## ▽ Supports

Il est indispensable d'étayer les légumes
grimpants, tels que les haricots à rames, ou
les pois de senteur (*Lathyrus odoratus*), destinés
à faire des bouquets qui parfument la maison.
Ici, ce sont deux bambous enfoncés en biais
dans le sol et renforcés par des cannes
horizontales. Si vous avez de l'espace,
optez pour un wigwam en bambou ou
un buisson en colonne coupé en pointe.

## Le potager

**Des allées de gazon empêchant la pro-
lifération des mauvaises herbes séparent les tranchées où les légumes sont
plantés en rangs. On obtiendra des
quantités de produits comparables sur
un plus petit terrain avec des tranchées plus étroites en cultivant plus
profondément le sol, l'accès se faisant
latéralement. Les cultures sont alors
plantées serrées plutôt qu'en rangs.**

### Rangées de plantes ▷

Traditionnellement, les légumes poussent dans
des tranchées bien ordonnées et largement séparées les unes des autres pour faciliter l'accès aux
cultures. Pour profiter à plein de l'espace, plantez
des salades à croissance rapide entre les plants
de légumes à développement plus lent.

### △ Un portique de poires

La plupart des arbres fruitiers sont très décoratifs
et certains admettent des formes compactes. On
fait souvent pousser pommiers et poiriers en espaliers en orientant plusieurs branches horizontalement de part et d'autre du tronc ou, comme ici,
en garnissant une série d'arcs métalliques.

## UN POTAGER DÉCORATIF

Ici, un pommier compact, des légumes et des herbes sont un régal pour les yeux. Les globes mauves des alliums, apparentés à l'oignon, dominent des blettes à tige rouge, un des légumes les plus colorés qui soient, et des soucis des jardins jaunes et orange *(Calendula officinalis)*, une espèce qui se multiple spontanément, souvent cultivée en ornement. Le jardin anglais traditionnel, mêlant librement plantes comestibles et décoratives, peut se révéler une excellente source d'inspiration.

## ◁ ALLÉES DE GAZON

Dans les grands potagers, l'herbe est un choix attrayant pour séparer les tranchées, mais elle demande à être coupée régulièrement et se change vite en boue quand il pleut. En ce qui concerne les allées souvent empruntées, surtout sur une petite surface, mieux vaut opter pour une surface dure, telle la brique.
VOIR AUSSI : pp. 24-27

## ◁ BORDURES AROMATIQUES

Les plantes aromatiques composent d'agréables bordures pour les allées. Faciles à cueillir, elles embaument l'air quand on les effleure en passant. Choisissez du thym, du romarin, de la lavande ou de l'hysope. Ici, des rangées de sauge pourpre *(Salvia officinalis,* Purpurascens*)* jalonnent un sentier semé d'herbe.

## △ LE COIN DES HERBES

Cultivez les herbes dans une plate-bande réservée à cet effet ou parmi d'autres espèces. La plupart prospèrent en plein soleil dans un sol bien drainé, notamment le thym qui se couvre de fleurs violettes au début du printemps *(ci-dessus)*.

## UNE BONNE GESTION

Une bonne gestion est nécessaire pour avoir un jardin sain et productif.

• Entretenez la fertilité et l'humidité du sol en y incorporant en quantité des matières organiques bien décomposées, du compost par exemple.

• Au potager, empêchez la prolifération des maladies et des parasites en effectuant chaque année de bonnes rotations.

• Brûlez les plantes malades et mettez au compost les feuilles mortes et autres déchets naturels.

## DES LÉGUMES EN POTS

Les haricots à rames poussent bien dans des conteneurs profonds s'ils sont soutenus à l'aide d'un wigwam de bambou par exemple. Pour les pots exposés au soleil, comme sur un balcon, optez plutôt pour des salades ou des tomates en grappes précoces.

# UN JARDIN DE PASSIONNÉ

On peut donner à ce qualificatif toutes sortes d'interprétations qui reflètent les goûts et les intérêts du jardinier. La qualité des plantations est invariablement la clé du succès. La passion du maître d'œuvre se traduit souvent par un goût pour les espèces rares, insolites, oubliées, en voie d'extinction ou plus courantes (comme les roses) dans un esprit de collection. Avant de se lancer dans une telle entreprise, il est indispensable de prendre en compte les conditions inhérantes au jardin. Les normes de culture sont très exigeantes, et l'on s'aperçoit vite que le jardin, loin d'être statique, évolue constamment. Et c'est là une source de satisfaction nouvelle.

## UNE BORDURE EXIGEANTE

**Cette bordure joliment agencée s'ornant de dahlias roses en fin d'été prouve qu'on a affaire à un jardinier sérieux tant dans la préparation du sol, la planification que dans le tuteurage et la coupe des fleurs fanées. Une telle perfection est profondément satisfaisante et, pour le jardinier dévoué, le travail qu'elle demande est une source de plaisir.**

◁ UNE SERRE À DOUBLE USAGE
Une serre est onéreuse, mais c'est un atout considérable et un excellent investissement. Non chauffées, elles servent surtout à faire pousser les semis jusqu'à ce que les plants soient assez robustes pour être repiqués en plein air. Les serres chauffées ont une multitude d'usages et peuvent abriter des espèces fragiles en permanence.
VOIR AUSSI : pp. 36-37

## SAUVAGE SUR LES BORDS !

**Grâce à un plan simple et des cultures peu exigeantes, le jardinier zélé peut optimiser son temps. Les combinaisons naturalistes de plantes poussant dans des conditions similaires – ici, herbes et orpins tolèrent bien la sécheresse –, permettent d'optimiser la beauté du feuillage et l'éclat des fleurs. Un paillis de gravier ou de matières organiques décomposées limitera les mauvaises herbes tout en retenant l'eau.**

### CONTRASTES DE FORMES ▷
Dans un amalgame naturaliste de plantes, les formes s'épousent comme dans les champs. Ici, un galon d'espèces aux feuilles argentées, y compris des *Senecio cineraria*, rehausse les touffes d'herbes, les massifs d'orpins ainsi qu'un yucca hérissé de pointes.

### SAISON PROLONGÉE ▷
Ici, les tons fauve et grenat de l'automne, les contrastes dépouillés de l'hiver jouent un rôle tout aussi important que les combinaisons vibrantes et fraîches du printemps et de l'été.

### LA TEXTURE DES FEUILLAGES ▷
Pour des effets riches et subtils, misez sur l'interaction de diverses textures de feuillages et les contrastes de couleurs. Les pointes raides et déchiquetées du yucca, encadré d'herbes légèrement inclinées, se détachent sur un fond de rameaux verticaux dans ce jardin automnal.
VOIR AUSSI : pp. 38-39

## S'APPROVISIONNER EN PLANTES

Acheter des espèces chez le pépiniériste revient cher. En faisant vous-même vos semis et vos boutures, vous multiplierez à moindre prix les plantes à votre disposition.

• Adhérez à un club d'horticulture local ou national pour profiter des programmes d'échange de semis et de jeunes plants et participez aux expositions où les pépiniéristes vendent généralement des variétés intéressantes.

• Aménagez une pépinière où faire pousser jeunes plants et semis avant de les repiquer.

• Ayez recours à des châssis de couche et à une serre pour multiplier vos cultures.

## UN JARDIN AU BORD DE L'EAU

Les sites particuliers à la lisière d'une mare ou d'une rivière comme les sols marécageux permettent d'associer des plantes aux mêmes exigences en laissant libre cours à votre imagination. Bien adaptées aux conditions locales, elles donnent l'impression d'un cadre naturel bien que les espèces proviennent souvent de régions géographiquement distinctes.

Cet assemblage en bordure d'eau, où le feuillage a la part belle, inclut un érable *(Acer)* et des hostas du Japon, des primevères asiatiques, un *Lysichiton* à grandes feuilles, originaire d'Amérique du Nord ainsi qu'un hybride du rhododendron himalayen et une fougère néo-zélandaise.

# SOL MEUBLE OU SOL DUR

La structure globale du jardin est généralement définie par les surfaces en dur. Allées dallées ou de gravier, cours pavées offrent l'avantage d'être peu salissantes, même par mauvais temps. Elles permettent une circulation aisée et offrent un accès facile tant aux bâtiments de jardin qu'aux espaces en plein air ou à une tonnelle. Les coûts des différents matériaux sont très variables. La pose, par exemple d'un pavage, peut nécessiter l'intervention d'un spécialiste. Jouez avec les couleurs, les textures et les motifs pour faire des allées une composante attrayante du jardin. La plupart des surfaces meubles sont ensemencées, de gazon par exemple. Certaines conviennent aux aires de jeux. Rares sont celles qui supportent les piétinements, surtout en temps de pluie, mais leur valeur fonctionnelle est souvent moins importante que leur apparence.

## SURFACES MEUBLES VOIR AUSSI : PP. 74-89

### PELOUSE D'AGRÉMENT

Le gazon cultivé avant tout pour son apparence est un mélange d'espèces à fines feuilles, agrostis et fétuque notamment.

**Le pour** : Son vert uniforme est reposant pour les yeux ; il est doux comme du velours sous les pieds.

**Le contre** : Convient seulement à un vaste espace scrupuleusement préparé. Doit être tondu très souvent (et roulé pour obtenir l'effet classique de bandes). Beaucoup d'entretien, y compris arrosage par temps sec. Coûteux et long à établir à partir d'un semis.

### PELOUSE FONCTIONNELLE

Le gazon résistant se compose d'un mélange d'espèces robustes incluant souvent de l'ivraie vivace.

**Le pour** : Agréable d'aspect, il résiste aux enfants turbulents. Moins exigeant que la pelouse d'agrément.

**Le contre** : Exige un bêchage en règle. Apparence toujours inférieure à celle du gazon d'agrément. Nécessite des tontes fréquentes et un arrosage par temps sec. Assez onéreux et long à établir à partir d'un semis.

## MARCHES DE JARDIN

C'est un moyen tant architectural qu'esthétique de relier différents niveaux sur une zone pentue. Elles incitent à explorer, mais peuvent constituer un obstacle, pour les brouettes notamment.

• Les marches sûres ont des fondations solides, une ample surface plane munie d'un revêtement antidérapant et une contre-marche pas trop haute.

• Le coût dépendra de la nature du site, de l'ampleur de l'escalier et du choix des matériaux.

• Les matériaux que l'on peut mélanger, bois et briques par exemple comme ici, devraient s'harmoniser aux autres structures intégrées.

## SURFACES DURES VOIR AUSSI : PP. 56-73

### TERRASSE EN BOIS

Des longueurs de bois naturellement imputrescible, tel le cèdre rouge, ou rendu imputride sous pression, sont soutenues par des solives pour former une surface plane, même sur un terrain incliné ou irrégulier.

**Le pour** : Bois disponible en panneaux. Relie bien le jardin à la maison. Adaptable. Possibilités de design avec la couleur, la texture ou le motif.

**Le contre** : Les conditions de construction et de charge sont parfois soumises à des règlements locaux ou nationaux. Un entretien régulier est nécessaire pour maintenir en l'état.

### GRAVIER

Ce sont des fragments de cailloux calibrés qui crissent sous le pas. La couleur varie selon la pierre d'origine. Souvent disposés sur du plastique pour décourager les mauvaises herbes.

**Le pour** : Assez bon marché. Facile à étendre, même sur un sol irrégulier. Convient aux compositions classiques et plus libres. Harmonise parterres et zones ouvertes. Le crissement dissuade les intrus.

**Le contre** : S'éparpille à moins d'être retenu par une bordure solide. Fréquemment véhiculé dans la maison sous les semelles. Désherbage fréquent.

## HERBE SAUVAGE

On laisse pousser et monter en graines des herbes, surtout indigènes, souvent mêlées naturellement de fleurs. Créez allées et motifs en tondant ici et là.

**Le pour** : On ne tond que quelques fois par an. Convient aux zones peu accessibles, pentues ou accidentées et aux sols pauvres. Contribue à préserver la flore. Propice à la faune sauvage.

**Le contre** : Il faut ramasser l'herbe coupée et éliminer les mauvaises herbes. Les petites surfaces d'herbes sauvages font parfois désordre !

## PELOUSE DE CAMOMILLE

Parmi les autres plantes susceptibles de créer une pelouse, les vivaces aromatiques comme la camomille (*Chamaemelum nobile*). Optez pour le cultivar "Treneague" rampant qui fleurit rarement.

**Le pour** : Sa texture contraste avec celles des autres parties du jardin. Légèrement piétiné, ce gazon exhale une agréable senteur de pomme. Ne nécessite qu'une petite coupe occasionnelle.

**Le contre** : Ne supporte pas d'être malmené. À restreindre aux zones peu fréquentées. Requiert de fréquents rajeunissements.

## ÉCORCES BROYÉES

Les écorces broyées mécaniquement, très employées comme paillis, conviennent aussi aux allées et aux aires de jeux.

**Le pour** : Relativement bon marché et facile à étendre. Doux sous les pieds, convient bien dans un jardin boisé.

**Le contre** : Peut avoir un effet écrasant sur une grande surface. À renouveler tous les deux ou trois ans, les copeaux se désintégrant et s'éparpillant à moins d'être contenus par une bordure.

## BÉTON ARMÉ

Le béton composé d'un mortier et de pierres concassées est coulé dans une armature métallique. Sur les grandes surfaces, prévoir des joints d'expansion pour éviter les fissures.

**Le pour** : Relativement bon marché et résistant, assez adaptable pour convenir à presque tout site, même biscornu. Si l'accès est aisé, on peut souvent se faire livrer du béton prêt à l'emploi. Possibilité de modifier couleur et texture.

**Le contre** : L'aspect rude difficile à cacher dans le cas d'une surface étendue, même en colorant le matériau.

## DALLES DE BÉTON

On trouve des dalles de béton précontraint de tailles, formes et tons divers, soit lisses, soit rugueuses, certaines imitant la pierre. Généralement disposées sur des bandes de mortier disposées sur du sable au-dessus d'un coffrage ou, pour les zones très exposées, comme les allées, sur une base en béton.

**Le pour** : Assez bon marché, facile à poser. Adaptable et durable. L'aspect s'améliore avec le temps.

**Le contre** : Au départ, les dalles ont un aspect brut. Certaines couleurs vives détonnent avec les plantes et les autres matériaux.

## PAVÉS DE GRANIT

Ces blocs de granit plus ou moins rectangulaires doivent être scellés avec du mortier ou du sable. La surface sera plus plane qu'avec des galets ronds choisis pour leur taille uniforme et disposés de la même façon.

**Le pour** : Très résistant. Pas d'entretien. S'harmonisent bien avec d'autres matériaux. Leur petite taille autorise une certaine souplesse. Jolis coloris. Plaisant dans un jardin classique ou plus informel.

**Le contre** : Cher tant à l'achat qu'à la pose. Surface légèrement irrégulière. Mouillés, ils sont glissants, mais pas plus que les autres sols en dur.

# DALLAGE ET PAVEMENT

## AUTRES SURFACES EN DUR VOIR AUSSI : PP. 56-73

### DALLES DE PIERRE

Ces carreaux réguliers sont généralement scellés dans du sable étalé dans un coffrage. Ils sont mis à niveau, les intervalles étant comblés avec du mortier ou du sable.

**Le pour** : Large gamme de couleurs et de textures. Très résistant et peu exigeant. Donne une impression de qualité dans les parties classiques du jardin.

**Le contre** : Coûteux à l'achat et à la pose. Demande du travail et de l'adresse à disposer pour obtenir une surface finie de formes imbriquées.

### CARRELAGE LOUFOQUE

Ces fragments de pierres aux formes irrégulières, scellés dans du sable sur une armature, sont imbriqués de manière à couvrir l'espace disponible. On peut utiliser un mélange de pierres différentes, comme ici. Les joints sont généralement remplis de mortier.

**Le pour** : Moins cher que les dalles. Généralement plus facile à poser. Résistant.

**Le contre** : L'assemblage des pierres prend du temps. Sur une grande surface, l'effet des joints irréguliers peut attirer désagréablement l'œil.

### PIERRES DE GUÉ EN BÉTON

Les dalles de béton précontraint, espacées selon l'écart de pas moyens, sont scellées dans du sable pour faciliter le passage parmi les plantes ou sur du gravier.

**Le pour** : Assez bon marché, facile à poser et résistant. Matériau propre et adaptable ayant de multiples usages. On peut aisément modifier le parcours des allées.

**Le contre** : Aspect "trop neuf" au départ. Ne se patine souvent pas assez pour s'harmoniser avec l'environnement.

## DALLAGES MIXTES VOIR AUSSI : PP. 56-73

### PIERRE, GRANIT ET GRAVIER

Un élément insolite, comme cette vieille meule, composé d'éléments ajustés, constitue le cœur d'un design incorporant gravier et blocs de granit.

**Le pour** : Saisissant quand le motif est disposé avec style, comme ici. Le mélange de matériaux crée un puissant effet de formes et de textures. Convient à un cadre formel. Résistant.

**Le contre** : Coûteux. Parfois difficile d'associer les matériaux de façon satisfaisante au-delà de deux. Il sera sans doute nécessaire de désherber le gravier.

### BRIQUES TAILLÉES ET TERRE CUITE

Ces briques taillées, disposées autour d'une série de cercles composés de pots en terre cuite imbriqués les uns dans les autres, créent ce motif circulaire original. Les pots sont scellés dans du sable, les briques dans du mortier.

**Le pour** : Un décor distinctif et attrayant à partir de matériaux plutôt modestes. Joli point de mire sur une vaste surface en briques.

**Le contre** : Même si les pots de fleurs sont résistants au gel, le centre en terre cuite est moins durable que les briques. La taille précise des briques est tout un art. Désherbage nécessaire.

### GROSSES PIERRES ET CAILLOUX

De grands fragments de pierre sont scellés dans le sable et disposés au milieu des cailloux de manière à ce que la surface soit presque plane.

**Le pour** : Les pierres naturelles sont meilleur marché que celles qui sont taillées. On les trouve même parfois sur place. Agréables contrastes de textures, de formes et, dans certains cas, de couleurs. Convient à un cadre informel. Résistant.

**Le contre** : Ne convient pas au design d'inspiration classique ni aux allées principales. La surface irrégulière peut être un risque. Désherbage souvent nécessaire.

## BRIQUES

Les briques étanches de tons et textures variés sont généralement sur des surfaces planes scellées avec du mortier et jointoyées. Les pavés d'argile, moins épais, sont disposés de la même manière.

**Le pour** : Matériau chaleureux, surtout près d'édifices en briques. S'harmonise bien avec la plupart des autres carrelages. Les divers modes de liaison peuvent avoir un effet très décoratif dans un cadre classique. Leur petite taille en fait des éléments de dallage flexibles.

**Le contre** : Pose coûteuse.

## CARREAUX

Les carreaux en argile cuite à haute température et les céramiques vitrifiées résistantes au gel sont posés sur une surface plane bétonnée.
Les premiers sont généralement scellés dans du mortier. Quant aux céramiques, on les fixe avec un adhésif spécial.

**Le pour** : Possibilité d'effets colorés et décoratifs (mosaïques). Relie bien intérieur et extérieur.

**Le contre** : Les carreaux vitrifiés mouillés sont glissants. Coupe difficile. Ne convient pas aux jardins informels.

## MOTIFS EN DALLAGE

Ces motifs font traditionnellement partie des designs de jardin, mais on peut en faire un usage tout à fait original, comme le montre cette illustration. Ici, les spirales sont composées de cailloux clairs et foncés scellés dans du ciment.

• De nombreux dessins, dans les jointures entre les briques par exemple, sont un moyen simple et agréable d'ordonner de petites surfaces dallées.

• Les motifs imbriqués renforcent les surfaces.

• Le recours à des matériaux contrastés réhausse l'effet.

## BRIQUES ET GRAVIER

Ces briques résistantes au gel scellées dans du mortier sur une base solide forment un design puissant tout en contenant le gravier.

**Le pour** : Un moyen économique de créer des motifs forts en exploitant les contrastes de textures et de couleurs. Cet amalgame convient aux parties plus classiques du jardin.

**Le contre** : Le gravier tend à se disperser ; il faut en rajouter de temps en temps. Prévoir une zone tampon en briques entre le dallage et la maison pour éviter de ramener des petits cailloux dans la maison. Désherber à l'occasion.

## DALLES DE PIERRE ET PELOUSE

Ces dalles de pierre de tailles diverses scellées dans le sable sont disposées autour d'un gazon bien coupé.

**Le pour** : Contrastes agréables de textures, de couleurs et de formes. On peut marcher sans risque sur les dalles par temps de pluie. Convient aux designs classiques. L'effet est obtenu même avec une petite étendue de gazon. Réussi même dans un mini jardin.

**Le contre** : Pour maximiser l'effet, il est essentiel de tondre régulièrement et avec soin la pelouse et ses bordures. Souvent nécessaire de désherber entre les dalles.

## DALLES DE PIERRE ET CAILLOUX

Ces cailloux non scellés de tailles diverses entourent des dalles régulières ou non, logées dans du sable.

**Le pour** : Un moyen économique d'utiliser une assez petite quantité de dalles offrant une surface plane pour marcher. Jolis contrastes de textures, et parfois de couleurs. Convient aux parties informelles du jardin. Les cailloux peuvent faire office de paillis où cultiver des plantes.

**Le contre** : Désherber la partie tapissée de cailloux. Ceux-ci risquent de s'éparpiller faute d'une bordure.

# CLÔTURES, MURS ET BARRIÈRES

Murs, barrières et haies constituent des clôtures et des écrans marquant la limite d'un jardin. Ces séparations font aussi office de protection pour les enfants et les animaux. Si elles sont assez hautes et construites solidement, elles sont efficaces contre les intrus. Même quand la sécurité n'est pas absolue, les clôtures engendrent une sensation d'intimité en cachant le jardin de l'extérieur et en limitant la vue si besoin est. Les structures ouvertes, portiques et pergolas, jouent les mêmes rôles, dans une certaine mesure. Selon les matériaux et sa hauteur, la clôture a une influence sur les conditions de culture à différents endroits du jardin en générant, selon les cas, pièges à chaleur, ombres portées, points secs, coupe-vent, abris. Elle sert aussi à étouffer les bruits et à se protéger des vapeurs d'essence due à la circulation.

## MURS AUTONOMES VOIR AUSSI : PP. 90-121

### MUR DE BRIQUES

Ils sont édifiés sur la base d'une armature et de béton, les briques étant liées avec du ciment et surmontées d'un chaperon protecteur.
**Le pour** : Résistant. Demande peu d'entretien. Garantit la sécurité et l'intimité. Couleurs et textures variées. Liaisons décoratives. La chaleur emmagasinée par le mur crée un microclimat du côté ensoleillé.
**Le contre** : Cher à construire ; requiert des compétences. Barrière solide contre le vent, à l'origine de turbulences du côté abrité.

### PLÂTRAGE

Il s'agit d'une couche de plâtre ou de mortier appliquée sur un mur, en béton par exemple, pour lui donner un aspect fini naturel. En général, on la peint ensuite.
**Le pour** : On obtient un mur solide et résistant ayant une bonne finition avec des matériaux assez bon marché. On peut ajouter de la texture en le brossant, en le peignant ou en faisant un crépi moucheté.
**Le contre** : Constitue une barrière solide contre le vent. Exige de l'entretien.

## CLÔTURES VOIR AUSSI : PP. 90-121

### PIQUETS EN BOIS

Ces pieux en bois verticaux enfoncés dans le sol sont reliés par des traverses auxquelles des montants sont assujettis à intervalles réguliers. Le bois peut rester brut ou être peint ou teint.
**Le pour** : Une jolie barrière légère. On peut la personnaliser en variant l'espacement et la largeur des piquets, en en façonnant la pointe et en les peignant. Grâce à l'espace entre les pieux, l'air circule, limitant le risque de turbulences.
**Le contre** : Exige de l'entretien. N'offre guère de sécurité et d'intimité.

### PANNEAUX DE BOIS

Composés d'un cadre et de lattes ou de planches, ils sont soutenus par des pieux en bois ou en béton afin de servir d'écran ou de barrière.
**Le pour** : Relativement bon marché. Facile à construire. Propice à l'intimité. Les barrières fermées faites de planches verticales imbriquées en biseau, assez solides, peuvent aussi être construites sur place.
**Le contre** : Les panneaux clayonnés où les planches s'imbriquent et les panneaux composés de lattes horizontales se chevauchent, légers et peu solides.

### BARRIÈRE EN POTEAUX ET BARREAUX

Les pieux en bois verticaux disposés à intervalles réguliers soutiennent généralement deux ou trois barreaux horizontaux. Châtaignier et chêne coupés dans la longueur et traités sont les matériaux les plus fréquemment utilisés. On peut obtenir une meilleure finition du bois scié peint.
**Le pour** : Relativement bon marché. Permet au jardin de s'intégrer au paysage environnant.
**Le contre** : Aucun abri ni sécurité contre les intrus. N'empêche pas les enfants de sortir ni les animaux d'aller et venir.

# MURS DE SOUTÈNEMENT Voir aussi : pp. 90-121

Disposés avec soin dans le jardin, bâtiments, mobilier, ornements, pots et plantes sont autant de points de mire.

• Ils constituent un but attrayant au-delà d'une limite ou d'une séparation.

• Ils attirent le regard vers un coin particulier du jardin.

• En les encadrant, comme ici, on intensifie leur magnétisme.

## MUR EN PIERRES SÈCHES

Ils sont édifiés avec des pierres locales, disposées en assise ou pêle-mêle, sans mortier. On peut créer des poches végétales en remplissant de terre certains espacements.

**Le pour** : Assez bon marché si on dispose de pierres. Résistant. Joli si envahi par des plantes désirables.

**Le contre** : Requiert de l'habilité dans la construction. Nécessite un certain entretien à long terme. Parfois difficile à désherber.

## MUR EN TRAVERSES

De vieilles traverses de chemin de fer, lourdes donc stables, peuvent servir de murs bas ou de marches. S'il y a plus de deux assises, elles doivent être maintenues à l'aide de tiges métalliques par exemple.

**Le pour** : Matériau résistant offrant une bonne toile de fond à la végétation. Convient aux parterres surélevés.

**Le contre** : Plus si bon marché. Adaptées aux murs de soutènement bas. Lourdes à manipuler. Du goudron suinte souvent. Parfois traitées avec un agent conservateur toxique pour les plantes.

## BARRIÈRE EN BAMBOU

Divers bambous, coupés soit en cannes, soit en taillis, peuvent être liés verticalement avec du fil de fer ou de la corde et soutenus par des pieux afin de créer écrans et clôtures. On peut disposer les cannes les plus épaisses à l'horizontale, comme ici.

**Le pour** : Excellents écrans. Variété de textures et de couleurs en harmonie avec la végétation.

**Le contre** : Pas évident à construire, à moins d'acheter des panneaux tout faits. Barrière relativement fragile. Requiert un entretien et des renouvellements réguliers.

## CLAIE

Des tiges de bois s'entrelacent pour former des panneaux de formes souvent légèrement irrégulières, soutenus par des poteaux ou des pieux.

**Le pour** : On trouve des panneaux prêts à l'emploi assez bon marché. À court terme, excellent pour fournir protection et intimité en attendant que des haies d'arbustes aient atteint leur pleine croissance. Couleurs et textures agréables se mariant bien avec les plantes. Rustique mais adaptable.

**Le contre** : Difficile à fabriquer sur place. D'assez courte durée.

## CLÔTURE EN FER

Les clôtures en fer forgé ou en fonte se composent généralement de barreaux verticaux et horizontaux suffisamment proches et hauts pour faire barrière aux animaux et aux intrus. On peut distinguer l'arrière-plan à travers ; elles sont décoratives tant vues du jardin que depuis l'extérieur. Il faut les peindre pour qu'elles ne rouillent pas.

**Le pour** : Durable. Sûr. Toutes sortes de motifs ornementaux possibles.

**Le contre** : Le fer forgé de qualité est onéreux. N'offre ni intimité ni abri. Demande à être fréquemment repeint.

# HAIES, TREILLES ET PERGOLAS

## HAIES VOIR AUSSI : PP. 90-121

### HAIE PERSISTANTE CLASSIQUE

Parmi les arbres et arbustes persistants adaptés aux haies classiques et constituant des écrans denses s'ils sont taillés régulièrement : le buis (*Buxus*), bordant ici l'allée, et l'if (*Taxus*), encadrant l'entrée.
**Le pour** : Très architecturale et durable. Convient pour des bordures basses comme pour des hautes barrières de sécurité. Propice aux autres plantes.
**Le contre** : Toutes les haies prennent du temps pour atteindre la bonne hauteur. À tailler annuellement, les espèces les plus rapides plusieurs fois par an.

### HAIE CADUQUE CLASSIQUE

Plusieurs variétés d'arbustes caducs qui réagissent aux tailles régulières en formant une surface dense conviennent. Le hêtre (*Fagus*) et le charme (*Carpinus*) conservent leurs feuilles mortes, d'un joli brun-roux, jusqu'au printemps. Ci-dessus, une haie de prunier-cerise (*Prunus cerasifera*, "Nigra").
**Le pour** : Des textures et couleurs plus variées que celles des haies persistantes.
**Le contre** : Les plantes les mieux adaptées perdent leurs feuilles en hiver (*Voir ci-contre* : Haie persistante classique).

### HAIES ET TOPIAIRES

Les topiaires, généralement taillées dans des arbustes persistants, créent des accents et des points de mire, ici en association avec des haies. Ce sont de simples figures géométriques ou bien elles représentent des animaux ou des oiseaux.
**Le pour** : À maturité, confèrent au jardin une structure spectaculaire.
**Le contre** : Gamme de plantes limitée, la plupart à croissance lente ou modérée. Les formes prennent du temps à se développer et requièrent une taille régulière, soignée et précise.

## PORTIQUES ET PERGOLAS

### ARBRES ENCHEVÊTRÉS

En faisant pousser les arbres de manière à ce que leurs tiges et leurs feuillages s'entremêlent, on obtient un bel écran en hauteur. On recourt souvent à des tilleuls (tel le *Tilia platyphyllos* "Rubra"), mais toute espèce à branches souples conviendra.
**Le pour** : Crée des perspectives insolites. Contrairement aux barrières au sol, laisse s'échapper l'air froid. On peut planter en dessous ou dresser une haie ou un mur.
**Le contre** : Palissage rigoureux requis au départ à l'aide d'un support en bois ou en fil de fer. Entretien annuel nécessaire.

### HAIE INFORMELLE

Les arbustes naturellement denses et touffus, dont certains rosiers, comme ici, peuvent être plantés en rangs, pour constituer une barrière. Si on ne les taille pas ou peu, afin qu'ils produisent fleurs et fruits, ces haies seront très décoratives.
**Le pour** : Souvent très colorées à certaines saisons. Peu de tailles requises et elles n'ont pas à être précises.
**Le contre** : Ces haies, épaisses, prennent de la place. Il faut tailler au bon moment pour éviter de perdre fleurs et fruits.

### PORTIQUE MÉTALLIQUE

Ce sont des armatures, généralement en fer forgé, composées de montants et de traverses, souvent en arceau, surmontant les allées. On peut les commander ou les acheter en kit. Comme les autres portiques, en bois par exemple, elles créent des accents, des transitions dans le jardin et s'ornent généralement de plantes grimpantes.
**Le pour** : Matériau solide et adaptable, donnant des structures élégantes de styles divers.
**Le contre** : Relativement cher à construire. Certains kits sont peu solides. Doit être peint de temps en temps.

## HAIE OUVERTE

Les ouvertures et fenêtres en arc sont normalement prévues d'emblée en liaison avec les allées principales et les perspectives sur le jardin. Au départ, les tiges sont arrimées à des supports, parfois à un portique s'élevant au-dessus de la haie.

**Le pour** : Souligne l'aspect architectural des limites et contribue à définir la structure du jardin. Guide le regard vers les perspectives et les points de mire, parfois surprenants.

**Le contre** : Requiert du soin. Le résultat dépend du rythme de croissance de l'espèce.

## HAIE-TAPISSERIE

Composée d'un mélange de feuillages, elle offre bien des contrastes. Dans le cas d'une haie de hêtres (*Fagus*) communs et pourpres, comme ici, c'est la couleur qui prime, mais en mêlant les espèces aux feuilles de tailles et d'apparences diverses, on obtient diverses textures contrastées.

**Le pour** : Effets saisissants, changeants selon la lumière.

**Le contre** : Certains mélanges sont irritants à l'œil. Tendance à un développement irrégulier selon les rythmes de croissance.

Voir aussi : pp. 90-121

## PORTIQUE EN BOIS

Pieux rustiques et bois de sciage forment des portiques plus en évidence que ceux en fer forgé (*voir à gauche*, portique métallique), mais les structures, surplombant les allées et encadrant souvent de belles perspectives, ont la même fonction.

**Le pour** : Matériau adaptable, pouvant être peint ou teint en harmonie avec d'autres éléments du jardin. On trouve partout du bois traité.

**Le contre** : On doit rafraîchir de temps en temps la finition et à plus ou moins longue échéance, il faudra remplacer le bois.

## PERGOLA RUSTIQUE

Cette structure, composée de portiques en pieux reliés entre eux supportant des plantes grimpantes décoratives, surmonte une allée qu'elle ombrage. On peut aussi employer du bois de sciage, des briques, de la maçonnerie ou du métal.

**Le pour** : Relativement bon marché et facile à construire, même pour un amateur. Fournit de l'ombre dans un nouveau jardin ensoleillé en attendant qu'arbres et arbustes poussent.

**Le contre** : Le bois même traité doit être remplacé à l'occasion. Moins durable et solide que les pergolas dans d'autres matériaux.

## UNE VARIÉTÉ DE BORDURES

Les bordures, généralement fonctionnelles, souvent décoratives, séparent une surface telle que dallage ou pelouse d'une plate-bande. Il peut s'agir d'une barrière au ras du sol faite d'un matériau dur, briques ou carreaux, d'un simple pourtour, en bois par exemple, encadrant une surface pavée ou encore d'une rangée de plantes basses.

• Une bande étroite de dalles au bord de la pelouse légèrement en contrebas (*voir ci-dessus* associée à une bordure de carreaux) simplifie la tonte.

• Les surfaces meubles, gravier par exemple, requièrent une bordure solide pour les contenir.

• Les surfaces composées de petites unités, briques ou pavés de granit, requièrent une bordure souvent à niveau afin de consolider les joints.

• Les haies taillées basses, ici le buis (*Buxus*), forment une enceinte nette autour de plantes plus fantaisistes, y compris les légumes.

• Des haies basses informelles, aromatiques dans le cas de la lavande (*Lavandula*) ci-dessous, adoucissent les limites entre dallage et marches et bordures et plates-bandes.

# L'EAU DANS LE JARDIN

De tout temps, plans d'eau, fontaines et ruisseaux ont agrémenté les jardins. L'eau exerce un magnétisme sur tout un chacun. Stagnante, elle ravit par sa surface, tel un miroir réfléchissant, brillant ou obscur. En mouvement, elle attire le regard par d'incessants jeux de lumière qu'accompagnent susurrements ou fracas. Grâce aux matériaux et équipements modernes, l'eau peut s'intégrer dans tout jardin, où elle attirera la faune aquatique et les oiseaux. On trouve maintenant partout des bâches qui permettent de créer des bassins de tailles diverses ainsi que des pompes immergées pour maintenir le flux. Deux mises en garde s'imposent : à moins d'être convenablement installé et isolé, tout matériel électrique peut provoquer un accident mortel au contact de l'eau ; de plus, les points d'eau sont aussi un danger potentiel pour les jeunes enfants.

## PLANS D'EAU Voir aussi : pp. 198-223

### PLAN D'EAU CLASSIQUE

Les bassins rectangulaires peuvent être construits en béton ou à partir d'une bâche souple ou rigide. Ils seront encastrés ou légèrement surélevés, comme ici. Simple miroir, on peut aussi couvrir en partie la surface de plantes ou la briser en l'ornant d'une fontaine.

**Le pour** : S'accommode de toute une gamme de matériaux de dallage. Joli, quelle que soit la taille. Convient même aux jardinets.

**Le contre** : Parfois difficile d'allier une forme stricte avec le désordre des plantes voisines.

### PLAN D'EAU INFORMEL

Les bassins au contour irrégulier sont généralement construits à l'aide d'une bâche souple ou rigide ; on peut aussi opter plus traditionnellement pour de l'argile corroyée. Pour avoir un aspect naturel, ils doivent s'intégrer dans une partie basse du jardin et être entourés de bordures garnies de plantes aquatiques.

**Le pour** : Facile à réaliser avec une bâche. Attire tout particulièrement la faune.

**Le contre** : Petit, surtout fait avec une bâche rigide, peut avoir l'air artificiel.

## FONTAINES Voir aussi : pp. 198-223

### FONTAINE CLASSIQUE

La plus simple consiste en un gicleur projetant en l'air au milieu du bassin un jet d'eau fonctionnant généralement grâce à une pompe immergée qui recycle l'eau ; sa hauteur dépend de la puissance de la pompe. On obtient des effets plus élaborés avec des gicleurs multiples, à angles divers, associés par exemple à des statues.

**Le pour** : Confère une autre dimension à un bassin ordinaire. Simple à installer et à faire fonctionner.

**Le contre** : Il faut camoufler un câble pour la pompe ; le jet d'eau peut être interrompu en hiver.

### FONTAINE MURALE

Traditionnellement, elle se compose de deux parties : un bec simple ou décoratif, comme un masque, d'où provient l'eau, et en dessous, une vasque, généralement en hauteur, qui récupère l'eau. Celle-ci est recyclée par une pompe immergée.

**Le pour** : Relativement bon marché. Il existe toute une gamme de styles. Facile à loger dans une cour ou sur une terrasse.

**Le contre** : Un goutte-à-goutte est souvent plus agaçant qu'apaisant. Il faut dissimuler câble et tuyaux entre la vasque et le bec.

### FONTAINE FANTAISIE

Gicleurs et becs peuvent être incorporés dans toutes sortes d'objets, comme ce vieil arrosoir métallique, ainsi que dans des sculptures plus conventionnelles. On vend souvent des becs et des prolongateurs destinés à multiplier les effets comme accessoires des pompes immergées ; vous pouvez aussi les acheter séparément.

**Le pour** : Une fontaine originale donne au jardin un caractère personnel. Il est aisé d'improviser avec des matériaux peu coûteux.

**Le contre** : À sélectionner avec soin car un certain type de fantaisie peut lasser.

# EAU EN MOUVEMENT <small>Voir aussi : pp. 198-223</small>

## BASSIN EN POT

On peut concevoir un petit plan d'eau convenant à une terrasse ou une serre d'agrément à partir d'une variété de récipients étanches, demi-ton-neaux, baignoires, vieux éviers. Les conteneurs en bois sont parfois imprégnés de substances nocives pour les plantes et les poissons. Bien les recouvrir.
**Le pour** : Relativement bon marché. Un moyen simple d'avoir de l'eau dans le plus petit jardin.
**Le contre** : Il faut fréquemment rajouter de l'eau par temps chaud et aussi vider le bassin en hiver, les petits volumes d'eau tendant à geler.

## EAU CANALISÉE

Les canaux peuvent avoir un rebord meuble garni de plantes naturalistes ou un caractère plus architectural, comme ici, où ils coupent à angle droit un bassin entouré de pavés de granit. Le courant sera naturel ou artificiel, une pompe faisant circuler l'eau.
**Le pour** : Intéressants jeux de lumière et de son possibles avec peu d'eau.
**Le contre** : Difficile à construire. Coûteux si on a recours à des professionnels.

## CASCADE

Il s'agit d'une succession de chutes d'eau, natu-relles ou artificielles, le long d'une pente. Le courant lui-même peut-être naturel ou entre-tenu par une pompe. Ici, une série de simples marches à rigole et rebord de pierre compose un vaste escalier d'eau au milieu d'un pré pentu.
**Le pour** : Effets vivants de mouvement, de lumière et de son. Les matériaux ne sont pas forcément onéreux.
**Le contre** : Faute d'un cours d'eau naturel, il faut une puissante pompe de recyclage en surface.

# PONTS <small>Voir aussi : pp. 198-223</small>

## FONTAINE DE GALETS

Un filet d'eau coulant doucement sur un lit de galets constitue un ornement simple, mais décoratif. Ici, la grosse pierre, percée en son centre, qui trône au milieu, dissimule encastrés le réservoir d'eau et la pompe électrique.
**Le pour** : Sans danger pour les enfants. Convient à un jardinet. Relativement cher en kit, mais facile à construire avec des matériaux bon marché.
**Le contre** : Sans grand intérêt quand l'eau ne coule plus, comme en hiver. Veillez à planter autour des espèces qui restent jolies toute l'année.

## UN PONT EN PLANCHES

Un pont rudimentaire composé de planches enjambant un ruisseau peut prendre un caractère esthétique, comme ici. Si on donne un grain à la surface en creusant des sillons peu profonds ou en la frottant avec une brosse métallique, les planches seront moins glissantes par temps de pluie.
**Le pour** : Des matériaux assez bon marché. Facile à construire. Convient bien à un bassin informel, propice à la faune.
**Le contre** : Ne convient pas à un passage principal dans un jardin. Requiert un entretien régulier pour une meilleure durabilité et une surface sûre.

## UN PONT À BALUSTRADE

Les ponts plats ou en dos d'âne dotés d'une ram-barde et débouchant sur des rives solides peuvent être construits en bois traité, comme ici, ou avec des matériaux plus coûteux, briques ou maçonne-rie. Des ponts en bois de petite taille sont dispo-nibles en kit.
**Le pour** : Élément sûr et pittoresque pour traver-ser de petits cours d'eau. On peut les garnir de plantes palissées. Bon marché en bois sous forme de kit.
**Le contre** : Les ponts vendus construits sont assez chers. En bois, ils requièrent un entretien régulier.

# AMÉNAGEMENTS ET MOBILIER DE JARDIN

Toute une gamme de structures, fixes ou mobiles, permet de profiter au maximum de la vie au jardin. Cabanes et bacs à sable occupent et ravissent les jeunes enfants ; plus tard, vous les remplacerez par d'autres équipements. Une piscine, attractive tant pour les enfants que pour les adultes, est un élément certes ambitieux, mais durable.
Des sièges sont indispensables. Un salon de plein air aux fauteuils confortables est un bonheur, mais quelques chaises pliantes peuvent suffire. Le mobilier permanent est pratique si vous dînez souvent dehors, et beaucoup ne peuvent se passer d'un barbecue.
De nuit, un bon éclairage contribue à créer une atmosphère chaleureuse et magique.

## STRUCTURES INTÉGRÉES Voir aussi : pp. 56-73

### BARBECUE ENCASTRÉ

Un barbecue simple en briques, comme ici, en blocs de béton ou en pierre se compose d'un âtre et d'une grille. Il faut aussi prévoir un espace pour stocker le combustible et des plans destinés à empiler les assiettes et à préparer la nourriture.
**Le pour** : Point central des repas en famille ou des fêtes. Assez facile à construire.
**Le contre** : Emplacement crucial pour obtenir un bon tirage et éviter le désagrément de la fumée et des mauvaises odeurs. Exige une surveillance constante. Usage restreint dans certaines régions.

### PAVILLON D'ÉTÉ

Ces petits édifices décoratifs, souvent en bois et généralement ouverts au moins d'un côté, offrent un site abrité à l'écart de la maison. À situer à l'endroit le plus esthétique, bénéficiant d'une belle perspective sur le jardin.
**Le pour** : L'opportunité d'un édifice architecturalement modeste, mais pittoresque.
**Le contre** : Les modèles spécialement construits ou prêts à bâtir sont chers s'ils sont bien conçus. En bois, ils requièrent un entretien régulier.

## SIÈGES Voir aussi : pp. 56-73

### BANC EN BOIS

Le bois, matériau classique des bancs de jardin, s'adapte à tous les styles, du simple et fonctionnel à l'ultra-décoratif, comme ici. On peut le teindre ou le peindre en harmonie avec l'esprit du jardin ou l'huiler pour lui conférer une finition naturelle. Dans le cas du mobilier en bois de feuillu, assurez-vous que le bois provient d'une source fiable.
**Le pour** : On trouve des bancs aussi robustes que ravissants. Souvent durables.
**Le contre** : Les beaux modèles sont généralement coûteux. Le confort est souvent secondaire. Demande de l'entretien. À rentrer en hiver.

### BANC À LATTES MÉTALLIQUES

Le mobilier de jardin le plus élégant est souvent en métal. Ici, un banc simple en fer forgé composé de lattes galvanisées. Les meubles plus ornés, souvent inspirés des modèles du XIXᵉ siècle, sont généralement en fer forgé ou en alliage d'aluminium, peint ou émaillé.
**Le pour** : On trouve de très beaux modèles. Souvent durables.
**Le contre** : Généralement cher. Parfois inconfortable et froid au toucher. Nécessite de l'entretien. Il est préférable de les rentrer durant l'hiver.

### BALANCELLE EN BOIS

Il existe toutes sortes de mobilier de jardin conçu pour le confort et la détente. Cette balancelle comporte une structure fixe, mais on peut ôter le siège pour le ranger sous abri l'hiver. Parmi les éléments déplaçables et facilement stockables : hamacs, chaises longues, transats et sièges de balancelles pliants.
**Le pour** : Confortable. Inspire la détente.
**Le contre** : Prend plus de place qu'un banc de la même taille. Ne peut être déplacée au gré d'une exposition à l'ombre ou au soleil. Demande de l'entretien.

## PISCINE

Il existe diverses techniques pour construire une piscine, mais le plus souvent, on a recours à du béton, souvent bâché et bordé de carrelage.

**Le pour** : Charme et élégance.

**Le contre** : Prend de la place et domine visuellement. Mieux vaut faire appel à un professionnel pour l'installation, donc coûteux. Structures nécessaires pour les vestiaires et le local technique. Danger potentiel pour les enfants sans surveillance. Entretien important.

## CABANE DE JARDIN

Elles sont traditionnellement en bois, comme dans le cas de cette cabane très personnalisée, bien qu'on en trouve en plastique dans le commerce, de couleurs vives. À placer sur un site ensoleillé que l'on peut surveiller.

**Le pour** : Une joie pour les enfants ; favorise des activités créatives.

**Le contre** : Deviennent inutiles quand les enfants grandissent. En bois, elles nécessitent de l'entretien.

## BAC À SABLE

Les petits sont toujours ravis de jouer avec du sable propre. Choisir un site ensoleillé, visible de la maison. Le sable, contenu ici dans un cadre en bois, devrait être disposé sur une membrane imperméable, étalée sur une structure tapissée de gravier. Une bâche peut protéger des détritus et des animaux.

**Le pour** : Activité en plein air sans danger pour les enfants. Peu coûteux, facile à construire. Peut être transformé plus tard en bassin.

**Le contre** : Superflu au bout d'un certain temps.

# ÉCLAIRAGE  VOIR AUSSI : PP. 56-73

## TABLES ET CHAISES

Indispensables pour les réceptions et les dîners, organisés ou impromptus, et les repas en plein air. Le mobilier de jardin est en bois, en plastique ou en métal, parfois léger et résistant aux intempéries, comme cette table et ces chaises métalliques. Il doit être disposé sur un sol plan et dur, idéalement sous un parasol.

**Le pour** : Pratique. Fait du jardin, ou d'une partie de celui-ci, un salon en plein air. Large gamme de modèles.

**Le contre** : Généralement coûteux. Prend de la place. Mettre sous abri l'hiver.

## LUMIÈRE ÉLECTRIQUE

On peut y recourir dans un jardin pour éclairer les allées et les lieux de réception, pour créer des effets, surtout avec des projecteurs ou des lumières en contre-champ, ou encore pour illuminer le pourtour de la maison afin de décourager les intrus. Des systèmes à faible voltage donneront un éclairage doux. Les dispositifs plus puissants requièrent une prise de terre, installée par un électricien.

**Le pour** : Facile à utiliser. Les promenades nocturnes dans le jardin se font sans risques. Métamorphose le cadre. Plus sécurisant.

**Le contre** : Certaines installations sont onéreuses.

## FLAMMES

Parmi les sources de lumière à base de cire ou de paraffine (liquide ou solide) : les flambeaux, les lanternes, les bougies, les torches. Dans certains cas, comme ci-dessus, la flamme est protégée par du verre.

**Le pour** : Peu coûteux. Méthode d'éclairage, facile à disposer selon les besoins. Procure une lumière douce et agréable. Certains systèmes incluent un insecticide.

**Le contre** : Source de lumière faible, plus décorative que pratique. Risques d'incendie. Il faut souvent renouveler les bougies.

# SERRES, CHÂSSIS, CLOCHES ET ABRIS

Un bon équipement contribue à la gestion efficace d'un jardin. Une serre vous permettra de cultiver des plantes exotiques qui réclament de la chaleur, de garder tout l'hiver les plantes qui craignent le gel, de faire des semis et de prolonger la période d'activité des végétaux. On obtient aussi de bons résultats avec un matériel plus modeste tels les châssis de couche et les cloches, mais qui se révèlent onéreux utilisés en grand nombre. Avec un conteneur à compost d'une bonne taille, acheté ou fait maison, vous recyclez les déchets du jardin et de la cuisine. Une fois décomposé, c'est un excellent engrais apte à améliorer la fertilité de la terre par ses apports nutritifs et micro-organiques. Vous gagnerez du temps et prolongerez la durée de vie de vos outils en les rangeant soigneusement, à l'abri dans une cabane.

## LES SERRES Voir aussi : PP. 274-287

### SERRE À DOUBLE VERSANT

L'un des modèles les plus courants. Elle se compose d'une structure métallique, ou comme ici, en bois. Les parois latérales, partiellement solides ou tout en verre, sont surmontées d'un toit à deux pentes réunies par une arête centrale.

**Le pour** : Nombreux modèles à différents prix. Permet un usage économique de l'espace avec de multiples tablettes. Bonne hauteur sous plafond. De nombreux accessoires disponibles.

**Le contre** : Admet moins de lumière que les serres dont toutes les parois en verre sont inclinées.

### SERRE ADOSSÉE

La charpente, en bois ou en métal, est accolée au mur d'un bâtiment et sert souvent de salon de jardin.

**Le pour** : De nombreux modèles disponibles. Bonne solution quand la place est insuffisante pour un modèle autonome. L'isolement fourni par le mur réduit la perte de chaleur. Meilleur marché à équiper en eau et électricité.

**Le contre** : Le mur réduit la luminosité. La ventilation est souvent inadaptée.

## CLOCHES ET TUNNELS Voir aussi : PP. 234-273

## CONTENEURS À COMPOST

### CLOCHE EN VERRE

Traditionnellement, elle se compose de panneaux vitrés maintenus en place par des attaches ou un cadre métalliques. Elle constitue une couverture protectrice que l'on peut abaisser sur des plantes ou des semis précoces. On trouve de plus en plus de cloches en plastique rigide.

**Le pour** : Faciles à déplacer pour protéger une plante unique ou un petit groupe. Le verre permet un meilleur apport de lumière que le plastique.

**Le contre** : Relativement cher sur une grande échelle. Le verre se brise facilement. À manier avec précaution.

### TUNNEL DE PLASTIQUE

Un tunnel de plastique flexible en continu soutenu par des arceaux en fil de fer sera disposé sur des cultures telles que carottes et salades précoces, plantées en rangs. Le plastique doit être solide et traité contre les ultra-violets. À ranger à l'abri du soleil. On trouve aussi des modèles en plastique rigide.

**Le pour** : Un moyen relativement bon marché de protéger les cultures précoces.

**Le contre** : Le plastique admet moins de lumière que le verre et retient moins bien la chaleur. Peu résistant.

### CONTENEUR EN BOIS

C'est un moyen de stocker des quantités relativement importantes de déchets végétaux provenant de la cuisine ou du jardin dans des conditions propices à la décomposition. Les panneaux frontaux amovibles facilitent le vidage. Si on en a deux à disposition, un tas peut être en décomposition tandis que l'autre est en maturation.

**Le pour** : Matériaux assez bon marché et construction à la portée de la plupart des jardiniers. Disponible en kit.

**Le contre** : Difficile à loger dans un jardinet. Pour ne pas sécher, le compost doit être couvert.

## CHÂSSIS VOIR AUSSI : PP. 274-287

### SERRE ORNEMENTALE

Les serres indépendantes conçues pour décorer le jardin peuvent avoir des charpentes en acier gainé de plastique, comme ici, en aluminium ou en bois. Ci-dessus, une serre traditionnelle à double versant montée sur des murs de briques.

**Le pour** : Peut être aussi efficace que les autres modèles pour protéger les plantes tout en agrémentant le site. L'acier est très solide.

**Le contre** : Les designs élégants sont plus chers que les modèles fonctionnels.

### CHÂSSIS DE COUCHE FAIT MAISON

Le châssis de couche traditionnel, destiné à protéger les plantes par temps froid, comporte un coffre en bois soutenant des vitres inclinées qui coulissent ou sont montées sur une charnière. On trouve de moins en moins de châssis en bois, mais ils sont faciles à fabriquer en bois ou avec des traverses.

**Le pour** : Les parois en bois retiennent bien la chaleur.

**Le contre** : Les rares modèles commerciaux sont coûteux. Moins faciles à déplacer que les cadres en aluminium.

### CHÂSSIS EN ALLIAGE D'ALUMINIUM

Il existe toute une gamme de châssis légers en alliage d'aluminium et en verre. Les panneaux du haut coulissent généralement.

**Le pour** : Facile à trouver en kit et à monter soi-même. Relativement bon marché. Laisse encore plus de lumière que les châssis en bois ou en brique. Peut être déplacé pour profiter des variations de lumière.

**Le contre** : Moins robuste que le châssis en bois ou en brique ; par temps froid, requiert un isolement supplémentaire.

---

VOIR AUSSI : PP. 274-287

## REMISES VOIR AUSSI : PP. 274-287

### CONTENEUR EN PLASTIQUE

On trouve de nombreux modèles en plastique, la plupart conçus pour des jardins petits ou moyens. Certains disposent d'un mécanisme pour retourner le compost, ce qui accélère la décomposition.

**Le pour** : Plus efficace que les conteneurs en bois pour maintenir la chaleur et l'humidité, nécessaires à la fermentation. Propre, compact et de couleur neutre. Généralement solide.

**Le contre** : Parfois assez cher et le prix n'est pas un critère de qualité. La quantité de compost obtenue dépend de la taille du conteneur, et est donc souvent réduite.

### ABRI DE PLAIN-PIED

On trouve de tels abris en différents matériaux, bois, béton, métal ou fibre de verre. Qu'ils soient conçus spécialement, en kit ou achetés tout faits, les meilleurs sont en bois, de préférence du cèdre naturellement imputrescible ou en bois rendu imputride sous pression.

**Le pour** : Coût modéré. Assure une bonne protection aux outils, y compris les tondeuses. Permet de s'abriter par mauvais temps, pour des travaux de rempotage par exemple.

**Le contre** : Ne pas placer en évidence. Requiert de l'entretien. Sécurité limitée.

### REMISE À OUTILS DÉCORATIVE

Peut être construite spécialement, achetée en kit ou déjà montée. Dans un petit jardin, elle peut apporter une touche décorative en s'intégrant au décor.

**Le pour** : Relativement bon marché et compact. Protège des intempéries. Bien situé, peut constitué un point de mire.

**Le contre** : Requiert de l'entretien. Même bien rangé à l'intérieur, difficile d'y loger un équipement volumineux. Certains articles du commerce sont de mauvaise qualité. Sécurité limitée.

# QUELLE PLANTE POUR QUEL EFFET ?

Quel que soit l'équilibre entre les aménagements en dur et la végétation, au fil des saisons, ce sont les plantes qui donnent vie au jardin. Les couleurs jouent un rôle essentiel, et la palette disponible, entre le feuillage et les fleurs, est infinie. La texture des feuilles et toutes les autres parties des végétaux qui réfléchissent la lumière ou créent des motifs d'ombre complexes ajoutent de nouveaux attraits. Parmi les multiples qualités des plantes à exploiter, la fragrance est l'une des plus précieuses, qu'elle soit épicée, enivrante ou douce. Certaines espèces d'arbustes sont du meilleur effet en topiaire ou taillées de façon particulière. D'autres, comme les rosiers, les lierres ou les clématites embellissent les murs et séparations.

## POUR UN EFFET SAISONNIER VOIR AUSSI : PP. 122-165

### PRINTEMPS

C'est le summum de l'année pour les plantes à bulbes colorées que l'on associera à des annuelles ou biannuelles, comme ici. Les plantes bulbeuses les plus subtiles se marient bien avec les espèces feuillues des bois et les innombrables variétés de rocaille qui s'épanouissent au printemps. Bon nombre d'arbres et d'arbustes sont en plein essor à cette époque, notamment les magnolias, les prunus et les rhododendrons. Pour les façades et les pergolas, parmi les plantes grimpantes, optez pour une glycine et une clématite.

### ÉTÉ

C'est la période où la plupart des plantes se couvrent de feuilles et de fleurs. Durant la première moitié de l'été, les rosiers à floraison unique explosent ; les autres tiendront tout l'été. Lupins, delphiniums et œillets (*Dianthus*), ci-dessus, font partie des innombrables plantes de bordure qui s'épanouissent les unes après les autres, en parallèle avec les bulbeuses printanières. Pour les plates-bandes et les pots, pensez aux pétunias et à la verveine qui fleurissent longtemps, outre de multiples annuelles colorées au demeurant moins tenaces.

## POUR LA COULEUR ET LA TEXTURE VOIR AUSSI : PP. 122-165

### THÈME COLORÉ

C'est l'un des moyens les plus sûrs de garantir la cohérence d'une plate-bande. Il s'agit de choisir des fleurs qui s'harmonisent ou s'opposent en les associant à des feuillages compatibles. Les compositions unicolores sont souvent plus complexes qu'il n'y paraît, comme dans le cas de cet assemblage frais de fleurs blanches printanières et de feuillages argentés et panachés de crème. Les harmonies se fondent sur des nuances voisines, mais les contrastes sont tout aussi importants. Le choc occasionnel, un violet ou un orange vif par exemple, éveille le jardin.

### PALETTE FLORALE

Loin d'être l'unique composante décorative des plantes, les fleurs ont néanmoins une qualité sans nulle autre pareille : choisir et combiner leurs couleurs est l'un des défis les plus excitants qui soit au jardin. La gamme va du blanc et des tons pastel aux coloris vifs et intenses comme dans le cas des croix de Jérusalem (*Lychnis chalcedonica*) ci-dessus, et au noir profond. La couleur des fleurs est rarement morne et uniforme. Individuellement ou en groupe, elles occasionnent des mélanges de teintes subtiles, et parfois une combinaison saisissante de couleurs de base et de tonalités audacieuses.

### FEUILLAGES MULTICOLORES

Sauf en automne, les couleurs des feuillages ne présentent pas les mêmes vivacité et variété que les fleurs, mais les feuilles durent plus longtemps. Le vert du feuillage offre une toile de fond reposante et réconfortante des paysages naturels. Dans un jardin, on peut exploiter cette gamme infinie de tonalités vertes et les variations de couleurs encore plus saisissantes. Parmi les panachages les plus spectaculaires, les blancs et jaunes, les dorés, toute une gamme d'argentés, de gris et de bleus, outre les nuances intenses de bronze et de pourpre, comme dans le cas de cette épinette vinette.

Voir aussi : pp. 184-197

## AUTOMNE

On aura l'illusion que l'été se prolonge grâce aux plantes à floraison prolongée, notamment les roses, les fuchsias, les pélargoniums et diverses clématites à petites fleurs. Celles-ci font la jonction avec les plantes plus authentiquement automnales, des vivaces telles les asters, les anémones du Japon, les heleniums et les plantes bulbeuses, de la délicate cyclamen aux vrais crocus et colchiques d'automne. Le feuillage coloré des arbres et arbustes caducs, les baies vives annoncent la fin de l'été avant la chute des feuilles.

## HIVER

L'activité végétale semble interrompue en hiver, lorsque les formes dépouillées, si puissantes dès lors qu'elles sont mises en valeur par le givre ou la neige, prennent le pas sur les couleurs. Les herbes et les formes spectrales des arbres et arbustes caducs ont une beauté intense bien que discrète sur la toile de fond des conifères. Il y a pourtant des signes de vie que trahissent le parfum étonnamment pénétrant de divers arbustes épanouis et les premières fleurs des bulbes et annuelles précoces, tels les perce-neige (*Galanthus*) et les ellébores.

Voir aussi : pp. 90-121

## TEXTURE DU FEUILLAGE

Le feuillage offre les plus beaux contrastes de texture au jardin. Les plus riches assortiments se fondent sur l'interaction de plusieurs caractéristiques, la qualité de la surface de la feuille, notamment, qu'elle soit mate ou brillante, cireuse ou duveteuse. Les feuilles ridées et froncées, celles aux contours ondulés ou dentelés s'opposent aux lisses et aux profils plus réguliers. La taille et la forme des feuilles ont aussi leur importance. Ici, les grandes feuilles d'un bergenia se détachent sur la fronde sculptée d'une fougère ; elles seraient tout aussi harmonieuses avec de longues herbes fines.

## MÉLANGE DE TEXTURES

À l'instar du feuillage, d'autres parties des plantes donnent de la texture au jardin. Les fleurs aussi ont des textures très distinctes, tour à tour douces, veloutées, comme dans le cas des iris à barbe, vives et étincelantes, chez de nombreuses tulipes. Les parties comparables à des feuilles auréolant les fleurs offrent des effets frappants. Ici des bractées déchiquetées ornant les capitules d'un chardon bleu (*Eryngium*) se détachent sur un arrière-plan de nigelles (*Nigella*) dont les fleurs s'ornent d'une collerette de plumes fines. Écorces, brindilles, capitules et fruits ajoutent d'agréables textures.

## CATÉGORIES DE PLANTES

Les termes suivants sont les plus souvent employés par les horticulteurs, les pépiniéristes et dans les catalogues de plantes.

• **ANNUELLES ET BISANNUELLES.** De courte durée. Les annuelles achèvent leur cycle de vie en une saison, les bisannuelles vivent deux années de suite.

• **PLANTES DE PLATES-BANDES.** Généralement des annuelles, bisannuelles ou de jeunes vivaces servant d'ornement temporaire.

• **BULBES.** Stricto sensu, des bourgeons renflés, généralement souterrains, qui emmagasinent des réserves nutritives durant une période de repos. Ce terme fait référence à des plantes qui reconstituent chaque année leurs parties aériennes à partir d'un bulbe, d'un corme, d'un rhizome ou d'un tubercule.

• **PLANTES GRIMPANTES.** Plantes à tiges souples qui poussent en hauteur en s'enroulant autour de supports ou qui s'attachent grâce à des vrilles, des racines spéciales ou des crochets.

• **CONIFÈRES.** Arbres ou arbustes à feuilles persistantes écailleuses, en lanières ou à aiguilles. La plupart portent des cônes ligneux, mais l'if (*Taxus*) présente des baies charnues.

• **FOUGÈRES.** Des plantes sans fleurs qui se reproduisent au moyen de spores, à feuilles alternes dites frondes, souvent enroulées en crosse.

• **HERBES.** Plantes aux tiges jointes, normalement gainées de longues feuilles étroites, aux capitules en épis ou en plumeaux. Pour gazons, tapis et couvre-sol. Les bambous font partie de la famille.

• **COUVRE-SOL.** Plantes généralement basses, à feuilles persistantes. Feuillage décoratif formant un épais tapis résistant aux mauvaises herbes.

• **VIVACES.** Plantes vivant plus de deux ans. Généralement des herbacées, non ligneuses qui meurent en hiver pour renaître au printemps.

• **PLANTES DE ROCAILLE.** Arbustes bas, vivaces ou bulbes (pas nécessairement alpins, c'est-à-dire originaires des montagnes) convenant à une rocaille ou une plate-bande surélevée.

• **ARBUSTES.** Plantes ligneuses, plus petites que les arbres, à feuilles caduques ou persistantes, dont les branches principales poussent près de la base.

• **ARBRES.** Plantes ligneuses à feuilles caduques ou persistantes, plus grandes que les arbustes, dont le tronc dégagé soutient les branches.

• **PLANTES AQUATIQUES.** Terme générique faisant référence aux plantes qui poussent enracinées, flottant ou immergées dans l'eau ainsi que celles qui s'épanouissent sur les rives ou dans les marais.

# QUELLE PLANTE POUR QUEL EFFET ?

## POUR LEUR PARFUM <small>VOIR AUSSI : PP. 184-197 ; PP. 224-233</small>

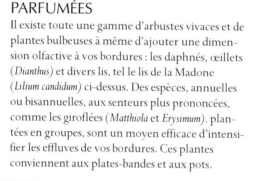

### ARBRES ET ARBUSTES ODORANTS

Ces espèces aux fleurs parfumées créent des effets magiques au jardin en embaumant l'air, même à distance. Leurs effluves, portées par le vent, sont souvent une délicieuse surprise. C'est le cas notamment de plusieurs arbustes d'hiver aux fleurs parfumées, mais discrètes, tel le chimonanthe (*Chimonanthus*). En été, les tilleuls (*Tilia*) sont aussi une source de fragrance mystérieuse. Les azalées (*Rhododendron*), ci-dessus, sont plus capiteuses, de même que les lilas (*Syringa*) et les seringas (*Philadelphus*).

### PLANTES DE BORDURES PARFUMÉES

Il existe toute une gamme d'arbustes vivaces et de plantes bulbeuses à même d'ajouter une dimension olfactive à vos bordures : les daphnés, œillets (*Dianthus*) et divers lis, tel le lis de la Madone (*Lilium candidum*) ci-dessus. Des espèces, annuelles ou bisannuelles, aux senteurs plus prononcées, comme les giroflées (*Matthiola* et *Erysimum*), plantées en groupes, sont un moyen efficace d'intensifier les effluves de vos bordures. Ces plantes conviennent aux plates-bandes et aux pots.

### PLANTES AROMATIQUES

On cultive depuis fort longtemps des herbes aromatiques pour leurs vertus gustatives et médicinales. Il suffit souvent d'effleurer leurs feuilles pour libérer les essences volatiles à l'origine de leur arôme. Cultivées à part ou mêlées à d'autres espèces, elles doivent être placées avec soin : en lisière d'une bordure que l'on frôle en passant, parmi les dalles où on les piétinera légèrement ou dans des pots suffisamment proches pour que l'on puisse pincer leurs feuilles.

## PLAN DE CULTURES

Les plantations définissant et soulignant la structure d'un jardin qui conserve ainsi son intérêt toute l'année se répartissent en trois grandes catégories.

• En premier lieu, celles qui donnent un cadre au jardin. Il n'est pas toujours nécessaire de planter des arbres et arbustes coupe-vent, mais ils font partie de ce groupe, de même que les haies et les espèces volumineuses destinées à structurer l'espace, à le diviser ou à faire office de points de mire. Les pelouses sont presque un élément bidimensionnel de cette charpente ; quant aux plantes grimpantes, elles sont indispensables pour cacher ou habiller les surfaces verticales — murs et clôtures.

• Les principales plantes remplissant ce cadre sont des arbustes, des vivaces et des bulbeuses. On peut associer divers spécimens du même végétal, de préférence en nombre impair, afin de créer des groupes informels ou des bancs. On obtiendra un effet plus naturel en mélangeant des espèces à l'instar des foisonnements de la flore sauvage.

• Les cultures temporaires permettent de créer des tableaux colorés ou de peupler un nouveau jardin. Les annuelles donnent des résultats presque immédiats ; arbustes et vivaces à croissance rapide, plantés serrés pour combler les vides, doivent finalement être éclaircis.

## POINTS DE MIRE ET ACCENTS <small>VOIR AUSSI : PP. 90-121</small>

### TOPIAIRES

Arbres et arbustes taillés, aux formes géométriques ou figuratives telles des sculptures vivantes, ont un impact puissant dans un jardin. Isolés, ils font office de points de mire ; groupés, le long d'une allée par exemple, ils agrandissent l'espace. On utilise souvent des conifères. La croissance assez lente du laurier (*Laurus nobilis*), du buis (*Buxus*) et de l'if (*Taxus*), ci-dessus, est frustrante au départ, mais devient un avantage une fois les espèces à maturité, car il suffit dès lors d'une taille par an.

### ARBRES ET ARBUSTES SINGULIERS

La combinaison d'une forme naturellement intéressante et d'une ou deux autres caractéristiques — un splendide feuillage, une écorce distinctive ou une abondance de fruits — peut faire d'un arbre un admirable point de mire. On placera un tel spécimen au bout d'une perspective afin d'attirer le regard, à moins qu'il ne serve à marquer une importante intersection. Les colonnes étroites et la frondaison des saules font partie des plus belles formes. Le poirier aux fleurs argentées (*Pyrus salicifolia*) ci-dessus constitue un beau point central ; il existe aussi une espèce pleureuse.

# POUR UN ENTRETIEN FACILE VOIR AUSSI : PP. 74-89 ; PP. 122-165

## COUVRE-SOL VIGOUREUX

Les plantes persistantes, naturellement denses, peuvent constituer un tapis végétal où les mauvaises herbes auront du mal à pousser. Ces espèces requièrent un soin minimal et s'étendent rapidement en s'entremêlant avec leurs voisines afin de former un épais couvre-sol. Pour être agréable à l'œil, elles doivent être décoratives. Le lierre (*Hedera*) est apprécié pour les couleurs et la forme de ses feuilles. Les pervenches (*Vinca*), ci-dessus, s'ornent de jolies fleurs au printemps et au début de l'été.

## FEUILLAGE DENSE

Toutes les plantes à feuillage dense qui poussent d'elles-mêmes ne s'entremêlent pas pour former un couvre-sol. Disposées à proximité d'autres vivaces et d'arbustes de constitution similaire, elles peuvent néanmoins composer un tapis très décoratif récalcitrant aux mauvaises herbes. Malgré leurs frondes fragiles, de nombreuses fougères sont résistantes, durables, et particulièrement adaptées à cet usage dans les parties ombragées du jardin.

## DISPERSION NATURELLE

Les plantes qui se dispersent naturellement permettent, sans effort, de combler les trous des bordures en limitant les mauvaises herbes. Elles confèrent au jardin une structure désinvolte, et tout jeune plant indésirable est aisément éliminé. Une sélection soignée est cependant nécessaire car certaines de ces espèces évoluent en mauvaises herbes. Parmi les annuelles et bisannuelles : la plante aux œufs pochés (*Limnanthes*) et la monnaie du pape (*Lunaria*). Chez les vivaces, optez pour le manteau de Notre-Dame (*Alchemilla*) ou l'ancolie (ci-dessus).

# POUR GARNIR CLÔTURES ET SÉPARATIONS VOIR AUSSI : PP. 90-121

## ROSIERS GRIMPANTS ET RAMPANTS

Les rosiers aux tiges ascendantes, tentaculaires, prospèrent sur toutes sortes de supports. Les plus vigoureuses sont les espèces grimpantes qui s'ornent de grappes de petites fleurs parfumées au début de l'été. Elles sont idéales pour les pergolas et les arbres. Les moins robustes, à grosses fleurs en petites grappes, peuvent être attachés à un treillis, à des arceaux métalliques ou à des fils tendus contre les murs. Certains rosiers sont parfumés ; d'autres fleurissent plusieurs fois durant l'été.

## RACINES AÉRIENNES

Un grand nombre de ces plantes très décoratives s'attachent aux surfaces par le biais de racines aériennes ou "ventouses", les plus vigoureuses pouvant couvrir de vastes surfaces. C'est le cas des lierres (*Hedera*), souvent à petites feuilles bien que certains aient un feuillage plus ample, joliment panaché, comme ci-dessus. La vigne vierge et ses proches parents (*Parthenocissus*) sont caducs et prenent de splendides couleurs à l'automne. Si le mur de soutien est sain, il n'y a aucune raison que les racines de ces espèces causent des dommages.

## ENTRELACS

De nombreuses plantes grimpantes, tel le chèvrefeuille (*Lonicera*), s'élèvent en s'entourant autour de supports. D'autres, la plupart des clématites par exemple, y compris l'hybride à grosses fleurs ci-dessus, grimpent grâce à leurs pétioles volubiles. Elles conviennent aux arceaux, ainsi qu'aux murs garnis de treillage ou de fils de fer. Parmi les arbres et arbustes, elles donnent lieu parfois à de jolies coïncidences ou des floraisons successives selon que les deux espèces s'épanouissent simultanément ou l'une après l'autre.

# UNE PLACE POUR CHAQUE PLANTE

Il existe deux approches, apparemment très divergentes, pour agencer les zones cultivées d'un jardin. D'un côté, on alloue aux plantes des espaces géométriques où elles s'ordonnent de façon précise et systématique, d'un autre, on crée une communauté de plantes qui semblent avoir poussé naturellement, auquel cas un assemblage artificiel est aussi incongru que les lignes et les angles droits. Dans ce cas, assurez-vous que les plantes que vous avez choisies s'entendent bien entre elles. Que les espèces soient rigoureusement rangées, disposées fortuitement ou dans des pots, la règle d'or est la même : pour réussir, choisissez les variétés qui s'acclimatent aux conditions ambiantes.

## PARTERRES ET MASSIFS VOIR AUSSI : PP. 122-165

### MIXED-BORDER

Le terme "bordure" désigne souvent strictement un terrain régulier à usage décoratif longeant le jardin ou encore une bande large au pied d'un mur ou d'une haie. On aménage un espace ordonné et un sol méthodiquement labouré. En fait, une bordure peut avoir toutes sortes de formes et se situer n'importe où dans le jardin. Un mélange d'arbustes, de bulbeuses et de vivaces, y compris des herbes, plutôt qu'un alignement d'herbacées, vous ravira toute l'année.

### PLATE-BANDE SAISONNIÈRE

De manière générale, une plate-bande est une bande de terre cultivée dans un jardin, mais cela ne s'arrête pas là. Dans le cas d'une zone ornementale, il s'agit plutôt d'un espace ouvert, souvent au centre du jardin où les plantations changent au fil des saisons. En début d'année, on y trouvera des pensées d'hiver (*Viola*) et des bulbeuses, telles les tulipes ; puis le parterre s'emplira d'espèces, pétunias et verveine qui s'épanouissent tout l'été.

## PLANTES NATURALISÉES VOIR AUSSI : PP. 74-89 ; PP. 122-165

### PLANTES ET GRAVIER

Cette technique de culture apparemment naturelle et fortuite convient surtout aux jardins secs garnis d'espèces qui tolèrent le manque d'eau. La couverture de gravier améliore le drainage en surface, mais elle contribue aussi à conserver l'eau grâce à une évaporation lente. Le gravier sert également d'isolant et ne devrait pas être répandu sur une terre froide ou gelée. Il décourage la prolifération des mauvaises herbes, mais celles qui sont vivaces devront être éliminées avant d'étaler le gravier.

### PRÉ ET CHAMP

Les plantes décoratives mêlées à l'herbe s'apparentent, comme ci-dessus, aux prés et aux champs. Pour réussir, il s'agit de choisir des espèces qui s'acclimatent ensemble aux conditions locales, qu'elles soient indigènes ou issues d'un climat et d'une terre similaires. Il faut parfois du temps pour établir une communauté naturalisée stable qui se perpétuera d'elle-même. Au départ, il convient d'éliminer les mauvaises herbes rivales, et dans le cas d'une prairie, de réduire la fertilité du sol afin d'empêcher les fleurs d'être étouffées par des herbes trop vigoureuses.

### SOUS-BOIS

De nombreuses plantes prospèrent dans la lumière tachetée filtrant à travers la frondaison d'arbres caducs, même si elles fleurissent surtout au printemps avant que se déploie le dais de feuillage. Un vrai "sous-bois" peut se métamorphoser en un jardin naturaliste grâce à une plantation à grande échelle, de rhododendrons notamment qui apprécient l'acidité du sol. On peut obtenir la même impression avec les vestiges d'un ancien verger, voire un arbre solitaire, en plantant dessous des plantes à bulbes et des vivaces tolérant l'ombre, fougères, ellébores, voire un arbuste ou deux.

Voir aussi : pp. 166-183 ; pp. 234–273

## PLATE-BANDE CERNÉE DE HAIES

Les parterres entourés de haies basses étaient caractéristiques des jardins des XVIe et XVIIe siècles ; de nos jours, ils figurent souvent dans les designs classiques. La plante à bordure basse la plus couramment utilisée, comme ici, est le buis toujours vert (*Buxus sempervirens* 'Suffruticosa'). À l'intérieur, on plantera des variétés saisonnières ou plus durables, des roses par exemple. Le foisonnement de la plate-bande contraste souvent agréablement avec la rectitude de la bordure.

## MASSIF SURÉLEVÉ

Les plates-bandes surplombant les allées environnantes conviennent tant au jardin d'agrément qu'au potager. L'objectif est souvent de créer des conditions de croissance spécifiques, notamment pour de nombreuses plantes à bulbes et de rocaille qui nécessitent un sol bien drainé. La hauteur facilite aussi la tâche du jardinier et met en valeur les petites plantes qui sinon passeraient inaperçues. Les bordures peuvent être construites dans différents matériaux, briques ou traverses notamment.

## PARTERRE POTAGER

Le potager peut être réparti en plusieurs grands parterres striés de longues rangées de cultures, comme ici. Celles-ci sont facilement accessibles ainsi, mais le sol entre les rangées ne produit rien et devient compact à force d'être piétiné. On peut aussi opter pour de petites bandes ou carrés permanents en travaillant depuis les allées de part et d'autre. La terre s'améliore constamment, les plantes poussent beaucoup plus près les unes des autres, d'où des rendements accrus.

Voir aussi : pp. 198–223

# CONTENEURS Voir aussi : pp. 166-183

## AU BORD DE L'EAU

Peu de jardins bénéficient d'un ruisseau ou d'une mare où l'on peut naturaliser des plantes uligneuses, mais il est aisé d'inclure des plans d'eau et des zones marécageuses à l'aide de bâches souples. Un jardin aquatique peut border un cours d'eau ou une mare, ou être indépendant. Isolé, il doit se trouver dans une zone basse pour avoir l'air naturel. Contrairement aux bâches de piscine, celles utilisées à cet effet sont perforées, mais la terre qu'elles contiennent retient assez d'humidité pour convenir aux espèces concernées, même s'il faudra arroser par beau temps.

## POTS, BACS ET JARDINIÈRES

Les plantes en pots donnent davantage d'envergure au jardin. Qu'ils soient des éléments permanents ou saisonniers, seuls ou en groupes, ces conteneurs animeront un coin morne, attirant l'attention, ou apporteront couleurs et verdure à une terrasse. Il en existe d'innombrables sortes, en terre cuite, en plastique, bacs et jardinières en bois, jardinières en fibre de verre, urnes métalliques… Tout récipient peut convenir, pourvu qu'il soit stable et qu'on puisse pratiquer des trous à la base afin de drainer l'excès d'humidité.

## JARDINIÈRES SUSPENDUES

Celles-ci multiplient les possibilités de décoration dans le jardin et permettent de cultiver des plantes là où il n'y a ni terre ni espace pour disposer des pots ou des bacs. Comme tous les autres conteneurs, elles doivent être perforées à la base et assez grandes pour contenir du compost destiné à alimenter les plantes en nutriments et en eau. Avant de les mettre en place, il faut déterminer comment on les arrosera. Les crochets et supports doivent être solidement attachés.

# DÉFINIR SON PROJET

Que vous organisiez un jardin à partir de rien ou en modifiant l'agencement existant, créé par d'autres ou par vous-même, il faut avoir une idée précise du résultat auquel vous souhaitez parvenir. Il n'est pas nécessaire de tout définir d'emblée dans le moindre détail. Cependant, vous devez avoir les idées claires quant au style et à l'ambiance recherchés et aux éléments qu'il importe d'intégrer. Opérer des changements par la suite est coûteux et prend beaucoup de temps. Il vaut mieux vous donner la peine d'ordonner vos projets et de déterminer la marche à suivre pour obtenir le jardin qui s'accorde à vos souhaits.

## SOURCES D'INSPIRATION

Les informations et les idées glanées dans les livres, les revues ou à la télévision sont utiles pour définir l'aspect que vous entendez donner à votre jardin. Vous pouvez aussi vous inspirer des jardins modèles présentés dans les expositions, mais souvenez-vous qu'ils ont été mis en scène spécialement et ne reflètent sans doute pas la réalité des soins et de l'entretien nécessaires d'un bout à l'autre de l'année.

INSPIRATION DIRECTE. Les vrais jardins, ceux de vos amis, de vos voisins comme ceux ouverts au public, sont de loin les meilleures sources d'inspiration. Même s'ils sont vastes, vous y trouverez souvent quelque chose que vous pourrez adapter à votre modeste terrain, que ce soit l'aménagement d'une pente, une espèce spécifique ou une structure telle une plate-bande surélevée.

RÊVE FLORAL ▷
*Voici le jardin idyllique pour certains : des bordures débordantes de fleurs, une allée de gazon tondu, un vieux cadran solaire, un portail en fer forgé donnant sur un paysage lointain. Avez-vous le temps et les moyens de créer et d'entretenir un tel rêve ?*

△ DES ESPÈCES PEU EXIGEANTES
*Les capitules vertes de l'Euphorbia characias et une subtile combinaison de feuillages verts et gris composent un couvre-sol le long de cette allée, nécessitant très peu d'entretien.*

## RÉFLÉCHIR À SES BESOINS

Quand vous visitez des jardins, munissez-vous d'un carnet. Prendre des notes sur la disposition, le style, l'humeur ambiante, et des données plus spécifiques relatives aux structures et aux espèces vous aidera à cristalliser vos idées. Il faut aussi qu'un débat ait lieu, que ce soit avec vous-même, votre partenaire ou votre famille. Le meilleur moyen de faire des choix consiste à dresser une liste. Le planning figurant ci-contre est un bon point de départ.

Le plus difficile est souvent d'allier les besoins à court terme à des ambitions à longue échéance. Au départ, faute de temps, vous devrez vous contenter d'effets globaux en recourant à des variétés peu exigeantes.

Vous pouvez néanmoins espérer améliorer ultérieurement les conditions d'implantation pour un groupe d'espèces spécifiques, par exemple en établissant un parterre surélevé où cultiver des plantes à bulbes et des variétés de rocaille. Pensez à préciser dans vos plans toute adaptation future souhaitée.

Vous devrez aussi concilier le style recherché et les éléments dont vous ne pouvez vous passer. Un barbecue s'adapte naturellement sur une terrasse où se détendre dans une ambiance désinvolte, mais s'harmonisera moins bien avec les lignes épurées d'un jardin japonais. Tout est affaire de goût, et seuls vous et vos proches pouvez résoudre ces problèmes.

# PLANNING

## PRIORITÉS

Cette liste a pour objet de vous aider à classer les composantes de votre jardin selon l'importance qu'elles ont pour vous. Vos priorités devraient rendre compte de ce qui vous est utile et agréable maintenant ainsi que dans, disons, dix ans, quand vous aurez des enfants à occuper ou bien davantage de temps, ou encore lorsque vous serez moins mobile.

▓ AIRE DE JEUX POUR LES ENFANTS ▓ ANIMAUX DOMESTIQUES ▓ CONVENANT AUX PERSONNES ÂGÉES ET HANDICAPÉES ▓ ENTRETIEN RÉDUIT ▓ FRUITIERS ▓ HERBES ▓ INTIMITÉ ▓ LÉGUMES ▓ LIEU DE RÉCEPTION ▓ PARKING ▓ PLANTES D'AGRÉMENT ▓ PLANTES PARTICULIÈRES ▓ PRIX MODÉRÉ

## STYLE ET AMBIANCE

Prendre conscience du style et de l'atmosphère que vous souhaitez créer vous aidera à déterminer les éléments à inclure dans votre jardin. Les structures comme les tonnelles et les belvédères contribuent à engendrer une ambiance romantique, tandis qu'obélisques et topiaires jouent un rôle important en accentuant l'aspect classique d'un jardin. Cependant, de nombreuses composantes conviennent parfaitement à tout type de jardin.

▓ CLASSIQUE ▓ COTTAGE ▓ EXUBÉRANT ▓ ISOLÉ ▓ MÉDITERRANÉEN ▓ MINIMALISTE ▓ NATURALISTE ▓ PAISIBLE ▓ PRODUCTIF ▓ ROMANTIQUE ▓ SUBTROPICAL ▓ VASTE

## PLANTES

▓ ARBRES
- Feuillage intéressant
- Fleurs colorées
- Fruits décoratifs
- Persistants

▓ ARBUSTES
- Feuillage intéressant
- Fleurs colorées
- Fruits décoratifs
- Persistants

▓ COUVRE-SOL

▓ ESPÈCES NATURALISÉES

▓ ESPÈCES PEU EXIGEANTES

▓ ESPÈCES POUR TOUTE L'ANNÉE

▓ ESPÈCES PROPICES À LA FAUNE

▓ FRUITS
- Arbres fruitiers
- Fruits rouges

▓ HERBES

▓ LÉGUMES

▓ PLANTES D'ENCADREMENT

▓ PLANTES DE BORDURE
- bonne forme et texture
- colorées
- croissance rapide (annuelles)
- feuillage intéressant
- long-terme (vivaces)
- parfumées

▓ PLANTES GRIMPANTES
- feuillage intéressant
- feuilles persistantes
- fleurs colorées
- fruits décoratifs

## SURFACES

▓ BÉTON ARMÉ

▓ BOIS

▓ BRIQUES ET DALLES

▓ CARREAUX

▓ DALLAGE LOUFOQUE

▓ DALLES

▓ ÉCORCES BROYÉES

▓ GALETS

▓ GRAVIER

▓ PAVÉS

▓ PAVÉS DE GRANIT

▓ PELOUSE
- Aromatique
- Robuste
- Traditionnelle

▓ SURFACES POUR LES AIRES DE JEUX
- Écorces broyées
- Granules de latex
- Herbes

## LOISIRS

▓ BARBECUE

▓ COURT DE TENNIS

▓ ÉQUIPEMENT DE JEUX
- Aire de jeux
- Bac à sable
- Balançoires
- Cabane
- Maison de jeux
- Panier de basket
- Structures de jeux
- Toboggan

▓ MOBILIER DE JARDIN
- Balancelle
- Banc
- Chaises longues
- Hamac
- Tables et chaises

▓ PISCINE

## LIMITES ET DIVISIONS

▓ CLÔTURES
- Bambou
- Barres de fer
- Chaîne
- Claie
- Panneaux en bois
- Pieux
- Pieux et chaîne
- Pieux et grille
- Treillis

▓ HAIES
- Caduques
- Enchevêtrées
- Fleuries
- Mêlées
- Naturelles
- Persistantes
- Taillées
- Topiaires
- Trouées

▓ MURS
- Bloc écran
- Blocs de béton
- Briques
- Briques en verre
- Imitation pierre
- Pierres
- Pierres sèches
- Traverses

▓ SÉPARATIONS
- Pergola
- Portiques
- Treillage

## ÉLÉMENTS DÉCORATIFS

▓ ACCENTS VERTICAUX
- Obélisques
- Wigwams en cannes

▓ BAIN POUR OISEAUX

▓ BELVÉDÈRES

▓ CADRAN SOLAIRE

▓ CONTENEURS
- Jardinières
- Paniers suspendus
- Pots et bacs

▓ ÉLÉMENTS AQUATIQUES
- Cours d'eau
- Fontaine classique
- Fontaine de galets
- Fontaine murale
- Jardin marécageux
- Mare
- Plan d'eau classique
- Plan d'eau informel

▓ JARDIN DE ROCAILLE OU DE GRAVIER

▓ MANGEOIRE POUR LES OISEAUX

▓ PAVILLON

▓ PLATES-BANDES SURÉLEVÉES

▓ STATUES ET ORNEMENTS

▓ TONNELLE

## STOCKAGE ET ÉQUIPEMENT

▓ ABRI POUR REMPOTAGE

▓ CHÂSSIS DE COUCHE

▓ CONTENEURS À COMPOST

▓ ÉCLAIRAGE
- Bougies et flambeaux
- Électrique

▓ ÉTABLI DE RANGEMENT

▓ ÉTENDOIR

▓ POUBELLES

▓ REMISE À OUTILS

▓ SERRE

# COMMENT FAIRE L'ÉTAT DES LIEUX ?

Avant d'établir un plan réaliste pour votre jardin, vous devez prendre le temps de bien évaluer le site. Déterminez l'aspect qu'a votre jardin à divers moments de la journée, les parties les plus ensoleillées, l'intensité des ombres. Dans la mesure du possible, attendez de le voir à différentes saisons afin de connaître les coins les plus chauds et les plus froids, les endroits plus humides et venteux.

Chaque terrain a ses avantages et ses inconvénients ; le vôtre est peut-être très petit, pauvre ou en pente, mais d'un site rude, on peut faire un jardin intéressant et très personnel. À la lumière de ce que vous découvrirez, vous renoncerez peut-être aux idées que vous vous faisiez d'un jardin idéal, ou tout au moins les adapterez-vous à l'échelle et aux conditions particulières de l'espace dont vous disposez.

## QUESTIONS DE TAILLE

Il y a différentes manières de tirer parti du terrain que vous avez, quel que soit son volume.

GRANDS JARDINS. En général, mieux vaut les compartimenter au moyen de haies ou d'autres types d'"écrans". Les perspectives, les points de mire et l'occasionnel élément de surprise contribuent à la cohérence de l'ensemble. Vous aurez peut-être l'occasion de planter des arbres ou de grands arbustes (en ajoutant peut-être des variétés déjà présentes). Il se peut que vous soyez obligé de concentrer les plantes exigeantes dans quelques zones restreintes, le reste du jardin s'ornant d'espèces requérant peu d'entretien.

PETITS JARDINS. La plupart offrent des tas d'opportunités en dépit de leur taille. Dissimuler les limites en cultivant les bords et "emprunter" les arbres et arbustes des voisins créera une impression d'espace. Une légère dénivellation et quelques grandes plantes donneront de l'ampleur tandis que le recours exclusif à des plantes naines aura un effet miniaturisant, moins engageant.

◁ UNE COUR VERDOYANTE
*Le caractère intime de ce jardinet est mis en valeur par l'étrange tronc d'arbre faisant barrière et les rondins ancrés dans du gravier conduisant à la petite salle à manger en plein air. Les riches feuillages apportent de la fraîcheur.*

△ PETITE TERRASSE EN BOIS
*Bien que ce jardin soit petit, la terrasse, partiellement cachée de la maison, donne une impression d'espace. La profondeur du site est accentuée par les longues planches en bois. On peut déplacer les plantes en pots pour modifier l'agencement.*

# PENSER AUX FORMES

La configuration du site est tout aussi importante que sa taille et détermine en partie le design.

**JARDINS ÉTROITS.** Dans un jardin tout en longueur, fréquent dans les banlieues, une allée droite d'un bout à l'autre a des chances d'attirer d'emblée le regard à l'extrémité, rendant l'espace visuellement plus petit qu'il ne l'est en réalité. Pour éviter de tout révéler au premier coup d'œil, songez à disposer un ou deux écrans en travers du jardin de manière à le compartimenter et à rompre la rectitude de l'allée.

**JARDINS LARGES.** Un vaste espace le long de la façade de la maison est souvent appréciable ; on peut imaginer un design fait de formes naturelles et de lignes gracieuses. Ou encore une large allée centrale flanquée de haies s'ouvrant ici et là pour accéder à des "coins" divers. Des écrans plus légers, dans le sens de la longueur, constitués par exemple de plantes grimpantes sur des cordes, donneront à un terrain court et large des proportions plus agréables.

**JARDINS BISCORNUS.** Un design masquant les limites contribuera à surmonter en partie les désagréments d'une forme insolite. Dans le cas d'un jardin triangulaire, par exemple, la meilleure solution consiste à remplir les angles de végétation, avec peut-être une remise en arrière-plan, et à répartir le reste en deux ou trois espaces aux formes régulières et entourés de végétation.

◁ **UNE PAUSE DANS UN LONG JARDIN**
*Dans ce jardin en longueur, foisonnant de verdure, un endroit pour se reposer d'un côté de l'allée principale offre une plaisante diversion. Cette ouverture fait naître une sensation d'espace sans que l'intimité du site créée par la luxuriance du feuillage le long des murs et dans les plates-bandes n'en pâtisse.*

# TIRER PARTI D'UNE PENTE

Sur un site incliné, on peut profiter des différentes perspectives et créer à chaque niveau une zone distincte. Un léger changement de hauteur rendra plus intéressant un espace plat.

**MARCHES ET GRADINS.** Le projet le plus ambitieux dans le cas d'un site pentu consiste à construire une série de gradins étayés par des murs et reliés par un escalier. Il faut parfois évacuer des tonnes de terre pour ce faire et renforcer les murs de soutènement s'ils doivent supporter le poids de la terre et de l'eau.

**RAMPES.** Les pentes douces risquent de prendre plus de place que des marches dans un jardin, mais elles conviennent mieux aux personnes âgées et permettent l'accès des fauteuils roulants ainsi que des tondeuses et des brouettes. En outre, elles amusent les enfants en leur offrant une piste perpétuelle pour les vélos, les voitures et autres jouets sur roues.

◁ **GRADINS**
*Un court escalier relie les deux niveaux de ce jardin. La structure des murs de soutènement a été délibérément dissimulée par des plants en haut comme à la base. La terrasse supérieure est suffisamment cachée pour constituer un élément de surprise.*

## VUE ET EMPLACEMENT

Si vous avez une belle vue du jardin, cela vaut la peine de la prendre en compte dans l'esthétique. Le plus souvent, il s'agit plutôt de dissimuler une vision peu plaisante ou de faire écran pour plus d'intimité.

PANORAMAS. Pour tirer le meilleur parti d'une belle vue, il lui faut un cadre. Ce principe s'applique tant dans le jardin qu'au-delà. Les perspectives depuis les fenêtres et les portes méritent une attention toute spéciale. Les arbres et arbustes par paire, les allées et les portiques sont les méthodes d'encadrement les plus courantes.

INTIMITÉ. Si vos voisins ont vue sur votre jardin, vous pouvez élever vos murs et clôtures. Les plantes grimpant sur un treillis fixé en hauteur sont un moyen rapide de dresser un écran. Des arbres et arbustes choisis avec soin et plantés à la lisière du jardin suffiront peut-être à vous isoler, mais ils prendront un certain temps à atteindre la bonne hauteur.

BRUIT. Le vacarme de la circulation est un problème fréquent dans les jardins proches de routes encombrées. Une épaisse barrière de feuillage atténuera cette nuisance.

△ **ABRI ET INTIMITÉ**
*Haies et barrières à claire-voie filtrent le vent tout en créant des zones relativement calmes et abritées dans le jardin. Les murs solides et les barrières closes tendent à créer des turbu-lences. Les arbres, grands arbustes et structures tels que les treillages garnis de plantes grimpantes bloquent les perspectives désagréables et contribuent à l'intimité du lieu.*

## CLIMAT ET MICROCLIMAT

Les espèces que vous planterez et l'usage que vous ferez de votre jardin dépendront en grande partie de facteurs climatiques : précipitations, températures et vent.

CLIMAT. Il vous faut connaître les conditions météorologiques générales de votre région, les éventuels effets de l'altitude et de la proximité de la mer, et notamment quand surviendront des gelées, des vents froids ou de faibles précipitations. Le mieux est sans doute de se renseigner auprès des gens du cru. Vous aurez aussi une bonne idée des plantes susceptibles de prospérer en regardant les jardins voisins.

MICROCLIMATS. Dans tout jardin, il peut y avoir des microclimats où les conditions varient quelque peu de celles qui préva-lent. Certaines zones risquent de se trouver dans une "poche" de gel où l'air froid s'attarde plus longtemps, ou se révéler particulièrement chaudes et abri-tées, au pied d'un mur ensoleillé par exemple. Tirez parti de ce patchwork de microclimats en assortissant les plantes aux conditions existantes.

△ **COINS ENSOLEILLÉS**
*De nombreuses espèces ne conserveront leur forme naturelle-ment compacte et ne s'épanouiront que si vous les placez dans un site dégagé et ensoleillé. À l'ombre, la majorité des annuelles, y compris les coquelicots (Papaver rhoeas) et les bleuets (Centaurea cyanus), ci-dessus, ont une croissance ralentie et produisent peu de fleurs.*

◁ **COINS OMBRAGÉS**
*Les sous-bois offrent un modèle pour les parties du jardin qui sont à l'ombre — pas seulement sous les arbres et les arbustes, mais aussi près des murs et des bâtiments. De nombreuses plantes à bulbes printanières qui, dans leur habitat naturel, s'épanouissent sous la fronde des arbres, poussent bien dans ces conditions. L'été, de nombreuses vivaces, dont les hostas, apportent une bonne couverture de feuillage.*

# TERRE ET DRAINAGE

La nature du sol de votre jardin affectera considérablement sa production. Il en existe cinq types principaux : argile, limon, sable, craie et tourbe ; la plupart des plantes préfèrent un type plutôt qu'un autre.

**STRUCTURE DU SOL.** La terre idéale se compose d'un mélange équilibré d'argile, de sable et de limon, riche en matières organiques (vestiges décomposés de végétaux et d'animaux). Une terre bien structurée, comportant des poches d'air et retenant bien l'eau, est friable et humide. Quand vous en frottez un petit échantillon entre vos mains, elle se tient, formant un cylindre sans être collante. Tout sol peut être amélioré par le bêchage et l'incorporation de matières organiques bien fermentées.

**TERRES ACIDES ET ALCALINES.** Les sols sont plus au moins acides ou alcalins selon leur teneur en calcaire. C'est ce que l'on appelle le niveau de pH, et comme certaines plantes préfèrent la terre acide et d'autres la terre alcaline, cela vaut la peine de tester la vôtre à l'aide d'un simple kit.

**DRAINAGE.** Le drainage de la terre a une incidence sur la croissance des plantes. Certaines tolèrent les sols très secs ; d'autres survivent dans une terre détrempée. Vous pouvez installer des systèmes de drainage ou d'irrigation, mais il vaut mieux choisir des espèces adaptées aux conditions naturelles.

VOIR AUSSI : pp. 122-165

◁ **TERRE ACIDE**
*Les espèces arborescentes ou non appartenant à la famille des bruyères nécessitent une terre acide, dépourvue de calcaire. C'est le cas des rhododendrons, des azalées et des bruyères. De nombreuses vivaces, de sous-bois notamment, comme ci-contre, s'épanouissent seulement en terre neutre et acide.*

◁ **TERRE ALCALINE**
*Beaucoup de jolis jardins s'étendent sur une terre fine, alcaline au-dessus d'une couche calcaire. Contrairement aux plantes préférant un sol acide, celles qui aiment mieux une terre alcaline tolèrent généralement des conditions distinctes de leur milieu idéal. C'est le cas de la valériane rouge (Centranthus ruber), ici sous sa forme blanche. Elle montre cependant sa préférence en se multipliant sur les vieux murs calcaires.*

**TERRAIN HUMIDE** ▷
*Au lieu de drainer une zone humide basse, il est moins onéreux et plus commode d'en faire un jardin marécageux. Les plantes affectionnant l'humidité, comme le souci d'eau (Caltha palustris) ci-contre, prospèrent dans des conditions perpétuellement humides en bordure d'une mare.*

◁ **TERRAIN SEC**
*Pour réussir dans les zones à faibles précipitations où le sol est bien drainé, il convient d'opter pour des espèces qui tolèrent la sécheresse. On peut choisir de les planter dans un paillis de gravier qui réduira la perte d'eau en groupant les plantes comme dans la nature. Elles peuvent très bien provenir de régions géographiquement distinctes.*

# DESSINER SON JARDIN

Si vous voulez établir votre jardin d'une manière
cohérente, inspectez bien les lieux et dessinez
le plan de vos projets à l'échelle. Des aménagements
au compte-gouttes ou au petit bonheur la chance
seront moins satisfaisants et risquent d'être coûteux
à long terme.

◁ EN ATTENTE D'UNE
TRANSFORMATION
*En dépit de son aspect
négligé, ce site clos offre une
foule de possibilités. Les photos pp. 52-53 montrent qu'en
éliminant les arbres et
arbustes indésirables et en
faisant preuve d'imagination,
on l'a transformé en un jardin
aussi ravissant que varié.*

## ÉTABLIR UN RELEVÉ

La première impression d'un site, parfois
décourageante, peut vous induire en
erreur, surtout en matière d'échelle. Rassembler des informations précises vous
aidera à avoir une bonne vue d'ensemble et
à poser les jalons du plan que vous mettrez
finalement en pratique.

**ESQUISSES ET NOTES.** Une ébauche *(voir à
droite)* est essentielle pour prendre la
mesure du site. Utilisez-la comme base
pour vos notes en y consignant toutes les
données susceptibles d'affecter la végétation : l'exposition du site au vent dominant, l'importance de l'ombre au fil du
jour, la qualité de la terre et le drainage.
Notez les jolies vues et celles qu'il faut
camoufler ainsi que l'état des structures
existantes, y compris les murs, les clôtures
et les surfaces en dur.

**PHOTOGRAPHIES.** Un appareil photo est un
outil précieux pour inspecter un site ; les
clichés que vous prendrez constitueront de
fascinantes archives lorsque votre projet
aura abouti. Prenez des photos de différents angles, depuis et vers la maison, des
portes et des fenêtres, y compris des étages.
Le même plan pris à différents moments de
la journée, et si possible, différentes saisons,
en dira long sur l'ampleur des ombres.

**ÉVALUER LES PENTES.** Vous devez avoir une
idée précise des niveaux et des inclinaisons
du terrain car ils affectent le drainage et la
position des structures ainsi que l'étanchéité de la maison. Dans un petit jardin, il
suffit de savoir qu'il y a une légère pente à
l'écart de la maison. Il vous faut davantage
de précisions si l'inclinaison est marquée.
Faites vos calculs sur une distance donnée
(disons 2 m) en posant un niveau à bulle
sur une planche entre deux piquets verticaux. La différence de hauteur au-dessus
du sol entre les deux piquets donne l'inclinaison sur la distance concernée.

▽ **PARTERRES
ET BORDURES**
*L'aspect rigide des parterres
et bordures existantes, envahis d'arbustes et de mauvaises
herbes, peut être rétabli, mais
rien ne vous oblige à conserver ces vestiges. Mieux vaut
repartir à zéro.*

▽ **ARBUSTES
SURDIMENSIONNÉS**
*Un bon élagage leur redon-
nera peut-être vigueur et
forme, mais ils sont mal
placés. Vous avez intérêt
à les supprimer.*

### ÉBAUCHE D'UN PLAN

Dressez un plan préliminaire du jardin existant
en mesurant les distances afin de déterminer
approximativement les dimensions. Notez les
orientations ainsi que toutes les structures en
place, y compris les zones dallées, l'emplacement des plates-bandes, des bordures, des arbres
et des arbustes. Identifiez si possible les plantes
principales. Vous devrez peut-être approfondir
vos recherches dans le but de définir la position
des drainages, des égouts et le circuit souterrain
de l'eau, du gaz et de l'électricité.

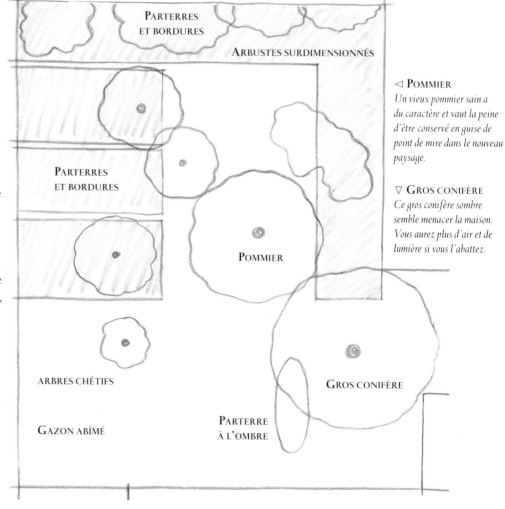

◁ **POMMIER**
*Un vieux pommier sain a
du caractère et vaut la peine
d'être conservé en guise de
point de mire dans le nouveau
paysage.*

▽ **GROS CONIFÈRE**
*Ce gros conifère sombre
semble menacer la maison.
Vous aurez plus d'air et de
lumière si vous l'abattez.*

△ **GAZON ABÎMÉ**
*Faute de dalles autour de la maison,
la pelouse est usée et envahie
de mauvaises herbes.*

△ **ARBRES CHÉTIFS**
*Les fruitiers informes éparpillés ici
et là ne valent pas la peine d'être
conservés.*

△ **PARTERRE À L'OMBRE**
*Ce parterre mystérieux où presque rien
ne pousse à l'ombre du conifère mérite
d'être abandonné.*

# DÉFINIR LE NOUVEL AGENCEMENT

Vous avez peut-être une idée précise du jardin que vous voulez, mais mieux vaut tout de même considérer les informations que vous avez rassemblées avec un esprit ouvert. Un dessin exact à l'échelle intégrant les structures à conserver (*voir ci-dessous*) ainsi que les changements prévus, vous permettra de revoir vos options et d'effectuer des estimations réalistes des matériaux et des plantes nécessaires.

**TESTEZ VOS IDÉES.** Au départ, considérez votre esquisse à l'échelle comme un plan de base et servez-vous de feuilles de papier-calque pour mettre vos idées à l'épreuve.

**AIDES VISUELLES.** Votre plan à la main, retournez au jardin et essayez de visualiser vos projets. Délimitez parterres, bordures, etc., à l'aide d'un tuyau d'arrosage, de corde tendue entre deux pieux ou d'un filet de sable afin d'évaluer les proportions. Servez-vous de bâtons pour avoir une idée des structures verticales comme les arbres.

**PLANS DE STRUCTURE ET DE CULTURE.** Une fois établies les grandes lignes de votre jardin, il est recommandé de dresser des plans de cultures détaillés pour des zones spécifiques et de dessiner des coupes d'éléments précis, mares et pergolas par exemple.

### FAIRE UN DESSIN À L'ÉCHELLE
Cette esquisse devrait d'abord prendre en compte l'emplacement des structures du jardin, tant anciennes que nouvelles. Faites un dessin précis sur du papier quadrillé, basé sur les mesures prises sur place (*voir ci-dessous* Relevé des limites et des structures). Utilisez une échelle liée à la taille du quadrillé permettant à votre plan de tenir sur la feuille ; libérez de l'espace dans les marges pour des notes et l'explication des codes employés.

▽ **TONNELLE ET ALLÉE DE GAZON**
*L'étroite perspective de l'allée de gazon conduisant à la tonnelle contribue à élargir visuellement le jardin.*

▽ **ALLÉE DE TILLEULS**
*Cette allée bordée de tilleuls a pour but de créer une autre perspective tout en fournissant un écran plus élevé que le mur du jardin.*

▽ **MARE ET POTAGER**
*Un écran ajoute une touche de mystère à la zone de la mare et permet de séparer le potager.*

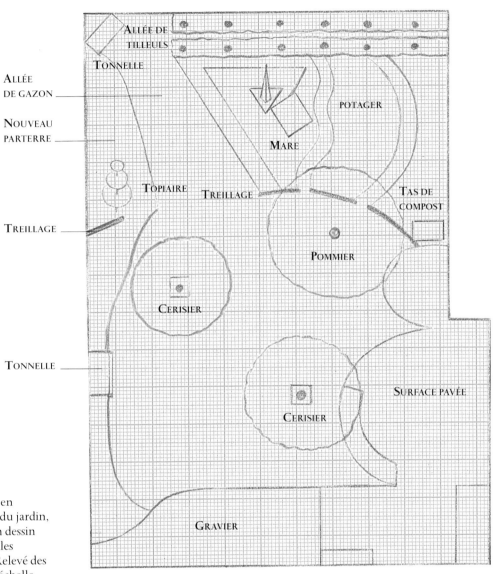

△ **SURFACES EN DUR**
*La pelouse et les plates-bandes couvrent l'essentiel du jardin, mais les accès autour de la maison sont en surfaces dures.*

△ **POMMIER ET TREILLAGE**
*On a conservé le vieux pommier, élément clé réhaussé par le treillage en courbe.*

---

## RELEVÉ DES LIMITES ET DES STRUCTURES

Travaillez méthodiquement en prenant les mesures de tous les bâtiments, arbres et zones cultivées que vous indiquerez sur votre esquisse.

• Si le jardin est un simple carré ou rectangle, mesurez à angles droits, à partir d'une ligne de base, un mur par exemple.

• La triangulation est un moyen commode de localiser les structures ou d'établir les limites si le jardin a une forme irrégulière.

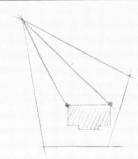

**1 RELEVÉ MÉTRÉ**
*Mesurez la jonction de deux limites à partir de deux points fixes, ici deux angles de la maison. Notez les mesures (a et b) sur votre esquisse. Prenez des mesures similaires de chaque autre coin.*

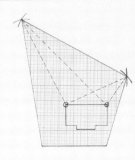

**2 DESSIN À L'ÉCHELLE**
*Sur du papier quadrillé, dessinez la maison à l'échelle. Placez un compas au niveau de la mesure à l'échelle (a) et tracez un arc à partir du premier point fixe. Répétez l'opération avec (b) le deuxième point fixe. Le point d'intersection des deux arcs marque l'angle des limites.*

# METTRE SON PLAN EN PRATIQUE

Il est difficile de ne pas être impatient une fois qu'on a finalement décidé de la marche à suivre pour son jardin. Cependant, avant de commander les matériaux, mieux vaut comparer les prix, notamment pour les dalles et les plantes en grandes quantités. Vous serez tenté d'effectuer l'essentiel du travail entre l'automne et le printemps, mais il est préférable d'attendre que le sol soit détrempé. Le tassement dû aux piétinements et aux machines peut causer de graves problèmes de drainage.

◁ **DISPOSER LES DALLES**
*Il aurait été préférable dans un premier temps de paver pour éviter d'abîmer le gazon. Heureusement, l'accès était possible d'un côté, de sorte que le dallage n'a guère eu d'incidence sur la pelouse qu'il aurait fallu protéger autrement par un planchéiage.*

### NAISSANCE D'UN JARDIN

Le jardin figurant sous forme d'esquisse p. 50 fournit une étude de cas. Sur le plan en relief (*à droite*) du futur design, on voit que le pommier a été conservé ; les photos montrent les nouveaux éléments créés de part et d'autre de la pelouse en diagonale.

△ **BORDURE PRINTANIÈRE**
*De bonne heure, des tulipes plantées à l'automne ont été associées à des myosotis afin de produire un effet coloré au printemps.*

△ **BORDURE ESTIVALE**
*Les vivaces bleues jouent un rôle clé dans cette bordure, mais des annuelles tardives comme les cosmos permettront de prolonger la saison jusqu'au début de l'automne.*

△ **BORDURE HIVERNALE**
*Les rameaux d'arbustes caducs, tel le cornouiller (Cornus), apportent texture et couleurs à l'automne et en hiver. Ici un groupe de choux ornementaux constitue le point de mire.*

△ UNE ALLÉE DE TILLEULS
*Le long du mur du fond, deux rangées de tilleuls (Tilia) entrelacés. Au-delà de 1,8 m, les branches ont été imbriquées horizontalement afin de former une avenue sur pilotis. Une pergola garnie de grimpantes aurait un effet similaire.*

△ ÉCRANS EN TREILLAGE
*Des panneaux à claire-voie projetant des ombres singulières créent des espaces séparés et liés à la fois, et renforcent la barrière constituée par le vieux pommier. Ils ont été peints en vert foncé.*

△ DEPUIS LA PORTE DE LA CUISINE
*La porte de la cuisine est l'accès au jardin le plus utilisé. Ce coin constitue une douce introduction à l'ensemble. Feuillage et plantes colorées se massent près de la porte avant le dallage donnant sur une vaste zone circulaire.*

## CHOISIR SES PRIORITÉS

Votre entrepreneur et vous ne parviendrez peut-être pas à suivre un calendrier idéal, mais vous devez déterminer vos priorités et réfléchir aux implications de votre planning.

■ **Limites.** Édifiez de bonne heure murs et barrières pour garantir abri et sécurité avant que les travaux dans le jardin en rendent l'accès difficile.

■ **Infrastructures.** Posez câbles, tuyaux et drains sous terre avant d'établir les surfaces en dur et de planter la pelouse et les fleurs. Gardez sous la main un plan de tous ces systèmes souterrains.

■ **Surfaces en dur.** Construisez les dallages et autres surfaces en dur tant qu'il est encore facile de déplacer les matériaux et de les entasser. Si vous choisissez de poser un beau pavage petit à petit au gré de vos moyens, déterminez comment stocker le matériel et évacuer les gravats.

■ **Pelouses.** Le gazon semé au printemps et à l'automne prend des mois avant de devenir résistant, et même en plaques, il nécessite plusieurs mois pour s'établir. Occupez-vous de la pelouse dès qu'il apparaît certain que l'on n'interviendra plus dans cette zone.

■ **Rajeunissement.** La meilleure période pour l'élagage des arbres et arbustes négligés ou envahissants se situe entre la mi-automne et le début du printemps, mais vous serez peut-être obligé de les tailler à d'autres moments pour faciliter les travaux.

■ **Cultures.** La saison des plantations se situe entre la mi-automne et le début du printemps. Voir aussi CULTURES : DÉTAILS PRATIQUES (ci-après).

## ASPECTS JURIDIQUES

Il est important de connaître la dimension juridique d'un jardin.

■ **Limites.** Les limites sont les points les plus sensibles, source potentielle de conflits d'intérêts avec les voisins. Règlements et responsabilités risquent d'être fixés par les autorités locales.

■ **Construction.** Familiarisez-vous avec les règlements en la matière avant de bâtir quoi que ce soit, y compris une serre.

■ **Démolition et enlèvement.** Renseignez-vous sur les lois avant d'abattre des arbres, de supprimer des haies ou de démolir des structures telles que murs et bâtiments.

## AIDE PROFESSIONNELLE

Même si vous aimez l'aspect pratique du jardinage, faites appel à des professionnels pour les tâches potentiellement dangereuses, trop lourdes ou requérant un équipement spécial. Interrogez-les si vous avez besoin de conseils juridiques ou d'assistance en matière de planification ou d'ingénierie (pour des murs de soutènement par exemple). Des recommandations personnelles sont certes utiles, mais recourez quoi qu'il en soit à un artisan ou une entreprise.

■ **Électricité.** Faites appel à un électricien pour tous les travaux d'électricité dans le jardin.

■ **Arbres.** Recourez à un élagueur pour abattre des arbres ou supprimer de grandes branches ainsi que pour l'élagage en hauteur.

## CULTURES : DÉTAILS PRATIQUES

On peut se procurer des plantes chez les pépiniéristes, les horticulteurs ainsi que par correspondance.

■ **Plantes en pots.** Elles peuvent être plantées en dehors de la période traditionnelle, à savoir de l'automne au début du printemps, mais il faut bien les arroser jusqu'à ce qu'elles soient enracinées.

### ASTUCES POUR UN JARDIN INSTANTANÉ

La mise en place progressive d'un jardin, en commençant par des plantes à croissance rapide, fugaces mais colorées, revient moins cher que la création d'un effet mature immédiat, fondé sur un dallage de qualité et des arbres et arbustes épanouis.

• Pour les surfaces en dur, recourez à du gravier, associé, pour les zones d'accès et de repos, à des dalles et des planches en bois. Plantez dans du gravier.

• Abritez, compartimentez le jardin à l'aide de treillages garnis de grimpantes à croissance rapide, capucines (*Tropaeolum peregrinum*) par exemple.

• Créez des effets verticaux grâce à des portiques, des pergolas et des wigwams en y faisant pousser des grimpantes telles que pois de senteur (*Lathyrus odoratus*) et calebasses.

• Remplissez parterres et bordures de plantes adaptées, en plaçant les grandes annuelles (cléomes) et les arbustes à croissance rapide (Lavatères "Rosea") au fond.

• Apportez de la hauteur au premier plan avec des buissons de marguerites (*Argyranthemum*) et des fuchsias en pots.

# PARTIE II

# CRÉATION ET ENTRETIEN

# TERRASSES ET ALLÉES

## AMÉNAGER UNE TERRASSE

Entre maison et jardin, la terrasse organise le décor et favorise la vie en plein air en offrant un lieu de repas ou de détente. La première des choses est de bien définir son emplacement et de faire un plan. Pensez à tous les aspects, y compris ses abords et les facilités d'entretien ou d'éclairage. Si l'endroit n'offre pas assez d'ensoleillement, d'intimité ou d'abri au vent, vous envisagerez d'autres possibilités : une terrasse en angle, par exemple, ensoleillée à certains moments de la journée, ou bénéficiant d'une vue sur un paysage extérieur. Votre terrasse doit être en harmonie avec le style de votre maison et celui de votre jardin. Un bon choix d'éléments décoratifs, comme les bordures, ajoutera une touche finale.

### DÉTERMINER L'EMPLACEMENT

Un site abrité et ensoleillé sera agréable plus tôt et plus longtemps dans l'année qu'un endroit exposé au vent. Treillis ou pergolas créeront un espace abrité tout en vous offrant des structures pour faire pousser des plantes odorantes, raffinement suprême. Évitez les sites trop proches des arbres dont l'ombre peut vite devenir gênante ; pensez à la pluie gouttant des branches, aux insectes et feuilles mortes, enfin aux racines qui peuvent détruire votre beau dallage.

---

### ASTUCES

• La dimension est importante. Comptez 3,3 m² par personne et calculez la place des tables et des sièges. N'oubliez pas que la terrasse doit être proportionnée à votre maison et à l'ensemble du jardin.

• Restez simple. Mobilier et plantes en pot feront plus d'effet sur un sol discret. Les matériaux les plus sobres sont aussi les plus faciles à installer — pensez-y si vous réalisez seul votre terrasse.

---

△ EFFET D'ÉLÉGANCE
*Les couleurs douces du dallage ne déparent pas les lignes sobres du mobilier ; le contraste entre les dalles de pierre et le gravier introduit un bel effet de matière.*

◁ LE SITE PARFAIT
*Cette petite terrasse éloignée de la maison jouit d'un ensoleillement maximum. Les murs et les arbres lui apportent intimité et protection, les plantes environnantes embaument l'air.*

### PRENDRE LES MESURES

C'est la première chose à faire pour construire une terrasse. Avec des mesures précises, un bon vendeur pourra vous conseiller sur les quantités de matériaux requises.

La surface se calcule en multipliant la largeur par la longueur. Si le dessin est irrégulier, reportez-le sur du papier millimétré, en prenant un carreau par m². En comptant tous les carreaux inclus et ceux qui le sont à plus du tiers vous aurez une idée suffisamment précise de la surface.

---

### CALCULER LA CONTRAINTE

Terrasses et dallages doivent être construits avec des dalles appropriées et sur des fondations suffisantes afin de rester stables dans le temps. Décidez d'abord si la surface supportera seulement des passages de piétons ou de voitures. Tenez compte du climat : les fondations seront plus profondes dans les régions de sécheresse estivale ou d'hivers rigoureux. Prenez conseil auprès des comités d'architecture et d'urbanisme locaux.

DALLE COULÉE          DALLE EN PRÉCONTRAINT

CHOISIR LA BONNE OPTION
*Les dalles coulées sont destinées à un passage de poids moyen ; les dalles en béton précontraint, pourtant plus légères, sont plus solides. Les premières sont donc idéales pour une terrasse piétonnière ; si vous la prolongez par une allée accessible aux voitures, utilisez des matériaux supportant la contrainte.*

---

VOIR AUSSI : Le terrain, pp. 58-59 ; La lumière, pp. 70-71 ; La terrasse, pp. 72-73 ; Les styles de jardin, pp. 122-123

# CHOISIR LE MATÉRIAU DU SOL

Si l'aspect de votre terrasse est avant tout une question de goût, pensez à l'harmoniser avec les couleurs et matériaux de la maison, et envisagez-la comme un écho au style et à l'humeur du jardin.

La variété de pavés et dalles de pavage, tant en couleurs, formes ou prix, est immense. Pensez avant tout aux contraintes techniques pour limiter les possibilités. La surface construite doit supporter le passage, ainsi que le climat de votre région – évitez les surfaces glissantes s'il pleut souvent.

**PAVÉS**

**BRIQUE ROUGE**

**BRIQUE CLASSIQUE**

△ **PAVAGE EN ÉLÉMENTS AUTOBLOQUANTS**
*Les petits éléments sont idéaux pour constituer une texture de surface animée. De plus, vous suivrez un tracé sinueux sans découpes excessives. La plupart se posent facilement sur une base de sable damé, sans mortier.*

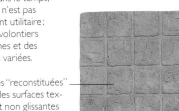

**CARREAUX EN TERRE CUITE**

La terre cuite donne une chaleur méditerranéenne au jardin, assurez-vous qu'elle est ingélive.

**TOMMETTES EN TERRE CUITE**

**DALLES DE BÉTON**

Solide dans le temps, le béton n'est pas seulement utilitaire ; il prend volontiers des formes et des couleurs variées.

Les dalles "reconstituées" offrent des surfaces texturées et non glissantes qui rendent la réalisation du sol plus facile.

**DALLES RECONSTITUÉES**

**PIERRE NATURELLE**

**PIERRE RECONSTITUÉE**

△ **PAVAGE EN GRANDES DALLES**
*Ces pavages sont disponibles dans des formes, des tailles, des matières variées, ce qui permet d'harmoniser votre réalisation à l'architecture locale. On les trouve en pierre naturelle, reconstituée, ou encore en béton. Elles se posent directement sur le sol préparé (dalle béton), à l'aide de mortier.*

# ÉLÉMENTS DE BORDURES

Les bordures délimitent à la fois de façon pratique et décorative les zones de passage ou de terrasse, des massifs et pelouses. Scellées, elles retiennent les éléments de pavage posés sur sable et limitent la dispersion du gravier si on les conçoit un peu plus hautes. Elles sont en bois traité, en briques ou en terre cuite.

△ **STYLE CONTEMPORAIN**
*Ces petits pavages forment une bordure impeccable. Placés un peu plus bas que la pelouse, ils rendent la tonte plus aisée.*

**STYLE TRADITIONNEL** ▷
*Convenant à des jardins formels ou plus naturels, cette bordure à motif de cordage permet de délimiter efficacement les zones de gravier.*

**BORDURE À MOTIF DE CORDAGE ET SON POTEAU**

**BRIQUES PRÉ-ASSEMBLÉES EN ÉPIS**

◁ **STYLE CAMPAGNARD**
*Une jolie bordure facile à installer en éléments pré-assemblés ; la pose en épi de briques séparées s'avère un peu trop délicate.*

VOIR AUSSI : Le terrain, pp. 58-59

# PRÉPARER LE TERRAIN

En fonction des charges prévues et de la consistance du sol, la préparation des fondations est indispensable pour aménager une surface en dur. L'exactitude des mesures, le soin apporté dans la réalisation des angles et le nivellement du terrain sont les clés de la qualité du résultat. Soyez prudent et protégez-vous quand vous travaillez : portez des gants épais pour le béton ou le ciment et mettez des lunettes pour manipuler des matériaux en vrac. Si vous utilisez une machine pour le terrassement, portez un casque antibruit et des vêtements adéquats. Ne surestimez jamais vos forces : vous aurez à manipuler des matériaux lourds, aussi faites-vous aider autant que possible.

## PRÉPARATION DE L'ASSISE D'UNE TERRASSE OU D'UNE ALLÉE

Avant de creuser, localisez tous les conduits enterrés. Ôtez la végétation, y compris les racines. Enlevez la couche de terre superficielle jusqu'au sol ferme. Si la surface n'est pas destinée à des charges trop lourdes, une couche de 10 cm de gravats compactés puis 5 cm de sable constituent des fondations suffisantes. Sur un sol argileux ou meuble, qui se rétracte en période de sécheresse et se dilate à l'humidité, augmentez la couche de fond jusqu'à 15 cm puis recouvrez de sable ou de gravier. Si la surface doit supporter une voiture, préparez une base d'au moins 10 cm de gravats compactés, puis une couche de béton de 10 cm aussi ; prévoyez 15 cm de béton sur un sol argileux ou meuble. Le béton peut rester visible, ou servir de support à un pavage scellé au mortier. Dans les régions à climat fortement contrasté, prenez l'avis d'un expert.

### ASTUCES

• Louez une hie (ou "dame") de paveur pour la journée ; vous rentabiliserez la location en ayant tout préparé à l'avance.

• Faites-vous bien expliquer le fonctionnement de l'engin, et assurez-vous sur place qu'il fonctionne correctement. Sachez quel carburant utiliser et vérifiez que vous en avez.

### PRÉPARER LA COUCHE DE FOND

**1 DÉLIMITEZ L'EMPLACEMENT**
*Délimitez exactement l'emplacement des fouilles à l'aide de piquets et de cordes. Tirez les cordes à la hauteur de la surface finie. Vérifiez vos angles droits à l'équerre.*

**2 DAMEZ LA BASE**
*Creusez la couche de terre superficielle. Nivelez et tassez à la dame. Comptez 10 cm de caillasse et 5 cm de sable, plus la surface de finition.*

**3 REPÉREZ LE NIVEAU**
*Enfoncez des piquets de niveau tout les 1 m dans tous les sens. Pour une terrasse, prévoyez une légère pente de drainage (voir ci-dessous). À l'aide d'un niveau, vérifiez la hauteur des piquets par rapport aux cordes. Rectifiez si nécessaire.*

**4 AJOUTEZ DES GRAVATS**
*Ajoutez une couche de 10 cm de gravats et tassez sommairement. Servez-vous des piquets pour égaliser. Recouvrez de sable et tassez à nouveau. Votre surface est prête pour la pose du pavage.*

## LE DRAINAGE

Dans la construction de la terrasse, prévoyez une légère pente de drainage – 2,5 cm par 2 m. Si vous avez prévu un mur d'un côté de la terrasse, la pente doit faire couler l'eau à l'opposé. Délimitez la terrasse et damez le sol (*voir ci-dessus*). Déterminez l'épaisseur de l'assise et de la surface finie, et reportez-la sur des piquets longs, en mesurant à partir du sommet. Le long du mur, enfoncez les piquets tous les 2 m, jusqu'au trait de niveau.

Le sommet des piquets indique maintenant le niveau final du pavage, qui doit laisser sur le mur au moins 15 cm de la chape d'isolant contre l'humidité. À 2 m du mur, enfoncez une autre rangée de piquets sur lesquels vous placerez une cale de 2,5 cm. Répétez l'opération tous les 2 m. Creusez et ratissez le sol afin de niveler aux marques des piquets.

△ **DÉTERMINER LA PENTE**
*À l'aide d'un niveau à bulle et d'un tasseau droit, vérifiez deux par deux les rangs de piquets, puis enlevez les cales. La couche de fond et la surface (ici en pointillés) doivent être parallèles.*

VOIR AUSSI : Délimiter un parterre, p. 145

# POSER DES DALLES

À l'aide d'une corde et de piquets, matérialisez un bord droit. C'est là que vous allez commencer. Si vous partez du mur de la maison, qui n'est peut-être pas aussi droit qu'il en a l'air, vous pouvez décider de laisser un espace de plantation avant la terrasse. Pour faire des économies et simplifier le travail, pensez à une surface divisible par la dimension d'une dalle. Les dalles standards font généralement 40 x 40 cm ou 30 x 30 cm. Préparez le mortier de scellement avec 1 part de ciment pour 5 de sable de rivière ; vous utiliserez le même mortier pour les joints, en moins liquide afin d'obtenir une texture plus granuleuse. Une fois les dalles posées, évitez de marcher avant que le mortier soit sec. Dès que vous avez fait les joints, brossez le surplus de mortier ; aspergez les dalles d'eau et nettoyez-les à l'éponge pour éviter les taches.

## LA POSE DE DALLES SCELLÉES

**1 PRÉPAREZ LA BASE DE MORTIER**
*Commencez à un coin de la terrasse. Étalez à la truelle des lignes de mortier de 3 à 5 cm d'épaisseur, en formant un carré un peu plus petit que la dalle. Ajoutez des lignes en croix si la dalle fait 45 cm de côtés ou plus.*

**2 VÉRIFIEZ NIVEAU ET POSITION**
*Posez les dalles en place. Tapez doucement avec le manche du marteau pour les mettre à niveau. Vérifiez l'horizontalité dans les deux sens. À l'aide de cales de bois de 0,5 à 1 cm, maintenez l'écart entre les dalles. Vérifiez à nouveau toutes les 3 ou 4 dalles.*

**3 CIMENTEZ LES JOINTS**
*Sans marcher sur les dalles, ôtez les cales avant que le mortier de base prenne. Deux jours plus tard, remplissez les joints de mortier épais. Tassez à l'aide d'une truelle ou d'un morceau de bois rond.*

**4 FINITIONS DES JOINTS**
*Confectionnez une planche de bois à fente centrale de 0,5 à 1 cm de large. Elle permet de finir les joints sans tacher les dalles. Positionnez la fente au-dessus du joint et remplissez de mortier. Le joint doit être plus bas de 2 mm.*

# POSER DES PAVÉS AUTOBLOQUANTS

Les petits éléments de pavage se posent sur une épaisseur de sable compacté de 5 cm pour un usage piétonnier normal ; sur sol instable, ou pour un usage intensif, prévoyez une base de sable de 20 cm. L'ensemble du pavage doit être bloqué en rive par une bordure en béton ou autre, afin d'éviter tout glissement. Prévoyez un feutre géotextile sur l'assise compactée, ce qui maintiendra le sable en place et laissera passer l'eau. Calculez la couche de sable à 1,5 cm au-dessus du niveau de pose des pavés. Veillez à utiliser du sable sec et à ne pas marcher dessus lors de la pose ; agenouillez-vous sur une planche pour travailler. Les vendeurs de matériaux sont toujours disponibles pour des conseils.

## LA POSE DE PAVÉS AUTOBLOQUANTS

**1 BORDEZ L'ASSISE**
*Creusez votre emplacement et préparez une couche de gravats de 8 cm sur sol ferme. Tassez. Scellez les bordures au béton. Vérifiez au niveau à bulle, et rectifiez en tapant avec un maillet.*

**2 RÉPARTISSEZ LE SABLE**
*Divisez la surface en bandes de 1 m de large à l'aide de tasseaux de guidage. Versez le sable. Damez, rajoutez du sable et répartissez-le uniformément à l'aide d'une règle en vous appuyant sur les tasseaux. Ôtez les tasseaux et remplissez les vides de sable.*

**3 POSEZ LES PAVÉS**
*Commencez par un coin et posez les pavés suivant le dessin voulu. Procédez par rangées, en commençant le long des bordures. Si vous posez les pavés à bâtons rompus, placez d'abord tous les pavés entiers ; découpez les morceaux manquants à la fin.*

**4 DAMAGE ET FINITION**
*Passez 2 ou 3 fois une dame à semelle de caoutchouc sur la surface pavée, afin de bien bloquer le pavage. Étalez une couche de sable fin sur toute la surface et faites-la pénétrer dans les joints à l'aide d'un balai brosse. Damez encore plusieurs fois.*

VOIR AUSSI : Le béton, pp. 60-61 ; Le gravier, pp.62-63

# COULER DU BÉTON

Le béton est un des matériaux les moins onéreux pour réaliser une surface plane et solide de grande dimension. Il est facile à mettre en œuvre et sa réalisation est rapide. Il allie à sa résistance une diversité d'aspects de surface : vous pouvez le colorer, y incruster des objets, le brosser ou l'animer d'empreintes. Évitez de couler du béton si la température est élevée (au-dessus de 30 °C) ou très basse ; ne le coulez jamais sur un sol gelé. Les jours secs et venteux ne sont pas recommandés non plus, car ils peuvent engendrer des problèmes de séchage en surface. Enfin, le béton frais est caustique : soyez entièrement couvert — gants, bottes, combinaison, lunettes — pour le travailler.

## COMMENT COULER DU BÉTON

La proportion conseillée est d'1 volume de ciment pour 1½ de sable de rivière et 2½ de gravier de 20 mm de diamètre. Versez le sable et le gravier en tas sur un film plastique ou dans une brouette, puis versez le ciment. Mélangez à l'aide d'une pelle. Formez un cratère et remplissez-le d'eau. Faites tomber le mélange sec peu à peu dans le trou, gâchez en ajoutant de l'eau jusqu'à obtenir une pâte ferme et peu liquide. Lissez la surface et faites des entailles à la pelle : votre béton est prêt à l'emploi s'il forme des pics qui restent droits. Quand vous lissez le béton, un film d'eau apparaît à la surface ; attendez qu'il s'évapore avant de continuer à lisser. Ne travaillez pas trop le béton une fois coulé, cela le fragilise.

### ASTUCES

• Vous gagnerez du temps et de l'énergie en louant une bétonneuse ; cela vous permettra de préparer d'un seul coup tout le béton dont vous aurez besoin.

• Si vous gâchez à la main, n'essayez pas de préparer trop de béton d'un coup. Six seaux s'avèrent une quantité raisonnable.

### COULER UNE DALLE DE BÉTON

**1 INSTALLEZ DES REPÈRES DE NIVEAU**
*Délimitez la dalle à l'aide de piquets et de corde, puis creusez sur environ 20 cm de profondeur. Plantez des repères de niveau tous les mètres, ajustez la hauteur avec un niveau à bulle et une règle.*

**2 PLACEZ LE COFFRAGE**
*Ôtez la corde et clouez des planches de coffrage à l'intérieur des piquets. Aux angles, l'extrémité d'une planche doit s'appuyer sur une autre planche. Si votre surface est vaste, divisez-la en bandes coffrées de 4 m de long maximum.*

**3 PRÉPAREZ L'ASSISE**
*Versez les gravats et répartissez sur toute la surface en une couche de 10 cm. Compactez à l'aide d'un rouleau ou en martelant avec un gros poteau en bois.*

**4 VERSEZ LE BÉTON**
*En commençant par la première bande délimitée, versez le béton et répartissez-le afin qu'il dépasse légèrement le haut du coffrage. Poussez-le dans les coins à l'aide d'une bêche, en l'entaillant.*

**5 NIVELEZ LE BÉTON**
*À l'aide d'une poutre en bois plus longue que la largeur du coffrage, tassez le béton avec des mouvements de hachoir vers le bas. Puis "tirez" le béton en tirant la poutre d'un côté à l'autre sur toute la surface. Elle sera ainsi à hauteur de coffrage.*

**6 LISSEZ LA SURFACE**
*Lissez le béton à la taloche. Bouchez les trous éventuels, et lissez à nouveau. Protégez d'un film plastique jusqu'à ce que la dalle soit sèche, c'est-à-dire pendant 10 jours environ. Le coffrage ne doit pas être ôté avant.*

VOIR AUSSI : Le terrain, pp. 58-59 ; Les allées, pp. 66-67

# BÉTON PRÊT À L'EMPLOI

Le béton prêt à l'emploi vous fera gagner du temps si vous avez une vaste surface à réaliser. Vous devez cependant préparer l'assise et le coffrage avant la livraison. Donnez au fournisseur tous les détails sur la dimension de la dalle, la nature du sol et l'usage envisagé, afin qu'il vous livre le béton adéquat. L'emplacement de votre dalle doit être accessible au camion-toupie, qui doit pouvoir manœuvrer pour verser le béton à divers endroits. Si vous manquez de place, recrutez une équipe d'assistants amicaux, armés de brouettes qui transporteront rapidement le béton sur le site de la dalle.

---

## PENSE-BÊTE

### SOYEZ PRÊTS !

Le béton prêt à l'emploi arrive rapidement sur le lieu de la future dalle, et vous allez devoir l'étaler et le mettre à niveau avant qu'il ne prenne. Si nécessaire, demandez au livreur de ralentir l'arrivée du béton. Assurez-vous d'avoir une bonne équipe d'aides, tous équipés de gants, lunettes, bottes et combinaisons épaisses.

---

# LE BÉTON DÉSACTIVÉ

La finition décorative est donnée ici par les granulats du béton. Pour les rendre apparents, on pulvérise sur le béton tout juste coulé un désactivant qui retarde la prise. Les textures ainsi créées varient suivant la force d'attaque du désactivant et la nature des granulats. Choisissez des gravillons de votre région pour harmoniser la dalle à l'environnement.

◁ **BROSSEZ ET NETTOYEZ**
*Ne lissez pas le béton. Si vous n'utilisez pas de désactivant, brossez la surface au bout de 6 heures. Puis 2 jours plus tard, lavez la surface au jet haute pression.*

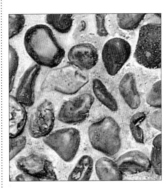

△ **CAILLOUX POLIS**
*Les cailloux donnent une surface séduisante et colorée, mais leur texture inégale peut être désagréable à la marche. À utiliser plutôt en bordure.*

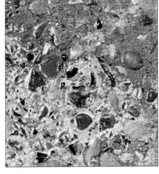

△ **GRAVIER CONCASSÉ**
*Utilisez du gravier de 6 à 8 mm de diamètre ou des granulats standards de 2 cm pour obtenir une surface agréable au pied et non glissante.*

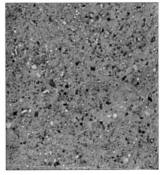

△ **GRAVIER FIN**
*La finesse de ce gravier donne une texture subtile, une surface douce pourtant très utile pour ne pas glisser.*

---

# LE BÉTON ET LA COULEUR

On peut colorer le béton en le gâchant avec un pigment minéral, ou, quand il est coulé, en répandant un pigment en poudre sur la surface encore humide, lissée à la taloche.
■ Les produits d'étanchéité pour terrasses se colorent aux pigments et procurent une protection complémentaire.
■ Certaines teintures s'appliquent six semaines après le coulage de la dalle.
■ Les lasures pour bois tiennent bien sur le béton.
■ Les peintures spécial béton existent dans un large choix de couleurs. Choisissez de préférence une émulsion à l'eau ou une peinture caoutchouc. Appliquez 2 ou 3 couches.

◁ **APPLIQUER UNE COULEUR**
*Appliquez toujours la peinture ou le produit d'étanchéité à l'aide d'un pinceau propre et sec, en suivant le mode d'emploi. Faites cela par un jour de beau temps, sec et sans vent.*

---

# ANIMATIONS DE SURFACE

Le béton et le mortier sont des bases idéales pour intégrer d'autres matériaux décoratifs. il suffit d'enfoncer les cailloux ou galets aux deux tiers pour qu'ils tiennent une fois la chape sèche. Composez des décors avec des galets, des morceaux de verre ou de poterie… Pensez cependant au confort de marche, pas toujours évident avec des éléments trop gros. Pour réaliser une mosaïque de grande envergure, préparez l'assise, tracez le dessin et triez vos matériaux par taille et couleur. Divisez la surface en carrés, coulez le béton ou le mortier et placez les éléments de votre décor. Procédez carré par carré.

△ **GALETS**
*Les galets sont enfoncés dans un mortier maigre aux deux tiers. Nivelez.*

▷ **TEXTURES**
*Des bandes de ciments rythmées de gros galets entourent des dalles de béton à fin gravier apparent.*

VOIR AUSSI : Les escaliers, pp. 68-69

# LE GRAVIER

Une surface de gravier ratissée est particulièrement recommandée pour son effet esthétique, notamment si vous choisissez du gravier de votre région. Peu d'autres matériaux s'harmonisent aussi bien avec la pierre comme avec la brique, tout en offrant aux plantes un écrin subtil. C'est le matériau idéal pour les allées aux formes sinueuses. Économique et facile à mettre en œuvre, le gravier présente néanmoins des inconvénients : il nécessite un entretien régulier pour combler les manques et éliminer les mauvaises herbes. Il est toutefois possible de contourner le second problème grâce à un feutre géotextile placé sous la couche de gravier.

## LES TYPES DE GRAVIER

Il existe deux sortes de gravier : composé d'éclats de roche mère, ou bien de gravillons dragués et donc plus ronds. La taille varie du sable grossier aux cailloux d'environ 2 cm de diamètre. Plus le gravier est fin, plus la surface présente un aspect fini, régulier.

En pratique, le gravier fin est plus agréable à la marche, mais se coince facilement dans les semelles et se disperse partout dans la maison ou sur la pelouse. Plus gros, il donne une surface plus durable. Le plus adapté au jardin est de calibre de 6 à 10 mm.

△ **GRAVILLONS**
*Les cailloux usés par l'eau offrent une texture subtile et s'harmonisent à tous les styles de jardin.*

△ **GRAVIER DE GRANIT**
*Vous en trouverez de diverses couleurs ; choisissez du gravier de votre région afin d'être sûr de rester dans le ton.*

△ **GRAVIER CALCAIRE**
*Les éclats donnent un aspect plus formel que le gravier dragué ; ceux de votre région sont souvent les moins chers.*

△ **CAILLOUX**
*Leur bruit vous avertira de la venue des visiteurs ; recouvrez-en les allées carrossables.*

## PRÉPARER LE TERRAIN

Afin d'obtenir un effet parfait, et avoir ensuite un minimum d'entretien de la surface en gravier, il convient de bien préparer le terrain.

■ Nivelez le site. Les graviers glissent sur la moindre petite pente.

■ Arrachez toutes les mauvaises herbes et leurs racines. Ôtez la couche de terre fertile pour réduire la reprise des plantes, ou placez un feutre géotextile sous le gravier.

■ L'assise doit être ferme et bien compactée. Si la surface préparée est trop meuble, le gravier s'enfoncera lentement. Là encore, le feutre géotextile empêche ce phénomène.

■ Ratissez le gravier et passez un rouleau de jardin dessus afin que la surface soit ferme et qu'il soit facile d'y marcher ou de pousser une brouette.

## TERRASSES ET ALLÉES EN GRAVIER

Contrairement aux autres matériaux, le gravier permet de recouvrir facilement les formes les plus sinueuses et les plus petits recoins. Profitez-en si vous souhaitez un chemin en zigzag, une terrasse toute en courbes ou de forme géométrique originale.

### PENSE-BÊTE

**MESURE DE SÉCURITÉ**

Si votre allée ou votre terrasse en gravier côtoient une pelouse, veillez à ce que la bordure qui l'entoure soit bien au-dessus de la zone de gravier, mais plus basse que la lame de la tondeuse. Ceci afin d'éviter que des graviers dispersés dans la pelouse deviennent des projectiles quand vous passez la tondeuse, ou endommagent la lame.

## BORDER LES ZONES DE GRAVIER

Les bordures sont nécessaires pour éviter la dispersion trop rapide du gravier sur la pelouse ou les plates-bandes.

Vous avez un vaste choix de matériaux ; la solution la plus simple et la moins onéreuse consiste à clouer des planches sur des piquets enfoncés dans le sol ; elles seront très vite masquées par la végétation des plates-bandes.

Les traverses de récupération sont plus chères, mais ne nécessitent aucun entretien ; posez-les sur une fine assise de gravats compactés.

Les bordures en pierre, brique, béton, galets sont scellées au mortier dans une tranchée de fondation sur sol ferme ou lit de gravats ; il suffit qu'elle soit assez profonde pour contenir 5 cm de sable tassé.

△ **BORDURE TON SUR TON.** *Une large bande de briques scellées offre une texture complémentaire et retient efficacement les graviers.*

◁ **TRUC ET STYLE**
*Une bordure à effet de cordage souligne le dessin d'un jardin formel, et le gravier reste à sa place.*

**VOIR AUSSI :** Les bordures, p. 57 ; Le terrain, p. 58

## RÉALISER UNE ZONE DE GRAVIER

### 1 PRÉPAREZ LE TERRAIN
*Ôtez toutes les mauvaises herbes, ainsi que 10 cm de terre fertile. Il faut que la surface soit à peu près plane et horizontale. Scellez des briques ou placez une bordure en bois traité, afin de maintenir les graviers en place.*

### 2 CONSTITUEZ L'ASSISE
*Ratissez, puis remplissez la zone de gravats presque jusqu'au niveau du sol de départ. Ratissez la surface afin qu'elle soit parfaitement plane.*

### 3 COMPACTEZ LA COUCHE DE FOND
*Louez une dame ou un rouleau de jardin pour tasser la base et ôter les poches d'air. Compressez de 2 cm au moins au-dessous du niveau de départ fin d'obtenir une assise stable.*

### 4 RÉPANDEZ LE GRAVIER
*Commencez à verser le gravier d'un côté et ratissez petit à petit à niveau. Avant de verser le gravier, vous pouvez étendre un feutre géotextile en le maintenant à l'aide de fil de fer ou d'agrafes.*

### 5 RATISSEZ
*Ratissez toute la surface afin qu'elle soit uniforme et plane. La couche de gravier doit être de 2,5 cm environ, et arriver à peine au-dessous de la bordure. Tassez au rouleau de jardin.*

### 6 FINITIONS
*Lavez le gravier poussiéreux au jet d'eau muni d'une paume d'arrosage. Tassez une fois encore au rouleau pour raffermir le sol. Vous pouvez également laisser faire la pluie.*

## PLANTER DANS LE GRAVIER

Le gravier fournit un terrain idéal aux plantes alpines ou méditerranéennes robustes, qui ne craignent pas la sécheresse, ni la lumière réverbérée par la blancheur du matériau. Attention, ces plantes craignent l'humidité de l'hiver.

Procédez comme d'habitude pour la plantation. Ôtez le gravier, creusez un trou, et ramenez la terre puis le gravier jusqu'au collet de la plante. Si vous avez posé un feutre géotextile, faites deux entailles en croix assez larges pour passer la motte de terre, puis replacez le feutre avant de remettre le gravier.

### TOUS LES AVANTAGES ▷
*Le gravier est un écrin subtil pour les plantes architecturées, et il les empêche de pourrir en hiver en leur procurant un drainage efficace. Les plantes très structurées, comme ce verbascum, sont parfaites pour animer les vastes surfaces de gravier.*

△ UNE FONTAINE VIVANTE
*Les plumets duveteux de cette graminée, Stipa tenuissima s'élèvent au-dessus d'une onde de gravier, offrant tout l'été un mouvement et un contraste dynamique dans la brise légère.*

VOIR AUSSI : Les sols secs, pp. 132-133 ; Les plates-bandes, pp. 148-149 ; Les herbes aromatiques, p. 229

# UNE TERRASSE EN BOIS

Tant pour l'aspect pratique que pour la chaleur naturelle du matériau, la terrasse en bois est un élément de choix qui s'intègre harmonieusement dans différents styles de jardin. Que vous les utilisiez pour un coin repas ou pour un simple lieu de détente ensoleillée, ces planchers extérieurs élargissent avec bonheur votre espace de vie.

Suivant le climat de votre région, vous les placerez en plein soleil ou à l'ombre.

Par ailleurs, envisagez un endroit qui préserve à la fois votre intimité et votre sécurité. Pour tout ouvrage surélevé, renseignez-vous auprès de votre mairie, car vous aurez peut-être à déclarer les travaux.

## LE BOIS IDÉAL

Les marchands de bois de charpente sauront vous conseiller sur le choix adéquat pour une terrasse ; certaines entreprises vous enverront même un expert.

Il existe des bois naturellement imputrescibles, mais la plupart sont traités sous pression, en autoclave.

Après l'installation, veillez à protéger le bois régulièrement, cela augmentera sa durée de vie. Choisissez plutôt un plancher rainuré, donc moins glissant ; si possible utilisez de la visserie en cuivre qui ne rouille pas et ne tache pas le bois.

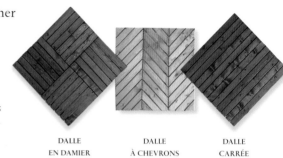

UTILISEZ DE GRANDES DALLES ▷
*Les dalles larges (0,60 m x 0,60 m ou 1 m x 1 m), que vous trouverez parfois rainurées, offrent un moyen simple de réaliser une terrasse en bois. Veillez à espacer les solives en conséquence.*

| DALLE EN DAMIER | DALLE À CHEVRONS | DALLE CARRÉE |

## RÉALISER UNE TERRASSE EN BOIS

Cette terrasse indépendante fait 2,50 m de côté et utilise des techniques simples d'assemblage, que vous pouvez adapter.

Il faut toujours des fondations, puis un support de piliers et solives. Pour assurer la solidité de la structure, les solives doivent être fixées aux piliers. Les lattes de plancher se placent parallèlement à l'alignement des piliers. Ici, les piliers sont des plots de béton. Pour une terrasse un peu surélevée, les sabots à visser *(voir page suivante)* faciliteront la pose. Les piliers sont alors en bois. Laissez un espace entre les lattes du plancher, afin qu'elles aient la place de gonfler à l'humidité sans se voiler.

### COMMENT POSER UNE TERRASSE EN BOIS

**1 DÉLIMITEZ LE TERRAIN**
*Disposez 4 planches en carré ; vérifiez les angles à l'équerre. Tracez à la bêche l'emplacement à l'extérieur des planches. La surface doit avoir 15 cm de plus de chaque côté que la terrasse finie.*

**2 DÉTERMINEZ LES FONDATIONS**
*Enlevez trois planches et alignez régulièrement 4 solives perpendiculairement à la planche restante et contre elle. Tracez les tranchées de fondation à 15 cm de chaque côté des solives.*

**5 REMPLISSEZ LES TRANCHÉES**
*Remplissez les tranchées de sable, en veillant à le tasser au maximum. Faites cela soigneusement, afin que les piliers ne penchent pas, ce qui déformerait la terrasse. Le sable doit arriver au niveau du sol.*

**6 POSEZ LES SOLIVES**
*Posez les solives sur les piliers et centrez-les ; vérifiez que l'écartement de la première à la la dernière solive soit de 2,50 m exactement et que les extrémités soient bien alignées.*

### ASTUCES

• Vous trouverez sur Internet des renseignements utiles sur les terrasses en bois : fournisseurs, plans, et conseils.

• Avec cette technique de pose, vous pouvez créer un étagement de terrasses, ou encore réaliser une terrasse en angle. Les sabots à visser en acier galvanisé vous permettent de varier la hauteur des piliers.

VOIR AUSSI : La lumière, pp. 70-71

## SABOTS À SCELLER

Les sabots en acier galvanisé sont très utiles dans la réalisation de terrasses surélevées. Ces éléments nécessitent des fondations de 30 cm de côté, constituées de 10 cm de gravats recouverts de 10 cm de béton coulé.

▽ LE SABOT À SCELLER

*Placez les fondations pour les sabots suivant le même schéma que les plots (v. page précédente). Pour vous assurer de l'horizontalité, placez les chevrons dans les sabots et posez une solive dessus. Fixez ensuite les sabots. Clouez les solives sur les piliers à l'aide de clous en oblique de 45°. Posez ensuite votre plancher.*

Le sabot est fixé sur le béton sec avec des boulons de 5 cm dans des trous prépercés.

## ASSEMBLAGE DES SOLIVES

Sachez qu'il vaut mieux utiliser des solives de la bonne longueur, mais si vous avez à assembler deux solives, appliquez la technique de l'assemblage à mi-bois. Les deux longueurs sont clouées entre elles par deux clous verticaux, puis fixées au pilier à l'aide de clous en oblique.

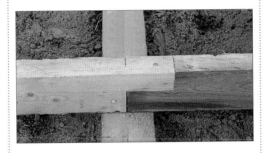

△ ASSEMBLAGE À MI-BOIS

*C'est un assemblage simple et solide. Sciez l'extrémité des solives sur 5 cm horizontalement et 10 cm verticalement. L'assemblage doit reposer sur un des piliers.*

## ENTRETIEN DE LA TERRASSE

Une fois par an, vérifiez les solives, et remplacez celles qui sont fendues ou cassées. Si la couche de protection s'est usée à l'endroit de passages répétés, nettoyez et réappliquez le produit. Veillez à ne pas laisser algues et champignons s'installer. Balayez régulièrement les feuilles et autres débris végétaux.

---

### PENSE-BÊTE

#### N'OUBLIEZ PAS LES PLANTES !

Dans les régions humides, algues et champignons rendent vite les planchers extérieurs glissants. Si vous traitez votre terrasse, assurez-vous que les produits ne sont pas toxiques pour les plantes et les animaux des environs. Mieux encore, choisissez une technique plus sûre : un balai brosse, de l'eau, du sable ou un produit d'entretien ménager.

---

## PROTÉGER LE BOIS

Le bois traité en autoclave demande peu d'entretien. Vous pouvez également le protéger et le colorer. Assurez-vous auprès du vendeur que le rendu sera conforme à vos désirs et que le produit convient bien à un usage en extérieur.

Les lasures colorent le bois tout en mettant sa texture en valeur ; les teintures offrent des couleurs plus soutenues. Les peintures de surface doivent être microporeuses, pour laisser le bois respirer et afin de ne pas cloquer ou peler trop vite.

**3 CREUSEZ LES FONDATIONS**
*En suivant le tracé effectué, creusez les fondations à 10 cm de plus que la hauteur des piliers de béton. Versez du sable dans les tranchées, et compactez-le. Le sable compacté doit présenter une hauteur de 5 cm.*

**4 POSEZ LES PILIERS**
*Posez 3 piliers de béton par tranchées, à intervalles réguliers. Ils doivent dépasser du sol de 1 cm, afin que les solives ne touchent pas terre. Vérifiez au niveau à bulle et corrigez si besoin est.*

**7 FIXEZ LES SOLIVES**
*Fixez les solives à l'aide de pattes de fixation que vous placerez de chaque côté des solives, aux 2 extrémités. Vissez-les à la solive et au pilier (voir ci-dessus). Fixez la première latte au ras des solives avec des vis à tête fraisée (2 par solive).*

**8 POSEZ LE PLANCHER**
*Fixez les lattes à 0,5 cm les unes des autres, toujours avec des vis à tête fraisée. Utilisez 4 planches comme bandeaux, à visser aux extrémités des solives ; 2 sont plus longues de 4 cm, afin de bien finir les angles.*

△ CHIC NATUREL
*Le bois d'extérieur est souvent traité, ce qui lui donne une teinte verdâtre. Pour un effet plus nature, employez du bois imputrescible, ou du bois traité avec des produits incolores. Ces terrasses sont posées sur des sabots à sceller.*

VOIR AUSSI : La terrasse, pp. 72-73 ; Les pots et les jardinières, pp. 166-179

# AMÉNAGER DES ALLÉES

La principale fonction d'une allée dans un jardin est utilitaire : fournir un chemin d'accès propre et ferme d'un point à un autre. Mais ce rôle doit être envisagé sous des aspects moins prosaïques : les matériaux choisis pour les dalles agrémenteront le style d'un jardin de leur cachet particulier ; les méandres du trajet ménageront des surprises au détour d'une courbe, dévoilant peu à peu ses secrètes beautés ; des allées droites contribueront également à l'illusion d'un espace plus vaste par les différentes perspectives offertes à leurs intersections. Enfin, il ne faut pas négliger l'allée en tant qu'élément unificateur dans la composition du jardin.

## TRACER UNE ALLÉE

Prenez en compte les passages les plus fréquents dans votre jardin : du portail à la porte, de la maison au potager ou au tas de compost. Ces chemins vous donnent un premier tracé. Observez également les raccourcis d'usage, les passages déjà existants mais peu faciles et donc peu utilisés. Prévoyez des courbes plutôt que des angles, cela vous évitera d'empiéter sur la pelouse ou de renverser une bordure en poussant votre brouette.

Une fois les allées principales tracées, décidez des chemins pour le plaisir, qui conduisent à un coin de repos, une vue étonnante ou votre massif préféré.

## LE PLAN D'ENSEMBLE

Dans les jardins bien dessinés, les allées et chemins sont des éléments de structuration. Ils forment le squelette autour duquel se développent les plantes.

Lors du tracé des plans, la facilité d'accès doit rester la priorité ; n'oubliez pas qu'on privilégie toujours le plus court trajet d'un point à un autre. Mais pensez également que les allées peuvent diviser le jardin en espaces d'usages différents, ou mettre en valeur la végétation.

Vous pouvez très bien associer des allées utilitaires à des chemins secrets, menant à une vue splendide par exemple ; un sentier surprise, ou un embranchement invitant à s'arrêter. Jouez sur les textures de surface pour annoncer les changements de caps ou les limites entre les diverses parties du jardin.

### PENSE-BÊTE

#### LA FONCTION AVANT LA FORME

Les allées principales doivent être planes, sans aspérités, et assez larges pour le passage d'une brouette. Une largeur de 1,20 à 1,50 m permet à deux personnes de marcher ensemble, même si des plantes débordent un peu. Les chemins secondaires peuvent être plus tortueux et accidentés.

## LE STYLE D'UNE ALLÉE

Le dessin d'une allée et les matériaux employés définissent son style — la précision et le tracé géométrique donnant un aspect très formel, des courbes irrégulières suggérant un cheminement plus vagabond.

Dans un décor naturel, privilégiez les matériaux comme les rondins de bois posés sur un fond d'écorce, ou les pierres irrégulières accompagnées de gravier. Les jardins très formels exigent des allées strictes, aux bords nets : choisissez des pavés, de la pierre taillée. Le gravier fait exception puisqu'il convient à tous les styles de jardin.

UN CHARME D'ANTAN ▷
*L'utilisation de matériaux de récupération ne fait pas que réduire le coût de l'allée. On y gagne aussi un certain cachet d'ancien, comme dans le cas de ces vieilles briques. Attention cependant à leur sensibilité au gel ; vous devrez peut-être en remplacer quelques-unes.*

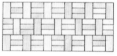

MOTIF TRESSÉ

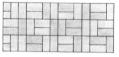

POSE ALTERNÉE

POSE À BÂTONS ROMPUS

△ COMPOSITIONS
*Les briques et les pavages peuvent être posés suivant diverses compositions. Assurez-vous que les briques conviennent pour un usage en extérieur et sont ingélives. La composition à bâtons rompus nécessite de beaucoup recouper.*

VOIR AUSSI : Les surfaces, pp. 24-27 ; Les pavés, p.59 ; Le gravier, pp. 62-63

# UNE ALLÉE EN OPUS INCERTUM

L'opus incertum est une façon relativement économique de réaliser une allée d'aspect naturel. On pose les pierres sur un lit de sable, ou pour obtenir une surface plus ferme, sur mortier. Le mortier est fait d'une portion de ciment pour 5 de sable de rivière ; la consistance après ajout d'eau doit rester grumeleuse. Préparez une assise dotée d'une légère pente de drainage. Placez les pierres sur 1 m² environ sans mortier, en plaçant les grands morceaux d'abord, puis en comblant les vides avec des éléments plus petits. Si besoin est, découpez les dalles au ciseau à pierre et au marteau (mettez des lunettes de protection). Scellez quand vous êtes satisfait de l'ensemble. Mettez les dalles à niveau en les soulevant pour rajouter un peu de sable ou de mortier.

## ASTUCES

• Pour réalisez les joints de dalles sombres, comme de l'ardoise par exemple, ajoutez un pigment en poudre ; l'effet sera plus discret.

• Posez vos dalles sur du sable si vous souhaitez que l'herbe pousse entre les fentes. Les dalles sur mortier donneront une surface plus solide.

## POSER UN OPUS INCERTUM

**1 PLACEZ LES DALLES DU BORD**
*À l'aide de piquets et d'une corde, délimitez votre allée et préparez une assise de gravats compactés. Placez d'abord les dalles extérieures à bords droits, de chaque côté de l'allée. Scellez ces dalles au mortier afin de constituer des bords solides, même si vous posez les autres dalles sur un lit de sable.*

**2 LE PUZZLE DU CENTRE**
*Placez de grandes dalles au milieu de l'allée, puis remplissez les vides avec de petits morceaux. Posez-les sur du sable ou sur un peu de mortier. Vérifier au niveau à bulle que les dalles du centre sont au même niveau que celles des bords. Repositionnez au besoin.*

**3 FINITIONS**
*Si vous avez posé les dalles sur du sable, comblez les interstices au sable, à l'aide d'une brosse. Sur mortier, faites les joints avec un mortier presque sec. À l'aide d'une truelle, lissez le mortier un peu plus bas que les dalles, afin que l'eau s'écoule facilement.*

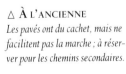

◁ **ALLÉE EN GRAVIER**
*Facile à entretenir si vous étalez le gravier sur un feutre géotextile, cette allée est simple à réaliser. Ici, les planches qui retiennent le gravier sont masquées par la lavande luxuriante. Un minimum d'efforts pour un maximum d'effet.*

△ **À L'ANCIENNE**
*Les pavés ont du cachet, mais ne facilitent pas la marche ; à réserver pour les chemins secondaires.*

**PAS JAPONAIS** ▷
*Mariage réussi du naturel et du pratique ; le pas japonais permet d'avancer au sec, tout en invitant à l'exploration en rythmant la marche.*

VOIR AUSSI : Le terrain, pp. 58-59 ; Le gravier, pp. 62-63 ; Les herbes aromatiques, p. 229

# LES ESCALIERS

Dans un jardin en pente, les marches sont le meilleur moyen de compenser une différence de niveau, mais au-delà de leur aspect utilitaire, ce sont des éléments d'aménagement dignes d'intérêt : pour rompre la monotonie d'un gazon uniforme, par exemple, ou pour inviter à apprécier un nouveau point de vue.

Une variété de matériaux et de styles s'offre à vous. Des marches larges et basses sont une proposition à jouir du paysage, et sont idéales pour exposer des plantes en pot, par exemple. Pensez avant tout à la sécurité : bannissez les matières glissantes et veillez à dessiner un escalier facile à emprunter.

## MARCHES ET CONTREMARCHES

Les marches et contremarches doivent être proportionnées afin d'offrir sécurité et confort. La marche doit avoir au moins 30 cm de large, et la contremarche 10 à 18 cm de hauteur.

Une règle à respecter : la largeur de la marche plus le double de sa hauteur doit faire 65 cm. Choisissez la hauteur d'abord, multipliez par 2, puis soustrayez de 65, vous obtenez la largeur de la marche.

Le nombre de marches se calcule en divisant la hauteur de la pente par la hauteur d'une contremarche – cette dernière est donc fonction de la pente. Si vous souhaitez être très précis, reportez la pente sur du papier millimétré, puis tracez votre escalier.

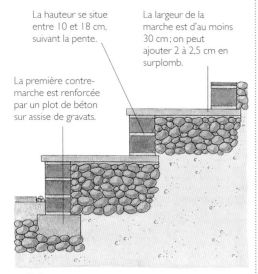

La hauteur se situe entre 10 et 18 cm, suivant la pente.

La largeur de la marche est d'au moins 30 cm ; on peut ajouter 2 à 2,5 cm en surplomb.

La première contremarche est renforcée par un plot de béton sur assise de gravats.

△ **DÉTAIL DE LA CONSTRUCTION**
*Le principe détaillé ici s'applique à toutes sortes de matériaux. Les contremarches sont en brique ou encore en béton ou pierre. Établissez les dimensions en fonction de la taille des briques, afin de ne pas recouper.*

## RÉALISER UN ESCALIER LE LONG D'UNE PENTE

Mesurez la hauteur et la pente du talus afin de calculer les proportions et le nombre de marches (voir à gauche). N'oubliez pas la base et le mortier dans le calcul de la hauteur.

Repérez la position et la largeur des marches à l'aide de piquets, puis creusez l'escalier. Coulez une assise de béton avec 1 part de ciment pour 2,5 de sable de rivière et 3,5 de gravier de 2 cm ; ou 5 parts de gravier pour 1 de ciment. Montez les contremarches en briques avec un mortier fait d'1 part de ciment pour 3 parts de sable. Vérifiez l'alignement des briques à l'aide d'un niveau et d'une équerre.

Une fois la première marche réalisée, marquez dessus la position de la seconde et scellez-la en place.

### LES FONDATIONS DE L'ESCALIER

La pente se mesure entre le piquet du haut et celui du bas.

**1 PRENEZ LES MESURES**
*Mesurez la pente afin de déterminer le nombre de marches. Pour avoir la hauteur, plantez un piquet en haut et une perche en bas ; tendez une ficelle à l'horizontale entre les deux et mesurez la hauteur entre le sol et la ficelle.*

**2 CREUSEZ LES MARCHES**
*Repérez la longueur des marches à l'aide de piquets et de corde, puis matérialisez de la même façon le nez des marches. Calculez le nombre de marches, leur largeur et leur hauteur. Creusez et tassez.*

**3 L'ASSISE DE L'ESCALIER**
*Pour réaliser l'assise de la première marche, creusez une tranchée de 15 cm de profonder, 2 fois plus large que les briques. Remplissez de 8 cm de gravats tassés puis de béton. Laissez sécher quelques jours avant de poser les briques.*

---

### PENSE-BÊTE

**BONNES PROPORTIONS = SÉCURITÉ**

La technique décrite ici s'adapte à toutes sortes de matériaux, mais gardez à l'esprit que sécurité et confort passent avant tout.

Ainsi les marches doivent absolument avoir toutes la même hauteur.

Elles doivent aussi avoir une profondeur suffisante pour qu'on puisse se tenir debout facilement, soit 30 cm minimum, avec un débord de 5 cm au maximum.

---

**VOIR AUSSI :** Le terrain, pp. 58-59 ; Le béton, pp. 60-61

## POSEZ LES BRIQUES ET LES DALLES

**4 LES CONTREMARCHES**
Scellez les briques de la première contremarche. Montez la seconde rangée en veillant à disposer les briques en quinconce. À l'aide d'une corde tendue entre deux piquets, vérifiez l'alignement et l'horizontalité des briques.

**5 POSEZ LES DALLES**
Derrière la contremarche, versez des gravats et tassez à l'aide d'un bastin. Scellez les dalles des marches sur 1 cm de mortier, en laissant un léger espace entre les 2 dalles. Les dalles doivent déborder de 2,5 à 5 cm et être à peine inclinées vers l'extérieur afin que l'eau puisse s'écouler.

**6 POSEZ LA DEUXIÈME MARCHE**
Marquez la position de la deuxième marche sur les dalles de la première, et scellez les briques. Remplissez avec des gravats compactés et scellez les dalles. Procédez ainsi pour toutes les marches, puis finissez avec les joints entre les dalles.

# STYLES D'ESCALIERS

La réalisation d'un escalier en briques et dalles est assez simple, ces matériaux offrant des dimensions standard qui facilitent les calculs. La méthode reste la même pour un escalier avec des contremarches en traverses ou pierre de taille et des marches en briques ou en gravier.

Une fois les contremarches posées, remplissez l'assise de gravats, puis de 5 cm de sable compacté avant de répandre le gravier. Sur une pente douce, prévoyez plutôt un escalier en paliers. Cette disposition invite à monter tranquillement, en regardant autour de soi.

Seules règles à respecter : une hauteur de marche constante, de 10 à 18 cm au maximum, et une profondeur de marche d'au moins 30 cm. Les variations sont nombreuses.

**△ BÂTONS ROMPUS**
Ici, les marches ne présentent pas de débord. Les briques des contremarches sont posées en longueur, sur 2 rangées de briques. Les briques des marches sont scellées sur lit de mortier.

**TRAVERSES ▷**
Les traverses soulignent un escalier qui serpente nonchalamment par paliers. Elles sont posées dans des tranchées peu profondes, sur un lit de sable tassé de 5 cm.

**◁ PIERRE NATURELLE**
Cette volée de marches en pierre aboutit à un palier qui exige une pause pour contempler le jardin.

**△ PALIERS DOUX**
Des estrades de bois grimpent doucement, rythmant le paysage de leur plancher en obliques alternées. À utiliser surtout en climat sec, où la mousse n'est pas un problème.

VOIR AUSSI : Les terrasses et les allées, p. 57 ; La terrasse en bois, pp. 64-65 ; La lumière, pp. 70-71

# ÉCLAIRER SON JARDIN

C'est souvent le besoin de sécurité qui préside à l'installation d'un éclairage extérieur. Ce serait oublier que la lumière anime le jardin la nuit, qu'elle crée des décors étonnants, à contempler de la maison ou de dehors. Avec un peu d'imagination, vous réaliserez des effets à la fois fonctionnels et spectaculaires. Les éclairages qui mettent en valeur une plante, par exemple, serviront en même temps à baliser un chemin. Alors pourquoi pas concilier l'utile et l'agréable ?

## POURQUOI ÉCLAIRER ?

L'une des premières raisons d'installer un éclairage dans votre jardin, c'est de pouvoir en profiter la nuit. Pensez-y dès les premiers projets d'aménagement plutôt qu'a posteriori. Ainsi, vous définirez mieux les usages spécifiques : lumière douce pour les dîners, spots disposés le long d'un chemin (déclenchés par votre passage) pour flâner la nuit venue, un verre à la main.

Jouez de la lumière pour créer une ambiance, sculpter l'espace par des effets d'ombres un peu théâtraux, ou, tout simplement, pour éclairer le chemin de votre porte dans l'obscurité.

▽ **AMBIANCE SUBTILE**
*Plusieurs sources de lumière au-dessus du sol offrent un éclairage subtil pour dîner au jardin. Le verre dépoli des appliques évite d'être ébloui, et l'emplacement des lampes sur les marches permet de se déplacer en toute sécurité.*

## SOLUTIONS D'UN SOIR

Les lampes tempête, photophores et autres bougies suffisent dans les régions où les nuits fraîches ne permettent pas d'être trop souvent au jardin, même en été. Elles offrent une atmosphère d'une douceur sans pareil ; la lueur des lanternes parmi les feuilles crée une certaine magie… Pensez aux bougies à la citronnelle qui parfument l'air et éloignent les moustiques.

**PETITE FLAMME** ▷
*Posez bougies et lanternes loin du feuillage. Suspendez-les avec du fil de fer et non de la ficelle. Soyez prudents et vérifiez que tout est éteint en fin de soirée.*

## LAMPES D'EXTÉRIEUR

Choisissez des lampes solides et destinées à l'extérieur – donc étanches. N'utilisez jamais un mode d'éclairage intérieur. Prévoyez de pouvoir éteindre l'éclairage de l'intérieur comme de l'extérieur. Fixez toutes les lampes solidement et hors de portée des enfants.

## ÉLECTRICITÉ ET SÉCURITÉ

L'éclairage d'extérieur peut être alimenté par le secteur ou par une source à basse tension. Ce dernier système, très sûr et facile à installer, n'utilise que de courtes longueurs de câbles et de petites unités d'éclairage. Idéal pour les petits jardins, il peut s'alimenter sur le secteur avec un transformateur.

Si vous avez besoin d'intensités plus fortes et de grandes longueurs de câble, laissez un professionnel réaliser l'installation. Les câbles, dans des gaines armées, doivent être enterrés à plus de 45 cm de profondeur, le long d'un mur, loin de toute culture. L'installation doit comprendre un disjoncteur.

◁ **PETIT DÉTAIL**
*Trouver l'éclairage qui correspond à votre style de jardin ne sera pas difficile dans le choix existant. Vous trouverez des lampes à fixer au mur, à insérer au sol ou à monter sur des poteaux.*

**VOIR AUSSI :** La terrasse, pp. 72-73 ; La sécurité, p. 199 ; Le pense-bête, p. 209

# EFFETS DE LUMIÈRE

L'éclairage de sécurité, lumière forte provenant de projecteurs ou de spots, est le plus fréquent. Pour éclairer une grande zone, il est bon de croiser deux faisceaux de projecteurs ; il vaut mieux les installer au-dessous du niveau des yeux, pour éviter d'être ébloui. Pour les espaces de dîner ou de repos, choisissez une lumière plus diffuse. Les éclairages directionnels servent aussi à la sécurité, en montrant des marches par exemple, mais ils permettent également de créer des effets particuliers.

◁ CLAIR DE LUNE
*Une lumière venant d'en haut met en valeur un objet précis, tout en éclairant doucement les alentours ; elle permet de se déplacer en sécurité.*

LUMIÈRE DIFFUSE ▷
*Le déflecteur diffuse la lumière vers le bas et aux alentours, éclairant ainsi une volée de marches sans éblouir.*

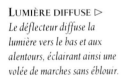

◁ THÉÂTRALE
*La lumière dirigée vers une surface plane crée des ombres impressionnantes. L'effet varie suivant la puissance de l'éclairage et sa distance par rapport à l'objet.*

DIRECTIONNELLE ▷
*Un faisceau de lumière dirigé vers le haut est le meilleur moyen de mettre en valeur une sculpture ou un bel arbre.*

◁ CONTRE-PLONGÉE
*Une source de lumière placée au sol avec un large rayonnement crée des effets d'ombres intéressants. Mais attention à l'éblouissement et à la pollution lumineuse.*

# EFFETS AQUATIQUES

La lumière met en valeur les pièces d'eau, suggérant la profondeur d'un bassin, accentuant l'éclat des jets d'eau.

Le souci de sécurité maximale est impératif : tous les éléments d'éclairage et de connexion doivent être parfaitement étanches et spécifiquement prévus pour être submersibles.

Les éclairages ordinaires prévus pour l'extérieur, étanches mais insubmersibles, ne conviennent absolument pas : selon les normes de sécurité, vous ne devez pas les installer à moins de 2 m d'un bassin.

◁ ALIMENTATION ÉLECTRIQUE
*À faire installer par un professionnel pendant la construction du bassin. Tout le matériel doit être spécifiquement pour bassins.*

Les câbles passent dans des gaines armées et les lampes sont branchées à un connecteur étanche.

▽ SON ET LUMIÈRE
*La lumière venant du fond de l'eau amplifie l'enchantement de cette scène. Les jets d'eau ont l'air plus vifs encore.*

# QUELQUES CONSEILS

En choisissant l'emplacement de votre éclairage, pensez qu'il peut gêner les voisins ou déranger les animaux.

◼ Pour plus de confort et de sécurité, évitez les orientations de lumière directement au niveau des yeux.

◼ Un verre dépoli donnera une lumière plus douce et plus diffuse.

◼ La lumière d'un halogène laisse au feuillage sa vraie couleur ; les lampes en tungstène donnent une douce lumière jaune.

## ASTUCES

• Les ampoules faible consommation vous feront faire des économies. Les batteries solaires aussi.

• Variez les tonalités avec des ampoules colorées ou en changeant l'intensité de l'éclairage ; les filtres colorés donnent des résultats moins subtils.

• Si vous illuminez un point précis, vous obtiendrez plus d'effet en cachant la source de lumière.

VOIR AUSSI : La terrasse, pp. 72-73 ; La sécurité, p. 199 ; Le pense-bête p. 209

# DÉCORER ET MEUBLER SA TERRASSE

Votre nouvelle terrasse est une page blanche, une pièce vide en attente d'un aménagement et d'un mobilier qui lui donneront vie. Les principes de la décoration intérieure s'appliquent aussi ici : pensez avant tout à l'aspect du sol, à la lumière et à l'emplacement des meubles afin de créer un lieu accueillant. N'oubliez pas de prendre en compte l'apport de l'élément végétal. Son rôle est prépondérant : il préserve l'intimité, apporte la fraîcheur de l'ombre et enchante les sens par les délices de multiples parfums.

## FAIRE LE LIEN ENTRE INTÉRIEUR ET JARDIN

La clef d'un passage réussi de la maison au jardin consiste à apporter autant d'attention à l'agencement extérieur qu'à celui de votre intérieur.

Choisissez par exemple des plantes qui s'harmonisent avec les tapis, ou des meubles de terrasse en correspondance avec les matières qui composent votre salon. Le temps passé dans les magasins ou sur internet à chercher textures, couleurs et mobiliers adéquats, en plus du plaisir que vous y prendrez, sera récompensé par l'effet final.

Portes vitrées ou portes-fenêtres sont une invitation directe à passer au jardin. Elles simplifient le passage vers l'extérieur, et constituent un cadre qui met en perspective la composition du jardin. Aussi lorsque vous disposez les éléments végétaux extérieurs, prenez en compte le point de vue depuis l'intérieur de la maison.

UN TABLEAU RÉUSSI ▷

*La porte ouverte sur une composition de vivaces — fuchsias, anémones du Japon et crocosmia, invite à sortir sur la terrasse, puis à descendre dans le jardin, tout en laissant entrer les senteurs florales et les chants des oiseaux.*

### ASTUCES

• Les pots, jardinières et lampes en matériaux naturels – bois, terre cuite, métal ou osier – sont aussi à l'aise à l'intérieur qu'à l'extérieur. Ils feront facilement le lien entre ces deux espaces.

• Un store ou une pergola renforcent le côté intime de la terrasse, surtout si vous constituez aussi un écran de plantes odorantes.

## TERRASSES ET ÉLÉMENTS AQUATIQUES

La sérénité d'un plan d'eau incitant à la contemplation, le doux murmure régulier d'une cascade : l'idée d'agrémenter votre espace de repos par des éléments aquatiques vous fait sans doute rêver. Or une fontaine ou un bassin peuvent aisément s'intégrer dans toutes les terrasses, même les plus modestes. Des projets plus ambitieux, comme l'aménagement d'une pièce d'eau surélevée ou l'élévation d'un ponton, nécessitent d'être prévus dès la conception première du plan d'ensemble. Enfin, quoi de plus agréable que de contempler le spectacle des eaux, allongé dans une chaise longue sur votre terrasse ?

◁ À LA PÊCHE

*Un ponton surplombant l'eau permet d'observer les poissons et les libellules pendant des heures.*

△ DE L'ALLURE

*Un simple canal apporte une fraîcheur bienvenue pendant les jours d'été, et s'éclaire la nuit d'une lueur venant du fond, pour plus de sécurité.*

VOIR AUSSI : La terrasse en bois, pp. 64-65 ; L'eau vive, pp. 212-213

# LES PLANTES SUR LA TERRASSE

À condition de bien les choisir, les plantes peuvent avoir plusieurs fonctions sur une terrasse. Les grandes plantes ou les grimpantes vous offrent leur ombre et renforcent le sentiment d'intimité du lieu. Pensez à la glycine, au jasmin, au chèvrefeuille et aux roses grimpantes pour leurs parfums capiteux, ou à une vigne pour les fruits et le feuillage. Faites pousser des plantes plus petites pour ajouter de la couleur, en pots ou en terre. Essayez les lys, par exemple *Lilium regale*, le tabac d'ornement, ou un mélange de giroflées (*Matthiola longipetala* subsq. *bicornis*), qui ont tous des senteurs nocturnes délicieuses. Sur le sol, ajoutez du serpolet et de la camomille, ils embaumeront votre passage. Et n'oubliez pas les herbes aromatiques si vous cuisinez dehors.

# MEUBLES DE TERRASSE

En dehors de vos préférences, du confort recherché et de leur prix, les meubles de terrasse doivent être assez solides pour rester dehors, ou assez légers pour être vite rentrés. Les meubles en bois s'harmonisent à tous les genres de décor, ils vieillissent bien et durent longtemps à condition d'être bien entretenus. Si vous choisissez du bois tropical – teck ou iroko – assurez-vous qu'il ne provient pas d'une déforestation sauvage. Le mobilier en métal est aussi solide et plutôt confortable. Les meubles en plastique se trouvent partout et ne sont pas chers, mais ils ne résistent pas longtemps à la manipulation et au soleil.

△ **ÉLÉGANT ET PRATIQUE**
*Ces meubles légers ont une peinture protectrice et se plient pour l'hiver ; une alliance parfaite de l'élégance et du pratique.*

**GRAND CONFORT** ▷
*La pergola recouverte de grimpantes odorantes et les magnifiques pots de plantes aromatiques offrent une intimité luxueuse à cette terrasse.*

△ **POCHES DE PLANTATION**
*À prévoir lors de la construction de la terrasse, ou à créer a posteriori en soulevant des dalles. Remplissez la poche de terreau et plantez des plantes pas trop hautes, odoriférantes de préférence.*

# LE BARBECUE

Tout paraît meilleur quand on mange dehors, surtout si les papilles sont mises en appétit par l'odeur du barbecue. Que votre barbecue soit fixe ou mobile, prévoyez-le assez près de la cuisine – les repas impromptus sont bien plus agréables quand on n'a pas à tout charrier au fond du jardin. Le cuisinier doit être à l'aise dans son espace, et il appréciera de disposer d'un plan de travail solide et facile à nettoyer. N'oubliez pas de protéger le barbecue des vents dominants, afin que votre table ne soit pas sous la fumée.

## PENSE-BÊTE

### CUISINEZ EN SÉCURITÉ

Placez le barbecue loin des clôtures, pergolas et treillis en bois.
Ayez un seau de sable ou un extincteur à portée de main.
Soyez attentifs à vos voisins, et évitez d'envoyer votre fumée dans leur jardin – ou alors invitez-les !

**UN FESTIN AMBULANT** ▷
*Le barbecue mobile est idéal pour les petits jardins, surtout dans une région où l'été n'est pas très long ; vous pourrez ainsi le déplacer suivant le vent.*

**VOIR AUSSI :** La lumière, pp. 70-71 ; Les herbes aromatiques, pp. 224-233

# PELOUSES ET PRAIRIES

## UN TAPIS DE VERDURE

Dans un jardin, il est souhaitable de disposer d'une surface douce, même petite, où il est agréable de marcher, s'asseoir ou jouer. La plupart des jardiniers choisissent la pelouse, mais certaines plantes couvre-sol, comme la pervenche ou la badiane, constituent une alternative possible à petite échelle. Les choix sont variés : du gazon d'ornement impeccablement entretenu à la pelouse robuste destinée aux jeux des enfants. On l'agrémentera de bulbes ou de fleurs des champs aux couleurs vives et parfumées. Si la surface est peu fréquentée, pensez à l'adjonction de plantes couvre-sol : petits conifères, bruyère ou buissons fleuris et vivaces.

## POURQUOI UNE PELOUSE ?

Avant de vous lancer dans le semis ou le gazonnement, il vaut mieux être sûr que c'est ce que vous souhaitez. Si votre enthousiasme et votre temps sont illimités, la création d'un gazon d'ornement impeccable en toutes saisons sera pour vous un défi à relever. Si au contraire, vous préférez passer le moins de temps possible à l'entretien, réfléchissez à ces deux questions :

▧ La surface convient-elle ? Dans un endroit peu ensoleillé par exemple, l'herbe poussera mal, songez plutôt à une surface pavée ou en gravier, ou encore à une plante couvre-sol qui s'épanouit à l'ombre.

▧ La pelouse sera-t-elle facile à tondre et à entretenir ? Sur une forte pente, remplacez l'herbe par des rampantes, vous aurez moins de soucis.

◁ COURBES TOUT EN DOUCEUR
*Cette pelouse informelle toute en courbes met en valeur le panachage des feuillages et des fleurs. Le sentier en gravier, tout en assurant un passage pratique, fait visuellement écho à ces courbes verdoyantes.*

△ BELLE ÉTENDUE
*Dans un grand jardin, la pelouse offre une surface moins coûteuse et plus simple à entretenir que des plates-bandes et des allées.*

PETITE PELOUSE ▷
*Beaucoup d'effet pour un tout petit jardin, avec une pelouse très soignée, bordée de briques et entourée d'une profusion de fleurs et buissons.*

### POURQUOI

**POURQUOI LA PELOUSE A-T-ELLE AUTANT DE SUCCÈS ?**

L'herbe a beaucoup d'avantages : elle pousse au ras du sol et ses feuilles étroites, fortifiées par une tonte régulière, sont très résistantes. La pelouse est assez peu coûteuse à créer et de plus en plus facile à entretenir avec les tondeuses modernes et un peu d'équipement.

VOIR AUSSI : Les terrasses et les allées, pp. 56-73 ; La pelouse, pp. 76-77 ; Autres pelouses, pp. 88-89 ; Espèces couvre-sol, p. 131

# QUEL GAZON CHOISIR ?

Sachez comment vous allez utiliser cette surface d'herbe : pour jouer, vous étendre, pique-niquer ? Et n'oubliez pas l'exposition et les conditions du terrain.

▓ Le gazon a besoin de soleil et d'un bon drainage ; mais vous trouverez des plantes couvre-sol aimant l'ombre et l'humidité.

▓ Il existe plusieurs sortes de graminées, du mélange "familial" parfait pour une aire de jeux, au gazon fin d'ornement convenant à des pelouses moins utilisées.

▓ Dans les régions chaudes, choisissez une espèce résistant à la sécheresse et au soleil brûlant.

**À TOUTE ÉPREUVE ▷**
*Quand des enfants jouent dans un petit jardin comme celui-ci, il faut une pelouse résistante à l'usage, et au passage. Vous en trouverez à semer ou en plaques, et elle restera toujours verte.*

**PELOUSE**　　　　**HERBE RÉSISTANTE**

**RÉUSSITE ASSURÉE**
*Le gazon fin de qualité (ci-dessus) demande de bonnes conditions de terrain, un entretien constant et peu de passage. Une pelouse plus résistante (ci-dessus à droite) sera moins exigeante. Les couvre-sol aimant l'ombre comme le lamier (à droite) n'ont pas besoin de soin.*

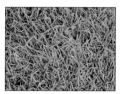

**PLANTES D'OMBRE**

# ANIMER UNE PELOUSE

Les étendues d'herbe peuvent se révéler un peu monotones dans le paysage, animez-les en plantant des bulbes de printemps qui égaieront le jardin dès la fin de l'hiver. Les fleurs sauvages, que vous trouverez en mélanges de graines, apportent de la couleur en été, tout en attirant papillons et abeilles, insectes bénéfiques au jardin, mais elles nécessitent un certain entretien et peuvent s'avérer un peu trop envahissantes ! Pensez à agrémenter les petites surfaces avec du thym, de la camomille, ou de la menthe qui parfumeront vos pas.

▽ **CHAMP EXUBÉRANT**
*Si vous disposez d'un grand espace dans lequel vous allez peu, pourquoi ne pas créer un champ de fleurs sauvages et colorées ? Prenez des espèces de graminées et de fleurs de votre région, qui s'adapteront bien.*

# COUVRE-SOL

Pour couvrir une petite surface, choisissez des plantes qui se développent rapidement et près du sol ; elles empêchent la pousse des adventices et demandent peu de soins ; par contre, elles ne survivront pas si vous marchez constamment dessus. À utiliser sur de petites étendues peu fréquentées. Créez un jeu de formes et de tons en combinant diverses variétés.

△ **TAPIS DE PACHYSANDRA**
*Cette plante est parfaite en couvre-sol : persistante et peu exigeante, elle pousse cependant très lentement.*

**EFFET DE SOUS-BOIS ▷**
*Sous les arbres, plantez un mélange de couvre-sol qui prospérera pour offrir une fraîche impression de sous-bois.*

**VOIR AUSSI :** Les semis, p. 77 ; Autres pelouses, pp. 88-89 ; Les jonquilles, p. 137 ; Les herbes aromatiques, pp. 228-231

# DESSINER SA PELOUSE

Il ne suffit pas d'acheter du semis ou des plaques de gazon et de se retrousser les manches pour obtenir une belle pelouse. Elle nous donnera plus de satisfaction si vous planifiez soigneusement, sans hâte, son aménagement. Étudiez toutes les composantes du terrain avant de prendre vos décisions sur la forme, les allées, les bordures, le type d'herbe, le choix de semer le gazon ou de le poser en plaques. Dans les climats chauds, préférez la technique du repiquage de touffes, plantez les stolons ou songez à un couvre-sol mieux adapté. C'est en réfléchissant bien que vous éviterez les problèmes par la suite.

## EMPLACEMENT ET TRACÉ

Dans un petit jardin, l'endroit de la pelouse est vite choisi, mais réfléchissez cependant au site ; posez-vous les bonnes questions : le site est-il ensoleillé ou ombragé ? quelle est la nature du sol ? la zone est-elle bien drainée ou propice à la rétention d'humidité ? Si l'un de ces facteurs ne convient pas, songez à un autre emplacement.

Une pelouse rectangulaire ou carrée est sans doute pratique, mais n'apporte pas vraiment de rythme dans la composition du jardin. Résistez cependant à la tentation de dessiner une forme trop complexe : vous connaîtrez des problèmes de tonte et d'entretien des bordures. Une surface ovale ou ronde est seyante dans certains cas. Sachez qu'il est difficile de garder impeccable une pelouse trop étroite.

Quand vous aurez arrêté votre choix de pelouse, envisagez la possibilité de l'agrémenter d'îlots buissonnants ou fleuris. Pensez-y dès le départ, afin de vous assurer que le site convient aussi pour de tels massifs.

### PENSE-BÊTE

Les branches basses des arbres donnent une ombre profonde et arrêtent la pluie, rendant la pousse de l'herbe difficile. Vous aurez alors un vide peu esthétique. Sous les arbres déjà en place, prévoyez plutôt des graminées aimant l'ombre et peu avides d'eau. Pensez aussi à ce problème si vous désirez planter un arbre au milieu de votre pelouse.

**PELOUSE EN LONGUEUR ▷**
*Chez un passionné de fleurs, les plates-bandes ont la priorité, réduisant la pelouse à une étroite bande. Cette forme demande un entretien soigneux pour être toujours impeccable.*

△ **VUE CHANGEANTE**
*Une pelouse de forme intéressante permet de voir le jardin sous divers angles en déplaçant simplement son siège !*

**LIGNES SOUPLES ▷**
*La tonte est simplifiée par une forme simple et des courbes amples.*

**VOIR AUSSI :** Les touffes et les stolons, p. 81 ; Couvre-sol, p. 131 ; Le massif, p. 145

## DIVERSES FORMES DE PELOUSE

*Le dessin de votre pelouse doit s'harmoniser à l'ensemble du jardin, ou du moins aux espaces alentour. En règle générale, les tracés droits sont bienvenus dans un jardin classique et formel, et les courbes créent un effet apaisant. Les formes trop compliquées, à multiples courbes ou angles bizarres, demandent plus d'entretien pour paraître nettes.*

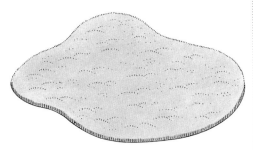

### △ COURBES AMPLES
*À privilégier pour un jardin informel, en l'entourant de plantes retombantes.*

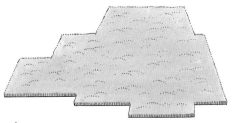

### △ ÉLÉGANCE CLASSIQUE
*Les angles droits de cette pelouse lui donnent un bel aspect formel, mais les bordures doivent rester nettes et soignées.*

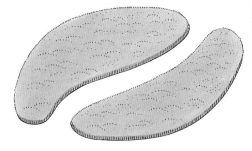

### △ DIVISION DE LA PELOUSE
*Une allée divisant la pelouse lui donnera un rythme et une présence visuelle plus intéressante.*

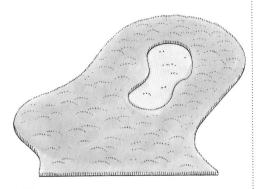

### △ MASSIF EN ÎLOT
*C'est la meilleure façon d'animer une grande pelouse ; veillez à faire écho au style de l'ensemble.*

# SEMIS OU PLAQUES ?

Pour réaliser une pelouse facile à vivre, les deux méthodes ont leurs avantages (*voir ci-dessous*), mais si vous voulez une variété de gazon particulière, il vaut mieux semer. C'est à vous de décider, suivant votre situation et vos possibilités.

■ Avez-vous de quoi transporter et poser des plaques, en sachant qu'il faut les mettre en place dès que vous les recevez ?

■ Vos amis sont-ils disponibles pour vous aider à poser les plaques ? Si la réponse est non, semez.

■ De quelle taille est la pelouse de vos rêves ? Les plaques sont plus faciles à mettre en œuvre dans le cas d'une petite surface.

## SEMIS

Les avantages :
■ Plutôt économique.
■ Pas de manipulation trop lourde.
■ Grand choix de mélanges de graines.
■ Facile à transporter.
■ Ne s'abîme pas pendant le stockage.
■ Permet de ressemer les endroits qui se dénudent.

**SEMIS FACILE ▷**
*Semer les graines à la volée peut donner un résultat irrégulier. Aussi, utilisez plutôt un pot dont la base est percée de petits trous. En secouant le pot, les graines sont distribuées de façon plus égale.*

### LE BON MOMENT

#### QUAND DOIS-JE SEMER OU POSER DES PLAQUES ?

• Les plaques de gazon se posent à n'importe quelle saison, sauf par temps très chaud et sec, très froid, ou quand la terre est gelée. Préférez le début de l'automne ou du printemps, afin de laisser la pelouse se reposer avant de l'utiliser intensivement en été. Elle restera ainsi suffisamment humide.

• Les semis se font de préférence au milieu du printemps ou au début de l'automne, quand le sol est humide mais pas détrempé. Choisissez l'automne pour avoir une pelouse présentable l'été suivant, sur laquelle vous pourrez un peu marcher. Si vous semez au printemps, il faudra arroser tout l'été, et la pelouse risque de n'être prête qu'à l'automne.

### LE MÉLANGE DE GRAINES

Il existe de nombreux mélanges de graines ; évitez ceux dont la composition n'est pas mentionnée. Pour un gazon de qualité, il vous faut un mélange à feuilles fines, comprenant de la fétuque rouge (*Festuca*) et de l'agrostis, qui se tondent ras. Le ray-grass est plus dru et résistant, et vous en trouverez aussi à feuilles fines. Les semences d'une seule espèce, pour les climats chauds, sont composées d'agrostis, d'*Axonopus* ou de fétuques. Les variétés convenant à un léger ombrage contiennent des graminées plus résistantes et ne doivent pas être tondues trop court.

**▽ ACHETER DES PLAQUES**
*Avant d'acheter, examinez soigneusement les plaques. Vérifiez l'uniformité de l'herbe, la bonne santé des racines et des feuilles ; il ne doit pas y avoir de taches brunes ou de vides, et toutes les plaques doivent être de même qualité. Prenez un peu plus de plaques qu'il n'en faut, afin que toute votre pelouse provienne du même lot.*

Le plus gros inconvénient du semis, c'est que le terrain paraît nu pendant quelque temps, et que la première année il vaut mieux ne pas trop marcher sur la pelouse. De plus, à moins d'une préparation du sol rigoureuse, les maladies et les adventices peuvent tuer ou étouffer les pousses d'herbe.

## PLAQUES DE GAZON

Vous en trouverez sans doute à bon marché, mais examinez-les soigneusement avant de les acheter, afin de vous assurer qu'il s'agit bien de plaques de gazon cultivé, et non d'herbe des champs : dans ce cas, le mélange d'herbes pas très choisies vous causera des problèmes dans le futur.

Avantages :
■ Résultats rapides. Une pelouse instantanée, prête à l'emploi!
■ Bords bien dessinés.
■ Pas besoin de désherber la pelouse.
■ Pose en toutes saisons.
■ Comblement des manques avec un morceau de plaque.

VOIR AUSSI : La pelouse, pp. 78-79 ; Les plaques, p. 80 ; Les dégâts, p. 86

# SEMER OU POSER SA PELOUSE

Une fois l'emplacement et la forme de la pelouse décidés, il vous faut préparer le sol, le désherber, ôter les cailloux, améliorer sa qualité, le niveler. Maintenant vous pouvez ensemencer, puis arrosez pour maintenir la terre humide une quinzaine de jours. Si le sol est susceptible d'être souvent détrempé, vous avez intérêt à installer un système de drainage avant de semer ou de poser les plaques. Dans les régions chaudes, choisissez plutôt de planter le gazon en touffes ou en stolons plutôt que de le semer ou de le poser en plaques. Enfin, touche finale pour parfaire l'impression d'ensemble, apportez un soin particulier aux bords de la pelouse.

## PRÉPARER LE SOL

Creusez toute la surface en enlevant toutes les adventices, et nivelez si besoin est (*voir ci-contre*). Tassez et ratissez afin d'ôter feuilles ou cailloux. Vous avez peut-être besoin de réaliser un système de drainage (*voir page suivante*) ou d'améliorer la qualité du sol.

Avant le semis, laissez le sol en l'état pendant 2 à 3 semaines ; cela permettra aux mauvaises herbes encore présentes de germer, et vous les éliminerez à la binette ou avec un désherbant.

△ **TASSEZ LE SOL**
*Si le site de votre future pelouse est déjà nivelé, commencez par tasser le sol. Procédez en piétinant soigneusement toute la surface.*
*Vous pouvez également utiliser le dos d'un râteau. Répéter l'opération aussi longtemps qu'il le faut, afin que le sol soit ferme et compact.*

◁ **RATISSEZ**
*Ratissez méthodiquement en ôtant tout débris. Avant le semis, laissez les adventices repousser, et utilisez un désherbant ou une binette pour vous en débarrasser.*

## NIVELER LE SOL

Suivant le type de pelouse que vous souhaitez, le nivellement doit être plus ou moins soigneux : superficiel pour une prairie fleurie, mais plus finement réalisé pour un gazon formel ou un espace de jeux de ballon. Un râteau suffit pour aplanir au jugé ; piétinez ensuite la terre pour l'affermir. Par contre, pour un résultat parfait, il vous faut des piquets, un tasseau bien droit, un niveau à bulle et un marteau. Enfoncez les piquets pour marquer le niveau désiré (*voir ci-dessous*) et ratissez jusqu'aux marques. De la même façon, vous pouvez créer une pente douce (*voir ci-contre*).

△ **OUTILS DE NIVELLEMENT**
*Faites une marque à 5 cm du haut des piquets. Enfoncez les piquets au marteau jusqu'à ce que les marques soient placées où vous voulez. Vérifiez l'horizontalité à l'aide d'un tasseau et d'un niveau.*

### RÉALISER UNE ASSISE DROITE

**1 PIQUETS**
*Enfoncez une rangée de piquets au bord de la surface du site. Les marques doivent être au niveau final du sol souhaité.*

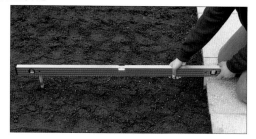

**2 VÉRIFIEZ LE NIVEAU**
*Installez une deuxième rangée de piquets à environ 1 m du premier. À l'aide d'un niveau, ajustez les deux rangées.*

▽ **CRÉER UNE PENTE**
*Pour créer une pente douce, dans le prolongement d'une surface pavée par exemple, faites des marques décalées à partir du haut des piquets (voir ci-contre). Enfoncez les piquets dans le sol à intervalles réguliers et vérifiez avec un tasseau et un niveau (voir croquis) que tous les piquets sont alignés. Ratissez le sol jusqu'aux marques avant de réaliser votre pelouse en pente.*

PIQUETS

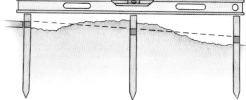

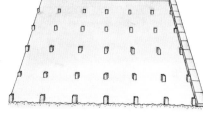

△ **NIVELLEMENT**
*Enfoncez des piquets à intervalles réguliers sur toute la surface. À l'aide du tasseau et du niveau, vérifiez dans toutes les directions que le haut des piquets est bien au même plan, et corrigez si besoin est.*

**3 QUADRILLEZ** *ainsi la surface de piquets. Ratissez en suivant les marques, ajoutez de la terre s'il y a des trous. Ôtez les piquets.*

VOIR AUSSI : Les semis, p. 77 ; Les touffes et les stolons, p. 81 ; Améliorer les sols, p. 142

# SEMER DU GAZON

Une fois le sol bien préparé, vous pouvez semer. Calculez la quantité de graines qu'il vous faut, suivant le type de gazon souhaité.

■ Les graminées à feuilles fines demandent 25 à 30 g par m².

■ Pour un gazon plus grossier, comptez 35 à 40 g par m².

■ Pour des variétés spécifiques, voyez le mode d'emploi, la quantité est extrêmement variable, de 2 g pour l'*eremochloa ophiuroides*, à environ 30 g pour le ray-grass (*Lolium pérenne*).

Pesez la quantité de semence qu'il faut pour la pelouse entière, et semez régulièrement avec un pot percé que vous tiendrez à la main, ou avec un semoir. Ratissez légèrement afin de recouvrir les graines. Maintenez humide et en une à deux semaines, vous verrez apparaître les premiers signes de votre gazon. La première tonte se fera au printemps, quand l'herbe aura atteint 5 cm, lame en position haute.

## ASTUCES

• Réalisez le semis par un jour sec et calme, afin d'éviter que les graines s'envolent.

• N'ayez pas la main trop lourde, cela ne donnera rien de mieux.

• Divisez la surface en plusieurs sections et pesez les graines pour chaque section ; votre semis sera ainsi plus uniforme.

• Éloignez les oiseaux en semant des graines enduites de répulsif, en recouvrant la surface de grillage, en attachant des bandes d'aluminium sur des bâtons ou une corde au-dessus du sol, ou encore attirez-les dans une autre partie du jardin avec de la nourriture.

## COMMENT SEMER

△ **UTILISER DES REPÈRES**
*Divisez votre petite surface en carrés égaux, à l'aide de pots ou de piquets, et semez la quantité de graines adéquate. Répétez le processus jusqu'à couvrir toute la surface de pelouse.*

△ **QUADRILLER LE TERRAIN**
*S'il s'agit d'une surface plus vaste, quadrillez-la à l'aide de bambous. Pesez la quantité de graines pour chaque carré et dispersez-en la moitié dans un sens, puis le reste dans le sens perpendiculaire.*

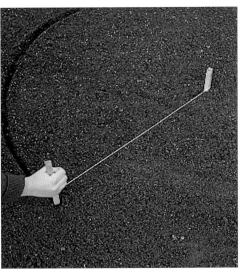

△ **TRACER UNE COURBE**
*Attachez une ficelle à 2 piquets ; la longueur dépend de la taille de la courbe. Plantez un des piquets dans le sol et servez-vous de l'autre pour tracer la courbe.*

◁ **UTILISER UN ÉPANDEUR**
*C'est le meilleur moyen d'obtenir un semis régulier. Couvrez les abords de la pelouse d'une bâche. Semez d'abord la moitié des graines dans un sens du terrain, puis repassez perpendiculairement.*

◁ **FINITIONS**
*Après avoir semé, ratissez légèrement et uniformément la surface afin de recouvrir les graines. Afin qu'elles germent dans des conditions idéales, veillez à arroser en douceur et avec régularité pendant les semaines suivantes si le temps est trop sec.*

# RÉALISER UN DRAINAGE

Suivant le site de votre pelouse, pensez à installer un drainage au point le plus bas avant de poser les plaques ou de semer le gazon. C'est le moyen le plus efficace de prévenir les problèmes d'humidité durant les saisons pluvieuses. Prévoyez-le assez loin des murs de la maison, afin d'éviter que l'humidité s'infiltre à l'intérieur. Si la création d'un drainage s'avère trop compliquée, faites pousser une pelouse supportant l'humidité ou créez peut-être un jardin semi-aquatique.

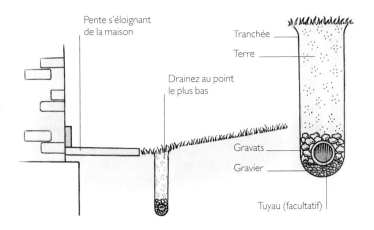

Pente s'éloignant de la maison

Drainez au point le plus bas

Tranchée
Terre
Gravats
Gravier
Tuyau (facultatif)

◁ **INSTALLER UN DRAINAGE**
*Creusez une tranchée et recouvrez le fond de gravats ou de gros gravier. Remplissez ensuite de terre jusqu'à la surface. Au cas où l'humidité pose vraiment problème, installez également un tuyau ou un tube perforé.*

**VOIR AUSSI :** Les semis, p. 77 ; Tondre, p. 82 ; Jardin de marécage, pp. 204-205 ; Les sols humides, pp. 218-219

# POSER DU GAZON EN PLAQUES

L'avantage de poser du gazon en plaques plutôt que de le semer, c'est que votre jardin peut tout de suite s'enorgueillir d'un tapis de verdure. Cependant, résistez à la tentation de marcher dessus immédiatement : il faut laisser aux racines le temps de pénétrer dans la terre pour bien s'implanter avant d'utiliser la pelouse. N'oubliez pas non plus de maintenir les plaques humides pour éviter qu'elles brunissent et commencent à s'enrouler sur les bords. Les plaques se posent en toutes saisons, mais évitez les jours de pluie ou de gel, ainsi que le temps trop sec qui vous rendra l'arrosage difficile.

Assurez-vous que vous avez bien calculé le nombre de plaques, et comptez large. Le sol doit être absolument prêt avant votre achat ; soyez conscient que la pose prend un certain temps. Si les conditions météo vous empêchent de poser les plaques dès leur arrivée, vous pouvez les garder trois jours (*voir ci-contre*) ; ensuite, elles risquent de jaunir et de se dessécher.

S'il vous reste quelques plaques une fois votre pelouse posée, mettez-les à l'envers, en tas dans un coin du jardin ; vous obtiendrez un terreau de qualité, avec lequel vous pourrez combler les interstices entre les plaques de votre pelouse.

△ **ENTREPOSER LES PLAQUES**
*Si vous ne pouvez pas poser les plaques dès qu'elles arrivent, déroulez-les sur une feuille de plastique ou sur la terre, en évitant qu'elles se touchent ou se chevauchent, et arrosez-les tous les jours.*

## POSER DES PLAQUES

**1 COMMENCER**
*Choisissez pour commencer un bord droit, une allée ou une planche, qui vous servira de guide. Veillez à ce que chaque plaque soit collée à la précédente.*

**2 PROTÉGER LE GAZON**
*Une fois la première rangée posée, placez une planche dessus, et agenouillez-vous pour poser le deuxième rang en décalant les plaques par rapport au premier rang. Répétez l'opération sur toute la surface. Évitez de marcher aussi sur la terre nue.*

**3 AFFERMIR**
*Avec le dos d'un râteau ou un rouleau léger, tassez doucement le gazon, afin d'ôter les poches d'air et d'établir un bon contact entre les racines et le sol.*

**4 FINITIONS**
*Éparpillez d'abord un peu de mélange de sable et de terreau et comblez les interstices entre les plaques à l'aide d'une brosse. Arrosez le gazon afin qu'il reste humide.*

### ASTUCES

• Commencez par poser les plaques dans le coin le plus proche de leur lieu de stockage.

• Marchez ou agenouillez-vous sur une planche pour répartir votre poids et ne pas écraser les plaques.

• Placez les petits morceaux de plaques au milieu de la pelouse plutôt que sur les bords, où ils auront tendance à se dessécher.

• Décalez les plaques de gazon d'une rangée à l'autre.

• Posez les plaques au-delà de la surface de gazon souhaitée, puis découpez-les ensuite pour obtenir un bord net.

• La première fois que vous tondez, à la fin du printemps, réglez la lame le plus haut possible.

VOIR AUSSI : Les semis, p. 77 ; Préparer le sol, p. 78 ; Tondre, p. 82

# TOUFFES ET STOLONS

Il est difficile de faire pousser une pelouse traditionnelle sous un climat chaud et sec. Choisissez une graminée pour climat chaud comme l'herbe des Bermudes (*Cynodon dactylon*), qui se plante en boutures, ou une agrostis très résistante. En tout cas, installez la même variété de graminée sur toute la surface, sous peine d'avoir une pelouse un peu rapiécée.

Vous obtiendrez votre gazon en plantant des touffes ou des stolons épars. Il est préférable de procéder au printemps ou au début de l'été. Les touffes de graminées se plantent dans des trous individuels (*voir ci-contre*) et les nouvelles pousses s'étendent vite entre les touffes. Les stolons se répandent uniformément sur le sol

(*voir ci-contre*) ; on les recouvre d'une fine couche de terre avant d'arroser abondamment. Dans les deux cas, la pelouse se développera en deux mois environ et sera alors régulière.

## PENSE-BÊTE

Les pelouses réalisées à partir de touffes ou de stolons de graminées tolérant la sécheresse ne ressembleront jamais à leurs homologues des climats tempérés, mais elles sont résistantes et faciles à entretenir. Comme pour toutes les pelouses, le sol doit être préparé soigneusement et à l'avance, les touffes et stolons sont des plantes vivantes et ne se conservent pas longtemps sans être mis en place.

△ **RÉPANDRE DES STOLONS**
*Répandez régulièrement les brins de stolons, puis recouvrez d'une fine couche de terre. Arrosez copieusement.*

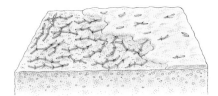

△ **PLANTER DES TOUFFES**
*Espacez les touffes de 15 à 30 cm sur la surface. Répandez du terreau et arrosez.*

# FINITION ET BORDURES

Une fois votre surface de gazon posée, occupez-vous des bords et bordures. Ne croyez pas que cet aspect soit sans importance, les bords ont un rôle pratique et esthétique primordial. Même si l'herbe au milieu de la pelouse n'est pas parfaite, des bords bien entretenus donneront toujours une impression de netteté. N'oubliez pas que la bordure doit faciliter la tonte plutôt que le contraire.
Une bande de tonte ou une bordure surélevée (*voir ci-dessous*), ainsi qu'une bordure en dur, permettent d'oublier plus souvent cisaille et dresse-bordure.

△ **BORD ARRONDI**
*Après avoir posé les plaques, tracez la courbe à l'aide d'une corde, d'un piquet et d'un entonnoir rempli de sable sec. Découpez les plaques qui dépassent.*

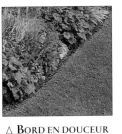

△ **BORD EN DOUCEUR**
*Il vous faudra tailler les plantes et veiller à ce que la pelouse soit nettement coupée pour obtenir un effet soigné.*

△ **BORD EN DUR**
*Une rangée de pavage et une bordure en terre cuite donnent à cette pelouse une finition pratique et élégante.*

**BORD DROIT** △
*À l'aide d'une corde tendue, d'une planche et d'un dresse-bordure, découpez un bord parfaitement droit.*

**BORDURE SURÉLEVÉE** ▷
*La pelouse est un peu surélevée par rapport à l'allée, et élégamment maintenue par une bordure en bois ou en plastique (voir croquis).*

**BANDE DE TONTE**
*Séparez le gazon des plates-bandes par une rangée de briques sur lit de mortier (voir croquis) placée un peu plus bas que le gazon afin de faciliter la tonte.*

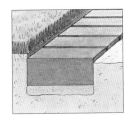

**TABLIER DE BRIQUES** ▷
*Pour éviter les problèmes suscités par la tonte autour d'un escalier, pensez à l'entourer d'une surface de briques, qui de plus offre aux pieds un appui ferme au bas des marches.*

VOIR AUSSI : Les bordures, p. 57 ; L'escalier, pp. 68-69 ; La pelouse, pp. 82-85

# ENTRETENIR LA PELOUSE

Pour qu'une pelouse reste belle longtemps, elle doit bénéficier d'un minimum d'entretien constant. Il faut choisir une tondeuse qui corresponde à la surface et au type de pelouse. Tout le monde pense à tondre et à tailler les bords, mais l'entretien d'un gazon comprend bien d'autres tâches encore : le nourrir pendant la saison de pousse, au printemps et en été, l'arroser aux moments secs et chauds ; il se portera bien en automne à condition de le scarifier, de l'aérer, de lui apporter de l'engrais, de ratisser ou d'aspirer les feuilles mortes. En accomplissant ces quelques travaux, vous éviterez les problèmes courants.

## TONDRE

Le fait de tondre doit stimuler l'herbe, qui pousse mieux et de façon plus dense, tout en étouffant les adventices. Pour cela, il vous faut tondre peu et souvent (*voir ci-dessous*). Si vous souhaitez un aspect formel, suivez un tracé régulier, mais n'oubliez pas de changer le sens de ce motif à chaque tonte afin de ne pas créer de sillons dans la pelouse. Si possible, tondez avec un bac à herbe, il vaut mieux ne pas laisser de déchets de tonte sur le sol.

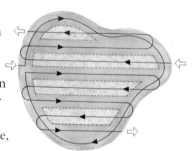

◁ **FORME IRRÉGULIÈRE**
*Si votre pelouse est de forme irrégulière, tondez d'abord le pourtour, puis toute la surface en bandes parallèles.*

**FORME RÉGULIÈRE** ▷
*Commencez par les deux bords opposés, puis continuez perpendiculairement en bandes parallèles.*

## QUAND TONDRE ?

Commencez au début du printemps en réglant la lame à hauteur maximum. En été, réduisez légèrement la hauteur, puis remontez la lame en automne. Ne tondez plus après novembre. À trop couper ou « scalper » votre pelouse, vous risquez de vous retrouver avec des vides disgracieux.

■ Le gazon fin de grande qualité se tond 1 à 2 fois par semaine au printemps et en automne, à 1 cm de haut ; en été, tondez 3 fois par semaine, à 8 mm minimum en juin.

■ Les pelouses d'agrément ou de jeux se tondent 1 fois par semaine du printemps à l'automne, à 2,5 cm, et à 1,5 cm en été.

**PELOUSE À BULBES** ▷
*Si vous avez planté des bulbes, vous pouvez quand même tondre jusqu'à la fin automne, mais attendez 6 semaines après la floraison de printemps pour recommencer. Ainsi les bulbes auront eu le temps de reprendre des forces, et ils refleuriront l'année suivante.*

## CHOISIR LA BONNE TONDEUSE

Il existe toute une gamme de tondeuses, alors, comment savoir celle qui vous conviendra le mieux ? Dans le cas d'une petite pelouse, une tondeuse manuelle à cylindre peut suffire ; c'est économique, silencieux, et vous n'êtes pas relié à un fil électrique. Par contre, vous aurez quelques efforts à fournir ! Pour une plus grande surface, choisissez une tondeuse électrique ou à essence. La tondeuse électrique est plus propre et plus efficace, mais moins puissante. On trouve plusieurs sortes de tondeuses à moteur :

■ **Les tondeuses hélicoïdales** donnent une tonte fine et des bandes régulières, mais si elles sont mal réglées, elles peuvent déchirer l'herbe ; de plus elles sont assez lourdes à manœuvrer.

■ **Les tondeuses rotatives** sont plus faciles à manier, surtout dans l'herbe haute, mais vous n'obtiendrez pas de bandes moirées.

■ **Les tondeuses à coussin d'air** sont les plus légères à manœuvrer, et elles sont parfaites pour les pelouses légèrement en pente. Dans tous les cas, vérifiez que vous pouvez régler la hauteur de lame, et choisissez un modèle avec bac à herbe.

▽ **TONDEUSE HÉLICOÏDALE À MOTEUR**
*Sans doute le meilleur choix que vous puissiez faire pour un gazon fin de grande qualité, mais seulement pour cela. Vous obtiendrez une tonte d'un fini impeccable, avec des bandes bien dessinées. Les lames sont montées sur un cylindre qui tourne et coupe l'herbe contre une lame fixe. Le cylindre est entraîné par un rouleau arrière ; plus celui-ci est lourd, plus les bandes sur le gazon seront marquées. Les tondeuses à essence ont généralement une largeur de tonte plus importante que les électriques, mais cela les rend plus difficiles à manier. Les autoportées ou les tondeuses autotractées à essence sont idéales dans le cas d'une grande pelouse.*

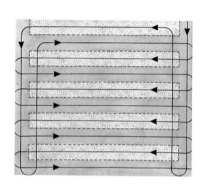

**LAMES HÉLICOÏDALES**

**VOIR AUSSI :** La pelouse, pp. 84-85 ; Les bulbes, p. 89

# TAILLER LES BORDS

Les bords de pelouse clairs et nets font les beaux jardins. Pendant les saisons de pousse, taillez régulièrement à l'aide d'une cisaille en passant bien au ras du bord, ou à l'aide d'un coupe-bordure à fil de nylon (*voir ci-contre*). Ramassez les déchets, afin qu'ils ne prennent pas racine dans les allées ou les plates-bandes adjacentes. Veillez également à ce que les plantes en bordure ne retombent pas sur la pelouse, ce qui peut provo-

quer des taches brunes ou dessécher le gazon. En suivant cette méthode, il vous suffira au début du printemps de recouper les bordures de votre gazon pour redessiner la forme de façon plus nette : vous enlevez alors un filet d'herbe et de sol à l'aide d'un dresse-bordure manuel en demi-lune (*voir ci-dessous*) ou d'un coupe-bordure à moteur. N'utilisez surtout pas de bêche, la lame concave écraserait les bords de la pelouse.

◁ **COUPE-BORDURE À FIL DE NYLON**
*Les coupe-bordures électriques possèdent un fil de nylon flexible qui tourne à grande vitesse. Parfois, la tête se règle en position verticale. Idéal pour de grandes surfaces de gazon.*

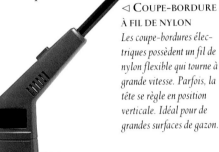

△ **NETTOYER LES BORDS.** *Après avoir tondu, finissez les bordures à l'aide d'une cisaille ou d'un coupe-bordure à fil de nylon.*

△ **RECOUPEZ LES BORDS.** *Pour obtenir un bord bien droit, utilisez un dresse-bordure en demi-lune ; guidez-vous à l'aide d'une planche.*

△ **GUIDE DE COUPE**
*Empêche le fil de descendre au niveau du sol, assurant ainsi une taille régulière.*

---

▽ **TONDEUSE ÉLECTRIQUE À COUSSIN D'AIR**
*Les tondeuses à coussin d'air ont une lame en plastique démontable qui coupe l'herbe en tournant horizontalement dans un mouvement de faux. Elles sont parfaites dans le cas de petites pelouses et pour passer dans les endroits difficiles — en bordures d'allées ou sous des plantations retombantes. Elles se manœuvrent facilement sur le plat ou en pente douce, mais ont tendance à se retourner et à s'arrêter sur des talus plus raides. Les nouveaux modèles possèdent maintenant un bac à herbe, vous n'aurez donc plus à ratisser. Ces tondeuses ne coupent pas très ras, mais elles conviennent pour des pelouses hautes ou irrégulières.*

LAME EN PLASTIQUE

▽ **TONDEUSE ROTATIVE À ESSENCE**
*Voici une bonne solution pour les vastes pelouses, même hautes et drues. En effet, les tondeuses à essence sont plus puissantes que les tondeuses électriques. La tondeuse rotative est équipée de roues et possède une lame métallique démontable qui tourne horizontalement suivant le principe d'une faux. Ce qui signifie qu'elle ne « scalpe » pas le gazon irrégulier, mais aussi qu'elle ne coupe pas très ras. La plupart des tondeuses rotatives sont équipées d'un bac à herbe de grande contenance ne nécessitant pas d'être vidé trop souvent. Pas de problèmes de fil et de rallonge avec une tondeuse à essence, par contre elle est plus chère à l'achat et à l'entretien qu'une tondeuse électrique.*

LAME MÉTALLIQUE

VOIR AUSSI : Les bords, p. 81

# ARROSER LA PELOUSE

Par un arrosage régulier, vous maintiendrez votre nouvelle pelouse humide jusqu'à ce qu'elle soit bien établie. Ensuite, elle ne nécessitera plus de soins que pendant les périodes prolongées de sécheresse, où la pousse ralentit et l'herbe vire au jaune. Il est alors nécessaire d'arroser abondamment. Dès que l'herbe ne se relève pas quand on a marché dessus, il est temps d'arroser.

Afin d'éviter une trop grande évaporation, le mieux est d'arroser le matin ou le soir. Veillez à fournir suffisamment d'eau à la pelouse (*voir ci-contre*); si vous avez un sol lourd, évitez de laisser des mares se former à la surface, cela empêche les racines de trouver l'oxygène et les minéraux dont elles ont besoin. Pour savoir si vous avez suffisamment arrosé, creusez un petit trou de la profondeur des racines et assurez-vous que la terre est humide tout le long. Vous pouvez également utiliser un testeur électrique d'humidité.

Sur une petite surface, l'arrosoir convient parfaitement, mais dès que la pelouse est plus étendue, il vous faut un tuyau d'arrosage ou un arroseur rotatif; dans les deux cas, assurez-vous que la pression le permet. Une vaste étendue de gazon profitera d'un arrosage automatique enterré – la pression de l'eau amène les têtes d'arrosage à la surface et l'eau s'écoule – mais ce système coûte cher.

△ **MANQUE D'EAU**
*Un arrosage trop superficiel, qui mouille seulement quelques centimètres de terre – la partie foncée sur la photo – rend la pelouse plus vulnérable à la sécheresse en encourageant les racines à rester proches de la surface.*

△ **ARROSAGE SUFFISANT**
*Après avoir arrosé, n'oubliez pas de vérifier que le sol est humide jusqu'à 10 à 15 cm de profondeur, comme sur la photo. Ainsi, les racines se développent vers le bas en s'accrochant à la terre, ce qui leur permet de trouver plus facilement de l'eau pendant les saisons sèches.*

# NOURRIR VOTRE PELOUSE

Afin d'éviter tout problème de maladies, d'inégalité dans la pousse, ainsi que les mousses et mauvaises herbes, nourrissez régulièrement votre pelouse avec un fertilisant spécial gazon qui la rendra plus drue, plus verte et plus saine. Dans la plupart des cas, deux applications, une à la fin du printemps ou en début d'été et une autre à la fin de l'été ou au début de l'automne, suffisent.

Les fertilisants se présentent souvent en poudre ou en granulés. Sur des sols lourds et argileux, déjà riches en éléments nutritifs, il en faut très peu; les sols légers et sablonneux en demandent une plus grande quantité. Répandez le fertilisant à la main pour une petite surface, ou à l'aide d'un épandeur.

◁ **RÉPANDRE UN FERTILISANT AVEC UN ÉPANDEUR**
*La trémie de l'épandeur répartit régulièrement la poudre. Passez dans un sens avec la moitié du fertilisant, puis en croisant à angle droit.*

△ **BRÛLURE**
*Ici, l'herbe a été brûlée par un double passage d'engrais. Afin d'éviter cela, suivez les méthodes décrites ci-contre et ci-dessous.*

ÉPANDEUR POUR GRANDES PELOUSES

## POURQUOI

### QU'APPORTE L'ENGRAIS À LA PELOUSE?

La pelouse s'épanouit quand elle a les éléments nécessaires en quantités plus que suffisantes : azote, phosphore, potassium et fer. Les fertilisants spécial pelouse lui apportent ces composants essentiels. Le mélange varie suivant l'époque de l'année : il faut plus d'azote au printemps pour compenser la perte de l'hiver, et plus de potassium en automne afin que l'herbe résiste au froid. Certains fertilisants sont mélangés à des désherbants sélectifs.

△ **RÉPANDRE MANUELLEMENT**
*Sur une petite surface, divisez la pelouse en parcelles égales et faites des portions d'engrais. À l'aide d'un pot, répartissez l'engrais dans un sens puis en croisant.*

**VOIR AUSSI :** Les dégâts, p. 86 ; L'arrosage, p. 280

# L'ENTRETIEN D'AUTOMNE

Après l'été, quand le sol de la pelouse a été tassé par les passages répétés, il faut créer des trous et des canaux dans le gazon afin de l'aérer. Cela modère l'effet de tassement et permet aux racines de se développer vers le bas. L'apport de terre fine en surface améliore le drainage. Ces deux gestes bénéfiques s'accomplissent au début de l'automne, après avoir vigoureusement scarifié la pelouse pour ôter les débris et la mousse (*voir ci-dessous*). Cela donnera à votre pelouse tout ce qu'il faut pour bien repartir au printemps suivant. Il y a plusieurs façons d'aérer une pelouse (*voir ci-contre*). Le plus simple consiste à la percer à l'aide d'une fourche. Vous pouvez aussi utiliser un instrument perforateur manuel ou à moteur, ou encore un aérateur rotatif. Après avoir aéré votre pelouse, faites-la profiter d'un terreau (*voir ci-dessous à droite*) afin de niveler la surface et de remplir les percements effectués tout en laissant des conduits poreux pour le drainage.

## PERFORATEUR ▷

*Afin d'améliorer le drainage de surface, utilisez un outil spécial qui ôte des carottes de pelouse et de terre de 2 cm de diamètre. Procédez méthodiquement sur toute la pelouse afin de ne pas piétiner les trous. Balayez les carottes et ajoutez-les au compost.*

## À LA FOURCHE ▷

*Si vous avez une petite pelouse, il vous suffit de l'aérer à la fourche. Piquez le sol tous les 15 cm, en faisant doucement bouger la fourche d'avant en arrière afin de laisser plus d'air pénétrer le sol.*

△ **INCISION**
*Pour une vaste étendue de gazon, pensez à louer un aérateur rotatif qui entaillera profondément la pelouse.*

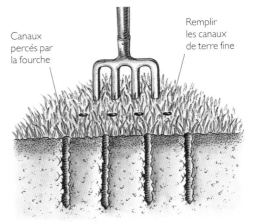

Canaux percés par la fourche

Remplir les canaux de terre fine

◁ **AVANTAGES DE L'AÉRATION**
*Les canaux créés par l'aération permettent à l'humidité, à l'air et au fertilisant de parvenir plus facilement jusqu'aux racines, empêchant ainsi la mousse de se développer. Le sol entre les canaux se dilate légèrement, ce qui réduit le risque d'avoir une terre trop compacte, et crée un meilleur drainage, surtout si vous remplissez les canaux de terre fine.*

## ASTUCES

- Avant d'aérer, tondez la pelouse à sa hauteur d'été ; après l'aération, répandez un fertilisant d'automne pauvre en azote.
- Aérez quand le sol est humide ; ce sera plus facile et la pelouse résistera mieux à la sécheresse.
- Répandez le terreau quand il fait sec, afin qu'il ne soit pas emporté par la pluie.
- Répandez environ 3 kg de terreau par m² de pelouse.

## RÉALISER UN TERREAU DE TERRE FINE

### MÉLANGE DE TERRE FINE ▷
*Réalisez votre propre terre fine en mélangeant 6 parts de sable fin (en haut), 3 parts de terreau de jardin (en bas à droite) et une part de tourbe (en bas à gauche) ou de compost. Tamisez le mélange dans un tamis à mailles de 5 mm, afin de ne pas laisser de cailloux.*

◁ **RÉPANDRE LE TERREAU**
*Sur une petite surface, répandez le terreau à l'aide d'une pelle ou d'une bêche ; mais pour une grande pelouse, utilisez de préférence un épandeur. Ensuite, brossez la terre fine afin qu'elle pénètre dans la pelouse.*

# SCARIFIER

Encore une tâche de début d'automne. La scarification permet d'enlever les débris et la mousse sèche (*voir ci-dessous*), et favorise la pénétration de l'air dans la pelouse. Même si elle respire mieux après ce travail, votre pelouse vous paraîtra horrible ; cependant vous verrez l'avantage dès le début du printemps, quand une multitude de nouvelles pousses apparaîtront.

Procédez à la scarification quand le sol est humide. Nous vous conseillons d'éradiquer la mousse avant, sinon elle risque de se répandre partout. Sur une petite surface, un râteau suffit pour scarifier. Un râteau ordi-naire ou un balai à gazon sont efficaces, mais il existe aussi des râteaux à dents pointues qui servent spécialement à scarifier. Pour une grande pelouse, utilisez plutôt un scarificateur mécanique ou à moteur. Passez le scarificateur dans un sens puis dans l'autre comme si vous tondiez.

## DÉBRIS ▷
*À l'automne, les débris (herbes et mousses mortes) étouffent la pelouse. Si vous le laissez sur place, vous aurez la mauvaise surprise de retrouver dessous des endroits desséchés ou nus.*

◁ **AVEC UN BALAI À GAZON**
*Tirez le râteau avec énergie sur la pelouse, en vous assurant que les dents s'enfoncent bien jusqu'à la terre.*

◁ **RÂTEAU À SCARIFIER**
*Les dents rigides et pointues de ce râteau permettent de bien pénétrer la mousse sèche et la pelouse elle-même.*

VOIR AUSSI : Tondre, p. 82 ; Les dégâts, p. 86 ; Creux et bosses, p. 87 ; Les râteaux, p. 279

# PROBLÈMES DE PELOUSE

Malgré tous les soins que vous lui prodiguez, votre pelouse peut de temps à autre présenter quelques problèmes : usure, creux et bosses, mousse, mauvaises herbes, nuisibles et maladies. La plupart de ces dégâts sont mineurs et vous choisissez parfois de les ignorer. Réparer un morceau de gazon abîmé est pourtant assez simple, de même que combler un creux ou rectifier une bosse. Si votre gazon souffre de mousse, de nuisibles ou d'autres mots, pensez d'abord à attaquer le problème à la source et essayez des méthodes écologiques avant d'employer des produits chimiques. Certaines maladies peuvent disparaître, par exemple, par l'amélioration du drainage. Dans tous les cas, réagissez le plus tôt possible.

## RÉPARER LES DÉGÂTS

Une utilisation intensive de certaines parties de la pelouse peut provoquer une usure peu esthétique. Il suffit d'ôter le morceau abîmé et de poser une nouvelle plaque de gazon ou de ressemer. Agissez au milieu du printemps ou de l'automne. Il faut vous procurer les mêmes plaques ou mélanges de graines que ceux utilisés pour la pelouse d'origine. Si cela est impossible, déplacez un morceau de gazon d'un coin qui se voit peu et remplacez la partie abîmée. Examinez votre pelouse : si les dégâts se répètent sur presque toute la surface, il faudra peut-être songer à tout remplacer par un matériau plus durable (pavés ou gravier). Pour réparer une bordure endommagée, ôtez la partie usée et remplacez-la avec une nouvelle plaque ou de la terre à ressemer (*voir ci-contre*). Vous pouvez également découper la partie et la retourner, bord abîmé vers le reste de la pelouse ; mettez bien en place, puis ajoutez un mélange de terreau et de sable pour niveler. Semez du gazon et arrosez. Pour réparer un morceau en milieu de pelouse, ôtez la partie concernée, travaillez le sol à la fourche, ajoutez du fertilisant, puis semez ou posez le gazon.

### RÉPARER UN BORD ENDOMMAGÉ

**1 ÔTEZ UN MORCEAU**
*Découpez un carré de pelouse autour de la bordure endommagée. Détachez le gazon à l'aide d'une bêche et glissez-le vers l'avant.*

**2 TAILLEZ LE BORD**
*En vous guidant le long d'une planche, taillez le bord du morceau dans l'alignement du reste de la pelouse à l'aide d'un dresse-bordure en demi-lune.*

**3 COMBLEZ LE MANQUE**
*Découpez un morceau de pelouse de la taille du vide restant. Essayez-le jusqu'à ce qu'il s'intègre parfaitement.*

**4 AJUSTEZ LE NIVEAU**
*Enlevez ou ajoutez de la terre sous le nouveau morceau, afin qu'il soit exactement au niveau de la pelouse.*

**5 AFFERMISSEZ**
*Avec le dos d'un râteau ou un rouleau de jardin moyennement lourd, pressez fermement le nouveau morceau en place.*

**6 FINITIONS.** *À l'aide d'une pelle à terreau, répartissez un mélange de terreau et de sable sur la partie réparée en insistant sur les bords ; arrosez beaucoup.*

### RÉPARER UN MORCEAU DU MILIEU

**1 ÔTEZ UN MORCEAU**
*À l'aide d'un dresse-bordure, découpez un carré autour de la partie endommagée, puis décollez-le avec une bêche et enlevez-le.*

**2 PRÉPAREZ LE SOL**
*Afin d'encourager la reprise des racines, ameublissez le sol en le travaillant légèrement à la fourche ou au râteau. Répandez un fertilisant.*

**3 AFFERMISSEZ LE SOL**
*Piétinez soigneusement le sol afin de l'affermir avant de poser le nouveau morceau de gazon.*

**4 POSEZ UNE NOUVELLE PLAQUE.** *Découpez un morceau de gazon de la taille requise ; retaillez-le aux dimensions exactes à l'aide d'un dresse-bordure.*

**5 FINITIONS.** *Assurez-vous que le morceau est au même niveau que le reste de la pelouse et ajustez si nécessaire. Affermissez le morceau en place et arrosez copieusement.*

VOIR AUSSI : Les terrasses et les allées, pp. 56-73 ; Les semis, p. 77 ; Le gazon, p. 79 ; Le gazon en plaques, p. 80

# CREUX ET BOSSES

Au bout de quelque temps, vous trouverez peut-être que votre pelouse se déforme légèrement en creux, bosses ou les deux. L'herbe dans un creux sera trop haute, et celle qui est située sur une bosse sera tondue trop ras et se desséchera. Sur une petite échelle, ces deux problèmes ont une solution simple et rapide, qui consiste à inciser le gazon en croix, à le décoller et à niveler le sol au-dessous (*voir ci-contre*). Quand il s'agit d'un vaste morceau de pelouse, il vaut mieux enlever carrément le gazon. Entreposez les plaques sur un côté de la pelouse en veillant surtout à ce qu'elles ne se dessèchent pas. Puis à l'aide d'un niveau à bulle (*voir p.78*), nivelez le sol sur toute la partie concernée, avant de replacer soigneusement les morceaux de gazon.

## NIVELER UN CREUX OU UNE BOSSE

**1 INCISEZ EN CROIX**
À l'aide d'un dresse-bordure, incisez le gazon en croix à l'emplacement du creux ou de la bosse. L'incision doit dépasser légèrement la zone problématique. Puis décollez les triangles de pelouse avec une bêche.

**2 SOULEVEZ LE GAZON**
Repliez les triangles de gazon vers l'extérieur de la croix. Procédez délicatement afin de ne pas les casser.

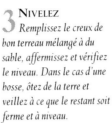

**3 NIVELEZ**
Remplissez le creux de bon terreau mélangé à du sable, affermissez et vérifiez le niveau. Dans le cas d'une bosse, ôtez de la terre et veillez à ce que le restant soit ferme et à niveau.

**4 REPLACEZ LE GAZON**
Dépliez les triangles de gazon pour les replacer dans leur position initiale. Affermissez légèrement et vérifiez que tout est bien nivelé. Remettez à niveau si nécessaire. Répandez du terreau sur cette partie de pelouse et arrosez.

# LES MAUVAISES HERBES

Si vous ne rêvez pas d'une pelouse impeccable, vous pouvez ignorer des "mauvaises herbes" comme les pâquerettes ou le trèfle, plutôt jolies dans la pelouse . Mais certaines autres l'étouffent et la mettent à mal, et il vaut mieux les maîtriser. La plupart des adventices de pelouse sont rampantes ou en rosettes, comme le plantain, le laiteron ou le pissenlit, et ne sont pas menacées par la tonte. Les plus communes sont présentées ci-contre. Mais d'autres encore peuvent poser problème, comme le chiendent, le lierre, l'oxalis, l'armoise ou la matricaire. Un entretien régulier, incluant tonte, fertilisation et arrosage,

suffit généralement à prévenir l'apparition des adventices. Si jamais elles surviennent, tentez de les arracher individuellement à l'aide d'un "arrache-tout" ou d'un couteau de cuisine. N'oubliez pas que certaines mauvaises herbes possèdent des racines "à rallonge", ou des stolons, et qu'il faut tout arracher. Sur des pelouses vastes, vous aurez peut-être besoin d'un désherbant chimique.

Vous en trouverez sous plusieurs formes :
■ Les **désherbants liquides** doivent être dilués ; on les répand sur la pelouse à l'aide d'un tourniquet ou autre système d'arrosage.
■ En **granules ou en poudre**, on applique le désherbant sur sol humide, à la main ou à l'aide d'un épandeur.
■ **En gel**, on les applique à chaque mauvaise herbe individuellement.

## CONTRÔLER LA MOUSSE

La mousse peut apparaître au milieu du gazon le mieux entretenu, mais elle est souvent signe de trop d'humidité et d'ombre ou d'une pelouse pas assez nourrie. Traitez à l'aide de désherbants chimiques spécifiques ou avec du sable pour pelouse, de préférence au printemps, puis ratissez la mousse morte. Si vous procédez à ce nettoyage à l'automne, la scarification peut participer à la prolifération de la mousse. Sur un sol acide et pauvre, essayez la chaux. Et nourrissez régulièrement votre gazon afin qu'il pousse dru. Si la mousse a tendance à réapparaître, identifiez la cause du problème et prenez des mesures à la source. Il faut peut-être améliorer l'aération du sol, le drainage ou la fertilisation. Dans un coin ombragé, songez à remplacer le gazon par des plantes couvre-sol ou même à créer une pelouse de mousse !

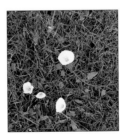

△ **LISERON**
Il s'épanouit sur les sols pauvres et gagne du terrain en souterrain, par ses racines.

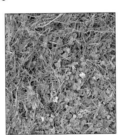

△ **VÉRONIQUE.** Sur un sol humide, il est difficile d'en venir à bout. Un peu de sable dans la pelouse peut l'affaiblir.

△ **BOUTON D'OR**
Adventice très fréquente sur les sols humides et argileux.

△ **PLANTAIN**
Il forme des rosettes larges qui étouffent le gazon.

△ **ACHILLÉE.** Elle pousse sur les terrains pauvres et secs. On peut l'ôter à la fourche si elle ne s'est pas trop étendue.

△ **PISSENLIT.** Il a des racines pivotantes, forme des rosettes qui étouffent le gazon et se ressème à la volée.

△ **LUZERNE LUPULINE**
Une annuelle qui envahit la pelouse en profitant des déchets de tonte pour se ressemer.

△ **TRÈFLE BLANC COMMUN**
Cette plante prolifère rapidement par temps sec.

VOIR AUSSI : Le sol, p. 78 ; Les pelouses originales, pp. 88-89 ; Les mauvaises herbes, pp. 290-291

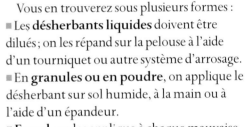

# DES PELOUSES POUR CHANGER

Pour obtenir une pelouse originale, optez pour des couvre-sol de plantes aromatiques ou agrémentez-la de fleurs des champs et de bulbes. Ces formules conviennent surtout à de petites surfaces peu sollicitées, non seulement parce qu'elles sont plus coûteuses qu'une simple pelouse, mais aussi parce que ces plantes supportent mal le piétinement fréquent. Une pelouse plantée de fleurs se développera mieux si on ne l'utilise pas pendant la période de floraison. Par contre, marcher de temps en temps sur un tapis d'herbes aromatiques dégagera d'agréables senteurs. Ces pelouses sans gazon n'ont pas besoin d'être tondues, mais il vous faudra néanmoins les arroser, nourrir et désherber.

## PLANTES COUVRE-SOL

Pour créer une surface douce autre que le gazon, choisissez entre le pachysandra (*voir p. 75*), la camomille (*Chamaemelum nobile* 'Treneague') et des plantes aromatiques comme la menthe *requienii* d'origine corse et des thyms courts parfumés (*Thymus serpyllum*, par ex.). On peut aussi combiner plusieurs de ces plantes. Dans des coins difficiles à garnir, vous apprécierez d'autres genres de couvre-sol : des **tapissantes** comme la famille des acaenas, les potentillas très colorés, ou encore les dianthus, autre vivace gazonnante ; des **conifères nains** aux rameaux étalés, comme le *Juniperus squamata*, un genévrier bleu ; des **arbustes nains** ou des **grimpantes**, par exemple lierres, bruyères ou euonymus.

## UNE PELOUSE SANS GAZON

C'est une option qui peut s'avérer coûteuse, à moins de faire pousser vous-même les plantes que vous souhaitez utiliser. Pour cela, il vous faut assez de place et de temps pour faire vos semis et veiller sur les plants. La plupart des thyms et camomilles se sèment, et vous pouvez diviser les grandes touffes, ou encore faire des boutures. L'ultime solution consiste à acheter suffisamment de plants pour couvrir la surface désirée. Dans ce cas, veillez à choisir des plantes bien adaptées à votre terrain et aux conditions climatiques.

Préparez soigneusement le sol comme pour réaliser une surface de gazon en ôtant toutes les mauvaises herbes, et espacez les plants de 20 à 30 cm. Arrosez régulièrement et désherbez jusqu'à ce qu'un tapis continu se forme. Ajoutez un fertilisant universel au printemps et taillez les plantes au début du printemps ou à la fin de l'été. Arrachez à la main toute adventice indésirable. Au bout de quelques années, vous aurez peut-être besoin de remplacer toute votre pelouse et d'enrichir le sol avant de replanter.

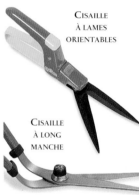

CISAILLE À LAMES ORIENTALES

CISAILLE À LONG MANCHE

△ **OUTILS DE TAILLE**
*Vous aurez besoin de tailler votre pelouse à la main ; choisissez des outils efficaces qui vous faciliteront le travail, comme une cisaille de pelouse à long manche et une cisaille à lames orientales.*

△ **PELOUSE PARFUMÉE**
*Idéal sur une petite surface, ce mélange de camomille et de thym crée un tapis attrayant, joli tout au long de l'année, et qui s'anime de fleurs en été. Cette pelouse aromatique exhale des effluves odoriférants merveilleux et variés.*

◁ **ENTRETIEN MINIMUM**
*La surface de pelouse non-gazonnante doit rester limitée, afin que désherbage et taille manuels ne deviennent pas une corvée. Votre pelouse s'épanouira alors pleinement.*

**VOIR AUSSI :** Espèces couvre-sol, p. 75 ; La pelouse, p. 78 ; La vue et le climat, p. 48 ; Multiplier les plantes, pp. 162-163

# EFFETS NATURELS

Dans la nature, l'herbe pousse toujours mêlée à des fleurs des champs et des plantes des bois. La manière la plus simple de recréer un tel effet est de planter des bulbes dans la pelouse ; vous jouirez ainsi de la vue des jonquilles, perce-neige et crocus au printemps. Réaliser une prairie fleurie à partir de graines exige plus de travail, mais le résultat est extraordinaire. Les fleurs sauvages s'épanouissent sur terrain pauvre : n'ajoutez plus de fertilisant et ratissez le mulch de tonte pendant une saison ou deux avant de les semer. Choisissez des plantes de votre région. En général, vous faucherez votre prairie au début du printemps et à la fin de l'automne à l'aide d'une débroussailleuse à fil.

△ **CROCUS.** *Les fleurs de printemps animent la pelouse avant que l'herbe ait eu le temps de pousser dru.*

◁ **FLEURS DES CHAMPS** *Les mélanges de graines pour prairies fleuries comprennent coquelicots, bleuets et lychnis.*

# PLANTER DES BULBES DANS LE GAZON

Les bulbes des fleurs de printemps, ainsi que certaines fleurs d'automne comme les crocus et les colchiques, conviennent à la plupart des pelouses. Une fois que vous aurez pris la peine de planter des bulbes dans un coin de votre pelouse, ils se naturaliseront et se multiplieront tous les ans, sans coût supplémentaire. Attention cependant à ne pas couper les feuilles en tondant trop tôt après la floraison ; cela empêcherait la pousse et la floraison future des bulbes. Ne tondez que six semaines après la floraison, ou quand les feuilles des fleurs sont jaunes.

## PLANTER DES GROS BULBES DANS LE GAZON

**1 CREUSEZ UN TROU.** *Nettoyez les bulbes (ici des jonquilles) et disposez-les sur l'herbe. Pour chacun, creusez un trou de 10 à 15 cm de profondeur à l'aide d'un transplantoir ou d'un plante-bulbes.*

**2 PLANTEZ LE BULBE** *Mélangez une pincée de poudre d'os à la terre provenant de la pelouse, et versez dans le trou. Déposez le bulbe, pointe en haut.*

**3 REPLACEZ LA MOTTE** *Émiettez légèrement la terre de la motte de gazon au-dessus du bulbe, puis replacez-la comme un couvercle sur le trou. Tassez doucement et rebouchez avec de la terre si nécessaire.*

## PLANTER DES PETITS BULBES DANS LE GAZON

**1 DÉCOUPEZ LE GAZON** *À l'aide d'un dresse-bordure ou d'une bêche, incisez le gazon en forme de H. Assurez-vous que vous découpez également le sol.*

**2 REPLIEZ LE GAZON** *Décollez soigneusement le gazon, et repliez les deux côtés pour exposer la terre nue. Veillez à ne pas casser le gazon.*

**3 PRÉPAREZ LE SOL** *Amollissez le sol avec une fourche à main jusqu'à 8 cm de profondeur au moins ; ajoutez un peu de fertilisant à diffusion lente.*

**4 PLANTEZ LES BULBES** *Placez les bulbes (ici des crocus) sur la terre, pointe vers le haut et à au moins 2,5 cm les uns des autres.*

**5 ENTAILLEZ LA PELOUSE** *Entaillez légèrement l'envers du gazon afin que les bulbes poussent plus facilement au travers. Remettez le gazon en place et affermissez.*

### ASTUCES

• Pour obtenir un effet plus naturel, plantez les bulbes au hasard, en les jetant sur la pelouse et en creusant là où ils tombent.

• Laissez au moins la largeur d'un bulbe entre chaque plantation, surtout dans le cas de gros bulbes.

**VOIR AUSSI :** La pelouse, p. 75 ; Les jonquilles, p. 137 ; Les bulbes, p. 149

# COMMENT DÉLIMITER ET STRUCTURER SON JARDIN

## CLÔTURES ET SÉPARATIONS

Les clôtures ne se contentent pas de marquer les limites d'une propriété, elles ont un impact visuel immédiat et participent à l'atmosphère. Tout comme les séparations intérieures, elles font partie intégrante du paysage. En harmonie avec la végétation voisine, elles constituent un élément essentiel de l'ensemble du lieu, dont la maison. Selon les matériaux utilisés, l'effet créé sera différent : murets, barrières et treillis offrent de belles perspectives sur le jardin et au-delà, tandis que haies épaisses et murs hauts engendrent une sensation d'intimité qui éloigne du monde extérieur.

## INTÉGRER LES CLÔTURES DANS LE PLAN D'ENSEMBLE

Lorsqu'on envisage de construire une clôture, il est important de prendre en considération le degré de sécurité et d'intimité désiré. S'agit-il d'empêcher de jeunes enfants ou des animaux domestiques de franchir ces limites ? Ou encore d'écarter les cambrioleurs ou des bêtes moins appréciées ? Pour bloquer le passage aux cerfs, il faut une barrière d'au moins 2 m de haut. Du grillage enterré sur une profondeur de 30 cm devrait décourager les lièvres.

Les espaces ouverts aux clôtures discrètes ont souvent une allure plus naturelle. Couvert de grimpantes comme le chèvrefeuille (*Lonicera*), un treillis aéré est magnifique. Cette structure légère est

◁ **BARRIÈRE NATURELLE**
*Une clôture en bois comme celle-ci est assez facile à construire soi-même en constituant une enceinte aussi solide qu'attrayante. Commode à la campagne, elle est assez résistante pour bloquer le passage des chevaux et du bétail.*

▽ **NOTE ORIENTALE**
*Les panneaux de bambous sont aussi un facteur d'intimité tout en mettant joliment en valeur ce ravissant mélange de feuillages.*

également recommandée pour les toits en terrasse où des écrans de toile peuvent aussi protéger des regards indiscrets. Les murs de brique sont assez onéreux, mais restent en bon état longtemps. Autre solution, meilleure marché mais moins durable : un grillage garni de plantes grimpantes. Si vous souhaitez modifier les clôtures de votre jardin, allez consulter vos voisins ainsi que les autorités locales car vous aurez peut-être besoin d'un permis. Généralement il est préférable que murs et clôtures mesurent plus de 2 m de haut, sauf en bordure de voie publique où il sont souvent plus bas.

◁ **UN ARRIÈRE-PLAN PATINÉ**
*Un haut mur de brique assure l'intimité du jardin tout en offrant une belle toile de fond à la profusion de plantes sur cette bordure d'herbacées.*

**VOIR AUSSI :** Les séparations, pp. 28-31

# INTÉGRER LES SÉPARATIONS DANS LE PLAN D'ENSEMBLE

Même avec un petit jardin, vous pouvez vouloir créer plusieurs zones d'intérêt par le biais de barrières ou d'écrans de végétation. Des panneaux en treillis délimiteront un potager ou une aire de jeux ; ils cacheront aussi poubelles ou compost. Un terrain tout en longueur peut être compartimenté en plusieurs espaces, plus faciles à aménager ; une cloison pleine ou un treillis garni de plantes grimpantes autour d'une terrasse vous assurera abri et tranquillité. Dans le cas d'un écran en bois, une peinture ou un vernis protecteur apportera une touche de couleur qu'il convient d'harmoniser tant avec les plantations qu'avec le mobilier de jardin. Dans les zones exposées, on peut installer des écrans en treillis, bambous ou grillage afin de protéger une aire restreinte ou des cultures fragiles. Une pergola peut aussi constituer une séparation si elle est couverte de grimpantes feuillues. Quant aux portiques, il est possible de les intégrer dans une séparation afin d'attirer le regard plus loin. Vous pouvez aussi mettre en valeur une jolie vue sur une autre partie du jardin en pratiquant une "fenêtre" dans une clôture, un mur ou une haie *(voir p.116)*. Une haie tressée suscitera un effet similaire, de plus grande envergure, mais cela demande de l'adresse et du temps - parfois jusqu'à 15 ans ! Il s'agit d'orienter les branches de jeunes arbres en les attachant à l'horizontale sur un solide cadre en bois, elles s'entremêleront pour former une haie sur "pilotis".

△ ÉCRAN DE FEUILLAGE
*Ces tilleuls entrelacés composent une luxuriante voûte au-dessus des méandres de l'allée. Une telle séparation en hauteur délimite des zones distinctes au sein du jardin tout en encadrant joliment la perspective au-delà.*

SÉPARATIONS VARIÉES ▷
*Trois types d'écran, une haie, un treillage et des bambous, ont été habilement mis à contribution pour ouvrir une trouée dans cette enceinte, le treillis offrant un aperçu sur la zone voisine.*

# DES SÉPARATIONS GARNIES DE PLANTES ORNEMENTALES

Clôtures et panneaux de séparation seront d'autant plus décoratifs que vous les ornerez d'arbustes et d'espèces grimpantes. Dans une cour ou un petit jardin, vous pouvez opter pour une telle foison de plantations en bordure que ses limites disparaîtront, ce qui suscitera une reposante sensation d'espace *(voir p.14 et p.19)*. Mêlez variétés persistantes et caduques : lierres, herbes, *Miscanthus* par exemple, fougères et bambous, avec des variétés graphiques telles que *Fatsia japonica* et cordylines.

◁ PLANTES INTÉGRÉES
*Ce rosier rose grimpant lie agréablement les plantations de pavots en arbre (*Romneya coulteri*) et d'iris panachés en bordure avec le mur d'enceinte en arrière-plan.*

Selon les matériaux employés, écrans et cloisons auront un aspect classique et élégant ou au contraire rustique et naturel. Pour un décor romantique, laissez roses et clématites se mêler sans retenue. Dans un esprit plus traditionel, faites grimper un pêcher ou un cerisier en espalier contre un mur. Le buisson ardent, de culture facile, est un bon choix de persistant avec ses fleurs blanches auxquelles succède une abondance de baies. Pergolas et portiques, parfois utilisés pour faire écran, sont souvent visibles de toutes parts : prenez-le en compte dans votre choix d'espèces. Ces structures doivent être assez solides et résistantes pour supporter le poids des plantes, parfois considérable.

VOIR AUSSI : Les herbes, les bambous et les fougères, pp. 140-141

# BARRIÈRES ET TREILLIS

Ils ont l'avantage certain de délimiter rapidement un espace pour un coût modique, tout en jouant un rôle d'écran et de coupe-vent. Barrières et treillis procurent instantanément un sentiment de sécurité et d'intimité et constituent d'excellents supports ou toiles de fond pour les plantes grimpantes ou les arbres fruitiers en espalier. Ils ont aussi une fonction décorative, qui dépendra du modèle retenu. Il existe une grande variété de modèles réalisés dans des matériaux différents. En bois, ils requièrent cependant un certain entretien pour prévenir le risque de putréfaction. Les barrières les plus simples sont relativement bon marché. C'est le portail qui donnera la première impression à vos visiteurs. Il doit correspondre au style général donné au jardin et à la maison.

## LES BARRIÈRES

Il existe deux catégories principales, pleines ou à claire-voie, qui toutes deux peuvent être infranchissables. Les barrières pleines ou comportant peu de jour offrent davantage d'intimité, et elles résistent mieux au vent. Étant soumises à de plus grandes pressions, leurs piliers doivent avoir des fondations particulièrement solides. Les clôtures à claire voie laissent passer la lumière et la pluie sur les plantes avoisinantes ; elles les protègent aussi en filtrant le vent. On peut créer des motifs intéressants en clouant des planches en diagonale ou en chevrons. Dans le cas d'une barrière à claire-voie, l'effet est parfois saisissant en hiver quand le soleil bas jette de longues ombres sur une pelouse ou une terrasse. Les piliers doivent se trouver sur votre terrain si la clôture fait office de frontière entre deux propriétés. Choisissez un style qui s'accorde à votre jardin (*voir pp. 28-29*).

### LES POSSIBILITÉS

▦ **Bambous** (pleine) : Disponible en panneaux de cannes tissées ou liées ensemble ; filtre bien le vent, mais se détériore rapidement.

▦ **Grillage metallique** (à claire voie) : Grillage fixé à des poteaux en béton, en bois ou en fer ; infranchissable, bon marché et rapide à dresser sur de grandes longueurs.

▦ **Pieux** (pleine ou à claire voie) : Planches verticales en bois ou en plastique fixées à des barreaux horizontaux. Convient bien à la façade des jardins de banlieue.

▦ **Poteaux et barreaux** (à claire voie) : Deux ou davantage de barreaux à l'horizontale fixés entre deux poteaux ; robuste et bon marché.

▦ **Grille** (ouverte) : Généralement du fer forgé ou ouvragé ; coûteux, à moins de trouver du matériau de récupération. Convient le mieux à la façade de petits jardins.

▦ **Claie** (pleine) : Panneaux de tiges de bois entrelacées, souvent du noisetier ou du saule ; offre une protection temporaire pour les jeunes arbustes et haies : de courte durée.

▦ **Panneau de bois** (plein) : Planches ou lattes de bois se chevauchant, le plus souvent du pin ou du mélèze, attachées à un cadre que l'on fixe facilement à des pieux ; les planches peuvent être disposées à l'horizontale ou à la verticale. Toute une gamme de hauteurs et de matériaux disponibles. Assure une bonne intimité, mais peu solide.

△ **CHANGEMENT DE RÔLE**
*En attendant que la haie grandisse, cette barrière de poteaux et barreaux délimite le terrain et bloque éventuellement le passage du bétail venant du champ voisin.*

△ **DOUBLE MISSION**
*Une clôture en pieux permet de voir au-delà du jardin tout en offrant un support aux plantes voisines. Peinte en blanc pour protéger le bois, elle s'harmonise bien avec les nuances des fleurs.*

**OMBRE NATURELLE** ▷
*La couleur douce de cette barrière en planches verticales constitue une excellente toile de fond pour ces fleurs de clématite et leur feuillage au premier plan.*

**VOIR AUSSI** : Les séparations, pp. 28-29

# LES TREILLIS

Ce peut être des clôtures indépendantes et légères, des séparations dans l'enceinte d'un jardin ou des éléments associés à un mur ou une barrière. Ils varient en tailles et en poids selon les matériaux, dans une large gamme de modèles destinés aux portiques et tonnelles. Certains treillages à claire voie en losanges peuvent être disposés de façon à cadrer exactement dans un espace, mais il faut les fixer sur des supports en bois. Choisissez un pan presque plein si vous désirez freiner le vent. Les treillis en bambous ou en saule confèrent une originalité particulière au jardin, mais méfiez-vous si vous

employez du saule car les branches risquent de prendre racine, auquel cas vous devrez tresser et élaguer les rameaux latéraux à mesure qu'ils grandiront. Assurez-vous que le treillis est assez solide pour soutenir les plantes que vous avez choisies et optez pour un matériau robuste si la barrière est indépendante. Le bois dur raboté est plus résistant et plus cher que le bois tendre scié ; s'il est appelé à jouer un rôle décoratif important, mieux vaut dépenser davantage. Les lattes en bois sont plus jolies qu'en plastique ou en fil de fer garni de plastique, mais demandent plus d'entretien et devront être traitées avec un fongicide non toxique. Les coloris à la mode, ont un impact immédiat, mais les bruns et le vert sauge s'harmonisent avec l'ensemble du jardin.

## IDÉES DÉCO

- Créer un élément décoratif en fixant des panneaux de treillis au-dessus d'une barrière.
- Dissimulez les vilains bâtiments, les vues indésirables ou les remises derrière un écran en treillis.
- Encadrez une jolie vue en découpant une "fenêtre" dans un treillis entre des panneaux pleins.
- Entourez un toit en terrasse d'un treillage solide pour garantir une certaine intimité et protéger les plantes du vent.

◁ EN LOSANGES
*Fixez solidement un treillis à bordures toutes prêtes comme celui-ci à un mur ou une clôture.*

TRIANGULAIRE ▷
*Cette forme convient bien à l'étayage d'une seule grimpante.*

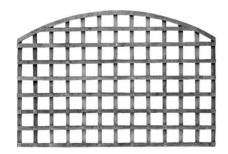

TREILLIS ARRONDI △
*Un treillis convexe ou concave apporte une touche informelle à une barrière ou un écran plus strict.*

▽ TREILLIS À BROQUETTES
*Ce genre de treillage en accordéon est assemblé grâce à des petits clous à tête plate ; beaucoup moins solide que le treillis conventionnel.*

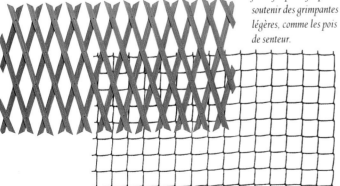

▽ MÉTALLIQUE
*Utilisez du grillage en fil de fer plastifié pour soutenir des grimpantes légères, comme les pois de senteur.*

△ FAIT MAISON
*Ce charmant écran en tiges de saule tressées ajoute du caractère à ce jardin tout en abritant les plantes du potager.*

# LES PORTAILS

Le style de votre portail est primordial parce qu'il donnera une impression immédiate à vos visiteurs et donnera le ton tant du jardin que de la maison. Dans le choix d'un nouveau portail, certains aspects pratiques doivent être pris en considération :

■ De quelle largeur doit-il être ? Le poserez-vous vous-même ? En tout état de cause, les piliers doivent être solidement ancrés dans le sol, à l'aide de béton de préférence. Plus le portail est large, plus il sera difficile à fixer.

■ A-t-il besoin d'être fermé pour empêcher de jeunes enfants ou des animaux domestiques de sortir ? Si c'est le cas, choisissez un loquet adapté et souvenez-vous que les petits animaux peuvent facilement se glisser par une trouée en dessous.

■ Souhaitez-vous être tranquille ? Un grand portail plein de la même hauteur que le mur s'impose peut-être alors.

La plupart des portails servent tous les jours. En plus de choisir un modèle s'accordant de part et d'autre à la clôture, assurez-vous que les matériaux et la construction upporteront ces manipulations quotidiennes.

△ PORTAIL EN BOIS
*Les puissantes lignes géométriques de ce portail à carreaux en bois reprennent de part et d'autre la forme des haies classiques taillées. En dépit de son esthétique austère et assez lourde, les aperçus qu'il offre sur le jardin comme sur la campagne au-delà lui évitent un aspect intimidant.*

VOIR AUSSI : Les supports, pp. 108-109

# ÉLEVER UNE BARRIÈRE EN BOIS

Une barrière en bois doit être placée sur *votre* terrain, le côté le plus attrayant orienté vers l'extérieur. Les modèles les plus faciles à monter sont en panneaux, disponibles dans le commerce dans une large gamme de modèles, souvent en kits prêts à assembler. Les panneaux sont fixés sur des piliers en bois ou en béton. Ces derniers, moins esthétiques, durent beaucoup plus longtemps que les pieux en bois, qui requièrent des supports métalliques pour les empêcher de pourrir,

ou un socle en béton sur une armature permettant le drainage. Afin de renforcer la résistance du portail, employez du bois étuvé et fixez un chapiteau de protection au sommet des piliers. Une plinthe protectrice en bois (ou en béton) remplaçable, placée à la base de chaque panneau, évitera d'avoir à renouveler l'ensemble si le bois est endommagé par la terre humide. À chaque étape de construction, vérifiez l'alignement des piliers au moyen d'un niveau à bulle.

◁ **SUPPORT DE PILIER MÉTALLIQUE**
*Pour prolonger la durée de vie de vos piliers en bois, insérez-les dans des supports métalliques. On enfonce ceux-ci dans le sol puis en frappant avec un maillet ou un marteau de forgeron, on insère dans le support un outil spécifique en acier ou en bois destiné à en protéger les bords métalliques.*

## CONSTRUIRE UNE BARRIÈRE SIMPLE EN PANNEAUX DE MÉLÈZE

### OUTILS ET MATÉRIAUX

- Supports de piliers métalliques
- Panneaux
- Outil pour enfoncer les supports
- Marteau de forgeron
- Niveau à bulle
- Piliers en bois
- Maillet
- Tasseaux métalliques pour treillis et panneaux
- Pastel blanc
- Tournevis
- Clous et vis galvanisés
- Planches protectrices
- Tasseaux métalliques pour les planches protectrices
- Treillis et chapiteau
- Marteau

**1 DÉFINIR L'EMPLACEMENT DES PILIERS**
*Enfoncez le premier support de pilier en métal dans la terre (voir ci-dessus). Déterminez la position du deuxième en posant le panneau contre la base du premier.*

**2 VÉRIFIER LE NIVEAU DES SUPPORTS DE PILIERS**
*Placez le deuxième support de pilier, puis assurez-vous qu'il est à niveau en posant sur les deux supports une planche surmontée d'un niveau à bulle. Disposez les autres de la même façon.*

**3 FIXER LE PILIER**
*Insérez le premier pilier dans son support métallique en l'enfonçant jusqu'à la base à l'aide d'un maillet. Vérifiez qu'il est à la verticale de toutes parts, puis fixez-le en resserrant fermement le boulon de serrage.*

**4 TASSEAUX DES PANNEAUX**
*Tracez une ligne blanche centrale le long du pilier et deux ou trois lignes horizontales à intervalles réguliers pour le haut des tasseaux métalliques. Vissez-les en place.*

**5 PLINTHE PROTECTRICE**
*Placez un bord de la planche au milieu du tasseau prévu à cet effet. Fixez le tasseau à la planche et au panneau. Faites de même à l'autre bord de la planche et du panneau.*

**6 INSÉRER LE PANNEAU**
*Glissez le panneau dans les tasseaux et fixez-le en place à l'aide d'un maillet et d'une chute de bois pour protéger. Vissez les tasseaux d'un côté du deuxième pilier, enfoncez-le et glissez le panneau dans ses tasseaux.*

**7 INSÉRER LE TREILLIS**
*Placez les tasseaux pour le treillis sur les deux piliers et vissez-les bien. Faites glisser le treillis à l'intérieur des tasseaux. Répétez ces étapes sur toute la longueur de la barrière.*

### PENSE-BÊTE

**POUR GARDER VOS BARRIÈRES EN BON ÉTAT**
- Dégagez la terre et les débris autour des piliers et des planches protectrices en bois pour empêcher toute putréfaction prématurée ou utilisez des planches en béton.
- Tous les 3 ou 4 ans, traitez le bois exposé avec un conservateur non-toxique.
- Fixez tout panneau branlant à l'aide de clous, ou remplacez par des pièces du même style.

**8 CHAPITEAU EN BOIS**
*Placez un chapiteau plat en bois en haut de chaque pilier à l'aide de clous galvanisés de 5 cm. Si vous le souhaitez, vissez en place un élément décoratif qui évacuera mieux la pluie qu'un chapiteau plat.*

**9 TOUCHE FINALE**
*Fixez chaque panneau et treillis fermement en place en logeant des vis dans les trous de chaque tasseau. Faites ceci sur les surfaces avant et arrière des panneaux et du treillis.*

VOIR AUSSI : Les treillis, p.93

# BARRIÈRE EN PIEUX

Le moyen le plus facile de dresser une barrière en pieux est de recourir à des panneaux pré-assemblés, étayés par des piliers en bois ou en béton. Il en existe toute une gamme si vous souhaitez concevoir cette barrière vous-même. Le sommet de chaque pieu peut être arrondi ou taillé en pointe à l'aide d'un gabarit, afin que les eaux de pluie s'évacuent mieux ; vous pouvez lui donner un contour particulier à l'aide d'une scie à chantourner. On peut aussi varier la longueur des pieux, par exemple en alternant des longs et des courts, de même que les intervalles. Pour une barrière décorative, les pieux sont généralement espacés de leur propre largeur, mais rapprochez-les si vous souhaitez avoir plus d'intimité. Si vous voulez une barrière rustique, utilisez du bois naturel, non raboté ; si vous préférez un style plus sophistiqué ou si vous désirez peindre votre barrière, optez pour du bois raboté. Vous avez résolu de construire votre propre barrière pour lui conférer un style personnel. Commencez par déterminer l'emplacement des montants et insérez les supports ainsi que les piliers (voir ci-contre). Pour fabriquer les panneaux d'une taille appropriée, couchez les pieux entre les piliers en alignant leurs bases sur la planche verticale. Placez deux barreaux horizontaux en travers des pieux à une distance convenable du haut et du bas en vérifiant l'alignement avec une équerre ainsi que l'écart entre les planches verticales. Fixez les traverses en enfonçant deux clous en diagonale dans chaque barreau, puis creusez des trous aux extrémités et vissez-les sur les pieux.

△ **PALETTE MULTICOLORE**
*Une barrière vernie ou peinte pour valoriser les plantes voisines aura un aspect plus net ; en outre, ces traitements contribueront à maintenir le bois en bon état. On peut utiliser une tonalité distincte si l'on change la variété des cultures.*

# BÂTIR DES PANNEAUX DE TREILLIS

Les panneaux en treillis autonomes peuvent être dressés et fixés à des piliers de la même façon que les panneaux en bois (voir ci-contre), mais il s'agit souvent de les poser contre un mur ou une barrière pour garantir un meilleur soutien aux plantes. Tout mur de jardin ou de bâtiment, en bon état, devrait convenir, mais pour des raisons de sécurité, si vous avez le moindre doute, consultez un spécialiste et faites effectuer les réparations nécessaires. Pour minimiser les risques d'endommager le mur, fixez des lattes de bois à l'horizontale entre celui-ci et le panneau de treillis. Cela profitera aussi aux plantes grimpant sur le treillis, davantage d'air circulant autour du feuillage, d'où un moindre risque de maladie (mildiou, notamment). Les panneaux de treillis peuvent être placés de façon

## FIXER UN TREILLIS SUR UN MUR

### OUTILS ET MATÉRIELS

- Panneau de treillis
- Crayon à papier
- Perceuse avec mèches pour bois et maçonnerie
- 2 lattes de bois de 3,5 x 2,5 cm, d'une longueur égale à la largeur du panneau de treillis
- Mètre métallique
- Poinçon
- Marteau
- 6 chevilles
- Tournevis
- 6 vis galvanisées, 50 mm
- 2 charnières, plus vis galvanisées
- 2 crochets et œillets

**2 FIXER LA LATTE DU HAUT**
*Vissez la latte du haut au mur en alignant le bord supérieur aux marques appropriées pour le treillis. Vissez les charnières sur la latte inférieure.*

**3 FIXER LE PANNEAU DE TREILLIS**
*Alignez la latte du bas sur le mur et vissez-la en place. Vissez les charnières attachées à la latte au bord inférieur du panneau en treillis.*

permanente à l'aide de clous galvanisés, mais il est souvent recommandé de les fixer aux lattes à l'aide de charnières ou de crochets de façon à ce que le panneau et les plantes qu'il soutient, puissent être abaissés pour faciliter d'éventuelles réparations.

### ASTUCES

- Peignez le treillis d'une couleur contrastant avec le mur ou la barrière si vous voulez qu'il ressorte.
- Colorez le treillis dans les mêmes tons que son support si vous voulez qu'il se fonde dans l'arrière-plan.
- Un conservateur de bois non-toxique, à base d'eau, est moins nocif pour les plantes que de la créosote. Utilisez-en de préférence sur un treillage étayant des grimpantes.
- Pour assurer une teinte égale sur le treillis, appliquez la peinture ou le vernis sur du bois sec.

**1 MARQUER**
*Maintenez le panneau de treillis en place contre le mur et tracez un trait au crayon sur le mur en haut et en bas du panneau. Creusez trois trous à intervalles réguliers dans chaque latte. En alignant les lattes contre les marques du mur, indiquez au crayon l'emplacement des trous de vis sur le mur. Percez les trous dans le mur et enfoncez les chevilles.*

**4 FIXER LE HAUT DU TREILLIS**
*Redressez avec précaution le panneau de treillis contre le mur en vous assurant qu'il s'aligne convenablement avec le haut. Puis fixez un crochet à chaque extrémité de la latte supérieure et placez un œillet dans la partie adjacente du panneau de treillis.*

VOIR AUSSI : Les grimpantes, pp. 102-107

# MURS ET MURETS

Par sa hauteur, sa texture et sa couleur, une structure en dur permanente comme l'est le mur de jardin doit impérativement s'harmoniser avec son environnement. Un mur de soutènement près d'une maison, par exemple, sera construit dans des matériaux identiques ou similaires, afin d'assurer une correspondance visuelle entre maison et jardin. Un mur bien bâti, bien que plus coûteux au départ que toutes les autres catégories d'écrans, ne requiert pratiquement aucun entretien et durera des années. Néanmoins, il vous faudra peut-être un permis de construire, car il est possible que des restrictions légales s'appliquent en matière de hauteur.

## INTÉGRER LES MURS DANS LE PLAN D'ENSEMBLE

Lorsqu'on construit un mur d'enceinte ou un mur de soutènement (pour une pente ou un parterre surélevé), il est important de choisir les matériaux appropriés. La couleur et la texture des briques variant d'une région à l'autre, efforcez-vous de marier les nouvelles briques aux bâtiments voisins existants. Il en va de même de la pierre. Un grès doré par exemple serait tout à fait déplacé si les constructions locales sont en calcaire gris-blanc. On trouve même de la pierre reconstituée dans différents tons. Cela peut être un bon substitut à une pierre naturelle onéreuse. La qualité varie aussi considérablement selon les fournisseurs. On peut construire les murs de pierre en assises régulières ou dans un style plus fantaisiste selon la coupe des pierres (*voir ci-contre*). Les murs en pierres sèches, souvent utilisées pour le soutènement, ne comportent pas de mortier ; leur assemblage requiert de la patience et de l'adresse. Dans le cas d'un mur de soutènement plein, prévoyez des chantepleures pour le drainage. Tous les types de murs nécessitent

un chaperon de briques ou de pierres, tant décoratif que fonctionnel ; le plus souvent, il sera incliné ou plus large que le reste du mur afin d'évacuer l'eau aisément. Assurez-vous que les briques sont résistantes au gel, sinon elles risqueraient de s'émietter quand l'humidité qu'elles contiennent se solidifie. Toute longueur de mur importante, même en un matériau local, créera un impact dans un jardin ; il faut donc faire son choix avec soin. Un crépi peut être utile pour introduire une couleur inattendue ou des éléments décoratifs (mosaïques). Il est possible de recourir à des blocs entrecoupés de vides afin d'édifier des écrans semi-perméables. Sur les sites exposés, ils ont l'avantage de freiner le vent et contribuent à protéger les plantes du côté venteux. Les barrières pleines canalisent souvent le vent et provoquent des turbulences. Des blocs de verre constituent un écran intéressant dans une composition contemporaine, mais sont d'un entretien difficile.

△ **CONTRASTE**
*La teinte claire de ce mur en pierres reconstituées contraste joliment avec le siège encastré en métal noir ; elle s'harmonise aussi avec les fleurs blanches au premier plan.*

▽ **MUR EN COURBE**
*On a évité la monotonie d'un long mur simple en l'incurvant légèrement tout en le dotant d'une base en brique et d'un élégant chaperon. Sa couleur neutre fait qu'il ne saute pas aux yeux.*

△ **ENCEINTE MULTI-USAGES**
*Ce muret de pierre sépare judicieusement deux sites du jardin sans bloquer la vue pour autant. En outre, le chaperon large fait usage de siège.*

VOIR AUSSI : Les supports, p. 110

# MURS : LES MATÉRIAUX

Les matériaux d'un mur de jardin doivent être résistants au gel et empêcher l'humidité de pénétrer de part et d'autre. Il faut aussi qu'ils soient assez solides pour l'usage que l'on souhaite en faire. Les murets de soutènement n'obligent pas à faire appel à un professionnel, mais souvenez-vous que s'ils sont longs, la pression exercée par le poids de la terre mouillée peut être considérable. Les règlements officiels de construction s'appliquent en général si les murs mesurent plus d'1 m de haut. De bonnes fondations sont nécessaires dans tous les cas. Il est possible d'édifier un mur d'une seule épaisseur de briques jusqu'à 65 cm. Une construction plus élevée demande beaucoup plus d'adresse ; elle devra comporter une double épaisseur de briques ou des piliers de soutien. Les écrans exigent aussi des fondations solides.

## TYPES ET STYLES DE MURS

▨ **Adobe** : traditionnellement en argile, mais désormais constitué plutôt de blocs de béton recouverts d'un enduit argileux ; pas très onéreux et assez résistant.

▨ **Parpaing** : léger et bon marché ; pas très costaud. Peut être revêtu de briques ou de pierres, ou bien enduit et peint.

▨ **Briques** : la résistance de la couleur et aux intempéries dépendra de la source de l'argile et de la cuisson. Elles ne sont pas toutes résistantes au gel. Coûteux, mais solide et durable.

▨ **Blocs de béton** : disponible dans toutes sortes de styles et de finis, mais souvent d'aspect fonctionnel ; assez bon marché, solide et facile à utiliser ; peuvent être revêtus de briques, ou enduits et peints.

▨ **Silex** : matériau traditionnel dans les régions où on en trouve naturellement ; coûteux ; l'insertion des pierres dans le mortier requiert de l'adresse.

▨ **Blocs de verre armé** : un écran original.

▨ **Pierres naturelles** : on peut les tailler en blocs uniformes ou les laisser telles quelles ; la couleur varie selon le type ; solide, mais onéreux.

▨ **Pierres reconstituées** : à base de roche broyée et de ciment ; nettement moins cher mais moins robuste que les pierres naturelles.

△ **LA TOILE DE FOND IDÉALE**
*Ce vieux mur de briques patiné et joliment envahi par du lichen, retient et exhale de la chaleur, encourageant le rosier à produire une profusion de fleurs.*

◁ **BRIQUES EN ASSISES**
*La disposition des briques dans un mur (liaison) et son épaisseur en définissent la solidité. Ce mur est liaisonné à la flamande, à savoir que les briques sont posées alternativement en longueur et de côté dans chaque rangée.*

◁ **PIERRES EN ASSISES**
*Ce mur de calcaire a été construit en rangées sans mortier. En général, ces murs-là ont un chaperon liaisonné au mortier. On peut remplir les fentes de terre et y planter des espèces de fleurs de rocaille.*

◁ **DES PIERRES AU HASARD.** *Des pierres de tailles et de formes différentes composent ce mur ; il a donc été nécessaire de les sceller dans du mortier. Ces murs sont parfois coûteux, car la disposition et l'assemblage des formes variées demandent du temps.*

---

### PENSE-BÊTE

#### RÈGLES DE SÉCURITÉ

Pour un mur de 45-65 cm de haut, placez des embasements en béton de 10-15 cm de profondeur tous les 20-30 cm. Jusqu'à 1 m, ces socles seront profonds de 23-30 cm et disposés tous les 45-60 cm. Au-delà, vous avez tout intérêt à faire appel à un professionnel.

---

# MÉLANGER LES MATÉRIAUX

Traditionnellement, on mélangeait souvent les matériaux pour bâtir un mur. Une bordure en brique rend un mur en pierre tendre locale plus résistant aux intempéries tout en ajoutant une touche esthétique. La brique rouge met le silex gris en valeur. En associant des matériaux modernes, on peut aussi susciter de superbes effets tout en réduisant le prix de revient. On peut facilement cacher des murs en béton ou en parpaing en les enduisant d'un amalgame de ciment de maçonne-

◁ **DES MATÉRIAUX CONCILIANTS**
*Les briques offrent une bordure fiable et imperméable à ces fragments de silex scellés dans du mortier, tout en adoucissant leur texture relativement dure.*

rie et de sable fin avant de les peindre. Le blanc et le blanc cassé sont recommandés car ils réfléchissent la lumière. Les nuances de terre sont chaleureuses et apaisantes. Dans les zones urbaines, vous serez peut-être tenté d'oser la couleur ! Pendant que le ciment sèche, vous pouvez y imprimer des motifs ou y insérer des galets, coquillages ou fragments de poterie. Travaillez par petites surfaces en enfonçant les éléments de décoration au moins aux deux tiers de leur épaisseur. De même pour rajeunir un vieux mur de briques ou de pierres, comblez les vides ou les endroits émiettés avec du ciment, poncez et garnissez-les d'ornements.

VOIR AUSSI : Les séparations, p. 28 ; Le béton, pp. 60-61 ; Les massifs surélevés, p. 181

# PORTIQUES ET ARCEAUX DÉCORATIFS

Le plus petit jardin sera mis en valeur par un portique placé judicieusement et mis à contribution à diverses fins : au-dessus d'un portail pour composer une belle entrée ou souligner un passage, constituer une ouverture dans une séparation ou compartimenter l'espace en évitant la présence massive d'un mur, d'une haie ou d'une barrière. Un portique peut être orné ou tout simple, selon le style du jardin ; on en trouve toutes sortes de modèles en kit. Il est relativement aisé de le construire soi-même, mais vous pouvez aussi le faire fabriquer sur mesure, surtout si vous souhaitez un modèle un peu sophistiqué.

## INTÉGRER UN PORTIQUE DANS LE PLAN D'ENSEMBLE

Avant d'installer un portique dans votre jardin, réfléchissez à l'usage que vous souhaitez en faire. Il peut sembler incongru à moins d'avoir une fonction, que ce soit vous guider le long d'une allée ou vous inciter à pénétrer dans une autre partie du terrain. Un portique autonome est généralement en bois ou en métal. Pour attirer l'attention, optez pour un design audacieux et réfléchissez bien aux grimpantes qui l'orneront. Structure et plantes doivent se compléter. Pour un effet plus subtil, choisissez un style qui se fonde à la végétation environnante, un simple modèle rustique, par exemple, que l'on peut garnir de rosiers lianes traditionnels. En général, un portique a pour effet d'ajouter une valeur supplémentaire. C'est aussi un éventuel point de mire, attirant l'attention vers un élé-

◁ **RAPPEL**
*Le style de ce portique rustique, de fabrication maison, complète agréablement le cadre. Il serait totalement déplacé dans un design classique.*

△ **UN SUPPORT ÉLÉGANT**
*Portique en fer forgé et rosier sont des partenaires idéaux. La plante ne dissimule en rien la forme gracieuse de la structure, et la profusion de fleurs est parfaitement mise en valeur.*

ment tel une mare, des marches ou un siège à l'extrémité d'une allée. Il peut également avoir pour but de détourner le regard d'un endroit peu attrayant. Les paysagistes habiles créent parfois un effet de trompe-l'œil en plaçant un portique muni d'un miroir en bordure du terrain. Le reflet ainsi généré donne l'impression que le jardin est plus grand, mais il faut placer tant le portique que le miroir avec soin en inclinant légèrement ce dernier pour éviter qu'il ne capte le soleil.

## CONSTRUIRE UN PORTIQUE

Un portique en pieux de bois brut ou traité à la pression coûte généralement moins cher qu'en kit. Traitez avant l'assemblage les extrémités taillées et les parties où l'écorce est écaillée avec un produit conservateur. Insérez bien les montants dans le sol avec des supports métalliques ou une armature de base et du béton. Fixez le toit et les traverses à l'aide de clous ou de vis galvanisés. Prévoyez une hauteur minimale de 2,2 m.

### UN SIMPLE PORTIQUE EN BOIS
Ce portique est relativement facile à réaliser à partir d'un kit. Les traverses du toit consolident le tout. Pour une meilleure rigidité, disposez des barreaux en diagonale de part et d'autre entre les montants.

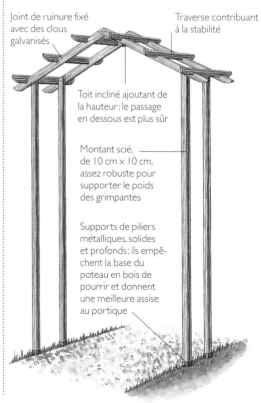

Joint de ruinure fixé avec des clous galvanisés

Traverse contribuant à la stabilité

Toit incliné ajoutant de la hauteur ; le passage en dessous est plus sûr

Montant scié, de 10 cm x 10 cm, assez robuste pour supporter le poids des grimpantes

Supports de piliers métalliques, solides et profonds ; ils empêchent la base du poteau en bois de pourrir et donnent une meilleure assise au portique

**VOIR AUSSI** : Les portiques et les pergolas, p. 103

# MONTER UN PORTIQUE MÉTALLIQUE

Les portiques en métal sont disponibles dans toute une gamme de styles, mais certains sont plus solides que d'autres. Choisissez un modèle apte à soutenir les plantes que vous y ferez pousser une fois à maturité. Les composants de la plupart des kits peuvent être assemblés à l'aide de quelques outils simples. Avant de vous mettre au travail, lisez attentivement les instructions et vérifiez que vous avez bien tous les éléments. Les joints d'étanchéité, glissés sur les articulations, protègent de la pluie. Quant aux traverses, elles empêchent la structure de se tordre. Marquez bien l'emplacement du portique sur le sol et pratiquez les trous pour les supports. Si le tube prévu à cet effet dans le kit n'est pas gradué, concevez votre propre indicateur de profondeur en traçant une ligne dessus à 30 cm de la base. Vérifiez l'alignement à chaque étape de la construction avec un niveau à bulle.

### PENSE-BÊTE

**LES STRUCTURES DOIVENT ÊTRE SOLIDES**
Les montants minces, mais robustes du portique ci-dessous sont faciles à implanter dans le sol à une profondeur sûre. Des structures en bois, plus lourdes, nécessiteront sans doute des scellements en béton pour les piliers, outre une armature en dur pour empêcher le bois de pourrir. Les kits en bois sont souvent équipés de supports de piliers métalliques.

## BÂTIR UN PORTIQUE MÉTALLIQUE

### OUTILS ET MATÉRIAUX

- Portique métallique en kit
- Joints d'étanchéité, fournis
- Boulons et écrous, fournis
- Tournevis
- Tube à creuser, fourni
- Gros marteau
- Niveau à bulle.

**1 ASSEMBLER LES MONTANTS**
Placez un joint d'étanchéité le long d'un segment de montant, puis glissez un deuxième segment dans le premier. Remontez le joint sur l'articulation. Répétez l'opération pour les autres montants.

**2 FIXER LES TRAVERSES**
En commençant à 60 cm de la base, espacez trois articulations en T le long des deux montants préparés à intervalles réguliers et vissez bien pour former un côté du portique.

**3 CONSTRUIRE LE DEUXIÈME CÔTÉ**
Répétez l'étape 2. de l'autre côté. Pour vous assurer que les traverses sont placées au même endroit de part et d'autre, posez les deux flancs de la structure côte à côte.

**4 ASSEMBLER LE HAUT**
Emboîtez deux éléments incurvés ensemble et fixez sans serrer avec une articulation en T. Faites-en de même avec les deux autres. Insérez et fixez la traverse entre les deux segments du haut, puis ajoutez les ornements.

**5 ACHEVER LE PORTIQUE**
Assemblez le haut avec les montants, puis couvrez les articulations avec des joints d'étanchéité. Pratiquez 4 trous à l'emplacement du portique en enfonçant le tube prévu à cet effet à la profondeur marquée.

**6 VÉRIFIER L'ALIGNEMENT**
Posez le portique fini sur les trous et vérifiez que tous les côtés sont verticaux. Serrez tous les boulons et écrous.

# GARNIR UN PORTIQUE

Pour métamorphoser un portique, plantez de part et d'autre une ou deux grimpantes qui finiront par couvrir toute la structure. Pour aider les plantes à atteindre le sommet, fixez un filet lâche en plastique sur les côtés et disposez les jeunes pousses souples en éventail. La plupart des grimpantes s'épanouiront mieux si leurs tiges sont enroulées en spirale autour des supports. Quand elles parviennent en haut, élaguez les rameaux comme il convient pour que les plantes ne dépassent pas le cadre et ne deviennent pas trop lourdes.

**1 SUPPORT EN FILET**
À l'aide de liens en plastique à rochet, attachez un filet en plastique lâche de chaque côté du portique.

**2 ANGLE DE PLANTATION**
Plantez la grimpante à 45° vers le portique. Liez la tige principale à la traverse.

**3 ORIENTATION INITIALE**
Dès que les tiges sont assez longues pour atteindre le filet (et être détachées de leur tuteur), déployez-les régulièrement sur le côté du portique. En faisant des nœuds en huit, fixez-les sans serrer à la traverse et attachez-les au filet. Continuez à les diriger ainsi à mesure que la plante grandit jusqu'à ce qu'elle commence à s'enrouler d'elle-même.

VOIR AUSSI : Les grimpantes, p. 106

# PERGOLAS ET TONNELLES

Couverte de glycine ou d'une autre grimpante, une pergola procure un refuge ombragé bienvenu dans la chaleur de l'été. Cela devient un endroit frais pour manger, se reposer ou encore s'attarder le long d'une allée. Certaines structures sont indépendantes, d'autres se fixent sur un mur. Adossées à la maison, elles ombragent aussi l'intérieur.

Les tonnelles, généralement plus petites, fermées sur trois côtés et situées près des limites du jardin sont aussi un lieu de retraite. Dans un nouveau jardin, les unes et les autres ont l'avantage immédiat d'offrir de beaux points de mire. À plus long terme, une pergola deviendra un lien unificateur du paysage au cours des saisons.

## CONCEVOIR UNE PERGOLA

Si elle a pour but d'abriter un salon ou une salle à manger en plein air, vous aurez déjà décidé de son emplacement, mais si elle doit ombrager une allée, où elle deviendra aussitôt le centre d'attention, il faut la placer avec soin. Elle servira peut-être aussi d'écran entre deux zones distinctes du jardin.

Son design demande également de la réflexion. Le style et les matériaux doivent s'harmoniser avec l'environnement. Toute en lignes droites, par exemple, elle paraîtra déplacée dans un jardin rempli de douces courbes ; de même, une structure classique et élégante détonnerait dans un cadre rustique. Bois et métal conviendront à un jardin informel, tandis que des colonnes en brique, en béton ou en pierre engendrent une esthétique plus stricte.

◁ **OMBRE ET QUIÉTUDE**
*Cet angle difficile, borné par trois murs, est métamorphosé par cette intéressante salle à manger de plein air. Il a suffi de boulonner une poutre sur chaque mur. Son dessin robuste s'accorde avec l'aspect assez monumental de la table.*

Il est notoirement difficile de déterminer les dimensions d'une pergola. N'hésitez pas à faire appel à un professionnel, sauf pour les constructions les plus simples. La structure en elle-même doit être équilibrée et à l'échelle du reste du jardin. L'espace entre les montants devrait être à peu près égal à sa largeur. Quant à la hauteur, elle dépendra de ce que vous envisagez d'installer dessous.

◁ **OMBRE NATURELLE**
*L'intense clarté pénétrant la balustrade de cette terrasse projette de saisissants motifs en nid d'abeille sur le sol, rappelant le toit de la pergola. En été, les fleurs de la glycine pendent gracieusement entre les poutres.*

△ **ÉCLAT ESTIVAL**
*Cette pergola en bois couverte de roses constitue un attrayant tunnel parfumé où déambuler à loisir. En plus d'adoucir les lignes de la structure, cette végétation apporte une ombre salutaire durant l'été.*

### POURQUOI

**QUE DOIS-JE PRENDRE EN COMPTE POUR CHOISIR ET INSTALLER UNE PERGOLA ?**

• Les designs les plus simples sont les plus satisfaisants. Agrémentez-les de fleurs.

• La taille et l'échelle doivent convenir aux dimensions de la maison et du jardin.

• Les matériaux et la construction doivent être assez robustes pour les plantes prévues en garniture.

• Si la pergola couvre une table et des sièges, assurez-vous qu'elle est assez grande pour contenir le tout confortablement.

• Une pergola est utile si les fenêtres de vos voisins donnent chez vous. Elle vous abritera des regards indiscrets.

• Si elle s'adosse à un flanc de la maison, veillez à ce qu'elle n'assombrisse pas trop l'intérieur.

• Une pergola sur une allée attire l'attention. Assurez-vous que le chemin est au bon endroit, assez large et que la structure encadre une vue digne d'intérêt.

VOIR AUSSI : La parure d'automne et d'hiver, p 107 ; Les grimpantes, p. 107 ; Les supports, pp. 108-109.

# TONNELLES

Ces structures habillées de plantes grimpantes confèrent un sentiment d'intimité à un espace ouvert. Elles abritent généralement un siège d'où on admirera diverses perspectives sur le jardin.

L'emplacement d'une tonnelle dépendra de l'usage que vous en ferez. Si vous désirez une retraite verdoyante les chaudes soirées d'été, par exemple, il faudra la mettre à l'endroit où tombent les derniers rayons du soleil. Elle devra mesurer au moins 2,2 m de hauteur afin d'éviter un sentiment de claustrophobie, surtout derrière un écran de plantes rampantes.

La structure elle-même doit être assez robuste pour étayer la garniture de plantes ornementales, mais suffisamment ouverte pour laisser passer les parfums qu'elles exhalent. On recourt le plus souvent à du fer forgé ou du bois, mais leur utilisation dépend du style convenant à votre jardin.

Un simple abri en bois fait de poteaux en bois scié ou rustiques, orné d'un treillis sur trois côtés s'accordera à un cadre informel tandis que du bois sculpté ou moulé aux formes extravagantes serait plus approprié à un design classique. Du fer forgé ou du fil de fer délicatement ouvré s'adaptera à un jardinet ; un style orné italianisant requiert un cadre spacieux.

△ **SIMPLICITÉ CLASSIQUE**
*Les lignes pures de cette tonnelle en fer forgé s'élèvent avec élégance au-dessus d'un océan de fleurs multicolores et offre un point de mire spectaculaire sur un arrière-plan verdoyant.*

# CONSTRUIRE UNE PERGOLA

On trouve des pergolas en kit ; on peut aussi en construire une soi-même. Une simple conception de poteaux rustiques cloués ensemble soutiendra des grimpantes légères, mais ne durera pas si le bois n'est pas traité. Pour les plantes plus lourdes, il faudra une structure plus solide ; à moins d'être sûr de vos talents de bricoleur, mieux vaut faire appel à un professionnel pour le design et la construction. Une pergola mesure généralement au moins 2,5 m de haut afin qu'on puisse s'y déplacer sans gêne, même quand elle est couverte de grandes plantes rampantes. Si elle abrite un salon d'été, elle peut être un peu plus basse. Si vous décidez de bâtir votre propre pergola en bois à partir d'un kit, trouvez un modèle simple à assembler. Il en existe en bois raboté et pré-encoché de sorte que, pour mettre les traverses en place, il suffit de les marteler doucement. Assurez-vous que vous avez bien tous les boulons, vis, clous et écrous. Des supports de piliers en métal sont généralement fournis pour fixer les montants au sol. Si vous avez des doutes sur la sécurité, placez les verticales dans une base en béton dans un coffrage pour empêcher le bois de pourrir.

Dressez d'abord les montants du fond, puis les autres ; posez ensuite les traverses et autres supports. Si un ou plusieurs côtés doivent être étayés par un mur, optez pour des sabots de solives en L métalliques ou des plaques de bois pour fixer les traverses à la maçonnerie.

## PERGOLA EN BOIS AU TOIT EN TREILLIS

Une pergola tout en bois comme celle-ci est assez bon marché en kit et facile à construire. Elle serait jolie peinte en vert pâle ou en bleu.

**CONSOLIDER LE HAUT**
*Posez le treillage sur les montants et les traverses. Puis, à l'aide de vis en cuivre, fixez-en le cadre fermement aux verticales.*

**PENSE-BÊTE**

**FACILITER LA CONSTRUCTION**
En déballant le kit, vérifiez que vous avez bien toutes les pièces et les outils nécessaires. Un niveau à bulle est indispensable pour que les montants soient bien verticaux. Suivez les instructions à la lettre. Faites-vous aider si possible. Ne serrez pas les boulons et les vis à fond avant d'avoir complété le travail.

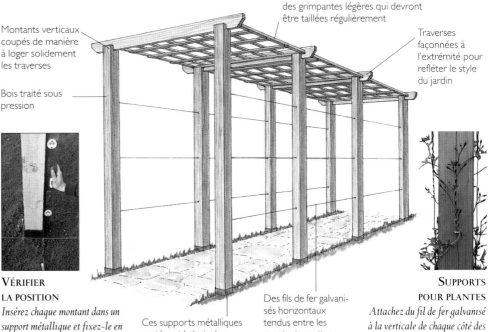

Ce toit en treillis ne supporte que des grimpantes légères qui devront être taillées régulièrement

Montants verticaux coupés de manière à loger solidement les traverses

Bois traité sous pression

Traverses façonnées à l'extrémité pour refléter le style du jardin

**VÉRIFIER LA POSITION**
*Insérez chaque montant dans un support métallique et fixez-le en place en vérifiant constamment de tous les côtés avec un niveau à bulle qu'il est à la verticale.*

Ces supports métalliques protègent le bois des montants. Vous pouvez aussi les ficher dans une base en béton

Des fils de fer galvanisés horizontaux tendus entre les montants soutiendront les plantes tout en assurant une garniture équilibrée

**SUPPORTS POUR PLANTES**
*Attachez du fil de fer galvanisé à la verticale de chaque côté des montants en plaçant des œillets chaque 30 cm pour soutenir grimpantes et sarmenteuses.*

**VOIR AUSSI** : Les portiques et les pergolas, p. 103

# GRIMPANTES ET ARBUSTES EN ESPALIER

Les surfaces verticales de la plupart des jardins deviennent bien plus attrayantes lorsqu'elles sont habillées d'espèces grimpantes ou arbustives décoratives. Ces dernières adoucissent les structures dures telles que murs, clôtures et portiques en les intégrant au cadre végétal, auquel ils confèrent davantage de hauteur. Les grimpantes les plus vigoureuses, comme le chèvrefeuille et la *Clematis montana*, masquent avec bonheur les bâtiments fonctionnels et les murs laids. En outre, la plupart de ces plantes s'ornent de fleurs aux riches parfums ou de baies colorées. On peut aussi obtenir des effets spectaculaires en faisant pousser des grimpantes dans des arbres appropriés.

## COUVRIR MURS ET CLÔTURES

Pour tirer pleinement parti des surfaces en dur de votre jardin, il faut comprendre la différence entre grimpantes et arbustes en espalier, et la raison pour laquelle ces distinctions affectent l'usage qu'on en fait. En règle générale, les grimpantes ont besoin d'autres plantes ou d'un support pour s'élever en grandissant. Elles se sont dotées de divers moyens pour s'attacher à leur support : ventouses, tiges entrelacées, vrilles ou épines crochues par exemple *(voir p. 108)*.

Ce n'est pas le cas des arbustes. S'ils s'épanouissent au pied d'un mur, c'est peut-être simplement à cause de la protection dont ils jouissent. De nombreux arbustes moins robustes comme le *fremontodendron* prospèrent contre une paroi ensoleillée parce qu'ils réagissent à la chaleur réfléchie de leur refuge. Les grimpantes graviront joliment un mur ou une clôture où on aura disposé un système de treillis ou de fil de fer auquel on les attachera lâchement aux endroits stratégiques. Recourez à des conifères pour camoufler d'éventuelles horreurs qu'ils masqueront toute l'année. On peut faire

△ **CLÔTURE CACHÉE**
*Cette barrière architecturale bien nette est un mur de Muehlenbeckia complexa, une grimpante vigoureuse à feuilles minuscules dressée sur un grillage en gradins.*

grimper les tiges de certains arbustes en gradins ou en éventail afin que fleurs et fruits s'exhibent à leur avantage. Les arbustes aux tiges raides et ligneuses sont difficiles à détacher de leur support pour les entretenir et doivent grandir sur des espaliers solidement arrimés à des parois saines ne nécessitant pas d'attention.

△ **BEAUTÉ FLORALE**
*La surface de ce mur patiné est adoucie par un céanote déployé de manière à exposer sa foison de fleurs printanières.*

◁ **RIDEAU VERT**
*On peut dissimuler entièrement et toute l'année une nouvelle barrière ou toute autre surface nue grâce à des espèces persistantes aux textures intéressantes, comme ce lierre panaché.*

△ **BARRIÈRE EN TREILLIS**
*Ce type de clôture à claire-voie a l'avantage de permettre de soutenir les jeunes rameaux des grimpantes, comme ce rosier, en les tressant autour des ouvertures.*

**VOIR AUSSI :** Les supports, pp. 108-109

# COUVRIR PORTIQUES ET PERGOLAS

Portiques et pergolas apportent de la hauteur à une composition, surtout en l'absence de grands arbres, et permettent de lier ou de séparer deux sites du jardin. Garnis d'une végétation luxuriante, ils créent des espaces intimes, agréablement ombragés. Choisissez des grimpantes odorantes; les lignes dépouillées d'une grande pergola neuve se métamorphoseront en un tunnel frais et parfumé, invitant à explorer le domaine plus avant.

Il est essentiel de sélectionner des grimpantes et des arbustes dont le port convient tant au site qu'aux supports. Une espèce persistante vigoureuse comme le lierre de colchice (*Hedera colchica*) aura tôt fait d'envahir un portique en fer forgé. Quant aux pergolas, elles ont souvent besoin d'une plante grimpante haute et robuste. Les rosiers, comme le 'Seagull' et le 'Albéric Barbier', produiront suffisamment pour couvrir généreusement le toit de cascades de fleurs.

On obtiendra aussi un bel amalgame en mélangeant des espèces plus ou moins vigoureuses. La *Clematis montana* (Rubens), à croissance rapide, embellira votre printemps, ses tons roses pouvant être repris plus tard dans l'été par 'Mrs N. Thompson' et 'Nelly Moser'. Pensez aussi au feuillage afin de varier couleurs et textures. Les feuilles du houblon commun (*Humulus lupulus* 'Aureus') sont plus vives que bien des fleurs tandis que la vigne, *vitis coignetiae* et la 'V. Brandt', se pare en automne de somptueux rouges et pourpres. En été, ces espèces offrent aussi une ombre particulièrement rafraîchissante. Les arbustes en espalier et les grimpantes poussent naturellement vers la lumière et ne fleurissent parfois que d'un côté d'un portique ou d'une pergola. Tâchez de les placer de manière à ce que fruits et fleurs s'exhibent au maximum.

△ **UNE GRIMPANTE LIANTE.** *Ici deux structures distinctes, une pergola et un portique, sont liées par une profusion de splendides roses blanches.*

**ÉCRAN ESTIVAL** ▷
*Les fleurs tombantes d'une glycine créent une ravissante cloison estivale sur une pergola en métal. L'entrelacement des tiges rend l'entretien difficile.*

△ **UNE GRIMPANTE ABONDANTE**
*Ce portique chargé de houblon* (Humulus lupulus) *encadre joliment la vue au-delà. Une telle structure bien planifiée insère cet élément dans la végétation ambiante.*

---

# GARNIR ARBRES ET HAIES

Les arbres qui n'ont qu'une seule belle saison auront davantage à offrir si on les pare de plantes grimpantes. Dans un petit jardin notamment où l'espace est restreint, ce double usage peut produire des foisons de fleurs parfumées et de feuilles colorées du printemps à l'automne. On peut aussi faire grimper une herbacée sur une haie. Un if bien taillé mettra en valeur les fleurs écarlates d'un *Tropaelum speciosum* (capucine), au demeurant parfois difficile à cultiver.

Un arbuste ou une grimpante et son hôte doivent être compatibles en ce qui concerne la nature du sol qu'ils requièrent mais aussi leur port. Plantez des grimpantes vigoureuses, le splendide chèvrefeuille *Lonicera × americana*, dans de grands arbres, et des petites grimpantes plus légères comme l'Ipomée

◁ **BONHEUR OLFACTIF**
*Les rosiers grimpants comme 'Wedding Day' sont magnifiques dans un grand arbre.*

**COUP DE POUCE** ▷
*Un tuteur sera peut-être nécessaire pour guider une nouvelle clématite, comme 'Comtesse de Bouchard' ci-contre, vers la fourche d'un arbre d'où elle s'élèvera naturellement dans les branches.*

annuelle sur des haies et des arbustes. Les régimes d'élagage devront être complémentaires. Les deux végétaux devraient être accessibles pour l'entretien et il ne faut pas que l'hôte ait besoin d'une bonne taille alors que la plante grimpante est à son zénith.

VOIR AUSSI : Les portiques, pp.98-99 ; Les haies, pp. 116-119.

# CHOISIR GRIMPANTES ET ARBUSTES EN ESPALIER

Choisissez des espèces adaptées aux conditions de votre jardin. Vérifiez l'ensoleillement de la paroi concernée aux différentes heures de la journée. Les racines de certaines plantes, comme les clématites, ont besoin d'humidité, alors que la plante supporte bien le soleil. Pour répondre à ces exigences, placez une tuile ou une dalle à son pied. Si l'espace n'autorise pas un grand déploiement, sélectionnez d'abord la plante en fonction de sa vigueur. Prenez en compte le climat, les risques de vents forts et le gel, bien que certaines espèces non-résistantes survivent adossées à un mur chaud. Vous pouvez réussir des combinaisons heureuses en mêlant des grimpantes, comme la clématite, avec des arbustives, comme le rosier.

## POUR UN ENDROIT SEC ET ENSOLEILLÉ

Au pied d'une clôture ensoleillée, la terre a des chances d'être sèche. Plantez-y une grimpante telle l'actinidia qui tolère ces conditions. Une clématite ne s'épanouira que si ses racines restent humides grâce à la présence de dalles disposées autour de sa base.

De nombreux arbustes en espalier ont absolument besoin d'un mur ensoleillé pour s'épanouir : la chaleur absorbée par la paroi est réfléchie, ce qui contribue à mûrir les rameaux, d'où une meilleure résistance au froid. Les arbustes aromatiques méditerranéens comme le romarin bénéficient d'un tel site, et d'autres comme le céanothe grandiront mieux ainsi qu'en milieu exposé. Le soleil matinal risque toutefois d'endommager les bourgeons gelés comme les floraisons hivernales et printanières en les réchauffant trop vite.

### AUTRES RECOMMANDATIONS

*Abuliton megapotamicum.* Arbuste persistant ou semi-persistant aux fleurs estivales en clochette jaunes.
*Actinida kolomikta.* Arbuste caduc au feuillage panaché vert éclatant teinté de rose et de blanc.
*Buddleja crispa.* Arbuste caduc au feuillage gris-vert, aux jeunes pousses blanches laineuses, s'ornant de fleurs lilas parfumées en fin d'été.
*Clematis* 'Bill MacKenzie'. Grimpante caduque aux fleurs jaunes en lanterne, du milieu de l'été à la fin de l'automne, et aux akènes plumeux.
*Cytisus battandieri.* (Faux ébénier) Grand arbuste méditerranéen vigoureux aux feuilles argentées, à fleurs jaunes sentant l'ananas.
*Fremontodendron* 'California Glory'. Arbuste d'espalier persistant. Fleurs jaunes intenses de la fin du printemps à l'automne.
*Lavatera maritima.* Buisson persistant aux fleurs blanches et rose lilas en soucoupe. Fin de l'été.
*Rosa banksiae.* Vigoureux rosier grimpant aux doubles fleurs parfumées. Fin du printemps.
*Vitis vinifera* 'Purpurea'. Grimpante caduque. Feuilles velues grises virant au violet prune, puis foncé à l'automne. Grappes pourpres peu goûteuses.

## LIERRES

Les grimpantes à racines aériennes tel le lierre garantissent une garniture toute l'année en climat tempéré frais. Elles poussent facilement. À maturité, leurs fleurs vertes automnales sont une source de nectar pour les insectes tandis qu'en hiver, leurs baies noires régalent les oiseaux. À l'ombre, un lierre vert tel l'*Hedera colchica* 'Dentata' offre une texture intéressante. Certaines variétés panachées comme le *H. helix* (Goldheart) sont plus colorées à la lumière. Adaptez bien l'envergure de l'espèce au site choisi, la vigueur variant d'un lierre à l'autre.

△ HEDERA HELIX 'EVA'
*L'une des plus petites variétés (1,2 m seulement). Joli lierre panaché préférant le soleil.*

△ HEDERA COLCHICA 'SULPHUR HEART'
*Ce lierre à panachure jaune pouvant atteindre 10 m composera un beau mur coloré dans un coin sombre, surtout apprécié l'hiver.*

◁ PASSIFLORE (PASSIFLORA CAERULEA)
*La plus résistante des fleurs de la passion. Nécessite un site abrité et ensoleillé. Peut atteindre 10 m, mais perd souvent ses nouveaux rameaux l'hiver.*

△ CALLISTÈME (CALLISTEMON PALLIDUS)
*Arbuste pouvant atteindre 4 m. Apprécié pour ses feuilles gris-vert et ses abondants épis floraux, de la fin du printemps au milieu de l'été.*

△ SOLANUM CRISPUM 'GLASNEVIN'
*L'arbre à pommes de terre chilien (parent du légume) a besoin d'un site abrité où il se hissera rapidement à 6 m. Il fleurit en été.*

△ VITIS COIGNETIAE
*Cette vigne vigoureuse a besoin d'espace pour exhiber sa splendide parure automnale. On peut la tailler généreusement au printemps, mais elle repoussera vite, jusqu'à 15 m.*

### AUTRES LIERRES RECOMMANDÉS

*H. colchica.* Feuilles vert sombre, presque ovales, parcheminées, de 8-12 cm de long. Jusqu'à 10 m de haut.
*H. helix* 'Glymii'. Feuillage vert teinté de pourpre et de bronze en hiver. 2 m de haut.
*H. helix* 'Green Ripple'. Feuilles vertes comportant cinq lobes veinés et dentelés. 2 m.
*H. helix* f. *poetarum.* Feuilles vertes brillantes, longues de 8 cm et baies orangées. 3 m.
*H. helix* 'Pedata'. Feuilles vertes délicates semblables à un pied d'oiseau. 4 m.

VOIR AUSSI : Les grimpantes, pp. 110-111

# POUR UN MUR À L'OMBRE

Tant qu'un mur ou une clôture bénéficie d'un peu de lumière, certains arbustes et grimpantes prospéreront même s'il fait froid. De nombreuses espèces, tel le jasmin, poussent naturellement à l'ombre, dans les sous-bois. Certaines plantes, comme le *garrya elliptica*, tolèrent une terre sèche à l'ombre d'un arbre ou près d'un mur de briques absorbant l'humidité ; d'autres comme le houblon (*humulus lupulus*) préfèrent les zones ombragées humides, au pied d'une pente par exemple. Quelques plantes telles que le chèvrefeuille poussent à l'ombre ou au soleil bien que, comme le cognassier du Japon (*Chaenomeles speciosa*), ils produiront sans doute moins de fleurs et de fruits à l'ombre. La vigne vierge chinoise (*Parthenocissus henryana*) tolère le soleil, mais se pare de plus beaux coloris à l'ombre.

**BUISSON ARDENT (PYRACANTHA)** ▷
*Les baies du buisson ardent — orange ici, mais parfois jaunes et rouges, sont très abondantes. Elles orneront de tons vifs un mur triste des mois durant, bien au-delà du cœur de l'hiver.*

**LAPAGERIA** ▷
*La* Lapageria rosea var. albiflora, *est une grimpante délicate nécessitant un sol acide et un site abrité. Son feuillage vert foncé se couvre de splendides fleurs blanches en été et à l'automne.*

## AUTRES RECOMMANDATIONS

*Clematis.* Hybride à grandes fleurs pâles, 'Nelly Moser' et 'Bees' Jubilee' par exemple, moins enclins à se décolorer à mi-ombre.

Cultivars de l'*Euonymus fortunei.* (Fusain). Arbuste persistant. Feuillage panaché d'or et de blanc.

*Lathyrus latifolius.* Pois de senteur vivace grimpant. Fleurs inodores roses, pourpres ou blanches en été et au début de l'automne.

*Lonicera × tellmanniana.* Chèvrefeuille caduc aux fleurs orange cuivré (fin printemps, mi-été). Sans parfum.

*Mitriaria coccinea.* Arbrisseau vivace aux fleurs tubulaires écarlates. Du printemps à l'automne.

*Parthenocissus tricuspidata.* Vigne vierge. Grimpante vivace, parfois rampante. Gare aux gouttières. Feuilles vert vif, rouge vif et pourpres à l'automne.

*Rosa* 'Mme Alfred Carrière'. Grimpante à floraisons multiples, à fleurs blanches odorantes teintées de rose. Convient à un mur frais.

◁ **HYDRANGEA**
*Grimpante caduque* (H. anomala, *subsp.* petiolaris). *Exhibe en été des panicules plates de fleurs blanches. En hiver, les rameaux nus ont une jolie teinte cannelle.*

---

# GRIMPANTES À CROISSANCE RAPIDE

Pour couvrir un grand mur ou camoufler rapidement une vilaine remise, choisissez la vigoureuse *Muelenbeckia complexa* ou une *Clematis* 'Perle d'Azur'. Évitez toutefois dans les sites confinés les plantes exceptionnellement rampantes telle la renouée de Bouktara (*Fallopia baldschuanica*) qui risquerait d'étouffer des plantes ainsi que les jardins voisins.

Adaptez toujours la plante à son tuteur. La plupart des grimpantes à croissance rapide deviennent énormes. Un grand rosier grimpant comme le 'Kiftsgate' requiert un vaste jardin et le support d'un arbre de forêt. Pour les structures légères à couvrir vite, songez au volubilis (*Ipomoea tricolor*) (voir aussi p. 106).

Dans les endroits abrités, certaines vivaces fragiles, souvent cultivées ailleurs en annuelles, tiendront le coup, et même coupées au ras du sol l'hiver, elles repousseront vite en un bon couvre-sol léger. Essayez les *Eccremocarpus scaber*, d'origine chilienne, aux fleurs tubulaires jaunes ou rouges.

◁ **CLEMATIS MONTANA**
*Cette clématite vigoureuse atteint 6 à 10 m selon les conditions. Certaines variétés à fleurs roses prennent moins d'ampleur.*

▽ **AKEBIA QUINATA**
*Cette vigne dite "à chocolat" à cause de son arôme, moins rapide que d'autres, peut tout de même atteindre 10 m. Elle pousse aussi bien au soleil qu'à mi-ombre.*

◁ **AMPELOPSIS BREVIPEDUNCULATA**
*Cette vigne vierge à vrilles couvrira rapidement un mur, une pergola ou un arbre. Aux petites fleurs vertes sans intérêt succèdent de singulières baies virant peu à peu du rose au bleu.*

## AUTRES RECOMMANDATIONS

*Ampelopsis megalophylla.* Caduc. Feuilles vert foncé, glauques en dessous. Baies noires en automne.

*Campsis × tagliabuana.* Bignone. 'Madame Galen'. Caduc. Fleurs rouge orangé (fin de l'été à l'automne).

*Clematis montana.* Caduc. Fleurs simples (fin printemps - début été).

*Cobaea scandens.* Vivace persistante, souvent cultivée en annuelle. Fleurs campanulées parfumées vert crème virant au pourpre. De l'été à l'automne.

*Jasminum polyanthum.* Persistant aux fleurs parfumées roses en bouton puis blanches. Printemps-été.

*Lonicera × americana.* Caduc. Fleurs jaunes très parfumées teintées de rouge-pourpre en été.

*Rosa* 'Paul's Himalayan Musk'. Caduc. Exhibe une foison de doubles fleurs rose pâle en été.

*Vitis coignetiae.* Vigne aux grandes feuilles sculpturales virant au jaune et rouge vif à l'automne.

**VOIR AUSSI** : Les grimpantes, pp. 112-115

## MÊLER GRIMPANTES ET ARBUSTES EN ESPALIER

Pour créer un patchwork de plantes variées, associez grimpantes et arbustives en veillant à harmoniser textures et couleurs. En automne, les fleurs jaunes de la *Clematis tibetana* sont superbes entrelacées avec un buisson ardent aux baies jaune orangé. Mêlez les feuilles marginées de blanc d'un *Euonymus fortunei* 'Silver Queen' au feuillage vert à la dentelle blanche des fleurs de l'hydrangea.

Quand vous mélangez ainsi des espèces, assurez-vous qu'une plante appréciée pour ses baies, comme le cotonéaster, ne sera pas couverte par les feuilles de sa partenaire. Évitez aussi qu'une espèce plus vigoureuse

domine l'autre. Clématites et roses sont une combinaison classique car leurs besoins en matière de culture et d'élagage sont similaires. Elles décorent magnifiquement les pergolas et les trépieds où elles courent moins de risques d'être la proie du mildiou que contre un mur (*voir p. 296*). On peut aussi planter ensemble deux clématites : essayez la printanière *Clematis alpina* et un hybride tardif à grosses fleurs pour prolonger la saison. Ou associez une clématite à un rosier. Les fleurs mauves de la *Clematis* 'Jackmanii' sont ravissantes mêlées aux feuilles cramoisies d'une *Vitis vinifera* 'Purpurea'.

△ TRIPLE BÉNÉFICE
*Les persistantes, comme ce chèvrefeuille du Japon (*Lonicera japonica*) à floraison tardive, associées à une grimpante caduque, ici un rosier, apportent de la variété toute l'année et prolongent la saison des fleurs.*

UNE GARNITURE EFFICACE ▷
*Deux murs de cette minuscule cour ont été métamorphosés grâce à la combinaison harmonieuse d'un chèvrefeuille à fleurs écarlates, d'une hydrangea grimpante à fleurs blanches (*Hydrangea anomala subsp. petiolaris*) et d'un rosier rouge foncé.*

> ### PENSE-BÊTE
>
> #### PÉRIODES D'ÉLAGAGE
> Pour que deux ou plusieurs grimpantes poussent harmonieusement, il faut que leurs besoins en matière d'élagage coïncident. Une seule de vos grimpantes nécessite une bonne taille chaque année ? Dans ce cas, est-ce à une époque où sa partenaire a fait son temps ? Si toutes deux requièrent des soins réguliers, leur élagage doit être simultané.

## GRIMPANTES ANNUELLES

Ces plantes à croissance rapide sont précieuses pour couvrir vite et agréablement une pergola ou un nouveau portique dépouillé ; on peut aussi les faire grimper sur un trépied ou un obélisque dans une bordure.

Parce qu'elles n'ont qu'un temps, vous pouvez essayer diverses variétés et couleurs en les associant avec différences espèces, des grimpantes vivaces par exemple. Pois de senteur, nasturtium (cresson) grimpant et les haricots à rame se hisseront sur un treillis (il faudra les attacher ici et là), formant un bel écran estival. On cultive généralement les capucines des Canaries (*Tropaeolum peregri-*

*num*), les *Thunbergia alata* et les *Eccremocarpus scaber*, ainsi que les cobées (*Cobaea scandens*) en annuelles bien que ce soient des vivaces. Beaucoup, capucines et nasturtium notamment, pousseront aussi dans des arbustes tant qu'elles ont assez d'eau et de lumière. Certaines ont une floraison éphémère. Les volubilis s'étiolent dès l'après-midi et les pois de senteur ont besoin d'être coupés régulièrement pour fleurir longtemps.

THUNBERGIA ALATA ▷
*Des fleurs orange à cœur noir ornent cette grimpante du début de l'été jusqu'à l'automne. Vivace généralement cultivée en annuelle, elle peut se développer sur un rebord de fenêtre à partir d'un semis.*

VOIR AUSSI : Les semis, p. 162

# PARURE D'HIVER ET D'AUTOMNE

Pour qu'un jardin soit beau toute l'année, il faut y cultiver des plantes qui sont à leur apogée en automne et en hiver. Les bordures d'herbacées, désormais fanées, nécessitent un arrière-plan digne d'intérêt, surtout si on les voit de la maison. Les fleurs, feuilles et fruits de nombreux arbustes et grimpantes remplissent admirablement cet office. En automne, la vigoureuse bignone (*Campsis*) exhibe ses splendides fleurs en trompette aux tons chauds rouge orangé. L'hiver, les arbustes en espalier comme le chimomanthe (*Chimonanthus praecox*) embaument l'air tandis que les épis de chatons retombants gris-vert du *Garrya elliptica* se détachent magnifiquement sous une fine pellicule de givre.

Les lierres procurent une toile de fond permanente, mais peu variée, à d'autres plantes bien que certains lierres, tels le 'Tricolor' et le 'Glymii', virent l'un au rose foncé, l'autre au pourpre par temps froid. La vigne vierge nous offre l'un des plus beaux spectacles de l'automne, en particulier le *Vitis coignetiae* avec ses énormes feuilles jaunes et écarlates. Les akènes duveteux de la *Clematis tibetana* sont ravissants dans le soleil automnal déclinant ; ils apparaissent alors que la plante s'orne encore de fleurs jaunes inclinées. À l'arrière-saison, le vinetier de Thunberg (*Berberis thunbergii* 'Dart's Red Lady') présente le double attrait de feuilles rouge orangé et de baies rouge vif. Pour colorer le jardin en hiver, plantez des pyracanthes aux baies jaunes, rouges et orange.

◁ **GAIETÉ HIVERNALE**
*Tout l'hiver jusqu'au début du printemps, les fleurs jaune vif du jasmin d'hiver (Jasminum nudiflorum) agrémentent bien des jardins. Il faut l'attacher régulièrement.*

△ **FEUILLAGE FLAMBOYANT**
*Les feuilles vert vif de la vigne vierge (Parthenocissus tricuspidata 'Veitchii') virent peu à peu au grenat en automne avant de tomber.*

# GRIMPANTES ET ARBUSTES PARFUMÉS

La plupart de ces espèces arborent des fleurs si merveilleusement odorantes que, pour les apprécier pleinement, il vaut la peine de leur trouver l'emplacement qui leur convient le mieux au jardin. Les plantes au parfum délicat comme la *Clematis armandii* devraient se trouver plus près d'une allée ou de la maison que les chèvrefeuilles à l'arôme plus prononcé qui se propagera plus loin.

Portiques, portails et pergolas seront doublement plaisants entourés de roses aux riches senteurs comme la 'Zephrine Drouhin', dénuée d'épines. Plantez une glycine ou une *Actinida kilomikta* près d'une porte ou sur un tuteur autour d'une fenêtre afin de profiter de leur parfum dehors comme dedans. Certaines variétés embaument surtout à un moment spécifique de la journée. Favorisez celles qui exhalent leur arôme pendant la journée, tel l'*Akebia quinata*, pour les tonnelles, les portiques. Sur une terrasse ou dans un salon en plein air où l'on s'attarde en soirée, disposez un jasmin commun (*Jasminum officinale*), merveilleusement odorant le soir. Les arbustes aux feuilles aromatiques, comme le romarin, contribueront à faire d'une terrasse un lieu de détente.

△ **ENIVRANT**
*Le parfum capiteux du chèvrefeuille des bois tardif (Locicera periclymenum 'Serotina') se répand sur plusieurs mètres de distance, le soir en particulier.*

◁ **PARFUM PARFAIT**
*Le rosier ancien à rameaux raides 'Gloire de Dijon' donne de somptueuses doubles fleurs à plusieurs reprises durant l'été et l'automne, emplissant l'air d'un parfum délicieux.*

VOIR AUSSI : Les grimpantes, pp. 110-111.

# TUTEURAGE ET PALISSAGE

Les grimpantes sont des espèces aux longues tiges souples qui, livrées à elles-mêmes, tendent à envahir leurs voisines jusqu'à les étouffer. Il est conseillé de les étayer pour qu'elles se développent sans entraver les plantes voisines. La plupart n'ont besoin que d'un support, mais certaines doivent être fixées à l'aide d'un lien. Le type de support dépend du port de chacune. Une annuelle légère ou une vivace herbacée, dont les rameaux meurent l'hiver, ne poseront pas de problèmes. Mais une grande grimpante qui développe une charpente ligneuse risque, à maturité, de peser trop lourd pour un portique ou un treillis. Pour davantage de sécurité, assurez-vous que les supports sont solides.

## COMMENT POUSSENT LES GRIMPANTES ?

Soit elles se cramponnent, soit elles s'entrelacent en volutes ou en se fixant à l'aide de vrilles, soit elles s'appuient sur un support. Cela influe sur la façon dont on les fait pousser, sans incidence sur l'élagage. Certaines se soutiennent d'elles-mêmes ; d'autres ont besoin d'aide au départ pour atteindre leur tuteur, après quoi elles se débrouillent. Quelques-unes nécessitent des attaches régulières sur un support permanent.

■ **Les grimpantes munies de crampons** sont autonomes. Certaines, comme le lierre, disposent de racines aériennes pour adhérer aux murs, clôtures et troncs d'arbres ; ce sont aussi de bons couvre-sol. D'autres, telle la vigne vierge (*Parthenocissus*), sont munies de ventouses pour coller à toute surface dure. Toutes ont besoin d'être guidées au départ vers leur support.

■ **Les grimpantes en volutes ou à vrilles** s'étayent elles-mêmes dès qu'elles peuvent s'enrouler autour de quelque chose. Les premières grimpent en spirales, certaines, comme le chèvrefeuille dans le sens des aiguilles d'une montre, d'autres, comme la glycine, dans la direction inverse. Elles pousseront dans un arbre ou un arbuste hôte robuste ou s'attacheront à du fil de fer, un filet ou un treillage tendu contre un pilier, une clôture ou un mur. La vigne vierge et la passiflore ont de vraies vrilles – pousses ou fleurs modifiées –, grâce auxquelles elles entourent les tiges d'une autre plante ou d'un support adéquat. Dans le cas de la clématite par exemple, ce sont les stipules qui font office de vrilles.

■ **Les grimpantes d'appui** ont besoin d'un support pour grandir. Certaines, comme le jasmin d'hiver (*Jasmimum nudiflorum*), produisent une masse de tiges arquées qui font un bon couvre-sol si on les laisse s'étendre. Contre un mur ou une clôture, il faut les attacher à du fil de fer ou un treillis. D'autres, notamment les ronces (*Rubus*) et les rosiers grimpants, ont des épines pour s'accrocher à la plante hôte. Dans une bordure, sans le soutien d'un arbre ou d'un arbuste, elles ont besoin d'être attachés à intervalles réguliers à un fil de fer ou un treillis.

△ **ORIENTATION INITIALE**
*Soutenez les tiges des grimpantes à vrilles et des sarmenteuses (ici un houblon) en les entrelaçant doucement avec les croisillons de fils de fer ou le grillage tant qu'ils sont jeunes et souples.*

### POURQUOI

#### LES GRIMPANTES ENDOMMAGENT-ELLES LES MURS ?

Si le mortier est sain, ces plantes ne devraient pas causer de problèmes tant qu'on dégage les gouttières, les encadrements de fenêtres et les tuiles ou ardoises du toit. Évitez de faire pousser des grimpantes contre un mur en carrelage où les jeunes rameaux risquent de se glisser sous les carreaux et de les déloger. Les espèces à racines aériennes et à ventouses (lierre et vigne vierge), sont les seuls dangers possibles. En général, les avantages contrebalancent les inconvénients. Ces plantes contribuent à isoler les murs contre les températures extrêmes ; elles offrent aussi aux oiseaux de la nourriture et des perchoirs.

### TYPES DE GRIMPANTES

△ **STIPULE**
*Les stipules de certaines plantes comme la clématite (ici) font office de vrilles en s'enroulant autour de l'appui le plus proche, une autre plante ou du fil de fer.*

△ **VRILLE**
*Des rameaux ou feuilles modifiées apparaissent sur la passiflore par exemple, qui s'en sert pour s'enrouler étroitement autour d'un mince support.*

△ **TIGE ENTRELACÉE**
*Les tiges de certaines espèces comme le jasmin commun et les haricots à rame s'enroulent autour de leur support. Le sens d'enroulement dépend de la plante.*

△ **ÉPINE CROCHUE**
*Certaines grimpantes se servent d'épines pour s'agripper à un support, même s'il n'est pas solide, notamment les rosiers et les ronces.*

△ **RACINES AÉRIENNES**
*Ces racines adhésives se forment le long de la tige comme chez le lierre dès qu'elles entrent en contact avec une clôture, un mur ou toute autre surface dure.*

△ **VENTOUSE**
*De petites ventouses se développent sur les vrilles de certaines plantes comme la vigne (ci-dessus) dès qu'elles sont en contact avec une surface apte à les soutenir.*

VOIR AUSSI : Les grimpantes, pp. 110–111

# SUPPORTS DÉCORATIFS

Songez à en inclure dans votre jardin comme points de mire ou pour ajouter un solide élément vertical. Les piliers solitaires attireront le regard. Pour une esthétique plus classique, dressez-en une rangée. Reliés par une chaîne ou une corde épaisse, garnissez-les de grimpantes. Les espèces à rameaux souples comme le rosier 'New Dawn' ou la clématite 'Étoile Violette', qui produisent de splendides fleurs en cascade, sont idéales. Afin de maximiser l'effet, choisissez des plantes assez robustes pour couvrir généreusement le support de leur feuillage et de leurs fleurs.

Trépieds, obélisques et wigwams sont parmi les structures décoratives les plus aisées et les moins coûteuses à intégrer dans un nouveau jardin. Ils apportent instantanément de la hauteur et conviennent à toute plante grimpante pas trop élevée ni vigoureuse tout en assurant des plantes saines dans la mesure où ils permettent à l'air de circuler autour des tiges. Beaucoup sont plaisants en eux-mêmes. Garnissez-les de grimpantes annuelles ou herbacées ; leurs lignes architecturales agrémenteront votre jardin tout l'hiver.

◁ **PILIERS DE ROSES**
*Faites monter rosiers et autres grimpantes le long de piliers et de cordes selon à la tradition. Dans ce vaste potager, ils fournissent aussi des fleurs à couper.*

Attacher les tiges à intervalles réguliers

Enrouler la tige dans la bonne direction selon la plante.

◁ **AUTOUR D'UNE CORDE**
*Guidez et attachez avec soin les tiges le long d'une corde. À l'horizontale, la plante produira davantage de fleurs qu'à la verticale.*

△ **HARICOT D'ORNEMENT**
*Les haricots à rames écarlates sont superbes dans une bordure (comme ici) ou dans un potager. Le 'Painted Lady' se pare de jolies fleurs roses et blanches.*

# LIENS ET LIGATURES

La plupart des grimpantes se hissent sans peine sur un treillis (*voir p. 93*), un grillage ou du fil de fer galvanisé. Utilisez un grillage métallique pour celles qui s'entrelacent ; certaines grimpantes à vrilles (comme les pois de senteur) sont assez légères pour un treillis en plastique. Les brins de fil de fer

△ **UN ENTRETIEN RÉGULIER**
*Pour encourager leur développement, les tiges des grimpantes devraient être assujetties à leurs supports tout au long de la saison de croissance. Profitez-en pour couper tous les rameaux endommagés et vérifier que les anciens liens ne sont pas trop serrés.*

même épais ne sautent pas aux yeux et conviennent à de nombreux arbustes et grimpantes. De la ficelle de jardin devrait suffire pour attacher la plupart des tiges. Liens et fixations doivent résister à la corrosion ; dans les régions très polluées, utilisez du plastique ou du métal non ferreux.

Treillis et filets ne doivent pas reposer directement sur une clôture car l'air doit circuler autour de la plante afin d'éviter les maladies. On peut fixer des lattes en bois de 5 cm et poser le treillage à l'aide de crochets, d'une charnière ou de vis (*voir p. 95*). Mieux vaut tendre les fils de fer à 5-8 cm de la surface du support en les assujettissant à l'aide d'œillets ou de clous galvanisés. Serrez-les à l'aide d'une tenaille ou attachez des tendeurs à 2 m d'intervalle pour empêcher les fils de s'affaisser. Écartez les fils de 23-30 cm verticalement et horizontalement pour une couverture maximale, le fil le plus bas se trouvant à 30 cm du sol.

## COMMENT FIXER LES TIGES

◁ **EN HUIT**
*Étayez les tiges contre un treillis ou un fil de fer robuste en les entortillant en forme de huit avec de la ficelle de jardin. Ce type de nœud sera assez lâche pour permettre aux rameaux de s'étendre pendant que la plante mûrit tout en les empêchant de frotter contre toute surface dure sur la structure du support.*

◁ **ATTACHES DE CLÔTURE**
*Soutenez les tiges minces contre les surfaces en bois avec des attaches en plastique. L'une des extrémités collée contre le panneau, on passe l'autre par-dessus la tige en la pressant fermement contre le bois afin que la tige soit bien maintenue.*

**VOIR AUSSI :** Les grimpantes, pp. 112-115

# PLANTER GRIMPANTES ET ARBUSTES EN ESPALIER

La plupart de ces plantes sont des composantes du jardin prévues pour durer : il faut les sélectionner avec soin en fonction du site pour qu'elles remplissent ce rôle avec efficacité. Avant de planter, la terre doit être bien préparée *(voir p. 142)*. Le choix du support aussi est important. Près d'un mur ou d'une clôture, commencez par fixer fils de fer ou treillis. La surface de la paroi, quelle qu'elle soit, doit être en bon état, car une fois la plante à maturité, toute réparation sera difficile. Après la plantation, arrosez régulièrement jusqu'à ce qu'elle soit bien établie en la faisant grimper sur ses tuteurs. Enfin, assurez-vous qu'elle n'est ni malade ni infestée de parasites.

## PLANTER CONTRE UN MUR

Le printemps et l'automne sont les meilleures périodes pour planter des arbustes contre un mur. Les rosiers grimpants à racines dénudées devraient être plantés de la fin de l'automne au milieu de l'hiver ; les autres grimpantes en automne ou au milieu ou à la fin du printemps. Installez d'abord votre treillis ou support *(voir p. 95 et pp. 108-109)*, puis bêchez la terre en y incorporant des matières organiques décomposées *(voir pp. 142, 147 et 150)*. Pour éviter la zone sèche juste au pied d'un mur ou d'une clôture, pratiquez le trou à au moins 30 cm de la base. Cette zone, abritée du vent dominant, reçoit peu de pluie et la paroi elle-même risque d'absorber l'humidité du sol. La plante devrait être orientée vers le mur et si elle est greffée, comme c'est le cas de nombreux rosiers, le greffon doit se trouver à 6 cm au-dessous de la surface afin d'empêcher la pro-

duction de drageons à la racine. Quand vous comblez le trou, tassez la terre autour des racines pour éviter les poches d'air. Toute tige faible doit être éliminée et si vous ne voulez qu'un seul rameau principal, coupez-les tous sauf le plus vigoureux. L'adjonction d'un paillis épais anti-mauvaises herbes après l'arrosage accélérera le développement de la plante *(voir p. 152)*. Après la plantation, tous les arbustes palissés et les grimpantes doivent être aussitôt attachés à leur support pour empêcher le vent d'endommager les jeunes branches. Si nécessaire, placez une canne en bambou entre les tiges et leur support. Au départ, les rameaux auront peut-être besoin d'être assujettis, mais une fois établies, les espèces à vrilles et les sarmenteuses s'accrochent d'elles-mêmes. En revanche, les arbustives et les rampantes ne peuvent se passer d'un étayage.

## AU PIED D'UN ARBRE

Tuyau en caoutchouc enroulé autour du fil de fer de soutien pour protéger l'arbre

**ORIENTATION INITIALE**
*Disposez avec soin en spirale les tiges de la grimpante (ici un rosier) autour du fil de fer jusqu'à l'arbre hôte et ses branches basses. Attachez-les à intervalles avec de la ficelle de jardin en nœuds de huit.*

Une plante grimpante devrait être plantée à 1-1,2 m de la base de son arbre hôte, au-delà du bord de sa frondaison pour éviter la concurrence eu égard à l'eau et aux éléments nutritifs. Cette distance doit être accrue si l'arbre a une cime basse ou un feuillage épais bloquant la lumière. Dans un gazon, dégagez une vaste zone autour du site de plantation afin que la plante n'ait pas à rivaliser avec l'herbe. Pour aider la grimpante à se hisser dans l'arbre, ses tiges devraient être assujetties à un fil, ou une corde, tendue entre une cheville inclinée fichée en terre et une branche basse. Au moment de planter, orientez-la vers l'arbre en étalant les racines derrière (si elles sont nues). Attachez les tiges à leur guide et enroulez-les autour pour les encourager à fleurir. Évitez à tout prix les grimpantes trop envahissantes. La *Clematis montana*, par exemple, a besoin d'un grand arbre. Les petits spécimens peuvent soutenir une clématite à grandes fleurs, moins vigoureuse, ou une annuelle, comme le volubilis.

### PLANTER UNE GRIMPANTE CONTRE UN MUR

**1 VÉRIFIER LE NIVEAU**
*Faites un trou à plus de 30 cm du mur. Placez-y la plante à 45° en étalant les racines à l'écart du mur. À l'aide d'un bâton à l'horizontale, assurez-vous que les anciennes marques de terre sur les tiges sont au niveau de la surface.*

**2 ORIENTER LES TIGES**
*Comblez le trou autour de la plante en tassant, puis déliez avec soin le tuteur. À l'aide d'attaches ou d'une ficelle, liez une canne à la base de chaque tige solide. Déployez et attachez chaque bout de canne au fil de fer le plus bas.*

**3 PREMIER ÉLAGAGE**
*À l'aide d'un sécateur, coupez toutes les tiges non soutenues restantes – celles trop grêles, abîmées, voire mortes. Si les tiges solides sont rares, pincez la pointe de chacune pour les encourager à pousser.*

**4 BIEN PAILLER**
*Une fois la charpente de la plante établie, arrosez-la bien. Ensuite couvrez le sol d'une couche de 8 cm de compost ou de fumier pour conserver l'humidité et décourager les mauvaises herbes.*

VOIR AUSSI : Les treillis, pp. 92-93 ; Les murs, pp. 96-97 ; Les liens, p. 109 ; Le sol, pp. 142-143.

# PLANTER UNE CLÉMATITE

Les clématites plantées au printemps ou à l'automne, quand le sol est chaud et humide, ont toutes les chances de bien s'établir. Placez-les à 30 cm de la clôture pour éviter un sol trop sec. Le trou doit être profond, la base des tiges étant bien enfouie. Cela permettra la prolifération de nouveaux rameaux à la base, ce qui est essentiel si la plante est touchée par l'oïdium et qu'il s'avère nécessaire de rabattre les tiges. Elle pourra alors survivre (*voir p. 301*). La clématite préfère avoir les racines au frais. Après la plantation, protégez le sol avec des pierres, des dalles ou des tuiles ou placez devant des plantes basses. Un épais paillis de fumier ou de compost de jardin bien décomposé sera bienvenu. Une fois établie, la clématite devrait s'épanouir sans apport d'eau.

◁ **UN BON DÉPART**
*Pour avoir de belles fleurs et du joli feuillage, garantissez à votre clématite (ici, C. montana 'Warwickshire Rose') un bon départ en incorporant des matières organiques dans un trou profond et en gardant les racines au froid et à l'humidité.*

## PLANTER UNE CLÉMATITE AUPRÈS D'UN MUR

La plupart des clématites ont besoin d'humidité. Au moment de planter, enfouissez un pot de fleur ou un tronçon de tuyau en plastique le long de la plante de façon à acheminer l'eau vers les racines.

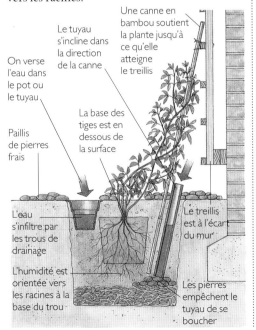

Une canne en bambou soutient la plante jusqu'à ce qu'elle atteigne le treillis

Le tuyau s'incline dans la direction de la canne

On verse l'eau dans le pot ou le tuyau

La base des tiges est en dessous de la surface

Paillis de pierres frais

L'eau s'infiltre par les trous de drainage

L'humidité est orientée vers les racines à la base du trou

Le treillis est à l'écart du mur

Les pierres empêchent le tuyau de se boucher

# POUR AVOIR LES PLUS BELLES FLEURS

Les grimpantes ont besoin d'être bien dirigées durant les deux premières saisons. Commencez par attacher les rameaux après la plantation et continuez à mesure qu'elles grandissent afin de former une jolie charpente. Déployer les tiges permet de disperser les fleurs ; plus elles sont à l'horizontale, plus il y a de chances que des rameaux latéraux, qui tous sont à même de fleurir, se développent. Orientez les plantes de la même façon pour créer un tunnel de fleurs sur une pergola.

Pour la glycine, le mieux est d'élaguer la plante existante en coupant les longs rameaux et en raccourcissant les pousses latérales à la fin de l'été afin de former des grappins, puis de réduire ceux-ci à nouveau au milieu de l'hiver à deux ou trois boutons. Si la plupart des grimpantes préfèrent que leurs racines soient à l'ombre, elles fleurissent mieux à la lumière. Mieux vaut diriger les pousses à l'horizontale, mais souvent il faut aussi un support tel un treillis au sommet du mur pour empêcher les tiges en fleurs de retomber. Enroulez ces tiges autour d'obélisques ou de trépied plutôt que de les laisser monter droit le long des supports.

**PLUS DE FLEURS** ▷
*Sur un trépied, un obélisque ou une structure similaire, enroulez la tige (ici d'un rosier) autour des tuteurs en les attachant par intervalles. Des boutons se formeront ainsi à tous les niveaux.*

◁ **UNE BONNE COUVERTURE**
*Il convient de déployer les tiges d'une jeune grimpante en éventail contre un mur ou une clôture tant qu'elles sont souples. Un vide à la base sera difficile à combler par la suite.*

# ÉVITER LES PROBLÈMES

Quand elles poussent près d'un mur, les plantes sont parfois la proie de maladies. Le mildiou duveteux (*voir p. 296*) est la pire qui soit ; il est dû à une mauvaise circulation de l'air, surtout si le sol est sec. Évitez les roses vulnérables au mildiou, aux tâches noires et à la rouille (*voir pp. 296-297*). Il est difficile de pulvériser un produit une fois qu'une plante a atteint une certaine hauteur. Éliminez les feuilles atteintes pour empêcher le mal de se propager d'une saison à l'autre. L'abri d'un mur chaud peut favoriser les parasites autant que les plantes. Inspectez les jeunes rameaux dès le début du printemps à la recherche de pucerons et pincez-en la pointe si nécessaire. L'oïdium de la clématite s'attaque parfois aux hybrides à grosses fleurs ; les spécimens à petites fleurs (*cf. encadré, à droite*) lui résistent. Vérifiez les attaches des plantes, apportez-leur de l'engrais après élagage et paillez-les régulièrement sur un sol humide.

VOIR AUSSI : Les parterres, pp. 152-153 ; Les mauvaises herbes et les maladies, pp. 288-311.

---

## POURQUOI

### POURQUOI LE CHOIX DES PLANTES ET LA MÉTHODE DE PLANTATION SONT-ILS IMPORTANTS ?

En choisissant une variété robuste et en lui donnant le meilleur départ possible, vous obtiendrez une plante qui résistera mieux aux assauts des parasites et des maladies.

**Certains rosiers** sont plus fragiles que d'autres. Évitez celles qui sont vulnérables au mildiou comme 'American Pillar', 'Handel' et 'Dorothy Perkins'. 'Aloha' et 'Golden Showers' sont relativement vigoureuses.

**Les clématites à petites fleurs**, comme la *Clematis alpina*, au printemps et au début de l'été, *C. macropetala* et *C. montana* qui fleurissent plus tard, résistent à l'oïdium.

**Au pied d'un mur, le sol**, généralement pauvre et sec, nécessite un apport abondant de matières organiques avant la plantation afin de conserver l'humidité et les éléments nutritifs. Maintenez les racines humides jusqu'à ce que la plante soit bien établie (*voir illustration, à gauche*) et paillez régulièrement.

# ENTRETENIR GRIMPANTES ET ARBUSTES EN ESPALIER

Le temps passé à leur soin sera amplement récompensé par des plantes saines ornées d'une abondance de fleurs et d'un riche feuillage. Élagage et palissage sont importants pour certaines, mais pas pour toutes (le lierre s'en passe très bien). Coupez au sécateur les tiges mortes ou malades, mais en dehors de ces interventions, la période de taille dépend de la variété et de sa saison de floraison. La plupart des grimpantes, comme la passiflore, devront être remplacées, d'autres supportent très bien un rajeunissement. Pour les arbustes, attachez les tiges tant qu'elles sont souples. Le cotonéaster est simplement nettoyé ; le cognassier du Japon produira davantage de fleurs s'il est taillé deux fois par an.

## COMMENT ET QUAND ÉLAGUER ?

Cette opération aide un arbuste à conserver une jolie forme, mais n'oubliez pas que plus vous coupez une tige, plus elle sera vigoureuse en repoussant. Taillez légèrement les tiges robustes et plus franchement les plus faibles afin d'équilibrer l'ensemble. De nombreux arbustes, notamment ceux qu'on laisse pousser librement, ont juste besoin d'une bonne coupe après la floraison.

En élaguant au mauvais moment, vous ne risquez pas de tuer la plante, mais de perdre les fleurs ou les fruits de toute une saison si vous coupez les branches porteuses. Émondez les espèces dont les nouvelles tiges produisent des fleurs l'année même, comme l'abutilon, *Campsis,* et le *Solanum crispum,* à la fin de l'hiver ou au début du printemps, et ceux qui s'épanouissent sur les rameaux de l'année précédente, tels l'actinidia, le cognassier, et le céanothe dans l'été, après la floraison. Élaguez la vigne cultivée pour son feuillage en hiver, les *prunus* au cœur de l'été. Mieux vaut oublier les persistantes jusqu'à la mi-printemps. L'ébranchage, associé au palissage, les premières années surtout, est nécessaire pour la plupart des grimpantes si vous voulez une plante déployant joliment ses fleurs tout en conservant une taille raisonnable. Les vigoureuses peuvent s'étendre librement sur un site adéquat. Quelques grimpantes, comme la clématite (*p. 114*) et la glycine (*p. 111*) ont des besoins spécifiques.

### QUE COUPER ?

△ **LES BRANCHES ENTRECROISÉES**
*Rabattez toutes les tiges entrecroisées ou tout en longueur à leur point d'origine pour empêcher qu'elles se frottent et finissent par s'endommager ou tomber malades.*

△ **LES TIGES TROP SERRÉES.** *Éclaircissez les tiges confinées pour donner à la grimpante ou à l'arbuste un port plus étalé afin que lumière et air puissent circuler. Un tel élagage empêche aussi la plante de devenir trop lourde.*

◁ **ÉLAGUER LES RAMEAUX LATÉRAUX**
*Pour combler un vide dans la charpente, raccourcissez un rameau latéral adjacent pour encourager de nouvelles pousses. Taillez jusqu'à un bourgeon pointant vers le haut ou le bas afin que la nouvelle pousse ne s'écarte pas du mur.*

---

### POURQUOI

**POURQUOI FAUT-IL ÉLAGUER LES GRIMPANTES ET LES ARBUSTES EN ESPALIER ?**

**Pour leur donner une jolie forme :** Avec l'aide du palissage, on incite ainsi les rameaux à pousser dans la direction voulue afin qu'ils garnissent également une surface et que la plante ait une belle charpente. Certains arbustes peuvent être taillés selon une forme spécifique en éventail ou en gradins, ce qui est utile si l'on manque d'espace.

**Pour améliorer la floraison :** L'élagage stimule la formation de nouvelles tiges qui fleuriront davantage que les anciennes. Les nouveaux rameaux robustes donnent souvent des bourgeons moins nombreux, mais plus gros, à l'origine de plus grandes fleurs.

**Pour limiter la taille :** Les grimpantes, tels les rosiers, vignes et chèvrefeuilles, sont ainsi restreintes à l'espace disponible sur un portique, un mur ou une pergola.

**Pour assainir :** En coupant les branches mortes, malades ou endommagées, on élimine les points d'accès potentiels d'infection en empêchant le mal de se propager.

## OÙ COUPER ?

La taille doit avoir lieu près d'un bourgeon ou d'une pousse latérale. Coupez en biais si possible afin que l'humidité s'écoule, mais pas trop tout de même. Une grande blessure lente à cicatriser risque de s'infecter. Veillez aussi à ne pas laisser une souche sans bourgeon car elle mourra en ouvrant la voie à l'infection. Faites des coupes nettes avec des outils tranchants. Les plaies meurtries ou endommagées sont la porte ouverte à la maladie. En général, un sécateur suffit, mais pour les grosses branches, munissez-vous d'un élagueur ou d'une scie à émonder. Recourez à des cisailles seulement dans le cas d'une grimpante à nombreuses tiges fines.

△ **BOURGEONS ALTERNÉS.** *Quand les bourgeons alternent sur une tige, coupez juste au-dessus, parallèlement à l'angle de croissance. Choisissez un bourgeon pointant dans le même sens que la nouvelle pousse.*

△ **BOURGEONS OPPOSÉS.** *Dans ce cas, il convient de couper la tige à la verticale juste au-dessus d'une paire de bourgeons sains et renflés ou de jeunes pousses vigoureuses.*

◁ **COUPER JUSQU'AU RAMEAU REMPLAÇANT**
*S'il faut raccourcir une tige, évaluez d'abord la forme de la plante dans son ensemble avant de tailler, puis, avec un sécateur, coupez juste au-dessus d'une tige saine pointant dans la bonne direction.*

**VOIR AUSSI :** Les mauvaises herbes, p. 145 ; Les fleurs fanées, p. 155

# FAÇONNER LES ARBUSTES EN ESPALIER

Une fois plantés, les arbustes persistants ne requièrent généralement guère d'élagage, pas plus que ceux qui poussent librement. Déployez les tiges et attachez-les pour obtenir une belle charpente régulière en n'éliminant que les pousses faibles ou mal placées.

Les arbustes censés grimper à plat contre un mur, comme le cognassier du Japon (*Chaenomeles*) et le buisson ardent, ou en éventail, tel l'abricotier du Japon (*Prunus mume*), doivent être débarrassés de tout scion orienté vers l'avant ou allant vers le mur. Écartez les autres pousses en les attirant doucement vers l'horizontale, selon les besoins, puis attachez-les.

◁ **BUISSON ORNEMENTAL**
*Le pyracantha est du plus bel effet quand ses jeunes rameaux souples se hissent sur le mur au gré de gradins horizontaux. On peut même en orner le pourtour de fenêtres. Il faut un support solide, ainsi que des gants pour se protéger des épines.*

## ÉTAPES INITIALES

△ **ATTACHER**
*Avec de la ficelle de jardin, liez toutes les tiges choisies (ici d'un ceanothe) à leur support à intervalles réguliers.*

△ **TIGES INDÉSIRABLES**
*Éliminez au point d'origine tout rejeton s'éloignant du support ou allant droit vers lui.*

△ **PINCER**
*Pincez ou coupez au sécateur les jeunes pousses tendres pointant vers l'avant pour inciter les branches à grimper latéralement.*

△ **RABATTRE**
*Taillez légèrement les plus longues tiges à deux ou trois bourgeons pour équilibrer l'arbuste et le contenir dans l'espace alloué.*

# GARDER LA FORME !

Attachez des rejetons pendant qu'ils sont encore jeunes et souples pour combler les vides dans la charpente de l'arbuste. Profitez-en pour relâcher les anciens liens de peur qu'ils étouffent les tiges. Éliminez les rameaux morts ou malades, mais attendez la fin des gelées pour couper les scions endommagés. Le moment pour élaguer les autres branches dépend avant tout de la période de floraison de l'espèce (*voir ci-contre*). Ne taillez pas les rameaux qui viennent de fleurir sur un arbuste cultivé pour ses baies. Continuez à émonder les pousses allant vers le mur ou s'en éloignant. Certains arbustes, comme le cotonéaster horizontal (*C. horizontali*) et le *Garrya*, ont juste besoin d'un nettoyage. On peut tailler le cognassier du Japon deux fois par an pour produire davantage de grappins fleuris. Rabattez les longues tiges de l'été à la mi-été, puis de nouveau à la fin de l'hiver au troisième ou quatrième bourgeon. Évitez de laisser trop grandir le céanothe en émondant les anciens rameaux florissants à chaque saison. Les vieilles branches ne repousseront pas.

## ÉLAGUER UNE PLANTE CADUQUE

◁ **TIGES NON DÉSIRÉES**
*Éliminez les tiges faibles, celles qui se croisent et tout ce qui pousse vers le support ou s'en éloigne.*

**ESPACER LES TIGES** ▷
*Attachez les nouvelles pousses de manière à combler les vides de la charpente. Stimulez la croissance en émondant si nécessaire.*

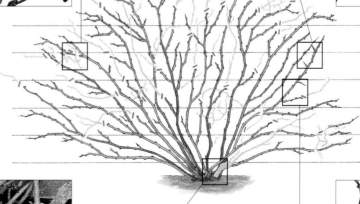

◁ **VIEILLES BRANCHES**
*Rabattez les tiges non productives au niveau du sol, puis attachez des scions dans le trou en résultant.*

**ÉLAGAGE DES GRAPPINS** ▷
*Raccourcissez les longues pousses latérales à 3-6 bourgeons pour encourager le développement de rameaux fleuris la saison suivante.*

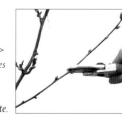

VOIR AUSSI : Les rosiers, p. 115

# ÉLAGAGE DES CLÉMATITES

Les clématites ont des exigences diverses en matière de taille selon l'époque de la floraison et l'âge des rameaux qui s'épanouissent. On peut néanmoins les répartir en trois catégories en fonction de l'élagage requis.

Le groupe 1 inclut les clématites qui fleurissent au printemps et nécessitent une coupe minimale bien qu'un émondage régulier leur donnera plus de vigueur. La plupart peuvent être bien rabattues. Toutefois, si la *Clematis montana* prend trop d'ampleur, si les branches sont trop lourdes et enchevêtrées, élaguez les vieilles tiges denses mais laissez-en quelques solides intactes. Les clématites du groupe 2, qui commencent à fleurir en début d'été, doivent être légèrement taillées à la fin de l'hiver ou au début du printemps pour réduire la plante à une structure de rameaux d'un ou deux ans, bien espacés.

Autre solution : les rabattre franchement tous les trois ou quatre ans en perdant la première floraison. Les spécimens du groupe 3 qui s'épanouissent en fin d'été sont émondés à la fin de l'hiver ou au début du printemps jusqu'à une paire de bourgeons sains à moins de 30 cm du sol. On peut aussi les rabattre à l'automne si les tiges mortes gênent l'arbre hôte ou une autre grimpante.

◁ **VIEUX RAMEAUX**
*Éliminez-les d'une coupe nette juste au-dessus du point d'origine Les cimes enchevêtrées peuvent aussi être taillées, les tiges restantes étant éclaircies et rabattues jusqu'à une paire de bourgeons sains, puis déployées contre le support.*

◁ **ÉLAGAGE LÉGER**
*À la fin de l'hiver ou au début du printemps, raccourcissez les tiges des clématites du Groupe 2 jusqu'à un rameau robuste ou une paire de bourgeons sains, en laissant une charpente de tiges d'un ou deux ans afin d'encourager la floraison.*

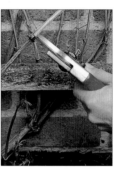

◁ **ÉLAGAGE GÉNÉREUX**
*À la fin de l'hiver et au début du printemps, une fois que la plante grandit, rabattez toutes les tiges du Groupe 3 à moins de 30 cm du sol. Retirez toutes celles qui ne poussent pas pour stimuler de nouvelles croissances en terre.*

# ÉLAGAGE : LES GROUPES DE CLÉMATITES

Les Clématites du groupe 1 incluent les persistantes qui fleurissent en hiver, telles la *Clematis alpina* aux clochettes inclinées, la délicate *C. macropetala* et la vigoureuse *C. montana*. Les variétés à doubles fleurs appartiennent toutes au groupe 2, de même que les hybrides à grandes fleurs qui s'épanouissent en début d'été, et parfois une deuxième fois. Les hybrides plus tardifs à grosses fleurs font partie du groupe 3, comme les variétés à petites fleurs, faciles à cultiver, *C. viticella* : 'Alba Luxurians', *C. tibetana* et *C. tangutica*.

◁ **GROUPE 1, PAR EXEMPLE CLEMATIS MONTANA**
*Ces variétés ne requièrent qu'un émondage minime, toute taille éliminant les tiges susceptibles de fleurir. On a néanmoins avantage à les éclaircir de temps en temps et à couper certains rameaux jusqu'à hauteur de scions ou bourgeons sains après la floraison. Éliminez aussi les tiges mortes, faibles ou malades.*

△ **GROUPE 2, PAR EXEMPLE 'VYVYAN PENNELL'**
*À la fin de l'hiver et au début du printemps, supprimez toute latérale faible afin de susciter de nouvelles pousses et davantage de fleurs. Rabattez les rameaux gelés ou endommagés jusqu'à une fourche, ou au niveau du sol. Pour prolonger la floraison, procédé à l'élagage sur plusieurs semaines.*

**GROUPE 3, PAR EXEMPLE 'GRAVETYE BEAUTY'**
*À la fin de l'hiver ou au début du printemps, enlevez les tiges mortes, malades ou abîmées. Élaguez généreusement les autres branches jusqu'à des bourgeons sains, renflés, à environ 30 cm du sol. Pour prolonger la floraison, raccourcissez de nouveau certains rameaux au début du printemps.*

## ÉLAGAGE : LES TROIS GROUPES

Quelques clématites parmi les plus populaires et leurs groupes

### GROUPE 1
*Clematis alpina*, 'Frances Rivis', 'Pink Flamingo', 'Ruy', 'White Moth', *C. Armandii*, *C. Cirrhosa*, *C. macropetala*, 'Maidwell Hall', 'Markham Pink', *C. montana*, ''Elizabeth', ''Marjorie', ''Picton's Variety''.

### GROUPE 2
'Artic Beauty', 'Beauty of Worcester', 'Bees' Jubilee', 'Dr Ruppel', 'Elsa Späth', 'Fireworks', 'Guernsey Cream', 'H.F.Young', 'Henryi', 'Lady Northcliffe', 'Lasurstern', 'Marie Boisselot', 'Miss Bateman', 'Moonlight', 'Mrs Cholmondeley', 'Multi Blue', 'Nelly Moser', 'Niobe', 'Royalty', 'Silver Moon', 'Sugar Candy', 'The President', 'The Vagabond', 'Vyvyan Pennell', 'Wada's Primrose', 'W.E Gladstone', 'Vino'.

### GROUPE 3
*Clematis rehderiana*, *C. tangutica*, *C. tibetana*, *C. viticella*, 'Alba Luxurians', 'Ascotiensis', 'Bill MacKenzie', 'Comtesse de Boucaud', 'Ernest Markham', 'Étoile rose', 'Étoile Violette', 'Gipsy Queen', 'Gravetye Beauty', 'Hagley Hybrid', 'Huldine', 'Jackmanii', 'Superba', 'Mme Edouard André', 'Mme Julia Corevon', 'Minuet', 'Pagoda', 'Perle d'Azur', 'Polish Spirit', 'Princess Diana', 'Rouge Cardinal', 'Royal velours', 'Venosa Violacea', 'Ville de Lyon'.

**VOIR AUSSI** : Les râteaux, p. 279

# ROSIERS GRIMPANTS ET ROSIERS LIANES

Coupez les fleurs mortes pour encourager la floraison sur les espèces à épanouissements multiples et attachez les nouveaux rameaux toute la saison. Apportez de l'engrais aussitôt après l'élagage. Les rosiers lianes et les variétés de grimpants modernes diffèrent tant dans leur port que dans leur mode de floraison et doivent être émondés. Les rosiers lianes fleurissent souvent sans élagage, mais ils sont bien plus beaux si on les rabat souvent en les faisant grimper sur un mur. Ces rosiers donnent plus de fleurs sur les rameaux produits la saison précédente. Il faut donc les élaguer en été, après leur unique floraison. Ils produisent davantage de nouvelles pousses à la base que les grimpantes ; il faut les y encourager en éliminant les vieux rameaux au niveau du sol. Les fleurs apparaissent sur les mêmes tiges latérales pendant plusieurs années et ne doivent donc pas être coupées chaque année. De nombreux rosiers grimpants s'épanouissent à

**SOIN SAISONNIER**
*À la fin de la période de croissance, en automne, les longues tiges arquées des rosiers grimpants doivent être attachées avec soin et légèrement rabattues si nécessaire.*

plusieurs reprises ; il faut les élaguer à l'automne, quand les feuilles commencent à tomber. Les longs rameaux devraient être attachés ou rabattus pour éviter les ravages du vent. Réduisez les tiges fleuries aux deux tiers et éliminez les moins productives.

## ÉLAGAGE ET LIGATURE DES ROSIERS LIANES

**1 BRANCHE PRINCIPALE**
*Rabattez une vieille branche principale sur trois jusqu'au sol afin de stimuler la croissance à la base. Éliminez chaque long rameau épais par sections pour éviter d'endommager leurs voisins.*

**2 CROISSANCE EXCESSIVE**
*Éclaircissez certains rameaux principaux et coupez les autres de 5 à 8 cm, ainsi que les latérales par deux tiers pour encourager l'arborescence et la floraison à la saison suivante.*

**3 ATTACHER LES NOUVEAUX RAMEAUX.** *Durant la période de croissance, liez les nouvelles pousses à mesure de leur développement. Utilisez de la ficelle en faisant des nœuds en huit afin d'obtenir une charpente équilibrée.*

## ÉLAGAGE ET LIGATURE DES ROSIERS GRIMPANTS MODERNES

**1 RAMEAUX FLEURIS**
*Coupez les tiges ayant fleuri aux deux tiers. Élaguez la pointe de celles qui ont dépassé l'espace qui leur est alloué.*

**2 RAMEAUX IMPRODUCTIFS**
*Éliminez les tiges malades, faibles, endommagées, sans feuilles jusqu'à une branche saine. Si nécessaire, rabattez les rameaux principaux jusqu'au sol.*

**3 AJUSTER LES ATTACHES**
*Relâchez ou remplacez peu à peu les liens, comme celui-ci à rochet en plastique à mesure que les tiges s'étendent. Élaguez, déplacez et renouez tout rameau qui frotte.*

# RAJEUNIR LES GRIMPANTES

Quelques grimpantes comme la passiflore et la *Solanum crispum* (Lycianthe) devraient être remplacées par de nouvelles plantes lorsqu'elles sont vieilles, surchargées ou envahissantes. Beaucoup peuvent être néanmoins sauvées par un rajeunissement, certaines supporteront mieux une taille sévère.

Les persistantes réagissent généralement mal à un élagage. Le lierre repartira sans peine à partir de vieux rameaux ; rabattez-le à moins de 1 m de sa base. Le chèvrefeuille, la vigne, *Campsis* et le célastre (*Celastrus orbiculatus*) repoussent généralement sans souci s'ils sont taillés à 60 cm environ du sol. Ce rajeunissement peut avoir lieu en une seule fois, l'hiver, quand la plante est dormante, sauf dans le cas des persistantes qu'il vaut mieux élaguer au milieu ou à la fin du printemps. D'autres grimpantes, telles les hydrangea, se remettront mieux si cette opération s'échelonne sur deux ou trois saisons. Si vous avez des doutes sur l'aptitude d'une plante à supporter un élagage systématique, procédez par étapes en éliminant quelques rameaux à la fois. Vous aurez peut-être intérêt à couper à la cisaille la cime enchevêtrée pour trier les branches principales ou à détacher la plante de son support afin de la coucher à terre. Rabattez chaque tige jusqu'à un bourgeon sain. Conservez la plupart des rameaux à une longueur raisonnable, mais rabattez en un ou deux jusqu'au sol. Déployez les tiges sur l'espalier et attachez-les. Paillez, mais n'apportez pas trop d'engrais. Réitérez l'opération sur deux années, jusqu'à élimination des vieilles branches.

△ **ÉLAGAGE DRACONIEN**
*Certaines grimpantes, comme ce chèvrefeuille, repartent vite et fleurissent bien mieux après avoir été rabattues à 60 cm du sol. D'autres, comme la glycine et le jasmin commun (J. Officinalis) mettront plusieurs années à se rétablir.*

VOIR AUSSI : Le paillage p. 152 ; Les rosiers, p. 160.

# LES HAIES

Elles jouent un rôle pratique et décoratif en établissant le style et le cadre du jardin. Souvent utilisées pour délimiter le terrain, leurs qualités architecturales en font aussi d'excellentes séparations internes. Aussi, il faut impérativement sélectionner les plantes en fonction du sol, du site, de leur aspect et du climat, sans oublier le rythme de croissance. Les haies sont meilleur marché et plus écologiques que les murs ou les clôtures, mais elles mettent plus de temps à constituer un écran.

Pour un bon résultat, respectez les distances recommandées entre les pieds lors de la plantation.

## CONSIDÉRATIONS ESTHÉTIQUES

Le choix et le style d'une haie sont une question de goût. Il faut qu'elle s'accorde à la végétation ambiante, mais il n'y a pas de règles. Une bordure d'ifs épaisse, manucurée, convient à un style classique ; c'est aussi une toile de fond idéale pour un jardin naturaliste ou "à l'anglaise". À la campagne, les espèces indigènes s'harmonisent bien avec le paysage environnant. Les haies libres se garnissent de fleurs et de baies qui attirent la faune. La sélection de l'espèce végétale constituant une haie est indissociable du style choisi. Si vous optez pour une haie formelle, souvenez-vous que plus elle pousse vite, plus vous devrez la tailler. Aucune plante atteint rapidement 2 m pour s'arrêter de grandir ensuite ! À long terme, une haie à croissance lente est plus gratifiante et moins exigeante. Les haies libres sont plus faciles à gérer, mais nécessitent tout de même des coupes et s'étalent davantage. Les bordures basses de plantes aromatiques, lavande, buis, ou santoline, sont magnifiques autour des plates-bandes ou le long des allées.

On peut avoir recours à des haies plus élevées pour dissimuler une partie du jardin. Si vous voulez créer un portique, laissez quelques rameaux pousser de part et d'autre de l'ouverture jusqu'à ce que vous puissiez les lier au centre, à la hauteur qui convient. Coupez régulièrement les pointes pour inciter le buisson à s'étoffer en attachant d'autres pousses si nécessaire. Une fois la voûte épaissie, taillez-la avec soin à la forme voulue. Il est aussi possible, bien que ce soit moins aisé, de pratiquer une "fenêtre" en coupant, en attachant et en dirigeant les rameaux en vous servant de cannes comme guides, le cas échéant, afin d'obtenir la forme désirée. Une haie entrelacée (voir p. 91) permet d'apercevoir les sites au-delà.

En général, ces bordures se composent d'une seule espèce, mais il est possible d'en associer plusieurs pour créer un aspect de patchwork. Dans le cas de haies classiques, il faut qu'elles grandissent au même rythme ; pour les haies libres, c'est moins important. Si vous avez de la place, imitez les haies rurales en mêlant houx, noisetiers, érables et aubépines.

△ **BORDURES CARRÉES**
*Le cadre géométrique, solide, de ce jardin a été subtilement rompu par quelques écrans en bois et une "fenêtre" taillée dans une des haies de bordure.*

▽ **RICHE TOILE DE FOND**
*Cette haie persistante dense, vert foncé, sert de faire-valoir aux sidalcea et pavots roses, aux genêts jaune d'or ainsi qu'au feuillage gris du premier plan.*

◁ **CONTRASTES DE FEUILLAGES**
*La couleur et la texture épaisse de cette haie d'ifs classique sont mises en valeur par les feuilles légères, plus longues et plus souples de l'écran de bambou voisin.*

VOIR AUSSI : Les séparations, pp.30–31

# CONSIDÉRATIONS PRATIQUES

Avant de faire votre choix de plantes, songez à la fonction de la haie. Certaines espèces supportent bien le vent *(voir p. 119)* et les haies denses étouffent le bruit. Les épineux, telle l'aubépine, constituent des barrières presque impénétrables *(voir liste, à droite)*. Prenez en compte la hauteur de l'arbre ou arbuste à maturité. S'il dépasse le niveau souhaité, il nécessitera des tailles fréquentes ; s'il se trouve en bordure de votre jardin, il faudra aller le couper chez le voisin. Les spécimens à croissance rapide comme le cyprès Leyland doivent être contrôlés ; considérez l'effet qu'ils ont sur votre entourage. Le *Thuja plicata* est une bonne alternative ; il suffit de l'élaguer deux fois par an, au printemps et au début de l'automne, pour le restreindre à 2 m ou moins. Une clôture en claie ou un grillage constitue une bonne solution à court terme jusqu'à ce que les plantes à croissance lente aient atteint une bonne hauteur. Le prix sera sans doute déterminant. Les plantes de haies à racines nues, surtout les variétés indigènes, sont bien moins onéreuses que les plantes en pots. Les horticulteurs font souvent de la publicité dans les revues de jardinage. Peut-être avez-vous le temps de faire des boutures *(voir pp. 164-165)*, commodes dans le cas de longues haies de buis ou de lavande qui s'enracinent facilement. Les distances de plantation indiquées ci-dessous donneront lieu à une bordure épaisse. Des intervalles légèrement plus larges sont possibles pour une haie plus haute. Évitez de planter des haies dans un sol très sec ou le long de bordures étroites car elles absorberont eau et éléments nutritifs au détriment des spécimens voisins.

◁ **ÉPINES DISSUASIVES**
*Les haies épineuses, comme ce berberis, contribuent à éloigner les intrus tout en créant une barrière efficace contre le bétail vagabond, le cas échéant. En automne, le feuillage et les baies colorés rivalisent pour attirer l'attention.*

## BONS CHOIX

### HAIES D'ÉPINEUX RECOMMANDÉS
De nombreuses plantes aux tiges ou feuilles épineuses font d'excellentes haies. Les espèces persistantes et caduques conviennent tout aussi bien, le choix dépendant du style souhaité, selon que la haie soit censée former une toile de fond uniforme au jardin ou non.
Ajonc *(Ulex)*
Aubépine *(Crataegus monogyna, C. laevigata)*
*Berberis* : surtout *B.* × *stenophylla*
Buisson ardent
Cognassier du Japon *(Chaenomeles : choix multiples)*
Épine noire/ Prunellier *(Prunus spinosa ; essayez 'Paul's Scarlet')*
Houx *(Ilex aquifolium, I* × *altaclerensis)*
*Poncirus trifoliata*
Rosiers, 'Complicata', *Rosa eglanteria, R. Rugosa*

△ **POUR LES OISEAUX**
*Les baies vives, rouges et jaunes, de cette jolie haie libre de buissons ardents sont une source de nutriments pour les oiseaux.*

---

# DISTANCE DE PLANTATION ET FRÉQUENCE DE TAILLE OU D'ÉLAGAGE

## HAIES CLASSIQUES

| PERSISTANTS | DISTANCE | H | TAILLE |
|---|---|---|---|
| Buis *(buxus sempervirens)* | 30 cm | P | 2 à 3 fois pendant la croissance. |
| Escallonia | 45 cm | M-G | 1 fois juste après la floraison |
| Houx *(Ilex × altaclerensis, I. aquifolium)* | 45 cm | M-G | 1 fois à la fin de l'été |
| Cyprès de Lawson *(Chamaecyparis lawsoniana)* | 75 cm | G | 2 à 3 fois pendant la croissance. |
| Lavande | 30 cm | P | 2 fois au printemps et après floraison |
| Cyprès de Leyland *(× Cupressocyparis leylandii)* | 75 cm | G | 2-3 fois pendant la croissance |
| Lonicera nitida | 30 cm | P-M | 3-4 fois pendant la croissance |
| Troène *(Ligustrum ovalifolium)* | 30 cm | M-G | 3-4 fois pendant la croissance |
| If *(Taxus baccata)* | 60 cm | M-G | 1-2 fois pendant la croissance. |
| **CADUCS** | | | |
| Hêtre blanc *(Fagus sylvatica)* | 30-60 cm | M-G | 1 fois à la fin de l'été |
| Berberis thungerbii | 45 cm | P-M | 1 fois au milieu de l'été |
| Épine blanche *(Crataegus monogyna)* | 30-45 cm | M-G | 2 fois au printemps et à l'automne |
| Charme commun *(Carpinus betulus)* | 45-60 cm | G | 1 fois à la mi-été ou fin d'été |

*H hauteur ; P (petit) 30 cm-1 m ; M (moyen) 1-2 m ; G (grand) 2 m et plus

## HAIES LIBRES ET FLEURISSANTES

| PERSISTANTS | DISTANCE | H | QUAND ÉLAGUER ? |
|---|---|---|---|
| *Berberis* × *stenophylla* | 45 cm | M-G | Aussitôt après la floraison |
| *Cotoneaster lacteus* | 45-60 cm | M-G | Après les fruits |
| *Escallonia* | 45 cm | M-G | Aussitôt après la floraison |
| *Garrya elliptica* | 45 cm | M-G | Aussitôt après la floraison |
| Houx *(Ilex × altaclerensis, I. aquifolium)* | 45-60 cm | M-G | En fin d'été |
| Lavande | 30 cm | P | Après la floraison |
| Buisson ardent | 60 cm | G | À la mi-printemps |
| **CADUCS** | | | |
| *Forsythia* × *intermedia* | 45 cm | M-G | Après la floraison, supp. les vieux rameaux |
| *Fuchsia magellanica* | 30-45 cm | P-M | Début printemps, supp. les vieux rameaux |
| Aubépine *(Crataegus monogyna)* | 45-60 cm | G | En hiver, supprimer certains rameaux vigoureux |
| Noisetier (Corylus avellana) | 45-60 cm | G | Après la floraison, à la mi-printemps |
| *Potentilla fruticosa* | 30-45 cm | P-M | À la mi-printemps |
| Roses 'Roseraie de l'Haÿ' *Rosa Rugosa* | 45-60 cm | M-G | Au printemps, supprimer les tiges grêles |
| Épine noire, prunellier *(Prunus spinosa)* | 45-60 cm | G | En hiver, supprimer certains rameaux vigoureux |

* H hauteur ; P (Petit) 30 cm-1 m ; M (moyen) 1-2 m ; G (grand) 2 m et plus

VOIR AUSSI : Les haies, pp. 120-121

# HAIES CLASSIQUES

Les plantes employées à cet effet doivent produire un feuillage dense et tolérer les tailles fréquentes et précises. Elles ont souvent de petites feuilles et poussent lentement. Parmi les plus courantes : l'if, le *thuya plicata*, le troène, le houx, et s'il y a suffisamment de place, le laurier du Portugal (*Prunus lusitanica*). Coupés souvent, le hêtre et le charme, bien que caducs, conservent leurs jolies feuilles mortes brun-roux en hiver.

Les haies classiques se composent généralement d'une seule espèce, mais les mélanges de feuillages contrastés apporteront de la variété toute l'année. Veillez toutefois à ce que les plantes associées aient un rythme de croissance compatible afin d'éviter que les plus vigoureuses dominent. Le hêtre vert et la variété cuivrée (*voir p.31*) se marient bien. Mêlez des arbustes aux feuilles de dimensions différentes pour un effet inté-

◁ **GRANDES FEUILLES**
*Les persistantes à grandes feuilles, comme le laurier du Portugal et cet* Elaeagnus × ebbingei *'Gilt Edge', doivent être taillées au sécateur. Les feuilles déchirées en deux brunissent sur les bords, gâchant l'ensemble.*

ressant, le *Lonicera nitida* et le troène par exemple. Étant donné la forme de leurs feuilles dorées, l'impact sera d'autant plus saisissant. Une mosaïque de verdure persistante et caduque, tels le charme et le houx, vous enchantera.

Buis, lavande, santoline et *berberis* forment de très belles bordures basses, le long des allées et des plates-bandes, mais aussi au-dessus des murets de soutènement.

**LISTE DE PLANTES**

LISTE DE PLANTES
HAIES DE PERSISTANTES RECOMMANDÉES
F = FORMEL ; L = LIBRE ; N = NAIN

Aucuba du Japon (*Aucuba japonica*) F ou L
*Berberis* × *stenophylla* F ou L
Buis (*Buxus sempervirens*) F N
Buisson ardent L
Cyprès de Lawson (*Chamaecyparis lawsoniana* ; 'Chilworth Silver' est excellent) F
*Elaeagnus* × *ebbingei* F ou L
*Escallonia* : tous, surtout *E* "Donald Seedling' F ou L
Houx (*Ilex* : utilisez les variétés vertes ou panachées) F ou L
If commun (*Taxus baccata*), *T* × *media* F
Laurier du Portugal (*Prunus lusitanica*) F ou L
Lavande (*Lavandula angustifolia* 'Hidcote') F ou L
*Lonicera nitida*, *L. nitida* 'Baggesens's Gold' F
Thuya géant de Californie (*Thuja plicata*) F
Troène (*Ligustrum ovalifolium*, *L. ovalifolium* 'Aureum') F
*Tsuga heterophylla* F

CADUCS RECOMMANDÉS POUR LES HAIES

Bien que caducs, hêtre et charme conservent leurs feuilles mortes en hiver.

Aulne (*Alnus*, surtout *A. cordata*)
*Berberis thunbergii* ; surtout 'Atropurpurea Nana' F ou L N
Charme (*Carpinus betulus*) F
Érable champêtre (*Acer campestre*) L
Hêtre (*Fagus sylvatica* ; Hêtre cuivré (*Fagus sylvatica* f. *purpurea*) F
*Forsythia* × *intermedia* L
*Fuchsia magellanica* L N
Noisetier (*Corylus avellana* ; essayez *C. maxima*, *C. maxima* 'purpurea') L
*Potentialla fruticosa* L N
Prunier-cerise (*Prunus cerasifera* 'Nigra')
Rosiers : *Rosa rugosa*, *R. glauca* L
Troène (*Ligustrum obtusifolium*, *L. quihoui*) F

◁ **BORDURES ÉLÉGANTES**
*L'* if (Taxus baccata) *constitue l'une des barrières les plus denses et attrayantes qui soient, mais il faut parfois six à dix ans avant qu'il s'établisse. Toute sa vie, il nécessite des tailles précises et régulières afin d'acquérir une charpente régulière et de l'épaisseur.*

# BAMBOUS

Les tiges ligneuses et arquées et le feuillage décoratif de ces persistants en font des haies, des écrans et des brise-vent prisés, s'ils sont plantés serrés. Ils étouffent bien le bruit et émettent un bruissement apaisant.

Bon nombre d'espèces ont des racines envahissantes ; choisissez-les avec soin. L'un des plus beaux spécimens est le *Chusquea culeou*, à croissance lente, pouvant atteindre 6 m ; il s'orne de gracieux rameaux vert-olive. Le *Pleioblastus auricomus*

est un spécimen nain aux feuilles dorées rayées de vert qui s'étend lentement. Il ne dépasse pas 1,5 m. Le *Phyllostachys flexuosa* forme un bon écran jusqu'à 3 m, bien que ses cannes vertes ondulées, parfois en zigzags, finissent par constituer d'épais fourrés.

**UN ÉCRAN TOUTE L'ANNÉE** ▷
*Les feuilles abondantes de ce* Phyllostachys nigra var. henonis *filtrent bien le vent ; ce bambou a l'avantage, à maturité, de s'orner de jolis rameaux jaunes lustrés.*

VOIR AUSSI : Les bambous, p.141

# HAIES LIBRES À FLEURS OU À BAIES

Non taillés, certains arbustes forment de ravissantes haies informelles (*voir liste, ci-contre*), mais leur charme tient souvent à leurs fleurs et à leurs fruits.

Pour agrémenter printemps et été, plantez des bordures de cognassiers du Japon (*Chaenomeles*), de millepertuis et de rosiers hybrides ou d'espèces, par exemple. Choisissez par exemple des roses parfumées comme la 'Roseraie de l'Haÿ').

Pour de belles couleurs automnales, optez pour un cotonéaster aux baies vives généralement rouges ou pour une symphorine aux épaisses grappes de baies blanches persistantes en hiver. Parmi les plantes de haies libres nanties de jolies fleurs et de fruits, songez au buisson ardent épineux aux fleurs blanches et baies jaunes, orange ou rouges. Aux fleurs rouge carmin du *Rosa rugosa* succèdent de gros fruits rouges.

Si vous avez des enfants en bas âge, méfiez-vous des haies arborant des baies aussi tentantes que toxiques. Celles de l'aubépine, du cotonéaster, du berberis et de la viorne risquent de provoquer des maux d'estomac.

## LISTE DE PLANTES

HAIES RECOMMANDÉES POUR LEUR FLORAISON

Certaines plantes de cette catégorie d'arbustes florissants sont aussi intéressantes pour leurs baies, et vice versa.

*Berberis darwinii, B × stenophylla*
*Escallonia* 'Apple Blossom', *E.* 'Langleyensis', *E.* 'Price of Donard', certaines *
*Forsythia × intermedia*
*Fuchsia magellanica, F.* 'Phillis', *F.* 'Riccartoni'
*Garrya elliptica* *
*Hypericum forrestii*
Lavande, surtout *Lavandula angustifolia* 'Hidcote'
*Potentilla fruticosa*
*Ribes sanguineum*
*Tamarix ramosissima*

HAIES RECOMMANDÉES POUR LEURS BAIES ET LEURS NOIX

Aubépine (*Crataegus monogyna*)
Buisson ardent
*Cotoneaster horizontalis, C. lacteus, C. simonsii*
Épine noire/ prunellier (*Prunus spinosa*)
*Lonicera nitida* 'Yunnan'
Myrte (*Myrtus* : surtout *M. communis* subsp. *tarentina*)*
Noisetier (*Corylus avellana*)
Prunier-cerise (*Prunus cerasifera* 'Pissardii')
Rosiers : *Rosa canina, R. rugosa, R.* 'Schneezwerg'
Symphorine (*Symphoricarpos × doorenbosii*)
*Viburnum tinus* 'Eve Price'

* non résistant.

△ **ATOUT FLORAL**
*Les bordures fleuries comme cette potentille arborent souvent une foison apparemment ininterrompue de fleurs, du printemps à la fin de l'automne.*

**ÉCLAT AUTOMNAL** ▷
*Les baies rouge orangé de ce Cotoneaster simonsii sont mises en valeur par ses feuilles luisantes d'un vert vif, d'où une saisissante combinaison.*

# HAIES EN SITES EXPOSÉS OU CÔTIERS

△ **BRISE VENT**
*Les tiges cambrées du gracieux Tamaris ramosissama ploient aisément sans se rompre malgré les vents forts.*

◁ **HAIE ROBUSTE**
*Parmi les espèces les plus tolérantes en bordure de mer, l'argousier (Hippophae rhamnoides), aux rameaux épineux, dont les pieds femelles se parent de baies orange vif.*

Les haies offrent un abri inestimable aux jardins exposés où le vent risque de dessécher le feuillage ou de brûler les jeunes rameaux. Les plantes qui poussent en haut des collines sont particulièrement vulnérables aux rafales. Près du littoral, le vent charrie aussi des embruns qui brunissent les feuilles. Tout amoncellement de sel dans la terre risque d'endommager les racines.

Certaines plantes de bordures souffrent aussi. Il est donc important de choisir des espèces résistantes au vent et aux embruns (*voir liste, à gauche*). Elles partagent certaines caractéristiques, telles des feuilles petites et robustes, comme le houx et l'aubépine. Les haies caduques filtrent parfois remarquablement le vent. Quant aux persistants épais, ils peuvent l'inciter à "sauter" la haie, d'où des turbulences.

Dans les jardins du bord de mer, le choix de haies est plus vaste. Le gel pose rarement un problème, surtout du côté ouest, et on peut sélectionner des plantes qui ne seraient pas résistantes ailleurs.

Pour aider une haie à s'établir dans un site venteux, dressez un brise-vent temporaire, semi-perméable du côté du vent et utilisez des supports en fil de fer (*voir page suivante*).

## LISTE DE PLANTES

HAIES RECOMMANDÉES
POUR LES SITES EXPOSÉS ET LE LITTORAL

L = plantes convenant surtout au littoral

Si de nombreuses espèces tolèrent les vents maritimes, rares sont celles qui s'épanouissent en cas de fréquents assauts d'embruns.

Argousier (*Hippophae rhamnoides*) L
Arroche (*Atriplex halimus*) L *
Aster en arbre (*Olearia nummularifolia*) L
Aubépine (*Crataegus monogyna*)
Charme (*Carpinus betulus*)
*Elaeagus* ; tous, par exemple *E. angustifolia* (olivier de Bohème) L
*Escallonia* (voir liste ci-dessus, certains *) L
*Griselinia littoralis* L *
Genévrier commun (*Juniperus communis*) L
Houx (*Ilex × altaclerensis, I. aquifolium*)
*Tamarix ramosissima* L

* non résistant

VOIR AUSSI : La préparation et la plantation, p.120

# PLANTER ET ENTRETENIR LES HAIES

Parce que les haies sont faites pour durer, l'endroit et la terre où on les plante doivent être bien préparés. Le développement d'une nouvelle haie dépendra aussi de la façon de la tailler au cours des deux ou trois premières années, surtout pour les arbustes à feuilles caduques, qui ont besoin d'être "formés" afin de prendre de la hauteur.

Par la suite, l'importance de la taille ou de l'élagage et l'entretien général dépend du spécimen : persistant ou caduc, formel ou libre, à fleurs ou à baies. Cependant, toutes les haies doivent bénéficier chaque année d'un fumage équilibré, puis être paillées pour favoriser une croissance vigoureuse et régulière.

## PRÉPARATION ET PLANTATION

Les spécimens en pots doivent être plantés de préférence de l'automne au printemps, les plantes à racines nues ou en motte de la fin de l'automne à la fin du printemps. Évitez à tout prix les sols gelés. Si nécessaire, gardez les racines nues humides jusqu'à ce que les conditions soient favorables entre deux gelées. Préparez bien le site en enlevant les mauvaises herbes persistantes, les ronces et le liseron. Une fois la haie établie, ils seront impossibles à éliminer. Désherbez régulièrement pendant la croissance.

Quelques semaines avant de planter, délimitez l'espace de la haie avec une ficelle et creusez une tranchée, profonde et assez large pour y loger confortablement les racines. Apportez quantité de fumier ou de compost de jardin bien décomposé (*voir ci-dessous*) et laissez la terre reposer.

▧ Arrosez bien les plantes la veille de la plantation. Gardez les racines nues bien enveloppées avant de planter pour éviter qu'elles sèchent.

### PRÉPARER LE SOL

**1 BÊCHER EN PROFONDEUR**
*Creusez une tranchée de 30-60 cm de profondeur, de 60-90 cm de large, le long de la ligne directrice et retirez la couche arable. Si le sol est mal drainé, émiettez la terre.*

**2 NOURRIR LA TERRE**
*Alternez des couches de matières organiques de 8 cm et de terre arable dans la tranchée. Finissez avec 110 g/m² d'engrais (sang, chair de poisson ou d'os).*

**PLANTER EN LIGNE DROITE △**
*En général, les haies sont disposées en un seul rang, 30-60 cm séparant chaque plant (voir aussi p. 117). Les plants nains peuvent être placés à 10-15 cm d'écart.*

**△ PLANTER EN DÉCALÉ**
*Pour une clôture particulièrement épaisse, large de 90 cm ou plus, alternez les plants entre deux rangs à 45 cm de distance. Espacez les plants de 90 cm dans une rangée.*

▧ Disposez les plants le long de la ficelle, selon l'espacement approprié, en alternant des plants faibles et des plants sains, plus forts.

▧ Creusez des trous et sortez-les un par un de leur pot ou de leur emballage une fois le trou creusé, quand vous êtes prêt à planter. Posez chaque spécimen dans le trou au niveau où il était dans son pot, ou en pleine terre. En général, il y a une marque sur la tige indiquant cette hauteur. Posez une canne en travers du trou pour vérifier l'alignement. Puis comblez en tassant de temps en temps pour éviter les poches d'air.

▧ Arrosez bien une fois toute la rangée plantée, puis disposez une couche de paillis de 5-8 cm sur toute la tranchée.

▧ Dans les sites très exposés, étayez les plantes avec deux fils de fer tendus entre deux pieux du côté venteux. Attachez les plantes sans serrer sur les fils afin qu'elles ne frottent pas de peur d'endommager l'écorce.

## POUR LA FORME

N'essayez pas de couper d'emblée tous les rameaux d'une plante à la même longueur. La plupart des persistantes ont besoin d'un élagage minimal ; les arbustes en haies libres se taillent comme les isolés (*voir p. 158*). Coupez de ⅓ les tiges les plus fortes des hêtres et des charmes, les plus faibles de ⅔. Rabattez troène et aubépine à 15-30 cm du sol à la fin du printemps, puis taillez les latérales en fin d'été. L'hiver suivant, éliminez la moitié de la croissance de la saison précédente.

### ÉTAPES INITIALES

**1 AVANT L'ÉLAGAGE**
*Certaines persistantes vigoureuses, tel ce Lonicera nitida, requièrent d'emblée un élagage pour s'étoffer à partir de la base.*

**2 APRÈS L'ÉLAGAGE**
*Les tiges latérales robustes ont été légèrement taillées, les plus faibles davantage. Les branches principales sont juste un peu taillées une fois la haie parvenue à la hauteur voulue.*

### FORMES DE HAIES

**CIME ARRONDIE △**
*Dans les régions très enneigées, taillez vos haies en arrondi ou en pointe. Sur une surface plane, la neige s'amoncellera.*

**CÔTÉS INCLINÉS △**
*Dans les régions où le vent souffle fort, taillez vos haies afin qu'elles soient plus étroites en haut de manière à détourner le vent et limiter les dégâts.*

VOIR AUSSI : La terrain, pp. 142-143 ; Planter des arbustes, p. 150-151 ; Les mauvaises herbes, pp. 292-293

# TAILLE ET ÉLAGAGE

La taille d'une haie classique a pour but d'assurer une croissance saine, vigoureuse et dense de la base au sommet tout en maintenant une ligne nette. Il faut éliminer les rameaux malades ou endommagés. En dehors de cela, la fréquence d'élagage dépend du rythme de croissance de l'espèce et de sa hauteur normale à maturité (*voir p. 117*). Tâchez d'obtenir une forme aux côtés légèrement inclinés, plus étroite en haut qu'en bas (*voir ci-contre, en bas*). Pour que la cime soit régulière, guidez-vous à l'aide d'une ficelle tendue entre deux bâtons. Taillez les persistants entre le printemps et le début de l'automne, les caducs généralement après la mi-été. Évitez de couper si des oiseaux nichent dans la haie.

Les haies libres sont émondées de la même manière que les spécimens autonomes (*voir pp. 158-159*), après la floraison ou les baies, ou au printemps. Profitez-en pour leur donner une jolie forme.

Servez-vous d'un taille-haie électrique ou de cisailles pour les haies formelles, d'un sécateur, ou d'une scie à élaguer si nécessaire, pour une haie libre. Taillez les arbustes à grandes feuilles avec un sécateur (*voir p. 118*). Après la coupe, apportez de l'engrais, arrosez et paillez.

▽ **MANIER UNE CISAILLE**
*Quand vous coupez, maintenez les lames parallèles à la haie. Pour obtenir une forme droite, régulière, tendez une ficelle entre deux cannes afin de vous guider.*

△ **MANIER UN TAILLE-HAIE**
*La plupart des haies classiques à petites feuilles sont élaguées à l'aide d'un taille-haie électrique qu'il faut manœuvrer en de grands gestes de balayage tout en maintenant la lame bien parallèle à la haie. Ne taillez jamais plus haut que votre épaule.*

---

## PENSE-BÊTE

### RÈGLES D'OR DE SÉCURITÉ

N'utilisez jamais un taille-haie électrique par temps de pluie. Assurez-vous qu'il est muni d'un disjoncteur ou coupe-circuit et ne laissez jamais le fil traîner. Protégez-vous en mettant des lunettes, des gants, des boules Quiès. Vérifiez que votre échelle, ou escabeau, est bien stable.

---

# TOPIAIRES

Le haut des haies comme les arbustes isolés peuvent servir à créer des topiaires. Sphères et cubes sont les formes les plus simples ; le thème des animaux offre des possibilités infinies. Mieux vaut utiliser des persistants denses, à petites feuilles et à croissance lente, tels l'if ou le buis. On peut tailler les formes rondes à la main. Employez des cannes ou du fil de fer comme guides pour les formes à bords droits. Les designs plus complexes requièrent une armature en fil de fer intégrée dans la plante en permanence pour guider les coupes. Taillez sans hâte, en prenant souvent du recul pour juger de l'effet obtenu, tant que la topiaire n'est pas aboutie.

△ **GUIDE TEMPORAIRE**
*Après avoir taillé grossièrement un jeune buis, constituez un cône symétrique et régulier avec des cannes et du fil de fer.*

△ **CÔNE ACHEVÉ**
*Coupez régulièrement pour conserver la forme. Utilisez l'outil qui vous convient le mieux — cisaille ou sécateur.*

# RAJEUNIR LES HAIES

Les haies négligées, envahissantes peuvent être régénérées par élagages successifs, mais la réussite dépendra de l'espèce concernée. Peu de conifères réagissent bien à un élagage draconien, à part l'if qui repart aisément. On peut considérablement réduire la hauteur et la largeur d'une haie, mais séparez les deux opérations par au moins une saison de croissance. Si les côtés seuls requièrent une taille, mieux vaut aussi les couper à un an d'intervalle (*voir ci-dessous*). Rajeunissez les caducs en hiver, quand ils sont dormants. Les persistants réagissent mieux à la mi-printemps. Pour susciter une croissance vigoureuse, apportez de l'engrais et paillez bien durant la saison précédant la taille, ainsi qu'après chaque élagage.

△ **HAIE DE CONIFÈRES EN COUPE**
*Même taillées régulièrement sur leur pourtour, les haies de conifères finissent par perdre leurs feuilles à l'intérieur, la plupart étant incapables de produire de nouvelles pousses à partir de vieux rameaux. En définitive, il convient de les remplacer, sauf l'if qui réagit remarquablement bien aux élagages échelonnés.*

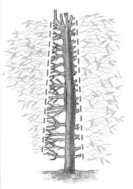
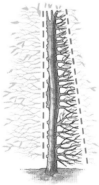

△ **PREMIÈRE ANNÉE**
*Pour réduire la largeur d'une haie négligée ou envahissante, élaguez un côté presque jusqu'à la tige principale (ici, le côté droit). Taillez légèrement l'autre flanc, puis apportez de l'engrais et paillez.*

△ **DEUXIÈME ANNÉE**
*L'année suivante, si la plante a bien grandi, rabattez l'autre côté (gauche, ici) presque jusqu'à la tige principale pour coïncider avec le premier élagage. Taillez légèrement l'autre côté, donnez de l'engrais, paillez.*

VOIR AUSSI : Les arbustes, pp. 158-159

# MASSIFS ET PLATES-BANDES

## À CHAQUE JARDIN SON STYLE

Au fil des siècles, le style des jardins d'agrément a oscillé entre les formes géométriques, à base de symétrie, et les formes d'apparence spontanée, voire sauvage. Chaque modèle a ses vertus, et les jardiniers d'aujourd'hui peuvent s'inspirer des modes d'antan qu'ils apprécient. Dans tous les cas, le choix doit correspondre à votre propre style. Massifs et plates-bandes se prêtent à des dispositions classiques, aux plantations bien ordonnées, comme à des mélanges de variétés d'aspect plus naturels. Et rien n'empêche d'associer les deux. La hauteur, la forme, la texture et la couleur des plantes sont toutes aussi importantes que l'emplacement et la forme d'un parterre, et doivent être envisagées au stade de la conception.

## TENDANCE CLASSIQUE

La géométrie, les motifs, la symétrie, exprimés par des lignes marquées et des formes audacieuses, sont l'essence du style classique. Celui-ci repose en grande partie sur les surfaces en dur (briques, dallages) qui constituent un cadre pour la végétation et un trait d'union entre la maison et le jardin. Les plantes peuvent suivre un modèle géométrique, dans le cas des haies taillées à ras ou des parterres à la française. La symétrie, qui veut qu'à chaque plante une autre fasse pendant, peut être atténuée afin de souligner les contrastes ou au contraire accentuée pour affirmer une unité.

## UNE APPROCHE PLUS LIBRE

Ce style informel entend imiter la nature en favorisant les formes irrégulières. Des courbes majestueuses et des formes ondoyantes constituent le cadre d'une végétation abondante apparemment indisciplinée et, si on utilise des matériaux durs, ils sont le plus souvent d'origine naturelle (pierre ou bois par exemple). Pour l'amateur de plantes, c'est le style de prédilection. Si le formalisme requiert retenue et simplicité, l'approche plus libre se fonde sur la variété et l'exubérance ; on peut ajouter de nouvelles acquisitions sans redouter de nuire à une harmonie d'ensemble.

### ASTUCES

• La visite de jardins est la source d'inspiration la plus sûre : observez, empruntez et élaborez à partir des concepts réussis par d'autres.
• Consultez livres et magazines afin d'identifier les styles et les structures qui vous plaisent. Dressez une liste de vos envies et de vos besoins pour vous aider à définir le style et les composantes de votre jardin.

▽ **PROFUSION**
*Des bancs de plantes se mêlant les unes aux autres pour créer un effet de tapisserie naturelle sont au fondement d'un parterre libre, même si cela requiert autant de planification que de travail.*

△ **FORMES GÉOMÉTRIQUES**
*Rectangles, triangles et carrés formés par des haies de buis basses et taillées créent une impression immédiate de formalisme, mais celle-ci peut être adoucie par l'intégration de plantes fleuries. Les pavés de brique rehaussent encore cet l'effet.*

**VOIR AUSSI :** Les parterres, pp. 124-125 ; Les massifs surélevées, pp. 180-181.

# JARDIN SAUVAGE

Ce type de plantation est l'expression par excellence d'un style libre. Incorporer des variétés indigènes dans un jardin émane du désir de conserver les espèces menacées, ou simplement de la volonté de tirer parti de leur charme naturel. Certaines peuvent être cultivées dans les plates-bandes traditionnelles, mais en général, elles s'épanouiront mieux dans des sites comme les prairies ou les sous-bois, où elles retrouvent les conditions d'origine de leur espèce. C'est une solution idéale pour les parties exposées ou les terres pauvres et sèches. Ces spécimens indigènes fournissent aussi des éléments nutritifs et un refuge pour les animaux.

## POURQUOI

### POURQUOI UN JARDIN SAUVAGE ?

Les fleurs des champs sont une riche source de nectar pour les abeilles et les papillons et d'aliments pour les oiseaux mangeurs d'insectes ou de graines.
Attirer la faune est un vrai plaisir et comme la plupart de ces créatures se nourrissent des parasites du jardin, elles contribuent à vous en débarrasser écologiquement.

**UNE BORDURE SAUVAGE** ▷

*Les fleurs des champs préfèrent souvent les terres pauvres et permettent ainsi une mise en scène spectaculaire dans une partie du jardin où les plantes cultivées risquent fort de ne rien donner. Elles attirent aussi toutes sortes d'insectes.*

# TIRER PARTI DE L'ESPACE

Plates-bandes et massifs sont un des moyens de composer et de diviser un jardin d'une manière agréable à l'œil, à même d'offrir un cadre intime et protecteur ainsi qu'un terrain d'épanouissement pour vos plantes. L'œil perçoit différemment la perspective à l'extérieur et à l'intérieur ; en plein air, l'échelle est réduite par la comparaison avec les horizons plus lointains. Faites preuve d'audace quand vous choisissez les dimensions de vos parterres. Maximisez leur taille tout en équilibrant espace libre et zones plantées en donnant à celles-ci assez de substance pour susciter des contrastes de formes et des hauteurs en progression. Optez pour des lignes nettes et fortes, afin d'attirer le regard au loin, ou composez de vastes courbes afin de dissimuler, et inciter à explorer.

◁ **ÎLOTS**
*Cet ensemble offre de toutes parts des compositions variées. C'est un excellent moyen de maximiser la diversité dans un espace relativement restreint.*

△ **ESPACES LINÉAIRES**
*De longues plates-bandes étroites permettent de jouer avec la perspective. Elles entraînent le regard loin, et ponctuées de grandes plantes architecturales, offrent à l'observateur le plaisir d'une série de points de mire.*

**BORDS INCURVÉS** ▷
*Une courbe est toujours plus longue qu'une ligne droite. Les paysagistes en jouent souvent pour gagner de la place dans les jardinets confinés.*

△ **PAS DE PLACE PERDUE**
*On peut tirer parti du plus petit espace. Ce coin ombragé est animé par une rangée de feuillages qui attirent le regard durant toute la belle saison tout en faisant office de toile de fond à une succession de fleurs saisonnières.*

**VOIR AUSSI :** La composition, pp. 126-127 ; Les massifs surélevées, pp. 180-181.

# DES MASSIFS POUR TOUS LES GOÛTS

On peut les classer selon les groupes de plantes qui les composent, herbacées ou arbustes par exemple. Chaque catégorie a ses avantages, mais toutes sont conçues pour vous ravir d'un bout à l'autre de l'année, surtout dans les petits jardins où chaque spécimen doit s'efforcer de justifier sa présence. Si vos variétés préférées, même éphé-mères, méritent une place, mieux vaut néanmoins choisir des espèces qui fleurissent longtemps, souvent, de bonne heure ou produisent des baies ensuite. Tâchez d'exploiter au mieux le feuillage, susceptible d'apporter de somptueuses teintes au printemps ou à l'automne et de mettre en valeur d'autres spécimens grâce à sa texture.

## PARTERRES D'ARBUSTES

Les arbustes ligneux, persistants ou caducs, représentent toutes sortes d'atouts ornementaux. Si vous les choisissez avec soin, leurs fleurs, leurs fruits, leurs baies ou leurs rameaux auront quelque chose à offrir à chaque saison. Ces massifs sont idéaux pour donner au jardin un cadre permanent ne nécessitant guère d'entretien.

## MIXED-BORDER

Ce type très diversifié exploite les vertus de tous les groupes de plantes. Les arbustes lui confèrent structure et hauteur et composent un joli arrière-plan. Certains ajouteront des couleurs et de la variété grâce à leurs feuilles, leurs fleurs saisonnières ou leurs baies. Les plantes à bulbes illumineront les premiers mois de l'année, jusqu'à ce que les vivaces de l'été leur succèdent, rehaus-sées par les bulbeuses estivales. Annuelles et bisannuelles compléteront le tableau, et les tardives se découperont sur un tapis de feuilles automnales émaillées de baies, d'akènes et de capitules séchées.

▽ **MARIER LES VARIÉTÉS**
*Ici, des géraniums d'Endress, à floraison prolongée, se mêlent aux bleus tardifs des hortensias et aux plumeaux élancés d'une canne de Provence (Arundo donax).*

---

### ASTUCES

• Un massif d'arbustes peut remplacer une haie taillée pour bloquer la vue et le bruit. Elle requiert peu de travail et a l'avantage d'évoluer d'une saison à l'autre.

• Profitez de la permanence d'un massif d'arbustes pour compartimenter le jardin en zones distinctes, créer un site abrité et paisible ou camoufler les vues déplaisantes au-delà du périmètre du jardin.

---

△ UNE BARRIÈRE COUVERTE DE FLEURS
*Les massifs d'arbustes constituent des barrières idéales, sans nécessiter trop d'entretien. Ici, roses, herbes et senecios allient leurs beaux feuillages à l'avantage d'une floraison prolongée.*

VOIR AUSSI : La composition, p. 126 ; Les massifs surélevées, pp. 180-181.

# MASSIFS D'HERBACÉES

Les massifs d'herbacées traditionnels sont l'un des joyaux du jardin pendant l'été, quand la plupart des vivaces sont à leur apogée. Les herbacées vivaces se réduisent tout l'hiver à un rhizome avant de renaître année après année. C'est l'un des inconvénients de ce genre de massif, car les plantes dormantes laissent des vides durant les mois les plus mornes, périodes où un peu de gaieté serait appréciée. Si la promesse d'une renaissance et d'une profusion à venir ne vous satisfont pas, plantez-y des espèces à bulbes précoces ainsi que des tardives à capitules dont les beautés sculpturales vous raviront à l'automne.

## ▽ JOUER LES PROLONGATIONS
*Ces tenaces alchémilles et astrances, en arrière-plan, mettent en valeur les plus fugaces campanules ; les feuilles en glaive de la croscomie annoncent la fin de l'été et la venue des splendeurs automnales.*

# SPLENDEURS SAISONNIÈRES

La palette vivante des fleurs, fruits, feuillages et rameaux offre de multiples possibilités pour orner l'année durant vos massifs. Chacun a ses moments de faiblesse ; il est recommandé de prévoir d'autres espèces pour combler les vides saisonniers, surtout dans les petits espaces où les "trous" se remarquent encore plus. Les bulbeuses apportent une solution simple : leurs fleurs vives fournissent des rehauts de couleur, même si elles n'ont qu'un temps, et leur disparition est vite masquée par le bourgeonnement de leurs voisines.

## DES BULBES POUR CHAQUE SAISON

**HIVER**
Éranthe d'hiver (*Eranthis hyemalis*)
Perce-neige (*Galanthus*)

Ornithogalum montanum
Scille (*Scilla*) (certaines)
Scille du Liban (*Puschkinia*)
Tulipes (la plupart)

**PRINTEMPS**
*Anemone blanda*
Crocus (la plupart)
Dent de chien (*Erythronium*) (la plupart)
Gloire des neiges (*chionodoxas*) (toutes)
Hyacinthes (*hyacinthus reticulata*)
Iris (*Iris histrioides*)
Jacinthe sauvage (*Hyacinthoides hispanica*)
Jonquilles (*Narcissus*)
*Muscari* (la plupart)
Nivéole de printemps (*Leucojum vernum*)

**ÉTÉ**
*Agapanthus*
*Allium cristophii, A. giganteum*
Cannas (la plupart)
Jacinthe du Cap (*Galtonia candicans*)
Glaïeuls (la plupart)
Lis (la plupart)
Montbretia (*Crocosmia*)

**AUTOMNE**
Colchice (la plupart)
*Cyclamen hederifolium*
*Sternbergia lute*
Nivéole d'automne (*Leucojum autumnale*)

# ANNUELLES ET BISANNUELLES

Les annuelles germent, fleurissent, montent en graines et meurent en une seule saison ; les bisannuelles produisent une abondance de feuilles la première année, fleurissent, montent en graines et périssent l'année suivante. Ces variétés à la croissance aussi rapide que leur vie est brève, apportent en peu de temps des touches de couleur aux nouveaux jardins en attendant des cultures plus durables. Elles permettent aussi de combler les espaces libérés en prévision de l'expansion d'espèces permanentes. Comme beaucoup se propagent d'elles-mêmes, dans de bonnes conditions, elles suscitent à long terme des effets surprenants parmi les plates-bandes.

## EXPÉRIENCES ANNUELLES ▷
*Les plantes éphémères sont idéales pour tester couleurs et formes. Ici, une composition fort réussie comprenant lonas jaunes et ageratums bleus qui vaudrait la peine d'être reprise.*

## △ DE L'ÉTÉ À L'AUTOMNE
*L'éclat en contre-jour de ces tulipes 'Texas Gold' illumine cette bordure ; quand elles faneront, à la fin du printemps, les lis d'un jour jaune doré prendront la relève.*

VOIR AUSSI : Nées pour combler, p. 127 : Les massifs surélevées, pp. 180-181

# COMMENT COMPOSER UN MASSIF

Des idées originales et innovatrices distinguent les plus beaux massifs, œuvres de talentueux paysagistes, mais certains principes fondamentaux sous-tendent toute réalisation, quels que soient le site et son ampleur. Les peintres composent un tableau selon les mêmes principes, de manière à ce que des éléments séparés s'unissent en un tout harmonieux. Les plus belles compositions allient un équilibre entre masses et espace, unité et contrastes, avec des composantes bien proportionnées entre elles et à l'échelle de leur environnement. Au-delà de sa valeur décorative, c'est avant tout le rôle que joue une plante dans une composition cohérente en couches progressives qui est déterminant.

## LE CADRE

On pourrait comparer les éléments structurels d'un jardin au squelette que forment les os sous la peau. Au sens large, cette "charpente" inclut les surfaces en dur, murs et dallages, qui définissent l'agencement des lieux. Au sein des plates-bandes et des massifs, toutefois, certaines plantes peuvent avoir une fonction architecturale contribuant à bâtir le "squelette" du jardin.

Les espèces ligneuses, sélectionnées parmi une foison d'arbres et arbustes, jouent un rôle essentiel dans l'édification d'un projet. Elles ferment l'espace, l'abritent et font office de toile de fond pour le reste de la végétation. Elles constituent un cadre permanent tout en faisant partie intégrante de la composition. Si ces plantes structurelles sont parfois très belles, on les choisit avant tout pour leur contribution fonctionnelle.

> ## POURQUOI
>
> ### POURQUOI COPIER LA NATURE ?
>
> Observez la lisière d'un bois. Vous y verrez des bandes de plantes distinctes. Au soleil, des herbes basses tapissent les pieds de persistantes plus grandes, certaines à mi-ombre, auxquelles succèdent une rangée d'arbustes et finalement la frondaison d'un grand arbre. Cette composition faite de rangées successives est fonctionnelle pour les plantes ; c'est aussi un régal pour les yeux, d'où l'attrait qu'elle exerce sur les paysagistes.

## POINTS DE MIRE

Ce sont autant de "cadeaux" visuels tandis que nos regards se promènent dans un jardin. Pareils à la ponctuation dans une phrase, ils nous indiquent où marquer une pause en contrariant le rythme de base. Les plantes destinées à attirer ainsi l'attention doivent se distinguer par leur volume ou la puissance de leur forme, qu'elles aient pour objet de clore une perspective, ou d'être vues de différents angles, affirmant ainsi leur valeur. Un seul spécimen peut constituer le point de mire de compositions voisines.

**COUCHES NATURELLES** ▷
*Cette végétation en "couches" successives sur fond de cyprès se compose de houx, de pittosporum et d'olearia auréolant un robinier 'Frisia'.*

△ **LA GRÂCE DES ROSES**
*Les tiges souples de rosiers, comme 'Mme Isaac Pereire', suffiront à créer une enceinte. D'autres grimpantes auront le même effet dans un esprit plus classique, sur un pilier, un portique ou une pergola.*

△ **L'ATTRAIT DES ÉTOILES**
*Les pointes robustes et épineuses aux tons métalliques pâles de l'Eryngiu giganteum réclament toute notre attention, dressées au-dessus d'un tapis de feuilles sombres.*

**DES LIGNES FORTES** ▷
*Cet Eremurus robustus tout en hauteur, aux lignes verticales, constitue un puissant point de mire, surtout sur un fond obscur, tout simple.*

VOIR AUSSI : Les contours et les formes, p. 128 ; Les plantes faciles, pp. 130-131

# CULTURES EN BANCS

Les plantes qui constituent les masses les plus conséquentes devraient toujours être les plus décoratives. Le paysagiste se repose sur elles, plutôt que sur les éléments végétaux structurels, pour fournir au jardin feuillage et fleurs durant toute la belle saison. Lorsqu'on planifie leur agencement, il convient de lier les groupes individuels selon un rythme sous-jacent qui entraîne le regard en un flux coulant où tout semble à sa place. La culture en bancs est la technique requise pour ce faire. Il existe plusieurs méthodes, chacune confère au jardin un style et un esprit distinct, classique ou libre (*voir ci-dessous*).

△ **CULTURE EN "BLOCS"**
*Pour des effets architecturaux puissants, des masses de plantes structurées forment un patchwork de couleurs, de textures et de formes contrastées. Ici, des orpins blancs, des mauves et des dahlias roses mettent en valeur les détails de l'arrière-plan.*

△ **BANCS LIBRES**
*Ici, des bancs irréguliers, se chevauchant, allongés et rangés selon leur hauteur, sont ponctués de groupes d'espèces plus proches de la verticale afin de créer un décor plus libre. Les phlox rose pâle contrastent avec la forme rectiligne de la sauge.*

△ **AU PETIT BONHEUR**
*Imitez le désordre de la nature en isolant de grandes plantes au milieu de groupes de variétés plus petites et en les laissant se propager par graines ou stolons. Ici des queues de renard et des delphiniums éparpillés autour de pavots roses.*

---

# HAUTEURS PROGRESSIVES

En général, on recourt à des bancs de plantes de plus en plus hautes vers l'arrière du massif ou le long de son axe, mais ce n'est pas une règle inviolable. L'effet de "couches" est assuré, ce qui veut dire qu'aucune espèce n'est cachée par ses voisines. L'usage occasionnel de spécimens plus hauts et découpés, comme la Crambe en bordure, accentue encore ce phénomène.

△ **SUIVEZ MON REGARD**
*Des plantes de tailles progressives donnent une illusion de profondeur et génèrent un mouvement qui entraîne subtilement le regard plus loin et plus haut. Plus la hauteur augmente, plus la perspective est renforcée. Le point le plus élevé masque l'horizon du regard et incite ainsi à l'exploration.*

# LES ESPÈCES COUVRE-SOL

La plupart sont des plantes denses, rampantes ou tapissantes qui empêchent la germination des mauvaises herbes en les privant de lumière. Parce qu'elles sont basses, elles sont idéales pour constituer le bord ou la première rangée d'un massif. Elles forment ainsi une solide ligne horizontale qui met en valeur les espèces verticales plus hautes et les formes plus arrondies. À mesure qu'elles grandissent, les variétés de même vigueur constituent, en s'enchevêtrant, un tapis qui contribue aussi à adoucir une bordure trop rigide.

## PLANTES BASSES

*Alchemilla conjuncta.* Feuilles lobées bleu vert ; foison de fleurs jaune-vert tout l'été.

*Anthemis punctata* subsp. *cupaniana.* Joli tapis de feuillage gris argenté et duveteux, garni de fleurs blanches au début de l'été.

*Anthyllis montana.* Feuilles gris vert, divisées, soyeuses et fleurs roses, rouges ou violettes en début d'été.

*Geranium renardii.* Touffes de feuilles veloutées, gris vert ; fleurs blanches ou lavande en début d'été.

*Heuchera micrantha.* Feuilles gris marbré et gerbes de fleurs blanches veinées de rose en début d'été.

*Nepeta × faassenii.* Feuilles gris vert argenté, aromatiques, et épis de fleurs lavande tout l'été.

*Stachys byzantina.* Ou oreilles d'ours. Bouquets de feuilles gris vert à l'épais duvet argenté et épis blanc laineux de fleurs rose-violet tout l'été.

# NÉES POUR COMBLER !

Annuelles et bisannuelles sont idéales pour combler à court terme les espaces vides d'autant plus qu'elles se propagent souvent d'elles-mêmes. Si le résultat ne vous satisfait pas, vous pouvez les éliminer sans grande perte. Si vous les choisissez dans des tons qui s'harmonisent avec un ensemble, tout jeune plant produira par la suite des fleurs dans des tons complémentaires.

△ **UNE JOIE INATTENDUE**
*De nombreuses annuelles et bisannuelles se propageront sans effort si les conditions leur conviennent, mais on ne peut jamais savoir où leurs rejetons apparaîtront. Ici une plante à œufs pochés (Limnanthes douglasii) envahit une allée sous une julienne des jardins (Hesperis matronalis).*

VOIR AUSSI : Les couvre-sol, p. 75 et p. 131 ; La couleur et la forme, pp. 128-129

# COULEURS, FORMES ET MATIÈRES

Si les plantes structurelles et la composition en couches constituent la charpente d'un paysage, ce sont les formes et les textures variées des masses de plantes qui procurent finition et coloris. Elles offrent la possibilité de contrastes de lignes (verticales, horizontales et diagonales dynamiques), et de formes (rondes, en épis ou en arcs). Ligne et forme sont des éléments de liaison susceptibles de relier l'ensemble d'une composition, surtout à répétition. La texture du feuillage peut composer une toile de fond verdoyante qui mettra en valeur les qualités plus éphémères des fleurs, et le recours aux couleurs régit l'esprit d'un jardin plus que tout autre facteur.

## VARIÉTÉ OU UNITÉ ?

Le degré souhaitable de variété diffère selon la taille du site. En excès, une impression de désordre risque de compromettre l'unité de l'ensemble ; un défaut de diversité, par contre, finit par être ennuyeux. Les contrastes sont plus forts s'ils se composent d'éléments simples. Si un trop grand nombre de composants conflictuels rivalisent pour attirer l'attention, le regard s'oriente dans tous les sens sans parvenir à suivre une ligne. C'est l'unité qui harmonise une composition. Elle s'exprimera par le biais de motifs, de formes, ou de textures comme autant d'ornements répétitifs. Un thème défini, en termes de couleurs ou d'espèces, permet de susciter une unité.

**VARIATIONS SUR UN THÈME ▷**
*Les herbes ornementales constituent le thème unificateur de cette bordure inhabituelle, bien qu'elle ne se compose pas uniquement d'herbes. Leurs formes architecturales sont à la fois distinctes et accentuées par d'autres plantes aux formes contrastées.*

## CONTOURS ET FORMES

Les paysagistes aiment composer des ensembles tels que formes et contours contrastent et s'unifient en un équilibre agréable à l'œil. Une composition réussie juxtaposera par exemple deux genévriers : le *Juniperus scopulorum* 'Skirocket', vertical, à la ligne horizontale du *J. procumbens*, en joignant les deux grâce à une forme plus ronde, comme l'*Hebe rakaiensis*. Tâchez de mettre vos idées à l'épreuve dès le départ en dessinant les différentes formes sur une feuille et en les réordonnant jusqu'à ce que l'équilibre vous satisfasse.

**LA FORCE DE L'UNITÉ ▷**
*Les pointes puissantes du Yucca gloriosa 'Variegata' focalisent l'attention et donnent le ton, repris, sans que cela devienne écrasant, par le P. mugo aux aiguilles vert noir, et les capitules bleu métallique d'un Eryngium × olieverianum.*

## ÉLÉMENTS DE TEXTURE

Les changements de texture sont un élément subtil mais vital d'une composition. Les feuilles représentent l'essentiel des masses d'un massif et leurs textures perdurent bien plus longtemps que les splendeurs éphémères des fleurs. La texture dépend de la taille des feuilles et de leur surface. Efforcez-vous d'opposer la fine constitution d'espèces à petites feuilles à de grandes feuilles au contour net, ou associez des feuilles mates et soyeuses avec d'autres luisantes.

**△ FRONDES DÉLICATES**
*Les frondes de cet aspidium se déploient sous un soleil printanier en contre-champ. Leur aspect plumeux est accentué par un feuillage simple.*

**DOUX ET LISSE ▷**
*La surface duveteuse des grandes feuilles de funkia, telle cette Hosta sieboldiana, est un régal. Ces espèces sont un parfait faire-valoir pour des plantes à feuilles fines.*

**VOIR AUSSI** : Les vivaces, pp. 134-135 ; Les herbes, les bambous et les fougères, pp. 140-141.

# THÉORIE DES COULEURS

Les couleurs primaires, rouge, jaune et bleu, mélangées par paires, donnent les couleurs secondaires : vert, violet et orange. À l'exception du vert, ces nuances intenses peuvent agresser l'œil si on les utilise à l'excès, mais en masses restreintes, et sur un fond de nuances plus subtiles, elles offrent des contrastes aussi vifs que puissants. Les tonalités tertiaires s'obtiennent par mélange des secondaires et s'harmonisent *toujours* puisque, voisines dans le spectre, elles partagent des "composantes". À l'inverse, les couleurs opposées sur le cercle chromatique constituent des contrastes de complémentaires.

## À VOUS DE JOUER !

On a écrit des pages et des pages sur la théorie de la couleur et son application dans les jardins, mais les puristes font souvent fi des goûts personnels et de la subjectivité de la perception visuelle. Certains raffolent des couleurs vives, chaudes, voire criardes, d'autres préfèrent la discrétion fraîche et reposante des tons pastel. Les artistes s'inspirent depuis des siècles de la théorie des harmonies et des contrastes complémentaires qui fonctionne certes en pratique, mais si ces règles ne produisent pas les effets escomptés, ne vous sentez pas limités.
Expérimentez librement.

# LA COULEUR EN PRATIQUE

L'intensité de la lumière affecte la perception des couleurs et varie selon la latitude, la saison et l'heure de la journée. Les pastels qui semblent délavés à midi deviennent lumineux au crépuscule. Une masse vive de magenta (tels des bougainvilliers) touche à la perfection dans la clarté subtropicale, mais jure presque dans la lumière bleutée de climats plus mornes. Le goût de chacun, les tons des surfaces en dur et les perspectives au-delà du jardin sont aussi à considérer.

△ **HARMONIE**
*On obtient une opulente harmonie, ici violet et cerise, à partir de tons voisins dans le spectre.*

Le bleu, l'indigo, le violet et leurs teintes pastels sont synonymes d'une élégance discrète ; en donnant l'impression de "fuir", elles soulignent la perspective

Les verts harmonisent la composition et permettent de séparer les couleurs fortes ou discordantes

Les couleurs voisines dans le cercle s'harmonisent bien, qu'elles soient tranchées ou plus éteintes

Les couleurs complémentaires (toute paire à l'opposé l'une de l'autre) associées rehaussent leurs effets respectifs si on les associe par contraste

Les tons chauds des jaune, orange et rouge évoquent une chaleur exubérante et, comme projetés en avant, réduisent la perspective

## LE CERCLE DES COULEURS ▷
*Les primaires, par paires, produisent les couleurs secondaires ; leur intensité restreint leur emploi à de petites masses. Les secondaires mélangées donnent les tertiaires, reflétant les tons subtils de la nature et applicables à des zones plus vastes.*

En général, plus une couleur est intense, plus il faut en limiter l'ampleur dans un ensemble afin de susciter des effets saisissants sans qu'ils deviennent écrasants

△ **CONTRASTE**
*Muscari et tulipes opposent un bleu primaire et un orange binaire, aux antipodes sur le cercle chromatique..*

△ **NUANCES HARMONIEUSES**
*Cette palette pastel se fonde sur l'harmonie de couleurs issues du même tiers du spectre ; on déjoue la monotonie en incluant des tons plus soutenus, le violet des sauges et l'orange chaud des hémérocalles, apportant des contrastes bienvenus.*

---

# BEAUTÉS SAISONNIÈRES ET SUCCESSIVES

Les saisons s'accompagnent d'une panoplie de couleurs et de textures changeantes. Les verts frais du printemps, souvent teintés de rose et de rouge, cèdent le pas à une toile de fond plus sombre et uniforme au printemps avant de s'enflammer à l'automne. Aux fleurs éphémères se substituent parfois des akènes décoratifs ou des baies lustrées, souvent persistantes, qui ornent les rameaux hivernaux dénudés de nombreux ligneux. Pour maximiser les effets d'un bout à l'autre de l'année, optez pour des espèces fiables, à floraison prolongée, ou des variétés dont les splendeurs ne se limitent pas à une saison.

△ **BAIES VELOUTÉES**
*Les pommiers sauvages éblouissants de fleurs et de feuillage frais au printemps redoublent d'éclat à l'automne grâce à leurs fruits et leurs feuilles multicolores.*

△ **CAPITULES MÛRS**
*De nombreux pavots arborent des akènes décoratifs. Les capsules bleues du Papaver somniferum font suite à une succession de fleurs roses, mauves et blanches.*

## DES PLANTES POUR TOUTE SAISON

*Amelanchier laevis.* Petit arbre ou arbuste aux fleurs blanches printanières, aux fruits bleus et aux jolis tons automnaux.
Chardon à foulon (*Dipsacus fullonum*). Bisannuelle aux feuilles émeraude et aux akènes en fleurons persistants en hiver.
*Cotinus* 'Grace'. Arbre à perruque, aux feuilles violettes et minuscules fleurs roses, aux teintes vives à l'automne.
Érable du Japon (*Acer palmatum*). Petit arbre ou arbuste réputé pour sa parure automnale.
Monnaie du pape (*Lunaria annua*). Annuelle ou bisannuelle à fleurs printanières blanches ou pourpres et à membranes argentées.
*Pyracantha.* Arbuste à floraison estivale précoce et aux fruits d'automne persistants.
*Rosa rugosa.* Feuilles vert émeraude aux fleurs roses ou blanches en été, et aux baies rouges en automne.

VOIR AUSSI : Les pavots d'Orient, p. 135 ; Les arbustes, p. 139.

# PLANTES FACILES À VIVRE

La plupart des plantes s'adaptent bien à différentes terres si leurs besoins en matière de soleil, ombre et température sont satisfaits. Cependant, certains jardins se trouvent sur des sites aux conditions particulières, souvent considérées comme loin d'être idéales. Cela ne décourage pas le jardinier enthousiaste, qui voit là l'occasion de cultiver une gamme distincte d'espèces. La clé de la réussite, dans tout jardin, dépend d'un choix de plantes conforme aux conditions dominantes. Si le site est spécifique, les espèces le seront aussi. Dans le monde entier, il existe des groupes de végétaux adaptés à des habitats difficiles : déserts, montagnes, marais et littoral.

## SITES ARIDES ET ENSOLEILLÉS

Dans de tels sites, efforcez-vous de retenir l'humidité dans la terre *(voir p. 133)* et choisissez des plantes qui supportent chaleur et sécheresse, comme les espèces originaires de régions tels le maquis méditerranéen ou le veldt sud-africain. La plupart ont des feuilles cireuses qui limitent la perte d'eau ou sont couvertes d'un duvet blanc qui réfléchit les rayons ultra-violets. Certaines, telles les tulipes, stockent eau et nutriments dans leurs bulbes et trouvent refuge sous terre pendant les grandes chaleurs.

△ **LAVANDE FRANÇAISE**
*Cette vivace aux feuilles grises issue du maquis sec et rocheux (Lavandula stoechas) a besoin de chaleur et d'aridité pour prospérer.*

### PLANTES POUR SITES SECS ET ENSOLEILLÉS

| | |
|---|---|
| ARBRES ET ARBUSTES | Anthemis cupiana subsp. |
| *Ceanothus thyrsiflorus* var. | *punctata* |
| *repens* | *Dictamnus albus* |
| *Cistus ladanifer* | *Eremurus robustus* |
| *Helianthemum* | *Erigeron karvinskianus* |
| *Juniperus communis* | *Ferula communis* |
| *Perovskia atriplicifolia* | *Gypsophila repens* |
| Verveine citronnelle | Joubarbe (*Sempervivum*) |
| (*Aloysia triphylla*) | *Osteospermum jucumdum* |
| *Vitex agnus-castus* | |
| Yucca | HERBES |
| | Lavande (*Lavandula*) |
| VIVACES | Origan (*Origanum* |
| *Acaena novae-zealandiae* | *vulgare*) |
| *Agstache mexicana* | Romarin (*Rosmarinus* |
| Alysse Corbeille d'or | *officinalis*) |
| (*Aurinia saxatilis*) | Thym (*Thymus*) |

◁ **PLANTES AIMANT LA CHALEUR**
*Hélianthèmes, sisyrinchiums et hellébores peuplent les habitats chauds, secs et rocheux. Elles n'aiment pas les terres humides en hiver ; mettez une couche de gravier pour faciliter le drainage et éviter un amoncellement d'eau.*

## SITES EXPOSÉS ET CÔTIERS

Ces sites présentent des conditions éprouvantes, principalement dues aux vents forts. Le vent peut bien sûr casser les plantes, mais aussi brûler leurs feuilles. Un flot d'air rapide fait qu'elles perdent l'eau plus vite qu'elles ne peuvent se réapprovisionner à la racine. Sur le littoral, les embruns salés compliquent le problème.

Il faut opter de préférence pour des plantes maritimes, montagnardes ou des landes. Envisagez aussi des rampantes aux racines profondes, telles que *Dryas octopelata*, moins affectées par le vent. Les espèces aux feuilles cireuses, comme *Griselinia littoralis*, résistent bien aussi, y compris au sel. Les épithètes latins, *montana, littoralis* et *maritima* sont des indices de résistance.

### PLANTES POUR SITES CÔTIERS

| | |
|---|---|
| ARBRES ET ARBUSTES | Chardon bleu (*Eryngium* |
| Alisier blanc (*Sorbus aria*) | *maritimum*) |
| Argousier (*Hippophae* | Chou marin (*Crambe* |
| *rhamnoides*) | *maritima*) |
| *Brachyglottis* | *Geranium sanguineum* |
| *Cytisus* × *praecox* | Giroflée des jardins |
| *Genista hispanica* | (*Matthiola incana*) |
| *Griselinia littoralis* | *Lavatera arborea* |
| Marguerite du Cap | *Leucanthemum* × *superbum* |
| (*Felicia amelloides*) | *Lobularia maritima* |
| *Pinus salicifolia* 'Pendula" | *Phlomis russeliana* |
| *Rosa rugosa* | *Phormium* |
| Sorbier des oiseleurs | Statice (*Limonium* |
| (*Sorbus aucuparia*) | *latifolium*) |
| | Tison de Satan (*Kniphofia*) |
| VIVACES | Valériane rouge |
| *Anchusa azurea* | (*Centranthus ruber*) |
| *Antemaria dioica* | |
| *Arenaria balearica* | PLANTES GRASSES |
| Armérie maritime | Figue marine |
| (*Armeria maritima*) | (*Carpobrotus edulis*) |

△ **PAYSAGE MARITIME**
*Tisons de Satan rouges, marguerites bleues et figuiers marins contribuent à l'exubérance de cette végétation pourtant exposée à des vents chargés d'embruns qui endommageraient la plupart des espèces communes de jardin.*

**VOIR AUSSI** : Les plantes du soleil, pp. 132-133 ; Le terrain, pp. 142-143.

# SITES OMBRAGÉS

Loin d'être un problème, la présence d'ombre dans le jardin augmente considérablement les espèces exploitables. Les natives des bois et des forêts ont besoin d'ombre. Leurs fleurs durent plus longtemps et gardent mieux leurs couleurs loin des rayons ardents du soleil, et le feuillage reste frais. Lent à se réchauffer au printemps, un site ombragé retarde la croissance et protège quelque peu du gel. La terre retient mieux l'eau qu'exposée au soleil, limitant ainsi les arrosages, mais cela signifie aussi que certaines zones seront détrempées en permanence. Toutefois, à l'ombre sous les branches de grands arbres, le sol risque d'être sec.

## PLANTES POUR L'OMBRE HUMIDE

| ARBRES ET ARBUSTES | FOUGÈRES (LA PLUPART) |
|---|---|
| Cognassier du Japon (*Chaenomeles*) | |
| *Daphne laureola* | VIVACES |
| *Gaultheria mucronata* | *Alchemilla mollis* |
| *Hamamelis* × *intermedia* | *Anemone* × *hybrida* |
| *Mahonia* (la plupart) | *Cardamine pratensis* |
| *Skimmia japonica* | *Chelidonium majus* |
| | Dicentre (*Dicentra*) |
| BULBES | Gant de bergère |
| *Iris foetidissima* | (*Digitalis purpurea*) |
| Jacinthe sauvage | Luzule (*Luzula sylvatica* |
| (*Hyacinthus non-scripta*) | 'Marginata''). |
| *L. henryi, L. martagon* | Primevère du Japon |
| *Lilium chalcedonicum* | (*primula vulgaris*) |
| Perce-neige (*Galanthus*) | Sceau de Salomon |
| | (*Polygnatum* × *hybridum*) |

**FEUILLAGE LUXURIANT ▷**
Cette plate-bande humide partiellement ombragée a été judicieusement garnie d'Iris laevigata 'Variegata' devant des funkia et des berces.

## LES ESPÈCES COUVRE-SOL À L'OMBRE

Les cultures à l'ombre reposent beaucoup sur les variations de forme et de texture des feuillages, car la majorité des fleurs aimant ces conditions ne s'épanouissent qu'au printemps ou en début d'été. On peut recourir aux variétés couvre-sol, souvent originaires de la forêt, pour fournir un arrière-plan bas aux floraisons saisonnières. En plus de leur attrait visuel, elles contribuent à minimiser l'entretien en étouffant les mauvaises herbes et en réduisant la perte d'humidité en surface.

△ **WALDSTEINIA TERNATA**
Cette vivace rampante semipersistante, couverte de fleurs de la fin du printemps au début de l'été, est appréciée pour sa tolérance à l'ombre et à la sécheresse.

△ **LIRIOPE MUSCARI**
Des touffes denses de feuilles font de cette plante aimant le sec une bonne barrière contre les mauvaises herbes. Ses fleurs automnales sont belles associées à un Cyclamen hederifolium.

## DES COUVRE-SOL POUR L'OMBRE

| ARBUSTES/GRIMPANTS | *Heuchera cylindra* |
|---|---|
| *Cotoneaster horizontalis* | *Maianthemum bifolium* |
| Lierre (*Hedera helix*) | Muguet (*Convallaria majalis*) |
| *Sarcococca* | Ortie blanche (cultivars du *Lamium maculatum*) |
| VIVACES | *Pachysandra terminalis* |
| *Bergenia* | Pervenche (*Vinca*) |
| *Brunnera macrophylla* | Saxifrage (*Saxifraga* × *urbium*) |
| Bugle (*Ajuga*) | *Shortia galacifolia* |
| *Cyclamen hederifolium* | *Tiarella wherryi* |
| *Epimedium* | *Tomleia menziesii* |
| *Euphorbia amygdaloides* | *Vancouveria hexandra* |
| Funkia (la plupart) | Violettes (*Viola odorata* |
| Gaillet odorant (*Galium odoratum*) | var. *robbiae*) |
| *Galax urceolata* | |

# TERRE ACIDE

Si votre terre est acide, il existe une multitude d'espèces adaptées, dont les camélias, fleurissant en hiver et au début du printemps, les rhododendrons, dont les fleurs sont suivies de nouvelles feuilles duveteuses, tel le R. *yakushimamum*, ainsi que les azalées. La bruyère s'orne d'un beau feuillage toute l'année, la calluna s'épanouit en fin d'été et en automne, l'érica au printemps. Des arbustes prisés pour leurs robes d'automne, comme l'*Hamemelis* × *intermedia* ou le forthergillas, se colorent intensément dans une terre acide.

## PLANTES POUR UN SOL ACIDE

| ARBRES ET ARBUSTES | *Gaultheria* |
|---|---|
| *A. menzeisii, A. unedo* | *Hamamelis* |
| *Arbutus andrachne* | *Pieris* |
| *Arcostaphylos* | Rhododendrons |
| Azalées (*Rhododendron*) | *Stewartia pseudocamellia* |
| Bruyère (*Calluna*, *Daboecia, Erica*) | *Vaccinum* |
| Camélias | FOUGÈRES (LA PLUPART) |
| Cornouiller (*Cornus*), certains | Osmonde royale (*Osmunda regalis*) |
| *Embothrium occineum* | |
| Épicéa (*Picea*), la plupart | VIVACES |
| Érables du Japon (*Acer japonicum, A. palmatum* et cultivars) | *Corydalis cashmeriana* |
| | *Gentiana asclepiadea* |
| | *Moltkia doerfleri* |
| *Fothergilla major* | *Sanguinaria canadense* |
| | *Trillium* |

△ **L'EMBARRAS DU CHOIX**
L'osmonde royale (Osmunda regalis) prospère dans une terre neutre à acide. Le rhododendron 'May Day', en arrière-plan, fleurit au printemps, mais il en existe des centaines de variétés qui s'épanouissent de la fin de l'hiver à la fin de l'été.

**VOIR AUSSI :** Le désherbage, pp. 144-145 ; L'achat de plantes, pp. 146-147

# PLANTES RÉSISTANT À LA SÉCHERESSE

La terre est souvent sèche au jardin l'été, et si, de surcroît, il fait chaud et beau, les espèces originaires des régions méditerranéennes et subtropicales s'épanouiront. C'est la raison pour laquelle tant d'herbes aromatiques, de plantes aux feuillages argentés et de cactées sont la solution pour un massif ensoleillé. Elles conservent toutefois l'humidité et ne tolèrent donc pas le froid et l'humidité d'un hiver tempéré. Si votre jardin est ensoleillé et sec l'été, créez des conditions spéciales permettant à ces espèces tolérant la sécheresse de survivre l'hiver. Il s'agit avant tout d'améliorer le drainage : la meilleure solution consiste en un massif de gravier.

## LES PLANTES DU SOLEIL

Les variétés supportant la sécheresse proviennent de régions où la terre manque d'eau : semi-déserts, flancs de montagnes, falaises et éboulis où les pluies ne font que "glisser". Elles se dotent de longues racines pénétrantes pour s'ancrer et rechercher nutriments et eau. Beaucoup s'ornent de feuillages duveteux blancs ou argentés et de fleurs vives comme des joyaux. Dans un jardin, leur présence témoigne du besoin de conserver l'humidité. La plupart résistent au froid, mais le drainage est capital car la combinaison du froid hivernal et de l'humidité peut leur être fatale.

<table>
<tr><th>ASTUCES</th></tr>
<tr><td>

• Documentez-vous, ou profitez de vos vacances au soleil, pour repérer les espèces qui prospèrent au chaud et au sec. Celles-ci et leurs cultivars manifestent généralement une bonne tolérance à l'aridité.

• Essayez des espèces aptes à retenir l'eau. Les feuilles duveteuses, cireuses, parcheminées, charnues, argentées et étroites de même que les tiges et les bulbes renflés sont autant d'indices de tolérance à la sécheresse.

</td></tr>
</table>

**TELLES DES PILES SOLAIRES** ▷
*Une pente douce, ensoleillée peut aisément convenir à des plantes de soleil requérant un bon drainage. La plupart, compactes et fleurissant librement, sont idéales pour les jardinets.*

## MASSIF DE GRAVIER

Les plantes tolérant l'aridité (alpines et espèces de rocaille) sont vulnérables à la pourriture et au gel au niveau de la gorge (jonction entre la tige et la racine) en cas de temps froid et humide. Pour éviter de perdre vos plantes en hiver, créez un massif de gravier. Le drainage en sera amélioré par rapport à une terre normale retenant l'humidité, et les plantes auront de meilleures chances de survivre. Choisissez un site ensoleillé, légèrement incliné, et couvrez-le de gravats de tailles diverses, de blocs de gazon à l'envers, d'une fine couche de terreau et d'une bonne épaisseur de gravier ou de galets. Si le niveau dépasse celui du sol, vous obtiendrez un massif surélevé *(voir pp. 180-183).*

### CRÉER UN MASSIF DE GRAVIER

**1 COUCHE DE BASE**
Retirez la terre arable en surface et bêchez bien. Incorporez des gravats sur une profondeur de 15 cm afin de former un petit monticule. Le drainage sera excellent ainsi à la base.

**2 COUCHE DE RÉTENTION**
Recouvrez les gravats d'une épaisseur de blocs d'herbe inversés, provenant du bêchage ou apportés spécialement. Cela empêchera le terreau d'être absorbé par les gravats en dessous.

**3 ADJONCTION DE TERRE**
Couvrez l'herbe retournée d'une fine couche de terre arable (voir page suivante), sur 15-25 cm. Ratissez pour égaliser et tassez en piétinant légèrement la zone.

**4 COUCHE SUPÉRIEURE**
Après tassage, arrosez pour fixer la terre en en ajoutant pour combler les vides. Piquez la surface avec une fourche. Recouvrez de 10 cm de gravier ou de galets. Ratissez pour aplanir.

**VOIR AUSSI :** Le gravier, pp. 62-63 ; Les sites ensoleillés, p. 130 ; Les vivaces, pp. 148-149.

# LE TERREAU

Si votre terre arable est lourde ou trop argileuse, allégez-la en mélangeant comme suit :

- 1 part de terre arable (venant de la bordure)
- 1 part de compost ou de terreau de feuilles
- 2 à 3 parts de gravillons.

On peut aussi ajouter du gravier ou du sable.

▽ **MODIFIER LA RECETTE**
*On peut changer les ingrédients selon les conditions de la terre ou les plantes. Les sols pauvres auront besoin d'être enrichis en matières organiques — compost ou fumier décomposé, par exemple. Un mélange retenant l'eau se compose d'une part de terre riche en terreau, d'une part de terreau de feuilles ou de compost et de deux parts de gravillons ou éclats de cailloux.*

# BIEN CHOISIR À L'ACHAT

Une plante saine est compacte, et ne présente ni décoloration ni indice de parasites sur le feuillage ou les fleurs. Évitez les pousses faibles, jaunies, les tiges trop longues. Elle aura peut-être souffert d'un manque de lumière ou d'eau. Vérifiez toujours la taille qu'elle est susceptible d'atteindre avant de planter ; les espèces robustes sont parfois envahissantes.

Une croissance compacte, un feuillage propre, coloré, sans feuilles mortes ni mourantes

**UN SPÉCIMEN SAIN** ▷
*Assurez-vous que la plante a l'air saine et vigoureuse, qu'il n'y a pas de mauvaises herbes dans le compost, comme dans le cas de cette saxifrage. Les racines devraient presque remplir le pot, sans être serrées.*

| TERRE ARABLE | SABLE | GRAVIER | GRAVILLONS | COMPOST |

# PLANTER DANS UN MASSIF DE GRAVIER

Les plantes auront peut-être besoin d'un peu plus de soins au départ car le gravier (anguleux), ou les galets (arrondis), sèchent avant que les racines puissent pénétrer la couche humide en dessous.

Arrosez souvent jusqu'à ce qu'elles soient bien en place. Dans les zones très sèches, retenez l'humidité en étalant une pellicule géotextile surmontée de gravier. Fendez la toile pour planter.

## PLANTER DANS DU GRAVIER OU DES GALETS

**1 CREUSER UN TROU**
*Écartez le gravier d'un côté. Creusez un trou un peu plus grand que la motte de la plante dans le terreau. Assurez-vous que celle-ci est humide partout ; arrosez-la bien et laissez l'eau s'égoutter.*

**2 RELÂCHER LA MOTTE**
*Desserrez-la doucement et placez la plante dans le trou, la gorge à la hauteur de la surface de gravier. Pour les alpines, dégagez les racines du compost contenu dans le pot ; elles s'établissent et s'enracinent mieux dans un terreau léger.*

**3 TASSER ET ARROSER**
*Comblez autour des racines avec du terreau. Consolidez la position des racines doucement avec la pointe des doigts. Remettez le gravier et arrosez abondamment. Humectez bien jusqu'à l'apparition de nouvelles pousses.*

## PLANTES POUR UN MASSIF DE GRAVIER

**TAPISSANTES**
*Alyssum montanum*
*Anacyclus pyrethrum* var. *depressus*
*Androsace sarmentosa*
*Antemaria dioica*
*Arabette* (*Arabis*)
*Ballota pseudodictamnus*
*Campanula cochlearifolia*
*Dianthus erinaceus*
*Erinacea anthyllis*
*Gyppsophila aretioides*
*Jovibarba*
Œillet des Alpes
(*Dianthus alpinus*)
*Oenothera acaulis*
P. *Rhaeticum*
*Papaver burseri,*
Pavot de Californie
(*Eschscholzia*)

*Petrorhagia saxifraga*
*Saxifraga burseriana*
*Silene acaulis*

**AUTRES**
*A. neapolitanum*
*Aethionema*
*Allium akaka,*
*Anemone coronaria*
*Artemisa stelleriana*
'Boughton Silver'
*Cistus creticus, C × cyprius*
*Convolvulus cneorum*
*Erinus alpinus*
*Hypericum olympicum*
*Linaria alpina*
*Narcissus cantabricus*
*Parahebe catarractae*
*Viola cornuta* 'Minor'

# ENTRETIEN D'UN MASSIF DE GRAVIER

Une fois établi, un massif de gravier demande peu de soins. Le paillis de gravier décourage les mauvaises herbes et les nouvelles venues sont faciles à arracher en surface si vous vous y prenez de bonne heure. Les choses se compliquent si elles s'en prennent aux tapis de feuillage des ornementales.

Les tapissantes et les rampantes bénéficieront d'une division et un repiquage (*voir p. 163*) tous les deux-trois ans.

◁ **RENOUVELER LE GRAVIER**
*Le gravier se disperse, surtout sur une pente. Comblez les vides, et vérifiez de nouveau à la mi-automne et au printemps.*

**NETTOYAGE** ▷
*Au printemps, une fois le risque de gel passé, éliminez les pousses mortes ou endommagées par l'hiver. Enlevez les fleurs mortes régulièrement.*

**VOIR AUSSI :** Le gravier, pp. 62-63 ; Le paillage, p. 145 ; L'entretien des massifs, pp. 154-155

# LES VIVACES

Les vivaces herbacées, non ligneuses, constituent le groupe de plantes le plus diversifié. Arbres et arbustes aussi peuvent être vivaces, mais ce terme qualifie en principe les plantes non ligneuses qui vivent deux ans ou plus et qui, à maturité, croissent et fleurissent chaque année. Certaines, persistantes, restent belles en hiver ; la plupart meurent à l'automne et hibernent sous terre. Il existe des vivaces pour tous les jardins, petits ou grands, ensoleillés ou ombragés, abrités ou non, humides ou secs. Au fil des années, les pépiniéristes ont mis au point des espèces à floraison prolongée, élargi la palette des couleurs et augmenté la taille des fleurs disponibles.

## DES VIVACES POUR PLATES-BANDES

Peu d'autres groupes de plantes offrent au jardinier une telle diversité de formes et de textures, une telle gamme de couleurs et de parfums. Certaines vivaces sont des couvre-sol, d'autres des géantes architecturales. On supporte souvent leur absence l'hiver rien que pour le bonheur de les voir ressurgir, en prélude du printemps. D'autres préfèrent les intégrer à des mixed-borders, ce qui permet de préserver leur attrait avant et après leur apogée estivale.

Si la plupart des vivaces sont appréciées pour leurs fleurs, certaines brillent aussi par leur feuillage. Les variétés recommandées ici (voir à droite et ci-dessous) ont été choisies parce qu'elles sont belles longtemps et faciles à cultiver. Elles prospèrent toutes sur un site ensoleillé, modérément fertile, bien drainé. Elles seront les piliers qui donneront un cadre à vos parterres. Ne méprisez pas les beautés fugaces, qui se fanent vite comme le pavot d'Orient. Leur effet sera d'autant plus intense qu'il est bref.

Avant de planter, analysez bien le site — la terre, l'humidité, l'exposition, le climat (voir pp. 46-49). Pour optimiser les résultats, choisissez des espèces adaptées aux conditions dominantes, le but étant d'établir une végétation saine et prospère.

### AUTRES VIVACES

Cardon (*Cynara cardunculus*). Une géante architecturale aux feuilles profondément divisées gris-argenté et aux gros capitules ressemblant au chardon, de l'été au printemps.

*Helenium*. Marguerites en soleil, jaunes, de la fin de l'été à l'automne.

*Lavatera*. Fleurs rose mauve en forme d'entonnoir, tout l'été.

Lis d'un jour (*Hemerocallis*). Feuilles étroites et fleurs en trompette, de la mi-été à la fin été.

Rudbeckie rouge (*Echinacea purpurea*). Fleurs violacées à fleuron conique jaune doré. De la mi-été à l'automne.

*Sedum spectabile*. Feuilles gris vert et petites fleurs plates en étoile rose. Fin été et automne.

*Tradescantia*. Feuilles semblables à de l'herbe, fleurs bleues, mauves, roses et blanches tout l'été.

△ ACHILLEA 'MONSHINE'
*Des panicules plates de fleurs jaune pâle garnissent ses feuilles vert-gris découpées, de l'été à l'automne. Haute de 60 cm, elle est idéale en milieu de plate-bande.*

△ DIANTHUS 'DORIS'
*Des touffes nettes de feuilles étroites, vert-gris, se couvrant à plusieurs reprises en été de fleurs à l'odeur de clou de girofle. À planter en bordure, surtout avec des roses. Elles font 30 cm.*

△ LEUCANTHEMUM × SUPERBUM 'WIRRAL PRIDE'
*Marguerites doubles blanc pur aux tiges de 75 cm ornant de la mi à la fin été des touffes basses de feuilles luisantes, vert foncé. Résistante et sûre. Fleurs à couper.*

△ GERANIUM HIMALAYENSE 'GRAVETYE'
*Haute de 30 cm, elle forme d'épais tapis de feuillage qui s'ornent tout l'été de bouquets de fleurs bleu vif. Les feuilles roussissent joliment à l'automne.*

△ BENOÎTE GEUM 'LADY STRATHEDEN'
*Ses fleurs semi-doubles, d'un jaune profond, décorent tout l'été des rosettes de feuilles vert foncé pennées. Elle mesure 60 cm, mais a un port assez aéré pour convenir en plate-bande.*

◁ OREILLE D'OURS (*Stachys byzantina*)
*Une vivace robuste, couverte de poils argentés, haute de 45 cm, idéale pour le bord d'un parterre. Elle forme des masses basses qui s'étalent et arborent tout l'été des pointes blanches laineuses garnies de fleurs rose-violet.*

◁ SCABIOSA 'CLIVE GREAVES'
*Des fleurs lavande pâle, belles aussi coupées, parent des touffes basses de feuilles gris vert, de la mi-été jusqu'à l'automne. Haute de 60 cm, elle a un port assez étalé pour convenir en bordure de plate-bande.*

◁ ARTEMISIA LUDOVICIANA 'SILVER QUEEN'
*Ses touffes de feuille en glaive argenté, de 70 cm de haut, donnent peu de fleurs, mais elles ont une belle texture tout l'été et son port étalé met en valeur les plantes voisines de couleur plus intense.*

VOIR AUSSI : L'état des lieux, pp. 46-49 ; Les massifs d'herbacées, p. 125 ; Les différents sites, pp. 130-131.

△ **ANEMONE × HYBRIDA 'HONORINE JOBERT'**
*Cette anémone s'épanouit de la fin de l'été à l'automne pendant plus de deux mois. Ses fleurs blanc pur dressées sur des tiges d'1,5 m semblent lumineuses au crépuscule. Elle préfère le soleil ou la mi-ombre.*

△ **ACANTHUS SPINOSUS**
*Ses touffes de feuilles luisantes, très découpées et ses épis de fleurs blanches et mauves en début d'été, en font un ravissant spécimen architectural, haut d'1,5 m, surtout sur le fond violet du feuillage du Cotinus 'Grace'.*

# PAVOTS D'ORIENT

Les principales espèces de *Papaver orientale* sont les piliers des parterres d'herbacées en début d'été. Leurs touffes de feuilles soyeuses, lancéolées, reflètent la lumière, surtout parsemées de rosée, et leurs fleurs spectaculaires, d'abord plissées, s'ouvrent pour révéler des pétales satinés et un cœur noir velouté.

Leur seul défaut est d'avoir des feuilles qui meurent après la floraison, laissant un vide dans un décor, auquel il est facile à remédier ; remplissez-le d'annuelles ou cachez-le derrière les tiges arquées de plantes comme *Gypsophila paniculata* aux nuées de minuscules fleurs blanches.

## AUTRES PAVOTS D'ORIENT

P. 'Allegro'. Fleurs rouge orangé, brillantes, vives, à taches basales noires.

P. 'Indian Chief'. Grosses fleurs sans taches basales d'une teinte rouge acajou inhabituelle.

P. 'May Queen'. Fleurs doubles, rouge orangé, sans macule avec de curieux pétales pennés.

P. 'Mrs Perry'. Fleurs rose pâle à macule noire.

P. 'Picotee'. Grosses fleurs blanches à pétales fripés aux bords en collerette tachetés de rose orange.

**P. 'BLACK AND WHITE'** ▷
*Ses fleurs blanc pur satinées ont une tache sombre noir cramoisi au centre. Ce pavot robuste, haut de 90 cm, est un excellent choix pour une plate-bande monochrome, à thème blanc ou gris.*

◁ **P. 'CEDRIC MORRIS'**
*Avec ses feuilles grises, soyeuses et ses grandes fleurs rose coquillage, il se marie bien avec le rosier grimpant 'Albertine'. Le pavot cache les tiges basses souvent nues du rosier pendant sa floraison.*

**P. 'BEAUTY OF LIVERMERE'** ▷
*Ses grosses fleurs brillantes, jusqu'à 20 cm de diamètre, sont d'un rouge écarlate spectaculaire avec une tache basale noire. Cette plante vigoureuse peut atteindre 1,2 m de hauteur.*

# PIVOINES HERBACÉES

Les pivoines herbacées sont presque toutes des cultivars du *Paeonia lactiflora* et des variantes du *P. officinalis*. Leurs fleurs en forme de coupoles ou soucoupes peuvent être simples, semi-doubles ou doubles, souvent globuleuses au début. Rouges ou dans des tons pastel, elles éclosent en début d'été. On les cultive en plein soleil ou à mi-ombre dans un sol profond et fertile, bien drainé, riche en humus et retenant l'humidité. Multipliez-les au début de l'été ou de l'automne par division en coupant les racines charnues avec un couteau. Elles sont résistantes et peuvent être déplacées sans risque. Gardez les racines intactes et arrosez bien la plante jusqu'à ce qu'elle se soit rétablie.

## AUTRES PIVOINES DE PLATES-BANDES

P. 'Bowl of Beauty'. Elle présente de minces pétaloïdes crème au cœur de sa corolle rose carmin semblable à l'anémone.

P. 'Festiva Maxima'. Très grandes fleurs doubles blanches onglées de rose, parfumées aux pétales frisés.

P. mlokosewitschii. Feuilles bleu vert et fleurs simples, jaune citron de la fin du printemps au début de l'été.

◁ **P. 'SARAH BERNHARDT'**
*Cette pivoine robuste et fiable d'environ 90 cm de haut, aux tiges verticales, porte de très grosses fleurs doubles d'un rose églantine dont les pétales internes fripés sont à bords argentés.*

△ **P. 'DUCHESSE DE NEMOURS'**
*Ses fleurs blanc pur teintées de vert en bourgeons sont volumineuses et parfumées à pétales frisés ou bouclés, jaune pâle à la base. Jusqu'à 80 cm de haut.*

△ **P. OFFICINALIS 'RUBRA PLENA'**
*Au début et à la mi-été, elle se pare de fleurs doubles en coupole d'un riche magenta à pétales satinés et dentelés. Compacte. Jusqu'à 75 cm.*

VOIR AUSSI : Les différents sites, pp. 130-131 ; Les vivaces, pp. 148-149.

# ANNUELLES, BISANNUELLES ET PLANTES À BULBES

Les annuelles et bisannuelles sont les espèces les plus précieuses pour combler les vides dans une mixed-border ou créer des motifs de couleurs dans une plate-bande. La plupart ont de jolis akènes qui essaiment facilement, d'où des effets fortuits et agréablement inattendus si les conditions conviennent. Quant aux plantes à bulbe, elles ont un attrait saisonnier, fugace, tout en apportant un changement dynamique dans un décor végétal. Avec une bonne sélection, ces variétés démarreront brillamment la saison des fleurs en fin d'hiver et début d'été. Elles illumineront vos plates-bandes tout l'été et parachèveront leur cycle par un splendide finale à l'automne.

## ANNUELLES ET BISANNUELLES

Ce sont des variétés éphémères même si elles fleurissent parfois longtemps. Les annuelles s'épanouissent, montent en graines et meurent en une année, mais leur floraison est prolongée si on élimine les fleurs mortes ou si on les coupe fraîches pour faire des bouquets. Les bisannuelles se parent de feuilles la première année et meurent avant de fleurir l'année suivante. Entre ces deux groupes, on trouve de quoi convenir à tous les sites, ensoleillés, humides ou secs ; les sachets de graines précisent les conditions de culture. Les plates-bandes sont une bonne idée pour apporter instantanément de la couleur dans les nouveaux jardins, ce qui permet de prévoir des plantations plus permanentes. Elles sont aussi intéressantes pour prolonger la saison ou apporter une touche de couleur dans les mixed-borders d'arbustes et de vivaces.

### AUTRES ANNUELLES ET BISANNUELLES

Chardon Marie (*Silybum marianum*). Bisannuelle. Feuilles vert foncé jaspées de blanc et fleurs de chardon en été.
*Begonia*, groupe Semperflorens. Tapissante à fleurs brillantes. Longue succession de fleurs blanches.
Chrysanthème à carène (*Chrysanthemum carinatum*). Masses de marguerites multicolores au cœur orné d'une cocarde contrastante.
*Clarkia amoena* (*Godetia*). Fleurs en entonnoir soyeuses dans des tons pastel. Tout l'été.
*Impatiens*. Feuilles luisantes et masses de fleurs vives tout l'été. Rouge, rose ou blanc.
Mélisse des mollusques (*Molluccella laevis*). Bractées vertes en forme de coquillages. Fin d'été.
Onopordon acanthium. Grande bisannuelle, architecturale, à feuilles grises et à épines se parant en été de fleurs pareilles au chardon.
Pavot à opium (*Papaver somniferum*). Feuilles gris-bleu et fleurs blanches à pourpres en été. Capsules bleu vert.
Pied d'alouette (*Consolida ajacis*). Feuillage duveteux, brins de fleurs bleues, roses, pourpres, blanches en été.
Pois de senteur (*Lathyrus odoratus*). Grimpante à fleurs vives, semblables aux pois. Parfumées.

## PLANTES À BULBES

Ce terme générique inclut les vrais bulbeuses ainsi que les plantes à cormes, à tubercules et à rhizomes. La plupart ont des floraisons très saisonnières. Elles dépérissent brièvement avant de "dormir" dans la terre. Laissez mourir le feuillage naturellement, ou au moins jaunir. La plupart se contentent de soleil et d'un sol bien drainé ; celles des bois préfèrent la mi-ombre et un sol humide.

**GALTONIA CANDICANS** ▷
*Une élégante bulbeuse qui se pare en été d'épis floraux campanulés blancs et de feuilles vert-de-gris. Elle atteint 1,2 m ; mieux vaut la placer en milieu de plate-bande.*

◁ **ALLIUM GIGANTEUM**
*Cet ail décoratif peut atteindre 1,5 m, voire plus, lors de sa floraison en été. Il apportera un joli tribut à une bordure ensoleillée. Il se marie bien avec les roses et le feuillage argenté le met en valeur.*

△ **MOLÈNE (VERBASCUM OLYMPICUM)**
*Des feuilles blanches velues et des épis de fleurs en candélabre tenant tout l'été font de cette bisannuelle un point de mire, pouvant atteindre 2 m. Elle aime le soleil et tolère les sols pauvres et secs.*

△ **DIGITALIS PURPUREA 'SUTTON'S APRICOT'**
*Ses fleurs abricot se marient bien avec divers rosiers et toutes les fleurs d'un bleu intense. Elle peut atteindre 1,5 m, voire plus, et préfère le soleil ou la mi-ombre.*

△ **COSMOS BIPINNATUS 'SEA SHELLS'**
*Ce cosmos a des pétales en tube pouvant aller du blanc au rouge carmin en passant par le rose, couronnant des feuilles vertes pennées. Haute de 90 cm, elle colore joliment les espaces vides des bordures mixtes ou d'herbacées.*

◁ **TOURNESOL (HELIANTUS ANNUUS)**
*Tous les tournesols sont appréciés pour leurs fleurs en soleil aux tons vifs. Certaines sont des géantes à croissance rapide (jusqu'à 5 m de haut), d'autres se limitent à 60 cm. Superbes en fleurs coupées.*

△ **CROCOSMIA 'LUCIFER'**
*Cette crocosmie allant jusqu'à 1,2 m est appréciée pour l'éclat de ses fleurs entre le milieu et la fin de l'été. Ses feuilles vert vif, plissées, ont une solide présence verticale toute la belle saison, au soleil ou à mi-ombre.*

VOIR AUSSI : Les saisons, p. 125

# JONQUILLES (*NARCISSUS*)

Offrant un choix infi de variétés, elles s'intègrent tant dans l'herbe que dans une plate-bande. Un choix judicieux apportera de la couleur de la fin de l'hiver à la fin du printemps. Plantez les bulbes à une fois et demi leur profondeur à l'automne, au soleil ou à mi-ombre, dans une terre humide, fertile et bien drainée. Coupez les fleurs fanées, mais après la floraison, laissez le feuillage en place au moins six semaines.

△ **N. "ACTAEA"**
*Un délice de la fin du printemps aux fleurs parfumées qui embaument l'air. Des pétales blanc pur entourent une coupelle jaune aplatie, marginée de rouge. 45 cm de hauteur.*

## AUTRES JONQUILLES

*N.* 'Cheerfulness'. Fleurs parfumées, rondes, doubles, très parfumées, hautes de 40 cm, à la mi-printemps.
*N.* 'Hawera'. Petites fleurs fines jaune doré en coupole. 18 cm.
*N. × odorus.* Fleurs en trompette dorées, très parfumées. Début printemps. 25 cm de haut.
*N × poeticus.* Fleurs blanches parfumées en minuscules coupes jaunes, bordées de rouge. Fin du printemps. 50 cm.

**N. 'ARKLE'** ▷
*Une vigoureuse jonquille à grandes fleurs en trompette dorées. Mi-printemps. Elle s'adapte aussi bien aux plates-bandes qu'à l'herbe et peut atteindre 40 cm.*

# TULIPES

Il existe plusieurs groupes de tulipes, à l'éclat sans pareil, aptes à apporter de la couleur de la fin de l'hiver à la fin du printemps, soit en bancs annuels soit en plates-bandes. Elles aiment les sites fertiles, bien drainés, ensoleillés, mais abrités des vents violents. Plantez les bulbes à 10-15 cm de profondeur, à la fin de l'été ou en automne. Déterrez-les quand le feuillage se fane et entreposez-les dans un endroit frais et sec.

△ **T. 'QUEEN OF NIGHT'**
*Une tulipe robuste à grande corolle d'un bordeaux velouté. L'une des plus intensément colorées, elle s'épanouit très tard. Parfaite parmi des feuilles grises.*

## AUTRES TULIPES

*T.* 'Artist'. Fleurs rose saumon maculées de vert et de violet. Fin printemps. 45 cm.
*T.* 'Estella Rijnveld'. Fleurs rouges frangées, suffusées de blanc. Fin printemps. 55 cm
*T.* 'Plaisir'. Fleurs rouge carmin et jaune soufre. Début printemps. 15 cm.
*T.* 'White Triumphator'. Élégante tulipe aux fleurs blanc pur. Fin printemps. 45-60 cm.

**T. 'PEACH BLOSSOM'** ▷
*Ses doubles fleurs sont roses, souvent touchées de vert à la base au début. Fleurit à la fin du printemps ; se marie bien avec le bleu des myosotis.*

# LIS

En été, parfois en automne, les lis (*Lilium*), généralement grands, exhibent de spectaculaires fleurs parfumées en coupole, en trompette, en entonnoir ou encore retroussées. Ils poussent dans une terre bien drainée, enrichie de matières organiques ; la plupart préfèrent les sols acides, au soleil. Plantez-les au début de l'automne à une profondeur égale à deux ou trois fois leur taille sur un lit de gravillons pour améliorer le drainage.

△ **L. MARTAGON**
*Lis des bois arborant des fleurs retroussées sur des tiges hautes de 2 m. Début et mi-été. Il s'adapte à presque tous les sols bien drainés, au soleil ou à l'ombre légère.*

## AUTRES LIS

*L. canadense.* Fleurs jaunes en trompette retombantes. Mi- et fin été. 1,5 m.
*L.* 'Fire King'. Fleurs rouge orangé vif. Mi-été. 1,2 m. Jolies en pots.
Madonna (*L.candidum*). Trompettes blanches parfumées. 1, 8 m. Requiert un sol neutre ou alcalin.
*L.* 'Sterling Star'. Fleurs blanches retroussées, tachetées de brun, légèrement parfumées. En été. 1,2 m.

**L. REGALE** ▷
*Son élégance et son parfum, à la mi-été, le rendent inestimable. Il préfère le soleil, mais tolère la mi-ombre. Dans de bonnes conditions, peut atteindre 2 m.*

# IRIS

La plupart des iris ont une floraison brève entre le printemps et le début de l'été, mais leurs feuillages en éventail, parfois panachés, résistent toute la belle saison.
Il en existe diverses variétés. Les iris à barbe, les plus courants en plates-bandes, ont besoin de soleil et d'un sol fertile et bien drainé. Les iris de Sibérie, plus minces et délicats, préfèrent une légère humidité et tolèrent le soleil ou la mi-ombre.

△ **I. PALLIDA 'VARIEGATA'**
*Iris à barbe arborant des fleurs bleu-mauve en début d'été et des feuilles striées de jaune crème toute la saison. Hauteur : 1 m.*

## AUTRES IRIS

*I.* 'Blue-eyed Brunette'. Fleurs brun chaud avec une touche de violet et une barbe jaune. 90 cm.
*I. germanica.* Vigoureuse. Barbe bleue et fleurs bleu-violet. 60-120 cm.
*I.* 'Golden Harvest'. Iris bulbeux à fleurs jaunes. Mi-printemps, mi-été. 70 cm.
*I. sibirica.* Fleurs bleu-violet délicates aux sépales plus pâles, à veines foncées. 50-120 cm.

**I. 'ARNOLD SUNRISE'** ▷
*Iris sans barbe, haute de 25 cm. Idéale pour les bords de plates-bandes. Ses pétales blancs ont une texture cristalline, les inférieurs étant tachetés d'un jaune orangé pâle.*

**VOIR AUSSI** : Les vivaces, pp. 148-149 ; Les tulipes, p. 330 ; Les iris, p. 336.

# ARBUSTES ET ROSIERS

Les arbustes, caducs ou persistants, sont des éléments essentiels au cadre permanent d'un jardin, quels que soient sa taille ou son style. Certains sont des rampants couvre-sol, d'autres presque des arbres bien que la majorité d'entre eux soient beaucoup plus petits. Le choix est vaste, et comme il en existe partout dans le monde, on en trouve qui conviennent à tous les sols et toutes les situations. Ils offrent à la fois des formes architecturales, des fleurs souvent parfumées, des fruits décoratifs et une grande variété de feuillages. Ils sont également appréciés pour leurs rameaux, aux textures et aux teintes riches et variées.

## DES ARBUSTES POUR UN MASSIF

Par définition, ce sont des plantes ligneuses qui se ramifient depuis la base, de nombreuses branches apparaissant au niveau du sol ou aux abords. Ils diffèrent de ce fait des arbres, qui poussent à partir d'un tronc, bien que la distinction entre les deux ne soit pas toujours nette. Les arbustes décrits ici sont tous faciles à trouver et à cultiver, et la plupart conservent leur attrait au-delà d'une saison. Ce sont des données à prendre en compte lorsqu'on démarre un jardin. À mesure que vous acquerrez de l'expérience, vous en découvrirez bien d'autres qui vous plairont, mais ne négligez jamais les plus communs : de nombreux arbustes sont appréciés parce qu'ils sont robustes et fiables. Ce sont les mises en scène que vous créerez autour qui mettront votre style en valeur. Avant d'acheter, intéressez-vous toujours aux besoins d'une plante et à sa taille une fois à maturité. Prévoyez la place nécessaire pour qu'elle se développe naturellement en comblant les vides avec des espèces temporaires.

### AUTRES ARBUSTES

*Chaenomeles speciosa* 'Moerlooskii'. Arbuste épineux, vigoureux aux feuilles foncées, luisantes et à fleurs blanc teinté de rose au printemps. Se couvre de baies jaune-vert à l'automne.
*Cornus alba* 'Sibirica'. Arbuste vigoureux à fleurs blanches en fin de printemps ; rouge-orangé à l'automne. Rabattre chaque printemps pour avoir des tiges rouge vif en hiver.
*Exochorda macrantha* 'The Bride'. Gracieux. Fleurs blanches à la fin du printemps qui se teintent de jaune à l'automne.
*Hibiscus syriacus* 'Red Heart'. Arbuste vertical, à fleurs blanches au cœur rouge en été et automne.
*Leycesteria formosa*. Arbuste à drageons, à fleurs blanches et fruits pourpres en fin d'été.
*Pyracantha* 'Soleil d'or'. Persistant épineux aux fleurs vert sombre brillantes. Se pare de fleurs blanches en été et tout l'hiver d'une masse de baies jaune vif.
*Aronia arbustifolia*. Petit arbuste aux fleurs blanches au printemps, à baies rouges et aux teintes automnales.
Fusain ailé (*Euonymous alatus*). Fleurs minuscules. Fruits violacés, toxiques s'ouvrant pour révéler des graines vermillon. Splendide en automne.

**KOLKWITZIA AMABILIS 'PINK CLOUD'** ▷
*Arbuste moyen, gracieux, aux branches arquées submergées début été de fleurs rose pâle à gorge jaune. Ravissant avec un Geranium macrorrhizum en dessous en couvre-sol.*

**VIBURNUM OPULUS 'XANTHOCARPUM'** ▷
*Gros arbuste caduc buissonnant aux corymbes blanc crème, de la fin du printemps au début de l'été, suivis de baies jaune luisant persistantes. Les feuilles semblables à celles de l'érable se parent de rouge à l'automne. Excellent toute l'année.*

△ **RIBES SANGUINEUM 'PULBOROUGH SCARLET'**
*Cassis à fleurs, vigoureux, caduc, de taille moyenne se couvrant au printemps de fleurs rouge sombre, suivies de baies bleu noir. À l'automne, se pare d'or et de rouge.*

△ **BUDDLEIA DAVIDII 'WHITE PROFUSION'**
*Caduc de taille moyenne aux très longues inflorescences coniques de minuscules fleurs blanches. Été et automne. Attire par ses senteurs abeilles et papillons.*

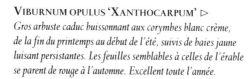

△ **FORSYTHIA × INTERMEDIA 'LYNWOOD'**
*Caduc de taille moyenne arborant d'innombrables fleurs jaune vif au printemps. À marier avec des jacinthes en grappes bleu ciel (Muscari).*

△ **SYRINGA MEYERI 'PALIBIN'**
*Lilas à croissance lente, idéal pour les jardinets. Il donne des grappes denses de mini fleurs délicieusement parfumées, rose-lavande. Fin du printemps, début de l'été.*

△ **PHILADELPHUS 'BOULE D'ARGENT'**
*Caduc compact se garnissant de fleurs blanc crème parfumées du début à la mi-été. Sa couleur et son parfum font de lui et d'autres faux orangers un compagnon idéal du rosier.*

△ **WEIGELA 'EVA RATHKE'**
*Arbuste caduc à port dense et dressé, produisant sans faute une succession de fleurs rouge cramoisi de la fin du printemps au début de l'été. Bon support pour une clématite tardive.*

**VOIR AUSSI :** La terre acide, p. 131 ; L'achat de plantes, pp. 146-147 ; La taille, pp. 156-157 ; L'élagage, pp. 158-159.

# DES ARBUSTES POUR LA COULEUR DE LEUR FEUILLAGE

Le feuillage coloré, magnifique en soi, donne davantage d'attrait à un arrière-plan de plantes structurelles. Les feuilles grises ou pourpres durent souvent la saison. De nombreuses espèces à feuillage doré virent au vert au cœur de l'été. Choisissez-leur des compagnons qui suscitent l'intérêt à leur place.

◁ **BERBERIS THUNBERGII 'ROSE GLOW'**
Ses feuilles pourpres, mouchetées de blanc forment une ravissante toile de fond à un feuillage gris ou vert vif. Cet épineux, de taille moyenne, est un hôte idéal pour la Clematis 'Alba Luxurians'.

**AMELANCHIER LAMARKII** ▷
Arbuste vertical aux feuilles bronze virant au vert sombre, puis à l'orange et au rouge à l'automne. À ses fleurs blanches printanières succèdent des baies violacées.

◁ **AURONE (ARTEMISIA ABROTANUM)**
Ce petit arbuste aromatique, semi-persistant, aux feuilles gris vert joliment découpées, constitue une superbe toile de fond pour des fleurs aux tons vifs, bleus, vermillon ou violets. Se marie bien avec les roses anciennes.

## AUTRES ARBUSTES AU BEAU FEUILLAGE

*Choisya ternata* 'Sundance'. Persistant de taille moyenne aux jeunes feuilles jaune vif.
*Cornus alba* 'Aurea'. Caduc moyen au feuillage jaune persistant. Tiges rouges en hiver.
*Cotinus Coggygria* 'Royal Purple'. Arbuste moyen à feuilles pourpres roussissant à l'automne.
*Elaeagnus × ebbingei* 'Gilt Edge'. Persistant moyen aux feuilles vert foncé bordées de jaune.
*Pittosporum tenuifolium* 'Tom Thumb'. Persistant trapu aux feuilles luisantes bronze violacé à bord ondulé.
*Santolina chamaecyparissus* 'Lemon Queen'. Persistant compact aux feuilles grises laineuses finement divisées, se couvrant en été d'une profusion de fleurs jaune citron.
*Weigela florida* 'Foliis Purpureis'. Caduc compact aux feuilles vert bronze, tachées de pourpre et aux fleurs roses en entonnoir au début de l'été.

# ROSES

Aucun autre groupe de plantes n'offre une telle profusion de variétés aux couleurs et aux parfums exquis. Beaucoup de rosiers fleurissent tout l'été jusqu'aux premières gelées. Il existe des espèces couvre-sol, ainsi que des grimpants ou de grands arbustes aux branches arquées. Consacrez-leur une plate-bande ou exploitez leur adaptabilité dans une mixed-border. Pour une belle floraison, il faut un site fertile, ensoleillé, humide, mais bien drainé, et un élagage adéquat (*voir p. 161*). Apportez de l'engrais au début du printemps et après la première floraison. Choisissez si possible des cultivars résistants à la maladie et traitez aussitôt en cas de parasites ou autres ravageurs.

△. **R. HAMPSHIRE**
Couvre-sol qui, à 30 cm de hauteur sur 75 de diamètre, est idéal pour les bords d'allées ou de parterres ou encore en pots pour décorer une petite terrasse. De l'été à l'automne, il exhibe des masses de fleurs simples rouge vif, plates.

◁ **R. 'WHITE PET'**
Rosier polyantha aux gerbes de fleurs blanches en pompon, rouges en boutons. Joli en plate-bande ou en pots sur une terrasse. 60 cm de haut et de large.

**R. QUEEN MOTHER** ▷
Un rosier de terrasse de 40 cm de haut pour une envergure de 60 cm. Donne des grappes de fleurs semi-doubles, rose pâle, en été et en automne. Ravissant avec la Lavandula 'Hidcote' aux fleurs violet foncé.

## D'AUTRES ROSES

R. 'Cornelia'. Arbuste aux pousses arquées. Exhibe tout l'été des fleurs veloutées, rose cuivré en rosettes.
R. 'Graham Thomas'. Arbuste vigoureux, aux fleurs jaune clair parfumées. Tout l'été.
R. Kent. Arbuste bas, couvre-sol, à fleurs blanc crème semi-doubles de l'été à l'automne.
R. moyesii. Grand arbuste vertical aux fleurs rouge cire, début été, et aux fruits en flasques écarlates.
R. Rosy Cushion. Arbuste à port étalé, garni de fleurs simples, rose pâle, parfumées, de l'été à l'automne.
R. rugosa. Épineux aux fleurs rose vif tout l'été et aux baies rouges de la fin été à l'automne.
R. Swany. Couvre-sol à fleurs doubles, blanc crème tout l'été.
R. 'White Wings'. Buisson à grosses fleurs blanches simples à étamine rouge. Tout l'été.

△ **R. 'BLESSINGS'**
Rosier buissonnant robuste, à feuilles vert foncé et grandes doubles fleurs parfumées, rose saumon. De l'été à l'automne. Jusqu'à 1 m de haut et 75 cm de diamètre.

△ **R. 'JACQUELINE DU PRÉ'**
Rosier moderne aux tiges arquées couronnées de fleurs blanc ivoire musquées, à l'étamine rouge, du début de l'été à l'automne. 1,5 de haut et 75 cm de diamètre.

△ **R. 'MME ISAAC PEREIRE'**
Rose Bourbon à tiges souples, parfumée. Plusieurs floraisons de l'été à l'automne. Haute de 2 m et aussi ample. On peut en faire une grimpante.

△ **R. AMBER QUEEN**
Buisson aux feuilles luisantes, vert foncé, et aux grappes de fleurs parfumées, de l'été à l'automne. Se marie bien avec les pieds d'alouette ou les delphiniums bleus. 50 sur 60 cm de diamètre.

VOIR AUSSI : Les rosiers, pp. 150-151 ; L'entretien des rosiers, pp. 160-161 ; Les rosiers, pp. 334, 337, 339, 348, 362.

# HERBES, BAMBOUS ET FOUGÈRES

Ces espèces apportent une élégance sans égale à une composition, car elles brillent moins par l'éclat de leur floraison que par la beauté de leurs formes et de leurs textures. Les non initiés trouvent souvent leur gamme de tonalités limitée, mais ils ont tort. Elles composent en effet une riche palette de verts, des tons émeraude ou jaune citron au bleu et gris en passant par l'argenté et le doré. Les capitules des herbes ont des textures délicates et ces plantes s'animent souvent au moindre souffle d'air d'un somptueux mouvement ondulant. Les fougères ne fleurissent pas, mais leurs frondes statuesques créent des volumes saisissants dans les coins ombragés où rien d'autre ne pousserait.

## HERBES

Les herbes, y compris les bambous, sont des vivaces caduques ou persistantes caractérisées par leurs feuilles étroites, généralement linéaires, aux nuances étonnamment variées, parfois rayées ou panachées. Certaines sont appréciées pour leur majesté ou leurs capitules délicats qui scintillent gracieusement dans le vent. Ornez-en vos mixed-borders ou consacrez-leur des parterres. D'autres, comme l'*Elymus* ou la *Festuca*, tapissantes, sont idéales en couvre-sol. La plupart prospèrent en plein soleil, dans une terre humide, mais bien drainée, pas trop fertile. Mieux vaut les planter au printemps. Une fois établies, elles requièrent peu de soins hormis un rabattage au sol à la mi-automne ou à l'entrée de l'hiver.

Ceux qui ont durant la morte saison de jolies fleurs ou un beau feuillage, resplendissant à l'automne, sont somptueuses couvertes de givre. Taillez-les, ainsi que les variétés fragiles, au début du printemps à l'éclosion des bourgeons.

△ **ELYMUS MAGELLANICUS**
*Cette élyme forme un amas de feuilles bleu intense de 15 cm. Elle porte tout l'été des épis floraux presque prostrés. À placer à l'avant d'une mixed-border, surtout basée sur un thème de feuilles gris.*

△ **CORTADERIA SELLOANA 'SUNNINGDALE SILVER'.** *Cette herbe de la Pampa forme une touffe majestueuse de 3 m, voire plus, et s'orne de plumeaux argentés à la fin de l'été. Ses feuilles sont coupantes ; portez des gants quand vous la manipulez.*

### AUTRES HERBES

*Alopecurus pratensis* 'Aureovariegatus'. Cultivar vivace du vulpin aux feuilles étroites, striées de jaune et de vert. 1,2 m.

*Pennisetum villosum.* Vivace ou annuelle en touffes de feuilles vertes, à inflorescences plumeuses, pourpres à maturité. 60 cm.

*Festuca glauca* 'Blaufuchs'. Vivace persistante aux feuilles bleu vif, très étroites, et aux inflorescences marquées de violet en été. 30 cm.

*Holcus mollis* 'Albovariegatus'. Couvre-sol doux de feuilles plates vert-bleu marginées de blanc crème. 30 cm.

*Coix lachryma-jobi* (Larmes de Job). Annuelle, 90 cm. Feuilles vert vif et épillets floraux arqués, enserrés dans des réceptacles gris perle à l'automne.

*Stipa tenuissima* (Cheveux d'ange). Vivace verticale, caduque en touffes plumeuses de feuilles filiformes vert profond et panicules soyeuses couleur chamois. Jusqu'à 60 cm.

△ **HAKENOCHLOA MACRA 'AUREOLA'.**
*Les feuilles jaune vif de cette plante caduque sont striées de vert foncé et roussissent joliment à l'automne et tard dans l'hiver. 35 cm.*

△ **STIPA CALMAGROSTIS**
*Herbe plumeuse aux touffes de feuilles arquées bleu vert qui s'ornent en été de nuées de fleurs chamois argenté teinté de pourpre. Elle mesure 1 m, mais elle a un port assez aéré pour figurer au premier plan d'une bordure..*

△ **EULALIE (MISCANTHUS SINENSIS 'ZEBRINUS')**
*Cette touffe en fontaine de feuilles larges arquées, marquées de bandes transversales dorées, est superbe près de l'eau ou en mixed-border. 1,2 m.*

VOIR AUSSI : Les vivaces, pp. 148-149.

# LAICHES ET JONCS

Il s'agit d'un groupe important d'"herbes", le plus souvent des vivaces persistantes appréciées pour leur feuillage, souvent d'une texture plus ferme et parcheminée que les simples herbes, et pour leurs inflorescences. La majorité prospère dans des sols humides ou détrempés, au soleil comme à l'ombre. Elles apportent de belles verticales et des diagonales dynamiques.

## AUTRES LAICHES ET JONCS

Laiche élevée (*Carex elata 'Aurea'*). Carex caduc aux feuilles arquées, jaune doré finement marginées de vert.

*Carex conica.* Persistant bas en touffe de feuilles vert foncé bordées de blanc.

*Luzula sylvatica 'Aurea'.* Persistant formant des touffes de feuilles vert-jaune en été qui se couvrent d'or en hiver.

# BAMBOUS

Ces plantes qui bruissent souvent dans le vent forment d'élégants écrans dans une ombre tachetée. Elles aiment la terre humide riche en matières organiques et on doit les abriter des vents forts ou desséchants. Certaines se multiplient rapidement par le biais de rhizomes, surtout dans les climats chauds, mais on peut les planter dans des tonneaux sans fond pour les restreindre.

## AUTRES BAMBOUS

*Phyllostachys nigra.* Ses cannes grêles de 3-5 m de haut en touffes virent au noir la deuxième ou troisième année.

*Chusquea culeou.* Élégant. 6 m de hauteur avec des cannes arquées, brillantes, vert-jaune, portant des grappes de feuilles vertes étroites à chaque articulation.

*Pleioblastus variegatus.* Compact, 75 cm. Cannes vert pâle et feuilles vert foncé striées de crème.

# BRUYÈRES

Si vous disposez d'un coin humide, ombragé, les conditions sont idéales pour la plupart des fougères. Maximisez les contrastes de textures en les associant à d'autres amatrices d'ombre à grandes feuilles comme les funkias. Si la terre est riche en matières organiques et relativement humide, la plupart toléreront un peu de soleil en début ou fin d'après-midi.

## AUTRES BRUYÈRES

*Athyrium niponicum* var. *pictum.* Bruyère japonaise rampante aux frondes d'un gris métallique doux à peine teinté de bleu ou de pourpre. 30 cm.

*Matteuccia struthiopteris.* Forme des frondes vertes lancéolées en "volants". 1 m.

*Onoclea sensibilis.* Fougère rampante à frondes vert pâle, presque triangulaires, tachetées de rose au printemps. 45 cm.

△ **CAREX OSHIMENSIS 'EVERGOLD'**
*Touffes persistantes basses de feuilles vert foncé à large bande centrale dorée. Des épis floraux bruns paraissent au printemps. Elle aime la terre humide, mais bien drainée et convient à l'avant d'une mixed-border. 30 cm.*

△ **PLEIOBLASTUS AURICOMUS**
*Une débauche de couleurs et de textures subtiles. Les cannes de ce bambou vertical sont vert-violet et ses feuilles, rayées de jaune vif et de vert. Encore 1,5 m de haut et d'envergure.*

△ **PHYLLOSTACHYS BAMBUSOIDES 'ALLGOLD'**
*Bambou à port étalé. Cannes jaune d'or à la pointe parfois verte. Les feuilles, souvent vertes, répètent le thème. 3 m voire plus.*

△ **POLYSTICHUM SETIFERUM, GROUPE DES DIVISILOBUM.** *Aspidie à cils raides. Bruyère persistante à frondes arquées, lancéolées, finement divisées en segments étroits, parcheminés, vert et vert foncé. 70 cm de hauteur et d'envergure. Précieuse pour les coins mi ou pleine ombre.*

△ **LUZULE (LUZULA NIVEA)**
*Ce jonc prospère en plein soleil dans un sol humide bien qu'il tolère la mi-ombre. Les premières fleurs printanières font de beaux bouquets. Il forme des touffes lâches de 60 cm de haut.*

△ **CAREX PENDULA**
*Ce gros carex en touffe d'1,5 m se plaît en terre humide ou détrempée, au soleil ou à mi-ombre. Il se pare de simili-chatons du début de l'été jusqu'à l'hiver.*

△ **SASA VEITCHII**
*Bambou mince convenant en couvre-sol, à cannes pourpres et feuilles vert profond bordées de blanc. Il faut l'abriter du vent de peur de brûler les bords des feuilles. 1,2 m de hauteur, mais s'étend indéfiniment.*

△ **SHIBATAEA KUMASASA**
*Bambou persistant compact aux feuilles vert frais élégantes à long pétiole. 1 m de hauteur. S'étend peu à peu jusqu'à 75 cm. On peut le tailler à volonté.*

△ **SCOLOPENDRE (ASPLENIUM SCOLOPENDRIUM, VAR. CRISPUM)**
*Frondes lisses, parcheminées, de 50 cm de long environ, aux bords ondulés, craquants. Contraste joliment avec des fougères plumeuses dans une bordure ombragée et humide.*

△ **OSMONDE ROYALE (OSMUNDA REGALIS)**
*Fougère caduque aux frondes vert vif s'ornant en été de glands bruns portant des spores. Supporte le soleil si la terre reste humide. Jusqu'à 2 m de hauteur.*

VOIR AUSSI : Les sites ombragés, p. 131 ; Les vivaces, pp. 148-149 ; Les bruyères, p. 320.

# PRÉPARER LE TERRAIN

Le succès de toute activité se fonde sur une bonne préparation. En jardinage, il faut d'abord et avant tout comprendre la terre, savoir la préparer et en prendre soin. Le sol est un écosystème vivant qui offre aux végétaux un point d'ancrage, de l'air, de l'eau, des éléments nutritifs. Les efforts déployés pour qu'elle reste saine, fertile et friable, le remplacement des nutriments absorbés par les plantes, se répercuteront sur la santé et la productivité des espèces que vous cultiverez. Rares sont les jardins naturellement pourvus d'un terreau idéal, fertile, humide et bien drainé, mais la plupart des sols peuvent être convenablement améliorés, même si certains nécessitent davantage de travail.

## AMÉLIORER LES TYPES DE SOL

Toute terre peut être enrichie par l'adjonction de matières organiques, décomposées par les organismes présents dans le sol, afin de fournir nutriments et humus qui améliorent non seulement le drainage, mais aussi la fertilité et la rétention d'eau. La terre idéale, ou terreau, est un mélange équilibré d'argile, de limon et de particules de sable.

**Les sols argileux** sont lourds, collants s'ils sont mouillés, durs quand ils sont secs, mal aérés et pénibles à travailler. Le drainage est aussi lent que le réchauffement au printemps. Au demeurant, très fertiles. **Les sols limoneux** sont assez fertiles, retiennent l'eau, mais deviennent vite compacts, lourds, froids et mal drainés. **Les sols sablonneux** sont secs, faciles à travailler et se réchauffent rapidement au printemps, mais ils sont vite drainés de sorte que les nutriments sont évacués. **Les sols crayeux** sont alcalins, drainent aisément ; souvent peu profonds, ils manquent de matières organiques. Ils perdent rapidement eau et nutriments. **Les sols tourbeux** résultent de conditions humides entravant la décomposition des matières organiques. Souvent détrempés, ils constituent un excellent support s'ils sont drainés. Réduisez l'acidité en incorporant de la chaux et remédiez aux déficiences nutritives par un apport d'engrais.

La terre arable, fertile, inclut des matières organiques, contrairement à la couche inférieure, plus pauvre. Ne jamais les mélanger.

△ **L'ANATOMIE DE LA TERRE**
*La plupart des sols sont formés de roches usées et constitués des couches distinctes. La terre arable, d'où les racines tirent eau et nutriments, est fertile grâce à la présence d'organismes et de résidus organiques. La couche juste en dessous est moins fertile.*

## CULTIVER LA TERRE

Le but est d'apporter beaucoup de matières organiques, compost, fumier ou champignons décomposés, afin de produire une structure friable permettant à l'eau, à l'air et aux éléments nutritifs dissous d'atteindre les racines. L'automne est le meilleur moment pour creuser, car les gelées hivernales contribuent à émietter les mottes ; dans le cas d'un sol sablonneux, plus léger, répandre des matières organiques sur le sol nu en hiver et fourchez au printemps. Ne creusez jamais, ni ne piétinez une terre détrempée ou gelée.

### PENSE-BÊTE
#### SIMPLIFIEZ-VOUS LA VIE !
Creuser peut être une corvée harassante, mais aussi un bon exercice si vous faites preuve de bon sens. Utilisez une pelle ou une fourche adaptée à votre taille et portez de bonnes chaussures. Prenez des pelletées que vous êtes apte à soulever sans peine. Et ne précipitez pas les choses. Si vous devez retourner une zone importante, planifiez ! Adoptez une approche méthodique et trouvez votre rythme. Échauffez-vous progressivement et utilisez les muscles des cuisses plutôt que ceux de la région lombaire.

## FOURCHER

Dans les jardins déjà établis, il suffit souvent de fourcher. Les fourches sont utiles pour creuser dans les sites difficiles, retourner la terre et éliminer les mauvaises herbes à racines profondes en vue de nouvelles cultures. Idéales pour ameublir la surface, elles endommagent moins la structure de la terre que les pelles ; elles brisent les mottes plutôt que de les trancher.

### COMMENT FOURCHER

**1 ÉMIETTER LA TERRE**
*Quand le sol est humide, sans être détrempé, attaquez méthodiquement une zone en enfonçant la fourche, puis en la retournant (voir encadré) pour émietter la terre compacte en une structure friable.*

**2 AJOUTER DES MATIÈRES ORGANIQUES**
*Après avoir brisé la surface, améliorez la structure et la fertilité de la terre en y incorporant à la fourche des matières organiques, tels du compost de jardin bien décomposé, du fumier ou du compost de champignons.*

VOIR AUSSI : Nourrir les cultures, pp. 238-239.

# BÊCHAGE SIMPLE

Il s'agit de soulever une pelletée de terre, de la retourner et de la remettre en place, puis d'émietter les mottes avec la pelle. Utile pour débarrasser le sol des débris et mauvaises herbes non-persistantes ou y incorporer de petites quantités d'engrais, de matières organiques ou de gravillons. Une bonne solution pour les plates-bandes établies et les massifs irréguliers.

**FER DE BÊCHE ▷**
*Lorsqu'on précise qu'il faut bêcher la terre sur un "fer de bêche", il s'agit de creuser à une profondeur égale à la hauteur du fer de la pelle, soit 25 cm en moyenne.*

*Un fer de bêche mesure en général 25 cm de long*

## TECHNIQUE DU BÊCHAGE SIMPLE

**1 INSÉRER LA PELLE.**
*Enfoncez la lame verticalement dans le sol sur toute sa hauteur. Muni de bonnes chaussures, faites pression sur le haut du fer avec le talon ou l'avant de la plante du pied. Évitez la voûte plantaire de peur de susciter une tension devenant rapidement douloureuse.*

**2 SOULEVER LA TERRE**
*Tirez sur le manche quand la terre est entassée sur le fer. Pliez les genoux et les coudes pour soulever la pelle. Tâchez de ployer la taille au minimum pour éviter des tensions au niveau des lombaires. Ne prenez pas trop de terre à la fois, surtout si elle est lourde.*

**3 RETOURNER LA TERRE.**
*Pivotez la pelle pour retourner la terre afin de faire pénétrer l'air et l'eau, et de profiter aux organismes présents dans la terre. Œuvrez méthodiquement (selon une ligne imaginaire) afin de tout retourner. Si vous semez, ratissez ensuite pour avoir une bonne couche arable.*

---

# BÊCHAGE PAR TRANCHÉES

C'est une technique méthodique et efficace garantissant que toute la terre est retournée sur un espace et une profondeur uniformes. On peut l'adapter afin d'incorporer des matières organiques au fond de chaque tranchée, ce qui améliore tant la qualité que la profondeur de la couche arable.

**COMMENT ÇA MARCHE ▷**
*Le parterre est délimité par une série de tranchées. On extrait en la mettant de côté la terre de la première tranchée, puis on déverse la terre du segment suivant dans cette dernière. La dernière tranchée sera comblée avec la terre mise de côté au départ.*

La terre de la première tranchée est mise de côté, puis sert à combler la dernière tranchée.

Travaillez à reculons afin de ne pas piétiner, et tasser la terre que vous avez creusée.

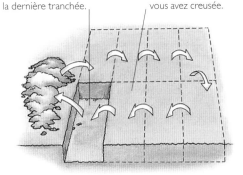

# SANS BÊCHAGE

Le bêchage intensifie la désintégration des matières organiques, ce qui réduit la fertilité du sol stimule la germination des mauvaises herbes. La technique "sans bêchage" dépend des vers de terre et micro-organismes pour aérer la terre, outre le recours à un paillis organique en surface, destiné à préserver la structure du sol, à retenir eau et nutriments et à supprimer les mauvaises herbes. Mieux vaut commencer par un bon bêchage profond. Avant de semer, enlevez le paillis et ratissez ou binez la surface.

## COMMENT BÊCHER EN TRANCHÉES

**1 LA PREMIÈRE TRANCHÉE**
*Faites une première tranchée de 30 cm de large et d'un fer de bêche de profondeur. Déposez la terre devant et gardez-la en réserve. Si vous devez incorporer des matières organiques, disposez-les au fond du trou et fourchez légèrement.*

**2 DEUXIÈME TRANCHÉE ET SUIVANTES**
*Travaillez à reculons en creusant la deuxième tranchée dont vous déversez le contenu dans la première. Retournez la terre pour enfouir les mauvaises herbes annuelles et leurs graines. Procédez ainsi jusqu'à la fin.*

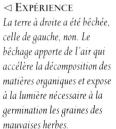

**◁ EXPÉRIENCE**
*La terre à droite a été bêchée, celle de gauche, non. Le bêchage apporte de l'air qui accélère la décomposition des matières organiques et expose à la lumière nécessaire à la germination les graines des mauvaises herbes.*

**RÉSULTAT ▷**
*Sur la terre restée intacte, à gauche, on voit pousser quelques mauvaises herbes, mais elles ont germé en bien plus grand nombre de l'autre côté. Cette méthode peut réduire la préparation nécessaire pour les semis.*

VOIR AUSSI : Les parterres, p. 237 ; Les désherbants, pp. 290-291

# DÉSHERBER ET DÉLIMITER LES PARTERRES

Pour créer un nouveau parterre, l'étape suivante consiste à définir sa forme et à nettoyer le site. Les mauvaises herbes sont des plantes vigoureuses, opportunistes, rivalisant avec les ornementales pour la lumière, l'air et les éléments nutritifs. Certaines sont porteuses de parasites et de maladies infestant les espèces décoratives. Vous devez en débarrasser vos plates-bandes, surtout les vivaces et celles qui ont des racines profondes, afin que vos nouvelles cultures puissent bien s'établir. En outre, les nouveaux parterres sont plus beaux quand ils sont délimités avec netteté. Appliquez-vous à nettoyer le site si vous créez des massifs dans une pelouse ou une zone négligée.

## DÉSHERBAGE NATUREL

Le désherbage non-chimique consistant à éliminer les intruses physiquement du sol est idéal pour les jardiniers écologiques. Armez-vous d'une binette ou d'une fourche à main ou à bêcher. Le plus souvent, on élimine toutes les mauvaises herbes et les plantes existantes n'en pâtissent pas. Sur les sites envahis, recourez à une faux, une griffe ou à une débroussailleuse pour faucher en surface, puis retirez tous les débris et arrachez les racines à la main. Les rotavators sont utiles sur de grandes surfaces, mais ils coupent les mauvaises herbes en morceaux qui restent ainsi susceptibles de repousser. Il faut donc ôter ces fragments aussitôt après, à la main, et éliminez tous les débris au râteau pour éviter de nouveaux enracinements.

GRIFFE-BINEUSE

RATISSOIRE À TIRER

△ **LES BONS OUTILS**
*La griffe-bineuse, facile à manier et d'usage varié, coupe les mauvaises herbes au ras du sol. La ratissoire à tirer permet de les trancher, mais sert surtout à former des rayons, ou sillons, pour semer.*

**LA GRIFFE-BINEUSE** ▷
*Elle permet de désherber entre les plantes d'une plate-bande. Elle détruira les annuelles, mais les plus profondes requièrent des binages répétés. La lame doit être parallèle à la surface, posée dessus ou juste en dessous. Poussez !*

◁ **LA FOURCHE**
*Elle permet de désherber une plate-bande sans trop porter préjudice aux plantes établies. Tiraillez sur les racines aussi profondément que possible. Éliminez une longueur maximale. Celles qui restent en place donneront de nouveaux plants. Pour les grandes surfaces et en cas de racines profondes, utilisez plutôt une fourche-bêche.*

## LES DÉSHERBANTS

Ces produits chimiques sont le moyen le plus rapide et le plus efficace d'éliminer les mauvaises herbes puisqu'ils détruisent les racines. Une fois qu'ils ont fait effet, apportez des matières organiques à la terre ou plantez directement dans le sol traité. Ôtez tous les brindilles mortes. Les herbes coriaces, comme les ronces, nécessitent parfois une deuxième application.

### PENSE-BÊTE

Pour éviter tout risque dans le maniement de produits chimiques, suivez à la lettre les consignes du fabricant.
Les désherbants sont plus efficaces s'ils sont appliqués par temps chaud et ensoleillé, sans vent, alors que les herbes poussent dès lors qu'il y a assez de feuilles pour absorber le produit. Si vous choisissez bien votre moment, seules les plus tenaces nécessiteront une deuxième application.

**SITES NÉGLIGÉS** ▷
*Un site infesté de mauvaises herbes doit être nettoyé à fond avant toute plantation. Un désherbant chimique est le moyen le plus efficace en l'occurrence. Si vous préférez la méthode bio, songez à disposer un film plastique en guise de paillis après nettoyage pour enrayer de nouvelles pousses.*

◁ **APPLICATION**
*Pour les zones restreintes, servez-vous d'un arrosoir muni d'un goutte à goutte pour désherber chimiquement. Marquez bien l'arrosoir réservé à cet usage car des résidus pourraient affecter vos plantes si vous vous en servez pour arroser. Sinon, recourez à un pulvérisateur portable.*

**VOIR AUSSI :** Le désherbage, pp. 290-291

# DÉSHERBAGE PONCTUEL

Là où vos plantes sont établies, il est déconseillé d'appliquer un désherbant à l'aide d'un pulvérisateur ou d'un arrosoir à goutte à goutte. Vous risquez de les tuer, les produits n'étant pas sélectifs. Toute éclaboussure sur le feuillage de vos plates-bandes sera préjudiciable, voire fatale. En présence de quelques mauvaises herbes dans un parterre, il suffit de les traiter ponctuellement à l'aide d'un pinceau imprégné d'un désherbant à base de gel. Cette technique convient aussi aux herbes poussant dans le gravier, les pelouses, les fentes des dallages. Pour les jardiniers "bio", il existe une solution consistant à les brûler en dirigeant une mince flamme sur le point de croissance. Plus le sol est sec, meilleur sera le résultat. Quelques secondes de chaleur intense détruiront les petites herbes annuelles ; les persistants requièrent plusieurs traitements d'affilée.

**DÉSHERBAGE INDIVIDUEL ▷**
*Les produits pour désherbage ponctuel, à base de gel, agissent sur le feuillage et les racines. Le gel garantit une bonne adhérence, minimisant ainsi le risque de goutte ou d'éclaboussure. Badigeonnez les feuilles de l'herbe à éliminer. Lavez-vous les mains après usage.*

# LE PAILLAGE CONTRE LES MAUVAISES HERBES

Cette méthode est utilisée à deux fins : éliminer les mauvaises herbes avant de planter et garder propres les zones nettoyées. C'est un bon système pour les jardiniers bio. Un film plastique opaque, du polyéthythène noir, ou un vieux tapis éliminera l'essentiel des mauvaises herbes s'il reste en place toute une saison, ou deux pour les récalcitrantes comme la prêle. Dans les zones ensoleillées, une toile transparente suffira, la hausse rapide de température en dessous "cuisant" les herbes.

Une fois le sol propre, étendez un film plastique ou un paillis pour empêcher la repousse. Les films plastiques sont efficaces, mais inesthétiques. Recouvrez-les d'une couche fine de matériaux plus présentables.

## ASTUCES

• Si vous êtes contre les produits chimiques, recourez à un film plastique pour nettoyer un site, mais il faut vous y prendre à l'avance.

• Recourir à un film plastique et à un paillis simultanément est une méthode de désherbage peu coûteuse et esthétique. Une couche de 2-3 cm de matériaux suffit à cacher la toile opaque ; il en faut deux fois plus si on a recours uniquement au paillage.

• La municipalité ou les scieries vendent souvent des copeaux de bois ou d'écorce recyclés, une source économique et écologique d'approvisionnement.

△ **PAILLIS**
*Une couche de 5-8 cm de matériaux, écorce broyée, copeaux de bois, coquilles de noix de coco ou gravier, supprimera les mauvaises herbes. Étalez-les sur le sol propre ou un film géotextile. Compost et fumier sont moins efficaces car ils risquent de contenir des graines nocives, mais font tout de même de bons paillages propices au sol.*

Les pousses mauvaises ne peuvent pénétrer le film. Privées de lumière, elles meurent rapidement

Le matériau perméable laisse pénétrer l'eau et l'air

△ **FILM GÉOTEXTILE**
*Pour "pailler", mieux vaut utiliser un matériau dit géotextile que du plastique, perméable à l'eau et à l'air, les engrais risquant du même coup d'être emportés par les pluies. La résistance de la couverture en gravier ou en écorces s'en trouve améliorée puisqu'ils ne pénètrent pas dans la terre. Pour planter, pratiquez deux fentes en croix et creusez un trou en dessous.*

# DÉLIMITER UN PARTERRE

Pour définir le pourtour d'un parterre incurvé, utilisez de la ficelle ou un tuyau posé sur le sol en l'ajustant à la forme requise. Optimisez l'effet en faisant des courbes marquées et amples. Les lignes en zigzag sont moins belles et plus difficiles à entretenir. Dans le cas des plates-bandes classiques, servez-vous de piquets et de ficelle pour les lignes droites. Vérifiez les angles avec une équerre. Pour faire un rond, attachez un peu de ficelle à deux piquets sur une longueur égale au rayon (et non au diamètre) du cercle désiré. Tendez la ficelle et tirez un des pieux autour de l'autre.

△ **LIGNES DROITES**
*Il suffit d'une longueur de ficelle et de deux chevilles. Recourez à une équerre pour vous assurer que les angles sont bien droits.*

Ficelle non extensible

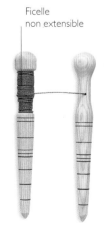

**CRÉER UN CERCLE ▷**
*Utilisez deux chevilles jointes par une ficelle pour dessiner le cercle sur le sol. Enfoncez en une et faites tourner l'autre autour.*

VOIR AUSSI : Le paillage, p. 151-153.

# COMMENT ACHETER LES BONNES PLANTES

Une fois la terre nettoyée, mettez tous les atouts de votre côté en achetant des plantes saines et vigoureuses, adaptées au sol, à l'aspect et au climat du site qu'elles occuperont. Pour éviter les erreurs d'achat, sachez identifier les plantes produites dans de mauvaises conditions, car il y a peu de chances que leur transplantation réussisse. Ces spécimens mal cultivés risquent aussi d'apporter au jardin des maladies et des parasites. Si vous avez appris à choisir et que vous vous approvisionnez chez un bon pépiniériste, les risques seront réduits et vous pouvez espérer jouir d'un jardin florissant pendant de longues années.

## VIVACES

La plupart sont vendues en pots durant toute la saison de croissance et peuvent être plantées à ce stade si on les arrose bien jusqu'à ce qu'elles soient établies. Mieux vaut les acheter au printemps cependant, afin qu'elles aient toute la belle saison pour grandir avant l'hiver. Si vous vous y prenez plus tôt, assurez-vous qu'elles ont quelques bourgeons sains. Dans les régions chaudes, on peut planter des vivaces à l'automne quand la terre est encore chaude et moins apte à sécher.

Au moment de l'achat, vérifiez que le compost est humide et qu'il n'y a ni mauvaises herbes, ni mousse en surface, ce qui indiquerait que le drainage est insuffisant ou que la plante a séjourné trop longtemps en pot ou manque de nutriments.

△ **BON EXEMPLE**
*Ci-dessus, un lupin sain, vigoureux au feuillage vert frais sans aucune décoloration, indice de déficience nutritive ou d'une infection virale. Vérifiez que les feuilles ne montrent aucun signe d'infestation — feuilles grignotées, ou flétries —, ce qui indiquerait la présence de parasites à la racine, de racines endommagées ou d'un manque d'eau. Si possible, retirez la plante du pot pour inspecter les racines.*

Des pousses vigoureuses et des feuilles saines sans signe de parasites ou de maladies

Des tiges saines, solides et une plante bien garnie de feuillages à la base

Surface du compost bien humide sans mauvaises herbes, de mousses ni hépatiques

Système bien établi de racines saines qui retient la terre pour former une bonne masse compacte

### ASTUCES

• Si vous achetez des vivaces formant des touffes, optez pour de grands spécimens ayant plusieurs bourgeons. Vous pourrez les diviser avant de planter et avoir ainsi deux ou trois plants au lieu d'un (*voir p. 148*).

• Avec un peu d'organisation, vous pouvez réussir des semis pour de nombreuses vivaces (*voir p. 162*). Vous obtiendrez ainsi de nombreuses plantes pour une fraction du prix et en donner ou en échanger avec vos amis jardiniers.

◁ **PLANTE À L'ÉTROIT**
*Les plantes qui ont séjourné trop longtemps en pots risquent d'être confinés, auquel cas leurs racines remplissent le pot et s'enroulent les unes autour des autres ou s'échappent à la base. Elles sont assoiffées, affamées, et leur croissance est compromise.*

**MAUVAIS EXEMPLE** ▷
*Des pousses éparses, maigrichonnes ou ligneuses au sommet témoignent d'un faible développement du système de racine ; elles s'établiront mal. Le compost a séché, faute d'arrosages réguliers. Les composts à base de tourbe sont difficiles à remouiller. La croissance est interrompue et la plante risque de ne pas reprendre.*

Le terreau sec a empêché les racines de se développer

La cime est faible et rabougrie, faute d'arrosages

## BULBES

La plupart des bulbes sont vendus secs, à l'état dormant, mais mieux vaut les acheter frais dès qu'on en trouve (dès la fin de l'été pour les bulbes de printemps, au printemps, pour les bulbes d'été et au début de l'été, pour ceux d'automne). Ils s'abîment si on les conserve secs trop longtemps. Ils doivent être fermes et renflés avec une tige florale solide. Choisissez les plus gros. Assurez-vous que les feuilles basales et les racines sont entières, sans moisissure, ni lésions, ni maladies.

JACINTHE

TULIPE

JONQUILLE (SIMPLE)

JONQUILLE (DOUBLE)

ERYTHONIUM OREGONUM

CYCLAMEN HEDERIFOLIUM

**VOIR AUSSI** : Les vivaces, pp. 148-149

# ARBUSTES

Généralement vendus en pots, ils ont grandi soit en conteneur, soit dans un champ et conditionnés la saison précédent leur vente. S'ils ont poussé en récipient, ils ont souvent un système radical mieux établi et on peut les planter à tout moment, hormis par temps très sec, humide ou froid. En conteneur, mieux vaut les planter en hiver ; ils mettent du temps à s'établir à d'autres périodes à moins d'avoir des racines très développées. On vend parfois des arbustes caducs dormants avec leurs racines nues. Plantez-les à la fin de l'automne jusqu'au début du printemps. Vérifiez que les racines fibreuses sont bien développées et non desséchées.

◁ **BON EXEMPLE**
*Le feuillage est sain, d'une bonne couleur sans jaunissement ni signe de parasites ou de maladies. La charpente des branches est équilibrée et bien garnie à la base. Le système radical est bien développé avec des points blancs sains et forme une boule ferme qui retient le compost quand on le sort du pot.*

De nouvelles pousses vigou-reuses, bien équilibrées, garnissant jusqu'à la base

Un système bien établi de racines fines, fibreuses forme une boule compacte qui remplit presque le pot

Les tiges éparses, maigres montrent peu de nouvelles pousses ; certaines ont dépéri

Les racines confi-nées s'enroulent en spirales et ont absorbé tous les nutriments du compost

◁ **LES ARBUSTES À RACINES EN BOULE,** *vendus à l'automne et au début du printemps, grandissent en terre, puis sont arrachés avec une boule de racines et de terre que l'on enveloppe dans un filet ou de la toile de jute. La boule doit être ferme, l'enve-loppe intacte, sinon les racines risquent de sécher et de mourir.*

◁ **RAJEUNISSEMENT**
*Si les nouvelles pousses sont pleines de bourgeons et si les racines sont entremêlées, un petit nettoyage garantit à la plante une bonne reprise. Tiraillez sur les racines confi-nées et coupez celles qui sont mortes, très longues ou endom-magées jusqu'à obtention d'une base saine et propre.*

△ **MAUVAIS EXEMPLE**
*Évitez les spécimens à pousses éparses, longues, inégales, dépé-rissantes exhibant peu ou pas de bourgeons visibles ; il y a des chances qu'ils soient confinés et aient souffert d'un manque d'eau et de nutriments contrant la croissance.*

# ROSES

On peut trouver des roses à racines nues à planter pendant la saison dormante, à la fin de l'automne, au début de l'hiver ou du prin-temps. Plantées au plus vite après votre achat, elles s'établiront très bien. Pour les roses anciennes ou rares, vous devrez vous approvi-sionner auprès de spécialistes vendant par correspondance. Souvent à racines nues, elles seront bien emballées dans du plastique pour éviter le dessèchement. Les rosiers cultivés en conteneurs ne peuvent être plantés dans une terre est très mouillée, sèche ou gelée. Les plantes à racines nues, non vendues, mises en pots à la fin de leur saison, sont parfois satisfai-santes, mais si elles ont séché ou été exposées au froid, elles s'enracineront difficilement. Vérifiez que le spécimen est bien enraciné en secouant doucement la tige principale.

Des attaches de bourgeons solides et une charpente équi-librée de tiges saines et robustes

◁ **ROSIER À RACINES NUES**
*Cherchez un bon réseau de racines principales et fibreuses et 3-5 tiges solides. Assurez-vous que les racines n'ont pas séché et que les tiges ne montrent pas de pousses prématurées, indice d'un mauvais stockage.*

**ROSIER CULTIVÉ EN CONTENEUR** ▷
*Un spécimen bien cultivé présente un groupe équilibré de tiges fortes, garnies d'une abondance de feuillage sain et vigoureux d'une belle couleur profonde. Il n'y a aucun signe de parasites ou de maladies, rouille ou tâches noires. Le compost est humide partout et il n'y a ni mousse, ni mauvaises herbes en surface.*

◁ **MAUVAIS EXEMPLE**
*Évitez les rosiers à racines nues aux pousses grêles montrant un dépérissement ou de la moisissure. Un système radical rabougri, desséché comportant peu de racines fibreuses nourricières ne supportera jamais une croissance saine.*

Compost humide et système radical sain et plein

**MAUVAIS EXEMPLE** ▷
*La plante a séjourné trop longtemps en pot : les tiges sont grêles, les feuilles sont tachées ou tombées, la surface du compost est envahie de mauvaises herbes.*

**VOIR AUSSI** : Les rosiers et les arbustes, pp. 150-151.

# COMMENT PLANTER UN MASSIF

Le temps écoulé entre la préparation et le moment de planter peut paraître interminable, mais une fois le sol préparé et vos choix effectués, il vaut la peine de prendre encore un peu de temps pour réussir la transplantation de vos plantes. La technique de plantation, sa chronologie, doivent être adaptés à chaque spécimen comme au climat ambiant.

Une fois en terre, arrosez régulièrement les jeunes plants et désherbez jusqu'à ce qu'ils soient bien établis. Ensuite, un arrosage prolongé par temps très sec suffira. Ils auront toujours besoin de désherbage, mais un dais de feuillage dense de plantes bien poussées contribuera à limiter la croissance des mauvaises herbes.

## PLANTER DES VIVACES

Les vivaces cultivées en conteneurs peuvent être plantées toute l'année tant que le sol est ni trop détrempé, ni sec, ni gelé. Le printemps et l'automne restent les meilleures saisons. En automne, la terre est encore chaude et ne risque guère d'être desséchée; les conditions sont idéales pour une bonne croissance radicale avant l'hiver. Dans les régions froides, le printemps est préférable, surtout pour les espèces peu résistantes ou nécessitant des conditions plus sèches. Elles ont ainsi toute une saison pour s'établir avant l'hiver suivant. Les plantations printanières ou estivales nécessitent des arrosages jusqu'à ce qu'elles soient bien implantées. Les vivaces sont toujours plus belles en nombres impairs.

### PLANTER UNE VIVACE CULTIVÉE EN POT

**1 FAIRE UN TROU**
*Creusez un trou avec une fourche ou un déplantoir, une fois le sol préparé. Le trou devrait être 1 fois et demi plus profond et plus large que la motte de racines.*

**2 SORTIR LA PLANTE DU POT**
*Arrosez bien le pot, laissez l'excès d'eau s'écouler, puis sortez doucement la plante en la faisant glisser en prenant soin de ne pas endommager les racines et les bourgeons.*

**3 TIRAILLEZ SUR LES RACINES**
*Grattez doucement 3 cm en surface du compost pour éliminer les mauvaises herbes et leurs graines. Tiraillez sans forcer sur les racines avec les doigts ou une fourche à main.*

**4 TASSEZ LÉGÈREMENT**
*Placez la plante dans le trou à la bonne profondeur (voir ci-dessous), comblez avec de la terre. Tassez du bout des doigts. Aérez la surface avec une fourche et arrosez.*

## DIVISER LES VIVACES

Les grandes vivaces à racines fibreuses formant des touffes, comme les asters, les phlox et les orpins, sont faciles à diviser et vous offrent ainsi des plants supplémentaires. Extirpez le plant de son conteneur et écartez doucement les racines en créant deux ou trois segments de taille égale. Plantez aussitôt les nouvelles divisions.

◁ **UNE AFFAIRE!**
*Cet aster a bien poussé; elle présente de nombreuses pousses saines non envahissantes au point de ralentir la croissance de la plante. Elle peut donner 2 ou 3 bonnes divisions.*

**COMMENT DIVISER** ▷
*Écartez doucement les racines en segments égaux, chacune comportant un système radical sain. Gardez de la terre en quantité autour des racines et plantez aussitôt.*

## PROFONDEURS DE PLANTATION POUR LES VIVACES

La plupart des vivaces sont plantées à la profondeur qu'elles avaient en pot, mais certaines poussent mieux un peu plus haut ou moins haut selon leurs préférences. Les plantes à rhizomes, comme les iris à barbe, risquent de pourrir trop en profondeur, et certaines plantes panachées virent au vert au niveau du sol. Les espèces tubéreuses ou aimant l'humidité apprécient la protection d'une plantation en profondeur.

### À QUELLE PROFONDEUR PLANTER LES VIVACES?

△ **EN PROFONDEUR**
*Plantez les vivaces à système radical tubéreux (ici un sceau de Salomon) de manière à ce que leurs couronnes soient à environ 10 cm en dessous de la surface.*

△ **PEU PROFOND**
*Les vivaces nécessitant un environnement humide (ici, une funkia) devraient avoir leurs couronnes à 2 ou 2,5 cm de la surface du sol.*

△ **NIVEAU DU SOL**
*Dans le cas de la grande majorité des vivaces, les couronnes devraient se trouver au niveau de la surface, ou à la profondeur qu'elles avaient en pots.*

△ **SURÉLEVÉES**
*Les espèces qui ont tendance à pourrir ou les plantes panachées (ici, un Sisyrinchium 'Aunt May') sont plantées avec leur couronne juste au-dessus du sol.*

**VOIR AUSSI:** Les massifs, pp. 154-155; Le désherbage, pp. 144-145; Multiplier les plantes, pp. 162-163.

# PLANTER LES BULBES

En principe, les bulbes de printemps devraient être plantés à la fin de l'été ou à l'automne, ceux d'été au printemps et ceux d'automne au début ou à mi-été. Séparez-les de leur propre largeur, à deux ou trois fois leur profondeur (quatre ou cinq en terrain sablonneux ou dans les régions à forte gelée). Pour certaines, comme les nérines, le bourgeon doit être au niveau du sol.

◁ **SINGLETONS**
*Si vous souhaitez créer un effet épars, parmi d'autres espèces par exemple, plantez-les seuls dans des trous distincts à la bonne profondeur. Plantez les trous avec un plantoir.*

**VERTS !** ▷
*Certains bulbes, comme les perce-neige, bénéficient d'être plantés ou divisés, quand ils ont commencé à pousser. Faites un trou assez grand pour étaler les racines et plantez le bulbe à la même profondeur qu'en pot.*

## PLANTER DES BULBES EN PLEINE TERRE

**1 FAITES UN TROU**
*Dans une terre préparée, faites un trou de la profondeur qui convient. Placez les bulbes au fond, pointes en haut. Pour un meilleur drainage, disposez-les sur une couche de gravillons.*

**2 COUVREZ DE TERRE**
*Pour un effet naturel, espacez-les au hasard à une distance au moins égale à leur largeur. Recouvrez-les doucement de terre à la main pour ne pas les déplacer ou les endommager.*

**3 TOUCHE FINALE**
*Tassez le sol en le tapotant avec le dos d'un râteau. Évitez de piétiner la surface de peur d'abîmer les pointes. Marquez l'emplacement.*

◁ **NATURALISER DE GROS BULBES**
*Éparpillez de gros bulbes (ici, des jonquilles) et plantez-les au petit bonheur la chance. Faites des trous individuels avec un plantoir, placez-les dans le trou, pointe en haut, couvrez sans tasser, replacez la motte de gazon et tassez doucement.*

▷ **NATURALISER DE PETITS BULBES**
*Pour les petits bulbes, comme les crocus, couvrez un H dans la pelouse avec la lame d'une pelle ou un coupe-bordure. Rabattez les pans de gazon et disposez les bulbes au hasard. Grattez le dessous du pan pour détacher la terre. Remettez-le avec soin et tapotez doucement.*

# PLANTER DES GRAINES D'ANNUELLES ET BISANNUELLES

Ces variétés sont cultivées en semis. Au printemps, les annuelles sont semées en pleine terre ou en pots pour être plantées plus tard. Les semis à la volée suscitent un effet naturel pour combler les vides d'un parterre, mais il faudra désherber à la main. Les bisannuelles doivent être semées en pots ou en rang sous-abri, de la fin du printemps à la mi-été.

◁ **ÉCLAIRCIR**
*Quand on sème à la volée, lorsque les plants apparaissent, ils sont souvent trop près les uns des autres. Encouragez les plus robustes à pousser en éclaircissant : appuyez doucement de chaque côté et arrachez les plus faibles.*

◁ **TRANSPLANTER DES GROUPES DE PLANTS**
*Un tapis dense de plants prospère rarement. Arrachez avec soin de petites touffes avec de la terre autour des racines et transplantez-les ailleurs. Éclaircissez normalement par la suite.*

## GRAINES D'ANNUELLES À LA VOLÉE

**1 PRÉPARER ET SEMER**
*Ratissez la terre en un terreau fin et friable et éparpillez ou semez à la volée sur la zone, à la main ou directement avec le sachet.*

**2 RECOUVRIR**
*Ratissez délicatement à angles droits pour couvrir les graines sans les abîmer. Arrosez avec un arrosoir à jet fin et étiquetez.*

## CULTIVER DES BISANNUELLES

**1 DÉTERRER**
*Pour cultiver assez de bisannuelles pour garnir un banc (ici des giroflées), semez les graines en rangs dans un lit à semis préparé à la fin du printemps ou en début été. Déterrez-les quand elles ont atteint 5-8 cm et placez-les sur un plateau.*

**2 TRANSFÉRER À LA PÉPINIÈRE**
*Plantez les jeunes plants en pépinière, à 15-20 cm d'écart en rangs distants de 20-30 cm. Si vous souhaitez un effet moins formel, plantez-les directement en terre.*

**3 PLANTER**
*En automne, quand les nouveaux plants sont établis et poussent bien, arrosez-les bien s'ils sont secs. Extirpez-les avec soin pour ne pas abîmer les racines. Plantez-les dans un sol bien préparé sur leur site de floraison.*

VOIR AUSSI : Le désherbage, pp. 144-145 ; Multiplier les plantes, pp. 162-163.

# PLANTER ROSIERS ET ARBUSTES EN ESPALIER

Ces plantes sont destinées à durer : il est essentiel de bien préparer la terre avant de les planter. L'automne et le printemps sont les meilleures saisons pour planter les arbustes. En automne, la chaleur résiduelle du sol autorise une bonne croissance des racines avant l'hiver, de sorte que l'arbuste est bien établi quand vient la prochaine sécheresse estivale. En plantant au printemps, on évite les rigueurs de l'hiver, mais il faudra sans doute arroser davantage si la plante pousse avant que les racines ne soient développées. Les rosiers doivent être plantés tard dans la saison et élagués avec soin pour stimuler la croissance. Le paillage aidera les jeunes plants à s'établir en éliminant les mauvaises herbes et en retenant l'humidité.

## PLANTER DES ARBUSTES

Les arbustes poussés en conteneurs peuvent être plantés dès qu'on peut travailler la terre, mais il faut bien les arroser au début. Les meilleures périodes de plantation se situent en automne et au printemps. Éliminez les mauvaises herbes et incorporez des matières organiques bien décomposées sur une profondeur de 30 à 45 cm. Cultivez tout le parterre. Sinon, pour les arbustes à racines nues, pratiquez un trou assez large pour pouvoir bien étaler celles-ci. Dans le cas d'arbustes en motte ou cultivés en pots, creusez un espace égal à au moins deux fois la largeur de la masse des racines. Plantez à la même profondeur que lorsque l'arbuste était en pot ou en pleine terre.

### PLANTER UN ARBUSTE CULTIVÉ EN POT

**1 CREUSER LE TROU**
*Arrosez bien la plante et laissez l'eau s'écouler. Creusez un trou de deux fois la largeur de la masse des racines, ou plus grand si le sol est argileux et lourd, et de la même profondeur que le pot.*

**2 PRÉPARER LA TERRE**
*À l'aide d'une fourche, ameublissez la terre au fond et sur les côtés du trou pour éviter le tassement et aider les racines à pénétrer. D'un côté, mêlez la terre récupérée à des matières organiques.*

**3 EXTRAIRE LA PLANTE DU POT**
*Placez une main sur le terreau et autour de la base des tiges pour la soutenir ; glissez doucement la plante hors du récipient. Déposez-la dans le trou.*

**4 AJUSTER LA PROFONDEUR**
*Posez une canne au-dessus du trou en travers pour vous assurer que le niveau de la terre est le même qu'auparavant. Si nécessaire, ajustez en ajoutant ou en retirant un peu de terre arable sous l'arbuste.*

**5 COMBLER**
*Remplissez le trou autour de la plante avec le terreau mélangé. Tassez avec les doigts ou le manche d'un plantoir pour supprimer les poches d'air et assurer un bon contact entre les racines et la terre.*

**6 ARROSER ET PAILLER**
*Tassez délicatement le sol du pied et arrosez. Si la terre est légère, formez un bassin d'arrosage en l'amoncelant (voir encart). Paillez lâchement en laissant les tiges dégagées.*

> ### POURQUOI
>
> **POURQUOI PLANTER DES PERSISTANTS AU PRINTEMPS ?**
>
> Les conifères et les persistants à grandes feuilles conservent leur feuillage en hiver ; ils sont particulièrement vulnérables au desséchement dû aux vents froids et secs de l'hiver. Cet effet est aggravé si les racines ne sont pas bien établies. Plantés au printemps, ils ont toute la belle saison pour se munir de racines robustes avant l'hiver suivant.

## TUTEURS

En général, les arbustes n'ont pas besoin de soutien hormis les gros spécimens à racines confinées ou les espèces de plein vent. Les premiers auront besoin d'un étayage au moins les deux premières années jusqu'à ce que les racines commencent à s'étaler et à se stabiliser. La meilleure méthode pour un arbuste, quel qu'il soit, dont les branches partent près du sol, consiste à l'attacher à l'aide de liens fixés à trois tuteurs espacés régulièrement autour. Pour éviter d'endommager l'écorce, couvrez ces liens aux points de contacts avec du caoutchouc ou un rembourrage. Pour les arbustes de plein vent, insérez le tuteur dans le trou avant de planter pour éviter d'abîmer les racines. Le haut de ce support devra se trouver juste en dessous des premières branches. Attachez la tige principale au tuteur en faisant un lien lâche ou en huit pour empêcher tout éraflage.

> ### PENSE-BÊTE
>
> **PROTÉGER LES ARBUSTES PLANTÉS RÉCEMMENT**
>
> Les arbustes qui viennent d'être plantés, surtout les conifères et les persistants à grandes feuilles risquent de souffrir de desséchement ou du froid, faute de protection. Un écran de toile de jute ou un grillage réduira considérablement la perte d'eau du feuillage. Pour préserver les racines du gel, paillez en épaisseur *(voir p. 153)* autour de l'arbuste.

**VOIR AUSSI :** L'entretien des massifs, pp. 152-153 ; Le paillage, p. 153 ; Les arbustes, pp. 157 ; Les jardinières, pp. 176-177

# PLANTER DES ROSIERS

Plantez les rosiers à racines nues à la fin de l'automne ou au début de l'hiver, au début, ou juste avant, leur période dormante. En cas d'hivers rigoureux, plantez plutôt au printemps. Si la terre est trop mouillée, sèche ou gelée, attendez que les conditions s'améliorent en maintenant les racines humides. Si le délai se prolonge, enfouissez les racines dans une tranchée peu profonde. Les rosiers grandis en conteneurs peuvent être plantés à tout moment. Ils ont besoin d'une bonne terre fertile pour s'épanouir, notamment les variétés remontantes. Préparez bien le sol et apportez de l'engrais avant de planter.

## PLANTER UN ROSIER À RACINES NUES

**1 PRÉPARER LA PLANTE**
*Faites tremper les racines dans l'eau pendant une heure environ. Supprimez tout rameau malade ou endommagé et éliminez les tiges croisées ou trop grêles à leur base afin d'équilibrer la charpente. Taillez les racines épaisses d'un tiers de leur longueur.*

**2 CREUSER LE TROU**
*Creusez un trou assez large pour contenir les racines et assez profond pour que le greffon (un renflement à la base de la tige où le rosier a été greffé à un sujet plus vigoureux) se trouve à 2,5 cm sous terre.*

**3 VÉRIFIER LE NIVEAU**
*Disposez à la fourche un demi-seau de compost de jardin et une poignée d'engrais tout usage au fond du trou. Placez le rosier au centre et étalez bien les racines. À l'aide d'une canne, vérifiez que le greffon est à la bonne profondeur.*

**4 COMBLER ET TASSER**
*Remplissez le trou de terre par étapes. Tassez d'abord à la main pour éliminer les poches d'air, puis doucement avec la pointe du pied. Ratissez la terre et arrosez bien. Disposez une couche de paillis au printemps suivant.*

# ÉLAGUER APRÈS PLANTATION

Un arbuste compact et sain ne nécessite pas d'élagage après avoir été planté, un simple nettoyage suffit, mais on peut aisément remédier à des défauts mineurs quand les plants sont jeunes *(voir ci-dessous)*. La plupart des rosiers sont élagués juste après la plantation pour éliminer les pousses faibles, abîmées, voire mortes et tout rameau trop long gâchant l'apparence générale. Dans le cas des rosiers en conteneurs plantés en pleine croissance, effectuez l'élagage initial au printemps suivant la plantation.

△ **ÉLAGUER UN ARBUSTE APRÈS LA PLANTATION**
*Rabattez toutes les branches malades, endommagées ou mortes jusqu'à un bourgeon sain, ainsi que les tiges croisées ou poussant vers l'intérieur jusqu'à un bourgeon pointant dans la direction inverse. Éliminez les rameaux faibles et raccourcissez les pousses trop longues et celles qui gâchent l'équilibre général.*

**ÉLAGAGE PRINTANIER** ▷
*Pour les roses en conteneurs, au cours du printemps suivant la plantation, supprimez les rameaux morts, affaiblis ou abîmés par le gel. Rabattez les autres tiges jusqu'à un bourgeon pointant vers l'extérieur, à environ 8 cm du sol. Dans le cas des grimpantes, éliminez les pousses endommagées .*

# PLANTER AVEC UN PAILLIS EN NATTES OU EN PLASTIQUE

Un paillage en plastique *(voir p. 145)* peut aider les arbustes récemment plantés à s'établir. Étendez-le sur le sol et fixez-le sur les côtés à l'aide de chevilles métalliques. Pratiquez une fente dans la pellicule plastique avec un couteau ou une pelle pour planter. Vous pouvez aussi utiliser un paillis en nattes circulaire qui comporte un trou prédécoupé du centre vers les bords, de sorte qu'il est facile à poser autour d'un arbuste déjà planté.

## ASTUCES

• Arrosez copieusement la terre sèche avant de disposer un paillis en plastique ou en nattes, ou attendez que le sol détrempé soit mieux drainé ; une fois en place, le paillis est imperméable à l'eau.

• Si nécessaire, incorporez des matières organiques ou de l'engrais dans la terre avant de disposer le paillage.

• Ajoutez des nutriments dans la terre, en pratiquant des petits trous dans le paillis.

*Le paillis crée des conditions favorables à la croissance de la plante qui s'établit*

◁ **PLANTER SOUS UN FILM PLASTIQUE**
*Étendez le film plastique sur le sol et fixez-le. Pratiquez une fente en croix dans le paillis, creusez un trou en dessous et plantez normalement.*

**VOIR AUSSI :** Les arbustes, pp. 156-159 ; Les rosiers, pp. 160-161.

# COMMENT ENTRETENIR PARTERRES ET MASSIFS

Même après une bonne préparation, parterres et massifs requièrent un entretien régulier. Les mauvaises herbes surviendront, mais en nombre réduit au fil des années si on les élimine systématiquement avant qu'elles ne montent en graine. Dans une terre bien préparée, les plantes établies ont rarement besoin d'arrosage, hormis durant les longues périodes de sécheresse. Par contre, les nouveaux plants doivent être arrosés. Dans les sols fertiles, ils n'ont guère besoin d'engrais, mais il convient cependant de les pailler une fois par an avec des matières organiques. S'ils sont élagués régulièrement ou copieusement, il faudra aussi leur fournir un complément annuel de substances nutritives.

## DÉSHERBER LES PARTERRES

Éliminez les mauvaises herbes dès leur apparition. Mieux vaut désherber peu mais souvent. Aux abords des plantes ornementales, il est préférable de les extraire à la main ou à la fourche. Binez avec soin, pas trop en profondeur, entre les plants pour éviter d'endommager les racines et les tiges voisines.

**DÉSHERBAGE DE ROUTINE ▷**
*Pour éliminer les mauvaises herbes des parterres, binez soigneusement, pas trop en profondeur, entre les plantes ornementales afin de ne pas endommager racines et tiges. Toute herbe récalcitrante résistant au binage doit être extraite avec une fourche à main.*

## TECHNIQUES D'ARROSAGE

Il faut arroser copieusement pour que l'eau pénètre bien jusqu'aux racines. Arroser peu mais souvent est inutile et risqué : si seules les couches supérieures de la terre sont mouillées, les racines demeurent près de la surface et deviennent plus vulnérables à la chaleur, au froid, à la sécheresse. L'arrosage manuel avec un arrosoir ou un tuyau muni d'une pomme fine pour les semis, ou plus ample pour les plantes établies, convient pour les petits jardins. Pour les zones plus vastes, les systèmes de jets ou de goutte à goutte sont préférables ; ces derniers apportent un filet d'eau régulier à la base du végétal par un tuyau perforé ou suintant. L'adjonction d'un régulateur permet d'éviter le gaspillage.

△ **ARROSAGE EN CUVETTE**
*Dans le cas de sols légers, sablonneux ou en pente, faites une crête de terre autour de la racine de la plante pour créer une cuvette et remplissez-la d'eau peu à peu. L'eau s'insinue ainsi directement vers les racines.*

◁ **ÉVITER LES MARES**
*En arrosant à un rythme trop rapide ou avec trop de pression, une "mare" se forme en surface qui suscite un déplacement de la terre risquant de mettre les racines à nu. Si vous utilisez un tuyau, maintenez la pression basse, utilisez une pomme fine et déplacez le jet doucement.*

◁ **ARROSAGE EN POT**
*Pour un sol limoneux ou argileux, enclin à l'entassement en surface du fait de l'humidité, enfoncez un grand pot dans le sol près des racines de la plante et remplissez-le d'eau. L'eau s'insinuera jusqu'aux racines par le trou de drainage sans endommager la structure du sol.*

## PAILLAGE

Les paillis ont diverses fonctions ; ils contribuent à empêcher la germination des mauvaises herbes, maintiennent les racines au frais en été et au chaud en hiver, limitent l'évaporation de l'eau en surface et préviennent l'érosion en améliorant la structure et la fertilité de la terre. Paillez en automne ou au printemps, tous les ans ou un an sur deux quand le sol est humide, mais jamais quand il est détrempé, sec, froid ou gelé. Une couche de 5-8 cm aide à limiter les mauvaises herbes ; une couche de 10-15 cm isole en hiver.

△ **PAILLAGE DES ARBUSTES**
*Pour les plantes ligneuses, paillez de façon à couvrir toute la zone des racines, qui correspond en général au dais de feuillage. Laissez un espace de 10-15 cm autour de la base des tiges ; amonceler le paillis autour de tiges ligneuses risque de les faire pourrir.*

△ **PAILLAGE DES VIVACES**
*Les vivaces, telles les pivoines qui préfèrent une terre bien drainée, riche, humide, s'accommodent d'un paillis meuble de matières organiques. À appliquer en automne ou au printemps avant l'émergence de nouvelles pousses pour ne pas les endommager.*

**VOIR AUSSI** : Le désherbage, pp. 144-145 ; Le compost, p. 236

# MATÉRIAUX DE PAILLAGE

En plus de contribuer à contrôler les mauvaises herbes, la température du sol et à retenir l'eau, les paillis organiques améliorent la structure et la fertilité de la terre en se désintégrant et en s'incorporant aux organismes présents dans le sol. Les coquilles de noix de coco et les copeaux, ou granules d'écorce, sont idéals et ne contiennent pas de graines de mauvaises herbes. Il est préférable que les produits à base d'écorce aient été amendés avec du compost car ils risquent d'inclure des produits chimiques naturels. Le compost de feuilles et le fumier bien décomposé ajoutent des éléments nutritifs et améliorent la qualité de la terre, mais ils comportent souvent des graines de mauvaises herbes. Le compost de champignons a des effets similaires, mais on peut y trouver de la chaux en faible quantité et il ne convient donc pas aux sols alcalins où poussent des espèces, tels les rhododendrons.

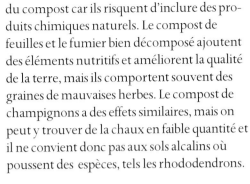

**POURQUOI**

### POURQUOI LES PAILLIS ORGANIQUES SONT-ILS UTILES ?

Ils empêchent la terre en surface de se dessécher et la protègent. Leur structure meuble permet aux nutriments, à l'eau et à l'air de pénétrer dans le sol jusqu'aux racines tout en facilitant l'élimination des graines de mauvaises herbes qui y germent.

**PAILLIS ORGANIQUES ▷**
*Plusieurs matériaux conviennent aux paillis organiques : compost de jardin bien décomposé, granules ou copeaux d'écorce, coquilles de noix de coco, compost de champignons. Tous peuvent constituer une couche protectrice autour des plantes de bordures.*

COMPOST DE JARDIN  COPEAUX D'ÉCORCE  COQUILLES DE NOIX DE COCO  COMPOST DE CHAMPIGNONS DÉCOMPOSÉ  GRANULES D'ÉCORCE

# PAILLIS DÉCORATIFS

Certains paillis, comme le gravier, les cailloux ou les copeaux d'écorce, donnent une jolie finition à la surface d'un parterre en plus de protéger le sol. Étalez-en un seul sur une profondeur de 5-8 cm ou à la moitié de cette épaisseur sur un film géotextile. Ces paillis conviennent tout particulièrement dans le cas de terres argileuses ou limoneuses pour éviter les problèmes posés par les arrosages trop copieux ou les fortes pluies.

**ALLIER L'ESTHÉTIQUE AU PRATIQUE ▷**
*Ce paillis de gravier protège les fleurs et les feuilles des plantes (ici, des hellébores) des éclaboussures. Il garantit aussi un bon drainage autour des tiges en plus d'être attrayant.*

△ **DES GALETS DÉCORATIFS**
*Une herbe aux écus (Lysimachia nummularia 'Aurea') en compagnie d'un bugle (Ajuga) dans un lit de galets. Particulièrement beau près d'un ruisseau ou d'une mare.*

# RECOURS AUX ENGRAIS

Un engrais équilibré assure aux plantes un apport adéquat en azote, phosphate et potasse. Tous les engrais s'appliquent sur une terre humide. Par temps sec, commencez par arroser. Appliquez les engrais à action lente au printemps lorsque commence la croissance, ou juste avant. Si nécessaire, recourez à des poudres à action rapide afin de stimuler la croissance à la fin du printemps ou au début de l'été. Les formules liquides, dont certaines ont une vocation foliaire, agissent vite et conviennent surtout en tant qu'auxiliaires de plantes faibles en pleines feuilles.

**PENSE-BÊTE**

Appliquez les fertilisants à la cadence recommandée. Un trop grand apport serait du gaspillage et comporterait des risques de brûlure ou de toxicité. Incorporez les engrais en granules peu à peu dans la terre à l'aide d'une fourche à main en prenant soin de ne pas endommager les racines. Recourez à un produit universel équilibré si les plantes poussent mal, à une formule plus spécifique si elles montrent des signes de déficiences particulières. Évitez d'employer un engrais riche en azote au-delà du milieu de l'été car cela stimulera une croissance fragile, plus vulnérable au gel.

△ **APPORTER DE L'ENGRAIS**
*Aspergez le produit autour de la plante à la cadence recommandée et incorporez-le doucement à la fourche à main. Les granulés ne doivent toucher ni les feuilles ni les tiges au risque de brûlures.*

**VOIR AUSSI :** Le désherbage, pp. 144-145 ; Nourrir les cultures, pp. 238-239 ; Les mauvaises herbes, les maladies et les ravageurs, pp. 288-311

# COMMENT ENTRETENIR LES PLANTES À MASSIF

Pour resplendir, la plupart des vivaces ont besoin d'un fumage de fertilisants tout usage au printemps, mais quelques soins supplémentaires garantiront encore de meilleurs résultats. Pour intensifier la floraison, il convient d'éclaircir, de limiter la croissance et de couper les fleurs fanées. Les plus grandes vivaces, annuelles et bisannuelles, ou celles qui ont un port arqué, ont parfois besoin d'un support pour mettre en valeur leurs fleurs. Afin de prolonger leur vie, les vivaces doivent être divisées et repiquées. À la fin de chaque saison, tâchez de sauvegarder les graines des annuelles et des bisannuelles. En automne, supprimez toutes les parties mortes susceptibles d'abriter parasites et maladies.

## ÉCLAIRCIR ET PINCER LES VIVACES

Ces techniques ont pour but d'intensifier tant la qualité que la quantité de fleurs. Les vivaces qui forment des touffes, comme les delphiniums, les phlox et les asters, se dotent d'une foison de tiges au printemps, dont certaines sont faibles. Si on les élimine tôt, les autres rameaux se fortifieront et donneront de plus grosses fleurs. Certaines vivaces, comme les marguerites de la Saint-Michel, les hélénies et les rudbeckias, produisent souvent des pousses latérales fleurissantes. Si l'on pince ou "raccourcit" la pointe, les plantes auront plus de branches. En pinçant les plantes d'un groupe à quelques jours d'écart, on prolongera la floraison de l'ensemble.

◁ ÉCLAIRCIR
*Au milieu du printemps ou à la fin, quand les plantes atteignent un quart ou le tiers de leur hauteur définitive, pincez ou coupez les pousses faibles à la base. N'en éliminez pas plus d'une sur trois. Les tiges plus robustes produiront de plus belles fleurs et auront moins besoin de support.*

PINCER ▷
*Quand les tiges ont atteint un tiers de leur hauteur définitive, pincez-les à 2,5-5 cm de la pointe de croissance. Cela encouragera la formation et l'éclosion de bourgeons au niveau des aisselles des feuilles plus basses et la plante buissonnera davantage.*

## SUPPORTS ET TUTEURS

Les vivaces, annuelles et bisannuelles, qui sont grandes et fragiles et celles qui ont tendance à retomber, auront sans doute besoin de soutien, surtout dans les zones venteuses et exposées. Mieux vaut placer les supports de bonne heure dans la saison ; ainsi, ils seront masqués par les plantes une fois grandies. Quand vous enfoncez les tuteurs, veillez à ne pas endommager les racines. Pour plus de stabilité, ils devraient être insérés à environ un tiers de leur longueur. Ils sont relativement coûteux, mais on peut les réutiliser. Il est aussi possible de recourir à du grillage de gros calibre attaché à des cannes, pour étayer les plus grandes espèces, ou en forme de dôme dans le cas des plus petites.

### ASTUCES

• Les tuteurs en bois pour les pois sont discrets et bon marché. Plantez-en plusieurs autour d'une touffe, orientés vers le milieu et attachez-les.

• Insérez une canne solide au milieu d'un petit groupe de plantes ou de tiges avec des attaches en rayons formant une boucle autour de chaque tige.

◁ **CANNE ET FICELLE**
*Pour les plantes hautes à tige unique, insérez une canne sur les 2/3 de la hauteur finale de la tige quand la plante mesure 25 cm. Liez avec de la ficelle sans serrer avec des boucles en 8 à mesure que la plante pousse.*

**COURONNE DE CANNES** ▷
*Pour les espèces basses à tiges faibles, placez des cannes en couronne autour de la plante et encerclez le tout avec de la ficelle souple. Faites une boucle autour de chaque canne pour la maintenir en place.*

△ **TUTEURS EN FIL DE FER.** *Pour les espèces à touffes hautes (marguerites de la St-Michel, certaines campanules), enfoncez des tuteurs en fil de fer dans le sol et extrayez-les à mesure que la plante grandit.*

△ **UN GRILLAGE EN GUISE DE SUPPORT**
*Idéal pour les grandes plantes retombantes. Disposez-le de bonne heure dans la saison. À mesure que les tiges poussent à travers, elles le masqueront.*

**VOIR AUSSI :** Les engrais, p. 153 ; Les vivaces, p. 163.

# FLEURS FANÉES

À moins de vouloir sauvegarder des capitules ornementaux ou des graines, il convient de couper les fleurs fanées avec un sécateur bien aiguisé pour faire une coupe nette. L'énergie est détournée de la production de graines vers une nouvelle croissance, d'où une prolongation de la saison de floraison. Pour les plantes qui émettent des pousses latérales sur leurs rameaux fleurissants, comme le Phlox paniculata, en éliminant la fleur centrale, on encourage ses pousses latérales à s'épanouir. Pour celles qui fleurissent sur une seule tige, tels les delphiniums et les lupins, la suppression de la tige florale à la base peut entraîner l'émergence d'une deuxième floraison plus tard dans la saison, moins profuse.

△ **PHLOX**
*Trouvez la base de la tige en dessous du capitule central et supprimez le bouquet fané d'une coupe nette juste au-dessus d'une paire de pousses latérales. Cela en incitera d'autres à croître qui fleuriront plus tard dans la saison.*

△ **DELPHINIUM**
*Les grands delphiniums produisent un épi floral principal et quelques petites pousses latérales au début et au milieu de l'été. Rabattez tout l'épi à sa base quand il se fane. La plante aura des chances de refleurir en automne.*

△ **LAVANDE**
*Tailler les fleurs de lavande à la mi-été provoque rarement une remontée, mais en empêchant la production de graines, on détourne l'énergie en vue d'une croissance compacte et buissonnante. Les fleurs séchées coupées embaumeront la maison.*

# NETTOYAGE D'AUTOMNE

Certaines vivaces, les herbes notamment, s'ornent en hiver de jolis capitules ; d'autres sont un peu protégées du froid si elles conservent leurs feuillages. Mieux vaut cependant les rabattre à l'automne. Éliminez les feuilles mortes et les tiges à leur base. Extrayez les annuelles et les bisannuelles qui ont fini de fleurir, désherbez et paillez le parterre.

**RABATTRE LES VIVACES** ▷
*Utilisez un sécateur ou une cisaille manuelle pour éliminer toutes les pousses mortes ou fanées à la base. Dans le cas de la plupart des vivaces, toute la cime devrait être supprimée pour éviter qu'elle abrite des maladies pendant l'hiver.*

# RAJEUNIR LES VIVACES

La plupart des vivaces bénéficient d'une division tous les trois à cinq ans, ou un an sur deux dans le cas des espèces tapissantes vigoureuses comme *Stachys* et *Ajuga*. Si on les laisse devenir trop ligneuses et surchargées, elles grandiront et fleuriront moins aisément. En les dépiquant et en les divisant, on régénère la plante et on peut aussi retourner la terre autour du site, l'améliorer, lui apporter de l'engrais et la désherber.

Les vieilles tiges ligneuses, trop serrées, produisent peu de feuilles et de fleurs nouvelles

La cime devient éparse et rabougrie

△ **PRÊT POUR LA DIVISION**
*Cet Heuchera ligneux, surchargé, a perdu de sa vigueur et de son attrait. En le dépiquant, le divisant et le repiquant dans une nouvelle terre, on l'assainira et on le renforcera.*

▽ **DÉPIQUER ET STOCKER**
*Les plantes à diviser peuvent être dépiquées et stockées temporairement pendant que l'on prépare la terre en y incorporant des matières organiques pour améliorer le sol.*

Du compost et de l'écorce humide sur les racines évite le dessèchement

Nouveaux plants divisés prêts à être repiqués

# SAUVEGARDER LES GRAINES

Conserver les graines des annuelles, bisannuelles et de certaines vivaces est un moyen simple et économique d'accroître votre stock. Les graines de la plupart des espèces produisent des plants presque identiques à la plante mère ; ce n'est pas le cas de tous les cultivars. Gardez au sec les graines d'espèces ayant de bonnes caractéristiques car l'humidité risque de les faire pourrir.

◁ **RÉCOLTER LES GRAINES**
*Il convient de les récolter lorsqu'elles sont sèches et juste à maturité. Ayez à l'œil les capitules en cours de mûrissement (ici, une rose trémière). L'idée est de les récupérer juste avant qu'elles commencent à se disperser.*

Capitule encore verte et étroitement fermée

Le capitule s'entrouvre quand elle est mûre ; récupérez les graines avant qu'elles se dispersent naturellement

**CONSERVER LES CAPSULES** ▷
*Certaines plantes telles le polemonium comportent des capsules de graines qui explosent à maturité ; récupérez les capitules sur les tiges dès qu'ils brunissent. Placez-les dans un sac en papier étiqueté ; les graines se déverseront dans le sac quand la capsule explosera.*

**VOIR AUSSI :** Multiplier les plantes, pp. 162-163

# COMMENT ENTRETENIR LES ARBUSTES

Si l'on n'en prend pas soin, la plupart des arbustes pousseront trop, tout en longueur et fleuriront peu. Pour l'éviter, il faudra s'en occuper : les arroser, les nourrir et les pailler, le cas échéant. L'élagage permet par ailleurs de les garder en bonne santé, nets et florissants. Les tailles ont plusieurs objectifs : éliminer les pousses malades, endommagées ou mortes, contrôler la forme et les dimensions du spécimen et stimuler une nouvelle croissance vigoureuse, surtout s'il s'agit d'une variété florissante. Exécutées convenablement et au moment approprié, ces opérations devraient permettre à l'arbuste de vous donner satisfaction pendant des années.

## TAILLES

Utilisez un sécateur *(voir ci-dessous)* pour toutes les tiges tendres et les branches jusqu'à 1 cm de diamètre. Effectuez une coupe nette et rapide sans écraser ou déchirer le bois. Recourez à un élagueur pour les rameaux allant jusqu'à 2,5 cm de diamètre ; au delà, équipez-vous d'une scie à élaguer. Les lames doivent être propres et aiguisées.

△ **MÉTHODE INCORRECTE**
*Ici, le sécateur est tenu dans la position "normale", mais la lame la plus épaisse se trouvant près de la tige, elle détermine l'emplacement de la coupe, en l'occurrence trop loin de la tige principale.*

△ **CHICOT MALSAIN**
*En pratiquant la coupe trop loin de la tige principale, on laisse un "chicot", vulnérable à l'infection ou au dépérissement, d'où un affaiblissement de tout le végétal.*

△ **MÉTHODE CORRECTE**
*Placez la lame étroite du sécateur près de la tige principale ; la coupe peut alors être effectuée exactement à l'endroit voulu. La blessure guérira plus vite et la barrière naturelle de défense restera intacte.*

## BONNES ET MAUVAISES COUPES

La plupart des arbustes ont des systèmes de défense qui réagissent à la moindre "blessure". Des substances chimiques naturelles constituent une barrière à la maladie en formant un tissu cicatriciel pour protéger la lésion. En élaguant, encouragez ce processus en faisant des coupes petites et nettes, dans des endroits où les défenses de la plante sont fortes, par exemple à la pointe d'une tige où un bourgeon ou une feuille émerge *(voir ci-dessous)*. Taillez un jour sec et clair car l'humidité peut entraver la guérison.

Une coupe nette, en biais permet à l'eau de s'évacuer du bourgeon.

La coupe est trop proche du bourgeon et trop inclinée.

Coupe horizontale, trop haute au-dessus du bourgeon

Grande entaille déchiquetée qui a endommagé le bourgeon et déchiré les tissus

**UN BON ÉLAGAGE** ▷
*Utilisez un sécateur bien aiguisé, orienté correctement pour effectuer une petite coupe nette qui n'entame pas les défenses de la plante de sorte que la blessure puisse guérir aisément. Élaguez par temps clair et sec pour éviter toute infection par des spores fongiques transmises par les gouttes de pluie ou l'air.*

Coupez au-dessus d'une ramification de feuille ou de bourgeon, où les défenses sont les plus fortes.

Le chicot dépérira et laissera accès à la maladie

La coupe empiète sur le nœud et les défenses naturelles de la plante

Une grande blessure a du mal à guérir

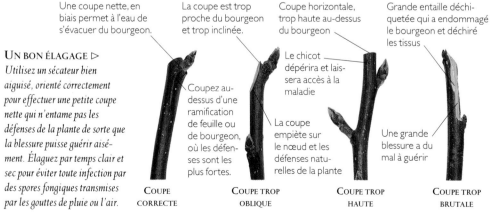

| COUPE CORRECTE | COUPE TROP OBLIQUE | COUPE TROP HAUTE | COUPE TROP BRUTALE |

## LA RAMIFICATION

Les branches des arbustes sont disposées, soit en vis-à-vis, soit alternes. Les branches alternes naissent de bourgeons placés de part et d'autre de la tige à intervalles irréguliers. Les branches en vis-à-vis émergent par paires de la même ramification sur les côtés opposés de la tige.

△ **ÉLAGUER DES ARBUSTES À BOURGEONS EN VIS-À-VIS.** *Coupez le rameau à l'horizontale à 5 mm au-dessus d'une ramification de la tige comportant une paire de bourgeons sains. Deux tiges vigoureuses devraient émaner de ces bourgeons. Dans ce cas, une coupe droite et nette est préférable.*

La lame coupante du sécateur est placée au plus près du bourgeon

△ **ÉLAGUER DES ARBUSTES À BOURGEONS ALTERNÉS.** *Faites une coupe en biais, à 5 mm environ au-dessus du bourgeon et inclinée dans l'autre sens ; le point le plus bas de la coupe devrait être à l'opposé de la base du bourgeon. Cet angle permet à l'eau de pluie de s'évacuer le cas échéant, ce qui réduit le risque d'infection dû à des spores fongiques.*

**VOIR AUSSI :** Les arbustes, p. 158-159 ; Les rosiers, pp. 160-161.

# POURQUOI ÉLAGUER ?

Parmi les bonnes raisons : l'élimination des tiges en mauvais état pour garantir une croissance saine, l'amélioration de la qualité des feuilles et des fleurs, le façonnage des jeunes plants et le rajeunissement des moins jeunes. Un choix de plantes adéquates à l'espace disponible permet de limiter, sinon d'éviter, la taille destinée à limiter l'expansion.

△ **POUSSES FAIBLES**
*Coupez à leur point d'origine toute pousse mal formée, faible ou trop en longueur, ainsi que tout rameau orienté dans la mauvaise direction car il peut gâcher l'allure de l'arbuste.*

△ **RAMEAUX CROISÉS**
*Les rameaux croisés se frottent et provoquent un "encombrement", pouvant endommager l'écorce et accroître les risques d'infection. Éliminez-les ou rabattez-les.*

△ **RAMEAUX MORTS**
*Rabattez jusqu'à un rameau vivant. Si une démarcation peut être déterminée entre bois mort et vivant, indice d'une barrière naturelle, il faut couper au-dessus.*

△ **RAMEAUX MALADES**
*Les maladies comme la clavaire se propagent si vite que la plante n'a pas le temps de lutter contre ; rabattez jusqu'à un rameau net et sain et brûler les tiges atteintes.*

Cette jeune pousse tendre est endommagée, mais il n'y a pas de démarcation nette entre les tissus sains et atteints.

Les tissus en haut des tiges sont mourants ; si des pustules sont visibles, le bois est mort

La clavaire s'achemine vers la base de la tige et rien n'indique la présence d'une barrière naturelle

△ **DOMMAGE DÛ AU GEL**
*Attendez que tous les risques de gel soient passés pour couper les rameaux endommagés, jusqu'à une feuille, un bourgeon ou une pousse appartenant à un tissu sain.*

△ **ÉLIMINER LES POUSSES EN RÉVERSION**
*Dans le cas des arbustes panachés, les pousses en réversion, toutes vertes, sont plus vigoureuses que leurs homologues panachés et finiront par dominer. Éliminez-les dès que possible en les coupant à leur point d'origine.*

△ **VIEILLES BRANCHES**
*Coupez à la base toutes les vieilles branches qui ne fleurissent plus. Cela régénère la plante en encourageant la production de nouveaux rameaux vigoureux en remplacement.*

△ **BRANCHES ABÎMÉES**
*Une pousse abîmée peut être coupée à la base ; si l'on souhaite un rameau de remplacement au même endroit, rabattre jusqu'à un bourgeon nettement en dessous.*

---

# DONNER UNE FORME À UN ARBUSTE

Les arbustes persistants acquièrent en général naturellement une forme compacte et régulière. Élaguez-les au milieu ou à la fin du printemps, mais juste pour éliminer les rameaux malades, faibles, endommagés par le gel, ou bien pour raccourcir les branches. La taille initiale des arbustes caducs doit avoir lieu une fois qu'ils ont eu une saison de croissance pour s'établir, quand les feuilles sont tombées. Le but de l'opération est de garder la partie centrale aérée afin de permettre à la lumière de pénétrer et à l'air de circuler tout en garantissant à l'arbuste une charpente solide.

## TAILLER LES ARBUSTES CADUCS QUI FLEURISSENT SUR D'ANCIENS RAMEAUX
Certains arbustes fleurissent sur les branches apparues l'année précédente. Dans ce cas, le premier élagage a pour objet de créer une charpente solide et aérée qui suscitera une croissance saine et une belle floraison. Éliminer les branches non désirées quand l'arbuste est jeune garantit une guérison rapide et un moindre stress pour le végétal.

## TAILLER LES ARBUSTES CADUCS QUI FLEURISSENT SUR DES RAMEAUX NOUVEAUX
Les arbustes qui fleurissent sur les branches poussées l'année même doivent être rabattus chaque printemps jusqu'à leur charpente permanente. Établissez celle-ci dès le premier printemps en supprimant tous les rameaux faibles ou mal placés tout en en conservant quelques-uns vigoureux et bien espacés.

Supprimez tous les rameaux faibles, grêles, soit à leur point d'origine soit au niveau du sol

Coupez toutes les branches qui croisent le centre de la plante, soit à leur point d'origine, au niveau d'un bourgeon, ou d'une tige, bien placé et tourné vers l'extérieur

Raccourcissez les pointes de tout rameau trop long gâchant la charpente équilibrée de la plante ; toujours rabattre jusqu'à un bourgeon sain

Taillez les branches jusqu'à un bourgeon orienté vers l'extérieur ; on pourra élever la charpente l'année suivante si on le souhaite

**VOIR AUSSI :** Les rosiers, pp. 160-161 ; Les arbustes, pp. 158-159 ; Les arbres fruitiers, pp. 262-263

# Comment tailler les arbustes

La première chose qu'il faut savoir avant d'élaguer un arbuste est l'âge des rameaux qui fleurissent. Si la taille a lieu au mauvais moment, vous risquez de les éliminer. En règle générale, les espèces fleurissant sur les rameaux de l'année en cours s'épanouissent au milieu de l'été, ou après ; on les ébranche à la fin de l'hiver ou au début du printemps. Ceux qui fleurissent sur les branches de l'année précédente s'épanouissent quant à eux entre la fin de l'hiver et le début du printemps ; on les taille après la floraison. Il existe différentes techniques d'élagage selon le mode de croissance des espèces, mais dans tous les cas, tous les rameaux malades, endommagés ou morts doivent être supprimés au plus tôt.

## Élagage des arbustes caducs

Sans élagage, la plupart des arbustes dégénèrent au fil des années ; les branches deviennent trop serrées et les tiges tous azimuts gâchent l'équilibre. Les tailles régulières ont pour but de conserver une charpente aérée, équilibrée faite de branches productives. Quelques arbustes généralement à croissance lente, comme *Acer palmatum, Magnolia stellata,* ou *Hamamelis,* ne requièrent pas et ne tolèrent pas plus qu'une taille minimale. Coupez suivant les besoins de l'espèce concernée.

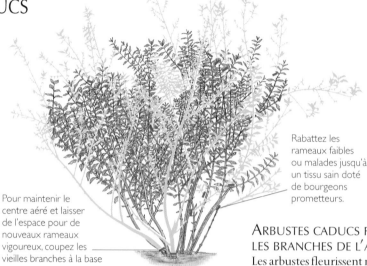

Pour maintenir le centre aéré et laisser de l'espace pour de nouveaux rameaux vigoureux, coupez les vieilles branches à la base

Rabattez les rameaux faibles ou malades jusqu'à un tissu sain doté de bourgeons prometteurs.

△ **Rameau fleuri**
*Coupez les tiges fleuries jusqu'à un rameau non fleurissant ou un bourgeon sain orienté dans la direction souhaitée.*

### Pense-bête

L'emplacement des coupes détermine l'orientation future des nouveaux rameaux ainsi que leur vigueur. Ils pousseront à partir d'un bourgeon dans la direction où pointe celui-ci. Dès lors qu'un arbuste tolère un élagage copieux, plus vous le taillerez, plus ses pousses seront vigoureuses.

◁ **Vieilles tiges**
*Coupez entre un tiers et un quart des plus vieux rameaux à 5-8 cm du sol juste après la floraison. Les nouvelles pousses fleuriront l'année suivante.*

### Arbustes caducs fleurissant sur les branches de l'année précédente

Les arbustes fleurissent mieux sur des rameaux jeunes, vigoureux et bien mûris. Ceux qui s'épanouissent de bonne heure dans l'année sur des branches produites l'année précédente sont taillés juste après la floraison afin que les nouvelles pousses aient toute une saison pour mûrir. À mesure que le bois vieillit, il tend à moins fleurir ; mieux vaut le supprimer pour laisser la place à de jeunes rameaux plus robustes et plus fleuris.

## Élagage des arbustes persistants

La majorité des persistants ont besoin d'un élagage minimal, en dehors de l'élimination de routine des rameaux morts, malades ou endommagés. Les pousses trop longues ou mal placées qui gâchent la symétrie de la plante peuvent être taillées et les branches trop serrées éclaircies. Les persistants à fleurs, surtout jeunes, bénéficient d'une coupe régulière de leurs fleurs fanées. Les espèces cultivées pour leur feuillage, tel l'aucuba du Japon (*Aucuba japonica*), tolèrent un élagage important, notamment si elles constituent un écran, une haie ou un spécimen taillé. Quelle que soit la période de floraison, il est préférable de tailler vers le milieu ou la fin du printemps, quand le danger de gel est passé.

Rabattez les pousses trop longues ou désordonnées qui gâchent la symétrie

Éliminez les capitules à mesure qu'elles se fanent en prenant soin de ne pas abîmer les bourgeons en dessous

### Couper les fleurs fanées des persistants

Tous les arbustes persistants bénéficient de la suppression des fleurs fanées dès que possible. Avec un sécateur, coupez les tiges fleuries jusqu'à une branche saine, non fleurissante ou un bourgeon bien renflé tourné vers l'extérieur. Pour les rhododendrons et les camélias, les bourgeons des nouvelles feuilles apparaissent juste en dessous des capitules. Pincez les fleurs fanées pour ne pas les endommager.

◁ **Fleurs fanées de rhododendrons**
*Les bourgeons de feuilles apparaissent après la floraison, juste en dessous du capitule. Pincez les grappes florales fanées au plus tôt avant qu'ils commencent à grandir.*

**Voir aussi** : Les arbustes, pp. 156-157 ; Les rosiers, pp. 160-161

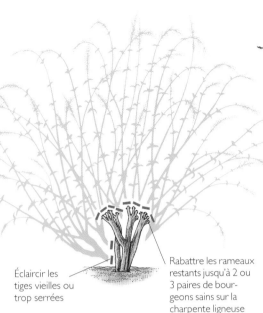

Éclaircir les tiges vieilles ou trop serrées

Rabattre les rameaux restants jusqu'à 2 ou 3 paires de bourgeons sains sur la charpente ligneuse

◁ **FLEUR FANÉE**
*Rabattez les rameaux fleuris (ici un arbre aux papillons) jusqu'à des bourgeons ou des pousses latérales afin de concentrer l'énergie de la plante sur la floraison future.*

## ARBUSTES FLEURISSANT SUR LES RAMEAUX DE L'ANNÉE EN COURS

C'est le cas des buddlejas qui sont élagués en fin d'hiver ou au début du printemps, au moment où les bourgeons commencent à grossir afin qu'il soit aisé de distinguer les bourgeons sains. Le but est de produire une cime bien équilibrée de nouvelles pousses vigoureuses émergeant chaque année d'une charpente ligneuse, basse et permanente. Si davantage de poids est nécessaire, rabattez la charpente moins rigoureusement.

## ÉLAGUER LES HYBRIDES DE L'HYDRANGEA

Chaque année, au début ou en milieu de printemps, coupez les capitules de l'année précédente jusqu'à la première paire de bourgeons en dessous sans les endommager. Taillez un tiers à un quart des plus vieux rameaux à la base pour faire naître des branches vigoureuses en remplacement.

## NOUVEAUX RAMEAUX PRODUITS À LA BASE

Certaines espèces se munissent chaque année à la base de tiges semblables à des cannes et fleurissent au niveau de leurs pointes, ou à proximité. Le *Kerria japonica* fleurit au printemps sur les rameaux de l'année précédente ; on l'élague après la floraison. D'autres, tel le *Leycesteria formosa*, s'épanouissent en fin d'été et sont taillés au printemps. Dans les deux cas, on supprime une partie des vieilles cannes chaque année.

Couper un tiers ou un quart des plus vieux rameaux fleurissants à la base pour encourager une croissance vigoureuse en remplacement

Rabattre les tiges fleuries sur les plus jeunes rameaux jusqu'à des bourgeons ou pousses latérales robustes plus bas sur les cannes

## CRÉER DES RAMEAUX COLORÉS

Les qualités ornementales des espèces qui produisent en hiver des rameaux colorés, comme le *Cornus alba*, à branches rouges, sont mises en valeur si on les taille à la base au début du printemps. C'est aussi le cas des plantes à jeune feuillage vif.

Rabattez toutes les tiges à 2 ou 3 bourgeons de la base ; apportez de l'engrais et paillez pour compenser

# RAJEUNIR LES VIEUX ARBUSTES

Si vous héritez d'arbustes négligés ou trop denses, vous pouvez prolonger leur existence, dès lors qu'ils sont sains, en les élaguant copieusement. Procédez toujours par étapes sur deux ou trois saisons. La plante en sera moins choquée et le jardin continuera à être fourni. Vous risquez de perdre les fleurs d'une saison, mais les nouveaux rameaux plus forts seront une bonne compensation.

## RÉNOVER UN ARBUSTE NÉGLIGÉ

Taillez les espèces caduques à la mi-automne ou à la mi-printemps et les persistants en milieu ou fin de printemps. Coupez de moitié les rameaux anciens et raccourcissez les autres. Donnez de l'engrais et paillez. Les deux saisons suivantes, rabattez les vieilles branches et éclaircissez les nouvelles pousses manquant de vigueur autour des anciennes coupes.

Éliminez les branches mortes, malades ou endommagées et rabattez la moitié environ des vieux rameaux à la base ; ensuite taillez les tiges saines restantes à la moitié de leur longueur

Supprimez ou raccourcissez jusqu'à un bourgeon les pousses latérales émergeant des branches principales qui poussent en travers du centre de l'arbuste ou qui en frottent d'autres

◁ **POUSSES SAINES**
*Après avoir éliminé une partie des vieux rameaux, raccourcissez de moitié les tiges saines restantes jusqu'à une pousse ou un bourgeon latéral.*

△ **VIEILLES BRANCHES**
*Repérez la moitié des tiges plus anciennes et moins productives et rabattez-les à 5-8 cm du sol avec un élagueur ou un sécateur.*

**VOIR AUSSI :** L'entretien des massifs, pp. 152-153 ; Les rosiers, pp. 160-161

# COMENT TAILLER ET ENTRETENIR LES ROSIERS

Pour que vos rosiers restent beaux, il faut les nourrir et les pailler après l'élagage. Les buissonnants tirent profit d'un apport d'engrais supplémentaire après la première floraison. Éliminez les fleurs fanées et les pousses basales indésirables, les drageons, et taillez avec soin. Les espèces différentes requièrent des méthodes d'élagage distinctes pour être à leur avantage. Par ailleurs, les rosiers sont la proie de divers maux (*voir pp. 294-311*), surtout s'ils sont plantés en nombre. Pour éviter ce problème, traitez parasites et maladies et élaguez par temps clair et sec, sans gelée. L'élagage des rosiers a pour principal objectif de garder la plante saine et vigoureuse tout en optimisant la floraison durant toute la saison.

## COUPE AUTOMNALE

La plupart des rosiers bénéficient d'une taille initiale à l'automne. Pour aérer la partie centrale, coupez jusqu'à des bourgeons orientés vers l'extérieur. Sur les pousses arquées, ou pour remplir le centre avec de nouveaux rameaux, rabattez jusqu'à un bourgeon pointant vers le haut ou l'intérieur.

Les tiges longues, battues par les vents, risquent de secouer et de déloger les racines

Ce bourgeon sain, renflé donnera une nouvelle pousse dans la direction souhaitée

Une coupe en biais évacuera l'eau du nouveau bourgeon sur le point d'éclore

Une tige saine sans décoloration ni signe de maladie

◁ **UNE COUPE PARFAITE**
*Coupez en oblique juste au-dessus d'un bourgeon, dans le sens opposé à celui-ci. Le bas de la taille doit se trouver au niveau de la base du bourgeon.*

△ **AVANT LA TAILLE**
*Dans les sites exposés et les climats froids, la plante peut être endommagée en cas de vents forts. Une coupe à l'automne minimisera ces risques.*

△ **APRÈS LA TAILLE**
*Les branches ont été raccourcies de moitié ou d'un tiers. Après une gelée ou un vent violent, tassez soigneusement la terre à la base de la plante.*

## ÉLIMINER LES DRAGEONS

Ce sont des pousses non désirées qui émergent en général durant la saison de croissance de la base du rosier, parfois à une petite distance de là. Les feuilles sont généralement plus petites, d'une forme distincte ou d'une teinte différente du reste de la plante. Il convient de les supprimer systématiquement dès leur apparition.

### POURQUOI

#### POURQUOI ÉLIMINER LES DRAGEONS ?

La plupart des rosiers consistent en une plante greffée sur le système de racine ou rhizome d'une autre, ceci afin d'augmenter la vigueur ou la longévité de l'espèce fleurissante. Le porte-greffe est souvent plus vigoureux que la plante greffée, et si on les laisse pousser, ses drageons finiront par envahir cette dernière. En les éliminant, on fait en sorte que la vigueur des racines soit transmise à la plante greffée.

△ **COMMENT ÉLIMINER LES DRAGEONS**
*Grattez doucement le sol et retrouvez le point d'origine du drageon, soit sur la tige soit sur la racine en dessous du greffon. Muni de gants épais, saisissez-le fermement et tirez d'un coup sec. Ce n'est pas toujours facile, mais le drageon a moins de chances de repousser si on l'extirpe au lieu de le couper car on supprime également d'éventuels bourgeons dormants.*

## FLEURS FANÉES

Couper les fleurs fanées des rosiers remontants à floraison multiple détourne l'énergie de la production de graines au profit de celle d'autres fleurs. Pour les espèces qui ne fleurissent qu'une fois, cela stimule la formation de nouvelles tiges vigoureuses. Ne coupez pas les fleurs fanées des rosiers qui se parent de jolies baies en fin d'été et à l'automne.

△ **FLORAISON UNIQUE**
*Rabattez les tiges fanées jusqu'à un bourgeon ou un rameau vigoureux tourné vers l'extérieur afin de faire naître un nouveau rameau fleurissant.*

**GRAPPES DE FLEURS** ▷
*Dans le cas des roses en grappes, le bouquet central se fane en premier. Pincez-le ou coupez-le net pour mettre les autres fleurs en valeur.*

◁ **GRAPPES FANÉES**
*Quand toutes les fleurs d'une grappe sont fanées, supprimez celle-ci en remontant jusqu'à un bourgeon naissant ou une tige pleinement formée. Faute de bourgeon apparent, coupez à la hauteur désirée, ce qui devrait stimuler un bourgeon dormant. S'il reste un "chicot" au-dessus de cette nouvelle pousse, coupez-le plus tard.*

**VOIR AUSSI** : Les rosiers, p. 151 ; L'entretien des massifs, pp. 152-153 ; Les arbustes, pp. 156-159

# TAILLE DES ROSIERS ÉTABLIS

Tout d'abord, éliminez les rameaux malades, endommagés ou morts. Les rosiers buissonnants Patio, Polyantha et Miniature sont traités comme ceux à grappes, les tiges et pousses latérales devant être raccourcies d'un tiers à une moitié. Taillez les rosiers tapissants quand ils sont dormants ; raccourcissez les longues branches jusqu'à des bourgeons tournés vers l'extérieur. Pour les contenir dans un emplacement précis, taillez les pousses latérales si elles sont trop nombreuses ; pour régénérer la plante, éliminez un vieux rameau sur trois.

Pour que le rosier reste compact et fleurisse abondamment, coupez les pointes d'une partie des pousses latérales sur les bords de la plante

Quand les tiges sont trop serrées et quand les plus anciennes deviennent moins productives, coupez-en une ou deux à la base jusqu'à un bourgeon tourné vers l'extérieur

Après avoir éliminé les tiges faibles, raccourcissez le reste à 25-30 cm du sol et les pousses latérales à 2 ou 3 bourgeons des rameaux principaux

## ROSIERS MODERNES

Les rosiers modernes, même les hybrides musqués et les rugosas, sont remontants. Taillez-les hors période de croissance, au début du printemps. Un élagage léger suffit pour conserver leur forme. Ne rabattez pas les tiges principales au-delà d'un tiers, les pousses latérales seront coupées de moitié ou des deux tiers ; supprimez un vieux rameau sur trois.

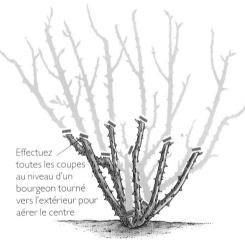

Effectuez toutes les coupes au niveau d'un bourgeon tourné vers l'extérieur pour aérer le centre

## ROSIERS BUISSONNANTS À GROSSES FLEURS.
Ces variétés, baptisées Hybrides de thé, fleurissent tout l'été et devraient être taillées copieusement lorsqu'elles sont dormantes, de préférence en début de printemps. Conservez trois à cinq branches saines et vigoureuses ; rabattez-les à 20-22 cm du sol. Éliminez les rameaux grêles d'une épaisseur inférieure à la moyenne.

## ROSIERS BUISSONNANTS FLEURISSANT EN GRAPPES.
La beauté de ces rosiers, appelés Floribunda, tient à leurs grosses grappes de fleurs. En principe, ils se taillent comme les rosiers buissonnants à grosses fleurs, mais pour donner plus de vigueur aux rameaux porteurs, on coupe moins les tiges ; les pousses latérales sont raccourcies à deux ou trois bourgeons.

### PENSE-BÊTE

#### APPRENEZ À CONNAÎTRE VOS ROSIERS
Les rosiers sont classés en différents groupes : les principaux étant les Espèces, les Modernes et les Anciens, les deux dernières catégories étant elles-mêmes subdivisées. Leurs besoins différent en matière d'élagage selon leur type de croissance et leur mode de floraison, s'il s'agit d'une espèce remontante ou à floraison unique. Consultez l'étiquette au moment de l'achat ; elle vous indiquera le groupe concerné et vous fournira ainsi des informations vitales sur la taille requise.

# TAILLER LES VIEUX ROSIERS

Les rosiers anciens sont réputés pour leur grâce et leur majesté que l'élagage a pour but de préserver. La plupart ne fleurissent qu'une fois par an, au milieu de l'été, et doivent être taillés juste après, selon deux méthodes distinctes en fonction de leur port. Certains, comme les China, les Bourbon et les Portland, s'épanouissent à maintes reprises tout l'été ; taillez-les comme les rosiers arbustifs modernes, quand ils sont dormants, de préférence au début du printemps.

△ **ROSIERS ALBA, DAMASK, CENTIFOLIA ET MOSS**
*Des arbustes à port étalé et branches nombreuses, souvent gracieusement arquées. Après la floraison, réduisez les tiges principales et les pousses latérales d'un tiers jusqu'à un rameau ou un bourgeon sain. À maturité, éliminez une vieille tige sur quatre afin d'encourager l'apparition de remplaçantes. Taillez tout rameau trop long et faible à l'automne pour limiter les dégâts dûs au vent.*

△ **ROSIERS GALLICA**
*Ce sont des espèces denses, à rameaux nombreux, fins et épineux. Après la floraison, éclaircissez en rabattant les pousses latérales jusqu'aux deux tiers de leur longueur. Coupez aussi toutes les tiges trop longues jusqu'à un tiers. À maturité, éliminez un vieux rameau sur deux près du sol tous les un à trois ans.*

VOIR AUSSI : Les rosiers, p. 139 ; Les roses, p. 147 ; Les arbustes, pp. 156-157

# COMMENT MULTIPLIER LES PLANTES

Les semis et la division des plantes à maturité sont des moyens simples et bon marché d'augmenter vos stocks. Quelques graines ont besoin d'un traitement avant de germer : pour les épaisses, comme celles du lupin, frottez-les délicatement entre deux feuilles de papier émeri ; pour celles qui contiennent des inhibiteurs chimiques, tel le cyclamen, faites-les tremper dans de l'eau claire. Dans le cas des graines qui ont besoin de froid, semez à l'extérieur en automne ou au printemps après les avoir entreposées quelques semaines au réfrigérateur. Suivez scrupuleusement les instructions figurant sur le sachet. La division est une méthode rapide et facile de multiplier les vivaces qui poussent en touffes.

## SEMIS EN POTS

La plupart des graines sont semées entre la fin de l'hiver et le début du printemps. Celles provenant de plantes du jardin fleurissant au début ou au cœur de l'été peuvent être mises en terre immédiatement. Un pot de 9-13 cm ou un demi-pot devrait suffire. Couvrez les graines qui ont besoin de lumière pour germer avec une couche de vermiculite fine de 5 mm. Pour la plupart des graines, une température de 15° est idéale pour la germination. Les espèces résistantes préfèrent 10° ; les semi-résistantes et les espèces vulnérables au gel ont besoin d'un minimum de 15-21°. Les semis requièrent beaucoup de lumière, mais pas de soleil direct, qui risquerait de les brûler. Lors du repiquage, maniez les jeunes plants délicatement en les tenant par les feuilles. Les tiges pourriront si elles sont endommagées.

### CULTIVER DES PLANTS EN SEMIS

**1 PRÉPARER LE POT**
*Remplissez un récipient, ici un pot de 13 cm de terreau pour semis humide et tassez doucement pour éliminer les poches d'air. La surface finale ne devrait pas se trouver à plus d'un centimètre en dessous du bord.*

**2 SEMER LES GRAINES**
*Semez aussi finement et régulièrement que possible en surface en tapotant doucement les graines hors d'un papier plié, lisse et propre, ou directement avec le sachet.*

**3 COUVRIR DE TERREAU**
*Couvrez les graines avec une couche de terreau finement tamisé ou de vermiculite. Étiquetez le pot et arrosez avec une pomme fine ou en plaçant le pot dans un plateau rempli d'eau jusqu'à ce que la surface du terreau brille. Laissez l'eau s'écouler.*

**4 COUVRIR LE POT**
*Posez une vitre, ou du film plastique, sur le pot pour minimiser la perte d'humidité. Placez-le à la lumière, mais pas au soleil, dans une serre, un châssis froid ou un germoir. Retirez le couvercle au moment de la germination.*

**5 REPIQUER LES JEUNES PLANTS**
*Quand les jeunes plants ont deux feuilles, transplantez-les dans des pots individuels. Mieux vaut utiliser des récipients biodégradables (voir encart) pour les plantes à racines fragiles.*

**6 FORTIFIER ET PLANTER**
*Quand les jeunes plants ont acquis de bonnes racines qui remplissent presque le pot, commencez par les fortifier en les plaçant dehors de plus en plus longtemps chaque jour afin qu'ils s'habituent au frais. Ensuite, plantez-les en pleine terre.*

### PENSE-BÊTE

L'une des principales causes d'échec des semis est la moisissure par excès d'humidité, ce qui se traduit par l'apparition d'une couronne brune à la base de la tige. Ce mal est provoqué par des champignons qui se multiplient dans le terreau en cas de lumière insuffisante et d'humidité chaude. Les semis trop denses suscitent leur prolifération. Pour évitez ce problème, utilisez du terreau frais, semez finement, ventilez bien et apportez une bonne lumière.

## GRAINES FINES

Certaines plantes, comme les bégonias, produisent des graines très fines, difficiles à semer finement, d'où un risque de pourriture. Mieux vaut les mélanger à du sable fin. Pour éviter que toutes les graines se concentrent, arrosez en faisant tremper le pot dans de l'eau propre jusqu'à ce que le haut du terreau soit uniformément humide.

### SEMER DES GRAINES FINES

**1 LES MÉLANGER AVEC DU SABLE**
*Placez une petite quantité de sable fin et sec dans un sac en plastique. Munissez-vous d'un papier plié en guise d'entonnoir pour mettre les graines dans le sac. Secouez bien.*

**2 SEMER EN SURFACE**
*Formez un entonnoir avec un papier propre plié, mettez-y le mélange de graines et de sable et semez sur la surface du terreau en tapotant doucement. Arrosez par en dessous.*

VOIR AUSSI : Les vivaces, pp. 148-149 ; Les graines, p. 155

# Semer annuelles et bisannuelles

Les périodes de semis diffèrent selon leur vigueur. En plein air, on sème en couches ou à l'endroit où les plantes fleuriront. À l'intérieur, on a recours à une serre, un châssis froid ou un germoir.

■ Semez les annuelles résistantes dehors au printemps (température du sol au moins 7 °C) ou bien en automne.

■ Semez les semi-résistantes ou les annuelles fragiles dehors une fois le risque de gel passé, généralement à la fin du printemps ou au début de l'été. À l'intérieur, semez à la fin de l'hiver ou au début du printemps, à 15-21 °C, et repiquez les plants après les gelées.

■ Semez les bisannuelles dehors ou en pots de la fin du printemps au milieu de l'été. Si vous les semez en couches, transférez-les en pépinière avant de les repiquer à l'automne.

## Semer des graines dans une plate-bande

**1 Préparer le sol pour semer**
*Ratissez jusqu'à obtention d'un terreau fin. Parsemez du sable ou des gravillons en surface ou marquez avec un bâton les pourtours des bancs correspondant aux diverses variétés. Semez finement en rangées peu profondes. Pour un effet naturel, orientez différemment les rangées dans des bancs adjacents. Les semis en rangs sont plus faciles à identifier et à désherber.*

**2 Éclaircir et désherber**
*Étiquetez chaque banc et désherbez bien régulièrement. À ce stade, les semis sembleront un peu rigides, mais une fois éclaircis, ils formeront des masses denses et informelles. Éclaircissez quand la terre est humide et par temps doux en procédant par étapes. Utilisez les jeunes plants éclaircis mais vigoureux pour combler les trous provoqués par une germination insuffisante.*

---

# Diviser les vivaces

La plupart des vivaces forment des touffes de tiges à partir de points de croissance sur leurs racines étalées ou rhizomes, facilitant leur division. Mieux vaut opérer quand elles ne sont pas en pleine croissance, à l'automne, en hiver ou au début du printemps, quand il ne fait pas trop sec et qu'il ne gèle pas. En cas d'hivers rigoureux, mieux vaut s'y prendre au printemps. Les espèces qui fleurissent au printemps ou au début de l'été, comme les épimediums, les pulmonaires et les iris à barbe, s'en sortent mieux si on les divise aussitôt après la floraison et si on les maintient humides.

## Comment diviser des vivaces à maturité

**1 Dépiquer la touffe**
*Soulevez toute la touffe avec une fourche en l'insérant bien à l'écart de la cime pour éviter d'endommager les racines. Secouez autant de terre que possible et éliminez les feuilles et les tiges mortes afin de bien discerner les points de division.*

**2 Découper la touffe.** *De nombreuses espèces en touffes se dotent de nouvelles pousses en bordure et comportent des rameaux plus vieux et moins productifs au centre. Découpez la touffe en sections à l'aide d'une pelle pour séparer les portions ligneuses.*

Veillez à ne pas endommager les racines des jeunes rameaux vigoureux avec la pelle quand vous divisez la touffe

△ **Diviser les vivaces à racines fibreuses**
*Quand vous divisez des plantes à racines fibreuses ou charnues, éliminez la terre autour des racines et de la couronne afin que les bourgeons soient visibles et ne soient pas endommagés. Insérez deux fourches au centre de la touffe, dos à dos, les fourchons proches les uns des autres et les manches à l'écart. Soulevez doucement les manches pour séparer la masse en sections.*

**3 Faire de plus petits éclats racinés**
*Diviser les sections en portions plus petites encore en tiraillant dessus à la main. Cela endommage moins les racines qu'une coupe. Chaque partie devrait disposer d'un bon système de racines et de plusieurs pousses. Éliminez les vieux rameaux ligneux.*

**4 Replanter**
*Les nouvelles divisions devraient être plantées au plus tôt, à la même profondeur que précédemment, dans une terre préparée. Tassez doucement et arrosez copieusement. En cas de délai, conservez les racines à l'humidité et la plante au frais.*

**Voir aussi :** Les vivaces, pp. 148-149 ; Les graines, p. 155

# LE BOUTURAGE

On peut inciter des fragments de végétal, appelés boutures, à former des racines ; c'est l'un des meilleurs moyens de multiplier les arbustes. Prenez des portions de rameaux ayant grandi l'année même et ne présentant ni maladies, ni parasites, ni dommages. Les boutures de jeunes plants vigoureux émettent plus facilement des racines. Évitez les tiges grêles, ou trop vigoureuses. Choisissez-les d'épaisseur moyenne provenant d'un arbuste individuel et présentant une courte distance entre deux lots de feuilles. Pour éviter toute infection fongique susceptible de les tuer, stérilisez tous les outils. On peut aussi recourir à un composé hormonal pour encourager l'enracinement. Autre méthode : le marcottage.

## BOUTURES À BOIS MÛR

Elles conviennent pour les arbustes caducs comme les saules ou les cornouillers ainsi que les persistants tel l'escallonia. Les fragments doivent être prélevés de la fin de l'automne au milieu de l'hiver quand le bois de la saison est mûr et dur. Désherbez bien les boutures et arrosez-les ; tassez à nouveau après les gelées le cas échéant.

△ **BOUTURES DE BOIS MÛR CADUC**
*Taillez les pointes et coupez les tiges en longueurs de 20 cm. Faites une coupe horizontale juste en dessous d'une ramification de tige et une coupe oblique au-dessus et orientée à l'écart d'un bourgeon en haut. Plongez la base dans un composé hormonal. Insérez les boutures à 5 cm d'écart et 5 cm de profondeur dans des pots contenant du terreau, soit en châssis froid, soit à l'extérieur.*

Supprimez les feuilles et les pousses latérales sur la moitié inférieure de la bouture

△ **BOUTURES DE BOIS MÛR PERSISTANT**
*Détaillez des tiges de 20-25 cm. Coupez juste au-dessus de la base d'une feuille en haut et au-dessus d'une autre. Effeuillez la moitié inférieure. Insérez 5-8 fragments dans un pot de 15 cm afin que le feuillage soit juste au-dessus de la surface. Étiquetez et placez dans un germoir chauffé par le bas ou dans un sac plastique transparent. Les racines émergeront entre 6-10 semaines.*

## BOUTURES À BOIS SOUPLE

De nombreux arbustes caducs et persistants peuvent être multipliés à partir de fragments à bois souple, des cotonéasters et mahonias aux lavandes. Coupez-les tôt dans la journée quand leurs réserves d'eau sont au maximum, en milieu ou en fin de printemps ou au début de l'automne. La plupart des boutures à bois souple (semi-aoûtées) demandent une saison pour bien s'enraciner. Fortifiez-les au printemps et en été ; donnez un engrais à action lente en début d'été. Mettez en pot à l'automne, puis plantez sur un site abrité.

Le bois est ferme, mais souple

Le bois est raide et pleinement mûri

La tige est tendre et pleine de sève

La bouture a été coupée sous la ramification d'une tige

**TROP SOUPLE**   **CORRECTE**   **TROP DURE**

△ **IDENTIFIER LES BOIS SEMI-AOÛTÉS**
*La bouture de bois souple idéale provient d'une tige poussée l'année même qui a commencé à se raffermir ; la base est assez dure, la pointe tendre et encore en pleine croissance. Ces rameaux résistent quand on les plie.*

### MULTIPLIER UN ARBUSTE PAR BOUTURES SEMI-AOÛTÉES

**1 COUPER UN FRAGMENT**
*Au milieu ou en fin d'été, choisissez une tige souple et saine, née l'année même (ici, un Aucuba) et coupez-la juste au-dessus d'une articulation de tige avec un sécateur propre et bien aiguisé.*

**2 MAINTENIR HUMIDE**
*Si vous ne vous en servez pas tout de suite, placez-la dans un sac en plastique propre et étiqueté. Conservez-la au frais, hors du soleil quelques heures, ou plusieurs jours au réfrigérateur.*

**3 TAILLER**
*Éliminez les pousses latérales avec un couteau aiguisé. Coupez la tige à 10-15 cm juste au-dessous d'une ramification. Supprimez la pointe tendre et la paire de feuilles la plus basse.*

**4 BLESSER LA BASE**
*Pour stimuler les racines, coupez une étroite lamelle d'écorce de 1-2 cm de long à la base de la tige ; n'exposez pas la moelle.*

**5 HORMONE D'ENRACINEMENT**
*Plongez la base de la bouture dans un composé hormonal pour enracinement. Assurez-vous que toute la blessure reçoit une couche aussi fine que possible, mais régulière. Secouez l'excédent.*

**6 INSÉRER LES BOUTURES**
*Placez les boutures à 5-8 cm d'écart dans un terreau pour boutures et dans une pépinière en plein air (ou en pots dans un germoir). Étiquetez (nom de l'espèce et la date). Arrosez et recouvrez d'une cloche.*

**VOIR AUSSI :** Les outils, pp. 279-281 ; Les châssis et les serres, pp. 284-287

# BOUTURES DITES MOLLES

Elles peuvent s'enraciner en deux ou trois semaines et conviennent aux arbustes caducs, mais leurs tissus tendres sont vulnérables. Employez des outils propres, bien aiguisés ; évitez le dépérissement en faisant vos boutures tôt le matin et en les plaçant aussitôt dans un sac en plastique. Par temps sec, arrosez la plante mère la veille au soir. Maniez les tiges coupées avec précaution ; une fois enracinées, fortifiez-les, mettez-les en pots, puis plantez-les sur un site abrité.

◁ **BOUTURES MOLLES.** *Faites ces boutures au printemps et au début de l'été à partir des rameaux de la nouvelle saison. Choisissez des tiges vigoureuses, non-fleurissantes comportant 2 ou 3 paires de feuilles et coupez juste en dessous d'une ramification.*

**BOUTURES DE BOIS VERT** ▷

*Faites-les à la fin du printemps ou à la mi-été, quand les nouveaux rameaux commencent à se raffermir. Elles sont moins sujettes au dépérissement, plus faciles à manier et s'enracinent plus facilement. Traitez-les comme les boutures molles.*

## MULTIPLIER UN ARBUSTE À PARTIR DE BOUTURES EN BOIS MOU

Éliminez la pousse tendre car elle risque de pourrir ou de flétrir

La ventilation du germoir sera ouverte progressivement pour fortifier les jeunes plants

**1 COUPER LA TIGE.** *Éliminez la pointe tendre au-dessus d'une ramification ainsi que la dernière paire de feuilles en bas. Coupez les grandes feuilles en deux pour limiter la perte d'humidité. Taillez la base en dessous d'une ramification ; la tige devrait mesurer 4-5 cm.*

**2 INSÉRER LA BOUTURE** *Remplissez un pot de 13 cm de terreau pour boutures. Faites 2 ou 3 trous autour du bord et insérez les boutures de manière à ce que les feuilles du bas soient juste au-dessus de la surface et ne se touchent pas.*

**3 PLACER DANS UN GERMOIR** *Après avoir arrosé copieusement avec une solution fongicide, étiquetez et placez les pots dans un germoir chauffé et fermé, si possible à la base, à 15 °C. Conservez dans un endroit ombragé.*

**4 METTRE EN POT LES BOUTURES À RACINES.** *Quand les boutures ont des racines, sortez-les du pot, séparez-les et rempotez-les une par une dans des récipients de 9 cm contenant du terreau spécial. Pincez les pointes pour encourager une croissance buissonnante.*

# MARCOTTAGE

Pour les grimpantes et les arbustes à tiges souples, tels les clématites, les chèvrefeuilles et les rhododendrons, le marcottage est une bonne méthode de reproduction, l'avantage étant que la marcotte est nourrie par la plante mère jusqu'à l'émergence des racines. On peut marcotter à tout moment de l'année, mais il est préférable d'opérer à l'automne et au printemps. Trouvez une tige basse, souple, facile à maintenir au sol. Les racines se formeront mieux à un endroit où des ramifications d'un an rejoignent le bois plus ancien.

## MULTIPLICATION D'UN ARBUSTE PAR MARCOTTAGE

**1 CHOISIR UNE TIGE** *En automne et au printemps, préparez la terre pour la rendre friable. Sélectionnez une jeune tige souple en bas de la plante. Ployez-la jusqu'au sol et marquez l'emplacement avec une canne fendue, à 22-30 cm derrière la pointe de la tige.*

**2 PRÉPARER LE TROU** *Creusez un trou d'une profondeur de 8 cm dans un sol préparé, avec un côté à peine oblique près de la plante mère et une inclinaison proche de l'horizontale de l'autre côté. Mêlez gravillon et matières organiques dans le fond du trou si la terre est lourde.*

**3 BLESSER LA TIGE** *Supprimez les pousses latérales et les feuilles. À l'endroit où le dessous de la tige touche la terre, faites une coupe en biais jusqu'au milieu de la tige pour former une "languette" d'écorce, ou retirez un éclat d'écorce de 2,5 cm.*

**4 ATTACHER LA MARCOTTE** *Frottez la blessure avec un composé hormonal propice à l'enracinement. Fixez la tige fermement au fond du trou avec plusieurs attaches ou agrafes en U de fil de fer galvanisé placées de part et d'autre de la blessure.*

**5 TOUCHE FINALE** *Ployez la pointe de la tige contre le côté vertical du trou et fixez-la avec un bâton. Comblez, tassez et arrosez. Désherbez et humidifiez. Une marcotte s'enracine dans l'espace d'un an ; ensuite coupez-la et plantez-la en pleine terre ou en pot.*

**VOIR AUSSI :** Les outils, pp. 279-281 ; Les châssis et les serres, pp. 284-287

# BACS, JARDINIÈRES ET MASSIFS SURÉLEVÉS

## DES JARDINIÈRES POUR QUOI FAIRE ?

Que votre jardin soit de taille à rivaliser avec celui d'un manoir ou grand comme un mouchoir de poche, bacs, jardinières et autres conteneurs ajouteront une nouvelle dimension à l'espace. Ils autoriseront une grande diversité et autant de fantaisie dans la composition. Dans un petit jardin, ils donneront le ton, attirant l'œil, bordant une allée ou une entrée, ou accentuant une perspective qui agrandira le jardin. Ils font parfois le lien entre la maison et le jardin, conciliant des matériaux lourds et une végétation douce. Sur la terrasse ou près de la porte, ils marqueront et faciliteront la transition entre l'intérieur et l'extérieur.

## LES CONTENEURS AU JARDIN

Si vous ne disposez que d'une terrasse, d'une cour ou d'un balcon, vous devrez jardiner en pots, ce qui ne doit pas pour autant limiter vos compositions ni votre imagination. Bien des espèces y compris des arbustes grandiront avec bonheur dans un bac. Choisissez des plantes qui se remplacent ou se replantent facilement.

Avant même que les plantes s'y épanouissent, des conteneurs bien choisis ont un effet esthétique immédiat. Placés avec soin, ils constituent un leitmotiv qui apporte une cohérence d'ensemble au jardin. Les pots ont aussi leur place dans les parterres et les plates-bandes. Utilisez-les pour remplir les vides quand les feuilles des herbacées ont flétri ou à la fin de la floraison. Des couleurs sombres diminueront leur impact visuel.

▓ **Pour une entrée chaleureuse**, disposez des pots devant la porte, de manière informelle ou par paire. Les plantes à feuillage persistant et les bulbes égaieront les premiers jours de printemps.

▓ **Si vous avez de petits rebords de fenêtre**, accrochez vos jardinières grâce à des supports métalliques. Vérifiez que les supports des bacs en plastique sont assez bas pour qu'on ne voie que la plante de l'extérieur, ce qui laisse aussi entrer plus de lumière.

◁ UN COIN OMBRAGÉ
*Ces pots remplis de fougères et de plantes qui supportent l'ombre, comme les impatientes et les bégonias, font de ce coin peu accessible au bord d'un bassin un havre luxuriant.*

### ASTUCES

• Cachez ce qui gâche la vue (poubelles, canalisations, tas de compost) derrière des arbustes en pots et des retombantes disposés en gradins.

• Réglez les paniers suspendus à hauteur du regard ou un peu plus bas. Vous verrez mieux les fleurs et l'arrosage sera plus facile.

• Égayez un mur triste avec des pots en argile garnis de plantes fleuries ou de retombantes. Les pots cerclés de grillage seront suspendus au mur par des cavaliers.

VOIR AUSSI : Les plantes en pots, pp. 172-173 ; Les massifs surélevés, pp. 180-181

# DES POTS EN VEDETTE

Quel que soit le jardin, un ou plusieurs points de mire participeront à son style et à sa forme, offrant une série de tableaux dont on jouira sous tous les angles. Ceci est vrai, même pour le plus petit des terrains. Dans certains cas, un bac bien garni suffira. Les contenants sont un atout précieux pour créer un centre d'intérêt ou tout simplement attirer l'œil, surtout dans un nouveau jardin, quand les plantes destinées à prendre plus d'ampleur ne sont pas encore développées.

■ **Délimitez le cadre** du jardin avec des bacs de chaque côté ou d'un seul côté pour être plus informel. Plus classique, deux pots identiques présentant chacun un sujet aux formes régulières comme un buis bien taillé ou un cordyline retombant en cascade.

■ **Dans un jardin long et étroit**, veillez à ne pas accentuer la perspective en plaçant un bac attirant l'œil au centre au fond du jardin. Disposez plutôt un ensemble de pots de tailles et de hauteurs variées sur environ un tiers de l'allée, certains le long de l'allée, d'autres excentrés, ce qui modifiera les proportions apparentes.

■ **Dans un petit jardin ou sur un balcon**, intégrez une ou deux plantes plus grandes dans de larges pots. Vérifiez l'effet visuel créé par votre bac depuis votre fenêtre et vu de l'extérieur.

△ **SUR UN REBORD**
*Il est important de rationaliser l'espace des petits jardins. Ces pots donnent de la couleur à un petit rebord qui serait nu sans la diversité des jardinières.*

◁ **ATTIRER LE REGARD**
*Ce bac avec ses fleurs aux couleurs vives a été placé à bonne hauteur pour former un lien entre la maison et le jardin, dans la continuité du regard.*

# DES CULTURES SUR MESURE

Un des avantages du jardinage en pots est la maîtrise des conditions de culture, ce qui élargit vos possibilités. Si le sol du jardin est alcalin et que vous rêvez de plantes détestant le calcaire comme les camélias ou les azalées, vous pourrez les cultiver en bacs dans un terreau de rempotage pour espèces acidophiles. D'autres plantes, comme bien des herbes aromatiques et des alpines, demandent un bon drainage. Si la terre du jardin est trop riche en argile ou en tourbe, il est toujours possible d'améliorer sa structure mais il sera plus facile et plus sûr de cultiver des plantes en pots, en rajoutant des petits gravillons ou du sable grossier au terreau et en surélevant le pot sur des briques pour favoriser l'évacuation de l'eau. Faciles à déplacer, les bacs sont parfaits pour accueillir les plantes fragiles qui ne supportent pas l'hiver à l'extérieur. Cultivez en pots palmiers, cordylines, stramoines (*brugmansia*), cactées et citronniers. Ils apporteront une touche d'exotisme au jardin en été. Transférez les plantes dans une serre, un jardin d'hiver, ou sous une véranda avant les premières gelées. Les plantes d'intérieur en pots ne se porteront que mieux après avoir passé l'été dehors.

■ **Les alpines et les plantes de rocaille** apprécieront un terreau graveleux et grandiront dans un vieil évier ou un bac peu profond. Étalez une couche de sable grossier autour des plantes.

■ **Les arbres et les arbustes** préfèrent un mélange à base de terreau de feuilles à la fois plus lourd et plus riche en éléments nutritifs que les mélanges sans terre.

**UN DÉSERT SUR MESURE** △
*Les plantes aux besoins spécifiques ou celles qui ne sont pas viables au jardin seront cultivées en pot. Cette porcelaine transformée en jardin miniature est remplie d'un terreau très drainant répondant aux besoins des succulentes qu'elle abrite. Percez des trous de drainage.*

**VOIR AUSSI** : Les styles de jardin, pp. 122-123 ; Les plantes en pots, pp. 172-177

# COMMENT CHOISIR ET PERSONNALISER SES BACS

En matière de conteneurs, tous les styles sont envisageables. Prenez le temps de choisir ceux qui s'adapteront le mieux votre décor. Certains ne sont pas déplacés devant un palace, d'autres sont plus à leur place près d'une maison de campagne ou d'un cabanon en bois en bord de mer. Outre l'incroyable variété de pots sur le marché, rien ne vous empêche de fabriquer ou de décorer vos propres bacs. Peintures, pochoirs, coquillages ou mosaïques contribueront à la création de pièces uniques. Si vous êtes moins conventionnel, ouvrez l'œil et vous aurez tôt fait de métamorphoser coupes et objets divers comme une cagette de fruits, un mitron, ou encore une baignoire en étain ou une citerne.

## LE PARFAIT ACCORD AVEC LE STYLE DU JARDIN

Les conteneurs ont parfois un rôle important à jouer. Ils donnent le ton, définissent l'atmosphère du jardin ou rehaussent son style. Plusieurs facteurs doivent être pris en compte dont le style, la couleur, la texture et le matériau. De style plus ou moins classique, le contenant indique la note dominante recherchée, de même que sa forme et ses décorations. À vous de décider d'un effet classique ou informel, moderne ou traditionnel. Des pots trop grands ou sophistiqués seront déplacés dans un jardin de campagne alors que des bacs en bois naturel auront l'air trop simples et rustiques dans le tracé géométrique d'un jardin à la française ou dans un jardin de ville contemporain. Ces tendances sont parfois contredites avec succès. Dans un jardin naturel par exemple, une urne classique de ci de là symbolisera la grandeur passée.

Les belles proportions d'un pot en font aussi un élément de l'architecture du jardin. Un pot particulièrement élégant sera parfois présenté non garni uniquement pour le plaisir des yeux. Votre potier ou votre charpentier peut créer pour vous une pièce unique. Des pots de même couleur confèrent un aspect bien ordonné à un petit jardin. Mélangez les couleurs et les textures pour une ambiance plus décontractée.

■ **Les pots et bacs en terre cuite** s'intègrent à bien des jardins, mais ne conviennent pas partout. Près d'une maison en pierre ou dans une région froide et pluvieuse, leur style méditerranéen sera déplacé. La pierre locale ou la céramique vernissée seront plus appropriées.

■ **En bord de mer,** les bacs préfèrent souvent la simplicité. Repérez les matériaux régionaux et inspirez-vous de l'environnement local, des bateaux, des tonneaux, du bois flotté et des cordes. Les pots en bois peints ou naturels, sont souvent plus en accord que le luxe d'une urne ou d'une terre cuite.

△ UN STYLE INFORMEL
*Un grand vase en métal, débordant de fleurs simples comme des pétunias et des immortelles, conjugue aussi originalité et personnalité.*

## POTS ET BACS POUR TOUS LES GOÛTS

Les amateurs du jardinage en pots étant de plus en plus nombreux, il y a de plus en plus de choix de pots, de cache-pot, de bacs et de jardinières. Avant d'acheter, définissez le style recherché et la taille souhaitée. La taille du pot devra être en rapport avec les plantes qu'il accueille et suffisante pour répondre à ses besoins. Réfléchissez aux matériaux les plus adaptés dans votre jardin, sans oublier les considérations pratiques comme le poids si vous devez déplacer les pots. Si vous envisager de compléter la gamme choisie, vérifier que le modèle est suivi.

**CONTENANTS FORMELS**
*Les contenants classiques sont en général légèrement bombés. Les contenants carrés sont pratiques pour les plantes aux systèmes radiculaires développés.*

Lin de Nouvelle Zélande (*Phormium tenax*)

Cache-pot Versailles en bois peint

Cache-pot Versailles en bois

Faïence vernissée

Céramique brute

Urne en terre cuite

Urne en béton moulé

Urne de style en pierre reconstituée

Jardinière en terre cuite

VOIR AUSSI : Les jardinières, pp. 170-171

# QUEL MATÉRIAU CHOISIR ?

De même que le style, la forme et la taille, les matériaux choisis devront s'intégrer au jardin. Ils s'accorderont avec les autres éléments clefs et avec les matériaux utilisés pour la maison et ses dépendances, dans les allées ou le patio, par exemple. Les pots en terre cuite se marient bien avec la brique rouge, les bacs en bois peints ou naturels avec les maisons en bois.

▨ **La terre cuite** : De styles et de tailles variés, elle s'harmonise avec de nombreux styles de jardin. Elle vieillit bien mais peut souffrir des gelées. Elle est aussi lourde à déplacer. Le terreau tendra à sécher rapidement du fait de sa porosité.

▨ **La céramique vernissée** : D'un bon rapport qualité prix, elle se décline dans une large gamme de couleurs qui s'harmoniseront avec l'ensemble du décor. Le vernis limitant la perte d'humidité, ces pots supportent mieux les gelées mais ils ne se patineront pas avec l'âge.

▨ **Le bois** : Il convient à bien des styles de jardin. Peint, il adoptera la tonalité du jardin. On peut aussi fabriquer des bacs en bois sur mesure. Ils vieillissent bien mais finissent par se désagréger.

Il faudra les traiter pour les conserver plus longtemps.

▨ **Le métal** : En accord avec les options modernistes et minimalistes, il est cependant préférable de les tapisser de polystyrène isolant pour protéger les racines des températures extrêmes.

▨ **La pierre** : Souvent, très chère et lourde à déplacer, elle apporte cependant son charme et son caractère suranné au jardin. Elle vieillit bien et résistera pendant des siècles.

◁ **UN VASE VERNISSÉ**
*Au milieu des tentacules de vigoureuses grimpantes, le classicisme de ce vase grandiose s'abandonne à l'emprise de la nature.*

△ **DES TULIPES NEW AGE**
*Le blanc, le bordeaux et l'argenté se marient magnifiquement avec les lignes pures et le lustre de ce seau en métal.*

▨ **La pierre reconstituée** : Moins chère que la vraie pierre, elle donne une impression de robustesse et présente souvent les mêmes motifs. Si elle vous semble "trop parfaite", enduisez-la de yaourt dont les ferments accélèrent le vieillissement.

▨ **Le plastique** : C'est le plus léger et le moins cher des matériaux. Les pots au fini mat et aux couleurs foncées sont plus discrets. On peut aussi les peindre après les avoir légèrement poncés.

▨ **Les paniers** : Légers, relativement bon marché, ils s'accordent bien avec les plantes. Tapissez-les de plastique pour conserver l'humidité et passez en surface un bon vernis extérieur pour prolonger leur durée de vie.

## PENSE-BÊTE

### SURVEILLEZ VOTRE POIDS

Si vous jardinez sur un toit ou un balcon, le poids de vos conteneurs doit être votre première préoccupation. Assurez-vous auprès d'un expert que votre architecture le supportera. Légers, les pots en plastique pourront être peints et les jardinières en plastique habillées de bois.

---

**CONTENANTS INFORMELS**
*Pour jardiner dans un contenant de style informel, vous n'avez que l'embarras du choix. Laissez parler votre imagination.*

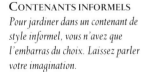

Romarin
(*Rosmarinus officinalis*)

Pot en terre cuite à motifs en creux

Jarre

Pot artisanal

Panier peint

Panier en osier tressé

Demi-tonneau en bois

Terre cuite vieillie

## ASTUCES

• À moins de vivre dans une région très tempérée, optez pour des pots en terre cuite garantis contre le gel, sans quoi ils risquent de s'effriter voire de craqueler sous l'effet du froid. Posez les contenants sur des briques pour favoriser l'écoulement de l'eau qui pourrait geler et les faire éclater.

• Attention aux vieux vases, jardinières et cache-pot achetés d'occasion ou récupérés sur un chantier. Ils sont peut-être moins chers mais sont souvent craquelés ou abîmés. Réparez-les avant de les garnir.

• Certains cache-pot Versailles en plastique lourd ressemblent aux modèles en bois peint. Ils demandent moins d'entretien et ne se détériorent pas.

**VOIR AUSSI** : Les jardinières, pp. 170-171 : La protection, p. 179

# DÉCORER EN TOUTE FACILITÉ

Pour avoir des pièces uniques à un prix raisonnable, il est assez facile de décorer soi-même un simple pot ou une jardinière bon marché. Pas besoin de grands talents artistiques pour que vos créations attirent l'œil et s'imposent. Un peu de temps et quelques matériaux de base suffiront.

■ **La peinture** : Poncez les pots et les jardinières en plastique au papier de verre avant de peindre. Achetez plutôt des petits pots si vous prévoyez des harmonies de couleur comme des pastels bleus, mauves et verts ou des tons plus soutenus comme du vert foncé, du bordeaux ou du bleu marine. Passez une couche de vernis marin en finition.

■ **Les pochoirs** : Dessinez vos propres pochoirs, à découper dans du carton fin, ou achetez des pochoirs prêts à l'emploi. Des motifs simples et stylisés auront plus d'impact. Agrémentez une plate-bande en répétant votre motif. Appliquez la peinture à l'éponge. Protégez avec une couche de vernis.

■ **Les lasures** : Habillez vos pots et vos cache-pot d'une lasure naturelle ou de couleur qui laisse ressortir les veines du bois.

■ **Les garnitures de perles et les moulages** : Un motif de perles ou quelques moulures de fruits posés à la colle égaieront une jardinière.

■ **La mosaïque et les coquillages** : Recouvrez la matière brute de carreaux de mosaïque ou de morceaux de vaisselle cassée. Selon les matériaux, fixez avec un ciment universel, de la colle à mosaïque et du mastic

◁ **DES POTS ÉCLATANTS**
*Des pots en terre cuite de couleurs vives réchaufferont avec humour un coin terne du jardin. Les couleurs vives de ces motifs au pochoir conviennent parfaitement aux formes nettes et originales des cactées et succulentes.*

△ **UN JAUNE TENDRE**
*Cette composition a été soigneusement étudiée pour que les plantes s'harmonisent avec le jaune de la jardinière mariant l'origan 'Aureum' (Origanum vulgare 'Aureum'), les zinnias et les tanaisies (Tanacetum parthenium).*

(coloré ou teinté avec une peinture acrylique). La mosaïque pourra être remplacée par de petits coquillages. Si possible, travailler sur le contenant en position définitive, car il sera lourd à déplacer.

# MÉTAMORPHOSEZ VOS RÉCIPIENTS

Si vous cherchez de nouveaux contenants, rien ne vous oblige à vous limiter aux modèles proposés par votre jardinerie. Ouvrez l'œil à la recherche de récipients pouvant remplir cet office dans votre jardin. Pourquoi pas une cagette à fruits peinte ou lasurée ou de vieux seaux en métal ? Certains recycleront une brouette qui a fait son temps ou encore une vieille baignoire en étain, une citerne ou une mangeoire de ferme. On peut aussi empiler des pneus et les peindre. Quel que soit le contenant choisi, pensez qu'il faudra y percer des trous pour le drainage et qu'il devra contenir un volume de terre suffisant pour le développement de la plante. Tapissez de plastique les contenants fabriqués dans des matériaux dégradables comme les paniers en osier et le bois et traitez les surfaces extérieures avec un vernis marin pour prolonger leur durée de vie en extérieur.

◁ **LE POT AUX ROSES**
*Un rosier miniature 'Robin Redbreast' garnit ce vieux pot dont le fond est tapissé des morceaux de son ancien couvercle et percé pour le drainage.*

▽ **UNE CAGETTE LASURÉE**
*Lasurée en vert, cette vieille cagette à citrons fait une parfaite jardinière pour ce cyclamen blanc à floraison automnale. On a mélangé un produit traitant à la lasure pour la dernière couche.*

Tout en hauteur, ce pot de terre rehausse un rosier miniature

Un mélange de lasure et de produit traitant prolongera la vie de votre cagette

**VOIR AUSSI** : Les bacs, p. 168

# VIEILLIR LES POTS

Si vous aimez les atmosphères surannées, des conteneurs aux teintes vives ou à l'aspect trop neuf vous sembleront peut-être trop voyants, surtout les pots en terre cuite orange vif ou les pots en béton, trop blancs. On pourra atténuer la brillance d'une nouvelle terre cuite en passant un glacis vert clair (peinture diluée à l'eau) à l'éponge. Avec le temps, des algues naturelles viendront le recouvrir. On peut aussi appliquer deux couches de couleurs différentes. On frotte ensuite grossièrement la couche supérieure à la paille de fer. Pour les urnes et les jardinières moulées en béton ou en terre cuite, on imitera la mousse en appliquant quelques touches de peinture verte presque sèche dans les creux des moulures, là où elle aurait tendance à se former.

Pour un effet plus permanent, la solution est d'accélérer le processus naturel du vieillissement. On passera une couche de yaourt, de lait caillé ou de bouillon de volaille, ou tout ce qui peut favoriser le développement de petits parasites. On répétera l'opération après de fortes pluies.

### ACCÉLÉRER LE VIEILLISSEMENT

**1 ENDUISEZ DE YAOURT**
*Utilisez du yaourt frais sur les pots en terre cuite ou en pierre. Certains pots mettent plusieurs jours à sécher.*

**2 INSTALLEZ LE POT SOUS UNE OMBRE LÉGÈRE**
*Impatientes et pélargoniums supporteront l'ombre nécessaire au vieillissement. Laissez en place un mois.*

# FABRIQUER UNE JARDINIÈRE EN BOIS

Une simple jardinière en bois étanche elle-même garnie de plantes ou accueillant des pots ou une jardinière en plastique est assez facile à réaliser. S'il n'est pas nécessaire d'être un bricoleur hors pair, il faut tout de même savoir se servir d'une perceuse. Les dimensions indiquées ici correspondent à un modèle de taille moyenne. À vous de les adapter selon vos besoins. L'essentiel est d'avoir deux planches de largeur et longueur identiques et un fond correspondant.

Pour votre jardinière, il vous faudra un bois d'environ deux centimètres d'épaisseur qui sera coupé sur place ou scié à la maison. Poncez les bords avant l'assemblage. Une fois la jardinière terminée, on pourra lui passer une lasure, la peindre ou la décorer de motifs au pochoir ou selon sa fantaisie. Si on la destine à un rebord de fenêtre, on s'assurera qu'elle est solidement fixée et ne présente aucun risque pour les passants. Posez la jardinière sur de petites cales pour le drainage et glissez un plateau dessous pour récupérer l'eau si elle donne sur la rue. Les jardinières ont aussi un certain charme au sol, posées sur des briques ou des blocs de pierre, notamment quand elles accueillent des plantes comme les joubarbes et leurs rosettes (*Sempervivum*) qui ont toujours belle allure vues du dessus.

## COMMENT FABRIQUER UNE JARDINIÈRE

### OUTILS ET MATÉRIAUX

- Pour le fond, une planche (1 m x 17 cm)
- Pour la largeur, deux planches (17 x 20 cm)
- Pour la longueur, deux planches (1 m x 20 cm)
- Une perceuse électrique et une mèche de 4 mm
- Une fraiseuse

- Une mèche de 13 mm
- Un tournevis
- Des vis de 5 cm de long
- De la pâte à bois et du papier de verre (en option)
- Une peinture ou une lasure d'extérieur et du vernis

**1 MARQUEZ LES PETITS CÔTÉS**
*Posez le fond sur une table ou un établi. Positionnez le petit côté sur le fond et marquez le bord intérieur au crayon. Procédez de même pour l'autre côté. Toujours au crayon, marquez l'emplacement des vis à intervalles réguliers.*

**2 PERCEZ LE FOND**
*Percez les trous avec la mèche de 4 mm en posant le fond sur une chute de bois pour la mettre à niveau et protéger la surface de travail. Agrandissez légèrement le bord du trou pour laissez passer la tête du tournevis.*

 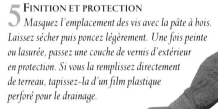

**3 L'ASSEMBLAGE**
*Vissez les petits côtés sur le fond. Mettez en place un grand côté pour prendre les repères au crayon comme précédemment. Marquez l'emplacement des trous sur trois des quatre bords, pas trop près des angles.*

**4 LES TROUS DE DRAINAGE**
*Retournez la jardinière et percez des trous dans le fond pour le drainage avec la mèche de 13 mm.*

**5 FINITION ET PROTECTION**
*Masquez l'emplacement des vis avec la pâte à bois. Laissez sécher puis poncez légèrement. Une fois peinte ou lasurée, passez une couche de vernis d'extérieur en protection. Si vous la remplissez directement de terreau, tapissez-la d'un film plastique perforé pour le drainage.*

VOIR AUSSI : Les bacs, p. 168 ; Les matériaux, p. 169

# COMMENT DISPOSER SES PLANTES EN POTS

Pour les pots, on prendra en compte les mêmes considérations que pour les massifs et les plates-bandes. La forme et les contours, la couleur, la texture et la senteur, tous ces éléments ont leur rôle à jouer, de même que le style. L'emplacement est un autre facteur important : dans un patio on profitera d'un pot garni de fleurs parfumées comme le myrte ou aux textures subtiles comme les hostas. Un pot situé au fond d'une allée appelle des couleurs et des formes remarquables, pourquoi pas le piquant d'un cordyline. La diversité des contenants offre une grande souplesse. On peut concevoir une composition dans un pot que l'on exposera seul ou dans un groupe.

## COMPOSER DES GROUPES

Le fait que les bacs soient relativement faciles à déplacer permet de varier leurs groupements et de transformer l'ambiance générale du jardin à l'envi. Formelle ou informelle, selon votre humeur, votre composition devra être structurée, au niveau des plantes elles-mêmes et de la disposition des pots. Pour une décoration centrale de caractère, choisissez des plantes aux formes remarquables comme un lin de Nouvelle-Zélande (*Phormium*) avec ses longues feuilles qui retombent en cascade. Entourez-le ensuite de pots plus petits disposés en gradins sur des briques. En débordant, les retombantes adoucissent la rigueur des lignes des contenants et contrastent avec la silhouette sculpturale d'une plante architecturale.

■ **Des groupes formels** : Choisissez des conteneurs identiques ou tout au moins dans le même matériau. Tenez-vous en à des plantations simples, avec un seul type de plante par contenant. Pourquoi pas une rangée de lys en pots pour border une allée ou des auriculas en jardinières posées sur des briques, échelonnées le long des marches.

■ **Des groupes informels** : Même si les bacs de votre composition semblent avoir été disposés au hasard, il est nécessaire d'étudier soigneusement une certaine construction pour

△ **DANS LE CADRE**
*Les formes marquées de ces deux agaves délimitent cette composition informelle de plantes fleuries parmi lesquelles des lis blancs et des pélargoniums.*

**UNE IDÉE LUMINEUSE** ▷
*Des pétunias roses et des fleurs de séneçons argentés dans les mêmes tons chatoyants apportent de la lumière et confèrent du caractère à ces marches.*

obtenir l'effet recherché. L'ensemble comprendra des plantes à port étalé pour étoffer la composition et masquer les bords des pots. Un ou deux sujets aux formes marquées apporteront structure et définition.

■ **La couleur** : Disposez des plantes dans un même ton dégradé comme des roses vifs et des rouges feu, ou des blancs et des crèmes plus froids. Ou bien mêlez des plantes dans une palette de couleurs restreinte : un feuillage gris argenté avec des fleurs rose pâle et blanches ; un vert citron avec un jaune pâle et un bleu franc ; du bronze avec du mauve ou du rouge foncé. Limitez votre palette pour avoir plus d'impact.

**POURQUOI**

**PEUT-ON REGROUPER DES PLANTES AVEC DES CONDITIONS DE CULTURE DIFFÉRENTES ?**

Dans chaque bac, vous devrez associer des plantes ayant les mêmes besoins de base en eau, en terreau et en engrais. Il est plus facile de cultiver un seul type de plante par pot. Dans un groupe mixte, les plantes doivent avoir les mêmes besoins en matière d'ombre ou de soleil. Pensez que les grandes plantes fourniront, si nécessaire, de l'ombre aux petites.

**VOIR AUSSI** : Les styles de jardin, pp. 122-123 ; Les jardinières et les massifs, pp. 166-167 ; Les bacs à plantes, pp. 176-177

# TOPIAIRE ET ARBRES TAILLÉS

△ **STYLE ET SYMÉTRIE**
*Une entrée de style est le cadre idéal pour des topiaires en pots. Cette disposition classique présente deux troènes taillés en boules. Leurs pieds sont habillés de pélargoniums et de lierre.*

Les topiaires en pots, taillées dans des formes simples ou mises en formes comme les arbres qui présentent un tronc dégagé, rehaussent le cadre du jardin et attirent le regard. Sur un mode classique, une paire d'arbres taillés encadrant l'entrée marquera le début de l'allée ou fera pendant à une statue. Ils auront aussi leur place dans un décor informel. Un buis taillé en cône ou un houx en flèche contrasteront avec des bacs débordant de lavande. Pour tailler un arbre en boule, choisissez un sujet à la tige centrale vigoureuse. Tuteurez-le et supprimez les pousses latérales inférieures au fur et à mesure. Quand la partie dénudée a atteint la hauteur requise, taillez le haut de la tige principale pour stimuler la ramification latérale et obtenir un feuillage plus touffu. Pincez l'extrémité des pousses latérales chaque année.

## LES ARBRES TAILLÉS EN BOULE

De nombreux arbres et arbustes présentent un tronc dégagé suffisant pour être taillé en standard. Ils seront tuteurés, au minimum pendant la taille de formation.

Le laurier (*Laurus nobilis*)
Le buis (*Buxus sempervirens*) **T**
Le laurier cerise (*Prunus laurocerasus*)
Le fusain (ex. *Euonymus fortunei* 'Silver Queen')
Le fuschia (ex. 'Celia Smedley', 'Citation') *
L'hibiscus (ex. *Hibiscus syriacus* 'Blue bird') *
Le houx (*Ilex aquifolium*) **T**
L'hydrangea (ex. *Hydrangea macrophylla* 'Hamburg')
Le laurier thym (*Viburnum tinus*)
La citronnelle verveine (*Aloysia triphylla*) *
L'oléaster (ex. *Elaeagnus* 'Quicksilver)
Le pélargonium (ex. le *pelargonium zonale* 'Deacon Bonanza') *
Le troène (ex. *Ligustrum ovafolium* 'Aureum') **T**
L'if (*Taxus baccata*) **T**

**T** = Plante qu'on peut aussi tailler et former en topiaires denses comme des boules ou des cônes.
* = non rustiques

---

# PRÉSENTER DES SUJETS ISOLÉS

Pour mettre vraiment en vedette votre plante favorite, cultivez-la en l'isolant dans un pot. Il pourra s'agir d'un arbuste aux formes régulières, d'un petit arbre, ou encore d'une plante aux feuilles ou aux fleurs particulièrement belles. Rendez-lui justice en lui offrant un site bien en vue, dans la perspective de la maison par exemple, à côté d'un joli banc ou surélevée sur un petit socle, un mur ou tout en haut des marches du jardin. Choisissez un arrière-plan qui la fasse ressortir. Mieux vaut un mur vierge, une clôture ou une haie qu'une masse confuse de plantes multicolores.

Choisissez un pot adapté à la plante, suffisamment discret pour ne pas captiver toute l'attention. Vous opterez peut-être pour un pot dans le même style ou le même esprit que la plante, ou préférerez un contraste. Une agave succulente aux feuilles sculpturales sera dans son élément dans un pot en terre cuite, mais ne manquera pas de piquant dans un vase élevé sur un socle, créant alors un élément de surprise qui apportera une touche de vitalité au jardin. Le pot devra aussi être proportionné à la taille et au volume de la plante. Présentez la plante dans son pot d'origine au-dessus du nouveau bac pour juger de l'équilibre visuel avant de l'installer.

◁ **UN GRAND CLASSIQUE**
*Cet hydrangea blanc conjugue simplicité et élégance dans ce pot aux formes régulières et bien proportionnées. L'hydrangea clair est mis en valeur devant une haie de thuyas sombres au bout d'une allée de gravier bordée de buis soigneusement taillés.*

**VOIR AUSSI :** Les styles de jardin, pp. 122-123 ; Les arbustes, pp. 156-157 ; Les jardinières et les massifs, pp. 166-167 ; L'entretien, pp. 178-179

# DES PLANTES À L'OMBRE

Ce n'est pas parce qu'elles sont à l'ombre que certaine parties du jardin doivent être dépourvues d'intérêt. Des plantes en pots transformeront un coin triste et délaissé en havre luxuriant. À l'ombre, un pot a aussitôt l'avantage d'apporter couleur et vie. Les reflets des pots vernissés ou les tons pâles des pots en pierre naturelle ou non, seront particulièrement bienvenus. En plein soleil, vos pots auront vite soif. Ce ne sera pas le cas à l'ombre. Si peu de plantes fleurissent aussi bien à l'ombre qu'au soleil, il y a quelques exceptions honorables comme les impatientes *(Impatiens)* et les bégonias (les petits du groupe Semperflorens, à racines fibreuses et non les tubéreux plus flamboyants) qui fleuriront sans se lasser jusqu'aux premières gelées. Renforcez votre effet avec des plantes au feuillage spectaculaire comme les fougères, les hostas, les fatshederas, les arums et le laurier tacheté extrêmement tolérant *(Aucuba japonica* 'Crotonifolia' a des feuilles fortement tachetées de jaune d'or). Un aucuba variegata ou un lierre joliment marbrés ou bordés de crème ou de jaune illumineront une palette de verts. Pour une composition évolutive avec des taches de lumière et de couleur, plantez des bulbes de sous-bois comme les erythroniums et les anemones blanda qui fleurissent au printemps.

▓ **Évaluez l'intensité de l'ombre.** Vérifiez

que la zone reçoit du soleil le matin ou le soir. Bien des plantes se contentent d'une ou deux heures de soleil par jour.

▓ **Une ombre dense** portée par un arbre ou un mur d'enceinte est plus restrictive. Cependant, un mur peint en blanc reflète la lumière.

▓ **Une ombre intermittente.** Une grande variété de plantes prospère sous une ombre partielle. Des plantes panachées ou à feuillage doré brûleraient en plein soleil et préfèrent des situations légèrement ombragées.

◁ **UN RIDEAU VERT**
*Des buissons d'impatientes et de bégonias aux tons pastel associés au lierre et à la fougère grandiront avec bonheur dans ce coin partiellement ombragé devant un épais rideau d'arbustes à feuillage persistant.*

▽ **UNE BEAUTÉ SIMPLE**
*Ce bégonia blanc à racines fibreuses garnissant une petite jardinière apprécie à la fois l'ombre et l'humidité d'un site au bord de l'eau. Les grandes feuilles brillantes du nénuphar lui offrent un magnifique arrière plan.*

# POTS ET JARDINIÈRES SUR UN SITE EXPOSÉ

Sur des sites exposés, comme les terrasses et les balcons, le jardin ne sera peut-être qu'un ensemble de bacs tandis qu'au sommet d'une colline et dans un jardin de bord de mer, pots et jardinières seront un élément clef du décor. Les deux problèmes le plus souvent rencontrés sont le vent et les différences brutales de température. Dans les deux cas, le terreau aura tendance à sécher plus vite et les vents desséchants fragiliseront encore plus les plantes. Dans les jardins ventés, préférez les plantes à port bas et celles à petites feuilles, qui supportent généralement mieux le vent. Si vous préférez les grandes plantes, optez pour

◁ **L'ÉLÉGANCE DES GRAMINÉES**
*Cultivez des graminées sur un site venté. Plus résistantes aux effets desséchants du vent que les plantes à feuilles larges, elles ondoieront avec élégance sous la brise.*

des sujets à tiges tendres et flexibles comme les bambous et les phormiums plutôt que ceux aux tiges cassantes. Les alpines, les plantes de rocaille et les bulbes nains, qui tous se développent en situation exposée, sont une bonne alternative pour les jardins balayés par le vent. Limitez l'évaporation à la surface du terreau avec des pierres ou des gravillons et en tapissant de plastique les pots et les jardinières en terre pour réduire la perte d'humidité. Dans les régions côtières, choisissez des plantes qui tolèrent les vents chargés de sel. Comme les escallonias et les olearias, bien des arbustes grandiront en pots sans problème dans ces conditions. Vous pourrez habiller leur pied de plantes de rocailles. Essayez des arbustes nains et à port bas comme le romarin *(Rosmarinus officinalis* 'Beneden Blue').

VOIR AUSSI : Le paillage, p. 153 ; Les jardinières et les massifs, pp. 166-167 ; Les bacs à plantes, pp. 176-179

# DES COMPOSITIONS EN POTS POUR L'HIVER

L'hiver, quand les plates-bandes d'été sont nues et tristes, c'est au tour des pots de prendre la relève. Il est préférable de faire ses plantations du début au milieu de l'automne. Des conifères et des arbustes persistants à grandes feuilles formeront la base de la composition, offrant leur intérêt toute l'année en même temps qu'un élément fixe autour duquel varieront des sujets plus éphémères comme des bulbes de printemps et des annuelles d'été pour la variété. Parmi les conifères, choisissez des variétés naines qui n'étoufferont pas dans leur pot. Prêtez attention à la forme et à la couleur. Il y a des espèces élancées (comme le *Juniperus communis* 'Hibernica'), d'autres à cimes arrondies (*Pinus Sylvestris* 'Nana') et de nombreux types coniques à port bas étalé. La couleur du feuillage varie entre le doré, le bleu argenté, le vert vif et le turquoise. Pour les persistants à feuilles larges, choisissez des sujets à la forme équilibrée et au feuillage élégant. Si vous préférez les baies en hiver, pourquoi pas des cotoneasters, des skimmias et des houx (demandez des plantes

**MAGNIFIQUE BERGÉNIA** △
*Le bergénia est une vivace rustique à feuillage persistant. Le charme de ses grandes feuilles vous réchauffera au cœur de l'hiver. Il fleurit du milieu de l'hiver au début du printemps.*

femelles pour ces deux derniers, bien qu'en général, une plante mâle pollinisatrice soit nécessaire pour la fructification). Adoucissez l'aspect un peu trop statique de certains arbustes et conifères avec des lierres débordant du contenant.

## L'ASSOCIATION IDÉALE

Chaque couple référencé ici présente un arbuste ou une plante permanente plus une autre plante que l'on cultivera dessous, autour, voire même au milieu d'elle. Chaque association offrira une belle composition d'hiver. Au fil des saisons, vous pourrez faire évoluer les effets en incluant par exemple des bulbes de printemps ou des annuelles d'été. Dans chaque cas, nous vous conseillons une espèce particulière ou un cultivar pour vous inspirez, mais qui pourront être remplacés par une plante du même type. Presque tous les lierres rampants par exemple ont belle allure au pied d'une plante.

Viorne et perce-neige : *Viburnum farreri* + *Galanthus* 'Atkinsii'

Genévrier et cyclamen : *Juniperus squamata* 'Blue Star' + *Cyclamen coum*

Véronique et pensée à floraison hivernale : *Hebe pimeleoides* 'Quicksilver' + *Viola* Série Floral Dance

Fusain et helléborine : *Euonymus fortunei* 'Emerald 'n' Gold' + *Eranthis hyemalis*

Hellébore et lierre panaché : *Helleborus argutifolius* + *Hedera helix* 'Eva'

Chalef et saxifrage : *Elaeagnus* × *ebbingei* 'Limelight' + *Saxifraga* × *urbium*

Bergénia et lierre à feuilles pourpre : *Bergenia cordifolia* 'Purpurea' + *Hedera helix* 'Glymii'

Lin de Nouvelle-Zélande et orpin : *Phormium* 'Dazzler' + *Sedum obtusatum*

# DU BON USAGE DES RETOMBANTES

Quand vous préparez vos compositions en pots, n'oubliez ni les retombantes ni les grimpantes. Si on les apprécie pour les paniers suspendus d'où leurs rameaux pendent librement, les plantes retombantes sont aussi décoratives dans un bac, une urne, ou pour habiller un cache-pot. Elles cassent les lignes géométriques trop rigoureuses du contenant et confèrent légèreté et mouvement à une composition fournie ou architecturale. Les retombantes font le lien entre le contenant et son environnement immédiat. Par exemple, une jardinière sur un muret ou un pot en haut des marches du jardin attirera l'œil par ses rameaux retombants qui brouilleront la démarcation entre le contenant et son socle. Vous n'avez que l'embarras du choix : des persistantes comme les lierres et la pervenche (*Vinca minor*), ou encore l'*Helichrysum petiolare* aux feuilles feutrées gris argenté ou sa forme dorée 'Limelight' (qui préfère une ombre intermittente pour ne pas brûler pendant les mois chauds). De nombreuses grimpantes comme la clématite sont de belles retombantes si on les cultive sans tuteurs.

△ **UNE ARAIGNÉE SUSPENDUE**
*Cette plante araignée retombe en cascade sur un* Pogonatherum saccharoideum *(à gauche) et un* Tolmeia menziesii *offrant ses couleurs douces à une entrée ombragée en été.*

**UN PANIER DORÉ** ▷
*Le vert tendre des feuilles lysimaque et du tradescantia associé au jaune vif des fleurs d'oxalis et de cosmos offre au regard une oasis de fraîcheur.*

**VOIR AUSSI** : Les jardinières et les massifs, pp. 166-167 ; Les bacs à plantes, pp. 176-179

# COMMENT CULTIVER EN BACS ET JARDINIÈRES

Le jardinage en conteneurs permet de cultiver un plus grand choix de plantes qu'en pleine terre, car il permet d'adapter les conditions de culture aux besoins de chacune. Faites partir vos plantes du bon pied en les plantant entre le printemps et l'automne dans un terreau et un pot appropriés, vous composerez ainsi de magnifiques tableaux. Tenez compte des besoins spécifiques de chacune, en vérifiant notamment la nature du terreau et l'efficacité du drainage. Pour une belle composition, mieux vaut planter plus serré que dans une plate-bande. Les plantes ne seront pas étouffées pour autant, simplement, elles demanderont plus d'entretien.

## PRINCIPES ÉLÉMENTAIRES

Première étape, la préparation du contenant. Vérifiez les trous de drainage. Repercez quelques trous si nécessaire. Adaptez la mèche de la perceuse électrique au matériau (par exemple, une mèche de maçonnerie pour la pierre ou le béton). Pour les pots en plastique, il sera peut-être plus facile de faire un trou avec un tournevis chauffé à blanc. Posez des tessons sur les trous pour empêcher le terreau de rempotage de partir à l'arrosage, ce qui finirait par les boucher. Faites tremper les pots en terre cuite avant de planter pour que la terre du pot n'absorbe pas l'eau du terreau. Utilisez un terreau approprié à la plante. Un

### UNE ASSOCIATION HEUREUSE ▷
*Associez des plantes qui s'apprécient mutuellement. Jouez avec les couleurs, les formes et les parfums. Ici, des pélargoniums, des dahlias et des malvastrums dans un chaleureux tableau d'été.*

### POURQUOI

#### LA TERRE DE MES PLANTES SÈCHE TROP VITE. COMMENT RÉDUIRE LES ARROSAGES ?

Certains matériaux composant les conteneurs sèchent plus vite que d'autres. L'argile et la terre cuite demandent un arrosage plus fréquent que les pots vernissés ou en plastique. Limitez les besoins en plantant dans des pots en plastique suffisamment petits pour les glisser dans les pots en terre cuite. Ajoutez de terreau pour cacher le bord en plastique. Autre solution : tapissez les pots d'un film plastique percé pour le drainage.

• Améliorez la rétention d'eau dans le terreau en y incorporant des granulés rétenteurs d'eau ou de la perlite.

• Dans le fond des paniers suspendus, placez une soucoupe ou un plat creux qui fera office de réservoir entre le revêtement et le terreau. Certains bacs en plastique possèdent un réservoir intégré.

• Un système d'arrosage automatique est indispensable quand on ne peut pas s'occuper régulièrement de ses bacs.

mélange à base de terreau de feuilles pour les arbres, les arbustes et les vivaces, un terreau universel pour les annuels et les massifs d'été ou les compositions éphémères, un terreau pour plantes de terre de bruyère pour les rhododendrons et les plantes n'appréciant pas le calcaire et un terreau d'alpines (riche en gravillons) pour les plantes de rocaille. La terre du jardin est souvent déconseillée car elle a tendance à se tasser à cause des arrosages fréquents et apporte parfois des ravageurs, des maladies ou des mauvaises herbes.

▪ Incorporez soigneusement les cristaux rétenteurs d'eau au terreau avant de planter et respectez les proportions recommandées. N'oubliez pas qu'ils n'excluent pas un arrosage régulier.

▪ En surélevant les pots sur des cales, l'eau s'évacue plus librement, ce qui permet aussi d'éviter son accumulation autour des racines et de limiter les dégâts causés par le gel tant pour la plante que pour la terre cuite.

### ◁ UN DÉBUT SAIN
*Si vous ressortez un vieux pot, limitez les risques d'éventuels parasites ou maladies en le brossant et en nettoyant les tessons de drainage dans un mélange d'eau et de désinfectant.*

### △ UN PAILLIS SOMPTUEUX
*Tout en protégeant de l'évaporation et des mauvaises herbes, le paillis a son charme propre. Cailloux, coquillages, pépites de verre ou de marbre, copeaux d'écorce ou de noix de coco rehausseront l'ensemble de leur belle protection.*

VOIR AUSSI : Le paillage, p. 153 ; Les plantes en pots, p. 172 ; L'entretien, pp. 178-179

# RÉUSSIR UNE COMPOSITION EN JARDINIÈRE

Qui dit jardinière, dit en premier lieu sécurité. Le rebord de la fenêtre et les supports doivent être suffisamment solides pour supporter son poids, une fois garnie. (Pensez qu'elle est plus lourde après l'arrosage.) Par mesure de précaution, vissez la jardinière aux supports ou renforcez les jardinières en bois d'une plaque métallique pour assurer la fixation des crochets. Dans le cas d'un support fixe, n'oubliez pas qu'une fois établies, les plantes seront plus hautes. La solution est de positionner le support de sorte que la jardinière soit juste en dessous de la fenêtre. Vous préserverez ainsi la luminosité naturelle et ne verrez que les plantes. Il est préférable de garnir la jardinière une fois en place pour ne pas avoir à la déplacer. Pour le drainage et les terreaux, adoptez les mêmes principes que pour les autres contenants. Si la jardinière donne sur la voie publique, ajoutez une soucoupe pour que l'excès d'eau n'arrose pas les passants. Si le rebord est en pente, redressez la jardinière avec des cales sur le devant. Garnissez la jardinière suivant les indications ci-dessous, avec un mélange à base de terreau de feuilles si vous plantez des arbustes et que le poids n'est pas limité. Plantez serré mais évitez les plantes qui poussent en hauteur qui non seulement déséquilibrent l'effet d'ensemble mais aussi la jardinière sur les sites exposés au vent.

## LA PLANTATION EN JARDINIÈRE

**1 LA PRÉPARATION ET LE TERREAU**
*Vérifiez que les trous de drainage sont suffisants. Installez la jardinière sur son emplacement définitif. Une fois pleine, elle sera lourde à déplacer. Tapissez le fond de tessons. Remplissez de moitié avec un terreau universel humide et tassez fermement.*

**2 L'AGENCEMENT ET LA PLANTATION**
*Dépotez chaque plante et aérez la motte sans endommager les racines, avant de planter. Plantez assez serré sans toutefois étouffer la croissance. Laissez au moins 1 cm entre le haut de la motte et le bord de la jardinière.*

**3 FINITION ET ARROSAGE**
*Au fur et à mesure, tassez doucement et rajoutez du terreau entre les plantes. Ne remplissez pas au ras de la jardinière et laissez de la place pour l'arrosage. Arrosez généreusement et laissez à l'eau le temps de s'évacuer. Rajoutez du terreau si nécessaire.*

**4 L'ENTRETIEN**
*Arrosez et fertilisez régulièrement. Enlevez les fleurs fanées fréquemment pour prolonger la floraison. Ici, quelques mois seulement après les avoir plantés, les bégonias, les impatientes et les lobélias composent un bel ensemble buissonnant.*

# LES PANIERS SUSPENDUS

Comme pour une jardinière, choisissez l'emplacement du panier suspendu avant de le garnir. Vérifiez la solidité des attaches ou du support. Vous pouvez envisager de suspendre votre panier sous un arbre (protégez l'écorce avec du caoutchouc), une pergola ou un portique. Les paniers en fil métallique gainé de plastique sont légers, faciles d'emploi, mais vous devrez les tapisser avant de les garnir. La mousse de sphaigne, traditionnellement utilisée, est désormais moins en vogue, son usage commercial et celui de la tourbe ayant largement entamé les tourbières naturelles. On la remplace souvent par des revêtements en fibre de coco. Légers, ils resserviront aussi l'année suivante. Outre les revêtements en mousse, un film plastique peut aussi convenir. Une fois les plantes mises en place, on ne le verra plus. Garnissez avec un terreau universel dans lequel vous incorporerez des cristaux rétenteurs d'eau.

## LA PLANTATION EN PANIER

**1 TAPISSER LE PANIER**
*Posez le panier sur un seau et tapissez-le en fibre de coco prédécoupée à la mesure en rectifiant les découpes à l'intérieur si nécessaire. Une soucoupe placée dans le fond peut faire office de réservoir.*

**2 L'INSERTION SUR LES BORDS.** *Entaillez le coco à différentes hauteurs pour insérer les plantes. Ajoutez du terreau jusqu'au niveau de la première fente. Humidifiez la motte pour qu'elle passe plus facilement dans le trou.*

**3 GARNIR LE HAUT**
*Installez toutes les plantes sur les côtés en recouvrant bien la motte de terreau au fur et à mesure. Arrangez le reste des plantes sur le haut à votre gré. Dépotez-les une par une et replantez.*

**4 LES FINITIONS ET L'ARROSAGE**
*Rajoutez du terreau entre les plantes, en tassant bien. Découpez le coco en laissant 2 cm au-dessus du terreau pour empêcher l'eau de déborder. Arrosez abondamment.*

VOIR AUSSI : Les jardinières et les massifs, pp. 166-167 ; L'entretien, pp. 178-179

# COMMENT ENTRETENIR LES BACS ET JARDINIÈRES

Si les plantes du jardin résistent parfois à une certaine négligence et à des conditions de culture inadaptées, confinées dans des pots elles sont plus susceptibles de dépérir si vous ne répondez pas à leurs besoins. Les tâches routinières comme l'arrosage, la fertilisation, l'éclaircissement des fleurs fanées et la taille, de même que des opérations moins fréquentes comme le rempotage, doivent donc devenir une habitude bien établie. Prenez le temps d'inspecter vos bacs tous les jours, surtout si l'essentiel de vos plantations est constitué de pots disposés sur un balcon ou dans un patio. Vous garderez ainsi de belles compositions.

## ARROSER ET FERTILISER

Même quand il pleut, les plantes en pots reçoivent souvent moins d'eau qu'on ne le croit. Un feuillage dense empêche parfois la pluie d'arroser le terreau. Ce n'est cependant pas une raison pour laisser les pots croupir les pieds dans l'eau ce qui peut provoquer une pourriture des racines. Des feuilles flétries ou un pot anormalement léger indiquent parfois un manque d'eau. Mieux vaut intervenir rapidement. Arrosez régulièrement avec un engrais liquide ou ajoutez un engrais à libération lente pendant la période de croissance. Les systèmes d'irrigation résoudront les problèmes d'arrosage en votre absence. Il s'agit simplement de tuyaux percés qui distribuent l'eau dans chaque pot. Réglez le minuteur pour le soir ou la nuit, vous limiterez la perte d'eau due à l'évaporation pendant la journée.

## ENTRETIEN DES PLANTES EN POTS

Vos plantes en pots prospéreront si vous arrosez et fertilisez convenablement. Cependant, pour qu'elles restent à leur avantage, quelques petites tâches supplémentaires s'imposent.

En enlevant régulièrement les fleurs fanées, vous stimulerez la floraison des plantes. En outre, elles seront plus jolies et vous les garderez plus longtemps. Retaillez les plantes mises en forme et pincez les extrémités pour avoir des plantes plus touffues. Certaines topiaires ou sujets sculptés devront parfois être taillés à intervalles très réguliers pendant leur période de croissance pour des contours impeccables. Les grimpantes en pots seront régulièrement attachées et les rameaux guidés sur les supports. Pour égayer une composition qui commence à flétrir, remplacez deux ou trois des sujets fatigués par des plantes de fin de saison. Elles apporteront de la couleur.

△ **DES PLANTES ASSOIFFÉES**
*Une belle composition est synonyme de plantations denses et demande donc un arrosage plus fréquent, régulièrement enrichi d'un engrais liquide.*

**LA POULIE** ▷
*Une poulie facilitera l'arrosage des paniers suspendus en toute simplicité.*

▽ **UNE FORME IRRÉPROCHABLE**
*À force de tailler et de pincer les extrémités de ces plantes d'ornement, on a sculpté leurs contours. Il suffit seulement de maintenir les nouvelles pousses dans le cadre définitif. Supprimez toutes les feuilles et les tiges qui dépassent de la forme souhaitée.*

Nul besoin d'un gabarit ou de tuteurs pour les plantes à port dressé

**BUIS**
*Buxus sempervirens*

**LIERRE DES CANARIES**
*Hedera canariensis* 'Gloire de Marengo'

Les grimpantes persistantes doivent être attachées et guidées sur un gabarit

△ **SUPPRIMER LES FLEURS FANÉES**
*Supprimez les bractées des fleurs fanées pour prolonger la période de floraison. Ne les laissez en place que si vous souhaitez des baies ou des graines.*

Les pousses indisciplinées seront coupées aux ciseaux

**IMPATIENTE**
*Impatiens* 'Super Elfin Red'

**VOIR AUSSI :** Les tuteurs, pp. 108-109 ; Les arbustes, pp. 156-157 ; Les topiaires, p. 173

# REMPOTER ET SURFACER

Une plante en bonne santé débordera vite de son bac. Surveillez les trous de drainage par où passent les racines. Une perte de vigueur ou un jaunissement des feuilles sont d'autres signes révélateurs. Pour vérifier, dépotez la plante avec la motte. Si les racines sont denses, compressées et abîmées, il est temps de rempoter. Les plantes à croissance très lente profiteront également d'un nouveau mélange, même si leurs racines ne sont pas à l'étroit. Sortez la plante et enlever le plus possible de vieux terreau. Coupez les racines abîmées ou malades avant de rempoter dans le même pot avec du terreau frais. Les pre-

mières années, rempotez les vivaces au printemps, dans un pot plus grand d'une taille. Si la plante a atteint sa taille maximale, un surfaçage suffira au début de la saison de croissance. Remplacez tout simplement 5 à 8 cm du vieux terreau par un terreau frais de même nature enrichi d'un engrais équilibré. Mieux vaut surfacer que rempoter les plantes dont les racines n'aiment pas être dérangées ou apprécient les espaces confinées. Dans le cas des arbustes aux racines superficielles, il sera plus sage de sortir la plante et de remplacer une partie du terreau sous les racines.

## LE REMPOTAGE D'UNE PLANTE

**1 VÉRIFIEZ LA TAILLE DU POT**
*Pour savoir si le nouveau pot est assez grand, présentez la plante dans son ancien pot (ici, un Aucuba) au-dessus du nouveau. Il faut un espace d'environ 2,5 cm entre les deux.*

**2 DÉTREMPEZ LES RACINES**
*Une heure ou deux avant le rempotage, plongez la plante en pot dans l'eau. Elle sera plus facile à sortir et les racines s'établiront plus vite dans le nouveau terreau.*

**3 DÉMÊLEZ LES RACINES**
*Favorisez la croissance des racines dans le nouveau terreau en les aérant doucement avec les doigts. Coupez les racines abîmées ou mortes au couteau. Profitez-en pour chasser les ravageurs éventuels.*

**4 REMPOTEZ**
*Tapissez de tessons le fond du nouveau pot. Ajoutez du terreau et tassez avant d'installer la plante à la bonne profondeur en laissant de l'espace pour l'arrosage. Rajouter de terreau en tassant au fur et à mesure.*

Supprimez les pousses mortes ou abîmées avec un ciseau ou un sécateur

Remplissez le pot de terreau jusqu'à 2,5 cm du bord.

**5 TAILLEZ ET ARROSEZ**
*Enlevez les feuilles mortes et les tiges mal orientées. Ajoutez une dose d'engrais à libération lente et arrosez généreusement. Si nécessaire, égalisez avec du terreau après arrosage.*

## POURQUOI

### POURQUOI DOIS-JE REMPOTER LES PLANTES ENCOMBRANTES CHAQUE ANNÉE ?

Bien qu'un surfaçage annuel soit parfois suffisant, un éclaircissement des racines est vivement recommandé dans la mesure où il enrichit le terreau d'éléments nutritifs frais. Supprimez environ un quart des racines non fibreuses à peu près aux deux tiers. Élaguez aussi la partie aérienne dans les mêmes proportions pour limiter la transpiration des feuilles qui pourrait fatiguer la plante. Replacez la plante dans son pot ou dans un nouveau pot de même taille, comblez les trous à l'emplacement des anciennes racines avec du terreau frais. Veillez à remplir jusqu'au même niveau que précédemment.

# PROTECTION HIVERNALE

Un des grands avantages de la culture en pots est de pouvoir sortir des plantes fragiles en été, puis de les rentrer à l'abri en hiver. Les plantes en pots sont plus sensibles au gel que celles cultivées en extérieur, les racines et le terreau n'étant protégés que par le contenant. Certaines se contenteront d'être mises à l'abri contre le mur chaud d'une maison. D'autres survivront dans une serre froide, d'autres encore demanderont la chaleur d'une pièce bien éclairée en intérieur ou d'un jardin d'hiver chauffé. Avant les premières nuits froides, sachez jusqu'à quel point vos plantes vont les supporter.

Les bacs trop lourds à rentrer seront protégés sur place. La protection dépendra de la rusticité de la plante. En règle générale, isolez les racines en enveloppant le pot dans du bulle pack ou de la toile de jute garnie de paille. Attachez les plantes à feuilles en lanières comme les cordylines pour protéger l'axe de croissance et enveloppez la partie aérienne d'un molleton isolant. Regroupez les plantes qui se protégeront mutuellement.

Attachez les feuilles en lanières avant de déplacer la plante

△ **PRATIQUE**
*Pour déplacer un pot trop lourd, installez de la toile de jute ou une bâche en plastique en inclinant le pot puis tirez-le vers vous.*

**ASTUCIEUX** ▷
*Pour ne pas avoir à déplacer des pots trop lourds à l'intérieur, plantez les sujets fragiles dans des pots en plastique qui seront cachés par des pots plus grands en terre ou en pierre, stabilisés dans le fond par des cailloux.*

**VOIR AUSSI :** Les châssis et les serres, p. 284-285 ; Les mauvaises herbes, les maladies et les ravageurs, pp. 288-311

# MASSIFS SURÉLEVÉS

Comme les bacs à plantes, les massifs surélevés permettent de cultiver des plantes acidophiles, des herbes et des plantes de rocaille demandant un sol bien drainé de nature différente de celui du jardin. Souvent plus faciles à entretenir que les plates-bandes, ils conviennent mieux aux personnes qui ont du mal à se baisser. Leurs plantes retombantes multicolores et parfumées composent un tableau dans le tableau. Contrairement à un pot ou une jardinière, un massif surélevé est appelé à durer. Avant d'entreprendre sa construction, réfléchissez à sa taille, son emplacement, sa conception et son style. Une série de massifs surélevés pourra délimiter un grand jardin.

## STYLE ET CONCEPTION

Un massif surélevé doit se fondre naturellement dans le décor du jardin, sans heurter le regard. Prenez en considération son emplacement et sa forme, ses proportions, les matériaux et la facilité d'accès. Les plantes cultivées dans votre massif ont, elles aussi, leur importance. Pour mieux profiter des plantes parfumées, par exemple, vous aurez peut-être envie d'installer un siège dans le plan de votre massif surélevé.

▓ Si vous n'envisagez de cultiver qu'un seul type de plantes dans un petit massif, ou un ensemble de petites alpines, un massif surélevé de taille modeste sur un patio près de la maison conviendra. Pensez à laisser suffisamment d'espace autour pour les déplacements du jardinier et de son matériel, notamment de la brouette. Dans ce cas, un massif circulaire est souvent plus pratique qu'un massif carré ou rectangulaire aux angles plus difficiles à négocier. Le centre doit être facile d'accès. Si le jardin est assez grand pour une série de massifs surélevés, couchez d'abord les plans sur le papier.

△ DES RONDINS EN SOUTIEN
*Bordez un massif surélevé où les plantes semblent mélangées au hasard avec des rondins de bois placés à la verticale le plus près possible les uns des autres pour ne pas laisser passer la terre.*

Veillez à ce que chaque massif soit accessible et relié aux autres par une grande allée.

▓ Les proportions : La hauteur et la largeur d'un massif surélevé dépendent du jardinier qui va l'entretenir. Les personnes en fauteuil roulant devront pouvoir accéder au centre du massif sans difficultés. Les plantes seront à hauteur du regard. Dans une série de massifs, la différence de hauteur apportera une touche de fantaisie. Ils devront être suffisamment étroits pour un accès facile au centre.

▓ Les matériaux vont de la brique, à la pierre et au béton, aux traverses de chemin de fer et aux rondins de bois.

▓ Les plantes appropriées aux massifs surélevés seront des arbres présentés en sujets isolés comme l'érable du Japon, des herbes aromatiques odorantes, des alpines, des plantes de rocaille ou des acidophiles comme les azalées.

△ ADOUCIR LES CONTOURS
*Des couleurs vives viennent égayer le haut de ce muret. De la même façon, on peut habiller les murs des massifs surélevés avec des retombantes qui arrondiront les angles.*

### POURQUOI

**COMMENT PRÉPARER ET ENTRETENIR UN MASSIF SURÉLEVÉ POUR LES PLANTATIONS ?**

Remplissez le fond d'une couche de matériau aéré comme des gravats pour faciliter le drainage. Couvrez avec du compost de jardin et des plaques de gazon à l'envers puis comblez avec une terre végétale ou un mélange spécial pour la culture de plantes spécifiques. Arrosez abondamment avant de planter. Après les plantations, surfacez la terre ou le terreau avec des copeaux d'écorce, des éclats de pierre ou des gravillons pour étouffer les mauvaises herbes et conservez l'humidité. Arrosez régulièrement et enrichissez de matières organiques selon les besoins.

△ UN INTÉRÊT SUPPLÉMENTAIRE
*Ces massifs circulaires en briques, recouverts de pavés, sont rehaussés par des plantes en pots qui changeront de place à votre gré au fil des saisons.*

VOIR AUSSI : Les massifs et les plates-bandes, pp. 122-165 ; Les massifs surélevés, pp. 182-183

# Choix des matériaux

Le choix du matériau sera en partie dicté par le style du jardin. Qu'il s'agisse de traverses de chemin de fer ou de rondins, le bois se mariera bien avec un jardin de campagne. Des briques ou des éléments en béton seront plus adaptés à un décor formel. La forme du massif est également décisive : vous pourrez utiliser des rondins ou des traverses pour un massif étroit. Pour un massif aux lignes courbes, vous devrez choisir entre la pierre naturelle ou les briques.

■ **Les éléments en béton** sont parfaits pour les grands massifs profonds et rectangulaires. Tapissez les murs des massifs destinés aux acidophiles avec une bâche de butyl caoutchouc ou plusieurs couches d'un enduit hydrofuge bitumé pour prévenir les infiltrations de calcaire.

■ **Les briques** conviennent pour des massifs aux lignes droites ou courbes. Choisissez des briques résistantes au gel plutôt que des briques ordinaires. Tapissez les massifs destinés aux plantes acidophiles comme les éléments en béton.

■ **La pierre naturelle** sera montée comme pour les murets de pierres sèches. Utilisée pour les lignes courbes ou droites, elle est parfaite pour des petits massifs, assez bas. Au-dessus de 60 cm, scellez les pierres dans du mortier.

■ **Les traverses** de chemin de fer sont la solution idéale pour de grands massifs rectangulaires, plutôt bas, mais sont lourdes et coûteuses. Un bois traité sera moins onéreux. Coupez-les à vos dimensions avec une tronçonneuse. Certaines traverses sont traitées avec un produit toxique pour les plantes. Renseignez-vous auprès de votre fournisseur.

■ **Les rondins** sont parfaits pour des jardins boisés ou des massifs informels, peu surélevés.

△ **Une série de massifs**
*Si le jardin le permet, une série de massifs formels de différents niveaux attire le regard, surtout quand ils sont garnis de plantes à port dressé et de retombantes.*

▽ **Des traverses basses**
*Idéales pour les massifs peu surélevés, on peut aussi les échelonner en escalier. De jolies pierres et des espèces variées achèvent cet ensemble.*

△ **Associer les pierres et la brique**
*La structure de base de ce massif surélevé en pierres scellées au mortier a été agrémentée d'une rangée de briques.*

# Construire un massif

Que les massifs soient en béton ou en briques, des fondations s'imposent. On choisira le béton ou la blocaille pour leur stabilité. Creusez une tranchée de 22 cm de profondeur, un peu plus large que les murs une fois montés. Détrempez et laissez l'eau s'écouler. Posez une couche de blocaille de 13 cm sur le fond (des éclats de briques par exemple). Tassez fermement. Pour la base, coulez le béton sur une profondeur de 2,5 cm. Nivelez avec une planche de bois. Laissez le béton à l'état brut pour offrir une prise au mortier de la première assise de briques. Un massif aux lignes courbes peut être construit en briques. On les pose côte à côte sur l'intérieur du mur puis on modèle à l'extérieur avec du mortier.

## Un massif en briques

Posez les fondations et la première assise de briques sous le niveau du sol. Alternez la disposition des briques pour renforcer la solidité du muret. Prévoyez quelques cavités pour de futures plantes.

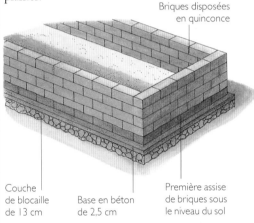

Briques disposées en quinconce

Couche de blocaille de 13 cm

Base en béton de 2,5 cm

Première assise de briques sous le niveau du sol

## Les traverses de chemin de fer

Leur longueur et leur poids leur confèrent une stabilité qui rend inutiles les fondations. Comme pour les briques, alternez la disposition des traverses posées sur une base de gravier. Au-delà de deux assises, assurez la fixation avec des tiges métalliques.

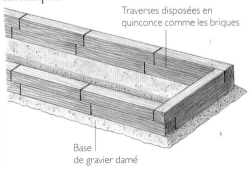

Traverses disposées en quinconce comme les briques

Base de gravier damé

**Voir aussi :** Le béton, p. 60 ; Les massifs et les plates-bandes, pp. 122-165 ; Les bacs p. 168 ; Les murs, p. 183

# COMMENT PLANTER ET ENTRETENIR UN MASSIF SURÉLEVÉ

Si vous construisez un massif surélevé pour cultiver des plantes bien précises, par exemple des alpines ou des acidophiles comme les bruyères et les azalées, il vous sera facile de concevoir son plan. Un massif qui ne sera pas réservé à telle ou telle plante en particulier pourra quant à lui se concevoir autour d'un thème, les fragrances du soir par exemple, ou d'un jeu de contrastes avec les couleurs d'été. Les retombantes adouciront les bords des massifs et habilleront parfois les crevasses. L'entretien des massifs (désherbage, fertilisation, taille, arrosage) est moins compliqué que dans une plate-bande normale, la terre et les plantes étant plus faciles d'accès.

## CONCEVOIR UN MASSIF SURÉLEVÉ

En premier lieu, vous devez définir la fonction de votre massif. Aura-t-il un intérêt architectural ? Souhaitez-vous composer un jardin de senteurs ? Ou une oasis de couleurs pour égayer un coin triste en été ? À moins que vous ne soyez tenté par les couleurs vives des persistantes pour égayer les sombres journées d'hiver. Sauf si vous avez opté pour des conditions de culture spécifiques à certaines plantes, rien ne vous empêche de panacher toutes ces options. Une fois le thème choisi, il s'agit d'étudier les plantes qui conviennent parmi les arbres et les arbustes, les plantes de rocaille, les bulbes et les herbes aromatiques.

■ Un arbre ou un arbuste en sujet isolé entouré de plantes à port bas attirera le regard au centre d'un massif. Les rosiers miniatures sont parfaits dans les petits massifs.

■ Parmi les plantes parfumées, essayez les giroflées, la lavande, ou les herbes aromatiques

■ Parmi les persistantes d'hiver, essayez les cotonéasters à feuillage persistant, le buis et les conifères nains.

■ Les plantes retombantes comme les alyssums, les aubriettes, certaines clématites et les nasturtiums, atténuent la rigueur des lignes du massif.

■ Les plantes acidophiles demandant un terreau pour plantes de terre de bruyère vont des azalées et des rhododendrons nains aux bruyères et aux camélias.

■ Les alpines et les plantes à feuilles charnues se délectent de l'excellent drainage des massifs surélevés comme les androsaces, les saxifrages en coussin, les sedums et les sempervirens.

---

### L'ASSOCIATION IDÉALE

Voici une sélection d'alpines idéales dans un massif surélevé.

*Androsace* (presque toutes les espèces et les hybrides)
*Antirrhinum molle, A. sempervirens*
*Campanula portenschlagiana, C. raineri*
*Daphne arbuscula, D. cneorum, D. petraea* 'Grandiflora'
*Gentiana acaulis, G. saxosa, G. Verna*
*Papaver alpinum, P. miyabeanum*
*Phlox bifida, P. Stolonifera*
*Sempervivum* (presque toutes les espèces et les hybrides)
*Saxifraga* (presque toutes les espèces et les hybrides)

---

△ **UN MASSIF À THÈME**
*Isolé au centre de ce massif un peu strict, ce marronnier d'Inde est entouré de touffes de lavande qui parfument l'air d'été et habillent toute l'année le massif de leur feuillage.*

◁ **ADOUCIR UNE PENTE**
*Une des solutions aux nombreux problèmes induits par une pente est de créer une série de massifs à différents niveaux. Le mur de retenue maintient la terre en place et empêche l'évacuation des éléments nutritifs avec l'eau.*

△ **UNE FLEUR DE SAISON**
*Les vivaces comme le muguet (Convallaria majalis) égayent un massif surélevé à la fin du printemps ou en été mais disparaissent en hiver.*

VOIR AUSSI : Les massifs et les plates-bandes, pp. 122-126 ; Les parterres, pp. 148-151 ; Les arbres, pp. 192-195

# DES CULTURES SUR MESURE

Les alpines et les succulentes à feuilles charnues, habituées aux climats froids et secs, de même que les plantes du désert endurcies pour survivre dans un milieu aride, ne peuvent prospérer que dans un sol très bien drainé. Dans ce cas, un massif surélevé est la solution idéale. Pour un meilleur drainage, construisez le massif surélevé au moins 25 cm au-dessus du sol. Ne le posez pas sur une base en béton ou un matériau imperméable. Comblez de gravats ou de pierres jusqu'à un tiers minimum de sa hauteur totale. Pour les alpines et les succulentes, on cherchera un emplacement en plein soleil et légèrement en pente pour un meilleur drainage. Un terreau très drainant est essentiel : mélangez une part de gravillons à trois parts de terreau. Dans les jardins à sol neutre ou alcalin (voir p. 49), le massif surélevé offre la solution idéale aux plantes acidophiles. Il peut être nécessaire de tapisser le massif (voir p. 181) avant de le remplir de terre de bruyère.

### DES CACTUS HEUREUX ▷
*Les cactus venant d'habitats du désert sont souvent perçus comme de tristes nids à poussières. Avec les soins et les conditions de culture appropriés, ils présenteront un spectacle luxuriant et coloré.*

---

# PLANTER DANS LES MURS ET LES CREVASSES

Les petites plantes peuvent pousser dans les cavités entre les pierres ou les briques des murs du jardin ou ceux des massifs surélevés. Elles adouciront la rigueur des lignes et rompront la monotonie du mur. Certaines alpines comme les sempervivums et les saxifrages s'y prêtent particulièrement, ayant évolué pour exploiter les crevasses naturelles dans la roche et demandent peu d'attention une fois établies. Quelques retombantes sont tout aussi parfaites. Remplissez les poches de plantations ou les crevasses avec une terre ou un terreau adapté à la plante. Les plantules et les boutures à petites racines s'établiront plus facilement que les plantes adultes, plus grandes. Glissez les racines dans la crevasse à l'aide d'un petit couteau et tassez la plante en ajoutant du terreau si nécessaire. Arrosez soigneusement le terreau, soit par le haut du mur soit en vaporisant.

### △ HABILLER UN MURET DE PIERRES SÈCHES
*Pour un effet merveilleusement rustique et naturel, profitez d'un muret de pierres sèches. Une fois établies, ces retombantes offriront une cascade multicolore.*

## ASTUCES

- Si possible, prévoyez vos plantations avant la construction du mur, en laissant des niches aux endroits désirés.
- Optez pour des plantes qui apprécieront les conditions de culture offertes par le mur.
- Pour les alpines, mélangez 3 parts de terreau, 2 parts de tourbe fibreuse ou d'un substitut de tourbe fibreux et 1 à 2 parts de sable grossier ou de gravillons.
- Calez les petites pierres autour des plantes pour les maintenir en place ainsi que le terreau.

## COMMENT PLANTER DANS UNE CREVASSE

**1 L'APPORT DE TERREAU**
*Les crevasses entre les pierres, et les briques des murs et des massifs et sous les marches créent des poches de plantation. Comblez avec du terreau et tassez le plus possible.*

**2 L'INSERTION DE LA PLANTE**
*Avec un petit couteau, faites un trou dans le terreau. Insérez la plante avec le plus grand soin, mettez-la en place et tassez doucement mais assez pour la maintenir.*

**3 LES FINITIONS**
*Rajoutez du terreau autour de la plante tant que vous n'êtes pas sûr qu'elle soit fermement en place. Arrosez et surveillez la plante jusqu'à ce qu'elle soit bien établie.*

---

# ENTRETIEN DES MASSIFS

Un massif surélevé construit dans les règles gardera tout son charme avec peu de travail. La qualité du drainage exige de vérifier régulièrement si la terre ou le terreau demande à être arrosés, notamment vers les bords qui sèchent plus vite, laissant ainsi un espace vacant contre le mur dont les plantes pourraient souffrir pendant les gelées. Les grands massifs justifient l'installation d'un système d'irrigation. Avant de remplir avec le terreau, posez une série de tuyaux goutte à goutte et installez une arrivée d'eau.

D'autres tâches routinières consistent à désherber, fertiliser, tailler, remplacer les plantes malades ou trop vieilles, changer le surfaçage ou le paillis. La fertilisation est inutile pendant plusieurs années si le mélange de départ est bien préparé. Par la suite, ajoutez un petit peu d'engrais phosphaté mélangé à un engrais à libération lente autour des plantes au milieu du printemps, ou remplacez le surfaçage et la première couche de terreau par un terreau frais ou une nouvelle couche de gravillons.

## ASTUCES

- Éclaircissez les plantes vigoureuses et envahissantes au début du printemps pour respecter l'équilibre de l'ensemble.
- Surfacez les plantes sensibles à l'humidité hivernale avec une bonne couche de graviers.
- Protégez les alpines sensibles à l'humidité en hiver sous des cloches, des plaques de verre ou des films plastiques maintenus avec des briques ou du grillage bien fixé au sol pour que les plantes ne soient pas emportées par le vent. Veuillez à ce que l'air circule bien autour des plantes.

---

VOIR AUSSI : Le drainage, p. 49 ; Les massifs et les plates-bandes, pp. 122-165 ; Les massifs surélevés, pp. 180-181

# LES ARBRES D'ORNEMENT

## DES ÉLÉMENTS DE DÉCOR

Par sa stature et sa silhouette, par la richesse décorative de son feuillage et de ses fruits, et même par son écorce, l'arbre offre une telle diversité qu'il s'intègre à tous les types de jardin. Même isolé et de petite taille, un arbre est un élément structurant. Il est à la fois une sculpture vivante et un signe de permanence. Il faut bien réfléchir à la variété et à l'empla-cement. Pensez à son évolution, sa taille, son envergure, l'entretien et les soins qu'il peut réclamer. N'oubliez pas de prendre en considération l'ombre qu'il génère. Imaginez sa silhouette l'hiver. À feuilles caduques ou persistantes, pleu-reur ou à la forme arrondie, à fleurs ou à fruits, bien choisi l'arbre vous apportera chaque année un plaisir renouvelé.

## LA STRUCTURE D'UN JARDIN

Associés à d'autres éléments permanents du décor tels que les murs et les allées, les arbres participent aux lignes de force du jardin et contribuent au style et à la structure d'ensemble. Dans la plupart des jardins, les petits arbres d'ornement jouent un rôle plus important que les arbres fores-tiers qui ne conviennent qu'aux grands jardins. Il est essentiel de choisir l'espèce et l'emplacement avec soin pour que l'arbre soit un atout et non un problème. Mal choisi et mal situé il peut masquer la lumière ou gêner les voisins. Les arbres taillés sont bienvenus dans les petits jardins. Certains arbustes feront aussi de beaux standards (*voir p. 173*) qui s'apparenteront à de petits arbres. Pour prendre la bonne décision, imaginez la silhouette de l'arbre se découpant sur le ciel, le mur ou la haie. Gardez à l'esprit son évolution, son étalement et son aspect au fil des saisons. Préférez-vous un arbre à tronc unique ou à troncs multiples ? Les arbres à feuillage caduc offrent une belle masse colorée du printemps à l'automne mais des branches nues en hiver. Êtes-vous prêt à ramasser les fruits, les fleurs et feuilles mortes ? Les persistants et les conifères apportent la permanence de leurs textures et de leurs couleurs. Si le jardin est assez grand pour accueillir plusieurs spécimens, travaillez la composition en jouant sur les formes et les volumes, les feuilles, les fleurs et les fruits.

◁ **VERTICALITÉ**
*La silhouette élancée d'un bou-leau argenté (Betula utilis) contrebalance le côté informel d'une mixed-border de l'autre côté du sentier. Ses teintes d'automne sont le complément idéal du fusain rougeoyant. Après la chute des feuilles, le blanc lumineux de son écorce passera au premier plan.*

△ **ÉQUILIBRE**
*Ici un genévrier érigé à croissance lente orne le centre d'un massif de bruyères basses et touffues. En hiver, leur touche de couleur fera ressortir le vert du feuillage persistant. Bien proportionné au décor, cet arbre ne débor-dera pas de son espace avant bien longtemps.*

**VOIR AUSSI :** Les saisons, pp. 186-187 ; Les arbres, pp. 188-189 ; L'élagage, p. 197

# PLANTATIONS GROUPÉES ET SUJETS ISOLÉS

◁ SCULPTURAL
*La répétition des cônes et colonnes crée l'harmonie de ce massif de conifères, cyprès, genévriers, thuyas et épicéas. En juxtaposant des feuillages gris-bleu avec les nuances de verts, du tendre au sombre, on crée un subtil dégradé de couleurs.*

▽ ÉRABLE ISOLÉ
*Un sujet isolé ne doit pas forcément avoir une allure solennelle, au beau milieu d'une pelouse. Ce splendide érable japonais (Acer palmatum) s'élance d'une mer de jacinthes et de hautes herbacées, exposé aux rayons de soleil qui illuminent ses feuilles.*

Les plantations groupées peuvent être d'un bel effet visuel. Dans un cadre informel, essayez de concevoir un groupement à l'allure naturelle de taillis ou un bosquet de trois ou cinq arbres tels que des érables (*Acer*) ou des bouleaux (*Betula*). Les nombres impairs sont toujours plus plaisants à l'œil que les nombres pairs. Si vous associez plusieurs espèces, assurez-vous qu'aucune ne prédominera et vérifiez avant l'achat leurs exigences de culture, leurs hauteur et étalement potentiels, et la complémentarité de leurs ports. Vous pouvez aussi planter une paire d'arbres en prévision d'un hamac. Si vous avez un petit jardin et de la place pour un seul arbre, considérez d'abord ses caractéristiques globales – hauteur et étalement, silhouette, port, couleur, masse de feuillage – puis pensez aux détails qui comptent, les fleurs et les fruits. Choisissez un arbre à l'échelle de son environnement. Pour une croissance saine et une forme naturelle, tous les arbres ont besoin d'un espace suffisant. Étudiez leurs besoins spécifiques avant l'achat. Dans un jardin plus grand, un sujet isolé crée un fort impact visuel. Choisissez un arbre avec une belle charpente ou un feuillage remarquable, évitez le piège du splendide mais bref feuillage de printemps inintéressant le reste de l'année. Situez-le à l'endroit où vous pourrez l'apprécier sous de multiples angles.

▪ **En petit arbre isolé**, essayez le pommier (*Malus*), le sorbier (*Sorbus*), l'érable japonais (*Acer palmatum*) ou des arbres à feuillage coloré comme le faux acacia vert-jaune (*Robinia pseudoacacia* 'Frisia').

▪ **Pour border une clôture**, choisissez des arbres qui aient belle allure à distance, comme le peuplier blanc (*Populus alba*), le petit genévrier (*Juniperus communis* 'Hibernica') ou le fier cyprès italien (*Cupressus sempervirens*).

# FORME ET PORT

La forme et le port d'un arbre sont des éléments déterminants de son aspect. Un cyprès en colonne forme un pilier vert alors qu'une aubépine en fleurs évoque une sucette. En général, les arbres à port érigé et compact ont un aspect plus formel que ceux à ramure ouverte. Les arbres étalés, surtout les persistants et les conifères, créent une vaste zone d'ombre impraticable pour d'autres plantations mais agréablement fraîche en été. Parallèlement à la silhouette générale, considérez la forme et la géométrie des branches qui sont en vedette l'hiver, surtout sur les arbres à feuilles caduques. Les bouleaux et les érables japonais par exemple ont des branches longues et délicates tandis que les fruitiers d'ornement ont une charpente plus robuste.

## PORTS DES ARBRES

ÉTALÉ     EN COLONNE

PLEUREUR     CONIQUE

ARRONDI     TRONCS MULTIPLES

## ASTUCES

• Pour limiter la hauteur d'un arbre dans un petit jardin, rabattez-le sévèrement ou recépez-le pour avoir plusieurs troncs au lieu d'un.

• Dans un jardin classique, essayez l'art topiaire, consistant à tailler les arbres pour leur donner des formes décoratives, oiseaux, cônes ou boules.

VOIR AUSSI : Les topiaires, p. 173 ; La taille, p. 196 ; L'élagage, p. 197

# À CHAQUE SAISON SA BEAUTÉ

L'un des plaisirs du jardinier est de suivre l'évolution de son jardin au long de l'année. De nombreux arbres ont un cycle saisonnier bien défini, plus spectaculaire dans les variétés à feuilles caduques : au printemps les premiers bourgeons puis l'éclosion des fleurs de fruitiers, en plein été la profusion des feuilles et des fleurs de magnolias ou de marronniers, en automne les fruits mûrs et les feuillages fastueux des érables, en hiver les branches squelettiques aux écorces parfois décoratives. Ces variations seront mises en relief par un arrière-plan stable, la couleur et la texture constantes d'une haie de persistants, les immeubles environnants ou simplement le ciel.

## PRINTEMPS

Après un long hiver, les premiers signes du printemps, feuilles naissantes et boutons de fleurs, sont les bienvenus. Préparez-vous un ravissant spectacle printanier avec les cerisiers et amandiers à fleurs (*Prunus*). Pensez aux aubépines (*Crataegus*), pommiers (*Malus*) et sorbiers (*Sorbus*) qui ont aussi de jolis fruits à l'automne. Certaines des fleurs les plus précoces apparaissent sur des branches nues, par exemple *Prunus* 'Pandora' qui forme des bouquets de fleurs rose pâle, ou le pleureur *Prunus* x *Subhirtella* 'Pendula Rubra' dont les fleurs d'un rose profond éclosent de boutons rubis qui l'ont orné tout l'hiver. Si il est situé près de la maison ou au bord d'une allée, recherchez un arbre dont les fleurs parfumées embaumeront vos allées et venues. N'oubliez pas le feuillage : chez la plupart des arbres, c'est au printemps que les feuilles sont les plus lumineuses et vives.

■ **Fleurs printanières** : *Prunus* 'Shirofungen', *Prunus avium* 'Plena', *Malus* 'Lemoinei', *Cornus nuttallii*, *Pyrus calleryana* 'Chanticleer'.

■ **Parfum** : *Magnolia kobus*, *M. salicifolia*, *Prunus* 'Taihaku'.

■ **Feuilles naissantes** : les feuilles vert pâle à dessous argenté de l'alisier blanc (*Sorbus aria* 'Lutescens') sont un spectacle charmeur. Rehaussez-le par un arrière-plan sombre. Les feuilles du févier d'Amérique (*Gleditsia triacanthos* 'Sunburst') sont d'abord jaune vif avant de virer au vert. Quant à l'érable sycomore *Acer pseudoplatanus* 'Brilliantissimum', il explose en feuilles rose saumon vif qui tournent au jaune-vert.

## ÉTÉ

À la fin du printemps, les arbres sont en plein feuillage et prennent tout leur caractère. Leur feuillage aux textures et couleurs homogènes crée de superbes toiles de fonds faisant ressortir les fleurs éclatantes du jardin. Beaucoup d'arbres qui fleurissent en début d'été font la transition avec le printemps. Dans les grands jardins, magnolias, cytises et marronniers méritent sans conteste leur succès. Au fil de l'été, les arbres à floraison printanière, comme les sorbiers et pommiers, commencent à fructifier et les perles colorées de leurs baies annoncent les plaisirs de l'automne.

■ **Fleurs estivales** : *Genista aetnensis* à fleurs jaunes en voûte légère. Pour les grands jardins, le tulipier de Virginie (*Liriodendron tulipifera*) aux fleurs en forme de tulipe, vertes et jaunes.

■ **Parfum** : *Eucryphia glutinosa* aux fleurs blanches parfumées.

△ **ÉCLAT DE PRINTEMPS**
*L'aubépine* (Crataegus laevigata) *'Paul's Scarlet' se couvre de fleurs d'un rouge rosé vibrant, et non pas écarlate, en fin de printemps et début d'été.*

**EXPLOSION** ▷
**DE FLEURS**
*En pleine floraison, le cerisier à fleurs* (Prunus) *offre l'une des visions les plus éblouissantes du printemps. Ici le vert des persistants bas étalés contrebalance sa luxuriante blancheur.*

△ **SPLENDEUR D'ÉTÉ**
*Les cymes aplaties de fleurs blanches de Cornus controversa 'Variegata' accompagnent en fin d'été son superbe feuillage panaché de crème.*

VOIR AUSSI : Quelles plantes pour quel effet?, pp. 38-41

# Automne

En cette saison où les plates-bandes ont perdu leur attrait, les arbres à feuilles caduques illuminent le jardin de leurs plus fastueuses couleurs. Les plus célèbres sont sans doute les érables, surtout les nombreux types d'érables japonais (*Acer palmatum, A. japonicum*), pour la brillance de leurs feuillages pourpres embrasés par le soleil. Le sumac de Virginie (*Rhus typhina*) est l'un des premiers à virer vers des teintes éblouissantes de jaune, orange et rouge mais la féerie est de courte durée et il a tendance à drageonner.

■ **Couleur du feuillage** : l'érable japonais *Acer japonicum* 'Vitifolium' est un très beau sujet à isoler qui se plaît dans une ombre intermittente. Ses feuilles prennent de riches teintes cramoisies, oranges et pourpres à l'automne. Le tupelo sinensis (*Nyssa sinensis*) offre des rouges, oranges et jaunes ardents.

■ **Fruits d'automne** : pour leurs baies et leurs fruits, pensez aux aubépines (*Crataegus*), sorbiers et pommiers. *Sorbus* 'Joseph Rock' donne des baies jaunes et de belles teintes de feuillage. N'oubliez pas non plus les fruits comestibles, pommes, poires, prunes et coings.

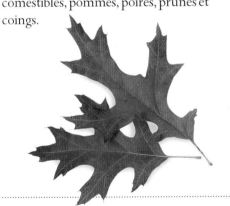

◁ **Feu d'automne**
*Réservé uniquement aux grands jardins, le chêne écarlate (ici Quercus Coccinea 'Splendens') a des feuilles très découpées virant au rouge profond qui éclairent les jours tristes d'automne.*

△ **Contre-jour**
*Choisissez un arbre pour son feuillage d'automne — ici un érable japonais (Acer palmatum) et offrez-lui un emplacement où le soleil le transpercera et fera vibrer toutes ses nuances.*

# Hiver

À la différence des plantes herbacées au charme plus éphémère, les arbres offrent un intérêt tout l'hiver, soit pour le dessin de leurs branches qui se découpent sur le ciel, soit pour leur feuillage persistant, leurs précieuses fleurs ou leurs baies persistantes aux couleurs vives. C'est aussi le moment où les écorces décoratives sont les plus visibles. Les conifères aussi se mettent en avant, avec toutes leurs nuances de verts ou des feuillages bleu-gris, jaune-vert chaleureux ou or. Vérifiez toujours leurs hauteur et étalement futurs car ils risquent de vite dépasser le terrain imparti.

■ **Fleurs** : *Prunus* x *subhirtella* 'Autumnalis'.

■ **Fruits** : arbousier, *Photinia davidiana*, houx (*Ilex*) — faciles à cultiver, baies rouge vif surtout *I.* x *altaclarensis* 'Camelliifolia', d'autres ont des feuillages panachés — sorbier (*Sorbus commixta*).

△ **Silhouette d'hiver**
*La forme élégante sur fond de ciel et l'écorce blanche du bouleau argenté (Betula utilis var. jacquemontii) sont sans égal en hiver.*

# Toute l'année

Si vous avez de la place pour un seul arbre, optez pour un arbre attrayant toute l'année : un persistant ou un caduc à charpente élégante, un conifère à croissance lente ou un persistant étalé.

■ **Feuilles persistantes** : arbousier (*Arbutus Nedo*), houx (*Ilex Aquifolium* 'Silver Milkmaid').

■ **Feuilles caduques** : pommier (*Malus*), néflier (*Mespilus*) ou sorbier (*Sorbus*).

■ **Conifères** : pin Napoléon (*Pinus bungeana*), cyprès de Monterey (*Cupressus macrocarpa* 'Goldcrest'), cèdre de l'Himalaya (*Cedrus deodara* 'Aurea').

POMMIER
*Malus* 'Butterball'

**Fleurs et fruits** ▷
*De nombreux pommiers (Malus) ont au moins deux saisons d'intérêt : au printemps une jolie floraison blanche, rose ou rouge, suivie d'une multitude de fruits colorés qui durent parfois jusqu'à l'hiver.*

◁ **Glaçage givré**
*Les tiges et baies rouge vif de cette aubépine (Crataegus laevigata) sont décorées d'une couche craquante de givre.*

**Voir aussi :** Le décor, pp. 184-185 ; Les arbres, pp. 188-189

# À CHAQUE ARBRE SON INTÉRÊT

On apprécie le plus souvent les arbres pour leur envergure et pour leurs qualités architecturales, masse, silhouette et port. Mais comme les autres plantes, ils ont leurs propres caractéristiques décoratives. Beaucoup ont un feuillage particulièrement intéressant, tant par leur couleur, leur matière, leur forme ou même leur mouvement. D'autres seront préférés pour leurs fleurs, leurs fruits décoratifs ou comestibles, noix ou cônes. Une qualité tout aussi précieuse, même si l'on y pense moins, est l'aspect ornemental de certaines branches et écorces. Quelques arbres ont encore d'autres charmes particuliers qui leur valent un emplacement privilégié.

## FEUILLAGES

La couleur et la matière des feuilles aident à définir la forme et la masse des bosquets. Le feuillage donne également un ton et un style au jardin, de l'exotisme du figuier, *Ficus carica*, aux grandes feuilles à lobes profonds, à l'aspect aérien du tremble, *Populus tremula*, dont les feuilles délicates frémissent sur de longs pétioles. Les persistants, comme les houx, offrent une belle toile de fond colorée toute l'année et les feuilles de certains persistants et caducs sont richement panachées de crème, blanc ou jaune. Les conifères seront choisis pour leurs aiguilles ou leurs écailles aux textures variées comme pour la palette de leurs feuillages allant du vert jaune au gris bleuté. Si l'arbre est choisi pour son feuillage, pensez à l'effet d'ensemble. Les frondaisons changent d'allure selon la forme et la taille des feuilles. Feutrées ou argentées sur leur face intérieure, ces dernières scintilleront dans la brise, offrant de merveilleux contrastes. Le feuillage détermine l'emplacement. Les arbres à feuilles pourpres ou bronze sont parfois écrasants dans un petit jardin. Les feuillages argentés ou bleu glauque ressortent sur un arrière-plan sombre.

**ESPRIT EXOTIQUE** ▷
*Sculpturales, les feuilles étroites, en éventail, du palmier de Chine (Trachycarpus fortunei) apportent une touche tropicale aux bords de mer tempérés et aux jardins de ville. C'est le plus rustique des palmiers.*

◁ **VERT ET OR**
*Les grandes feuilles cordées dorées du Catalpa bignonioides 'Aurea', caduques, forment une voûte impressionnante largement étalée.*
*Cet arbre pousse plus lentement que les espèces à feuilles vertes.*

△ **MASSE COLORÉE**
*Le feuillage dense de nombreux conifères offre une belle toile de fond aux autres plantes. La gamme des couleurs est vaste — vert, or, bleu comme chez cet épicéa, Picea glauca 'Caerulea'.*

## FLEURS

Un arbre en pleine floraison est un spectacle inoubliable. Les formes et les couleurs des fleurs sont extrêmement variées. Elles peuvent être opulentes, comme les gobelets des magnolias, se balancer en longues grappes jaunes comme sur le cytise ou exploser en bouquets compacts comme sur le cerisier à fleurs. Certaines, comme *Tilia x euchlora*, sont également parfumées. Les caducs tels que les cornouillers (*Cornus*), les aubépines (*Crataegus*), les pommiers (*Malus*), les cerisiers à fleurs (*Prunus*) et les sorbiers (*Sorbus*) sont parfaits dans les jardins petits et moyens. Sinon pensez au magnifique magnolia à grandes fleurs (*Magnolia grandiflora*) qui produit, par intermittence, de grandes fleurs blanches en forme de coupe, très parfumées. Installez-le contre un mur.

△ **GOBELETS POURPRES**
*Certains magnolias, comme ce Magnolia liliflora 'Nigra' produisent des fleurs dressées en forme de gobelets.*

◁ **BEAUTÉ NUE**
*L'arbre de Judée, Cercis siliquastrum, porte ses fleurs directement sur le vieux bois avant l'apparition des feuilles.*

**VOIR AUSSI :** Quelle plante pour quel effet ?, pp. 38-41

# FRUITS, NOIX ET CÔNES

Les arbres offrent une immense variété de fruits qui contiennent des graines : ce sont les baies et fruits charnus, dont les prunes, les mûres, les fruits comestibles comme les noix, les gousses et graines ailées, les chatons et les cônes. Les arbres qui portent des baies nourrissent les oiseaux. Les fruits tombés, noix et glands, sont ramassés par les petits mammifères. Si vous souhaitez des fruits colorés, tournez-vous vers le houx (*Ilex*), l'aubépine (*Crataegus*) et le pommier (*Malus*), tous adaptés aux petits jardins. Si vous voulez des baies tout l'hiver, choisissez des fruits persistants ou moins tentants pour les oiseaux, comme les baies de *Sorbus cashmiriana* qui passent du rouge au blanc à maturité.

La couleur n'est pas réservée aux baies, les graines ailées de beaucoup d'érables et de sycomores (*Acer*) se teintent de rouge à l'automne. Certains conifères portent de très jolis cônes, tels les fruits cylindriques bleu-violet du sapin de Corée (*Abies Koreana*), produits même par les jeunes arbres. Les cônes restent souvent sur l'arbre même après la dispersion des graines. Rappelez-vous que certains arbres ont besoin d'une pollinisation croisée pour faire des fruits, tandis que d'autres sont autofertiles. Vérifiez à l'achat.

Chez les houx, par exemple, seuls les arbustes femelles portent des baies, mais un mâle est obligatoire à proximité. Pour les pommiers et les arbres dont on attend une récolte, une bonne pollinisation est la clé de la production, il est donc souvent préférable de planter plusieurs arbres.

◁ **BRILLANTE RÉCOLTE**
*La plupart des pommiers sauvages se couvrent d'une multitude de bouquets de fruits à l'allure de perles brillantes. On peut les cuire, les presser et utiliser le jus pour faire de la gelée. Les petits arbres étalés atteignent 6-8 m de haut, ce qui convient aux petits jardins.*

◁ **COULEURS CHAUDES**
Euonymus europaeus *'Red Cascade', a des graines orange vif charnues dans des capsules rouge rosé. Elles sont toxiques donc déconseillées dans les jardins avec des enfants.*

**COMESTIBLE** ▷
*Les fruits du châtaignier* (Castanea sativa) *sont comestibles et font le bonheur des animaux en quête de provisions.*

---

# ÉCORCES ET BRANCHES

Les écorces colorées, exfoliées ou à motifs et l'éclat des jeunes branches ont un charme subtil que l'on néglige souvent. C'est en hiver qu'on les remarque le plus, quand les branches ont perdu leurs feuilles. Certains comme les bouleaux (*Betula pendula* et autres) à l'écorce d'un blanc fantomatique attirent l'œil de loin, alors que l'écorce peau de serpent à rayures verticales des érables (*Acer*) s'apprécie mieux de près. L'écorce de l'érable griseum (*Acer griseum*) s'exfolie en bandes, révélant une nouvelle écorce de teinte cannelle. Les jeunes pousses vivement colorées d'arbres comme *Salix alba* sont parfois rabattues ou recépées à intervalles réguliers pour encourager l'apparition de nouvelles tiges décoratives.

**SÉDUCTION DE L'EXFOLIATION** ▷
*L'écorce luisante de ce cerisier* (Prunus serrula) *s'exfolie et se renouvelle en permanence. Placez les arbres à écorces décoratives près d'une allée où vous pouvez les admirer et les caresser, mais résistez à la tentation de les éplucher.*

## ÉCORCES DÉCORATIVES

*Acer griseum*
Érable *griseum*

*Betula utilis*
var *jacquemontii*

*Acer pensylvanicum*
Érable jaspé

*Eucalyptus pauciflora*
spp. *niphophila*

*Acer capillipes*
Érable *capillipes*

VOIR AUSSI : L'élagage, p. 197

# DES ARBRES ADAPTÉS À VOTRE JARDIN

L'approche la plus simple du jardinage consiste à choisir les végétaux en fonction des conditions inhérentes à votre terrain, à savoir le climat, la température, le niveau de précipitations et la nature du sol. Si vous essayez de cultiver certaines plantes sans aucune considération de leurs exigences, la tâche va rapidement devenir ardue.

C'est essentiel pour les arbres, qui s'inscrivent dans le long terme. Mais quel que soit le contexte, vous avez un large choix. Que vous soyez au bord de la mer, à flanc d'une colline venteuse, proche d'une route fréquentée ou dans une oasis de banlieue ombragée d'immeubles, il existe des arbres prêts à s'adapter à toutes les situations.

## CLIMAT ET SITUATION

Mieux vous connaîtrez votre jardin et ses caractéristiques, plus il sera facile de choisir les plantes les mieux adaptées. Observez d'abord le climat, les variations de température et la moyenne des précipitations. Y a-t-il des gelées chaque hiver, une canicule chaque été, un enneigement prolongé ou de forts vents saisonniers ? N'oubliez rien : la proximité de la mer ou l'altitude. Êtes-vous dans un secteur construit ou exposé au vent sur une colline ? Tous ces facteurs clés vont influencer votre choix.

Pour identifier les arbres qui correspondent à vos conditions locales, commencez par observer ceux qui se portent bien aux alentours, dans les bois ou les parcs, chez vos voisins ou dans les jardins publics. Pour vous fondre dans l'environnement, prenez en compte lors de votre sélection les arbres qui poussent à proximité.

Rappelez-vous qu'au sein d'un même jardin il peut y avoir des microclimats et que certaines plantes se porteront plus ou moins bien suivant les endroits.

■ **Contactez une association botanique locale** et demandez conseil.

■ **Soyez courtois** : si vous plantez un arbre près d'une clôture, veillez à ce qu'il

n'occulte pas la lumière au voisin, surtout s'il s'agit d'une espèce compacte et à croissance rapide. Pensez à votre propre lumière par la même occasion. Près des clôtures, évitez aussi les arbres tels que le sumac de Virginie (*Rhus typhina*) qui drageonnent.

■ **Évitez les dégâts des racines sur les fondations** : placez les arbres qui recherchent énergiquement toutes les sources d'eau, comme les saules (*Salix*) et les peupliers (*Populus*), à bonne distance de la maison.

◁ **LA MER ET L'ARGENT**
*Les arbres qui supportent les brises salées sont précieux près des côtes, et même à l'intérieur des terres où l'air est encore chargé de sel. Les feuilles argentées du peuplier blanc ressemblent à des papillons dans le vent.*

◁ **SPECTACLE URBAIN**
*Tous les arbres ne supportent pas la pollution urbaine. Très joli sujet au port ouvert et aérien et aux feuilles naissantes jaune doré, le févier d'Amérique (Gleditsia triacanthos 'Sunburst') est particulièrement résistant.*

### ESPÈCES CONSEILLÉES

#### ARBRES POUR JARDINS DE BORD DE MER
Si ces arbres résistent aux vents marins, ils ne supportent pas d'être trempés d'embruns.
Acer pseudoplatanus 'Brilliantissimum'
Aubépine (*Crataegus monogyna*)
Houx (*Ilex × altaclerensis*)
Genêt de l'Etna (*Genista aetnensis*)
Sorbier des oiseaux (*Sorbus aucuparia*)
Arbre aux fraises (*Arbutus unedo*)
Alisier blanc (*Sorbus aria*)

#### ARBRES POUR JARDINS EXPOSÉS OU VENTEUX
Aubépine (*Crataegus monogyna*)
Cytises
Sorbier des oiseaux (*Sorbus aucuparia*)
Bouleau blanc (*Betula pendula*)
Bouleau duveteux (*Betula pubescens*)
Alisier blanc (*Sorbus aria*)

#### ARBRES RÉSISTANTS À LA POLLUTION POUR JARDINS URBAINS
Troène (*Ligustrum lucidum*)
Aulne glutineux (*Alnus glutinosa*)
If commun (*Taxus baccata*)
Metasequoia glyptostroboides
Aubépine (*Crataegus monogyna*)
Houx (*Ilex × altaclerensis*)
Févier d'Amérique (*Gleditsia triacanthos* 'Sunburst')
Catalpa bignonioides et 'Aurea' .
Magnolia grandifolia
Poirier pleureur à feuilles de saule (*Pyrus salicifolia* 'Pendula')
Sorbier des oiseaux (*Sorbus aucuparia*)

#### ARBRES POUR SOLS HUMIDES
Aulnes (*Alnus glutinosa, A. incana*)
Néflier (*Mespilus*)
Bouleau (*Betula nigra*)
Salix alba 'Britzensis', S. alba ssp vitellina (tous deux doivent être recépés pour obtenir des tiges colorées)
Marsault (*Salix × caprea* 'Kilmarnock')

VOIR AUSSI : Les arbres, pp. 192-195 ; L'élagage, p. 197

# NATURE DU SOL

La nature du sol et le climat sont les éléments fondamentaux avec lesquels vous devrez toujours composer. Un sol "idéal" n'est pas une condition indispensable à la culture des arbres. Il suffit de choisir des espèces adaptées au sol du jardin, que l'on pourra cependant amender pour un développement optimum. La plupart des sols se situent entre les extrêmes de l'argileux et du sableux et peuvent être limoneux ou tourbeux (*voir p. 238 comment identifier votre sol*). Certains terrains sont aussi très pierreux. L'apport d'une fumure de fond, compost de jardin ou fumier bien décomposé, améliorera la plupart des terres. Incorporez-la avec soin dans la couche arable. Le sol idéal est le terreau (*voir p. 142*) qui convient à la plupart des espèces. Les aulnes (*Alnus*), les magnolias et les peupliers (*Populus*) comptent parmi les arbres qui supportent les sols lourds et argileux. Dans les sols sableux, préférez les bouleaux (*Betulus*), *Robinia pseudoacacia* 'Frisia' ou les conifères comme les genévriers.

Le genêt de l'Etna (*Genista aetnensis*) se plaît autant dans un sol sableux que limoneux. Rappelez-vous que d'autres facteurs peuvent intervenir dans la croissance de l'arbre. Par exemple, *Metasequoia glyptostroboides* sera plus petit en conditions sèches qu'installé dans une terre fertile et humide.

△ **GOURMAND D'ARGILE**
*Les sols argileux sont généralement fertiles, mais leur texture lourde implique un drainage médiocre qui ne convient pas à tous les arbres. Magnolia x soulangeana est un magnifique sujet qui, lui, adore les sols argileux.*

△ **GOURMAND D'HUMIDITÉ**
*Un excès d'eau dans le sol peut être aussi préjudiciable que le manque. Alnus glutinosa pousse spontanément sur les berges de rivières, il est donc parfaitement adapté à ces conditions mais il supporte aussi un sol lourd et argileux.*

## POINTS CLÉS

Prêt à établir votre sélection des arbres adaptés à votre jardin ? Voici un petit rappel pratique des points essentiels.

• **Climat** : zone tempérée ? Fortes gelées ? Périodes de grande sécheresse ?

• **Facteurs locaux** : situation près de la mer ? En ville ? En altitude ? Autres facteurs spécifiques à votre jardin ?

• **Nature du sol** : sableux ou argileux, limoneux ou tourbeux, pierreux ? Bon drainage ?

• **pH du sol** : acide ou alcalin ?

# pH DU SOL

Aussi important que la nature et la structure de votre sol, vous devez connaître son pH approximatif, à savoir son degré d'acidité ou d'alcalinité (*voir ci-dessous et p. 238 comment mesurer le pH du sol*). Selon ce degré, certaines plantes prospéreront dans votre jardin, d'autres survivront avec peine ou dépériront.

▪ **Cherchez les plantes indices** : certaines plantes sont des indicateurs du pH du sol. Par exemple, les bruyères, digitales et rhododendrons sont le signe d'un terrain acide. Le romarin, l'épine-vinette, le frêne et le hêtre aiment les conditions alcalines.

▪ **Testez votre sol** : vous pouvez acheter un kit de mesure de pH dans la plupart des jardineries. Pensez à pratiquer le test dans plusieurs endroits du jardin car la nature du sol peut varier.

▪ **Arbres et conifères pour sols alcalins (craie et calcaire)** : arbre de Judée (*Cercis*), cerisiers (*Prunus*), *Robinia pseudoacacia* 'Frisia', aubépines (*Crataegus*), genévriers et thuyas.

△ **CÔTÉ ALCALIN**
*Nombre d'arbres apprécient un sol alcalin bien drainé qui se réchauffe vite au printemps. Les fleurs au parfum d'amande du cerisier à fleurs japonais (Prunus x Yedoensis) sont parmi les premières à sortir. C'est l'un des cerisiers à fleurs les plus fiables.*

**CÔTÉ ACIDE** ▷
*Comme de nombreux autres conifères, ce sapin blanc (Abies cancolor 'Argentea') se plaît dans des sols acides, de préférence humides mais bien drainés.*

**VOIR AUSSI** : Le terrain, pp. 142-143 ; Le sol, p. 238

# EMPLACEMENT, ACHAT ET PLANTATION DES ARBRES

Après avoir précisément évalué les arbres susceptibles de se développer dans votre jardin en fonction de leur taille et de leurs besoins spécifiques, vous pouvez passer à l'étape suivante. D'abord choisir l'emplacement le plus approprié et préparer soigneusement le sol. Ceci fait,

vous pouvez enfin acheter et planter un arbre jeune et sain dont vous profiterez pendant de longues années. Une préparation méticuleuse et un suivi de démarrage attentif sont essentiels pour donner aux arbres ayant une longue durée de vie toutes les chances de bien s'installer.

## PRÉPARER LE SITE DE PLANTATION

Au sein d'un même jardin peuvent coexister différentes conditions, comme des poches de gel ou des zones humides. Examinez donc soigneusement l'emplacement de l'arbre. Une partie du jardin peut être plus exposée qu'une autre, ce qui conviendra à certains arbres mais pas à d'autres. Si votre jardin est en pente abrupte, rappelez-vous que la mi-pente est plus chaude et plus abritée que le sommet et le bas. Ne plantez pas d'arbres trop près des murs ou bâtiments où ils manqueront d'humidité et de lumière. Par ailleurs, certains comme les saules (*Salix*) et les peupliers (*Populus*) ont de fortes racines traçantes qui cherchent l'eau et peuvent abîmer les fondations ou les canalisations. Mieux vaut éviter ces arbres ou les planter à l'écart. Ne plantez jamais un arbre dans un endroit où il risque de s'emmêler dans des câbles aériens ou des lignes à haute tension.

◁ LE BON ENDROIT
*Prenez soin de sélectionner des arbres qui se plaisent dans les conditions particulières et le microclimat du site prévu.*

△ HARMONISATION
*Les arbres peuvent servir de lien entre la composition artificielle du jardin et la nature environnante, un autre critère de choix.*

Il est recommandé de préparer le site de plantation avant l'achat, cela permet au sol de se stabiliser et de planter l'arbre sans délai après l'achat.

■ **Choisissez un endroit bien drainé**, sauf si l'arbre est d'une espèce qui supporte notoirement l'humidité.

■ **Éliminez toute végétation** (gazon, mauvaises herbes ou ornementales) à proximité immédiate, qui détournerait l'eau et les éléments nutritifs.

■ **Travaillez bien la terre** et incorporez de la matière organique bien décomposée.

■ **Si le site est exposé ou venteux**, protégez le jeune arbre d'un brise-vent jusqu'à ce qu'il soit bien enraciné.

### POURQUOI

**QUELLE EST LA MEILLEURE PÉRIODE DE L'ANNÉE POUR PLANTER UN ARBRE ?**

En général, mieux vaut planter les arbres à l'automne ou au printemps, selon l'espèce, le conditionnement et les conditions climatiques. En automne, les racines commencent à pousser avant l'hiver, l'arbre supporte mieux les périodes sèches de l'été suivant. Dans les régions froides, il peut être sage de planter au printemps, l'arbre aura plus de temps pour s'établir avant le début de l'hiver. Ne plantez jamais en période de fortes gelées ou de sécheresse.

**Arbres élevés en conteneurs** : en toutes périodes, sauf pendant une sécheresse ou des gelées.

**Caducs à racines nues** : pendant la dormance, entre la fin d'automne et le début de printemps.

**Arbres en motte** : les persistants et les conifères à la mi-automne dans les régions douces, entre le milieu et la fin du printemps. Sous les autres climats, les caducs peuvent être plantés en hiver.

VOIR AUSSI : Le terrain, pp. 142-143

# CHOISIR UN ARBRE SAIN

Les jardineries proposent un vaste choix des arbres les plus courants, mais si vous souhaitez une espèce plus rare, plusieurs arbres ou des arbres à racines nues, adressez-vous à un pépiniériste, ce sera souvent moins onéreux. Beaucoup d'arbres sont élevés en conteneurs. Parfois plus chers, ils présentent l'avantage de pouvoir être plantés en toutes périodes et les racines sont ainsi moins dérangées lors de la plantation. C'est la bonne solution pour les magnolias qui supportent mal la transplantation. Les arbres "à racines nues", généralement caducs, sont élevés en pleine terre et ne sont disponibles qu'à partir de la fin d'automne, après la chute des feuilles. Un bon pépiniériste vous préviendra lorsqu'un arbre à racines nues est prêt. Rappelez-vous que si un arbre plus âgé est d'un plus bel effet immédiat, un jeune arbre est moins coûteux, se transplante bien et s'établit vite.

## ACHETER UN ARBRE À RACINES NUES

◁ **RACINES SAINES**
*Vérifiez que les racines sont bien développées et s'étalent régulièrement. De nombreuses petites racines fines sont le signe que l'arbre poussera bien. Vérifiez aussi qu'elles ne semblent pas desséchées, marque d'une exposition au vent.*

◁ **RACINES MÉDIOCRES**
*Évitez les arbres dont les racines s'enroulent sur elles-mêmes ou sont déséquilibrées, poussant d'un seul côté, car ils s'établiront mal. Assurez-vous aussi que les racines ne sont ni abîmées ni malades.*

**ACHETER UN ARBRE ÉLEVÉ EN CONTENEUR**

Vérifiez que l'arbre a un tronc ferme et droit et que la tige centrale montre une forte croissance

Recherchez une belle forme symétrique avec un étalement homogène des branches

Vérifiez que les tiges ne montrent pas de signes de dépérissement ni les feuilles un jaunissement ou des signes de maladie

◁ **ÉVALUER L'ARBRE**
*Choisissez un arbre avec un bon système radiculaire, pas trop tassé. Reculez pour une vue d'ensemble du port, puis cherchez de près les signes de faiblesses.*

Un pépiniériste sérieux vous laissera vérifier les racines. Soulevez l'arbre, la motte doit rester quasiment intacte

◁ **RACINES CONGESTIONNÉES**
*N'achetez jamais un arbre avec une masse de racines tassées, ni si des racines fortes sortent par les trous de drainage.*

# ARBRES EN MOTTE

Les arbres vendus sous l'appellation "en motte" sont cultivés en pleine terre et déterrés avec une motte de terre autour des racines puis enveloppés dans une toile de jute ou une tontine. Les persistants, surtout les conifères, sont souvent présentés en motte de même que les caducs de plus de 4 m de haut. La supériorité des arbres en motte sur les racines nues est que les racines risquent moins de se dessécher entre le moment où l'arbre est déterré et celui où il est replanté. Les arbres en motte sont vendus par les pépinières, souvent par correspondance. Ils ont donc tendance à être moins chers que ceux élevés en conteneurs, mais sont rarement disponibles en jardineries. Si vous achetez à une pépinière par correspondance, choisissez-en une réputée ou sur recommandation et essayez de planter l'arbre le plus tôt possible après la livraison.

**VÉRIFIER LA MOTTE** △
*Contrôlez que la motte soit ferme — la terre doit rester accrochée aux racines — et l'emballage intact. Vérifiez que les racines ne sont pas abîmées ni desséchées, ce qui compromet les chances d'enracinement de l'arbre.*

---

# TUTEURS ET LIENS

Si vous plantez un arbre dans un lieu exposé ou venteux, il est recommandé de le tuteurer, en situant le tuteur face au vent dominant. L'arbre est ainsi soutenu en attendant d'avoir développé un système radiculaire fort. Pour les arbres à tiges flexibles, utilisez un grand tuteur qui arrive juste sous la couronne. La deuxième année après la plantation, raccourcissez le tuteur à environ 50 cm de hauteur et supprimez-le l'année suivante.

◁ **TUTEUR COURT**
*Il laisse bouger le tronc et aide les racines à s'ancrer en se développant. Avant de planter, enfoncez le tuteur qui doit dépasser de 50 cm au-dessus du sol.*

**TUTEUR INCLINÉ** ▷
*Enfoncez un tuteur court après la plantation, à l'extérieur des racines. Plantez-le à un angle de 45° avec le sol dans le sens opposé au vent dominant.*

VOIR AUSSI : Les soins, p. 197

# PLANTER UN ARBRE

Après avoir choisi l'emplacement de votre arbre et préparé le sol, vous pouvez l'acheter et le planter. N'hésitez pas à préparer le trou à l'avance pour réduire le délai entre l'achat et la plantation, surtout dans le cas de racines nues qui se dessèchent rapidement. Pour offrir un bon démarrage à l'arbre, incorporez à la terre extraite du trou de la matière organique bien décomposée comme du compost de jardin. La structure de la terre sera améliorée et constituera un excellent substrat dans lequel les racines s'étaleront pour mieux forcir. Scarifiez à la fourche les côtés et le fond du trou, surtout si la terre est lourde, argileuse, cela aidera les racines à s'étaler et ancrer l'arbre dans le sol. Si vous plantez au printemps, faites un apport d'engrais à libération lente dans la couche arable pour stimuler la croissance. Si vous plantez un arbre élevé en conteneur,

suivez la procédure de base indiquée ci-dessous. Pour un arbre à racines nues, préparez le terrain de la même façon mais faites un trou assez large pour recevoir les racines complètement étalées. Coupez toute racine abîmée au sécateur, mais prenez soin de ne pas toucher les fines racines fibreuses qui puisent les éléments nutritifs dans le sol.

▪ **Si vous préparez le trou à l'avance,** remettez la terre en place pour que le sol conserve sa chaleur et couvrez d'un film de plastique ou de polyéthylène.

▪ **Si vous installez un tuteur,** enfoncez-le avant ou pendant la plantation (*voir ci-dessous*), sous peine d'abîmer les racines de l'arbre.

UNE LONGUE AMITIÉ ▷
*Un arbre planté avec soin, suivi avec attention en début de croissance, fascinera pendant des décennies, voire des siècles (ici un pommier Malus tschonoskii).*

## COMMENT PLANTER UN ARBRE ÉLEVÉ EN CONTENEUR

**1 CREUSER LE TROU**
*Délimitez le trou : 3-4 fois le diamètre de la motte de l'arbre. Creusez sur une profondeur égale à une fois et demie la hauteur de la motte.*

**2 PRÉPARER LE TROU**
*Scarifiez à la fourche les côtés et le fond du trou. Mélangez la terre extraite avec de la matière organique et mettez-en une partie dans le fond du trou.*

**3 VÉRIFIER LA PROFONDEUR**
*Posez l'arbre – ici un hêtre – et vérifiez la profondeur du trou avec un bambou (voir l'encadré ci-contre). Le sommet de la motte doit arriver au niveau du sol, sinon recreusez pour ajuster.*

**4 ENFONCER LE TUTEUR**
*Sans toucher la motte, insérez le tuteur à côté de l'arbre et enfoncez-le au maillet. Le tuteur doit être légèrement décalé, face au vent dominant.*

**5 REMPLIR DE TERRE**
*Remettez en place autour de la motte et du tuteur le reste de terre arable. Tassez doucement au fur et à mesure, à la main ou au pied.*

**6 TASSER LE SOL**
*Vérifiez que l'arbre est bien droit et foulez le sol délicatement pour niveler la surface, vous éliminerez ainsi les poches d'air.*

**7 LIER LE TUTEUR**
*Fixez le tuteur au tronc avec un lien pour arbre, en plastique, en veillant à ne pas trop le serrer pour ne pas blesser la tige.*

**8 ARROSER**
*Arrosez très copieusement pour aider l'arbre à récupérer du choc de la plantation. Dans les premiers temps, ne laissez jamais les racines sécher.*

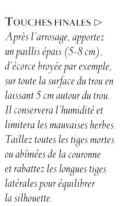

TOUCHES FINALES ▷
*Après l'arrosage, apportez un paillis épais (5-8 cm), d'écorce broyée par exemple, sur toute la surface du trou en laissant 5 cm autour du trou. Il conservera l'humidité et limitera les mauvaises herbes. Taillez toutes les tiges mortes ou abîmées de la couronne et rabattez les longues tiges latérales pour équilibrer la silhouette.*

VOIR AUSSI : Le terrain, pp. 142-143 ; Le paillage, p. 152 ; Les tuteurs, p. 193

# PLANTER UN ARBRE EN MOTTE

La méthode de base est la même que pour un arbre élevé en conteneur (*voir ci-contre*), mais le trou doit faire deux ou trois fois la largeur de la motte. Si vous tuteurez, utilisez un tuteur incliné, enfoncé à l'extérieur de la motte, ou trois haubans fixés sur des tuteurs courts. Dans un sol lourd argileux, plantez l'arbre en laissant la motte dépasser un peu du niveau du sol pour faciliter le drainage. Couvrez cette partie exposée de 5-8 cm de terre drainante (un mélange de terre arable et de matière organique) mais laissez un espace de 5 cm tout autour de la tige.

**1 CREUSER LE TROU ET PLACER L'ARBRE**
*Creusez un trou de 2 ou 3 fois la largeur de la motte. Enrichissez la terre en matière organique bien décomposée. Placez l'arbre dans le trou (faites-vous aider si possible).*

**2 ENLEVER L'EMBALLAGE**
*Penchez l'arbre sur un flanc et roulez l'emballage sous la motte, puis basculez-le dans l'autre sens et tirez doucement sur l'emballage. Remplissez de terre, tassez et arrosez.*

# CULTIVER DES ARBRES EN CONTENEURS

Un arbre ne nécessite pas toujours un grand lopin de pleine terre. Beaucoup de sujets de petite ou moyenne taille sont parfaits en pots, bacs ou jardinières, pour balcons, terrasses ou patios. Si vous avez de l'espace pour un seul arbre en bac, privilégiez une belle silhouette et un intérêt permanent. Les conteneurs vous permettent de cultiver des arbres qui préfèrent une terre de nature différente de celle du jardin ou des gélifs à mettre sous abri en hiver.

Assurez-vous que le contenant ait toujours des trous de drainage, recouvrez-les de tessons de pots, face incurvée vers le haut puis d'une couche de gravier. Utilisez un terreau de rempotage et ajoutez un engrais à libération lente. Arrosez bien en été, réduisez les arrosages en hiver. Paillez pour limiter l'évaporation.

## POURQUOI

**POURQUOI UN ARBRE DOIT-IL ÊTRE PLANTÉ EN PLEINE TERRE À LA MÊME PROFONDEUR QU'EN PÉPINIÈRE ?**

À une trop grande profondeur, les racines risquent de manquer d'oxygène, d'où un ralentissement de croissance ou la mort du sujet. Par contre si la profondeur n'est pas suffisante, les racines se dessèchent. Vérifiez donc toujours le niveau de la terre : à racines nues, cherchez la marque de terre plus sombre sur la tige et posez un bambou en travers du trou, la surface du sol doit être à la même hauteur que la marque. Pour un arbre élevé en conteneur, le sol doit être au niveau de la motte.

△ UN SAULE EN HIVER
*Les branches pleureuses et les chatons ronds et soyeux du marsault (Salix caprea 'Kilmarnock') qui ressortent sur le vert persistant d'Helleborus argutifolius égayent la fin de l'hiver.*

# PROTECTIONS

Dans beaucoup de jardins, surtout à la campagne, il peut être nécessaire de protéger les arbres nouvellement plantés des lapins, cervidés et rongeurs. Vous pouvez acheter une protection toute faite en jardinerie ou la confectionner vous-même. Dans tous les cas, assurez-vous qu'elle couvre toute la hauteur du tronc. Installez-la lors de la plantation et vérifiez régulièrement qu'elle est toujours en place. Au fil de la croissance, l'écorce devient plus rugueuse et la protection peut bouger. Dans les régions à cervidés, la protection peut être une nécessité permanente.

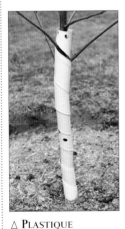 

△ PLASTIQUE EXTENSIBLE
*Cette protection en plastique est enroulée en spirale autour du tronc. Extensible elle suit la croissance de l'arbre. Elle est rapide à installer et donc pratique si vous plantez beaucoup d'arbres. Elle protégera l'écorce des petits animaux comme les lapins.*

△ GRILLAGE
*Une protection en treillis métallique ou en grillage fin est plus esthétique qu'une protection toute faite mais demande un peu de temps de mise en place.*
*Assurez-vous que les supports sont bien enfoncés dans le sol et la protection solidement installée.*

VOIR AUSSI : L'entretien, pp. 178-179 ; Les lapins, p. 298 ; Les cerfs, p. 301

# ENTRETIEN DES ARBRES

La santé et la beauté d'un arbre réclament de l'entretien. Les soins courants consistent à remplacer le paillis, vérifier les liens, récolter, ramasser les fruits tombés et les feuilles mortes et arroser en périodes de sécheresse. Une légère taille de temps en temps rehaussera la valeur ornementale en amenant une floraison plus abondante ou un feuillage plus dense. Le recépage et l'étêtage sont deux types de taille sévère ayant des objectifs très particuliers : obtenir de jeunes tiges vivement colorées ou un feuillage opulent. La taille permet aussi de régénérer des arbres qui ont été négligés ou de créer des formes élégantes à troncs multiples.

## TAILLE LÉGÈRE

La plupart des arbres nécessitent peu de taille en dehors de l'élimination des branches abîmées, mortes ou qui s'entre-croisent. Une taille excessive peut affecter la croissance et même la santé de l'arbre. Si vous estimez une taille nécessaire, rappe-lez-vous ces principes simples : taillez à la saison appropriée au type d'arbre ; respectez le port et recherchez l'harmonie générale ; supprimez les branches mortes, abîmées ou malades en les rabattant à une pousse saine, ou éliminez toute la branche pour rééqui-librer la charpente ; taillez les pousses faibles ou désordonnées, qui s'entrecroisent ou sont en surnombre – le frottement des tiges provoque des maladies. Coupez juste au-dessus d'un œil ou d'une paire d'yeux (*voir ci-dessous et pp. 156-157*). Si vous rabattez une branche adulte, prenez soin de laisser intact l'empattement, cette partie légèrement plus large proche du tronc.

### RABATTRE UNE TIGE

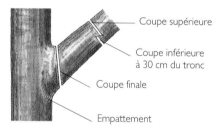

△ **COUPER UNE BRANCHE ADULTE**
*Pour éviter d'arracher l'écorce en taillant une branche de 2,5 cm de diamètre, procédez en deux phases. Lors de la coupe finale, ne touchez pas à l'empattement.*

Coupe supérieure
Coupe inférieure à 30 cm du tronc
Coupe finale
Empattement

La lame étroite au plus près de l'œil
La base de l'en-taille est juste au-dessus de l'œil

△ **BOURGEONS ALTERNES**
*Pratiquez une entaille d'environ 5 mm au-dessus d'un œil. La taille en biseau permet à l'eau de pluie, qui peut provoquer une pourriture, de s'écouler en évitant l'œil.*

Ne touchez pas les yeux avec les lames

△ **BOURGEONS OPPOSÉS**
*Coupez droit au-dessus d'une paire d'yeux sains et forts, le sécateur aussi près que possible des yeux mais sans les écorcher.*

△ **STIMULATION DU FEUILLAGE**
*Cet Acer negundo 'Flamingo' a été rabattu pour obtenir des feuilles plus grandes et une panachure plus vive. Sur cer-tains arbres, une taille régulière améliore le feuillage.*

## TAILLE DE FORMATION

Lors de l'achat d'un jeune arbre, la taille de formation lui permettra de développer une silhouette équilibrée. Quelques arbres comme les aulnes (*Alnus*) présentent naturellement plusieurs troncs, mais vous pouvez obtenir cette forme sur certaines espèces (pas sur des cultivars greffés), les érables (*Acer davidii*), bouleaux (*Betula*) ou tupelos (*Nyssa sylvatica*), en rabattant la flèche (*voir à droite*) pour que de nouvelles pousses émergent. Les troncs multiples qui en résultent seront laissés en feuilles ou nettoyés pour mettre en valeur une écorce décorative.

### FORMATION D'UN ARBRE À TRONCS MULTIPLES

Taillez la tige à 8 cm du sol au moins.

**ANNÉE 1, HIVER** △
*Taillez la tige principale d'un arbre de deux ans à la hauteur désirée. Parez la plaie pour éviter les bords rugueux. La coupe stimule la croissance de pousses à la base l'année suivante.*

Taillez les nouvelles tiges faibles ou en surnombre

**ANNÉE 2, HIVER** △
*Sélectionnez 3 ou 4 pousses robustes et bien placées, de préférence d'une égale vigueur pour une croissance homogène. Supprimez toutes les autres pousses, taillez-les à la base.*

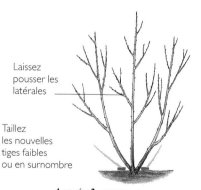

Laissez pousser les latérales

**ANNÉE 3, HIVER** △
*Laissez pousser les latérales, n'enlevez que les plus basses si vous voulez des tiges dégagées. Éliminez tous les drageons au pied, recommencez à chaque fois qu'il en réapparaît.*

VOIR AUSSI : La taille, p. 156 ; L'élagage, p. 157 ; Les outils, p. 279

# RECÉPAGE ET ÉTÊTAGE

Traditionnellement ces techniques fournissaient du bois de chauffage, du charbon de bois ou des tiges pour la vannerie et les clôtures. Actuellement, elles sont utilisées pour adapter les dimensions des arbres à de petits jardins. Elles permettent aussi de mettre en valeur la forme et la couleur des feuilles ou d'induire la pousse de jeunes tiges colorées. Simple sur les jeunes sujets (*voir ci-dessous*), l'étêtage est réservé aux professionnels quand il s'agit de supprimer les grosses branches des sujets plus âgés. Les nouvelles tiges sont flexibles et peuvent servir à confectionner des supports de plantes, des arches ou même des sculptures rustiques.

▨ **Recépage** : en fin d'hiver ou début de printemps, choisissez une espèce adéquate, eucalyptus, paulownia ou saule, et rabattez presque au niveau du sol sans toucher à la base renflée.

▨ **Étêtage** : un jeune standard se rabat au sommet d'une tige dégagée de 1-1,8 m en fin d'hiver ou début de printemps. Tous les deux ou trois ans, rabattez les jeunes pousses à leur base. Entre temps éclaircissez les tiges en surnombre si vous le souhaitez.

△ **L'ÉCLAT DE LA JEUNESSE**
*Certains saules (Salix) réputés pour la vivacité des teintes de leurs jeunes pousses sont d'excellents sujets pour l'étêtage. Celui-ci, sur un tronc d'environ 1,5 m, exhibe une belle couronne de nouvelles pousses tendres qui attirent l'œil.*

## CEUX QUI S'Y PRÊTENT

RECÉPAGE
Cette technique assez simple se pratique avec succès sur les arbres suivants :
*Acer pensylvanicum* 'Erythocladum'
*Ailanthus*
*Corylus avellana* 'Contorta'
*Eucalyptus dalrympleana, E. globulus* (non rustique), *E. gunnii, E. pauciflora*
*Paulownia*
*Populus x canadensis* 'Serotina', *P. x candicans* 'Aurora'
*Salix acutifolia* 'Blue Streak'
*Salix Alba* (la plupart des formes)
*Salix daphnoides* 'Aglaia'
*Salix irrorata*
*Salix* 'Erythroflexuosa'
*Tilia platyphyllos* (cultivars)
*Toona sinensis* 'Flamingo'

ÉTÊTAGE
Technique similaire au recépage, à la différence qu'elle est appliquée sur une tige dégagée.
*Acer negundo* 'Flamingo'
*Acer pensylvanicum* 'Erythocladum'
*Eucalyptus dalrympleana, E. pauciflora*
*Morus alba*
*Paulownia*
*Populus x canadensis* 'Serotina', *P. x candicans* 'Aurora'
*Tilia platyphillos* (cultivars)
*Toona sinensis* 'Flamingo'
Saules (*Salix*) (divers)

# SOINS COURANTS

La plupart des arbres ont besoin d'arrosage, d'engrais et de désherbage pendant leurs premières années. Cultivés en bacs, ils demandent un surfaçage régulier et un rempotage occasionnel, des arrosages et des fertilisations plus fréquentes.

▨ **Arroser** : les arbres jeunes ou récemment plantés exigent un arrosage abondant et régulier pendant toute la saison de croissance, surtout dans un sol léger et sableux.

▨ **Fertiliser** : la plupart des arbres, surtout récemment plantés, recépés ou étêtés tirent profit d'un engrais. Appliquez un engrais chimique en milieu de printemps, en vous conformant strictement aux instructions du fabricant, ou un paillis organique en milieu d'automne – fumier ou compost.

▨ **Désherber** : nettoyez régulièrement sous les ramures (ou paillez).

▨ **Renouveler le paillis** : le paillis, comme l'écorce broyée, qui freine la prolifération des mauvaises herbes et conserve l'humidité, doit être remplacé en fin de printemps.

▨ **Vérifier les liens** : au début et à la fin de la saison de croissance, vérifiez sur les arbres tuteurés que les liens ne se sont pas trop tendus autour du tronc, cela freine la croissance.

▨ **Enlever les tuteurs** : quand les arbres sont établis, enlevez tous les tuteurs et liens.

▨ **Récolter** : cueillez tous les fruits comestibles, noix ou pommes, quand ils sont mûrs, avant qu'ils ne tombent.

▨ **Ramasser les feuilles et débris** : ratissez aussi souvent que possible les feuilles et brindilles porteuses de maladies.

## PENSE-BÊTE

### GOURMANDS ET POUSSES

Certains arbres, en particulier les pruniers et cerisiers (*Prunus*) forment des gourmands à la base du tronc et de fines pousses verticales sur les branches. Taillez-les au sécateur au fur et à mesure de leur apparition, ils sont inesthétiques et détournent les éléments nutritifs.

# LES ÉLAGUEURS

Élaguer les grosses branches et les branches basses pour aérer la ramure, étêter les grands arbres. Il est préférable de confier ces gros travaux à un élagueur professionnel. Il est parfois dangereux de s'attaquer soi-même à des interventions demandant une certaine expérience pour un résultat satisfaisant. Adressez-vous aussi à un professionnel pour abattre un arbre, c'est plus prudent sur le plan de la sécurité et sur un plan législatif.

## POURQUOI

### OÙ TROUVER LE BON ÉLAGUEUR ?

Pour trouver un élagueur qualifié, vous pouvez vous adresser à la chambre syndicale ou à toute association botanique. Demandez à voir des travaux déjà réalisés. Une taille bien faite doit respecter l'équilibre de la charpente et le port naturel de l'arbre. Une "coupe au bol" où toutes les branches ont été rasées, est inacceptable.

VOIR AUSSI : Le paillage, p. 152 ; Le rempotage, p. 179 ; Les mauvaises herbes, p. 290-291

# LE JARDIN D'EAU

## DE L'EAU POUR QUOI FAIRE ?

De tout temps l'eau a eu une place de choix dans les jardins auxquels elle apporte une autre dimension, une note de poèsie. Avec ses scintillements et ses reflets changeants, ses mouvements et son doux bruissement, elle introduit le mouvement et le son, elle est une source de vie. La présence de l'eau vous permet d'élargir le champ des variétés : des simples plantes de sol humide et de marécage jusqu'aux vraies plantes d'eau profonde. Une telle diversité n'ajoute pas seulement au pur plaisir de l'œil, l'eau est aussi le milieu favori de nombreux petits animaux qui participent au charme et à l'équilibre du jardin.

## UN STYLE À VOTRE IMAGE

Comme pour tout autre élément du décor, n'hésitez pas à exprimer vos goûts personnels dans votre jardin d'eau mais n'oubliez pas que vous gagnerez en harmonie si vous respectez une unité de style avec l'environnement immédiat. Classique ou libre, le style est en effet primordial. Il déterminera le choix des méthodes de construction, les types de plantes et l'apport potentiel de ce cadre à la faune. Les structures classiques se caractérisent par une symétrie toute géométrique et de fortes lignes droites accentuées par la netteté de matières telles que la pierre ou la brique. Ces marges rigides limitent l'accès aux animaux et les plantations de bordures.

Le style libre privilégie les formes irrégulières, les contours doux et sinueux. Les bassins d'aspect naturel bordés de plantes se fondent plus facilement dans le paysage, offrant par la même occasion un abri au gibier d'eau ou aux amphibiens.

### ASTUCES

• Les bassins classiques s'intègrent mieux si leurs matériaux s'harmonisent avec ceux de la maison, du patio ou d'une allée pavée.

• La meilleure situation d'un bassin naturel est une zone en contrebas qui se remplit naturellement d'eau.

• Listez vos préférences. Si la facilité d'installation, l'habitat de la faune et les plantes de bordures sont vos priorités, choisissez un bassin naturel.

△ **GÉOMÉTRIE**
*Les lignes nettes de ce petit bassin tout simple font écho à une barrière de bois. Elles sont mises en relief par les fortes lignes verticales des plantes de berges en paniers. Des plantes plus souples créent un contraste qui rehausse cette rigueur géométrique.*

**SINUOSITÉ** ▷
*Un agencement de pierres plus artistique que spontané souligne le tracé sinueux d'un bassin naturel. Les bordures sont masquées par des plantations naturalistes qui pénètrent dans l'eau offrant un abri aux poissons, aux batraciens et aux oiseaux qui viennent y boire et s'y baigner.*

**VOIR AUSSI :** L'eau, pp. 32-33 ; Les plantes aquatiques, pp. 214-215 ; La terre et l'eau pp. 216-219

# SON ET LUMIÈRE

L'eau vive procure à la fois le plaisir visuel des reflets et des réverbérations et celui d'un murmure apaisant qui berce l'oreille. Autre avantage, la circulation améliore la qualité de l'eau en l'oxygénant, ce qui profite aux plantes et à toutes les autres organismes vivants, et elle génère une humidité qui rafraîchit autant le jardinier que les plantes proches. Il suffit d'amener l'électricité pour actionner une pompe et créer des cascades étincelantes, des plans d'eau miroitants se déversant de dalles en dalles ou le jaillissement crépitant d'une gargouille.

△ UN ÉCLABOUSSEMENT DE LUMIÈRE
*Une fontaine simple mais élégante, alimentée par une pompe à basse tension, tient la vedette au centre de ce bassin. Les fins jets d'eau captent la lumière en se dispersant en pluie en maintenant le niveau d'oxygène de l'eau.*

△ UNE CASCADE ROCHEUSE
*Aménagée sur une pente douce suffisante à l'écoulement, cette cascade est tapissée d'un film étanche camouflé par une disposition astucieuse et naturelle de plantes, de rochers et galets. En cascadant entre les rochers l'eau se recharge rapidement en oxygène.*

# REFLETS TRANQUILLES

Le miroir d'une eau calme et limpide, sans jaillissements intempestifs, dégage une sérénité propice à la contemplation. Les jeux de lumière varient en permanence. De jour en jour, de saison en saison, cette surface lisse reflètera la beauté des plantes et des éléments de décoration, bien au-delà d'une simple image inversée. En eaux calmes, l'équilibre du milieu aquatique repose essentiellement sur un mélange judicieux de plantes, dont les variétés d'eau profonde, oxygénantes et ombrageantes, à feuilles flottantes comme les nénuphars qui n'apprécient pas les remous.

△ MIROIR, MIROIR
*Typha latifolia et les iris d'eau créent de forts reflets verticaux en contraste ici avec les rondeurs d'une jarre d'Ali Baba. Les dalles plates renforcent le parti pris de sérénité.*

# LE BON ENDROIT

Avant de creuser, installez tous les tuyaux et câbles souterrains nécessaires. Le site idéal aura un accès facile à l'électricité, pour les pompes, et à l'eau, pour refaire le plein si nécessaire. Un accès dégagé au bassin et aux plantations alentour est à prévoir. L'ensoleillement est recommandé mais pas trop violent pour éviter l'évaporation qui sera également freinée par un brise-vent. Évitez les poches de gel et la proximité des arbres qui font de l'ombre et perdent leurs feuilles, cause de pollution possible de l'eau. Pensez à l'exposition aux regards, bien en vue de la maison ou plus à l'écart, pour votre intimité ou la tranquillité de la faune.

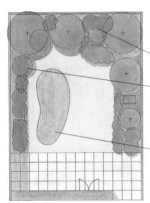

Évitez l'ombre dense, les plantes aquatiques ont besoin de beaucoup de lumière

Évitez les branches en surplomb, les feuilles qui tombent polluent l'eau

Choisissez un endroit ensoleillé et abrité du vent. Excentrez le bassin pour un effet plus dynamique

△ SUIVRE LE SOLEIL
*Prenez le temps d'observer les mouvements d'ombre et de soleil tout au long de la journée avant de faire un choix définitif. Cela peut éviter des erreurs irrécupérables par la suite.*

# LA SÉCURITÉ AVANT TOUT

Les parents doivent être conscients des dangers et de la fascination qu'exerce l'eau sur les petits enfants. Ne les laissez jamais sans surveillance à côté d'une pièce d'eau. Reconvertir le trou du bassin en bac à sable est une option. Une fontaine bouillonnante ou une gargouille murale offriront d'autres animations et sont un choix également judicieux pour les personnes qui n'ont pas le pied sûr.

Si vous désirez un bassin à tout prix, installez un grillage métallique rigide juste sous la surface et des bordures en matériaux antidérapants. Pensez aussi aux animaux domestiques ou sauvages, comme les hérissons, qui peuvent venir boire. Offrez-leur un accès sûr en installant une petite rampe en pente douce.

## PENSE-BÊTE

### EAU ET ÉLECTRICITÉ : ATTENTION !

À l'extérieur l'électricité du secteur, à tension normale, est un danger potentiel. Pour les petites installations, un équipement basse tension avec un transformateur à l'intérieur est la bonne solution de sécurité, en combinaison avec des raccordements étanches aux normes. Pour les installations plus importantes, l'électricité du secteur peut être nécessaire. Il est essentiel de faire appel à un professionnel.

VOIR AUSSI : Les bassins, p. 207 ; Les fontaines, pp. 208-209 ; L'eau vive, pp. 212-213

# COMMENT CONSTRUIRE UN BASSIN

Il fut un temps où les pièces d'eau étaient chères et réservées aux plus grands jardins. Actuellement, les bâches toutes prêtes, les bassins prémoulés solides et les pompes abordables ont mis les plaisirs du jardin d'eau à la portée des budgets et des surfaces les plus modestes. Avec un peu de bricolage, même un néophyte peut se lancer dans la création d'un havre pour la faune et la flore dont il pourra profiter pendant de longues années. Les différents matériaux et techniques ont chacun leurs spécificités d'utilisation, vous devez donc d'abord vous assurer que ces choix correspondront à vos projets.

## LISTEZ VOS CRITÈRES

Tout d'abord préférez-vous un style classique ou naturel, une eau vive ou dormante ? Quelle est pour vous l'importance des plantes, des petits animaux ou des poissons ? Évaluez vos compétences, votre budget, le temps dont vous disposez pour la construction puis l'entretien. Pour une réalisation pratique et simple, vous avez peu d'autre choix que le préfabriqué ou la bâche souple ("liner"). Il existe une large gamme de formes et de tailles dans les prémoulés mais les liners sont plus polyvalents et mieux adaptés aux formes irrégulières sur plusieurs profondeurs. Rappelez-vous qu'une profondeur suffisante est vitale pour les poissons dans des températures très chaudes ou très froides. Les besoins varient selon les espèces. Si vous souhaitez un passage subtil et progressif des plantes terriennes aux aquatiques, choisissez un liner. Les bords rigides des unités prémoulées sont difficiles à masquer sous les plantes.

## CHOISISSEZ LES CARACTÉRISTIQUES DU BASSIN

Il y a plusieurs facteurs à intégrer dans le choix du bassin et des moyens de construction. La plupart demandent peu de compétences particulières et sont tout à fait à la portée d'un néophyte. Mieux vaut toujours choisir la solution la plus simple. Surestimez vos capacités et vous êtes certain d'obtenir un résultat médiocre qui provoquera longtemps votre mauvaise humeur.

| | Classique | Naturel | Pour petit jardin | Enterré | Surélevé | Carré ou rectangulaire | Circulaire | Irrégulier | Eau dormante | Eau vive | Peu couteux | Facile à installer | Demande des compétences | Entretien facile | Aménageable pour les enfants |
|---|---|---|---|---|---|---|---|---|---|---|---|---|---|---|---|
| Bassin simple et liner flexible | • | • | • | • | | • | • | • | • | | • | • | | • | • |
| Bassin liner souple et cours d'eau | • | • | • | • | | | | • | | • | • | • | | • | • |
| Bassin surélevé / Liner souple | • | | • | | • | • | • | | • | | | | • | • | |
| Jardin de marécage | | • | • | • | | | | • | • | | • | • | | • | |
| Bassin rigide | • | • | • | • | | • | • | • | • | | • | • | | • | |
| Bassin rigide et cascade | • | • | • | • | | • | • | • | | • | | • | • | • | |
| Bassin surélevé rigide | • | | • | | • | • | • | | • | | • | • | | • | |
| Bassin maçonné | • | | • | • | • | • | • | | • | | | | • | • | |
| Bassin en miniature | • | • | • | | • | • | • | | • | | • | • | | • | |
| Pierre jaillissante | • | • | • | | | | | | | • | • | • | | • | • |
| Fontaine murale | • | • | • | | | • | | | | • | • | • | | • | • |

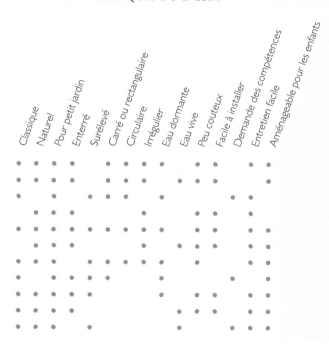

◁ **VARIÉ À L'INFINI**
*De forme et de profondeur irrégulières, ce bassin en liner souple offre des possibilités de plantations infinies. Des galets cachent le bord du liner et offrent un accès sûr aux petits animaux assoiffés.*

△ **CAMOUFLAGE ASTUCIEUX**
*Ce bassin prémoulé est caché par une combinaison de plantes de bordures en paniers et de luxuriantes aquatiques en surplomb. Un aménagement rigoureux et intelligent.*

VOIR AUSSI : Les bassins, pp. 202-203 ; Les bassins, pp. 206-207 ; La terre et l'eau, pp. 216-217 ; Le jardin de marécage, pp. 218-219

# LE BASSIN PRÉMOULÉ

Les anciens bassins prémoulés en plastique cassant aux couleurs criardes ont été remplacés par des matériaux plus solides et photorésistants, fibre de verre ou nouveaux plastiques, dans des couleurs neutres. L'installation est simple si le travail est préparé avec soin. Le moindre bassin est très lourd une fois rempli et peut se fêler sous la compression après la construction. La perception des échelles est différente de l'intérieur et dehors, achetez donc plutôt plus grand. Un petit bassin peut devenir insignifiant surtout quand les bords sont dissimulés. Vous le cacherez plus facilement avec des dalles qu'avec des plantes.

## LES ÉTAPES DE LA CONSTRUCTION

Quelles que soient la taille et la forme, la technique de base est la même pour toutes les unités prémoulées. D'abord, creusez un trou un peu plus large que le contour pour faciliter le remblayage et le tassement de la terre. Puis vérifiez que le fond est absolument plat, sans cailloux et bien tassé.

### ASTUCES

• Les unités prémoulées existent dans de nombreuses couleurs, qualités, formes, tailles et profondeurs. Visitez plusieurs magasins avant de choisir.

• Pour plus de variété, optez pour un bassin avec des épaulements assez larges pour accueillir les paniers de plantation.

• Vérifiez que la profondeur convient aux poissons. Les petits comme les poissons rouges supportent les espaces restreints, avec 35 cm au moins de profondeur.

Marquez les contours avec des piquets avant de creuser, coiffez-les de petits pots à plantes pour ne pas vous blesser les yeux

Pour un support ferme et éviter les fissures après le remplissage, le bassin est amorti par une couche de sable ou de terre finement tamisée ou une thibaude

Creusez le sol à la profondeur exacte de l'épaulement, s'il y en a. Prévoyez d'avoir à rectifier le contour du trou de l'épaulement

Comblez l'espace entre l'unité et les côtés du trou avec du sable ou de la terre, par petites quantités bien tassées au fur et à mesure. Chaque couche doit être tassée avant d'ajouter la suivante

Avant de remblayer, stabilisez le bassin en versant environ 10 cm d'eau. Continuez à le remplir lentement pendant que vous remblayez

Comme la surface de l'eau est toujours plane, au fil du remplissage vous verrez immédiatement si le bord du bassin est horizontal, vérifiez avec un niveau à bulle à chaque étape de l'installation

Le rebord qui empêche la terre de glisser dans le bassin peut être caché par des plantes ou des dalles. Tassez fermement le sable ou la terre sous le rebord en remblayant

# INSTALLER UN LINER SOUPLE

Il existe plusieurs types de liners, de qualités et de prix variés. Le polyéthylène est bon marché mais se dégrade au soleil en moins de trois à cinq ans. Mieux vaut investir dans un PVC plus onéreux, de préférence renforcé de nylon. Un fournisseur sérieux vous offrira une garantie décennale.
Le butyle est le plus cher et le plus résistant. Il est d'une élasticité supérieure, fait peu de plis et reste souple par temps froid. Les meilleures qualités de butyle ont une longévité de 25 à 50 ans.

## TAPISSER L'EXCAVATION

Même les plus solides des liners risquent la crevaison, il est donc essentiel que le fond du trou soit débarrassé de toute pierre ou débris tranchant. Ne marchez jamais sur le liner pendant l'installation. Le moindre trou provoquera une fuite introuvable par la suite.

Les courbes adoucies sont les plus faciles à tapisser. Une pente des parois à 20° évite les affaissements. Sur les angles aigus, les plis doivent être bien répartis

Calez le liner avec des briques ou des pierres pendant le remplissage. Soulevez-les pour permettre au film de bouger et de prendre sa place au fil du remplissage

Remplissez lentement le bassin afin que sous le poids de l'eau la bâche épouse progressivement les contours du trou

Le fond est plat, tassé et sans pierres. Si le sous-sol est très pierreux, étalez une couche de sable de 5 cm, foulez-le au pied et aplanissez au râteau

Une thibaude prolonge la vie du liner. Utilisez du polyester, en rouleau de 2 m de large, de la laine de verre ou une ancienne moquette synthétique

Les liners noirs ou marron foncé sont les moins choquants à l'œil

Une pente très douce avec un léger rebord est idéale pour composer une plage de galets

Laissez un rabat de 45 cm sur le bord pour éviter les fuites et cachez-le sous de la terre ou des dalles

Voir aussi : Les bassins, pp. 202-203 et pp. 206-207

# COMMENT INSTALLER UN BASSIN EN LINER

Calculer la surface nécessaire, surtout sur une forme irrégulière, peut sembler un casse-tête mais la méthode est simple. Déterminez d'abord les dimensions extrêmes du bassin en largeur, longueur et profondeur. La longueur du liner fera la longueur maximale plus deux fois la profondeur maximale; sa largeur fera la largeur maximale plus deux fois la profondeur maximale. Enfin, ajoutez 45 cm de chaque côté pour le rebord. Pour les bassins circulaires, remplacez la longueur et la largeur par le diamètre. Étalez le liner au soleil environ une demi-heure avant la pose, la chaleur l'assouplira et le rendra plus maniable. Roulez-le délicatement avant de l'installer.

## BASSIN SIMPLE AVEC ÉPAULEMENT

Avant l'excavation complète, creusez un trou test au centre de l'endroit choisi pour situer le niveau hydrostatique naturel. En général, ce niveau ne pose pas de problème mais si le liner est situé en dessous ou dans un sol mal drainé, la pression de l'eau vers le haut crée un effet montgolfière. Si ce niveau est haut ou le drainage du terrain médiocre, vous devrez améliorer celui-ci. Autre solution : installer un bassin semi-surélevé, en utilisant la terre extraite pour rehausser le pourtour du bassin, ce qui remontera le fond au-dessus du niveau hydrostatique.

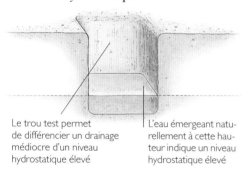

Le trou test permet de différencier un drainage médiocre d'un niveau hydrostatique élevé

L'eau émergeant naturellement à cette hauteur indique un niveau hydrostatique élevé

△ **CREUSER UN TROU TEST**
*Creusez un trou profond de 45 cm et remplissez-le d'eau. Si elle ne s'écoule pas, le drainage est mauvais ou le niveau hydrostatique élevé. Recreusez de 45 cm, si le trou se remplit spontanément, c'est un problème de niveau hydrostatique.*

### OUTILS ET MATÉRIAUX

- 10-12 piquets pour établir les niveaux
- Masse
- Niveau à bulle
- Une planche bien droite
- Pelle et bêche
- Râteau
- Sable ou ficelle pour le marquage au sol
- Sable fin ou terre tamisée pour le fond
- Thibaude
- Liner (bâche souple)
- Briques ou pierres rondes polies pour maintenir le liner en place pendant le remplissage

### DÉLIMITER ET CREUSER

**1 NIVEAU DES BORDS DU BASSIN**
*Délimitez le contour du bassin avec du sable ou de la ficelle et des piquets à intervalles réguliers. Avec une masse, un niveau à bulle et une planche droite, suivant la technique indiquée p. 206, vérifiez que les piquets sont à niveau et que le sol autour est horizontal.*

**2 EXCAVATION**
*Si vous avez du gazon, soulevez-le sur 5 cm, gardez-le éventuellement pour les bords. Creusez à 23 cm de profondeur, les parois légèrement inclinées vers l'extérieur, puis ratissez le fond. Délimitez la zone la plus profonde en laissant au moins 30 cm de large pour l'épaulement.*

**3 LA ZONE PROFONDE**
*Creusez encore sur 38 cm pour la zone profonde. Enlevez toutes les grosses pierres coupantes, racines et débris au râteau. Étalez dans le fond une couche protectrice de sable ou de terre tamisée, de 2,5 cm d'épaisseur, pour éviter les crevaisons.*

### ÉTALER LA BÂCHE

**1 ÉTENDRE LA THIBAUDE**
*Enlevez toutes les pierres sur les parois, puis appliquez du sable pour qu'elles soient lisses. Étalez la thibaude dans le bassin. En partant du centre vers les bords, appuyez fermement pour qu'elle épouse les contours du trou en faisant le moins de plis possible.*

**2 ÉTALER LE LINER**
*Posez le rouleau sur un côté du bassin et déroulez-le délicatement. Ne l'étirez pas, une trop forte tension augmente le risque de crevaison. Laissez un rabat suffisant le long des bords et disposez-le en plis réguliers.*

**3 FAIRE LE PLEIN D'EAU**
*Maintenez momentanément le liner avec des briques. Faites couler l'eau lentement. Avec le poids de l'eau, il va épouser les formes du bassin. Au besoin, si le liner se tend trop, enlevez les briques, laissez filer un peu de liner et réaménagez les plis.*

VOIR AUSSI : Le jardin de marécage, pp. 204-205 ; Les bassins, p. 206

# ARRONDIR LES ANGLES

Si le dessin du bassin est en courbes longues et douces, il y aura peu d'ajustements de la bâche. Par contre, en cas d'angles plus aigus les plis doivent être disposés avec soin, surtout au niveau de l'épaulement. Dans les bassins avec des coins, on replie le liner et on rabat l'excédent. Aménagez des plis généreux pour éviter que la bâche ne soit trop tendue et faites tous les ajustements nécessaires avant le remplissage. Par la suite, le poids de l'eau rendra les réglages difficiles.

## PENSE-BÊTE

### UN LINER EST FRAGILE !

Bien que durable en utilisation, les bâches souples sont des films relativement fins, particulièrement vulnérables aux crevaisons lors de la pose. Ne marchez jamais sur un liner pendant l'installation. Pratiquez toutes les opérations de pose et de remplissage de l'extérieur du bassin, résistez à toute tentation d'y entrer.

# RABATTRE LE LINER

Une fois le bassin rempli, enlevez les briques de calage et coupez l'excédent de bâche. Ne le coupez surtout pas juste au ras de l'eau, laissez un rabat d'environ 10-15 cm. Cela empêche l'eau de s'infiltrer en dessous, ce qui peut se produire si le niveau de l'eau monte et si le bassin déborde après une forte pluie. C'est aussi une bonne base pour une margelle en matériaux durs scellés en place.

◁ **PLISSER**
*Dans les courbes, formez une série de plis avec la bâche et maintenez-les en haut et en bas avec des briques jusqu'à ce qu'ils soient stabilisés par la pression de l'eau au remplissage. Les plis semblent inesthétiques, mais une fois comprimés par l'eau, ils sont aplatis et pratiquement invisibles.*

◁ **PLIER ET RABATTRE**
*Pour un angle net, pliez en diagonale et rabattez l'excédent d'une main tout en maintenant le pli de l'autre. Pour l'esthétique, essayez de positionner le pli précisément dans l'angle. Maintenez-le en place avec des briques jusqu'à ce que le poids de l'eau le cale.*

◁ **COUPER LE BORD**
*Avec des ciseaux bien aiguisés, taillez le liner en excédent pour laisser un bord de 10-15 cm. Tassez-le soigneusement sur tout le pourtour pour éviter que des pierres ne tombent par inadvertance dans le bassin. Elles pourraient crever la bâche si elles se trouvaient sous des paniers de plantation.*

---

# TRAVAUX DE FINITION

Pour créer une margelle, ou si la terre s'affaisse sous le gazon, faites une fondation en béton. Soulevez le bord du liner et creusez une tranchée profonde de 15-23 cm. Insérez le liner dans la tranchée, faites un lit de mortier et scellez les dalles en place. Le mortier est toxique pour les poissons et les plantes. Si vous en faites tomber dans le bassin, videz-le et remplissez-le à nouveau.

## ASTUCES

• Adressez-vous à une carrière locale pour les roches de margelle. Les roches typiques, granite ou ardoise, sont déplacées loin de leur région.

• Installez une dalle en pente vers l'eau pour les grenouilles et les hérissons.

• En débordant un peu, les dalles projettent une ombre qui masque le liner et le protège de la lumière directe.

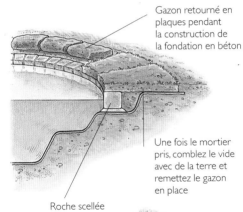

Les dalles cimentées sur le liner sont nivelées avec soin, juste sous le gazon pour faciliter la tonte

Le liner et la thibaude coincés entre la fondation et le lit de mortier sont invisibles

Bord en briques cimentées et fondation en béton

Gazon retourné en plaques pendant la construction de la fondation en béton

Une fois le mortier pris, comblez le vide avec de la terre et remettez le gazon en place

Roche scellée

## MARGELLES CLASSIQUES ET NATURELLES

Le choix est vaste dans les matériaux de bordure : gazon naturaliste, blocs de granite, ou dalles. Le gazon a un aspect naturel mais il devient vite boueux quand il est piétiné. Les roches constituent une bordure stable et sont un excellent abri pour les grenouilles et les crapauds. Les margelles solides permettent de s'asseoir un moment et de savourer le fruit de ses efforts.

△ **CÔTÉ PLAGE**
*Pour un effet naturel, posez des roches et des galets en rangées de tailles décroissantes, les plus petits près de l'eau. Une plage de galet invite les oiseaux et petits mammifères à venir se désaltérer et crée un accès idéal pour les amphibiens.*

**TOUT EN ANGLES** ▷
*Les roches comme le granit, non stratifiées, ont des arêtes vives. Alignez-les de façon à ce que les angles soient à peu près parallèles pour obtenir un effet naturel et scellez-les en place au mortier.*

**STRATIFIÉES** ▷
*Stratifiés, le grès et les roches calcaires sont plus beaux en chevauchement diagonal, les lignes de strates sur les côtés plutôt que sur le dessus pour créer une impression d'affleurement.*

VOIR AUSSI : Les bassins, p. 207 ; Les cascades, p. 211

# COMMENT INSTALLER UN JARDIN DE MARÉCAGE

Le jardin de marécage permet d'étendre le nombre des variétés plantées. La luxuriance caractéristique des plantes de sol humide constitue un cadre parfait pour un bassin et fait le lien entre la terre et l'eau. Enchâssée dans la végétation, la pièce d'eau est aussi un abri pour la faune. Le jardin de marécage peut être aussi bien l'extension naturelle d'un bassin qu'un élément de décoration indépendant. Cette dernière option présente l'avantage de supprimer le danger de l'eau libre. Dans les deux cas, ce type d'installation constitue un moyen simple, peu onéreux et rationnel d'apporter de l'eau à des plantes qui en demandent en permanence.

## VARIATIONS AQUATIQUES

La facilité d'adaptation des bâches souples en fait un instrument de création idéal pour introduire des plantes de sol humide, de berges ou aquatiques. La continuité visuelle imite à la perfection un marais naturel offrant un refuge aux grenouilles et aux crapauds, consommateurs voraces de limaces.

### PLANTATIONS ÉTAGÉES

Ici le liner crée la continuité entre trois zones de plantation, à l'image d'un habitat aquatique naturel. Les plantes d'eau profonde et peu profonde s'étalent en nappes naturelles jusqu'aux berges avant d'atteindre la terre ferme.

### POURQUOI

#### MÈCHES ET NIVEAUX D'EAU

Si le liner s'étend au-delà des bords du bassin pour créer une zone humide, ce terrain dans lequel poussent les plantes de marais doit être isolé de la nappe d'eau pour éviter qu'elles ne la pompent par capillarité. Cela entraînerait une baisse rapide du niveau, surtout par temps chaud, sec ou venteux.

Séparées du bassin par un barrage de roches cimentées, les plantes de sol humide s'épanouissent dans leur terre préférée sans pomper l'eau du bassin par effet de mèche (voir à gauche). Perforez le fond du liner

Une zone peu profonde entre deux remontées de bâche peut être tapissée de 30 cm de terre. Des plantes de berges s'y plairont si elles ne sont pas enfermées dans un panier de plantation. Cette terre enclose ne troublera pas l'eau du bassin principal

Une zone profonde est vitale pour les vraies aquatiques comme les nénuphars et les lotus, mais aussi pour des poissons en bonne santé

Des poches de terre incluses dans le liner restent humides grâce à une "mèche" de gazon calée entre les rochers. Les plantes de sol humide y prospéreront. À ne pratiquer que sur de petites parcelles pour ne pas trop pomper l'eau du bassin

## UN MARÉCAGE SANS PIÈCE D'EAU

Pour un jardin de marécage plus grand et plus ambitieux, l'irrigation indépendante est la solution idéale. Elle élimine tout problème de pompage d'un bassin. De plus, le liner n'étant pas exposé au soleil, n'importe quel polyéthylène bon marché ou des sacs plastiques feront l'affaire. Plus vous disposez d'espace, plus vos plantations seront audacieuses.

Utilisez la terre arable extraite pour remblayer le trou. Au besoin, améliorez-la avec de la matière organique bien décomposée

Le liner en polyéthylène bon marché est perforé au fond pour un drainage lent et régulier. Le bord supérieur est recouvert d'environ 8 cm de terre

### PENSE-BÊTE

#### DRAINAGE PERMANENT

Un sol détrempé devient vite stagnant et acide à cause des déchets nocifs produits par la décomposition bactérienne anaérobie. Peu de plantes apprécient. Les plantes de sol humide demandant un approvisionnement constant en eau, le liner doit être perforé pour permettre un drainage régulier.

### EN COUPE

Un massif de marécage doit faire au moins 45 cm de profondeur pour éviter un dessèchement trop rapide. Par temps chaud et sec, une plantation dense réduit la perte d'eau liée à la transpiration des feuilles. Le sol doit avoir une structure aérée et être riche en matière organique pour un drainage équilibré et une bonne rétention d'eau.

Une couche de petits galets empêche la terre d'obstruer les perforations du tuyau d'arrivée d'eau et du liner et favorise le drainage. L'extrémité du tuyau est bloquée

Un raccordement entre le tuyau perforé et l'arrivée d'eau. Celui-ci peut être branché sur une citerne ou sur l'eau courante

VOIR AUSSI : Les plantes aquatiques, pp. 214-215 ; La terre et l'eau, pp. 216-217 ; Le jardin de marécage, pp. 218-219

# CRÉER UN JARDIN DE MARÉCAGE

La simplicité même! Cette installation ne requiert aucune compétence particulière en maçonnerie et fait appel à des matériaux à la fois bon marché et faciles à se procurer. Vous pouvez même utiliser des sacs en plastique comme bâche, c'est encore plus économique. Après tout le recyclage des sacs de terreau vides est un acte écologique. Pour avoir l'air naturel, un jardin de marécage se situera de préférence au point le plus bas du jardin, où l'eau pourrait s'accumuler spontanément. Sa taille doit être proportionnée au cadre. Si le jardin est petit, un massif réduit sans système d'irrigation spécial est envisageable, vous arroserez à la main. Les surfaces plus importantes sont toujours plus agréables à l'œil car elles autorisent une plus grande diversité de plantes. Dans ce cas, le système d'irrigation intégré est obligatoire pour gagner du temps, car le niveau d'humidité doit être constant et l'arrosage manuel est une tâche longue et fastidieuse.

## OUTILS ET MATÉRIAUX

- Sable ou ficelle pour le marquage au sol
- Bêche
- Râteau
- Bâche en polyéthylène haute résistance
- Briques ou pierres pour maintenir le liner en place momentanément
- Fourche
- Petits galets
- Tuyau en plastique rigide de 2,5 cm de diamètre
- Scie à métaux
- Perceuse
- 2 joints coudés
- Couteau ou ciseaux
- La longueur de tuyau, un collier de serrage et un raccord de tuyau mâle et femelle

## CONSTRUIRE UN JARDIN DE MARÉCAGE INDÉPENDANT SUR LINER SOUPLE

**1 DÉLIMITER LA FORME DU MASSIF**
*Marquez la forme avec du sable ou de la ficelle. Creusez le trou sur une profondeur de 60 cm, avec des parois un peu inclinées afin que la terre ne s'effondre pas. Mettez la terre arable extraite de côté sur du plastique pour remblayer ensuite. Enlevez la terre de sous-sol lourde. Ratissez le fond et enlevez toutes les pierres.*

**2 ÉTALER LE LINER**
*Étalez la bâche dans le trou et appuyez-la sur les contours. Maintenez-la en place avec des briques ou des pierres pour qu'elle ne bouge pas lorsque vous marchez dessus. Faites des trous de drainage à la fourche à 60-100 cm d'intervalles. Plus économique, vous pouvez poser des petites feuilles de polyéthylène qui se chevauchent.*

**3 POSER LA COUCHE DE GALETS**
*Étalez une couche de petits galets de 5 cm d'épaisseur au râteau. Coupez un tronçon de tuyau de la longueur du trou, percez-y des trous tous les 15 cm, bloquez l'extrémité, posez-le sur les galets. Fixez-le à l'autre tuyau de 60 cm de long avec un joint coudé, le second tuyau remontera verticalement vers la surface. Recouvrez de 5 cm de galets.*

**4 RAJOUTER LA TERRE**
*Nivelez les galets au râteau, ajoutez la terre au-dessus. Avant d'atteindre le haut du trou, coupez l'excédent de liner, couvrez les bords de 8 cm de terre. Fixez un joint coudé au tuyau vertical pour qu'il fasse un angle droit au niveau du sol. Reliez-y un court tronçon de tuyau avec un collier de serrage et rattachez-le au raccord de tuyau.*

# UN JARDIN DE MARÉCAGE ENTRETENU AVEC SOIN

Une fois les plantations terminées et dès que la terre sèche, conservez l'humidité ambiante en remplissant d'eau, jusqu'à inondation de la surface. Par temps chaud et ensoleillé, ce remplissage peut être nécessaire chaque semaine. Une citerne à eau de pluie qui récupère les écoulements du toit de la maison ou de la serre peut être reliée au système d'irrigation avec un tuyau et un robinet. Désherbez régulièrement pendant que les plantes s'établissent.

Une fois le sol recouvert, les mauvaises herbes privées de lumière s'arrêteront de pousser. Vous pouvez fertiliser le jardin de marécage en toute sécurité avec des engrais ordinaires, sans risque d'infiltration d'azote dans le bassin qui provoquerait une prolifération d'algues.

**PREMIERS JOURS ▷**
*Dans une terre fertile et humide, les jeunes plantes vont s'établir et pousser si vite que presque toute la surface du sol sera recouverte dès la fin de la première saison.*

VOIR AUSSI : Les plantes de marécage, pp. 218-219

# COMMENT INSTALLER UN BASSIN PRÉFABRIQUÉ

Le prémoulé est une excellente solution pour un bassin moyen ou petit, les plus grands font 3,5 m de diamètre. Vite installés et faciles à nettoyer, ils existent dans des formes et matériaux divers. Les moins chers sont en plastique, mais dans les qualités inférieures, la longévité est moindre, parfois seulement deux ou trois ans. Les unités plus coûteuses en fibre de verre sont durables, légères et solides. Sans épaulement, ce sont les plus simples à poser. Les unités carrées ou rondes, elles, sont parfaites pour des petits bassins classiques mais peu profonds. Si vous souhaitez des poissons et un assortiment de plantes, choisissez un bassin avec des épaulements et une zone profonde.

## INSTALLER UN BASSIN PRÉMOULÉ

La règle de base lors de l'installation est de creuser un trou à la dimension exacte du bassin. Il doit être parfaitement horizontal, sur le fond comme sur le pourtour. Plus la forme du bassin est simple, plus ce sera facile. Les bassins surélevés sont simples à poser si l'unité prémoulée a une forme régulière et un seul niveau de profondeur. Les modèles à contour irrégulier, surtout les plus grands, nécessitent un support stable pour ne pas se déformer et se fendre une fois pleins. Il est préférable d'enterrer au moins les zones profondes, au mieux toute l'unité, avec une assise solide.

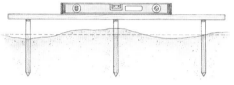

**L'HORIZONTALITÉ PARFAITE △**
*Pour que les bords du bassin soient parfaitement droits sur un sol inégal, plantez le premier piquet au niveau idéal du bord du bassin, puis avec un mètre et un niveau à bulle, alignez les autres jalons sur le premier. Vérifiez le niveau dans le trou et sur le pourtour. Creusez ou remplissez pour ajuster le niveau.*

### ASTUCES

• Les jardineries proposent un vaste choix de bassins prémoulés, mais si vous cherchez une couleur neutre, vous devrez peut-être visiter plusieurs magasins.

• Pour la longévité, choisissez la fibre de verre, c'est aussi le plus facile à réparer.

• Vérifiez que les épaulements sont assez larges pour recevoir des paniers de plantation.

### OUTILS ET MATÉRIAUX

- • Unité prémoulée
- • Parpaings ou briques pour soutenir momentanément l'unité prémoulée
- • Bambous et ficelle
- • Mètre enrouleur
- • Bêche
- • Piquets de jalonnement
- • Niveau à bulle
- • Règle graduée
- • Sable ou terre tamisée
- • Râteau
- • Tuyau
- • Une longueur de bois pour le niveau

### INSTALLER UNE UNITÉ AVEC ÉPAULEMENT

**1 MARQUER LE PÉRIMÈTRE**
*Posez l'unité sur des briques, vérifiez qu'elle est horizontale. Enfoncez bien droit des bambous tout autour, suivez le contour avec une ficelle. Pour une forme symétrique, retournez le bassin sur le sol et marquez autour.*

**2 CREUSER LE TROU**
*Mesurez la profondeur entre le bord et l'épaulement. Creusez tout le trou à cette profondeur, vérifiez le niveau (voir ci-dessus). Placez le moule dans le trou, le modelé du fond vous donne le tracé de la forme à recreuser*

**3 CREUSER LA ZONE PROFONDE**
*Pour la profondeur de la zone centrale, mesurez à partir d'une règle graduée sur plusieurs points de la largeur. Ajoutez 5 cm pour la couche de sable qui sert d'assise. Étalez le sable, nivelez au râteau et enlevez les cailloux.*

**4 AJUSTER**
*Positionnez le bassin. La partie profonde doit être parfaitement emboîtée et le bassin horizontal. Au besoin, ressortez-le pour ajuster. Ne faites rien de plus tant que l'unité n'est pas absolument plane et bien soutenue.*

**5 REMPLIR D'EAU**
*Versez 10 cm d'eau pour stabiliser. Comblez le long des côtés avec du sable ou de la terre tamisée. Procédez par étape : ajoutez 5 cm d'eau à la fois, tassez bien la terre de remblai avant d'en rajouter et vérifiez le niveau à chaque étape.*

VOIR AUSSI : Les bassins, pp. 200-201

# SUR LES BORDS

Les unités prémoulées comportent un large rebord qui renforce la structure et empêche la terre de glisser dans le bassin. Ce rebord artificiel luisant est tout à fait disgracieux s'il n'est pas camouflé. Quel que soit le type de margelle, le rebord doit être solidement soutenu. S'il s'agit d'un simple gazon, il suffira de bien tasser le remblai sous le rebord. Le gazon est ensuite remis en place pour recouvrir le rebord. Pour les dallages ou un pavage irrégulier, une fondation est absolument nécessaire. Une couche d'agrégat répond à la plupart des objectifs (*voir ci-dessous*). Recouvert d'une couche de sable pour combler les vides, l'agrégat constitue une base solide pour un lit de mortier et des dalles.

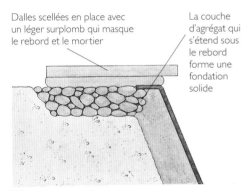

Dalles scellées en place avec un léger surplomb qui masque le rebord et le mortier

La couche d'agrégat qui s'étend sous le rebord forme une fondation solide

### MARGELLE DALLÉE △
*Creusez une tranchée de 6-8 cm de profondeur sur tout le pour-tour du bassin, de toute la largeur des dalles. Posez une couche d'agrégat dans le fond et tassez sous le rebord pour le soutenir. Scellez les dalles en place dans un lit de mortier, en veillant à ne pas faire tomber de mortier dans l'eau. Faites des joints au mortier entre les dalles.*

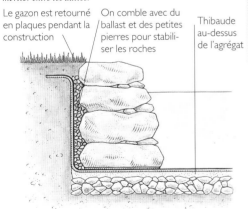

Le gazon est retourné en plaques pendant la construction

On comble avec du ballast et des petites pierres pour stabili-ser les roches

Thibaude au-dessus de l'agrégat

### △ MUR DE ROCHE ET MARGELLE DE GAZON
*Vous pouvez utiliser cette technique pour des bassins simples, à parois presque droites et un seul niveau de profondeur. En raison du poids, une couche amortissante de thibaude sur la couche d'agrégat est conseillée. Les roches plates sont scellées entre elles au mortier et calées en arrière par du ballast et des pierres.*

# BASSINS EN MINIATURE

Un jardin d'eau en modèle réduit ajoutera une touche de charme au moindre espace, balcon ou terrasse et attirera immanqua-blement le regard dans le patio, la maison ou le jardin d'hiver. N'importe quel conte-nant étanche de taille raisonnable fera l'affaire (*voir à droite*) et vous serez étonné par le nombre de plantes qu'ils peuvent accueillir. Pensez à intégrer des plantes oxygénantes, ou bien une petite fontaine. Les contenants en bois doivent être traités pour l'étan-chéité. Laissez reposer tous les contenants avant de planter pour permettre l'évacua-tion du chlore.

---

## PENSE-BÊTE

### ATTENTION À LA TEMPÉRATURE !

Les petits volumes d'eau se réchauffent vite en été et forment des blocs de glace en hiver. Ces deux extrêmes sont fatals aux plantes et aux poissons. Ne laissez pas les minis bassins en plein soleil et rentrez-les à l'automne ou videz-les pour les replanter au printemps.

---

### ◁ IMPERMÉABILISER
*Nettoyez soigneusement le tonneau et appliquez un enduit d'étanchéité à l'intérieur, jus-qu'au rebord. Cela protège le bois et évite le dépôt de rési-dus dans l'eau. Les tonneaux neufs sont étanches, les plus anciens nécessitent un liner.*

### EN BONNE FORME △
*Les pots en faïence vernissée sont parfaits pour les minis bas-sins. Vérifiez qu'ils sont étanches, larges d'au moins 45-60 cm au col, profonds de 38-45 cm ou plus. Il est risqué de laisser les pots dehors en hiver, même s'ils sont garantis résistants au gel, videz les pots jusqu'au printemps.*

Dans un panier de plantation, les carex et les joncs tracent des lignes verticales

Des plantes flottantes couvrent la surface de l'eau

### △ DANS UN TONNEAU
*Ce tonneau contient deux ou trois paniers de plantation. Les feuilles étroites apportent une note verticale et prennent peu de place. Créez différents niveaux de profondeur avec des socles de briques. Gardez la zone profonde pour des plantes flottantes et un petit nénuphar.*

### ◁ MINI BASSIN ENTERRÉ
*Enterrer un bassin en conteneur réduit les amplitudes de tempé-rature. Les galets disposés autour étouffent les mauvaises herbes et préservent la fraî-cheur et l'humidité du sol pour les plantes avoisinantes. Ils créent aussi une illusion d'optique... petit bassin deviendra grand !*

VOIR AUSSI : Le liner, p. 203 ; Les fontaines, pp. 208-209 ; Les plantes aquatiques, pp. 220-221

# COMMENT INSTALLER UNE FONTAINE

Avant l'ère de l'électricité, la technologie hydraulique reposait sur la gravité, d'énormes réservoirs et des systèmes de pompage complexes. Avec l'arrivée des petites pompes submersibles, l'eau vive est entrée dans les plus petits jardins. Les fontaines apportent un murmure agréable et une animation visuelle. Elles font encore mieux puisque l'humidité qu'elles dégagent rafraîchit l'air. Dans un bassin, elles apportent l'oxygène indispensable aux plantes et poissons. En ce qui concerne l'électricité, l'installation d'une fontaine est d'une extrême simplicité mais il faut impérativement installer un disjoncteur.

## LES FONTAINES LES PLUS SIMPLES

Le mécanisme est élémentaire. Une pompe électrique envoie de l'eau sous pression qui sort en jet à travers une pomme. La hauteur du jet varie en fonction de la puissance de la pompe et du régulateur d'écoulement. Les pompes à basse tension peuvent propulser un jet jusqu'à 1,2 m de haut et les pompes submersibles à eau courante jusqu'à 2,2 m. Pour des jets plus élevés, une pompe de surface à eau courante est nécessaire.

### ASTUCES

- Un jet d'une largeur inférieure à une demie largeur de bassin retombera intégralement dans son périmètre.
- Un jet plus compact perd moins d'eau par évaporation. Pour limiter celle-ci, choisissez une pomme qui forme un jet en colonne plutôt qu'en fine ombrelle.
- En cas d'évaporation, vous pouvez refaire le plein avec de l'eau du robinet.
- Placez les plantes sensibles aux remous, tes les nénuphars, à l'écart de la zone d'aspersion.

**POMPE SIMPLE** ▽
*Les fontaines les plus simples sont alimentées par une pompe submersible à basse tension. Un tuyau de distribution vertical relie la pomme au tuyau de sortie de la pompe.*

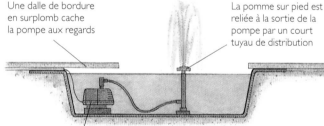

La pomme est fixée directement sur le tuyau de sortie de la pompe, elle-même fixée sur un socle

Certaines plantes, comme les nénuphars, n'aiment pas les remous et doivent être placées à l'écart de la zone d'aspersion

Une dalle de bordure en surplomb cache la pompe aux regards

La pomme sur pied est reliée à la sortie de la pompe par un court tuyau de distribution

◁ **À PORTÉE DE MAIN**
*Pour les bassins plus importants, situer la pompe à proximité du bord facilite le nettoyage et l'entretien. La pomme est alimentée par un tuyau fixé sur la sortie de la pompe.*

La pompe submersible est fixée sur un socle pour plus de stabilité. Le câblage électrique est caché sous une dalle de bordure

**FONTAINE À BULLES** ▷
*Pour offrir à un petit espace la musique de l'eau, la solution la plus sûre est la fontaine à bulles. Celle-ci est alimentée par un tuyau simple relié à une pompe basse tension installée dans un réservoir et cachée sous la meule.*

## LES DIFFÉRENTS JETS

Les formes de jets sont fonction de la taille et de la disposition des trous de la pomme. Les pommes simples, comme celles illustrés ci-dessous, sont fixées directement sur le tuyau de sortie de la pompe. Les pommes qui créent des jeux d'eau plus complexes nécessitent un adaptateur spécial, éventuellement une pompe plus puissante, selon la hauteur et le volume du jet.

◁ **JET UNIQUE**
*D'une élégante simplicité, le jet unique convient aux bassins de formes sobres et s'intègre bien dans les petits bassins. Plus le tuyau de distribution est étroit, plus le jet est haut.*

**POMME
À JET UNIQUE**

◁ **JET À DEUX ÉTAGES**
*Deux rangées concentriques de trous dans la pomme créent un jet à deux niveaux. Parfait pour les bassins plus grands et plus sophistiqués. La zone d'aspersion plus large peut perturber certaines plantes, comme les nénuphars.*

**POMME
À DOUBLE JET**

**POMME
À JET
EN OMBRELLE**

△ **JET EN OMBRELLE**
*Ce jet forme un voile hémisphérique chatoyant qui crée peu de turbulences à la surface malgré une zone d'aspersion assez large. Le jet Tiffany est un jet en ombrelle couplé avec un jet unique en dessous qui crée un effet de double fontaine.*

VOIR AUSSI : La sécurité, p. 199

# LES POMPES ET L'ÉLECTRICITÉ

Pour les petits décors aquatiques, une pompe basse tension est suffisante, sûre et facile à installer. À l'échelle supérieure, l'électricité du secteur s'impose et l'installation doit être réalisée par un électricien professionnel. Achetez de préférence votre pompe chez un spécialiste ou au rayon aquatique d'une jardinerie, vous recevrez des conseils avisés. Préparez-vous à répondre aux questions suivantes.

■ Cette pompe servira-t-elle pour un cours d'eau, une fontaine, un filtre ou une combinaison de plusieurs éléments ?
■ Quel est le volume du bassin ?
■ Quel sera le type de jet ?
■ Quelle hauteur de jet souhaitez-vous ?
■ Pour les cours d'eau, vous devez aussi connaître la hauteur du bassin supérieur, le volume du bassin "réservoir" (*voir p. 210*) et la largeur du déversoir ou du cours d'eau.

## PENSE-BÊTE

### ET SI VOUS PERDEZ PIED ?

Les câbles, raccords et appareils sur le secteur doivent être installés par un électricien qualifié. Ils doivent comporter un disjoncteur pour une coupure instantanée en cas de court-circuit. Les câbles en gaines isolantes et les raccords étanches doivent être garantis pour un usage extérieur.

## L'ÉLECTRICITÉ DU SECTEUR

L'électricité du secteur est indispensable pour les jets de fontaine de plus de 1,2 m de haut. Ils sont plus chers car ils répondent aux normes de sécurité et doivent être installés par des professionnels.

La pompe submersible nécessite l'alimentation du secteur pour des jets supérieurs à 1,2 m de haut

Un transformateur convertit la tension du secteur en basse tension et réduit au maximum le risque d'électrocution

## L'ÉLECTRICITÉ BASSE TENSION

La plupart des petites installations de circulation d'eau, dont les fontaines et les cascades, fonctionnent avec une pompe basse tension. L'avantage économique tient à la taille, aux normes des équipements, aux coûts d'entretien et au fait qu'on les installe soi-même.

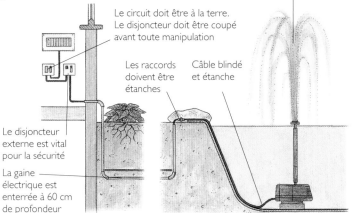

Le circuit doit être à la terre. Le disjoncteur doit être coupé avant toute manipulation

Les raccords doivent être étanches

Câble blindé et étanche

Le disjoncteur externe est vital pour la sécurité

La gaine électrique est enterrée à 60 cm de profondeur

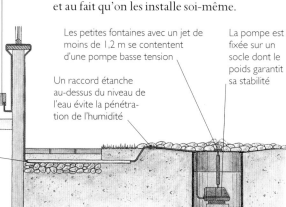

Les petites fontaines avec un jet de moins de 1,2 m se contentent d'une pompe basse tension

La pompe est fixée sur un socle dont le poids garantit sa stabilité

Un raccord étanche au-dessus du niveau de l'eau évite la pénétration de l'humidité

Le gainage assure une sécurité permanente pour les câbles qui passent sous le dallage

# LES FILTRES

Une eau pure comme du cristal implique l'utilisation de filtres. On les installe avant ou après la pompe, ils peuvent être immergés ou hors de l'eau. Il existe deux catégories principales, mécaniques ou biologiques, souvent utilisées en association. Les filtres mécaniques sont de simples passoires utilisant une mousse à consistance spongieuse qui retient les particules en suspension.

Ils entrent en action dès qu'ils sont branchés et peuvent être utilisés par intermittence. Les filtres biologiques utilisent des colonies de bactéries qui décomposent les rejets azotés des poissons et autres organismes. Ils mettent trois semaines à agir et doivent fonctionner en permanence une fois branchés. Les bactéries demandent un flux constant d'eau oxygénée pour rester actives.

## POURQUOI

### COMMENT OBTENIR UNE EAU PLUS CLAIRE ?

En général, un filtre mécanique convient aux bassins qui ne contiennent que des plantes, pourvu qu'il y ait assez de plantes oxygénantes qui réduisent aussi le taux d'azote. Par contre, les rejets azotés des poissons atteignent parfois un niveau nocif et provoquent une prolifération d'algues, d'où une eau verte et trouble. Les filtres biologiques comportent des billes d'argile ou de verre offrant une importante surface de colonisation aux bactéries qui décomposent ces déchets. Les amateurs de poissons utilisent aussi du carbone ou des résines échangeuses d'ions pour éliminer le chlore, les pesticides ou un excès de calcium et autres minéraux inducteurs d'algues. Vous obtiendrez une eau limpide en ajoutant au système un filtre ultraviolet qui encourage les algues à se rassembler en bouquets faciles à enlever.

Le tuyau d'arrivée avec une tige d'aspersion crée un remous qui maintient le niveau d'oxygène nécessaire aux bactéries

### FILTRE POLYVALENT ▷
*Ce type de filtre est situé à l'extérieur du bassin. La tige d'aspersion et les plaques de mousse sont d'accès facile pour le nettoyage. Le filtre biologique ne doit être nettoyé qu'avec l'eau du bassin ou de l'eau non chlorée.*

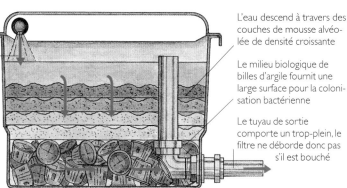

L'eau descend à travers des couches de mousse alvéolée de densité croissante

Le milieu biologique de billes d'argile fournit une large surface pour la colonisation bactérienne

Le tuyau de sortie comporte un trop-plein, le filtre ne déborde donc pas s'il est bouché

VOIR AUSSI : La sécurité, p. 199 ; Les cours d'eau, p. 210-211

# RUISSEAUX ET EAUX COURANTES

La plupart des jardins peuvent accueillir un petit cours d'eau artificiel en extension d'un bassin ou une cascade rocheuse. Il suffit de disposer d'un bassin réservoir et d'une pompe assez puissante pour élever l'eau jusqu'au bassin supérieur. La dénivellation entre le bassin supérieur et le réservoir doit être suffisante pour que la gravité fasse son office tout au long d'un canal parfaitement étanche. S'il n'existe pas de pente naturelle, et la plus faible suffit, il est facile d'en créer une en utilisant la terre extraite de l'excavation du bassin réservoir.

## CONCEVOIR ET CALCULER

Un distributeur spécialisé vous conseillera sur la pompe adéquate, à condition de lui donner les précisions suivantes. **L'amplitude de la dénivellation** (hauteur entre le bassin supérieur et le réservoir inférieur), la longueur et la largeur du cours d'eau ; **le volume du réservoir**, calculé en multipliant la profondeur maximale par la largeur et par la longueur. La quantité d'eau écoulée en 1 heure ne doit pas excéder ce volume.

La paroi inclinée du bassin supérieur retient l'eau en cas de défaillance de la pompe, une sécurité pour la faune et la flore

Le tuyau de distribution est enterré dans une tranchée sous le cours d'eau, recouvert d'une couche de terre, gravier ou cailloux, d'un accès facile

Pierre de déversement scellée au mortier sur le liner. Le mortier comble le vide entre le liner et la berge

La pompe renvoie l'eau vers le bassin supérieur, la gravité assure le retour de l'eau

Le lit du courant est constitué de thibaude et de liner, masqué et protégé de la lumière par un agencement irrégulier de galets

Les changements de niveau créent une chute d'eau miniature. Le liner est ajusté et scellé en place entre deux rochers.

### VUE EN COUPE
Un ruisseau est par définition un canal tracé sur un terrain en pente. Le passage par des différences de niveau crée des cascades. Le bassin réservoir contient une pompe et un volume d'eau suffisant qui circule via le tuyau de distribution et le bassin supérieur.

## TAPISSER UN COURS D'EAU DE LINER

Les bâches souples sont idéales pour la création de cours d'eau, mais pour une canalisation saine et sans fuites, veillez à respecter les points suivants :

▨ **Évitez les crevaisons.** Ne marchez pas sur le liner et ne le traînez pas sur le sol.

▨ **Ajoutez une thibaude** par sécurité.

▨ **Faites largement déborder le liner** sur les berges du cours d'eau

▨ **Protégez le liner** du soleil direct.

▨ **Commencez par le bassin réservoir,** puis remontez vers le bassin supérieur.

TRÈS NATURE ▷
*L'eau scintille d'abord en cascade puis se reflète dans le bassin inférieur. La bâche souple forme une canalisation étanche, bordée de roches et de plantes artistement agencées. Des roches plus petites décorent le fond du bassin, ajoutant un murmure et des jaillissements de lumière.*

△ UN CANAL MINIATURE
*Ce canal tout simple apporte son murmure au jardin. Il est constitué de dalles scellées sur une bâche souple. Une pompe submersible fait passer l'eau par un filtre immergé. Un filtre ultra-violet et un petit bassin supérieur sont camouflés sous la dalle horizontale.*

VOIR AUSSI : Les filtres, p. 209 ; L'eau vive, p. 212-213

# UN COURS D'EAU AVEC CASCADE

L'un des avantages de la bâche souple dans la création d'un cours d'eau est sa capacité d'adaptation. En partant de la technique de base, vous pouvez composer un cours d'eau classique ou informel, avec ou sans chute d'eau.

Des matières légères comme le caoutchouc butyl ou le PVC, sont plus maniables, surtout pour les débutants. Leur souplesse permet de les plier, de les tirer et de les tordre en méandres irréguliers. Si vous voulez que le ruisseau serpente en courbes douces, assurez-vous que le liner soit assez large pour couvrir la largeur maximale avec un grand rabat des deux côtés. Il n'est pas nécessaire de construire en même temps le bassin et le cours d'eau. Vous pouvez ajouter celui-ci plus tard en complément d'un bassin existant qui servira de réservoir. C'est la solution idéale si vous devez étaler les coûts sur plusieurs saisons, ou si vous en avez assez de votre bassin. Au fil du temps votre intérêt pour le jardin d'eau augmentera, c'est inévitable. Un ruisseau artificiel vous permettra d'étendre la gamme de vos plantations aquatiques et d'y prendre toujours plus de plaisir.

## OUTILS ET MATÉRIAUX

- Un bassin avec épaulement
- De grosses roches, pour le dallage, la fondation et les côtés, chacune pesant entre 20 et 50 kg
- Piquets et ficelle
- Bêche et pelle
- Râteau
- Bâche souple et thibaude
- Mortier prémélangé
- Arrosoir ou tuyau d'arrosage
- Niveau à bulle
- Pompe submersible et tuyau de distribution
- Des roches plus petites pour masquer le liner

## CONSTRUIRE UN COURS D'EAU SUR UNE BÂCHE SOUPLE

### 1 EXCAVATION
Délimitez et creusez le lit du ruisseau et la paroi inclinée du réservoir, enlevez les pierres. Déroulez en partie le liner, en recouvrant une extrémité du réservoir. Une fois l'excavation recouverte, le liner doit largement déborder sur les côtés.

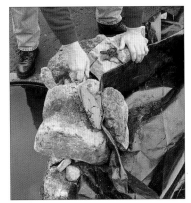

### 2 LA PIERRE DE FONDATION
Placez la pierre sur l'épaulement du bassin, bien calée sur le liner. C'est plus facile avec une pierre plate, sinon il faut vider le bassin et ajuster le niveau de la pierre sur l'épaulement par une couche de mortier.

### 3 BLOCAGE DE LA PIERRE
Coulez du mortier entre la pierre de fondation et le liner, roulez le liner contre la pierre et comblez de mortier l'espace entre le liner et la berge. Coincée entre deux couches de mortier, la pierre de fondation sera stable.

### 4 LA PIERRE DE DÉVERSEMENT
Déroulez en partie le liner pour dégager la pierre de fondation. Placez la pierre de déversement dessus, légèrement saillante. Vérifiez l'écoulement de l'eau avec un tuyau ou un arrosoir. Ajustez la position si nécessaire et scellez en place.

### 5 LES PAROIS
Scellez en place une première couche de pierres sur le liner, puis scellez les couches les unes sur les autres. Pour éviter les débordements, vérifiez que les pierres de parois qui bordent la pierre de déversement sont plus hautes que celle-ci.

### 6 HALTE AUX FUITES
Revérifiez l'écoulement avec un arrosoir. Tendez le liner sur le sommet de la pierre de déversement, repliez-le et scellez-le derrière elle. Calez et scellez une seconde pierre derrière le liner pour le fixer et le protéger de la lumière.

### 7 FINITIONS
Déroulez le liner sur le reste de l'excavation. Pour les parois, disposez les roches le long des bords du ruisseau et autour du bassin. Vérifiez le niveau au fur et à mesure avec un niveau à bulle. Scellez une deuxième pierre de déversement à la sortie du bassin.

### 8 IMMERSION DE LA POMPE
Immergez la pompe et enterrez le tuyau le long d'un côté du ruisseau. Cachez ce tuyau à son entrée dans le bassin avec une grosse pierre plate. Cachez le liner dans le lit du ruisseau avec des pierres plus petites, de tailles variées.

VOIR AUSSI : Le liner, pp. 202-203

# EAU VIVE ET PETITS ESPACES

Faire circuler un faible volume d'eau dans un petit espace relève d'un principe simple et adaptable à divers appareillages. Une pierre de meule d'où jaillit une dentelle d'eau, une vasque au débordement paisible, une ancienne pompe à main en fonte, toutes ces pièces décoratives offrent l'avantage d'une faible zone d'aspersion et d'un entretien minimal. L'eau vive étant peu exposée à la lumière, les algues se développent peu et le risque de bloquer la pompe par des débris est réduit au minimum puisque le réservoir est fermé. L'entretien le plus courant consiste à refaire régulièrement le plein d'eau pour compenser l'évaporation.

## LA FONTAINE MURALE

Dans les patios, courettes ou jardins d'hiver où l'espace est précieux, une fontaine murale est idéale. Les choix varient du masque de pierre traditionnel (ou le fac-similé en fibre de verre moins coûteux) aux sculptures métalliques ultra-modernes. Il suffit d'un mur assez solide pour supporter le poids de la gargouille, d'un réservoir (une vieille citerne ou une cuve en brique) et d'une pompe. La pompe sera installée dans le réservoir ou dans un local attenant. Si la chute d'eau est inférieure à 1,2 m, une pompe basse tension convient parfaitement.

△ **RÉGLER L'ÉCOULEMENT**
*L'écoulement est parfait quand l'eau de la gargouille tombe au centre du réservoir sans éclabousser sur les côtés. Vous pouvez le rectifier grâce au système de réglage situé à la sortie de la pompe.*

### INSTALLER L'ARRIVÉE D'EAU D'UNE GARGOUILLE

**1 PERCER LES TROUS POUR LES TUYAUX**
*Percez deux trous séparés verticalement de 1,2 m maximum. Le plus pratique est d'utiliser une perceuse à percussion équipée d'une mèche de même diamètre que le tuyau de cuivre qui distribuera l'eau. Sur un plan esthétique, le trou supérieur d'où sortira l'eau devrait se situer juste en dessous de la hauteur des yeux.*

**2 COUPER LE TUYAU DE CUIVRE**
*Coupez deux tronçons de tuyau de cuivre adapté aux trous, le tronçon destiné au trou inférieur long de 5 cm de plus que la largeur du mur, celui du trou supérieur de la même longueur, plus la profondeur du masque, coupé en biseau à la sortie. Mettez-les en place. Le tronçon inférieur taillé en biseau correspond à la bouche du masque.*

**3 RACCORDER LES TUYAUX**
*À l'arrière du mur, fixez un joint coudé sur chaque tuyau (tourné vers le bas pour celui du haut et inversement pour celui du bas). Fixez un tronçon de 8 cm de tuyau de cuivre sur chaque joint, assurez l'étanchéité des raccords avec du ruban téflon. Reliez les tuyaux de cuivre entre eux par un tuyau souple et des colliers de serrage.*

**4 FIXER LE MASQUE**
*Mélangez le mortier en pâte épaisse. Mouillez l'arrière du masque pour une bonne adhérence et appliquez-lui le mortier en prenant soin d'éviter l'ouverture de la bouche. Étalez le mortier régulièrement, pas trop près des contours, afin qu'il ne déborde pas quand vous positionnerez le masque sur le mur.*

**5 BRANCHER LA POMPE**
*Glissez le masque au-dessus du tuyau supérieur et appuyez-le fermement contre le mur. Nettoyez le mortier qui dépasse. Il mettra environ 36 h à sécher. Reliez la sortie de la pompe au tuyau inférieur sur le devant du mur avec un tuyau flexible, et maintenez ce tuyau avec des colliers de serrage. Immergez la pompe dans le réservoir.*

VOIR AUSSI : La sécurité, p. 199 ; L'électricité, p. 209

# L'EAU QUI JAILLIT DES PIERRES

La pierre jaillissante, peu coûteuse et simple à construire, est à la portée de tous les jardiniers amateurs.

C'est l'une des façons les plus simples d'amener de l'eau vive dans un espace très restreint. Dans des espaces plus vastes, vous étendrez la zone de galets et enrichirez les alentours de plantations diverses. Pour multiplier les plaisirs, vous pouvez l'associer à d'autres types de fontaines.

## CONSTRUIRE LA FONTAINE

Enterrez une poubelle, le rebord au niveau du sol. Tassez la terre autour et couvrez d'un film en plastique, coupez-en le centre à 5 cm du bord de la poubelle. Posez la pompe, remplissez d'eau aux deux tiers. Recouvrez d'un grillage et de galets.

Un grillage en acier galvanisé supporte les galets, protège le réservoir des débris qui pourraient bloquer la pompe et constitue une sécurité pour les enfants et les animaux

**CENTRE D'INTÉRÊT ▷**
*Une fontaine à bulles attire l'œil au centre de ce massif qui demande peu d'entretien. Des plantes à formes érigées poussent à travers un film-filet qui bloque les mauvaises herbes. Une couche de galets apporte la touche décorative finale.*

Le plastique récupère l'eau de pluie et la reverse dans le réservoir. Vérifiez qu'il recouvre toute la zone de captage avec une pente légère vers le réservoir

Des galets de tailles variées cachent le liner, le protègent de la lumière et maintiennent le tuyau de sortie vertical

Une poubelle en plastique étanche constitue le réservoir, assurez-vous qu'elle est horizontale en remblayant et en tassant la terre avant de la remplir d'eau

La pompe basse tension immergée qui propulse le jet est surélevée sur un socle pour ne pas être bouchée par des débris

### PENSE-BÊTE

**SOUS LES GALETS LA PLAGE**

Dans de nombreuses régions, il est interdit de ramasser des galets sur les plages. C'est aussi écologiquement inadmissible car cela contribue à l'érosion du rivage. Des spécialistes des matériaux de construction fournissent des galets et des pavés parfaits pour les fontaines.

# STYLE ORIENTAL

Les créateurs de jardins japonais, maîtres de la simplicité élevée au niveau de l'art, utilisaient les éléments naturels, eau, pierre et bambou, en complément harmonieux des plantes. Leurs plantations traditionnelles dénotent une préférence pour une subtilité basée davantage sur les innombrables nuances de vert et les contrastes de texture que sur l'éclat des fleurs. Jouez sur les formes variées des bambous, herbes et fougères, l'éclat saisonnier d'une azalée, l'harmonie naîtra de l'unité.

## CONSTRUIRE UN TSUKUBAI

Le tsukubai se compose de bois, de bambou et d'une pierre en cuvette au bord creusé pour un écoulement direct dans le réservoir. Seul élément supplémentaire : un film plastique sous la pierre qui renvoie les fuites vers le réservoir.

**◁ SHISHI ODOSHI**
*Un bambou creux est fixé sur un pivot, le poids de l'eau qui le remplit le fait basculer et se vider à intervalles réguliers. Décoration élégante de nos jours, il était, à l'origine, destiné à effrayer les cerfs. Le bambou frappait une roche et produisait un cliquetis dissuasif.*

Un grillage supporte les galets et retient les débris. L'eau ne s'écoulant qu'en un seul point, un film plastique en dessous n'est pas nécessaire

La pompe immergée basse tension est posée sur un socle de brique pour ne pas être obstruée par des débris. Le câble qui relie la pompe à la source d'électricité passe dans une gaine isolante pour plus de sécurité

Un tronçon de bois creusé guide la courbure du tuyau. Le bambou vertical et le bambou de déversement sont collés dans des trous percés dans le tronçon de bois

Le tuyau est caché par les galets à sa sortie du réservoir. Il est ensuite enterré avant de remonter dans le bambou creux vertical

L'écoulement se fait par un creux dans le bord de la pierre

Un tuyau de distribution transporte l'eau de la pompe vers le bambou

**VOIR AUSSI :** Les herbes pp. 140-141 ; La sécurité, p. 199 ; Les fontaines, pp. 208-209

# LE MILIEU AQUATIQUE

Un milieu aquatique sain, accueillant poissons, grenouilles, têtards et autres créatures aquatiques, dépend surtout des plantes choisies et d'un bon équilibre entre les fonctions de chacune. Pour une bonne oxygénation de l'eau, un plan d'eau doit impérativement héberger des plantes submergées en nombre suffisant. Pour limiter la présence d'algues et leur prolifération qui confère à l'eau sa teinte verdâtre, les plantes flottantes doivent permettre de couvrir d'un tiers à la moitié de la surface de l'eau. Quel que soit le bassin, seules les plantes de sol humide qui décorent ses rives seront choisies exclusivement pour leur beauté. Dans la nature, elles marquent la transition entre l'eau et la terre.

## LES PLANTES AQUATIQUES

Une plante aquatique est une plante qui pousse les racines dans l'eau ou dans une terre détrempée. Ce terme inclut les plantes à feuilles flottantes dites plantes flottantes, les plantes submergées qui oxygènent l'eau ainsi que les plantes prospérant au bord de l'eau. Ces dernières sont souvent de vraies plantes de marais comme le souci d'eau (*Caltha palustris*). Il faut bien comprendre la différence entre les vraies plantes aquatiques et les espèces de sol humide. Parmi les variétés conseillées pour les jardins de marécage ou les berges, beaucoup ne prospèrent que dans un sol humide et bien drainé. Contrairement aux vraies plantes aquatiques, elles ne survivront pas dans des sols détrempés. Pour réussir le jardin d'eau, il faudra prendre en compte les besoins et les limites de la plante.

### POURQUOI

**QU'EST-CE QUI DISTINGUE LES VRAIS PLANTES AQUATIQUES ?**

Les racines des vraies plantes aquatiques leur permettent de puiser l'oxygène et les éléments nutritifs dissous dans l'eau. Les racines des plantes de lieux humides dont la plupart se plaisent aussi dans une terre de jardin ordinaire, demandent une plus forte teneur en oxygène. Sans l'oxygène enfermé dans la terre, elles succomberaient par noyade.

## LES PLANTES FLOTTANTES

On peut regrouper les espèces flottantes en deux grandes catégories : celles qui s'enracinent dans la terre (dans la vase ou dans un panier de plantation) comme les nénuphars (*Nymphea*) et les espèces flottant librement comme l'*Hydrocharis morsus-ranae*. Les feuilles flottantes cachent la lumière indispensable à la croissance des algues et à leur prolifération. Les racines, notamment celles des espèces flottant librement, absorbent les éléments nutritifs dissous dans l'eau, au détriment des algues. Ces feuilles offrent aussi une ombre et un abri précieux aux poissons, à leur progéniture et à la faune aquatique qui font partie intégrante de cet écosystème.

△ **NYMPHOIDES PELTATA**
*Nymphoides peltata est une rustique, vivace à feuilles flottantes caduques cordiformes, de 60 cm de large. Ses fleurs jaunes fleurissent tout au long de l'été. Pour des profondeurs de 15 à 45 cm.*

### SÉLECTION D'ESPÈCES CONSEILLÉES

*Aponogeton distachyos* : Potamot du Cap. Vivace largement submergée aux fleurs blanches parfumées en été.

*Azolla filiculoides* : Fougère flottante vivace formant des colonies de petites feuilles vert tendre, rouges en automne. Tapisse vite de nouveaux bassins. Parfois envahissante.

*Hydrocharis morsus-ranae* : Vivace flottante aux feuilles cordiformes et à fleurs blanches en été.

*Nuphar japonica* : Fleurs jaunes et rondes en été sur des feuilles cordiformes.

*Persicaria amphibia* : Flottantes aux feuilles longues et étroites. Petites fleurs roses en été.

*Stratiotes aloides* : Flotte librement. À feuilles semi-persistantes en rosettes, épineuses, rappelant l'ananas.

*Utricularia vulgaris* : Mille-feuille des marais. Vivace flottant librement à feuilles pourvues d'utricules piégeant les insectes. Fleurs jaunes rappelant des bourses en été.

△ **UN TRÈFLE D'EAU**
*Marsilea quadrifoglia est une rampante vivace très rustique, aux longues racines. Ses feuilles se propagent à l'infini à la surface de l'eau mais il leur faut au moins 60 cm de profondeur pour s'étaler.*

## LES PLANTES SUBMERGÉES

Les plantes submergées utilisent l'énergie de la lumière pour produire de la nourriture, ce qui a pour effet de libérer de l'oxygène dans l'eau. Elles aident à purifier l'eau en disputant les éléments nutritifs aux algues et recyclent les déchets de poissons, réduisant ainsi l'accumulation de toxines. La plupart des plantes submergées sont si vigoureuses et se propagent si vite qu'il faudra les éclaircir régulièrement sans quoi le bassin et la pompe seront rapidement surchargés et obstrués. En outre, les espèces flottantes prospéreront mal face à une telle concurrence et quand ces dernières succombent, les algues prolifèrent. Il faut aussi un peu de temps pour que l'équilibre se rétablisse. Soyez patient.

### LES PLANTES OXYGÉNANTES

*Callitriche hermaphroditica* (Callitriche)
*Ceratophyllum demersum* (Cornille)
*Egeria densa*
*Lagarosiphon major* (Elodée crispa)
*Myriophyllum aquaticum*
*Myriophyllum verticillatum*
*Potamogeton crispus* (Épi d'eau)

VOIR AUSSI : Le jardin de marécage, pp. 218-219 ; Les plantes aquatiques, pp. 220-221 ; L'entretien, pp. 222-223 ; Le jardin d'été, pp. 343-353

# LES NÉNUPHARS

Quels que soient sa taille, sa profondeur et son style, chaque étang trouvera le nénuphar (*Nymphaea*) qui lui convient. Nous présentons ici des espèces rustiques mais il existe aussi de nombreuses espèces tropicales pour les climats ensoleillés ou les jardins d'hiver de régions plus froides. Leurs fleurs délicates dérivent ou émergent à fleur d'eau tandis que l'ombre de leurs feuilles garantit une eau saine et claire. Les poissons apprécient aussi ce bel abri. Tous les nénuphars seront plantés en situation abritée et ensoleillée en eau dormante. Éloignez-les du jet des fontaines et des cours d'eau. Les espèces rustiques survivent même sous une surface gelée. Elles flétrissent en hiver et repartent au printemps. Enlevez régulièrement les fleurs fanées et les feuilles mortes pendant la saison de croissance. Divisez les rhizomes et les tubercules et replantez à la fin du printemps ou au début de l'été pour éviter une congestion qui affaiblit la floraison.

### △ N. ALBA

*D'une envergure de 2 m ou plus, le nénuphar blanc est une espèce vigoureuse faite pour les grands bassins de 60 à 90 cm de profondeur. Ses feuilles vert foncé de 30 cm de diamètre entourent de grandes fleurs semi-doubles de couleur crème aux étamines dorées.*

### △ N. 'AMERICAN STAR'

*Ses jeunes feuilles arrondies sont vert pourpré à la face intérieure rouge. Ses fleurs sont rose saumoné, en étoiles, avec des étamines orange. D'une envergure de 1,5 m, il prospère entre 30 à 45 cm de profondeur.*

### △ N. 'AURORA'

*Ce petit lis porte des fleurs crème en boutons, jaunes quand elles s'ouvrent, et orange tacheté de rouge à maturité. D'une envergure d'environ 90 cm, et moins quand il est confiné dans un petit tonneau, il a besoin de 30 à 45 cm de profondeur.*

### △ N. 'ESCARBOUCLE'

*Ses fleurs semi-doubles flottent sur des feuilles vert foncé. Les pétales extérieurs à la pointe blanche entourent des pétales intérieurs vermillon et un cœur doré. Il atteint jusqu'à 1,2-1,5 m de diamètre et prospère dans des profondeurs de 30 à 60 cm.*

### △ N. 'LAYDEKERI FULGENS'

*Ses grandes fleurs brillantes cramoisies fleurissent de la fin du printemps à la fin de l'été sur des feuilles vert foncé. Sa faculté d'adaptation fait qu'il convient aux bassins de toute taille, dans 30 à 45 cm d'eau. Il peut atteindre plus de 1,5 m de diamètre.*

### △ N. 'PYGMEA HELVOLA'

*D'une envergure de 60 cm ou moins, avec seulement 15 à 23 cm d'eau, ce petit nénuphar est idéal pour les pièces d'eau miniatures. Ces petites fleurs jaune d'or, semi-doubles, se détachent librement sur des feuilles ovales et régulières fortement teintées de pourpre.*

### △ N. 'GONNÈRE'

*Arrondies, très doubles, ses fleurs odorantes d'un blanc éclatant ressortent sur des feuilles vert franc, bronze quand elles sont jeunes. Il convient à toutes les tailles de bassins, et atteint 1,2 m de diamètre dans des profondeurs de 30 à 45 cm.*

### △ N. 'JAMES BRYDON'

*D'une envergure de 0,9 à 1,2 m, ce nénuphar qui demande 30 à 45 cm d'eau est idéal pour les tonneaux et les bassins de petite taille ou de taille moyenne. Ses feuilles vert bronze font ressortir à la perfection le rose de ses fleurs doubles.*

### △ N. 'MARLIACEA CHROMATELLA'

*Le jaune tendre de ses fleurs abondantes se détache sur des feuilles vert olive joliment mouchetées de brun pourpré. Une valeur sûre dans les bassins de toute taille, il atteint 1,5 m de diamètre dans des profondeurs de 30 à 45 cm.*

### △ N. 'ROSE AREY'

*Plus à l'aise dans un grand panier de plantation ou sur le fond du bassin, ce lis d'eau qui atteint 1,5 m de diamètre porte des fleurs roses semi-doubles au parfum anisé. Ses jeunes feuilles pourpres virent ensuite au vert bronze. Il lui faut 35 à 60 cm d'eau.*

### △ N. 'SUNRISE'

*Bien que rustique, ce nénuphar a besoin de longs étés ensoleillés pour bien fleurir. Ses fleurs jaunes semi-doubles à longs pétales étroits se détachent sur des feuilles vert clair d'abord marbrées de pourpre. Il atteint 1,5 m de diamètre dans 35 à 45 cm d'eau.*

### △ N. 'VÉSUVE'

*Cet élégant nénuphar arbore d'éclatantes fleurs en étoile rouge cerise sur de grandes feuilles très arrondies atteignant parfois 1,2 m. Sa période de floraison est très longue. Il prospère dans des profondeurs de 30 à 45 cm.*

VOIR AUSSI : Les plantes aquatiques, pp. 220-222 ; L'entretien, pp. 222-223 ; Les nénuphars, p. 353

# ENTRE LA TERRE ET L'EAU

Dans la nature, les plantes de berge prospèrent en eau peu profonde, sur les rives des étangs. Beaucoup cependant grandissent un pied dans chaque camp, s'épanouissant autant en pleine eau que dans un sol détrempé ou humide en permanence. Elles n'ont pas leur pareil pour assurer une transition naturelle entre la terre et l'eau des bassins informels, offrant refuge aux oiseaux, aux amphibiens et aux insectes. Ces plantes vigoureuses sont parfois envahissantes. S'il le faut, on les confinera dans des paniers de plantation installés sur un épaulement. Leur verticalité contrastera alors avec les lignes planes de pièces d'eau plus classiques, rompant agréablement la rigidité de leur architecture.

## LES PLANTES DE BERGE

Pour qu'une plante de berge s'épanouisse, elle doit disposer de la profondeur d'eau qui lui convient le mieux. Certaines se contentent de 2,5 cm, d'autres supportent des profondeurs allant jusqu'à 30 cm, beaucoup prospèrent à la fois en sol humide et en eau pleine. Plantées au fond du bassin ou dans la terre humide des rives, leur propagation dans le bassin sera limitée par la profondeur qu'elles tolèrent. La plupart étant des plantes vigoureuses, leurs rejetons deviennent parfois envahissants. Elles doivent être éclaircies et rabattues régulièrement quand elles ne sont pas en paniers de plantation. Dès la conception du jardin, prévoyez-leur des voisines vigoureuses. Les rampantes prendront rapidement le dessus sur les sujets moins robustes. Les grands plans d'eau ne seront pas étouffés par la dérive des plantes de berge, mais ce sera le cas de bassins plus petits. Il faut alors recourir aux paniers de plantations. La hauteur de plantes comme les iris d'eau accentuera le contraste avec les espèces flottant en surface comme les nénuphars.

### ASTUCES

• Augmentez l'ombre au bord de l'eau par des plantes dont les feuilles garnissent les rives comme le *Menyanthes trifoliata*.

• Pour des massifs conséquents mais limités, optez pour un panier de plantation ou prévoyez un espace réservé au moment de la construction.

• Les racines pointues de certaines espèces envahissantes comme le *Typha latifolia* (la massette) transpercent parfois la bâche du bassin. Pensez aux paniers de plantation pour la protéger.

◁ **ORONTIUM AQUATICUM**
*Cette vivace rustique au feuillage caduc vert bleuté, argenté sur la face intérieure, se propage par rhizomes jusqu'à 30 cm de profondeur. Ses spadices à fleurs jaunes émergent de la fin du printemps au milieu de l'été. Haute de 30 à 45 cm, large de 60 cm, c'est la plante idéale pour cacher les bords d'un bassin.*

◁ **HOUTTUYNIA CORDATA 'CHAMELEON'**
*Vivace rustique au feuillage cordiforme vert, jaune pâle et rouge, à fleurs blanches en été. De 15 à 60 cm de haut, elle prospère à la fois en sol humide et dans 5 cm d'eau, se propageant à l'infini du bassin aux terres voisines. Parfois envahissante.*

△ **ACORUS CALAMUS 'ARGENTEOSTRIATUS'**
*Cette variété panachée arbore des lanières striées de crème et de vert. Vivace, elle prospère dans 23 cm de profondeur. Sa hauteur, 75 cm, et sa verticalité contrastent avec les plantes flottantes qui l'entourent.*

△ **MENYANTHES TRIFOLIATA**
*Cette rustique se plaît en sol humide ou d'en 15 à 23 cm d'eau. Ses délicates fleurs blanches fleurissent au printemps. Ses feuilles vert olive qui ne font que 23 cm de haut, débordent des berges sur le bassin, assurant une transition naturelle entre la terre et l'eau.*

△ **RANUNCULUS LINGUA 'GRANDIFLORUS'**
*Atteignant 1,5 m, cette vivace rustique fleurit en début d'été. Un panier de plantation est indispensable pour qu'elle ne se propage pas à outrance. Elle se plaît dans 15 à 23 cm d'eau, en eau dormante ou courante.*

**MENTHA AQUATICA** △
*Cette menthe d'eau qui se plaît en sol humide ou dans 15 cm d'eau agrémente à la perfection les berges d'un bassin naturel. Ses fleurs roses attirent les abeilles. Rustique, atteignant 90 cm de haut et de large, il faudra l'éclaircir si elle devient envahissante.*

VOIR AUSSI : Les plantes aquatiques, pp. 220-221 ; L'entretien, pp. 222-223 ; Le jardin d'été, pp. 343, 354

△ **LYSICHITON AMERICANUS**
*La beauté sculpturale de ses spathes jaune vif émergeant
au printemps avant ses feuilles vernissées vert sombre, se
reflète dans l'eau dormante. Cette aquatique prospère en sol
humide ou dans 5 cm d'eau. Elle atteint parfois 1,2 m sur
75 cm de large.*

△ **CALTHA PALUSTRIS 'FLORE PLENO'**
*Au printemps, cette rustique à fleurs doubles porte des fleurs
jaune d'or et cireuses sur des feuilles réniformes vert sombre.
Le souci d'eau qui atteint 25 cm de haut et de large se plaît en
sol humide ou en eau très peu profonde mais tolère des profondeurs de 23 cm sur de courtes périodes.*

△ **ZANTEDESCHIA AETHIOPICA 'CROWBOROUGH'**
*Le vert sombre de ses feuilles et le blanc immaculé de ses
spathes font de cette vivace une prétendante élégante à une
pièce d'eau classique. Elle atteint 1 m de haut et 60 cm de
large et se plaît en sol sec ou humide mais est sensible au gel
en extérieur. Elle est rustique submergée dans 30 cm.*

△ **PELTANDRA VIRGINICA**
*Vertes et sagittées, les feuilles élégantes de cet arum attei-
gnent 90 cm de haut. Tolérant jusqu'à 20 cm de profondeur
c'est une rustique qui assure une parfaite transition sur sol
humide. Ses spathes vertes fleurissent au début de l'été,
suivies par des spadices de baies vertes.*

## AUTRES PLANTES DE BERGE

*Acornus gramineus* 'Pusillus'. Jonc japonais nain.
Compacte, vivace persistante aux feuilles vert sombre,
idéale pour les pièces d'eau miniature. Hauteur 10 cm.
*Butonus umbellatus.* Jonc fleuri. Ombelles de fleurs roses
dans la deuxième partie de l'été sur des feuilles vert
olive très étroites. Hauteur 1,2 m. Profondeur ;
5 à 40 cm en plein soleil, dans la terre ou la vase plutôt
qu'en panier.
*Cyperus longus.* Souchet. Tiges dressées de 1,5 m portant
des feuilles étroites, vert vif, en touffes terminales et
des ombelles d'épillets marron clair à la fin de l'été.
Profondeur : 15 à 30 cm.
*Glyceria maxima* var. *variegata.* Glycérie aquatique 'variegata'. Graminée panachée de 80 cm de haut, aux
feuilles étroites fortement striées de vert et de crème,
parfois teintées de rose. Panicules d'épillets verdâtres
en été. Hauteur : 75 cm. Profondeur : 15 cm.
*Pontederia cordata.* La pontédérie à feuilles en cœur présente des feuilles ovales et cordiformes et des épis de
fleurs bleues à la fin de l'été. Hauteur : 75 cm. Profondeur : jusqu'à 15 cm.
*Saururus cernuus.* Queue de lézard. Épis parfumés de
fleurs crème arqués en été, sur des feuilles cordiformes acuminées. Hauteur : 23 cm. Profondeurs :
de 10 à 15 cm.

# LES IRIS D'EAU

Les iris d'eau *comme I. ensata, I. lavigata, I. pseu-
docorus, I. versicolor, I. virginica,* leurs hybrides
et leurs cultivars, sont appréciés pour leurs
fleurs délicates et leur hauteur. Tous
exigent un sol humide ou détrempé mais
se plaisent aussi dans 5 à 10 cm d'eau. Ils
fleuriront mieux en plein soleil.

△ **IRIS PSEUDACORUS**
*En été, les fleurs jaune vif de cet iris des marais émergent au
milieu de gerbes de feuilles ensiformes vert bleuté. Vigoureuse,
cette rustique de sol humide et eau peu profonde égaie de ses
fleurs jaunes les rives des étangs. Avec 2 m de haut, elle trouve
plus volontiers sa place dans les grands jardins.*

△ **IRIS LAEVIGATA 'VARIEGATA'**
*Ses fleurs bleu pourpré au début de l'été et ses feuilles assez
larges panachées de vert et de blanc qui continuent d'agrémenter le jardin après la fenaison font de cet iris un sujet élégant
au bord d'un bassin classique. Rustique, haut de 80 cm, il se
plaît en sol humide ou dans 8 à 10 cm d'eau.*

VOIR AUSSI : Les plantes aquatiques, pp. 220-221 ; L'entretien, pp. 222-223 ; Le jardin d'été, pp. 343-353

# LES PLANTES DE SOL HUMIDE

Bien des plantes poussent sans problème dans un sol humide. Parmi elles, celles qui se trouvent en prairies inondables et en bordure de rivière mais aussi, et bien plus nombreuses, celles qui poussent au sec dans le jardin. En leur apportant une humidité constante et un sol fertile, ces plantes grandiront avec une vigueur rare dans les plates-bandes, offrant leur végétation luxuriante au plus chaud de l'été. À moins d'être à l'ombre, elles ne peuvent pas se développer dans un sol ordinaire. Si elles ne jouent aucun rôle dans l'écosystème aquatique, les plantes de sol humide abritent néanmoins une faune variée et s'avèrent précieuses pour les insectes et les oiseaux qui se délectent de leur nectar et de leurs graines.

## LES PLANTES DE JARDIN DE MARÉCAGE ET DU BORD DES BASSINS

Les plantes de sol humide sont souvent proposées à l'achat comme des plantes de marécage. Seules les plantes ayant les marécages pour habitat naturel prospéreront dans un sol détrempé. Toutes les espèces de sol humide demandent un bon drainage et ont peu de chance de survivre dans des sols saturés. Les plantes de sol humide sont un élément de transition entre l'eau et la terre sèche. Les plans d'eau classiques pourront être entourés de parterres et de plates-bandes. Si le sol est riche en matière organique, il retiendra assez d'humidité pour que les plantes ne soient arrosées que pendant les périodes de sécheresse. Les parterres qui remontent sur des bassins tapissés plus informels retiennent souvent l'eau naturellement. On pourra maintenir un sol humide en créant un jardin de marécage artificiel (voir p. 204). Beaucoup de plantes de sol humide se propagent avec facilité, formant aux alentours une véritable palette naturaliste.

### AUTRES PLANTES DE SOL HUMIDE

*Astilbe.* Vivace fumant une touffe aux feuilles divisées aux panicules de fleurs blanches, roses, lilas ou rouges, en été.

*Filipendula ulmaria.* Reine-des-prés. Vivace formant une touffe aux feuilles divisées vert tendre et aux cymes de fleurs blanc crème au milieu de l'été.

*Lobelia cardinali.* Vivace présentant des grappes de fleurs rouge vif tout au long de l'été.

*Matteuccia struthiopteri.* Grands volants vert vif entourant une touffe de frondes fertiles brunes.

△ TROLLIUS EUROPAEUS
*Elle porte au printemps des fleurs globuleuses jaune citron à jaune tendre, vernissées, au-dessus de feuilles arrondies très divisées. Cette rustique vivace très compacte de 60 cm de haut et 45 cm de large, préfère les sols lourds, fertiles, toujours humides, en situation ensoleillée ou légèrement ombragée.*

△ MIMULUS CARDINALIS
*Vivace rustique rampante aux fleurs tubulaires écarlates tout au long de l'été sur des touffes de feuilles vert clair. Elle atteint 90 cm de haut et de large. En cas de croissance désordonnée, rabattez-la pour stimuler de nouvelles pousses. Elle aime les sols humides et secs, au soleil ou sous une ombre légère.*

△ PERSICARIA BISTORTA 'SUPERBA'
*Cette rustique vivace vigoureuse de 90 cm de haut, formant des touffes, porte des épis dressés et denses de fleurs rose pâle sur de grandes feuilles au ras du sol dès le début de l'été. Tolère un sol sec mais s'épanouira dans un sol plus humide. Parfois envahissante. Au soleil ou sous une ombre légère.*

◁ RHEUM PALMATUM 'ATROSANGUINEUM'
*Cette géante architecturale de 2 m de haut aux feuilles très découpées d'abord rouge pourpre offre ses panicules rouge cerise au début de l'été. Rustique, elle préfère un sol profond, fertile et humide au soleil ou sous une ombre partielle.*

◁ LIGULARIA PRZEWALSKII
*Les flèches denses de cette rustique vivace portent des fleurs jaunes au-dessus de feuilles lobées, très découpées, du milieu à la fin de l'été. Jusqu'à 2 m dans de bonnes conditions : sol toujours humide, soleil, à l'abri du vent.*

◁ RODGERSIA PODOPHYLLA
*Les feuilles dentelées bronze puis vertes de cette vivace rustique en touffe de 1,5 m entourent des panicules de fleurs blanc crème dès le milieu de l'été. Préfère un sol toujours humide, au soleil, supporte les sols plus secs et l'ombre partielle.*

VOIR AUSSI : Les couleurs et les formes, pp. 128-129 ; Le terrain, p. 142 ; Le jardin de marécage, pp. 204-205

# LES HOSTAS

Devant des centaines d'espèces et de cultivars, on choisira les hostas pour les couleurs subtiles et la fabuleuse texture de leur feuillage et leurs fleurs en trompettes, souvent parfumées. Ces rustiques apprécient un sol humide, profond et fertile. La plupart exigent une ombre légère bien que les variétés panachées se colorent mieux au soleil. Les limaces et les escargots se délectent de leurs feuilles, il faudra donc les protéger (*voir p. 298*).

## SÉLECTION D'ESPÈCES CONSEILLÉES

*H. 'Birchwood Parky's Gold'.* Ses feuilles cordiformes sont vert teinté de jaune puis jaune profond à maturité.

*H. 'Albomarginata'.* Ses feuilles ovées en pointe sont vert foncé bordé de blanc.

*H. lancifolia.* Ses feuilles lancéolées vert foncé brillant sont étroites et nervurées.

*H. undulata var. univittata.* Ses feuilles vert olive, mates et ondulées, portent une tache crème au centre.

### △ H. 'HADSPEN BLUE'

*Ces feuilles gris bleu, cordiformes et nervurées forment des touffes de 25 cm de haut sur 60 cm de large. En été, les épis de cet hosta aux tiges mauves donnent des fleurs gris mauve en trompette.*

### △ H. SIEBOLDIANA VAR. ELEGANS

*Ces feuilles gris bleu, cordiformes et profondément ridées forment des touffes de 1 m de haut sur 1,2 m d'envergure. En été, il porte des grappes de fleurs gris pâle teintées de lilas.*

### △ H. VENTRICOSA 'AUREOMARGINATA'

*Cet hosta porte de longues grappes de fleurs pourpres à la fin de l'été sur des feuilles vernissées profondément nervurées irrégulièrement bordées de blanc crème qui forment des touffes de 50 cm de haut sur 1 m d'envergure.*

### △ H. 'FRANCES WILLIAMS'

*Ses feuilles gris bleuté largement bordées de vert teinté de jaune sont profondément ridées et forment des touffes de 60 cm de haut sur 1 m de large. Il porte d'élégantes grappes de fleurs blanches nuancées de gris au début de l'été.*

# LES PRIMEVÈRES

Il existe près de 400 espèces de primevères (*Primula*). Provenant pour certaines des prairies inondables, des bords des cours d'eau ou des marécages, ce sont des prétendantes idéales pour former un parterre informel au bord d'un bassin ou d'un ruisseau. Les variétés aux inflorescences sphériques ou en grappes étagées s'accordent aussi très bien à un cadre plus classique. Ce sont des vivaces rustiques de sol humide qui demandent cependant un bon drainage. Elles ne supporteront pas une humidité stagnante. Elles préfèrent un sol profond, neutre à acide, enrichi de matière organique. Si la plupart prospèrent sous une ombre partielle, elles se plaisent aussi en plein soleil pourvu que le sol reste humide. Dans de bonnes conditions, beaucoup d'entre elles se ressèment spontanément, formant de belles colonies avec le temps. Toutes les primevères présentées ci-dessous résistent aux gelées.

### △ P. BEESIANA

*Cette espèce aux longues feuilles vert tendre en rosette basale à tiges vigoureuses couvertes de duvet blanc, a des fleurs rouge rosé à centre doré, verticillées, en été. Parfois persistante en hiver. Sinon, elle se desséchera jusqu'aux boutons et repartira au printemps. Hauteur : 60 cm.*

### △ P. BULLEYANA

*Ses feuilles lancéolées dentées, semi-persistantes en rosette basale portent des grappes dressées de fleurs qui tiennent longtemps. Cramoisies quand elles sont en boutons ou à peine ouvertes, les fleurs individuelles se teintent d'orange foncé à maturité. Hauteur : 60 cm.*

### △ P. DENTICULATA VAR. ALBA

*Cette espèce vigoureuse aux inflorescences sphériques se ressème spontanément quand elle apprécie ses conditions de culture. Cette variété donne des petites fleurs blanches. D'autres se déclinent dans les tons de mauve et de pourpre. Elle fleurit du printemps à l'été. Hauteur : 45 cm.*

### △ P. FLORINDAE

*Ce coucou géant atteint 1,2 m dans de bonnes conditions. Il compte parmi les plus élégantes des primevères avec ses tiges dressées et vigoureuses, se terminant par des inflorescences de fleurs pendantes en clochettes, parfumées et recouvertes d'un duvet blanc. Elle fleurit en été.*

### △ P. JAPONICA 'MILLER'S CRIMSON'

*Les feuilles en rosette basale de cette primevère entourent de grandes tiges dressées (45 cm) portant des fleurs cramoisi foncé, verticillées, de la fin du printemps au début de l'été. Les fleurs de cette espèce vont du blanc au rouge pourpré foncé.*

### △ P. PROLIFERA

*Cette espèce robuste en rosette produit des tiges dressées de 60 cm, verticillées, portant des fleurs jaune d'or à jaune pâle, parfois violettes, couvertes d'un fin duvet blanc, au début de l'été. Cultivées en nombre, ses fleurs odorantes forment un merveilleux tableau.*

VOIR AUSSI : L'achat des plantes, pp. 146-147 ; Les vivaces, p. 148 ; Les plantes aquatiques, pp. 220-221 ; Les hostas, p. 322

# LA CULTURE DES PLANTES AQUATIQUES

Grâce au réchauffement du climat et de l'eau, le milieu du printemps est la saison idéale pour transplanter des aquatiques sans ralentir leur croissance. Les paniers de plantations recevront un terreau aquatique spécifique ou, à défaut, une terre de jardin non fertilisée. N'utilisez pas de terreaux de rempotage, trop riches, qui amèneraient des algues.

À moins qu'ils soient à maillage fin, tapissez vos paniers de toile de jute pour que la terre ne soit pas lessivée avant la prise des racines. La taille du panier sera en rapport avec la plante. Trop petit, la croissance serait étouffée et la partie supérieure de la plante, trop lourde, la déséquilibrerait, surtout dans le cas des grandes plantes de berge.

## LES TECHNIQUES DE PLANTATION

Les plantes flottant librement en surface seront simplement posées sur l'eau. Dans les grands bassins, il suffira de jeter à l'eau les touffes des espèces oxygénantes submergées. Dans les petits bassins, on les maîtrisera cependant plus facilement en conteneurs, de même que les plantes de berges et d'eau profonde. Placez les pots à la main. Si vous êtes deux, fabriquez des poignées avec de la ficelle . Placez-vous de chaque côté du bassin et , à l'aide de celles-ci, déposez le panier sur le fond.

### UN BASSIN CONÇU POUR LES PLANTES

Une pièce d'eau naturelle comportera plusieurs niveaux adaptés aux profondeurs spécifiques des plantes aquatiques et des plantes de berge. Les massifs de terre et les jardins de marécage qui remontent sur les bords du bassin permettent aux plantes de se mélanger naturellement les unes aux autres et de masquer les bords.

△ UNE BONNE HYGIÈNE
*Avant d'installer de nouvelles plantes dans le bassin, rincez-les à l'eau claire et examinez-les avec soin. Traquez les œufs d'escargots et veillez à ne pas introduire d'insectes nuisibles qui s'en prennent parfois aux poissons. Supprimez toutes les parties pourries ou mortes.*

LES PLANTES EN EAU PROFONDE ▷
*Tapissez le panier et remplissez-le au 3/4 de terre humide ou de terreau aquatique. Installez les bourgeons à 4 cm sous le bord du panier. Rajoutez de la terre pour que la plante se trouve à la même profondeur que dans son pot d'origine. Tassez sans abîmer les nouvelles pousses. Surfacez avec 1 cm de gravillons.*

◁ LES PLANTES OXYGÉNANTES
*Tapissez le panier, remplissez-le de terre humide. Tassez légèrement et préparez des trous de 5 cm de profondeur à intervalles réguliers. Installez les boutures et tassez à la main. Recouvrez d'un centimètre de gravillons. Recoupez la toile. Un panier de 20 cm accueille jusqu'à 5 plants.*

Une barrière étanche empêche l'eau d'inonder la terre. On pourra donc utiliser de la terre ordinaire pour créer des massifs de plantes classiques

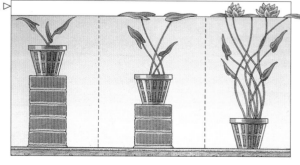

LA BONNE PROFONDEUR ▷
*Empilées, les briques sont la solution idéale pour jouer sur la profondeur. Prévoyez des socles fixes adaptés aux profondeurs préférées des plantes de berge et des piles modulables pour les plantes d'eau profonde, de façon à enlever les briques une par une au fur et à mesure de la croissance.*

Les socles en brique permettent d'ajuster la profondeur, soit en amenant les plantes d'eau profonde à leur profondeur favorite ou momentanément pour permettre aux jeunes plantes d'eau profonde d'être descendues au fur et à mesure de leur croissance

On peut aussi adapter la profondeur en intégrant des plates-bandes de plantations en briques scellées au mortier dans le liner puis remplies de terreau aquatique. Les plantes sont ainsi moins confinées que dans un panier de plantation

VOIR AUSSI : Le jardin de marécage, pp. 204-205 ; Les plantes aquatiques, pp. 214-217 ; Les plantes de marécage, pp. 218-219

△ **SURFACER AVEC DES GRAVILLONS**
*Surfacer des paniers de gravillons ou de petits galets assure plusieurs fonctions. Une couche de 1 cm qui empêche la terre d'être lessivée et de souiller l'eau, dissuade aussi les poissons de venir fouiller le terreau en surface. Une épaisseur de 2,5 cm conférera du poids et de la stabilité aux plantes de berge et laissera plus de place à la terre que les briques ou les pierres au fond du panier, sans oublier l'aspect décoratif.*

△ **PLANTER DANS UNE TERRE HUMIDE OU TREMPÉE.** *Creusez un trou assez large dans le massif pour accueillir la motte confortablement. Sortez délicatement la plante et installez-la à la même profondeur que dans le pot d'origine. Tassez doucement du bout des doigts autour des racines en prenant soin de ne pas compacter la terre et de ne pas endommager les nouvelles pousses et les points de croissance. Imbibez le sol d'eau.*

## CHOISIR DES PLANTES SAINES

Les plantes aquatiques sont vendues non racinées ou en pots. Ces dernières sont immédiatement décoratives mais les sujets non racinés, plus petits et moins chers, se rattraperont vite dans de bonnes conditions. En ce qui concerne les nénuphars, il vaut parfois mieux payer un peu plus cher pour de grands sujets qui fleuriront la première année. Choisissez des plantes saines, bien développées et fournies. Soyez très attentifs aux racines et aux tubercules qui doivent être charnus et vigoureux pour nourrir la jeune plante jusqu'à ce qu'elle soit bien établie et produise ses propres réserves. Dans tous les cas, conservez les plantes au frais et à l'humidité.

Cette plante compacte est bien fournie en jeunes feuilles, vert sombre et vernissées et ne montre aucune trace de ravageurs ou de maladies

**PLANTE DE BERGE EN POT** △
*L'achat de plantes en conteneur, ici Caltha palustris, garantit la floraison et protège les racines des perturbations. Vérifiez cependant que le pot est assez grand au minimum pour une saison de croissance sinon rempotez avant la mise en place dans le bassin.*

De petites poches de terre saturée accueilleront volontiers les plantes de berge. Le liner sera perforé pour le drainage des plantes de sol humide

Les plantes de sol humide absorbent l'eau du bassin : dans le cas de grands marécages ou de grandes plantes de sol humide en nombre, mieux vaut séparer les poches de plantation de la pièce d'eau pour les empêcher de puiser dans le bassin *(voir p. 204)*

Les banquettes latérales s'adaptent à la profondeur des plantes de berge (ici, *Caltha palustris*). Leur largeur doit permettre d'assurer la stabilité des paniers et de sortir les plantes facilement au moment de la division

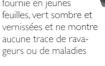

Les tubercules sont fermes et charnus, chargés de pousses en développement. Les nouvelles pousses sont saines et vigoureuses

**BON EXEMPLE**

Une plate-bande de terre au fond du bassin accueillera les plantes flottantes comme les nénuphars qui se plaisent en eau profonde et fournira un ancrage aux espèces oxygénantes dont les tiges tendres doivent flotter librement pour mieux libérer de l'oxygène

### POURQUOI

**À QUOI SERT UN PANIER DE PLANTATION ?**

Sinon dans les très grands bassins, les plantes d'eau profonde sont plus faciles à entretenir en paniers ou en corbeilles que dans la terre au fond du bassin. Parfaits pour limiter la propagation des plantes vigoureuses, le temps venu, on peut aussi les sortir pour diviser et rempoter les sujets à l'étroit. Enfin, faciles à déplacer, on les regroupera pour varier à son gré les compositions de plantes de berges.

**LES PLANTES NON RACINÉES** ▷
*Les plantes non-racinées sont souvent des rejets, à peine séparés de la plante mère. Vigoureux et sains, ils grandiront vite dans de bonnes conditions et sont moins chers que les plantes en conteneurs. Choisissez des plantes aux racines ou tubercules charnus, chargés de jeunes pousses.*

Les tiges sont molles, les feuilles présentent une décoloration inquiétante et ne sont pas relayées par de nouvelles pousses

**MAUVAIS EXEMPLE**

**VOIR AUSSI** : Les plantes aquatiques, pp. 214-215 ; La terre et l'eau, pp. 216-219 ; L'entretien, pp. 222-223

# L'ENTRETIEN DE VOTRE BASSIN

Un entretien régulier est synonyme d'un milieu aquatique sain, d'une eau limpide et de plantes bien développées. La multiplication des plantes par division au printemps est la garantie de plantes en bonne santé tout au long de l'été. Elles pourront alors remplir leur fonction qui est de limiter la croissance des algues, premières espèces à proliférer au printemps. L'eau du bassin prend à ce moment une teinte verdâtre, jusqu'à ce que l'écosystème retrouve son équilibre. En regroupant les tâches, vous perturberez moins la faune et la flore du bassin. Prenez aussi grand soin de le débarrasser de toutes les matières végétales décomposées. Et surtout, prenez le temps de l'apprécier.

## JOUR APRÈS JOUR

L'été, ne laissez pas les feuilles mortes et les fleurs fanées polluer l'eau en pourrissant. Supprimez-les régulièrement. Maintenez l'équilibre végétal en éclaircissant les plantes submergées et les flottantes au fil des besoins. Favorisez une croissance vigoureuse des nénuphars et des plantes en paniers de la fin du printemps au milieu de l'été avec un engrais aquatique à libération lente. En pastilles ou en sachets, il empêche la dissolution des nutriments dont profiteraient les algues.

△ SUPPRIMER LES ALGUES FILAMENTEUSES
*En se propageant, les algues filamenteuses privent les autres plantes d'oxygène et les étouffent. On les enlèvera facilement en les enroulant autour d'un bâton sur lequel viendront se coller les filaments enchevêtrés.*

△ PROTÉGER LA VIE DE L'ÉTANG
*On supprimera les oxygénantes en surnombre en ratissant la surface. On étalera cependant ce refuge d'insectes et d'animaux utiles sur le bord du bassin pour laisser à cette faune le temps de retrouver son habitat aquatique.*

△ SUPPRIMER LES PLANTES FLOTTANTES ENVAHISSANTES. *Certaines flottantes en surface comme les lentilles d'eau privent de lumière les plantes submergées. Écumez avec un morceau de bois légèrement immergé. Prenez soin de bien les jeter car elles se répandent comme de la poudre.*

△ SUPPRIMER LES FEUILLES EN DÉCOMPOSITION
*Les plantes en décomposition altèrent parfois l'équilibre de l'eau. Elles la troublent et nuisent à la faune et la flore du bassin. Arrachez-les au couteau. En cas de jaunissement important, sortez la plante pour inspection.*

## PRÉPARER L'HIVER

Vers la fin de la période de croissance, sortez les espèces fragiles et les semi-rustiques, nettoyez-les et conservez-les en pots dans du sable humide, à l'abri du gel. Couvrez avec une bâche de plastique perforée qui assure la ventilation et empêche le dessèchement. Les plantules destinées à la multiplication bénéficieront des mêmes soins. Prenez les mesures nécessaires à la protection des plantes submergées et des poissons si l'eau gèle en surface. Les plantes de marécage et de sol humide seront protégées du gel par une couche épaisse de paille sèche à la fin de l'automne.

### PENSE-BÊTE

#### DES BALLONS POUR LES POISSONS

Les bâches protègent les plantes du gel mais provoquent l'accumulation de gaz toxiques et exercent une pression sur les bords du bassin en se dilatant. Des ballons flottant en surface empêchent cette dilatation. Évacuez les gaz en dégelant autour du ballon. Ne brisez jamais la glace, l'onde de choc pourrait tuer les poissons.

△ LA POSE D'UN FILET EN AUTOMNE
*Les feuilles mortes des plantes voisines se décomposent dans le fond, formant des amas toxiques. Un filet à mailles fines coincé sous des briques sur les rebords du bassin réglera ce problème. Nettoyez le filet une fois par semaine puis remettez-le en place. Pensez à composter les feuilles mortes.*

VOIR AUSSI : Les plantes aquatiques, pp. 214-215

# ÉCLAIRCIR ET DIVISER LES PLANTES

Les plantes aquatiques se multiplient de plusieurs façons. Certaines, comme l'*Eichhornia crassipes*, produisent des plantules à partir du rhizome ou bien des turions qui ont tendance à se détacher et à hiberner au fond du bassin avant de remonter au printemps. D'autres comme les nénuphars ou les iris d'eau présentent des racines, des tubercules ou des rhizomes qui seront séparés à la main. Un bourgeon et quelques racines suffisent pour que la portion issue de la division se développe indépendamment de la plante mère. En règle générale, la division se fait à la fin du printemps et au début de l'été, lorsque l'eau se réchauffe et que la croissance reprend. Les jeunes sujets pourriraient dans une eau trop froide. Lorsque vous divisez, préférez toujours les jeunes portions aux anciennes, votre plante n'en fleurira que mieux. C'est aussi l'occasion d'augmenter votre stock ou celui de vos amis avec les parties récupérables.

## POURQUOI

### POURQUOI DIVISER LES PLANTES ?

La plupart des plantes aquatiques ont une croissance rapide et finissent par envahir l'espace. Une saison suffit parfois dans un petit bassin. La division s'avère alors indispensable pour soulager les mottes. Les plantes surchargées repoussent les feuilles des flottantes hors de l'eau, ce qui affaiblit leur floraison. En ne replantant que les jeunes sujets issus de la division, on stimule la production et assainit le bassin.

## ÉCLAIRCIR LES PLANTES OXYGÉNANTES

1 **AU PRINTEMPS ET À L'AUTOMNE**
*Éclaircissez les espèces oxygénantes au début et à la fin de la saison de croissance. Ratissez les oxygénantes en surnombre en veillant bien à ne pas endommager le liner. Sortez les oxygénantes en paniers et rabattez-les en partie au couteau.*

2 **UN ÉCLAIRCISSAGE MODÉRÉ**
*Pour qu'elles remplissent leur fonction, il est préférable d'éclaircir moins mais souvent. Le bassin retrouvera plus vite son équilibre. Pensez à étaler les plantes ratissées sur le côté avant de les jeter, de préférence sur le tas de compost.*

## MULTIPLIER LES NÉNUPHARS PAR DIVISION

1 **SORTIR ET DIVISER LE RHIZOME**
*Sortez la plante et nettoyez la base. Rabattez toutes les feuilles ouvertes et détachez au couteau les anciens tronçons du rhizome, moins productifs. Ne gardez que les jeunes sections chargées de nouvelles pousses.*

2 **REPLANTER LES TRONÇONS DIVISÉS**
*Rabattez les racines trop longues. Une fois en pot, le collet doit effleurer la terre. Couvrez de gravillons et redescendez la plante. Les grands sujets donnent parfois 2 ou 3 nouvelles plantes. Chaque section présentera au moins 2 ou 3 bourgeons.*

## DIVISER LES AUTRES PLANTES RHIZOMATEUSES

△ **SÉPARER LES PLANTULES ET LES STOLONS**
*Au printemps, séparez les plantules vigoureuses de la plante mère, en les cassant net à la main, comme ici avec l'Eichhornia crassipes, ou en coupant les stolons (les tiges superficielles). Les flottantes seront retournées à la surface du bassin ; elles développeront rapidement un système radical. Les jeunes sujets en pot seront rempotés avec un nouveau terreau et replacés à la bonne profondeur.*

1 **SORTIR LA PLANTE MÈRE**
*Déterrez la plante (ici, un Iris pseudocarus) et nettoyez les racines. Les touffes seront divisées à la main ou au couteau. Détachez les rhizomes vigoureux. Chaque section présentera des racines fibreuses, quelques pousses et de jeunes feuilles saines.*

2 **ÉCLAIRCIR LE RHIZOME**
*Divisez le rhizome avec un couteau tranchant. Supprimez toutes les sections ne présentant pas de nouvelles pousses. Rabattez les racines trop longues de 8 à 10 cm pour qu'elles ne donnent pas prise au vent une fois replantées et que la plante n'étouffe pas dans le pot.*

3 **REMPOTER LES NOUVEAUX RHIZOMES**
*Replantez la plante à la même profondeur que dans le pot d'origine. Mettez la terre une fois la plante installée au lieu de tasser la plante dans le terreau. Surfacez avec des gravillons. N'immergez pas la partie coupée des feuilles.*

VOIR AUSSI : Les vivaces, p. 163

# LES HERBES AROMATIQUES AU JARDIN

## LA CRÉATION D'UN JARDIN D'HERBES AROMATIQUES

Depuis des siècles, les plantes aromatiques sont appréciées pour leurs qualités culinaires, curatives ou cosmétiques. Elles n'en sont pas moins à la fois très esthétiques et discrètes. On les cultive pour leurs petites fleurs, leurs tons pâles, leur feuillage élégant ou pour le seul plaisir de leur parfum. Elles ont aussi leur place dans un petit jardin, au milieu d'une plate-bande, en pots sur les marches de l'escalier, ou alignées sur l'appui de la fenêtre de cuisine. Personnalisez votre jardin d'herbes en ne cultivant que vos espèces préférées, pourquoi pas dans un parterre classique aux motifs géométriques délimités par leurs couleurs ou dans une composition informelle ?

### UN ESPACE RÉSERVÉ AUX HERBES

La création d'un jardin d'herbes semble parfois une entreprise risquée, il suffit pourtant de rester simple. Tracez les plans d'une structure classique sur du papier millimétré puis marquez le terrain avec des cailloux ou de la corde. Les herbes à port bas et les rampantes s'intègrent parfaitement dans un jardin classique. Les espèces persistantes et arbustives comme le thym, la lavande, la sauge et la germandrée offriront un intérêt toute l'année. Dans un jardin d'herbes informel, ce sont les plantes qui composeront le tableau au gré de leur fantaisie. On prendra soin cependant de ne pas tomber dans le chaos en associant des plantes à port bas comme certaines espèces de thym et de menthe, avec des plantes à port dressé comme le laurier ou la viorne. Le choix est plus varié que dans un parterre classique et vous permet de jouer sur la hauteur avec des plantes comme le fenouil ou l'angélique.

◁ UN MASSIF CLASSIQUE
*Le moindre espace se prête à un motif géométrique. Associez des espèces à port bas et jouez sur la répétition pour plus de caractère. Marquez le centre avec une espèce rehaussée dans un pot ou une urne sur un socle.*

△ UN BUISSON INFORMEL
*Sans pour autant être classiques, les jardins d'herbes seront élaborés avec soin. Composez-les comme les plates-bandes, en associant ou contrastant les textures, les formes et les couleurs.*

### LE JEU DES COULEURS

La couleur de leurs fleurs comme celles de leurs feuillages élégants sont un atout précieux dans un jardin d'herbes classique ou une mixed-border. En restant dans les mêmes tons, on apportera cohésion et harmonie à l'ensemble tout en faisant ressortir les formes et les motifs.

BASILIC ROUGE
*Ocimum basilicum 'purpurascens'*

MARJOLAINE DORÉE
*Origanum vulgare 'Aureum'*

SANTOLINE
*Santolina chamae cyparissus*

#### CHOIX DE COULEUR DES FEUILLES

**JAUNE DORÉ**
Mélisse-citronelle *Melissa officinalis* 'Aurea'
Marjolaine dorée *Origanum vulgare* 'Aureum'
Thym-citron *Thymus × citriodorus* 'Aureus'
Sauge panachée *Salvia officinalis* 'Icterina'

**BRONZE POURPRÉ**
Fenouil pourpre *Foeniculum vulgare* 'Purpureum'
Menthe poivrée f. citrata *Mentha × piperita* f. *citrata*
Basilic rouge *Ocimum basilicum* 'purpurascens'
Sauge pourpre *Salvia officinali* 'Purpurascens'

**GRIS ARGENTÉ**
Santoline *Santolina chamaecyparissus*
Curcuma aromatica *Helichrysum italicum*
Lavande (Essayez *Lavandula* 'Sawyers')
Citronnelle *Artemisia abrotanum*

VOIR AUSSI : Les styles de jardin, pp. 122-123 ; Les herbes, pp. 226-227

# CULTIVER DES HERBES DANS LES PLATES-BANDES ET LES MIXED-BORDERS

Devant les innombrables espèces d'herbes aromatiques, il vous sera facile de choisir lesquelles mêler aux autres plantes dans une mixed-border. Pour rehausser vos massifs tout en les structurant, choisissez des espèces au feuillage coloré comme la sauge pourpre (*Salvia officinalis* 'Purpurascens'), la rue panachée (*Ruta*) ou la menthe panachée (*Mentha × gracilis* 'Variegata'). D'autres espèces méritent leur place dans une plate-bande pour la couleur de leurs fleurs. C'est le cas de l'Hysope rose (*Hyssopus officinalis*), ou des soucis (*Calendula officinalis*) pour la chaleur de leurs tons orangés. Les espèces hautes comme l'angélique et l'onagre (*Oenothera biennis*) offrent leur verticalité. Certaines plantes comme le laurier (*Laurus Nobilis*) et la citronnelle-verveine (*Aloysia triphylla*) font aussi de beaux standards, attirant le regard au centre d'un massif. Dans une plate-bande, le jeu des rayons lumineux sur le feuillage crée de superbes effets visuels. Jouez sur l'orientation de la lumière, notamment en début et en fin de journée, pour mettre en valeur des plantes comme le fenouil pourpre (*Foeniculum vulgare* 'Purpureum') ou la monarde pourpre (*Monarda didyma*) aux nervures rouge sang.

△ **MERVEILLEUSE BOURRACHE**
*Le bleu vif de ses fleurs et le léger duvet qui recouvre ses tiges et ses boutons font de la bourrache (Borago officinalis) une élégante des plates-bandes. Éclairez ses délicates inflorescences duveteuses à contre-jour.*

◁ **UNE PLATE-BANDE D'HERBES ENTREMÊLÉES**
*Les plumets du fenouil commun et du fenouil pourpre émergeant entre les autres plantes confèrent du volume au massif. Un houblon commun 'Aureus' (Humulus lupulus 'Aureus') apporte une touche dorée en arrière-plan.*

# LES HERBES AROMATIQUES EN POTS

Nul besoin d'un grand jardin ou d'un jardin tout court pour cultiver des herbes en pots. Il suffira d'un petit coin sur un patio, un balcon, ou une terrasse. Cultivez vos préférées dans un pot à fraisiers (on peut y cultiver de la menthe, du thym, de l'origan ou de la marjolaine), un bac ou une jardinière faciles d'accès.

Sélectionnez-les autant pour leur saveur que pour leurs attributs décoratifs. Les espèces au feuillage coloré seront tout aussi savoureuses que celles au feuillage monochrome. Un laurier (*Laurus nobilis*) taillé en standard attirera le regard par sa hauteur, tandis qu'un romarin (*Rosmarinus officinalis* 'Prostratus') débordant d'une jardinière révélera sa senteur sur votre passage.

◁ **UN JARDIN D'HERBES EN POTS**
*Ces quelques pots en terre cuite sur un escalier accueillent un jardin d'herbes miniature composé de sauge, de laurier, de romarin, d'armoise et de fraises des bois.*

La culture des herbes en pots permet d'adapter les conditions de culture aux espèces. On pourra séparer les herbes qui apprécient le soleil et un bon drainage de celles qui préfèrent l'ombre et l'humidité. Le cerfeuil, la ciboulette, le persil, l'hysope, la marjolaine "compactum" (*Origanum vulgare* 'Compactum') et le thym cohabiteront sans qu'aucune ne prédomine sur l'autre.

## ASTUCES

• Si vous associez plusieurs herbes dans un seul pot, veillez à choisir des espèces demandant les mêmes conditions de culture.

• Ajoutez de la hauteur à vos groupes avec un mitron de cheminée débordant de capucines ou un houblon doré grimpant sur un gabarit.

• La menthe (*Mintha*) est une rampante envahissante qu'il vaut mieux cultiver dans un pot à part.

VOIR AUSSI : Les massifs surélevés, pp. 166-183 ; Les herbes, pp. 228 ; Les herbes aromatiques, p. 230 ; Le pense-bête, p. 230

# LES HERBES ET LEURS VERTUS

Quelles soient annuelles ou vivaces, les herbes se définissent et se distinguent des autres plantes par leur utilisation. Bien des recettes manqueraient de saveur sans ces aromates auxquels nous sommes tous habitués. Certaines plantes aromatiques possèdent des vertus médicinales exploitées dans le commerce comme à la maison. D'autres sont appréciées pour leurs seules senteurs qui embaument le jardin ou concentrés dans un pot-pourri qui parfume la maison. D'autres encore servent à la préparation de cosmétiques et de soins de beauté maison. Elles sont même parfois destinées à un usage domestique.

## UN CARRÉ POUR LA CUISINE

Les herbes fraîches sont utilisées en cuisine partout dans le monde. Elles rehaussent de leur saveur incomparable des recettes qui, sans elles, seraient bien fades, et permettent de moins saler les plats. Certaines semblent être nées pour un aliment en particulier : le romarin pour l'agneau, le basilic pour les tomates, l'aneth pour le saumon ou la coriandre pour le curry.

Quand le jardin le permet, mieux vaut réserver un espace aux herbes aromatiques le plus près possible de la maison pour faciliter la cueillette. Si votre carré est trop loin, vous finirez par les oublier. L'autre solution est de les intégrer au potager, si vous en avez un.

Au moment de la création du jardin d'herbes, n'oubliez pas de prendre en compte celles que vous utilisez le plus. Prévoyez plus d'espace pour la ciboulette et le persil si vous les aimez comme ingrédients autant qu'en garniture. L'une et l'autre seront disposées sur les bords du carré.

Un massif surélevé est la solution idéale. Vous aurez moins à vous pencher et pourrez adapter les conditions de culture aux plantes choisies.

Vous pouvez aussi cultiver vos aromates en pot, près de la cuisine.

▓ **La saveur avant tout** mais elle n'empêche pas votre carré d'être décoratif. Apportez de la couleur avec des variétés dorées, argentées ou panachées. Les espèces arbustives seront choisies pour leurs formes qui structureront l'ensemble.

▓ **Des fleurs comestibles** créeront la surprise dans un carré de plantes aromatiques. Cultivez des soucis orange et jaunes (*Calendula officinalis*) et des capucines (*Tropaeolum majus*). Leurs fleurs égaieront vos salades.

◁ LA GRÂCE DE L'ANETH

*L'aneth ne doit pas tout son charme à ses ombelles caractéristiques dans une plate-bande mais aussi à ses feuilles et à ses graines utilisées en cuisine. L'aneth est une annuelle mais se ressème spontanément facilement dans le jardin.*

UN BOUQUET GARNI ▷
*Un bouquet d'herbes liées avec de la ficelle de cuisine parfumera la cuisson d'une soupe ou d'un ragoût. Ce bouquet prévu pour un civet est composé de romarin, de marjolaine, de mélisse et de zestes d'orange.*

◁ LA GAIETÉ DE LA CIBOULETTE

*La ciboulette offre ses tiges savoureuses aux salades ou en garniture, mais rehausse également le bord d'une plate-bande d'été de ses inflorescences colorées.*

### DES AROMATES POUR LA CUISINE

Profitez du moindre espace ensoleillé dont vous disposez pour cultiver vos propres aromates. Aux côtés des espèces communes, pensez à des variétés plus décoratives comme celles au feuillage panaché, surtout si vous les cultivez avec des plantes de plate-bande ou bien en vue dans des pots.

Basilic (*Ocimum basilicum*)*
Laurier (*Laurus nobilis*)
Ciboulette (*Allium schoenoprasum*) mais aussi la ciboule (*A. tuberosum*)
Coriandre (*Coriandrum sativum*)
Aneth (*Anethum gravoelens*)
Fenouil (*Foeniculum vulgare*)
Estragon (*Artemisia dracunculus*)*
Mélisse (*Melissa officinalis*)
Livèche (*Levisticum officinale*. Cette plante spectaculaire est idéale dans le fond d'une plate-bande)
Marjolaine (*Origanum vulgare*)
Menthe (*Mentha spicata*, la menthe verte, est la plus classique en cuisine, mais on peut cuisiner beaucoup d'autres variétés)
Persil (*Petroselinum crispum*) essayez aussi le persil plat
Romarin (*Rosmarinus officinalis*)
Sauge (*Salvia officinalis*)
Thym (*Thymus vulgare* - de nombreuses variétés)
Sarriette vivace (*Satureja montana*) essayez aussi la sarriette commune moins rustique (*S. hortensis*) à la saveur plus subtile.

* Non rustique

VOIR AUSSI : Les massifs surélevés, pp. 180-183

# LES HERBES AROMATIQUES

La plupart des herbes aromatiques sont appréciées autant pour leur odeur que pour leur saveur. D'autres ne sont cultivées que pour leur senteur. Le curcuma aromatica (*Helichrysum italicum*), par exemple, n'entre pas dans les ingrédients du curry bien que ses feuilles légèrement parfumées accompagnent parfois le riz, mais son odeur de curry légèrement épicée contraste avec les senteurs développées par les autres aromates sous le soleil. Plantées près d'une allée, d'une entrée, d'un portail ou d'un banc de jardin, les plantes aromatiques révéleront leurs senteurs sur votre passage. Quelques lavandes formeront des haies miniatures au bord d'une allée. Près du portail, vous serez tenté de froisser sous vos doigts les feuilles d'un buisson de mélisse. En outre, certaines fragrances sont relaxantes. Profitez d'une touffe de lavande, de romarin, d'armoise, ou de thym près du hamac.

■ **Un tapis de camomille**. Le port bas de *Chaemomelum nobile* 'Treneague' en fait une des plus utilisées (*voir p. 88*). C'est un cultivar sans capitules qui demande peu d'entretien. Moins résistante que le gazon, elle ne convient pas pour une pelouse.

■ **Remplacez une dalle** ou quelques briques par un carré d'aromatiques dans le patio. Vous profiterez de leurs senteurs sous vos doigts à l'heure du repos au jardin.

△ COMME UN PARFUM DANS L'AIR
*La menthe corse (Mentha requienii) forme de jolis monticules et des tapis. Vous profiterez mieux de son arôme en la surélevant dans un pot.*

# LES UTILISATIONS MÉDICINALES, COSMÉTIQUES ET DOMESTIQUES

Les herbes sont appréciées depuis des siècles pour leurs qualités médicinales. La médecine occidentale a pourtant tardé à reconnaître leurs vertus. L'industrie pharmaceutique a fréquemment recours à leurs dérivés. L'acide salicylique, principe actif de l'aspirine, l'un des médicaments les plus consommés dans le monde, est un dérivé du saule (*Salix*). L'amateur éclairé fera de son jardin d'herbes une armoire à pharmacie remplie de remèdes maison destinés à soigner les petits maux : la menthe, par exemple, réputée pour ses propriétés antiseptiques, est aussi un léger anesthésiant et facilite la digestion. À la fin d'un repas copieux, vous apprécierez sans aucun doute les effets d'une infusion de menthe poivrée. Certaines herbes entrent dans la préparation de produits de beauté comme les lotions pour la peau et les shampoings. L'*Aloe vera* est exploitée pour ses propriétés calmantes et anti-inflammatoires. Vous pouvez aussi concocter vos propres préparations à la maison : au moment du rinçage, une décoction de romarin redonnera de l'éclat aux cheveux bruns. Bien des plantes aromatiques ont leur place à la maison. Dans l'armoire, quelques touffes d'armoise décourageront les mites. Quant à la menthe, elle dissuadera les souris. La lavande déjà utilisée

△ UNE JARDINIÈRE SALUTAIRE
*Si l'espace vous manque, rien ne vous empêche de cultiver des herbes en pots ou en jardinières. Celle-ci accueille toute une pharmacie de plantes médicinales.*

autrefois pour parfumer le linge est toujours d'actualité en petits sachets.

■ Glissez des feuilles séchées d'aspérule odorante (*Galium odoratum*) entre vos piles de draps. Ils sentiront le foin fraîchement coupé.

■ Fixez les senteurs d'un pot-pourri avec du rhizome d'iris séché (*Iris* 'Florentina').

■ Oubliez les insomnies grâce à un coussin relaxant de mousseline garnie de houblons séchés et de lavande.

▽ UNE INFUSION
CALMANTE
*En infusion, le fenouil et la mélisse donnent une délicieuse boisson chaude et calmante.*

## PENSE-BÊTE

### MIEUX VAUT PRÉVENIR QUE GUÉRIR

Ne sous-estimez pas le pouvoir des herbes. Prenez conseil auprès d'un herboriste ou consultez un herbier avant d'essayer un remède maison. Si vous êtes enceinte, que vous allaitez ou que vos défenses immunitaires sont affaiblies, demandez d'abord l'avis de votre médecin.

VOIR AUSSI : Le gravier, p. 63 ; Les pelouses, p. 88

# PLANTER ET CULTIVER LES HERBES AROMATIQUES

Le grand plaisir des herbes aromatiques, notamment pour qui considère le jardin comme un lieu de détente et non une source de fatigue, est que la plupart sont relativement faciles à cultiver. En effet, les espèces les plus appréciées dans les jardins d'herbes sont assez peu exigeantes et récompenseront le jardinier de leur profusion et de leurs inflorescences parfumées. La clef de la réussite est de connaître les besoins de chacune. Répondez à leurs besoins en matière d'exposition, de sol et d'arrosage et vous les verrez prospérer. En les cultivant dans un jardin d'éboulis ou de graviers, vous retournerez même certaines conditions à votre avantage.

## LES HERBES ET LEURS BESOINS

Si beaucoup de plantes aromatiques prospèrent en plein soleil, dans un sol bien drainé, d'autres ont besoin d'humidité et d'ombre. Contrairement aux espèces méditerranéennes, ces dernières préfèrent souvent un sol plus riche. Il est vrai que beaucoup d'espèces comestibles sont natives du maquis méditerranéen et grandissent dans un sol pauvre et sec. Dans une terre trop riche, ces espèces se gaveraient de sève mais leur luxuriance ne serait pas pour autant synonyme de saveur. Il sera donc préférable de ne pas fertiliser davantage. Dans un jardin au sol lourd et humide, prévoyez un massif surélevé avec un mélange de compost de jardin et de sable grossier. Apprenez à connaître les besoins de chacune. La plante offre souvent un indice. Les espèces aux feuilles argentées, en aiguilles ou au feuillage coriace comme les lavandes, prospèrent généralement au soleil, dans un

△ UN MARIAGE RÉUSSI
*Facilitez-vous la tâche en associant des herbes partageant les mêmes exigences comme ici la lavande et la ciboulette.*

△ LA MONARDE
*Cette plante (Monarda didyma) produit des fleurs colorées et comestibles, idéales dans une salade.*

△ L'ASPÉRULE ODORANTE
*Cette belle couvre-sol caduque (Galium odoratum) qui apprécie l'ombre est aussi un aromate cultivé pour ses vertus médicinales ou séché pour un pot-pourri.*

sol bien drainé. Celles aux feuilles plus larges, vert tendre, comme les menthes, tolèrent parfois une ombre partielle. Les variétés dorées comme la marjolaine dorée (*Origanum vulgare* 'Aureum') risquent de brûler en plein soleil. Exposez-les sur un site en partie ombragé dans la journée.

■ **Les annuelles et les bisannuelles** seront semées directement en place. Préparez et ratissez la terre pour former une couche arable avant les semis. Espacez les plantules à intervalles suffisants. Retardez leur floraison en cueillant les bisannuelles comme le persil au cours de leur deuxième et dernière année.

■ **Les arbustes** peu rustiques et semi-rustiques comme le laurier ou le myrte grandiront mieux dans un pot qu'il sera plus facile de rentrer avant les premières gelées.

### HERBES QUI SUPPORTENT L'OMBRE

La plupart des herbes aiment le soleil. Certaines cependant supportent, voire préfèrent, les situations ombragées pourvu que la terre soit humide. Préparez le sol pour ces dernières et les plantes de sol humide comme l'angélique, en l'enrichissant de matière organique bien décomposée (*voir pp. 142-143*).

Monarde *
Cerfeuil
Consoude*
Oseille*
Menthes (Il existe une grande variété de menthes, certaines supportant mieux l'ombre que d'autres. Les espèces les plus utilisées en cuisine, comme *Mentha spicata*, se plaisent sous une ombre légère pourvu que le sol soit relativement humide.)
Persil*
Aspérule odorante

\* Préfère une ombre partielle ou un peu de soleil.

VOIR AUSSI : Les mauvaises herbes, pp. 144-145 ; Les parterres, pp. 148-149 ; Multiplier les plantes, pp. 162-163 ; Les massifs surélevés, pp. 180-183

# LES HERBES DANS UN JARDIN DE GRAVIER

Une pente douce couverte de graviers ou de gravillons assure un excellent drainage, idéal pour les herbes aromatiques méditerranéennes qui n'aiment ni les sols lourds, ni l'humidité. En général, les plantes au feuillage argenté comme les lavandes ou à toutes petites feuilles comme les thyms supportent bien la sécheresse et se plaisent dans un lit de gravier qui semble aussi fait sur mesure pour les espèces compactes, buissonnantes ou en coussins. Avant d'étaler le gravier, couvrez le sol d'un revêtement géotextile (*voir p. 145*) ou d'une bâche en plastique qui étouffera les mauvaises herbes. Jouez sur la taille des pierres et placez judicieusement quelques pierres plus grosses. Ces pierres font office de paillis en limitant l'évaporation et en réduisant les besoins en arrosage. On peut aussi établir un jardin de gravier dans le sol bien drainé d'un massif surélevé.

## HERBES POUR UN JARDIN DE GRAVIER

Les espèces suivantes prospéreront dans un jardin de gravier.

Santoline (*Santolina chamaecyparissus*)
Lavande (*Lavandula*)
Romarin (*Rosmarinus officinalis*)
Rue (*Ruta*)
Sauge (*Salvia officinalis*)
Thym (*Thymus*)
Armoise (*Artemisia*)

## PRÉPAREZ UN JARDIN D'HERBES DANS LE GRAVIER

**1 MISE EN PLACE** *Arrachez les mauvaises herbes et retournez le sol en y mélangeant du sable grossier pour le drainage. Créez une pente douce en remontant la terre. Installez les grosses pierres de sorte que la pluie atteigne les plantes. Présentez les pots sur site avant de dépoter.*

**2 PLANTATIONS** *Commencez par les espèces les plus grandes. Arrosez abondamment. Calez avec du gravier ou des cailloux. Sortez les petites plantes de leurs pots. Installez-les dans les trous préparés avec un déplantoir en respectant les profondeurs de plantations. Arrosez.*

**3 SURFAÇAGE DE GRAVIER** *Couvrez le bas de la pente avec un gravier plus fin ou des petits cailloux. Étalez-le avec le déplantoir ou à la main en veillant à ne pas endommager les plantes. Disposez le gravier juste en dessous des feuilles.*

**4 UN JARDIN QUI TOLÈRE LA SÉCHERESSE.** *Une fois terminé, le jardin de gravier offre un décor agréable à l'œil qui demande peu d'entretien et un arrosage peu fréquent. Au soleil, les huiles essentielles des aromates embaumeront l'air de leur parfum. Le surfaçage de gravier ou de cailloux retiendra l'eau dans le sol tout en limitant les mauvaises herbes. Désherbez à la main à la première alerte. L'autre solution sera de planter en perçant des trous dans un revêtement géotextile installé sous le gravier.*

# LES HERBES AROMATIQUES DANS UN DALLAGE

Les interstices laissés entre les dalles, les pierres ou les briques d'un patio ou d'une allée s'habillent parfois d'herbes aromatiques. Les espèces à port bas sont idéales car elles n'obstruent pas le passage et supportent d'être piétinées tout en libérant leurs arômes. Essayez les thyms, la sarriette rampante (*Satureja spicigera*) ou la camomille (*Chamaemelum nobile*). Les grands sujets comme le fenouil se ressèment parfois d'eux-mêmes mais risquent de devenir gênants. Arrachez les jeunes plants au fur et à mesure. Les herbes aromatiques se sèment généralement en place, cependant, rien ne vous empêche d'intégrer des boutures ou de jeunes plants. Grattez la couche de terre supérieure, rajoutez un peu de terreau et arrosez généreusement pour un bon établissement des plantes.

■ Plantez les herbes aromatiques dans l'allée du garage quand elle est pavée. Évitez toutefois de les mettre sur le passage des roues.

■ Si vous cultivez ainsi de la camomille, optez pour les espèces fleuries. Il sera toujours possible d'enlever les capitules. 'Treneague', souvent utilisé dans les pelouses, est une forme sans capitules qui ne se cultive pas par semis.

**SEMER EN PLACE ▷** *Dans un dallage, il est souvent plus facile de semer directement entre les interstices. Épandez du terreau puis semez en place. Arrosez régulièrement jusqu'à l'établissement des aromates.*

**UN PATIO PARFUMÉ ▷** *Les thyms rampants comme sur cette photo sont parfaits dans les dallages de pierres. Leurs feuilles dégageront leur fragrance sous vos pas. N'oubliez pas que les fleurs de thym sont un lieu de prédilection des abeilles.*

**VOIR AUSSI :** Les plantes du soleil, pp. 132-133 ; Les arbustes, pp. 164-165 ; Les massifs surélevés, pp. 180-183

# LA CULTURE DES HERBES AROMATIQUES EN POT

Si l'espace vous manque au jardin, les pots offrent une solution à la fois pratique et décorative pour de nombreuses variétés de plantes aromatiques. Quel que soit le pot, le fond sera percé pour le drainage et garni d'une couche de matière poreuse avant le terreau. Mélangez une part de sable grossier à cinq parts de terreau pour améliorer ses capacités de drainage. Ce dernier sera encore plus efficace avec une couche de tessons posés sur les trous de drainages dans le fond du pot. Ajoutez du sable grossier au mélange destiné aux espèces demandant un terreau très drainant. Les herbes aromatiques en pots ou en bacs doivent être faciles d'accès. Installez-les de préférence près de la cuisine. On peut aussi les cultiver dans une jardinière, sur le rebord de la fenêtre de cuisine. Le romarin et le laurier ont besoin d'espace, réservez-leur des pots indépendants. Le pot à fraisiers, comme ci-dessous, est la solution idéale pour cultiver plusieurs espèces dans un volume limité.

▪ Les plantes fragiles cultivées en pots ou en bacs, comme le basilic, l'estragon (*Artemisia dracunculus*) ou la citronnelle verveine (*Aloysia triphylla*), seront plus faciles à rentrer en hiver et profiteront de la luminosité d'un jardin d'hiver.

▪ Si l'espace vous manque, pensez à un jardin suspendu (*voir p. 177*). Comme il faudra arroser plus souvent que dans un grand pot, optez pour des espèces comme le thym, la sauge et la marjolaine, qui demandent peu d'eau.

△ UN JARDIN D'HERBES MINIATURE
*Un pot à fraisiers garni d'aromates installé près de la porte de la cuisine pourra accueillir des fraises des bois, du romarin, de la sarriette, de la marjolaine, de l'estragon et de la menthe.*

## ASTUCES

• Les herbes en pots sont encore plus décoratives surfacées avec des galets, des gravillons ou des coquillages. De plus, le paillis retiendra l'humidité.

• Jouez sur la hauteur dans les groupes. Un pot vide à l'envers peut faire office de socle.

• Certaines espèces arbustives comme le myrte ou la verveine font de beaux standards. Leur tige est suffisamment robuste pour être dégagée et supporter la couronne de feuillage.

## GARNIR UN POT À FRAISIERS

**1 REMPLIR DE TERREAU**
*Choisissez un pot résistant au gel, assez grand pour accueillir plusieurs plantes. Remplissez d'un mélange sans terre ou à base de terreau de feuilles jusqu'au premier trou. Tassez doucement et égalisez.*

**2 PLANTER PAR PALIERS**
*Placez chaque plante dans son trou avec sa motte, en commençant par le fond. Rajoutez du terreau au fur et à mesure. Tassez doucement autour de la motte.*

**3 FINIR LE POT**
*Une fois le pot rempli, plantez la dernière plante en haut, tassez et rajoutez du terreau jusqu'à 2 cm du bord. Arrosez généreusement mais doucement pour ne pas lessiver le terreau. Égalisez en cas de dépressions.*

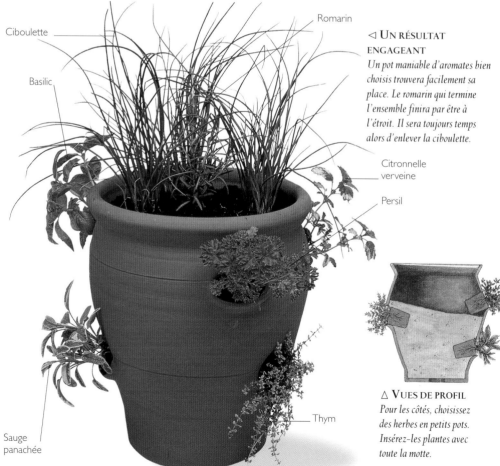

Ciboulette

Romarin

Basilic

◁ UN RÉSULTAT ENGAGEANT
*Un pot maniable d'aromates bien choisis trouvera facilement sa place. Le romarin qui termine l'ensemble finira par être à l'étroit. Il sera toujours temps alors d'enlever la ciboulette.*

Citronnelle verveine

Persil

Thym

Sauge panachée

△ VUES DE PROFIL
*Pour les côtés, choisissez des herbes en petits pots. Insérez-les plantes avec toute la motte.*

VOIR AUSSI : Les jardinières et les massifs, pp. 166-183 ; Les topiaires, p. 173 ; Les herbes aromatiques, p. 225

# UNE RÉSERVE POUR L'HIVER

Certaines herbes aromatiques agrémentant les plates-bandes d'été seront déplantées à la fin de la saison et rentrées pour profiter de la luminosité d'un rebord de fenêtre, d'un châssis ou d'une serre. Les vivaces herbacées sensibles au gel comme la menthe seront déterrées au début de l'automne, comme les espèces à racines en touffes, et replantées pour approvisionner les réserves d'hiver. La ciboulette et l'ail subiront le même traitement. Pourvu qu'elles aient assez d'eau et de lumière, elles repartiront à partir des bulbes. À la fin de l'hiver, mieux vaut jeter ces plantes "forcées". Si vous les replantez dehors, laissez-leur le temps de s'établir et attendez l'année suivante pour les cueillir.

■ Quelques brins d'aromates à feuillage persistant comme la sauge, le romarin, le thym ou la sarriette vivace ne sont pas interdits en

hiver. Évitez cependant de cueillir les jeunes pousses. En rabattant trop sévèrement les tiges vous stimuleriez de nouvelles pousses pendant le redoux qui seraient ensuite sensibles au gel.

■ Offrez-vous une réserve d'aromates maison en conservant votre production. Séchés, congelés dans les moules à glaçons ou conservés dans l'huile ou le vinaigre, ils relèveront vos recettes et vos assaisonnements.

## REMPOTER LES AROMATES POUR LES RÉSERVES D'HIVER

**1 DÉTERRER UNE TOUFFE**
*Au début de l'automne, déterrez la touffe de l'herbe choisie avec toutes ses racines. Divisez la touffe en petites portions présentant chacune des racines.*

**2 GARNIR LA JARDINIÈRE**
*Plantez une des nouvelles portions divisées au bout d'une petite jardinière préalablement remplie de terreau de rempotage puis tassez autour de la plante.*

**3 CHOISIR DES POTS INDIVIDUELS.** *On peut aussi y cultiver les nouveaux sujets indépendamment. Optez pour un terreau de rempotage équilibré. Tassez et arrosez.*

### PENSE-BÊTE

Les rampantes envahissantes comme la menthe et la tanaisie (*Tanacetum vulgarum*) se plaisent mieux en pots. Dans une plate-bande, elles seront enserrées dans des seaux ou des pots en plastique sans fond. Déterrez-les au printemps pour changer le terreau. Redonnez-leur de la vigueur en divisant les touffes et en replantant les portions vigoureuses.

**4 FINIR LA JARDINIÈRE**
*Plantez les autres touffes à intervalles suffisants pour que les plantes ne se sentent pas trop à l'étroit.*

**5 RABATTRE LA CIBOULETTE**
*Avant de rempoter une touffe de ciboulette, rabattez environ 15 cm de tiges en coupant net au même niveau.*

**6 LE RÉSULTAT FINAL**
*Installez la jardinière à la lumière, dans la maison. Arrosez régulièrement les aromates, cueillis au gré des besoins.*

# MULTIPLIER LES HERBES AROMATIQUES

La plupart des herbes aromatiques se multiplient par division ou par marcottage en cépée : deux méthodes idéales pour obtenir de nouveaux plants d'une variété spécifique. Planté en semis, le thym au feuillage panaché par exemple, ne donnerait pas des plantes conformes au type. Avec le temps, la tige centrale des espèces arbustives comme la sauge, le thym et la lavande devient souvent ligneuse et moins vigoureuse. Le marcottage en cépée favorisera l'apparition de nouvelles pousses et leurs racines. Au printemps, buttez un mélange de terreau de rempotage et de sable grossier à la base de la touffe en ne laissant apparaître que le sommet de la plante. Rajoutez du terreau en cas de fortes pluies. En fin d'été ou en début d'automne, séparez les tiges présentant de nouvelles racines. Replantez-les en pot ou directement en terre.

## DIVISER LES ESPÈCES AROMATIQUES ARBUSTIVES OU FORMANT DES TOUFFES

   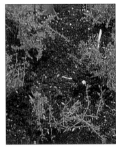

**1 DÉTERRER LA PLANTE**
*Au printemps ou à l'automne, déterrez la touffe à la bêche (ici, un thym). Enfoncez bien la bêche dans la terre pour ne pas endommager les racines. Faites pivoter doucement pour ameublir la terre et dégager la motte.*

**2 RABATTRE LE FEUILLAGE**
*Rabattez au sécateur les pousses de l'année précédente sur les sections que vous souhaitez conserver. Gardez toujours des pousses vertes sans quoi la plante risque de ne pas repartir. Le but est de créer un buisson de forme régulière.*

**3 DIVISER LES TOUFFES**
*À la main, avec un sécateur, un couteau de taille ou une fourche à fleurs selon la plante, divisez les touffes en plusieurs sections. Conservez les sections les plus jeunes et les plus saines présentant un système radical développé.*

**4 REPLANTER**
*Plantez les jeunes sujets à intervalles suffisants pour qu'ils prospèrent sans entraves. Arrosez et maintenez le sol humide jusqu'à l'établissement des plantes. Chaque sujet peut aussi être isolé en pot.*

VOIR AUSSI : Multiplier les plantes pp. 162-165 ; La conservation, pp. 232-233

# L'ENTRETIEN, LA RÉCOLTE ET LA CONSERVATION

Les herbes aromatiques ont ce grand avantage qu'il n'est pas nécessaire de les arroser, tailler, fertiliser et pailler outre mesure pour les voir prospérer, bien au contraire. Beaucoup proviennent de régions aux sols pauvres à faibles précipitations. Quelques soins réguliers mais non contraignants sont cependant la garantie de belles plantes. Cueillir un bouquet d'herbes aromatiques cultivées au jardin est un plaisir plus qu'une corvée. La fraîcheur de leurs feuilles et de leurs brins augure de leur arôme dans la cuisine et la maison. Appréciez-les fraîchement cueillies ou capturez leur senteur et leur arôme en les conservant. Séchées, congelées, ou marinées, vous les consommerez toute l'année.

## L'ENTRETIEN ET LA RÉCOLTE

L'entretien des herbes aromatiques est généralement simple et peu contraignant. On rabattra les plantes aux printemps et en été pour stimuler une croissance vigoureuse, et l'on nettoiera et éclaircira les espèces dormantes en hiver. Annuelle, vivace ou arbustive, chaque type a ses besoins spécifiques.

■ **Les annuelles et les bisannuelles** (tels le persil ou l'aneth). Leurs fleurs grainent et meurent la même année. Leurs graines se récoltent et seront ressemées l'année suivante. L'aneth se ressème spontanément. Les annuelles fragiles comme le basilic, la coriandre seront cultivées sous verre en respectant les conseils de plantation indiqués sur les sachets de graines.

■ **Les vivaces** (telles la monarde ou *Monarda didyma* et la menthe). Vous entretiendrez leur silhouette en cueillant régulièrement quelques feuilles ou quelques brins pour la consommation, Divisez les vivaces (*voir p. 231*) quand le centre de la touffe est affaibli et improductif. Après la pluie, en été, paillez les plantes qui apprécient

△ **TOUTE LA FRAÎCHEUR DU JARDIN**
*La récolte maison de laurier, romarin, persil, basilic et sauge est déposée avec soin dans un panier de jardinage. Pour une taille nette, coupez au ciseau ou au sécateur.*

l'humidité. Le sol, humide, n'en sera que plus riche.

■ **Les arbustes** (tels la lavande, le romarin, l'hysope et la sauge). Comme pour les vivaces, une récolte régulière entretiendra une silhouette buissonnante et stimulera de nouvelles pousses. Supprimez les fleurs fanées après la floraison. La lavande ne repartira pas si vous rabattez trop sévèrement sur vieux bois. Taillez au milieu du printemps, veillez à garder des pousses vertes sur chaque tige. Cueillez régulièrement quelques brins de thym pour lui garder sa forme.

■ **Les tiges d'angélique** confites pour la décoration des gâteaux doivent être taillées jeunes et tendres, bien avant la floraison.

■ **Cueillez la rue** en portant des gants. Elle provoque parfois des allergies au soleil.

---

### COMMENT FAIRE

#### QUAND ET COMMENT RÉCOLTER LES HERBES AROMATIQUES ?

• La plupart des espèces persistantes se cueillent au fur et à mesure des besoins. Certains cuisiniers préfèrent parfois la saveur plus relevée des feuilles séchées de certaines baies.

• Les aromates destinés à la conversation seront récoltés par temps sec, après évaporation de la rosée du matin, avant que la chaleur du soleil ne brûle leurs huiles essentielles qui atteignent leur plus forte concentration juste avant la floraison.

• Enveloppez les inflorescences de l'aneth, du fenouil et de la coriandre dans un sac en papier dès qu'elles fanent. La récolte n'en sera que plus facile.

**DES SENTEURS AU BOUT DES DOIGTS** ▷
*Cultivées en pots devant une fenêtre bien éclairée, vos herbes seront immédiatement à portée de main. Rempotés avec soin, les aromates en pots assurent une réserve pour l'hiver.*

---

**VOIR AUSSI :** L'entretien, pp. 154-155 ; Multiplier les plantes, pp. 162-163 ; L'entretien, pp. 178-179 ; Les herbes aromatiques, p. 231

# LE SÉCHAGE DES HERBES AROMATIQUES

La meilleure façon de conserver la plupart des herbes aromatiques est de les sécher à l'air libre, bien que certaines aux feuilles fragiles comme la menthe donnent de meilleurs résultats congelées (voir notre encadré). On étale les brins, les feuilles, les fleurs ou les têtes en une seule couche sur une grille puis on laisse sécher au soleil. Ou bien, on forme de petits bouquets que l'on suspend la tête en bas dans un endroit sec et chaud, pas trop ensoleillé. Le séchage demande environ 48 heures. Des feuilles qui noircissent ou montrent des traces de pourriture signalent un séchage trop lent. Il faut les jeter.

Une fois totalement sèches, détachez les feuilles ou les fleurs (les fleurs de camomille peuvent servir en infusion par exemple) et jetez les tiges. Les feuilles sont broyées à la main et entreposées dans un bocal hermétique en verre opaque ou en céramique. (Elles faneraient vite dans un verre transparent.) Les herbes séchées ne conservent pas leur saveur indéfiniment.

◁ SÉCHAGE À L'AIR LIBRE
*Étalez les herbes sur une grille et laissez sécher dans un endroit chaud. Prévoyez un jour ou deux. Autre solution : suspendez-les en bouquets la tête en bas.*

Renouvelez votre réserve tous les ans.

On peut maîtriser et accélérer le temps de séchage en chauffant les herbes au micro-ondes ou dans un four à très basse température (50-60 °C). 2 à 3 minutes suffisent au micro-ondes. Seules les parties souterraines des plantes supportent un séchage plus long allant jusqu'à 2 ou 3 heures. La teneur en eau des herbes varie considérablement. Vous perfectionnerez votre technique avec le temps.

## LES HERBES À SÉCHER

Nous proposons ici une sélection des herbes aromatiques faciles à sécher les plus populaires. La plupart sont utilisées en cuisine. D'autres comme la mélisse ou la monarde sont préparées en infusion tandis que l'armoise et la lavande sont le plus souvent utilisées en pot-pourri.

Menthe-coq (*Tanacetum balsamita*) B
Laurier (*Laurus nobilis*) B
Monarde (*Monarda didyma*) B F
Camomille (*Chamaemelum nobile*) F
Cerfeuil (*Anthriscus cerefolium*) B
Coriandre (*Coriandrum sativum*) G
Santoline (*Santolina chamaecyparissus*) B F
Aneth (*Anethum raveolens*) B G
Fenouil (*Foeniculum vulgare*) G
Pyrèthre (*Tanacetum parthenium*) B F
Estragon (*Artemisia dracunculus*) B
Hysope (*Hyssopus officinalis*) B
Lavande (*Lavandula angustifolia*) F
Mélisse (*Melissa officinalis*) B
Citronnelle verveine (*Aloysia triphylla*) B
Livèche (*Levisticum officinale*) B
Marjolaine (*Origanum vulgare*) B
Souci (*Calendula officinalis*) F
Sauge (*Salvia officinalis*) B
Aurone (*Artemisia abrotanum*) B
Sarriette commune (*Satureja hortensis*) B
Aspérule odorante (*Galium odoratum*) B
Thym (*Thymus vulgaris*) B
Sarriette vivace (*Satureja montana*) B

Quelle partie utiliser ?
B : brins ou feuilles, F : fleurs, G : graines

## ASTUCES DE CONGÉLATION

Pour les aromates à feuilles tendres comme le basilic et le persil, la congélation est préférable au séchage. À court terme, congelez directement les bouquets dans des sacs étiquetés. À long terme, mieux vaut les blanchir avant. Broyez les feuilles, plongez-les dans l'eau bouillante puis dans une eau glaciale. Séchez, empaquetez, congelez.

• Des herbes dans le bac à glaçons : déposez les fleurs de bourrache ou les petites feuilles de menthe (essayer la **ginger mint**) dans un bac à glaçons, versez l'eau et congelez. Vous obtiendrez des glaçons décoratifs pour vos rafraîchissements. Cette technique s'applique aussi pour la cuisine. Remplissez de persil ou de ciboulette hachés la moitié du bac à glaçons, recouvrez d'eau. Décongelez dans une passoire les glaçons destinés à la garniture, ou jetez-les directement dans la cocotte pendant la cuisson.

△ ASSIETTE FLEURIE
*Cueillez les fleurs à peine ouvertes (ici, des soucis), posez-les dans un plateau sur une feuille de papier. Laissez sécher dans un endroit chaud.*

△ CUEILLIR LES PÉTALES
*Certaines espèces ne sont cultivées que pour les pétales. Détachez-les en partant du cœur. Les pétales de souci sont utilisés dans les pots-pourris, pour parfumer et colorer certains plats, et en teinture.*

# LES HUILES ET VINAIGRES

Outre le séchage, on pourra aussi préserver la saveur des herbes fraîches en les faisant mariner dans une huile ou un vinaigre qui viendra rehausser les plats et les salades. Des aromates comme l'estragon, l'origan, le thym ou la lavande donnent d'excellents résultats.

▪ **Une huile aromatisée.** Garnissez un bocal transparent de brins ou de feuilles d'herbes fraîches, versez une huile de qualité sans odeur comme de l'huile de tournesol. Exposez le bocal dans un endroit ensoleillé pendant deux semaines. Secouez ou remuez tous les jours. Filtrez en bouteille en ajoutant un nouveau brin d'herbe pour signature. Conservez de préférence au réfrigérateur.

▪ **Un vinaigre aromatisé.** Broyez les herbes seules ou en mélange, mettez-les dans un bocal. Recouvrez d'un bon vinaigre de vin ou de cidre préalablement réchauffé. Remplissez à ras bord. Procédez ensuite comme pour une huile. Conservez au réfrigérateur.

▪ **Une huile douce.** Pour la lavande, choisissez plutôt comme base de l'huile d'amande douce, utilisée aussi pour les massages.

▪ **Conservez les feuilles de basilic** dans un bocal d'huile d'olive. Elles doivent être entièrement recouvertes. Fermez et réfrigérez. On utilise cette huile dans les plats cuisinés, les salades. Ses feuilles relèveront une sauce.

▽ UN FLACON DE SAVEURS
*Une fois l'huile imprégnée de la saveur des herbes, il n'y a plus qu'à la mettre en bouteille, ajouter quelques brins frais et fermer.*

VOIR AUSSI : Les herbes, pp. 226-227

# LE POTAGER ET LE VERGER

## UN JARDIN DE SAVEURS

Évaluer tout d'abord l'espace que vous souhaitez accorder aux légumes et aux fruits. Le mieux est souvent de regrouper ces cultures en un seul endroit, car cela simplifie beaucoup l'entretien. Dans les petits jardins modernes, le potager traditionnel bien séparé des massifs ornementaux n'est plus de mise. Rien ne s'oppose à cultiver fruits et légumes parmi les plantes d'ornements, au sein d'un massif ou d'une plate-bande, ou même en bacs. La récolte sera peut-être moins riche mais elle agrémentera quelques repas de vos légumes favoris fraîchement cueillis dans le jardin, ou, pourquoi pas, sur le bord de la fenêtre.

## POURQUOI CULTIVER DES FRUITS ET DES LÉGUMES ?

La culture des plantes ornementales porte en elle-même sa récompense. À vous de déterminer quels efforts leur consacrer. Les fruits et légumes quant à eux exigent une certaine somme de travail mais offre des résultats tangibles, pour ne pas dire comestibles. Les produits maison ont bien meilleur goût que ceux du commerce. D'abord, vous pouvez choisir des variétés pour leur goût raffiné et leur saveur.

De plus, la rapidité du délai entre la cueillette et la dégustation décuple l'apport en vitamines et enzymes.

Après le délicieux sentiment d'attente du mûrissement de chaque légume à sa saison naturelle, viendra la satisfaction de composer un repas issu de son potager. Enfin, cultiver soi-même ses légumes permet éventuellement de pratiquer la culture biologique.

### ASTUCES

- Ne cultivez pas des espèces que personne n'aime dans la famille, cela semble évident mais c'est une erreur fréquente.
- Les légumes de pleine saison coûtent peu à l'achat. Dans un petit espace, privilégiez les légumes plus rares.
- Certaines cultures, comme les petits pois ou les fraises, font toujours plaisir aux enfants.

## LE POTAGER TRADITIONNEL

Dans un potager traditionnel, ou une parcelle de terre, on cultive les légumes en rangées ou parterres bien rangés et soignés. Cela ne signifie pas que les fleurs doivent être exclues. Un jardinier avisé sait qu'elles attirent les insectes pollinisateurs, vecteurs de belles récoltes. Cultivées en bon ordre, les plantes à récolter ont aussi leur charme et séduiront tous ceux que l'aspect pratique, productif et la fiabilité rassurent. Mais cette approche vous semblera peut-être trop gourmande d'espace dans un petit jardin, si vous rêvez de plantes décoratives.

**LE POTAGER TRADITIONNEL** ▷
*Des rangées bien alignées de légumes en pleine santé, sans mauvaises herbes, sont bordées d'une ceinture aromatique violette d'herbe-aux-chats (Nepeta × faassenii) qui attire les abeilles et autres insectes pollinisateurs.*

VOIR AUSSI : L'organisation p. 236 ; La rotation des cultures, p. 237

# LE STYLE COTTAGE

Le jardin de cottage était un endroit auquel on accordait du temps, pas de l'argent. Chaque pouce de terrain était planté de fleurs et de légumes issus de semis. Bien que l'effet, lorsqu'il est bien conçu, soit celui d'un joyeux désordre il exige beaucoup de soin pour que la profusion ne se transforme pas en pagaille. Sans espace "gâché" par les persistants, ni éléments de décoration particuliers ou aménagement paysager rigoureux, c'est peut-être le style le plus charmant quand on adore bricoler au jardin au printemps et en été mais hiberner au chaud l'hiver.

### LE JARDIN DE COTTAGE ▷
*Les plumets de fenouil, bordés de panais et de fraisiers, s'intercalent entre les salvias et les roses à couper. Le tapis de paille des sentiers procure un accès propre et un emplacement pour sécher les échalotes. Les haricots et les petits pois grimpent sur des wigwams de noisetier.*

# LE POTAGER ORNEMENTAL

Aussi charmant qu'un jardin en broderie ou en parterres, le potager concilie beauté formelle et productivité en un patchwork exubérant. Un plan soigné et des plantes persistantes robustes sont essentiels pour conserver l'harmonie après les récoltes. La géométrie des plates-bandes doit être soigneusement définie et les sentiers droits, de bonne facture et esthétiques. Les bordures alternées de buis et de lavande, les lauriers et rosiers en boules sont ici des éléments-clés du décor.

### UN POTAGER EXUBÉRANT ▷
*L'allée en briques aux teintes douces et chaleureuses crée un accès facile à des plates-bandes aussi productives que géométriques. Un ruban éclatant de capucines attire les syrphes dont les larves nourriront les pucerons, épargnant ainsi les laitues dont se régalera le jardinier.*

# LES PETITS ESPACES

Les plantes cultivées en bacs vont de l'utilitaire, poivrons en sacs de culture ou même pommes de terre en sac poubelle, à l'original, wigwam de haricots grimpants dressé dans un demi-tonneau. Dans les petits espaces, exploitez toutes les ressources des pots, suspensions, jardinières pour les tomates buissonnantes, petites salades ou piments. Thym marjolaine et basilic viendront compléter cette salade d'été.

### ◁ POTAGER URBAIN
*Laitues, fraises et tomates à portée de main : le maximum de productivité dans le minimum d'espace.*

### JARDIN SUSPENDU ▷
*Des tomates en cascades partagent une suspension avec des œillets d'Inde, leurs alliées contre la mouche blanche.*

VOIR AUSSI : Les herbes aromatiques, pp. 228-231 ; Les cultures fragiles, pp. 256-257

# PRÉPARER UN POTAGER

Une infinité de plantes ornementales s'accommoderont en beauté des recoins ombreux, venteux, humides ou cailLouteux de votre jardin, mais il n'est pas question de reléguer des légumes dans ces endroits difficiles. Il leur faut soleil, abri, et une terre fertile, bien drainée. Ils peuvent de ce fait exiger la meilleure part de votre jardin. Et embellir votre potager deviendra votre objectif. Des petits carrés de légumes bien entretenus, sans mauvaises herbes, encadrés de fleurs et d'herbes aromatiques auront autant de charme qu'un massif purement décoratif. Cette formule aidera à la rotation indispensable des cultures potagères.

## ORGANISATION PRATIQUE

Si vous comptez vous approvisionner régulièrement en produits frais grâce à vos cultures, organisez votre terrain à l'avance avec un esprit pratique. Quand vous commencerez à semer et à planter, vous serez ainsi sûr de travailler dans les meilleures conditions. Les protections contre le vent, haie, barrière ou filet, peuvent créer des limites et servir de supports sur lesquels grimperont pois et haricots, sans faire d'ombre aux autres cultures. Vous aurez besoin d'une source d'eau, idéalement un robinet extérieur et peut-être aussi une citerne d'eau de pluie, et d'un lieu d'entreposage, pas seulement pour les outils mais pour tous les accessoires qu'exige le potager — bambous, film horticole, cloches, arceaux et piquets, rames à pois. Réfléchissez bien à la situation de l'abri, qui ne doit pas faire d'ombre à une bonne terre ni l'accaparer. Un silo à compost, ou mieux deux, est indispensable, sauf si vous jardinez à très petite échelle. Un accès facile au portail d'entrée, s'il existe, vous permettra de vous faire livrer en quantité le fumier et le paillis, qu'il faudra stocker quelque part. Si vous cultivez à grande échelle, réservez un emplacement pour installer un incinérateur ou faire du feu, si les règlements locaux vous y autorisent. Enfin, pour peu que vous attrapiez le virus de l'autosuffisance, une serre ne tardera pas à être indispensable, ou au moins un châssis froid (voir p. 240), prévoyez un site à cet effet.

**ARROSER EN DOUCEUR** △
*Le tuyau poreux ou microperforé est l'invention moderne la plus utile pour le jardinier. D'une part, il peut s'intégrer à un système d'arrosage automatique, d'autre part il diffuse l'eau très doucement, ce qui évite toute perturbation aux racines des jeunes plants.*

### ASTUCES

En été, vous constaterez que même un jardin modeste exige une heure d'arrosage par jour, ceci le soir pour éviter la brûlure du soleil. S'il s'agit d'un moment privilégié de votre vie de famille, l'installation d'un système d'arrosage dès la création du potager est indispensable.
Les jardineries et magasins spécialisés proposent tous les articles indispensables — tuyaux poreux, programmateurs de robinet, tuyaux avec piques et goutteurs pour les bacs — et vous donneront les conseils d'assemblage. Vous disposerez le tuyau autour des parterres et conteneurs selon l'itinéraire le plus rationnel.

## PRÉPARER LE COMPOST

La culture des légumes épuise la terre et génère une masse de déchets de jardin et de cuisine. Le compostage est la solution parfaite pour alléger la poubelle et rendre à la terre les matières végétales qui lui appartiennent, en améliorant d'année en année sa texture et sa fertilité. Vous pouvez construire vous-même votre silo à compost, mais votre commune fournit peut-être des conteneurs en plastique dans le cadre d'un programme de recyclage. Le compost demande une température adéquate pour bien se décomposer, pour cela le silo doit avoir un volume minimum de 1 m³. Pour constituer le compost, commencez par une couche de base de 15 cm de déchets végétaux puis, idéalement, ajoutez des matières organiques en couches successives de 15 cm. Mélangez les feuilles et matières molles avec des tiges et matières fibreuses dans un rapport de 1 pour 2. Alternez les couches de déchets organiques avec une pelletée ou deux de fumier dont l'azote accélère le processus. N'ajoutez de l'eau qu'en cas de sécheresse prolongée en été, recouvrez en hiver pour garder le compost chaud et actif. Le compost sera à maturité en 2-3 mois en été, un peu plus longtemps en hiver. Quand il sera grumeleux avec une bonne odeur d'humus, utilisez-le en paillis ou enfouissez-le. La plupart des déchets végétaux peuvent être compostés. Les matières ligneuses doivent d'abord être broyées ou brûlées, les cendres seront ajoutées au compost. Ne mettez que des mauvaises herbes annuelles qui ne portent pas de graines et jamais de racines de persistantes. N'ajoutez pas de restes de viande ou d'aliments qui attirent la vermine ni de litière de chat. Ne compostez jamais de plantes malades ou infestées de ravageurs.

**DÉCHETS DE TONTE** ▷
*Une bonne source de matière organique dans le compost, mais ils doivent être incorporés en fines couches ou mélangés avec des matières fibreuses plus épaisses. En couches épaisses, ils empêchent la circulation d'air et pourrissent.*

**VOIR AUSSI :** Nourrir les cultures, pp. 238-239

# DIFFÉRENTS TYPES DE PARTERRES

Si vous préférez dédier un espace spécial aux légumes plutôt que de les cultiver en conteneurs ou parmi les plantes ornementales, réfléchissez bien à son tracé. Le potager traditionnel est composé de parcelles divisées en rangées largement espacées. Ce qui facilite leur accès mais prend beaucoup de place. De plus, les piétinements répétés compactent la terre entre les rangs, ce qui est mauvais pour la structure du sol. L'autre solution sera de créer de petits parterres, séparés par des sentiers permanents à partir desquels vous pouvez travailler. À condition de maintenir le degré de fertilité du sol (*voir au verso*), vous pourrez replanter serré en carrés au lieu des rangs conventionnels. Vous augmenterez les rendements en laissant moins de place aux mauvaises herbes. Les sentiers peuvent dessiner un quadrillage formel entre des parterres carrés ou rectangulaires, se croiser en diagonales pour créer des triangles ou des diamants ou diviser un cercle en segments. Ils feront au moins 60-75 cm de large ; s'agenouiller sur les bords est fatigant et mauvais pour le dos. L'agencement en carrés s'adapte bien à la culture en non-labour ou en couche surélevée, pratique classique des jardiniers biologiques, car il augmente la rétention d'eau, facilite le drainage et crée une excellente structure de sol qui diminue les pertes d'éléments nutritifs et la levée des mauvaises herbes. Une fois les carrés préparés, ils ne nécessitent plus de bêchage et on plante au transplantoir. Quel que soit l'agencement choisi, une bonne préparation du sol (*voir pp. 142-143*) et un désherbage total sont essentiels avant de semer et planter. Les jeunes plants détestent la compétition et le désherbage perturbe leurs racines. Plus tard apparaîtront les mauvaises herbes, mieux ce sera.

## PETITES COUCHES SURÉLEVÉES

**1 PRÉPARATION**
*Un bêchage simple sur la surface du carré (voir p. 143) et une incorporation de matières organiques en profondeur garantissent de bons résultats. Formez un remblai avec la terre arable environnante et des matières organiques.*

**2 PLANTATION ET ESPACEMENTS**
*Chaque année, appliquez des matières organiques en couche épaisse en surface, inutile de bêcher. Cette augmentation conséquente de la fertilité permet de multiplier par quatre le nombre de plants, par rapport à un parterre classique.*

# PLANTER SOUS PLASTIQUE

Couvrir les planches de légumes de feuilles de plastique noir permet d'étouffer les mauvaises herbes et de réguler la température du sol. Vous sèmerez à travers des trous ou des fentes pratiqués dans le plastique, mais il faut surveiller de près et éventuellement aider les plants à sortir. Il est plus facile d'utiliser le plastique pour repiquer de jeunes plants, par exemple des godets, et de fendre le plastique en croix à l'emplacement de chaque plant. Le plastique ne laisse pas entrer la pluie, un tuyau perforé (*voir page ci-contre*) assurera un arrosage régulier. Le plastique noir s'utilise aussi pour les pommes de terre cultivées en "non-labour" (*voir à droite*).

## POMMES DE TERRE EN "NON-LABOUR"

**1 "PLANTER"**
*Dans un carré préparé en couche surélevée, posez les tubercules germés sur la terre et couvrez d'une couche de 15-20 cm de matière organique bien décomposée. L'absence de lumière empêchera les mauvaises herbes de germer.*

**2 RECOUVRIR**
*Couvrez le carré de plastique noir que vous ancrerez dans le sol en l'enterrant. Pratiquez des fentes pour le passage des pousses. Cette couverture empêche les pommes de terre de "verdir" sous l'exposition à la lumière.*

# ROTATION DES CULTURES

La rotation des cultures permet de tirer le meilleur parti des éléments nutritifs et évite la formation de maladies, mais ne vous laissez pas décourager par la complexité des rotations sur 3, 4 ou même 5 ans si souvent conseillées. Ces planifications concernent d'immenses potagers destinés à nourrir toute une famille à chaque repas tout au long de l'année, en variant les menus. Si certaines espèces ne vous intéressent pas, les oignons par exemple, ne vous inquiétez pas, la rotation peut se simplifier.

Les légumes se répartissent en familles, et quelle que soit l'espèce cultivée, vous devez la faire suivre l'année suivante d'une variété d'une famille différente. Certaines espèces doivent être cultivées avant ou après certaines autres. Les premières à cultiver sont les **légumineuses**, pois et haricots. Elles fixent l'azote qu'appréciera par la suite la famille des **brassicacées** : choux, brocolis et certains légumes-racines comme les navets. Les autres **légumes-racines** à feuillage plumeux comme les carottes ou les panais, qui préfèrent les terres plus pauvres, viennent généralement ensuite. Ils offrent à la terre le repos de deux ans recommandé avant la reprise de la rotation. Vous pouvez allonger la rotation d'un an avec ces cultures, ou les substituer à d'autres : oignons, courges, courgettes et potirons, maïs, pommes de terre ou légumes-feuilles. Ces derniers, cultivés après les pois et haricots, se régaleront de leur azote si les brassicacées ne vous tentent pas. Vous pouvez aussi les utiliser en contre-culture ou en décoration de bordures. N'hésitez pas à tenir un journal du potager pour vous rafraîchir la mémoire.

## POURQUOI

**COMMENT LES POIS ET HARICOTS FIXENT-ILS L'AZOTE ?**

Comme d'autres légumineuses dont les trèfles, leurs racines comportent de petits nodules qui leur permettent de transformer l'azote de l'air en nitrate (engrais) dans la terre, forme sous laquelle il pourra être consommé par toute plante qui suivra. C'est pourquoi vous devriez enfouir les racines des pois et haricots au lieu de les déterrer quand ils sont fanés.

**VOIR AUSSI :** La terrain, pp. 142-143 ; Les mauvaises herbes, p. 144-145 ; L'engrais, p. 239 ; Les fumures et les paillis, p. 239

# NOURRIR LES CULTURES

Le secret du succès de la production réside dans une bonne gestion de la terre d'année en année. Les cultures n'ont pas toutes les mêmes besoins en éléments nutritifs. Selon les cas, vous serez donc amenés à ajouter des éléments spécifiques à un engrais universel. Veillez à la structure de la terre et arrosez au bon moment, sinon les engrais n'auront aucune efficacité : la terre doit contenir de l'air et de l'eau pour que les racines absorbent les nutriments. Cultivées en bacs, la plupart des plantes se satisfont d'un terreau frais renouvelé chaque année et d'un engrais universel à libération lente. Mais vérifiez, comme pour les tomates, qu'elles ne demandent rien de plus.

## IDENTIFIER LE SOL

Écrasez un peu de terre entre vos doigts pour apprécier sa texture, légère ou lourde. Si vous avez beaucoup de chance, votre terre se situera entre les deux, sinon il faudra l'améliorer pour de bonnes récoltes. Vous incorporerez à la terre de la matière organique spongieuse et fibreuse, animale ou végétale. Ainsi une terre lourde livrera plus rapidement aux plantes l'eau et les éléments nutritifs. Une terre légère les conservera plus longtemps. Ne manquez jamais une occasion de restituer à la terre du potager les matières organiques – fumier, paillis, terreau de feuilles et même le terreau de rempotage épuisé, si les plantes qu'il contenait étaient saines.

Une terre sableuse est granuleuse au toucher et ne s'agglomère pas

**SOL SABLEUX** △

*Les sols légers sableux sont à base de particules de roche entre lesquelles l'eau et ses éléments nutritifs sont drainés beaucoup trop vite (pensez à une plage quand la mer se retire). Dans les zones d'estuaire, on trouve parfois un sable de rivière soyeux qui retient bien l'humidité.*

Une terre argileuse forme une boule plus ou moins malléable qui garde sa forme quand on la presse

**SOL ARGILEUX** △

*Les sols argileux sont collants, lourds et froids par temps humide, et s'agrègent en mottes dures comme des cailloux quand elles sèchent. Les vers de terre sont de bons alliés car ils creusent entre les mottes, les émiettent et laissent des matières organiques dans leur sillage.*

## ACIDITÉ ET ALCALINITÉ DU SOL

La plupart des végétaux préfèrent un sol au pH neutre ou légèrement acide (*voir ci-dessous et à droite*). Les brassicacées sont l'exception : elles aiment les sols alcalins qui en plus les protègent de la hernie du chou. Pour les autres cultures, vous devrez neutraliser une terre alcaline (crayeuse ou calcaire), par un apport régulier de fumier acide de ferme ou d'écurie. Si votre sol est très acide, ou même modérément acide à neutre, vous ajouterez de la chaux (*voir à droite*) pour la culture des brassicacées.

### POURQUOI

#### POURQUOI LE pH EST-IL IMPORTANT ?

Le pH modifie la solubilité des minéraux, donc leur apport aux plantes. Un sol alcalin peut présenter des carences en manganèse, bore et phosphates, un sol acide manquer de phosphates et contenir trop d'aluminium et de manganèse. Le pH influe aussi sur les maladies et ravageurs de terre : la hernie du chou aime les sols acides, la galle de la pomme de terre préfère les sols alcalins.

## CHAULER

Pour votre sécurité, préférez le carbonate de calcium, moins caustique que la chaux éteinte. Pour neutraliser un sol légèrement acide, utilisez du compost de champignon en paillis, il contient des particules de craie. Chaulez le plus longtemps possible avant de planter, jamais moins d'un mois avant. Évitez le contact avec les plantes. N'appliquez jamais un amendement calcaire en même temps que du fumier, la réaction entre les deux dissout l'azote en gaz. Si les deux sont nécessaires, alternez d'une année sur l'autre.

**KIT DE MESURE DE pH** ▷

*L'acidité ou l'alcalinité d'un sol se mesure selon une échelle de 1 à 14 : en dessous de 7, il est acide, à 7 neutre, au-dessus de 7 alcalin. Vous pouvez acheter un kit pour le mesurer, un tableau des couleurs vous fournira une conversion chiffrée.*

Une teinte jaune ou orange après le dépôt indique un sol acide

Mélangez vigoureusement une petite quantité de terre avec la solution chimique, laissez reposer

Un vert brillant indique un sol neutre

Un vert olive foncé indique un sol alcalin

◁ **CHAULER**

*Choisissez un jour sans vent, portez des gants et des lunettes protectrices. Épandez à la bêche en surface. Ratissez, puis enfouissez à la fourche. Ne dépassez pas les doses recommandées, cela pourrait entraîner des carences en éléments minéraux et nuire à la croissance des plantes.*

**VOIR AUSSI :** Les terrains, p. 142

# FUMURE ET PAILLIS

Le fumier est un amendement idéal pour le potager. Bien qu'assez faible en éléments nutritifs, il fait des merveilles pour la texture du sol. Il existe deux méthodes d'application. La méthode traditionnelle consiste à l'enfouir chaque automne, le printemps étant trop tardif pour les cultures qui n'apprécient pas un sol fraîchement fumé. (Les pommes de terre sont l'exception et une aubaine en première culture si vous n'avez pas eu le temps de préparer votre carré.) Au printemps et en été, une fois le sol chaud et humide, appliquez un paillis organique (compost de jardin ou terreau de feuilles) autour des plants pour limiter la levée des mauvaises herbes, conserver l'humidité et réguler la température du sol. Bannissez les copeaux ou l'écorce de moins de deux ans de décomposition qui appauvriraient la terre en azote. Paillez après un arrosage généreux, au moment de la plantation ou quand les plantules font au moins 5 cm. Épandez une couche de 2,5-7 cm d'épaisseur, en évitant le collet des plantes.

Si vous cultivez en couches surélevées ou en non-labour, incorporez le fumier en une seule fois lors de la préparation initiale en automne. Les années suivantes, appliquez-le en paillis de surface au printemps. Les vers et autres résidents s'y introduiront pendant la saison de croissance. Quelle que soit la méthode utilisée, le fumier doit être bien décomposé sous peine de griller les plantes. Ajoutez au moins deux arrosoirs de 9 l par m², à la différence des engrais vous n'arroserez jamais trop.

**APPORT DE FUMIER** △
*Toutes les cultures, fruits et légumes, apprécient un apport de crottin ou de fumier de ferme bien décomposé. En paillis, veillez à ne pas étouffer les plantules et à ne pas le mettre en contact avec les tiges des plants plus âgés.*

# APPORT D'ENGRAIS

En résumé, les plantes tirent du sol trois éléments essentiels à leur croissance : l'azote (symbole chimique N) pour les feuilles, le phosphore (P) pour les fruits et fleurs, le potassium (K) pour les racines. Seules les légumineuses comme les pois restituent de l'azote à la terre, le jardinier doit donc reconstituer les réserves avec des engrais. Les NPK ne se manient pas à l'état naturel (par exemple, l'azote est un gaz) mais en composés plus pratiques d'emploi et plus faciles à absorber par les plantes, par exemple les nitrates pour l'azote, les phosphates pour le phosphore, la potasse pour le potassium. Un engrais universel, appliqué au printemps (selon les doses prescrites, le dépassement est nocif), constitue un apport équilibré en NPK mais certaines plantes ont besoin d'un dosage particulier, comme les tomates qui demandent beaucoup de potasse pour bien fructifier. Au printemps, donnez un coup de fouet à vos plantes avec un engrais riche en azote, mais pas plus tard (sauf s'il s'agit de légumes feuilles) car les feuilles se développeraient aux dépens des parties comestibles. D'autres éléments sont nécessaires, en plus petites quantités : calcium, magnésium, soufre et en "traces", les oligo-éléments : fer, manganèse, molybdène, bore. Une bonne terre régulièrement enrichie de matières organiques en contient suffisamment. Toute carence présente des symptômes spécifiques (*voir pp. 269-309*), une fois identifiés, utilisez-le remède approprié : borax pour le bore,

## COUVERTURE TEMPORAIRE

Au fil des saisons, le potager présentera forcément des trous, ce qui est une bonne chose pour permettre au sol de récupérer. Mais vous pouvez aussi en profiter pour l'améliorer en stoppant la colonisation des mauvaises herbes. Soit vous épandrez du fumier que vous recouvrirez d'une bâche de polyéthylène et les vers feront leur travail ; soit vous installerez une culture de couverture qui aura le même résultat. On trouve de plus en plus facilement des "Engrais verts" sous forme de graines, simples à utiliser. Des annuelles comme la moutarde et les phacélies pour l'été, et l'ivraie pour l'hiver font d'excellents engrais verts.

**TENEUR DES ENGRAIS EN ÉLÉMENTS MINÉRAUX**

Les engrais organiques volumineux contiennent peu d'éléments nutritifs au kilo mais ils sont riches en oligo-éléments, favorisent l'enrichissement en améliorant la structure du sol et augmentent sa capacité de rétention d'eau et de minéraux. L'apport en minéraux par des engrais concentrés ou à libération lente est fonction du pH, de la chaleur et de l'humidité.

| | % AZOTE | % PHOSPHATE | % POTASSE |
|---|---|---|---|
| **ENGRAIS ORGANIQUES** | | | |
| FUMIER ANIMAL | 0,6 | 0,1 | 0,5 |
| COMPOST DE JARDIN | 0,5 | 0,3 | 0,8 |
| POUDRE D'OS | 3,5 | 20 | - |
| POUDRE DE POISSON, DE SANG ET D'OS | 3,5 | 8 | - |
| CORNE TORRÉFIÉE | 13 | - | - |
| POUDRE D'ALGUES | 2,8 | 0,2 | 2,5 |
| COMPOST DE CHAMPIGNON | 0,7 | 0,3 | 0,3 |
| POUDRE DE ROCHES RICHES EN POTASSE | 5 | 8 | 10 |
| POUDRE DE ROCHES RICHES EN PHOSPHATE | - | 26 | 12 |
| CENDRES DE BOIS | 0,1 | 0,3 | 1 |
| COQUES DE CACAO | 3 | 1 | 3,2 |
| **ENGRAIS MINÉRAUX SIMPLES** | | | |
| ENGRAIS UNIVERSEL | 7 | 7 | 7 |
| NITRATE D'AMMONIUM | 35 | - | - |
| SUPERPHOSPHATE TRIPLE | - | 42 | - |
| CHLORURE DE POTASSIUM | - | - | 60 |
| SULFATE DE POTASSIUM | - | - | 49 |

Sequestrone pour le fer. Pensez que si la terre se dessèche, les plantes ne pourront rien en tirer. Elles n'apprécient pas plus les arrosages sporadiques. Arrosez généreusement et régulièrement dès les premiers signes d'assèchement.

△ **LA MOUTARDE EN ENGRAIS VERT**
*Semez à la volée. Quelques semaines plus tard, quand les plants ont 15-20 cm, coupez-les à la bêche et laissez-les faner. Creusez une série de tranchées superficielles, poussez l'engrais vert dedans et recouvrez de terre.*

**VOIR AUSSI :** Le terrain, pp. 142-143 ; Les paillis, p. 152 ; Les annuelles et les bisannuelles, p. 163

# PROTÉGER LES CULTURES

Si par chance votre jardin jouit d'un climat chaud, la protection des cultures n'est pas une priorité. Par contre, sous les climats plus frais, il existe une série de techniques astucieuses pour allonger la saison de production. Cela va du contrôle total de l'environnement au sein d'une serre, permettant des cultures toute l'année, jusqu'aux cloches, idéales pour une protection individuelle de la plante. Les cloches et les films en plastique sont une bonne protection contre les oiseaux et insectes ravageurs. Tous ces moyens de protection directe contribuent également à améliorer les conditions de température ou d'humidité du sol avant semis.

## CLOCHES ET TUNNELS

Une simple couverture au sol permet d'allonger la saison de culture, avant et après. Elle réchauffe la terre avant les semis et lui évite d'être trop humide pour semer. Elle protège les jeunes plantes fragiles dans les climats frais et favorise leur établissement en pleine terre. Les cultures dont les parties comestibles ne nécessitent pas un plein soleil direct pour mûrir (la plupart des légumes verts et à racine comestible) seront portées à maturité sous protection s'il y a trop de ravageurs. Adultes, ils n'en ont plus besoin. Vous pourrez récupérer la protection pour des salades tardives.

### ASTUCES

• Les tunnels vendus dans le commerce sont esthétiques mais chers. Confectionnez-les vous-même avec du film horticole et des arceaux à base de gros fil de fer ou de tuyaux de récupération. N'oubliez pas de boucher les extrémités pour éviter les courants d'air froid.

• Fabriquez des cloches individuelles en découpant des bouteilles en plastique de 2 l ou plus.

• Les protections en plastique ou en verre sont imperméables à la pluie. Pour l'arrosage, installez un tuyau perforé le long des plants (*voir p. 236*).

## CHÂSSIS FROIDS

Compléments d'une serre, pratiques dans un petit jardin, ce sont de vraies mini-serres surtout s'ils sont équipés de câbles chauffants pour la terre. Parfaits pour les jeunes plants rustiques ou pour l'endurcissement de plantules démarrées sous serre ou sur un rebord de fenêtre. Châssis fixes ou mobiles, le couvercle doit être amovible ou relevable pour la ventilation.

△ **CHÂSSIS FROID FIXE**
*Ici l'ouvrant coulissant permet la ventilation. Son inconvénient : ouvert, il ne protège pas d'une pluie violente. Un relevable, entrouvert avec une cale, garantit la ventilation et protège de la pluie.*

◁ **TUNNEL SOUPLE**
*Simplement composé d'arceaux métalliques ou en plastique et d'un film horticole fixé en terre avec des piquets et noué à chaque extrémité.*

**TUNNEL DE PLASTIQUE** ▷
*Du plastique ondulé maintenu par un cadre de métal ou de plastique. Ici, il est ouvert pour la ventilation, mais on peut boucher les extrémités par des plaques de verre.*

◁ **FILM FLOTTANT**
*Placez les briques de sorte que le film se distende au fur et à mesure de la pousse. Il protège aussi des insectes et des oiseaux. Le non-tissé laisse passer la lumière et la pluie.*

**CLOCHE INDIVIDUELLE** ▷
*Une bouteille en plastique coupée protège les petites plantes en début de croissance.*

△ **CHÂSSIS MOBILE**
*L'avantage est de pouvoir le poser directement au sol, dans le carré de légumes. Il protège les cultures fragiles en attendant qu'elles s'établissent et que le temps soit assez chaud pour les découvrir.*

VOIR AUSSI : Comment obtenir le meilleur de son jardin, pp. 274-287

# SERRES

Une serre bien aménagée offre la meilleure des solutions. Non chauffée, elle allonge la période de culture jusqu'à deux mois. Protégées et bien éclairées, les graines seront semées plus tôt. Si elle est équipée d'un système de chauffage, on peut cultiver toute l'année. Installez la serre sur un site abrité qui ne soit pas ombragé par un bâtiment ou des arbres. Prévoyez un accès facile à une source d'eau pure.

Dans les régions fraîches aux étés courts, les légumes fragiles donnent de meilleurs résultats sous abri. Sur un sol en dur, les cultures se feront en conteneurs ou en sacs de culture. Cela évite l'inconvénient majeur des plates-bandes de terre, à savoir la présence de ravageurs et de résidus d'engrais, surtout si vous cultivez les mêmes espèces d'année en année. Pensez à cultiver en pots les plantes à port bas. Il sera ainsi plus facile de dégager les tablettes pour les plantules en début d'année. Laissez assez d'espace au sol pour les plantes hautes comme les tomates ou les concombres.

## INTÉRIEUR D'UNE SERRE

Un environnement adapté aux besoins des plantes fait aussi le bonheur des maladies et des ravageurs. Pièges, vaporisations et contrôles biologiques sont cependant plus efficaces en milieu clos.

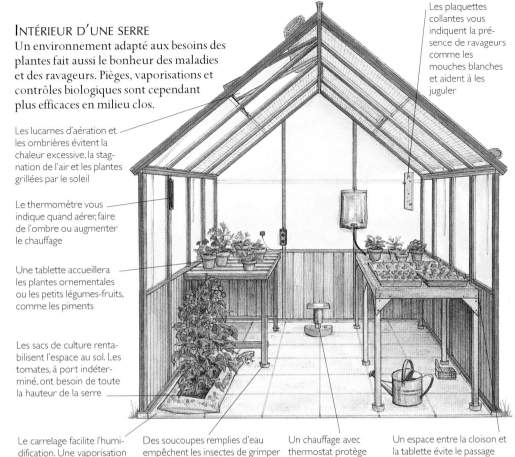

Les plaquettes collantes vous indiquent la présence de ravageurs comme les mouches blanches et aident à les juguler

Les lucarnes d'aération et les ombrières évitent la chaleur excessive, la stagnation de l'air et les plantes grillées par le soleil

Le thermomètre vous indique quand aérer, faire de l'ombre ou augmenter le chauffage

Une tablette accueillera les plantes ornementales ou les petits légumes-fruits, comme les piments

Les sacs de culture rentabilisent l'espace au sol. Les tomates, à port indéterminé, ont besoin de toute la hauteur de la serre

Le carrelage facilite l'humidification. Une vaporisation évite les excès de chaleur

Des soucoupes remplies d'eau empêchent les insectes de grimper le long des pieds de la tablette

Un chauffage avec thermostat protège la serre des gelées

Un espace entre la cloison et la tablette évite le passage des insectes de l'une à l'autre

# PRÉVENIR LES PROBLÈMES

De bonnes pratiques de jardinage, comme la rotation des cultures et l'élimination des débris, évitent bien des problèmes dans le potager. Mais cela ne doit pas faire oublier l'utilité des barrières physiques entre les plantes et les ravageurs. Un résultat optimal est une question de stratégie. Avec un peu de vigilance, vous empêcherez les nuisibles de faire trop de dégâts et de proliférer. La première tactique préventive consiste à évaluer les problèmes qui risquent de se présenter (par exemple, un été humide a plus de chances de générer des ravageurs qu'un été sec) et à prendre des précautions sans attendre : pièges, filets de protection et répulsifs (voir aussi p. 294). Les jardiniers bio utilisent souvent des plantes compagnes qui attirent les ravageurs et protègent ainsi les cultures voisines.

En associant ces mesures avec des contrôles biologiques, particulièrement efficaces en serre, et l'utilisation de cultivars résistants à des attaques spécifiques,

vous aurez beaucoup moins besoin de recourir à des produits chimiques. S'ils sont inévitables, essayez de les vaporiser tard le soir ou choisissez des produits spécialisés qui épargneront vos alliés, les prédateurs naturels.

△ **PRÉVENTION (MOUCHE DE LA CAROTTE)**
*Un filet à maille fine, haut de 60-90 cm, est une barrière efficace contre la mouche de la carotte. Les mouches adultes volent au niveau du sol. En se heurtant au filet, elles s'élèvent et s'écartent, puis sont emportées par le vent.*

## PROBLÈMES POTENTIELS

Pour en savoir plus sur les problèmes qui peuvent se poser sur des cultures particulières, voir pp. 294-311 :

**Aubergines :** pucerons, chenilles ▦ **Betteraves :** oiseaux, vers gris, pucerons, maladie des taches foliaires, carence en bore ▦ **Brassicacées :** chenilles, mouche du chou ▦ **Carottes :** mouche de la carotte, pucerons, rhizoctone violet, carence en bore ▦ **Concombres :** viroses ▦ **Courges, courgettes et potirons :** limaces, viroses ▦ **Épinards :** oiseaux, maladies des taches foliaires, mildiou ▦ **Haricots :** limaces, mouches des semis du haricot, pucerons des racines (pucerons noirs), anthracnose, pourritures du collet et des racines, taches foliaires d'origine bactérienne, viroses ▦ **Laitue :** pucerons verts et pucerons des racines, vers gris, limaces, larves de tipules, botrytis, mosaïque de la laitue, mildiou à taches blanches, carence en bore ▦ **Maïs :** souris, limaces, oiseaux ▦ **Oignons, échalote, ail :** mouches de l'oignon, mouches des semis du haricot, pourritures, mildiou ▦ **Panais :** mineuses des feuilles de céleri (voir mineuses des feuilles), pucerons des racines, mouche de la carotte, galle des navets, carence en bore ▦ **Poireaux :** nématodes, mouche de l'oignon, rouille, pourriture blanche de l'oignon ▦ **Pois :** oiseaux, tordeuse du pois, souris, thrips du pois ▦ **Poivrons :** pucerons, chenilles ▦ **Pommes de terre :** vers gris, nématodes dorés de la pomme de terre, myriapodes, limaces, rhizoctone violet (voir pourritures du collet et des racines), mildiou de la pomme de terre, taupins, galle commune ▦ **Tomates :** viroses, mildiou de la tomate, carence en magnésium, carence en calcium, carence en bore ▦ **Les cultures en serre** peuvent aussi être sujettes à : araignées rouges, mildiou, pourriture grise, mouches blanches, cochenilles farineuses, thrips.

VOIR AUSSI : Semer, pp. 244-245 ; Les cultures fragiles, pp. 256-257

# SEMER ET PLANTER EN EXTÉRIEUR

Toutes les cultures dont les graines peuvent germer dehors seront semées à leur place définitive. Selon de type de plante, vous semez sans parcimonie les graines en ligne dans les sillons, puis éclaircissez les jeunes plants, ou vous espacez des graines plus grosses pour avoir une plante à l'emplacement de chacune. Si quelques-unes ne germent pas, vous rajoute-rez de jeunes plants qui combleront les trous. La plupart des semis se font au printemps, après les dernières gelées, mais surtout quand la terre a eu le temps de se réchauffer de quelques degrés et de se dessécher légèrement. Après un hiver humide, une couverture de film horticole ou de polyéthylène vous permettra d'accélérer le processus.

## ACHETER DES GRAINES DE LÉGUMES

La plupart des légumes se cueillent avant leur floraison, la récolte de graines est donc impossible, sauf pour les pois et les haricots. Feuilleter un catalogue est la seule activité de jardinage qui se fasse dans un fauteuil. L'achat de graines chez un fournisseur réputé, par correspondance ou dans une jardinerie, vous garantira leur conformité aux normes de viabilité et de pureté de l'espèce. Vous serez sûr qu'elles ont été conservées dans les conditions requises, fraîcheur et sécheresse, au moins jusqu'au point de vente. Dans les jardineries, vérifiez toujours la date limite de vente, car la capacité de germination diminue avec le temps ou quand les graines sont stockées à une température trop élevée. Regardez sur le paquet si vous pouvez les semer à l'extérieur dans votre région (*sinon, voyez les protections possibles pp. 240-241*). Respectez les instructions, surtout les dates et températures exigées pour les premiers semis. La cause d'une germination avortée est souvent un sol trop froid.

### QUEL TYPE DE GRAINES ?

Les graines non traitées sont les moins chères, préférables aussi si vous cultivez biologiquement. Si vous êtes en retard sur la période de semis, les graines "préparées" germent vite. Les graines enrobées sont faciles à manier, et les graines enveloppées ou poudrées sont recommandées si vos plantules sont souvent détruites par les ravageurs ou les maladies.

Graines de navets non traitées ou naturelles, simplement nettoyées et séchées après récolte

Vous pouvez récolter vos propres graines de pois et de haricots, ici pois ridés

Les graines de carottes préparées sont prégermées pour accélérer la germination

Les graines de betterave sont agglomérées et produisent une touffe de plantules

Les mini graines enrobées sont faciles à manier. Ici, navet

Graines de panais enrobées, l'enveloppe d'argile associe parfois fongicide et insecticide

Graines de chou enveloppées, l'enveloppe protège contre les maladies fongiques

Les graines de chou-fleur enveloppées de chou-fleur sont traitées avec un fongicide

Graines de carottes enveloppées. Lavez-vous les mains après avoir manipulé des graines enveloppées ou poudrées

Les graines poudrées, ici des pois, sont pulvérisées avec une poudre fongicide

## PRÉPARER LE CARRÉ POTAGER

Les semences ont besoin d'une terre fine, friable, qui retienne l'humidité et l'oxygène afin de préparer et de ramollir l'enveloppe de la graine pour la germination. Si possible, faites tous vos travaux de préparation de la terre, bêchage, fertilisation, etc., pendant l'automne ou au pire en fin d'hiver. Dans les régions froides, le dégel finira votre travail en ameublissant encore les mottes de terre.

Au printemps, en vue des semis, retournez légèrement la terre à la fourche et éliminez toutes les mauvaises herbes qui ont germé pendant l'hiver, surtout les vivaces. Elles sont faciles à déraciner quand elles sont encore petites. Appliquez un engrais composé ; si un chaulage est nécessaire (*voir p. 238*), pratiquez-le au moins un mois avant les semis.

Juste avant de semer, choisissez un jour où le sol n'est ni trop humide ni trop desséché et ratissez pour avoir une terre meuble, finement émiettée. Les graines pénétreront ainsi à une profondeur homogène. Cela garantit aussi un bon contact avec la terre et l'humidité nécessaire à la croissance.

### ASTUCES

• Essayez la technique du faux semis. Préparez le sol quinze jours avant de semer et laissez pousser les mauvaises herbes. Juste avant de semer, binez en surface ou, par temps sec, appliquez un désherbant de contact. Les cultures de surface ramènent très peu de graines de mauvaises herbes au jour, les graines de légumes prendront un bon départ.
• Si vous avez utilisé des cloches ou du polyéthylène pour réchauffer le sol, rappelez-vous que cela a aussi bloqué la pluie. Vous devrez peut-être arroser les semis si le sol est très desséché (*voir ci-contre*).

VOIR AUSSI : Le terrain, pp. 142-143 ; La chaux, p. 238 ; Protéger les cultures p. 240 ; Semer p. 244

# SEMER EN SILLONS

Même si les grosses graines sont semées individuellement, les graines des légumes sont toujours semées en sillons de profondeurs diverses, soit à leur place définitive, soit en pépinière avant transplantation. Les brassicacées, qui demandent un an pour pousser, sont souvent semées en pépinière. Cultivez les très serrées en terrine quand elles sont jeunes avant de les replanter à la place d'une espèce récoltée. Si votre préférence va aux carrés plutôt qu'aux rangées, il vous suffira de rapprocher les sillons. Vous distinguerez ainsi immédiatement les plants naissants des mauvaises herbes.

En général, plus les graines sont petites, moins le sillon est profond. Les emballages de graines indiquent la profondeur. S'ils laissent une marge, par ex. 1-2 cm pour des laitues, la profondeur la plus grande correspond aux sols légers et la plus petite aux sols lourds.

On sème la plupart des légumes dans des sillons étroits, les plus larges sont destinés aux cultures comme les pois, pour des rangées larges et denses, ou aux carottes précoces et aux cultures remontantes écoltées avant maturité. Au fur et à mesure de la récolte, vous libérez de l'espace pour ceux qui restent.

## SEMER EN SILLONS LARGES

  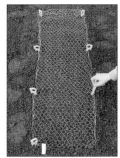

**1 MARQUER** Marquez des lignes parallèles, de 15-23 cm de large, à la profondeur requise, avec un cordeau et des piquets. Tirez la binette vers vous régulièrement, le fer toujours à la même profondeur, en exerçant une pression légère et homogène.

**2 SEMER** Espacez les grosses graines à la distance requise pour une récolte individuelle, ou répartissez les petites graines, au fond du sillon. Ne semez pas trop serré, sinon les plantules s'étoufferaient et risqueraient de pourrir ou bien elles végèteraient.

**3 RECOUVRIR DE TERRE** En veillant à ne pas déplacer les graines, recouvrez-les de terre à la binette, ou au râteau, ou en poussant délicatement la terre sur les graines avec le pied. Arrosez bien, avec un arrosoir ou un tuyau à jet fin.

**4 PROTÉGER** Tendez un filet grillagé au-dessus du rang pour protéger les graines des oiseaux, ou des animaux qui creusent, comme les souris. Enlevez le filet après la germination, avant que les plants ne commencent à passer à travers les mailles.

## SEMER EN LIGNES (LA PLUPART DES LÉGUMES)

 **1 MARQUER** Marquez la ligne avec un cordeau et des piquets. Avec un angle de binette ou un transplantoir, creusez une petite ligne régulière à la profondeur requise.

 **2 SEMER** Espacez ou répartissez régulièrement les graines au fond du sillon. Recouvrez de terre en évitant soigneusement de déplacer les graines et arrosez abondamment.

# SOL SEC OU SOL HUMIDE

Avant de semer dans un sol humide, épandez du sable ou de la vermiculite au fond du sillon. Pour les sillons profonds, semez de l'allée voisine, sinon posez une planche pour ne pas tasser la terre. Si le sol est sec, arrosez, tassez un peu les graines dans le sol humide avant de recouvrir.

 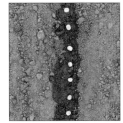

△ **SOL HUMIDE** Dans un sol lourd ou mal drainé, épandez une couche de sable. Tenez-vous sur une planche pour ne pas tasser la terre.

△ **SOL SEC** Mouillez le fond du sillon avant de semer. Utilisez de l'eau courante et non de pluie. Semez et recouvrez de terre.

# ÉCLAIRCIR ET TRANSPLANTER

Éclaircir les plantules évite l'étouffement. Pour obtenir le bon espacement, procédez par étapes en tenant compte des pertes. Dégagez seulement chaque plant de ses voisins. Transplantez les cultures démarrées en pépinière, poireaux ou brassicacées, le plus tôt possible pour qu'elles reprennent vite.

 ◁ **ÉCLAIRCIR** Quand les graines ont germé, pincez les plants encore petits à la base de la tige, entre le pouce et l'index. Ainsi vous ne dérangerez pas les racines voisines.

 ◁ **DÉPLANTER** Soulevez les plants avec le plus de terre possible autour des racines. Mettez-les dans un sac en plastique propre qui conserve l'humidité, transportez en caissette de semis pour ne pas les abîmer.

**REPIQUER** ▷ Repiquez à la distance requise, les feuilles inférieures au ras du sol. Une tige trop haute ne supporterait pas le poids de la plante adulte.

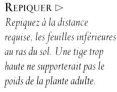

 Tassez délicatement la terre du bout des doigts autour de la jeune tige fragile

VOIR AUSSI : Les ravageurs, p. 241 ; Les légumes, pp. 246-257

# SEMER EN CONTENEURS

Si la température extérieure est trop basse pour la germination, pratiquez les semis sous abri en pots ou en terrines. Il peut s'agir d'avancer des légumes rustiques, surtout par un printemps froid, ou bien de cultiver des espèces qui ont besoin pour germer d'une saison de croissance plus longue que ne l'offre votre climat et de les amener à maturité en extérieur, comme le maïs dans les régions froides. Vous pouvez aussi avoir envie de cultures sous serre, des poivrons par exemple, à replanter dehors. Que vous ayez une serre chauffée ou une mini-serre, la culture à partir de graines vous offre un choix de variétés infiniment plus important que les plants du commerce.

## SEMER EN INTÉRIEUR OU SOUS ABRI VITRÉ

Il existe plusieurs types de conteneurs pour semer sous abri.

■ Les pots et godets sont adaptés à un petit nombre de plantules, aux graines coûteuses vendues en petites quantités et à la plantation individuelle des grosses graines.

■ Les caissettes compartimentées demandent moins de terreau que les terrines ou les pots. Utilisez-les pour semer directement ou pour repiquer des plantules germées en terrines ou en pots. Dans chaque alvéole, les plantules forment une motte compacte de racines qui ne souffre pas de la transplantation. Les racines continueront de se développer si les conditions ne permettent pas de replanter au moment optimal. On peut semer les graines enrobées à l'unité dans les alvéoles et semer les autres par 2-3 puis les dédoubler ou les éclaircir plus tard pour ne garder que les plus robustes.

Quand les plantules ont germé, conservez un degré d'humidité constant mais sans excès et placez-les à la lumière, mais abritées d'un soleil violent qui les grillerait ou les tuerait.

**1 PRÉPARER LA TERRINE**
*Remplissez la terrine de terreau de semis, sans aplatir la terre. Tapotez la terrine pour éliminer les poches d'air et nivelez avec une planche. Tassez doucement pour que la surface arrive à 1 cm en dessous du bord.*

**2 SEMER CLAIRSEMÉ**
*Disséminez les graines sur la terre, régulièrement et clairsemées. Couvrez de terreau tamisé. Arrosez avec une pomme fine ou en plongeant le fond dans l'eau, jusqu'à ce que la terre soit humidifiée en surface.*

**3 COUVRIR LA TERRINE**
*Laissez égoutter et couvrez la terrine d'une plaque de verre ou de plastique, ou placez-la dans une serre de multiplication. Découvrez à la germination. Mettez les plantules à la lumière et repiquez-les quand elles présentent 3 à 4 feuilles.*

SEMER EN TERRINES

---

## ASTUCES

• Quand vous semez en conteneurs, vous obtenez toujours plus de plantules que nécessaire. Créez un vrai club d'échange avec des amis jardiniers, les membres diversifieront leurs cultures pour un minimum de coût et d'effort.

• Après la germination, les plantules doivent être gardées à une température plus basse, dans un endroit protégé, éclairé et bien aéré. Si un rebord de fenêtre de cuisine convient aux graines en germination, les plantules en croissance auront trop chaud et étoufferont. Transférez-les dans une pièce plus fraîche.

△ **SEMIS DISPERSÉ EN POTS**
*Méthode idéale si l'on veut peu de plantules ou pour les graines à germination inégale. Remplissez un pot de terreau de semis, tapotez pour éliminer les poches d'air, tassez délicatement la surface. Semez clair, régulièrement, sur la surface du terreau. Recouvrez les graines de leur propre épaisseur de terreau tamisé. Arrosez, étiquetez et couvrez d'une vitre ou placez le pot dans une serre de multiplication.*

△ **SEMIS DE GRANDES GRAINES**
*Pour les grandes graines, comme les courges, courgettes et concombres, placez une ou deux graines dans un pot de 5-9 cm. À la germination, vous pincerez la plus faible des plantules. Remplissez le pot de terreau de semis jusqu'à 2,5 cm du bord. Enfoncez les graines et recouvrez-les d'environ 2 cm de terreau de semis. Arrosez, étiquetez et placez dans une serre de multiplication.*

VOIR AUSSI : Nourrir les cultures pp. 238-239 ; Les serres p. 241

# REPIQUER

Les plantules doivent être repiquées dès l'apparition des premières feuilles ; trop serrées, elles risquent la fonte des semis (*voir p. 300*) et une croissance médiocre. N'attendez pas : si les racines poussent assez pour s'entremêler, il sera difficile de repiquer les plantules sans les abîmer.

## REPIQUER LES PLANTULES

**1 DÉPIQUER LES PLANTULES**
*Tapotez la terrine sur une surface dure pour ameublir le compost. Ne maniez les plantules que par les cotylédons, les tiges sont très fragiles. Séparez avec un déplantoir, en gardant le maximum de terre autour des racines.*

**2 REPLANTER**
*Repiquez au bon espacement dans du terreau de rempotage en terrine, ou comme ici en caissette compartimentée. Repiquez une plantule par compartiment. Tassez la terre très délicatement autour de la tige.*

# ACCLIMATER

Les plants semés dans un environnement chaud et protégé doivent être endurcis progressivement avant d'être replantés à l'extérieur, l'écart de température créerait un choc trop brutal. Idéalement, transférez-les en châssis froid, augmentez peu à peu l'ouverture sur une période de 7 à 10 jours. Suivez les prévisions météo : en cas de menace de gel, fermez le couvercle et posez une isolation provisoire. Autrement, placez-les dehors dans un endroit abrité, un peu plus longtemps chaque jour.

# TRANSPLANTER LES SEMIS EN POTS

Quand les racines remplissent presque tout le pot, les plants sont prêts à être endurcis et transplantés en terre. Avant l'opération, arrosez copieusement les plants en pots ou en modules et laissez-les égoutter. Les plants se dépoteront facilement avec toute la motte de racines.

◁ **PLANTER DEHORS**
*Creusez un trou au transplantoir, un peu plus profond que la hauteur du pot. Cela permet à la motte de racines de ne pas se dessécher. Tassez la terre et arrosez bien.*

# SEMER EN CAISSETTES COMPARTIMENTÉES

Les semis en compartiments produisent des plants de bonne qualité qui reprennent bien car on peut les replanter sans abîmer les racines. On peut semer directement dans les godets ou y repiquer les plantules.

En semis, placez 2-3 graines dans chaque godet et ne gardez que la plantule la plus robuste après germination. Autrement, utilisez la technique du semis en poquets (*voir ci-dessous*).

## CULTIVER EN CAISSETTES

**1 CULTIVER LES PLANTULES EN GODETS**
*Emplissez les godets de terreau de semis et faites un trou de 5 mm de profondeur dans chaque godet. Semez une ou deux graines par trou. Couvrez de terreau tamisé, étiquetez (variété et date) et arrosez avec une pomme fine.*

**2 REPIQUER**
*Sortez chaque plant de son godet en poussant avec un bâton à travers le trou du fond. Préparez un trou à la taille des racines. Placez-y le plant, les feuilles inférieures au ras du sol. Arrosez bien.*

# SEMIS EN POQUETS

Méthode parfaite pour les poireaux, oignons, navets et betteraves, elle fournit de délicieux jeunes légumes. Emplissez une caissette compartimentée de terreau de rempotage humide. Semez 3-5 graines par godet, couvrez de leur propre hauteur de terreau, étiquetez, arrosez. Placez la caissette dans un endroit sec et chaud. Les graines lèveront au bout de 5-7 jours.

◁ **REPIQUER**
*Après germination, endurcissez. Quand deux feuilles sont formées, repiquez au bon espacement.*

▷ **RÉCOLTER**
*Les plantules non éclaircies forment une touffe de petits légumes, ici un bouquet de "bébés" navets.*

VOIR AUSSI : Protéger les cultures, p.240

# POIS ET HARICOTS

Les légumes de ce groupe, aussi appelés légumineuses, sont cultivés pour leurs gousses. Certaines sont cuisinées et dégustées entières ; des autres on extrait les graines à consommer cuites ou crues. La plupart de ces graines peuvent être congelées, d'autres séchées. Les légumes à gousses sont aussi décoratifs que savoureux. Les haricots d'Espagne à fleurs rouges agrémentent un jardin champêtre et les grimpants peuvent être palissés en wigwam ou en écran. Rappelez-vous que les pois et haricots enrichissent le sol en azote, idéal pour la culture des différents choux. Après la récolte, enfouissez les plants en terre, ou déterrez-les pour en faire du compost.

## HARICOTS

On sème les haricots du milieu du printemps à l'été et on récolte de l'été au début de l'automne. Une rangée de 3 m ou un carré d'1 m² produiront environ 4 kg de gousses. À partir de la mi-printemps, vous pouvez semer en extérieur, acheter de jeunes plants ou cultiver les vôtres. Il existe des variétés naines (buissonnantes), d'autres grimpantes, avec des gousses de la taille d'un crayon jusqu'aux très fines variétés à filet. Les gousses peuvent être vertes, vert strié de pourpre, rouges, pourpres ou jaunes ; les jaunes, dits haricots beurre, ont des gousses tendres à la saveur fine. Les haricots de couleur insolite étonnent dans un jardin, mais les espèces pourpres virent au vert à la cuisson. On cultive certaines espèces pour leurs graines plutôt que pour leurs gousses. On les écosse à peine mûres, à cuisiner et déguster tout de suite (flageolets), ou à faire sécher (haricots secs).

**SITE ET SOL.** Aucune préparation spéciale n'est nécessaire. Érigez des supports (*voir ci-contre*) avant de semer ou planter des grimpants. Ils poussent bien en conteneurs dans un mélange à base de terreau de feuilles, mais ils demandent un arrosage fréquent et régulier.

**SEMIS ET PLANTATION.** Ne semez et ne plantez jamais en extérieur avant la fin des gelées. Semez à 4 cm de profondeur en place, ou à 8 cm individuellement en pots sous serre et endurcissez avant de planter dehors. Semez toutes les 3 semaines pour une culture de rotation.

▓ Les graines ne germeront pas à basse température. Si le printemps est froid, préchauffez la terre avec des cloches ou un film plastique avant de semer ou cultivez les plantules sous abri. Il faut 12 °C pour la germination en serre de multiplication.

▓ Les plantules apparaîtront en 2 semaines. Si le temps refroidit, recouvrez avec des cloches ou du film horticole.

**ESPACEMENT.** Semez ou plantez les variétés naines en quinconce tous les 23 cm. Les grimpants atteignent 3 m de haut ou plus. Installez-les en rangs doubles distants de 60 cm ou en cercle sur wigwam, espacés de 15 cm.

**ENTRETIEN.** Buttez les tiges des jeunes plants pour les soutenir (*voir à gauche*). Paillez et ne laissez jamais la plante se dessécher complètement. Par temps sec au moment de la floraison, arrosez très copieusement. Il faut deux arrosoirs de 9 litres par plant.

**RÉCOLTE.** Récoltez après 7 à 13 semaines. Cueillez souvent les gousses jeunes, dégustez-les fraîches ou blanchissez-les et congelez. En cas de surabondance, arrêtez la cueillette, cela bloquera la production de nouvelles gousses. Arrachez les plants des haricots secs quand les graines ont gonflé dans les gousses et accrochez-les la tête en bas dans un lieu sec à l'abri du gel. Écossez-les quand ils sont secs et conservez-les dans un récipient hermétique.

△ **BUTTAGE**
*Les haricots sont plantés à faible profondeur. Dès qu'ils ont quelques feuilles, il est bon de ramener un peu de terre le long des tiges pour les soutenir et qu'ils restent droits. Utilisez une binette et buttez autour des tiges jusqu'à la hauteur des feuilles inférieures. Cela favorisera l'ancrage des racines.*

HARICOTS
À GOUSSES VERTES

HARICOTS
À GOUSSES POURPRES

HARICOTS
À GOUSSES JAUNES

**VOIR AUSSI :** La rotation des cultures, p. 237 ; Semer, p. 245 ; Les binettes, p. 278

# HARICOTS D'ESPAGNE

On les sème à la mi-printemps et on les récolte à partir du milieu de l'été. On trouve des jeunes plants dans toutes les jardineries. Les variétés grimpantes atteignent 3 m de haut, les naines buissonnantes environ 38 cm. Ces haricots produisent 1 kg de gousses par plant. Leurs fleurs roses, rouges, blanches ou bicolores sont très décoratives, surtout associées avec des pois de senteur. Enlevez les fils avant la cuisson, si nécessaire.

**SITE ET SOL.** Érigez des supports pour les grimpants avant de semer ou planter. Le haricot d'Espagne préfère un sol à bonne rétention d'humidité. Creusez le long du rang ou autour du wigwam une tranchée de la profondeur d'une bêche et incorporez à la terre une bonne quantité de compost bien décomposé. Une autre solution traditionnelle : une couche de papier journal déchiré et détrempé. Ces haricots se développent bien en conteneurs dans un mélange à base de terreau de feuilles, avec des arrosages réguliers et fréquents.

**SEMIS ET PLANTATION.** Le processus est le même que pour les haricots, avec une profondeur de 5 cm.

Semez ou plantez à 15 cm de distance.
**ENTRETIEN.** Paillez les jeunes plants. Si le temps est sec au moment de la formation des boutons floraux, période assez longue, arrosez abondamment deux fois par semaine. Surveillez les pucerons noirs (*voir p. 306*).
**RÉCOLTE.** En général, 13 à 17 semaines après la plantation. Cueillez les gousses encore tendres, avant que les graines n'aient commencé à gonfler. Consommez-les fraîches, ou blanchissez-les et congelez.

## SUPPORTS POUR GRIMPANTS

Il existe plusieurs types de supports pour les grimpants, selon l'espace disponible. Vous utiliserez des filets ou des grillages montés sur cadre, plantés dans le sol. Évitez les filets en plastique, les plants ne s'y accrochent pas.

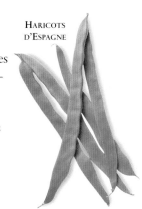

HARICOTS D'ESPAGNE

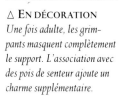

△ **EN DÉCORATION**
*Une fois adulte, les grimpants masquent complètement le support. L'association avec des pois de senteur ajoute un charme supplémentaire.*

Deux rangées de cannes de 2,5 m croisées et liées en tête, assurées par une canne horizontale

Des cannes de 2,5 m liées en tête avec un lien en plastique

Un filet de nylon à mailles de 10 cm tendu sur une charpente de perches en bois

CANNES CROISÉES — WIGWAM — SUR FILET

# POIS

Les pois sont plus rustiques que les haricots et plus faciles à obtenir à partir de semis sous climats froids. Ils supportent aussi moins bien les étés chauds. Vous pouvez commencer à semer les pois rustiques précoces en fin d'hiver (voire en automne sous les climats doux) et continuer au printemps pour récolter à la fin du printemps et tout l'été. Il n'est pas nécessaire de cultiver sous abri vitré. La hauteur des pois va de 45 cm à plus de 2 m. On les soutient par des branches minces appelées rames à pois. Vous compterez une récolte de 5 kg pour une rangée de 3 m ou un carré d'1 m². On cultive les pois à écosser, dont les petits pois à la saveur sucrée, pour une consommation de pois frais. Les "Mangetout" se dégustent jeunes quand les gousses sont encore plates, les pois ronds à mi-maturité. Tous se mangent crus ou cuits.

**SITE ET SOL.** Aucune préparation spéciale. N'installez pas les rames à pois avant le début de croissance.

**SEMIS ET PLANTATION.** Semez les graines à 3 cm

de profondeur, espacées de 5-8 cm dans les carrés, et pour les rangées, espacées de 5 cm dans des sillons larges de 23 cm, espacées de 60-90 cm.
▪ Les semis précoces et tardifs sont moins sujets à la tordeuse du pois (*voir p. 306*).
▪ En début de printemps, vous pouvez semer sous film horticole pour accélérer la germination. Ce film écartera les oiseaux et les souris.
▪ Pour des récoltes successives, semez à 14 jours d'intervalle, en évitant la mi-été dans les régions chaudes, ou semez en même temps des variétés dont les périodes de récolte différent.

**ENTRETIEN.** En pleine terre, couvrez les semis contre les oiseaux. Enlevez la protection et érigez les supports (*voir à droite*) quand les vrilles se développent. Paillez quand plusieurs feuilles se sont formées pour garder les racines au frais. Si le temps est sec au moment de la floraison et de la formation des gousses, arrosez abondamment une ou deux fois par semaine.

**RÉCOLTE.** Récoltez les pois précoces au bout de 11-12 semaines, 13-14 semaines pour les autres variétés. Consommez frais ou congelez.

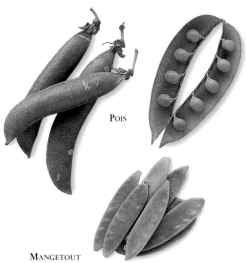

POIS

MANGETOUT

**SOUTENIR LES POIS** ▷
*Quand les vrilles se forment, enfoncez les rames à pois, bien droites, sur le bord extérieur de la rangée ou du carré. Au fil de la croissance, les vrilles s'y accrochent et entraînent la plante vers le haut.*

**VOIR AUSSI :** Protéger les cultures, p. 240 ; Semer, p. 243

# Brassicacées

La famille des choux (brassicacées) est une formidable réserve de verdure pour toute l'année. Il suffit de choisir des cultivars qui arrivent à maturité à des périodes différentes et qui se conservent bien. S'ils vous paraissent peu séduisants, des variétés comme le chou de Milan, tout plissé, ou les choux frisés, colorés et scintillants de rosée, vous feront changer d'avis. Ces légumes-feuilles apprécient un taux élevé d'azote. Plantez-les si possible à la suite de pois et de haricots et choisissez un engrais fort en azote plutôt qu'un engrais générique. La plupart ont une croissance lente et vous pouvez les associer à des salades ou avec des navets et des radis, qui sont d'ailleurs de la même famille.

## Choux brocolis à jets et calabrais

Pour obtenir les belles pommes appelées brocolis dans les supermarchés, vous choisirez des calabrais. Les graines ou jeunes plants nommés "brocoli" sont en réalité des brocolis à jets beaucoup plus rustiques dont on mange les jeunes pousses et les jets tendres. Le calabrais pousse vite. On le sème au printemps pour le déguster en été. Le brocoli à jets pousse lentement. Protégez-le du gel pour en profiter dès la fin de l'hiver et au printemps. Comme toutes les brassicacées, il leur faut un sol avec un pH minimal de 6 ; ajoutez de la chaux au besoin (*voir p. 238*). Ne les cultivez pas dans un sol fraîchement fumé, faites plutôt un apport d'engrais riche en azote avant de semer ou de planter.

**Semis et plantation.** Les calabrais apprécient peu la transplantation, semez-les en place, par vagues successives, du printemps au début de l'été, 2-3 graines tous les 15 cm, dans des rangées espacées de 30 cm, et ne gardez que les plantules les plus robustes. Semez en pépinière au printemps ou en caissettes compartimentées sous châssis froid. Replantez entre le début et le milieu de l'été, espacés de 60 cm en tous sens. Plantez à bonne profondeur et arrosez bien jusqu'à ce qu'ils aient repris.

**Entretien.** Pour de délicieuses récoltes précoces bien protégées des ravageurs, cultivez les premiers semis sous film horticole. Ne laissez pas les plants dessécher, arrosez abondamment lors de la formation des boutons floraux. Le brocoli est sensible aux vents d'hiver, buttez donc les tiges et tuteurez les plants les plus hauts à l'automne. Un filet peut être utile contre les oiseaux.

**Récolte.** Les premières et plus belles pommes des calabrais seront prêtes au bout de 11-12 semaines. Pour une deuxième récolte, appliquez un engrais riche en azote. Lavez bien les pommes pour en déloger les petits insectes. Cueillez les brocolis à jets à partir de la fin de l'hiver, coupez régulièrement quelques jets pour encourager la repousse.

Brocoli à jets

Calabrais

## Chou vert

Facile à cultiver, le chou vert est une variété aux feuilles décoratives, vert bleuté, rouges ou presque noires, lisses ou frisées. Il demande les mêmes préparations de sol, conditions et entretien que les brocolis et les calabrais. Il est mieux adapté que le chou pommé dans un nouveau potager où la terre n'a pas encore atteint le maximum de fertilité. Il est aussi moins sujet à la hernie du chou et attire moins les pigeons l'hiver. Très rustique, il se récolte toute l'année. Semez en début de printemps pour des récoltes estivales successives et en fin de printemps pour l'automne et l'hiver. Les inflorescences de printemps se consomment comme des brocolis.

**Semis et plantation.** Pour une récolte de feuilles tendres en été, semez en place au printemps en rangées espacées de 15 cm. Éclaircissez en cueillant les jeunes plants. En vue des récoltes d'automne et d'hiver, semez en pépinière ou sous châssis froid pour replanter en milieu d'été, au bout de 8 semaines environ, à 75 cm de distance. Gardez le maximum de terre autour des racines des plants que vous repiquez ; les caissettes compartimentées sont idéales pour ne pas abîmer les racines. Arrosez abondamment jusqu'à ce qu'ils soient bien installés.

**Récolte.** Les plants semés au printemps seront consommables après environ 7 semaines. Si vous ne les cueillez pas régulièrement, les feuilles épaissiront et perdront de leur saveur. En automne et en hiver, prélevez les feuilles au fil de vos besoins. Les variétés à feuilles larges sont conseillées pour obtenir des inflorescences au printemps, cueillez-les quand elles font environ 10 cm de long.

Chou frisé

Voir aussi : La chaux, p. 238 ; Les engrais, p. 239

# CHOU

Les choux sont tellement sujets aux parasites (*voir pp. 306 - 308*), qu'il est d'autant plus satisfaisant de les voir mûrir. Votre travail sera récompensé par des récoltes en fin d'hiver et au début du printemps. Les choux d'hiver et de printemps occupent moins de terrain que certaines variétés à manger l'été qui prendraient la place des salades à croissance rapide. Bon marché, le chou à cœur blanc ne mérite pas vos efforts. Réservez-les plutôt au chou rouge. Cueilli au milieu de l'hiver, on le conserve dans un endroit frais. Les choux d'hiver comme le chou de Milan ou le Roi de l'hiver et tous les choux de printemps sont très rustiques.

**SITE ET SOL.** Mêmes type et préparation de terre que les calabrais et les brocolis (*voir ci-contre*) ; pour les choux de printemps, ne fertilisez pas avant de planter, appliquez plutôt un engrais aux printemps quand les plants reprennent.

**SEMIS ET PLANTATION.** Semez en pépinière

CHOU ROUGE

CHOU DE MILAN

◁ **PIÈGE EN COLLERETTE**
*Les mouches du chou adultes pondent leurs œufs à la base des tiges. Posez un piège en collerette bien à plat sur le sol à la base de chaque plantule pour les en empêcher.*

ou en caissettes compartimentées sous châssis froid, replantez dans des trous un peu plus profonds 5 à 6 semaines plus tard, à 25-30 cm de distance. Semez les choux d'hiver en fin d'été, les choux rouges d'automne entre le milieu et la fin du printemps. Protégez les jeunes plants contre la mouche du chou en les recouvrant de film horticole ou avec des pièges en collerette (*voir ci-dessus*). Arrosez bien jusqu'à la reprise des plants et en périodes de sécheresse.

**ENTRETIEN.** Soyez très attentif aux ravageurs. Buttez les choux pour les stabiliser par vent fort.

# NAVETS

Les navets qui apprécient une ombre légère se plairont parmi des cultures à feuilles. Les variétés d'été, dont les japonaises, sont semées au printemps et consommées au bout de 6 semaines. Les variétés à croissance plus lente sont semées en été pour l'automne et l'hiver. Semez les navets d'été à partir de la mi-printemps à trois semaines d'intervalle en rangs espacés de 23 cm et éclaircissez tous les 10 cm. Moins rustiques que les navets d'hiver, par printemps frais, on protègera leurs semis précoces d'un film horticole qui dissuadera aussi les altises, danger majeur au début du printemps. Récoltez quand les racines ont la taille d'une balle de golf. Semez les navets d'automne et d'hiver entre le milieu et la fin du printemps, en rangées espacées de 30 cm. Éclaircissez tous les 15 cm. Ils sont à maturité en automne mais peuvent rester en terre, selon votre consommation, jusqu'au milieu de l'hiver. Il faudra alors les déterrer et les conserver. Si vous les laissez en terre, leurs racines ne seront plus comestibles mais leurs feuilles agrémenteront une salade de printemps.

NAVET
BLANC

NAVET À
COLLET ROUGE

# RADIS D'ÉTÉ

Les radis d'été ou radis à salades sont les plus faciles à cultiver. Ils poussent en 3-4 semaines. Les infestations n'ont pas le temps de se développer, seule une protection contre la mouche du chou est nécessaire. Les pièges sont impraticables, optez pour un film horticole que vous pouvez laisser en place jusqu'à maturité des radis, précaution utile si les altises s'attaquent aux plantules. Semez au printemps quand la terre peut être travaillée, puis à 15 jours d'intervalle, à 1 cm de profondeur, éclaircissez tous les 10 cm. Écartez les rangées de 15 cm ou répartissez entre d'autres plantes à croissance lente. Si le temps est sec, arrosez toutes les semaines.

RADIS
D'ÉTÉ

**VOIR AUSSI :** Semer, éclaircir et transplanter, pp. 243-245

# OIGNONS ET LÉGUMES-RACINES

Ces deux groupes de cultures apprécient une terre légère et bien drainée. Les terrains caillouteux sont déconseillés : les racines fourchent ou les bulbes se déforment. Dans un terrain de ce type, cantonnez-vous aux oignons de printemps et aux variétés de carottes courtes et trapues. Ces vaillants précoces sont aussi décoratifs. Le feuillage plumeux de la carotte borde avec charme une plate-bande. Le bleu vert du poireau compose avec la bette à carde rouge une association éblouissante et quelques poireaux en fleurs rivaliseront d'éclat avec l'ail ornemental. Les oignons ne se développant qu'en hauteur, ils se mélangeront plaisamment avec des laitues rouges ou à couper.

## OIGNONS

Les oignons ordinaires ne sont pas spécialement économiques à cultiver, mais les espèces rares et l'échalote méritent leur place. Il est plus facile de les cultiver à partir de bulbilles que de graines. Les oignons se conservent bien s'ils sont mûrs et secs.
**PRÉPARATION.** Ne plantez pas dans un sol récemment fumé. Appliquez un engrais complet avant la plantation.
**PLANTATION.** Plantez les bulbilles en début de printemps, à intervalles de 10-15 cm dans des sillons espacés de 15-30 cm selon la taille souhaitée, la pointe au ras du sol. Protégez-les des oiseaux. Les échalotes sont parfois plantées dès le milieu de l'hiver. Le lendemain de Noël est une date traditionnelle. Espacez-les de 18 cm en tous sens car elles forment des grappes de bulbes
**ENTRETIEN.** Éliminez les mauvaises herbes, surtout en début de croissance. N'arrosez que par temps très sec. Surveillez la mouche et les pourritures de l'oignon (*voir pp. 306-307*).
**RÉCOLTE.** Choisissez si possible une période sèche en fin d'été. Les oignons doivent être parfaitement secs avant d'être stockés, sous

**OIGNON ROUGE**

**ÉCHALOTE**

Les oignons à fort collet pourrissent facilement, utilisez-les en premier

◁ **CONSERVER LES OIGNONS**
*Si vous ne pouvez pas laisser sécher les oignons dehors par manque de place ou à cause du temps, posez-les délicatement dans des cagettes, en deux couches au maximum. Conservez dans un endroit sec, frais et aéré.*

peine de pourrir ou de germer. Laissez-les sur un sol sec ou sous abri (*voir ci-dessus*) 10-14 jours après les avoir arrachés, en gardant les feuilles intactes. Sinon coupez les feuilles et gardez les bulbes en filets dans des cagettes, ou en tresses.

## AIL

Si l'ail courant est une culture amusante pour les enfants, mieux vaut achetez des gousses préparées et sans virus chez le pépiniériste ou le grainetier pour obtenir un bon ail culinaire. L'ail demande les mêmes conditions et entretien que l'oignon et souffre des mêmes infestations. Plantez les gousses une par une à la mi-printemps, ou en automne si la terre est légère et bien drainée. Placez les caïeux verticalement à une profondeur double de leur taille, espacés de 18 cm en tous sens. L'ail à consommer frais sera prêt à la mi-été. Laissez gonfler et mûrir les bulbes à conserver jusqu'à la fin de la saison. Déterrez-les quand les feuilles fanent, séchez comme les oignons.

**AIL**

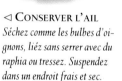

◁ **CONSERVER L'AIL**
*Séchez comme les bulbes d'oignons, liéz sans serrer avec du raphia ou tressez. Suspendez dans un endroit frais et sec.*

## OIGNONS À SALADE

Les oignons blancs arrivent à maturité en 8 semaines environ. Ils sont parfaits en contre-culture entre des rangées de plantes à croissance plus lente, y compris les oignons à bulbe. Avec des semis successifs du début du printemps à la mi-été, vous récolterez du début de l'été à la fin d'automne. Pour avoir des oignons à salade d'hiver, semez des Welsh au printemps ou en été, ils ne seront prêts qu'à l'automne mais sont persistants et très rustiques. Vous récolterez les feuilles tout l'hiver. Semez les oignons blancs en place, en rangées espacées de 10 cm ou en bandes larges de 8 cm, à intervalles de 15 cm. Semez les Welsh en rangées espacées de 30 cm, éclaircissez à 23 cm. Ils demandent les mêmes conditions et entretien que l'oignon.

**OIGNONS BLANCS**

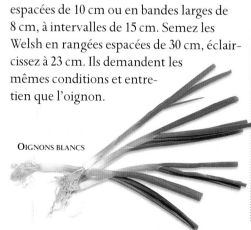

**AIL EN GODETS** △
*Pour que l'ail ait une longue période de croissance, plantez en automne. Si la terre est trop froide et lourde, démarrez les caïeux en godets, un par godet, sous châssis froid. Repiquez en terre au printemps quand ils commencent à sortir.*

**VOIR AUSSI :** La chaux, p. 238 ; Les engrais, p. 239

# POIREAUX

Si on peut les semer en terre sous tous les climats, les poireaux doivent cependant être transplantés et les jeunes plants enterrés dans des trous beaucoup plus profonds pour blanchir les tiges. Semez en pépinière ou châssis froid, achetez de jeunes plants si vous manquez d'espace. Plantez-les en début de printemps et récoltez à partir du début d'automne. Ils peuvent rester en terre tout l'hiver. À l'inverse des oignons, ils apprécient un sol fumé l'automne précédent, avec un apport d'engrais azoté avant la plantation.

**SEMIS ET PLANTATION.** Semez entre la fin d'hiver et le printemps à 1 cm de profondeur, transplantez quand ils atteignent 20 cm de haut, espacés de 10-23 cm.

**ENTRETIEN.** Arrosez bien jusqu'à ce qu'ils soient vigoureux, éliminez toutes les mauvaises herbes. Ils ne demandent pas d'arrosage sauf en cas de sécheresse prolongée.

**TRANSPLANTER** △
*Pour des pieds blancs, transplantez les poireaux dans des trous profonds de 15-20 cm, espacés de 10-15 cm. Taillez les feuilles très longues. Remplissez le trou d'eau pour que la terre entoure bien les tiges.*

POIREAUX

**TRANSPLANTER LES SEMIS EN GODETS** △
*La culture en godets, jusqu'à 4 graines par godet, est une technique simple et pratique. Quand les plantules ont 3 feuilles, on replante chaque godet entier. Éclaircissez les jeunes plants pour que les autres respirent.*

# PANAIS

Si le sol est caillouteux, choisissez les variétés les plus courtes. Leur principal problème est le chancre du panais (*voir p. 309*), privilégiez donc les variétés résistantes et chaulez les sols très acides (*voir p. 238*) qui augmentent les risques de chancre. Semez en extérieur le plus tôt possible car la croissance est longue, ils seront prêts à l'automne. Sauf par hiver très rigoureux, vous pouvez les laisser en place plus longtemps, en les déterrant selon vos besoins. Le gel renforce leur saveur.

**SEMIS ET PLANTATION.** Semez dès que le sol peut se travailler en début de printemps. Semez toujours des graines fraîches car elles perdent vite leur potentiel. Un film horticole

# BETTERAVE

Les jeunes betteraves sont prêtes 7-8 semaines après semis en pleine terre. Vous pouvez aussi les laisser grossir en terre tout l'hiver. La racine n'est alors plus comestible mais le feuillage est un bon légume d'hiver. Mêmes conditions, préparation du sol et entretien que la carotte. Enrichissez d'engrais azoté avant semis et pendant la pousse.

**SEMIS ET PLANTATION.** Par semis successifs dès que la terre atteint 7 °C, naturellement ou réchauffée par une protection. Pour les semis précoces, prenez des variétés résistantes à la montée en graine. Un glomérule contient 2-3 graines, semez-en un tous les 8-10 cm. Éclaircissez à un seul plant, en enlevant ceux qui sont assez grands pour être mangés. Les graines "monogerme" ne donnent qu'une plantule. Trempez les graines 30 mn dans de l'eau chaude, puis semez à 2 cm de profondeur, en rangées espacées de 30 cm.

**RÉCOLTER LA BETTERAVE** △
*Tenez fermement la tige et tirez doucement, la racine se déterre bien car elle n'est pas profonde. Arrachez le feuillage par torsion et faites cuire la racine avec le reste de tige. Si la racine est abîmée, elle est décolorée.*

ou une cloche accélère la germination. Semez à 2 cm de profondeur, en rangées distantes de 30 cm, éclaircissez à 10-15 cm.

**ENTRETIEN.** Éliminez toutes les mauvaises herbes, surtout pendant la croissance des plantules et arrosez chaque semaine en périodes sèches. Ne laissez pas sécher le sol, arrosés après une sécheresse prolongée les panais se fendent. Surveillez les signes de pucerons des racines.

PANAIS

# CAROTTES

Certaines variétés se dégustent très jeunes, d'autres gagnent en saveur en grossissant, il est idéal de cultiver les deux. Il leur faut respectivement 2 et 3 mois pour être à maturité ; avec des semis successifs vous aurez des carottes fraîches pendant plusieurs mois. Blanchies, les précoces se congèlent bien. Déterrez les dernières des récoltes de pleine saison avant les premiers gels. À conserver dans des caisses de sable humide dans un endroit frais.

**SEMIS ET PLANTATION.** Ratissez la terre pour l'émietter finement, enlevez les pierres. Commencez à semer les précoces quand la terre atteint 7 °C. Vous pouvez semer plus tôt sous film horticole ou tunnel. Semez les "pleine saison" de la fin du printemps au début d'été. Semez en sillons à 1-2 cm de profondeur, en rangées espacées de 15 cm. Semez clair, cela limite l'éclaircissage qui dégage des odeurs appétissantes pour la mouche de la carotte. Éclaircissez les précoces à 8 cm, les "pleine saison" à 4 cm au moins.

**ENTRETIEN.** Éliminez toutes les mauvaises herbes et arrosez chaque semaine en période sèche. Prenez vos précautions contre la mouche de la carotte (*voir p. 309*) et surveillez les pucerons des racines et des feuilles.

CAROTTES
'FAVOURITE'

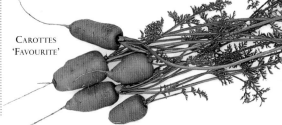

**VOIR AUSSI :** Semer, éclaircir et transplanter, pp. 243-245

# CULTURES EN CARRÉS

Si vous avez de petits parterres, vous pouvez sans problème consacrer un carré entier à chacune des plantes de ces pages. Dans les régions chaudes, on cultive souvent ensemble le maïs et les courges, car le maïs protège les courges des brûlures du soleil, mais dans les zones plus fraîches, les courges ont besoin de chaque rayon de soleil.

Si la pomme de terre est peu séduisante, les bruissants épis de maïs ne manquent pas de charme. Toutes les courges sont assez décoratives pour se mêler aux plantes ornementales, mais elles sont fatales à leurs voisines qu'elles étouffent et dont elles détournent l'eau. On peut les palisser, à condition de soutenir chaque fruit.

## POMMES DE TERRE

La pomme de terre est l'une des cultures les plus gratifiantes pour l'apprenti jardinier, même s'il arrive que certaines maladies anéantissent toute la récolte. Si vous manquez d'espace, pensez que, même bio, les "vieilles" pommes de terre de pleine saison sont bon marché. Privilégiez les variétés précoces (pommes de terre nouvelles) et les variétés charnues pour les salades. Si à l'inverse vous avez trop d'espace, la pomme de terre le remplira utilement : le travail de la terre, la fertilisation et l'arrachage améliorent le sol. Les pommes de terre se plaisent dans un sol riche en matières organiques et récemment fumé. Si vous avez peu de terre, pensez à la technique du "non-labour" (*p. 237*). Vous pouvez aussi obtenir une petite récolte de précoces en bac.

**SEMIS ET PLANTATION.** Achetez vos pommes de terre en fin d'hiver dans les jardineries, et non dans un commerce d'alimentation. Elles sont élevées pour former des plants productifs et dénués de maladies. Faites-les prégermer environ 6 semaines avant de planter (*ci-dessus à droite*). Plantez quand tout risque de

Lumière et fraîcheur produisent des pousses vertes et charnues

**PRÉGERMINATION** △
*Pour faire germer les tubercules à planter, étalez-les sur une couche dans un cageot ou, mieux, un plateau à œufs, les yeux vers le haut. Gardez-les dans un endroit lumineux, aéré et à l'abri du gel. Au bout de 6 semaines, les germes auront atteint 2 cm de longueur.*

**POMME DE TERRE PRÉCOCES** 'Concorde'

**POMME DE TERRE PLEINE SAISON** 'Navan'

gel sévère est écarté. Si le printemps est frais, chauffez le sol avec un film horticole avant et après la plantation. Un bac de la taille d'un demi-tonneau peut recevoir 3 pommes de terre. Remplissez à moitié le bac de terreau pour planter, puis rajoutez-en pour butter.

**ENTRETIEN.** En cas de gel après l'apparition des feuilles, recouvrez de film horticole. Dès que le feuillage est robuste, appliquez un engrais fort en azote ou de l'engrais organique liquide et buttez les plants (*voir à droite*). Par temps sec, arrosez abondamment les précoces tous les 10-12 jours. Attendez que les tubercules de pleine saison aient la taille d'un galet pour les arroser, une fois et abondamment. Veillez aux signes de mildiou (*voir p. 309*) qui exige une action rapide. En cas d'arrêt de croissance, écartez la terre de buttage et vérifiez qu'il n'y a pas d'infestation souterraine (*voir pp. 308-311*).

**RÉCOLTE.** Commencez à récolter les nouvelles à l'éclosion des fleurs. Les pleine saison seront prêtes à la fin de l'été, mais vous pouvez les laisser en terre et les arracher selon vos besoins jusqu'à la mi-automne, il faudra alors les déterrer et les stocker (*voir à droite*).

◁ **PLANTER**
*Creusez un sillon de 8-15 cm de profondeur. Placez-y les tubercules, les germes tournés vers le haut. Recouvrez de terre. Plantez les précoces à 30 cm de distance en rangées espacées de 60 cm, les pleine saison distantes de 38 cm en rangées espacées de 75 cm.*

**BUTTER** △
*Remontez la terre autour des tiges quand elles atteignent 23 cm de haut, ou en cas de gel annoncé. Cela évite aux pommes de terre de pousser en surface, exposées à la lumière qui les fait virer au vert et les rend toxiques.*

**RÉCOLTER** △
*À la mi-automne, taillez les tiges et les feuilles des pleine saison avec un couteau bien affûté, à 5 cm au-dessus du sol. Laissez les tubercules en terre encore deux semaines avant de les déterrer.*

**ARRACHER, STOCKER** △
*Déterrez à la fourche, en partant de l'extérieur de la rangée. Laissez sécher quelques heures. Conservez les pommes de terre sans défaut dans un sac opaque, consommez immédiatement les sujets abîmés.*

**VOIR AUSSI :** Les pommes de terre, p. 237 ; L'engrais, p. 239

# POTIRONS, COURGES ET COURGETTES

Toutes ces variétés prospèrent dans les mêmes conditions : un endroit chaud et abrité, un sol fertile, bien drainé, riche en matières organiques avec une bonne rétention d'eau. La courgette, comme le pâtisson, a la peau fine et doit être récoltée et mangée quelques jours après la floraison. Ses fleurs sont aussi comestibles. Les courges, dont les potirons, se conserveront bien pourvu qu'ils aient eu une longue et chaude saison de croissance (jusqu'à 5 mois pour le potiron). La plupart des variétés sont rampantes et peuvent être palissées sur des supports solides ; les mieux adaptées sont les courgettes, variétés buissonnantes de courges.

**SEMIS ET PLANTATION.** Semez à 2,5 cm de profondeur, soit en place s'il n'y a plus de risque de gel, soit sous abri dans des pots de 8 cm, à une température de 15-18 °C. Séparez les variétés buissonnantes de 90 cm en tous sens, les rampantes de 1,2-2 m.

**ENTRETIEN.** Dans les régions fraîches, protégez les jeunes plants avec un film horticole ou une cloche. Paillez le sol après la plantation. Arrosez régulièrement, sans mouiller les fleurs ou les fruits. Un tuyau poreux est idéal. Appliquez un engrais pour tomates toutes les deux semaines à partir de la mi-été. Surveillez les limaces.

FLEURS DE COURGETTE

COURGETTE VERTE

POTIRON

COURGETTE JAUNE

COURGE

PÂTISSON

## ASTUCES

• Avec du filet à pois, fabriquez des "hamacs" qui supporteront les fruits des plantes palissées.

• Pour bien conserver les potirons, faites durcir leur peau : laissez-les 10 jours au sec et au soleil, ou gardez-les 4 jours à 30 °C.

**RÉCOLTER LES COURGETTES △**
*Les jeunes courgettes sont les meilleures, coupez-les quand elles atteignent 10 cm de long. Maniez le fruit délicatement sans l'abîmer et coupez avec un couteau aiguisé, en laissant environ 1 cm de tige au bout du fruit. Cueillez régulièrement pour de nouvelles récoltes.*

---

# MAÏS

Dans les régions aux étés longs et chauds, le maïs se sème et mûrit à l'extérieur. Sous les climats frais, démarrez-le sous abri, puis replantez-le en espérant que la chaleur de l'été fasse mûrir tous les épis. On ne peut pas le cultiver en serre. Plantez-le en carrés plutôt qu'en rangs pour faciliter la pollinisation par la brise. Comptez 1-2 épis par plant ; le rendement n'étant pas élevé, vous rentabiliserez l'espace en le plantant avec des salades à croissance rapide.

**SEMIS ET PLANTATION.** Pour cultiver vos propres plants, dans les régions fraîches semez à 15 °C à mi-printemps, à 2,5 cm de profondeur, en godets. En serre, les souris risquent de dévorer les graines. Endurcissez et transplantez, ou achetez de jeunes plants et plantez quand le sol atteint 13 °C et que tout risque de gel est écarté. Pour une bonne

pollinisation, plantez des carrés d'au moins 9 plants, espacés de 30 cm en tous sens. Recouvrez d'un film horticole, enlevez-le quand les plants ont 5 feuilles. Sous climat chaud, vous pouvez semer en place en carrés, à 8 cm de distance et éclaircir ensuite. Protégez les graines des oiseaux.

**ENTRETIEN.** Comme pour les haricots verts (*voir p. 246*), buttez jusqu'à 13 cm pour offrir aux tiges le meilleur soutien. Si le temps est sec à la floraison ou lorsque les grains gonflent, arrosez abondamment une fois par semaine.

**TEST DE MATURITÉ △**
*Quand les barbes ont bruni, pressez un grain de l'ongle. Si un liquide laiteux apparaît, l'épi est mûr. Si c'est de l'eau, il est encore vert, si c'est pâteux, il est trop mûr.*

MAÏS

**VOIR AUSSI :** La chaux, p. 238 ; Protéger les cultures, pp. 240-241

# SALADES, BETTES ET ÉPINARDS

L'humidité est un élément-clé de la croissance de délicieuses salades croquantes. Tous les légumes-feuilles se plaisent dans des sols à bonne rétention d'eau et riches en matières organiques. Mais vous pouvez les planter, en rangs parmi d'autres cultures, en pots, en bordures, ou en carrés dans un parterre. Ce ne sont pas seulement des cultures estivales : en semant plusieurs espèces à diverses époques, vous dégusterez vos salades du printemps jusqu'à l'automne. Bien que leurs goûts diffèrent, on utilise souvent la bette et la bette épinard à la place de l'épinard. Elles sont plus faciles à cultiver, très décoratives et ont une période de production plus longue.

## LAITUES

Les climats tempérés avec des nuits fraîches sont parfaits pour les laitues. Dans les régions chaudes les pics de chaleur les font monter en graines et elles deviennent amères. Il existe des variétés résistantes aux fortes chaleurs. Les semis d'été se portent mieux à mi-ombre. Les laitues sont soit pommées (avec un cœur serré) soit à couper. On récolte les laitues pommées une seule fois. Sur les laitues à couper, de nouvelles feuilles repoussent après la première coupe, ce qui les empêche de grainer. Elles sont donc plus faciles à cultiver que des romaines, batavias ou laitues-beurre qui peuvent monter en graine avant de "pommer". Ne cultivez jamais les laitues dans un sol fumé l'année précédente, cela provoque le pourrissement du collet.

**SEMIS ET PLANTATION.** Pour récolter toute l'année, sélectionnez un mélange de variétés à semer à 2-3 semaines d'intervalle entre le début du printemps et la fin de l'été. La germination est médiocre en dessous de 25°C. Semez en début de soirée pour éviter les coups de chaud. À l'automne, semez les variétés rustiques sous abri (cloches ou tunnels) pour la récolte de printemps. Semez en place ou en godets, ou semez en rangs rapprochés et transplantez les plants éclaircis qui seront utilisés plus tard en salade ou garniture. Transplantez au stade de la cinquième feuille, dans une terre humide, les feuilles inférieures au ras du sol. Espacez les petites variétés de 15 cm, les plus grandes de 30 cm. Par temps chaud, faites de l'ombre aux jeunes plants jusqu'à ce qu'ils soient installés. Semez clair les laitues à couper, en rangs larges.

**ENTRETIEN.** Appliquez un engrais riche en azote ou un engrais organique liquide si la croissance est faible. Arrosez généreusement en cas de sécheresse, la période critique pour les laitues pommées se situe 7-10 jours avant la maturité. Par temps très sec, un film horticole ou un tunnel font de l'ombre et gardent les feuilles au frais. Protégez les récoltes d'automne et début d'hiver avec des cloches. Surveillez les limaces et autres ravageurs. Évitez la pourriture en éliminant les feuilles en contact avec le sol.

**RÉCOLTE.** 7 semaines après les semis, commencez à couper les feuilles des laitues, au fil de vos besoins car elles ne se conservent pas. Cueillez les laitues pommées à 10-11 semaines et les croquantes à 11-12 semaines, elles se conservent quelques jours dans le tiroir à légumes du réfrigérateur.

△ **RÉCOLTER UNE LAITUE À COUPER**
*Les laitues à couper, comme les autres salades à couper* (voir ci-contre), *sont cultivées pour la repousse. Quand les plants atteignent 8-15 cm de haut, coupez juste au-dessus des feuilles inférieures, en laissant 3 cm de tige, elles repartiront bientôt. Répétez l'opération.*

LAITUE À COUPER
'Lollo Rosso'

LAITUE-BEURRE

SEMI-ROMAINE

LAITUE ROMAINE

VOIR AUSSI : Les parterres, p. 237 ; Les fumures et les paillis, p. 239

# CHICORÉES

La chicorée rouge et la chicorée frisée sont devenues si populaires que l'on trouve des graines et des jeunes plants partout. Elles ont les mêmes exigences que les laitues (*voir ci-contre*) et sont à maturité en 8-12 semaines. Vous pouvez cueillir les feuilles ou couper la tête entière. Plus le temps passe, plus les feuilles sont amères, surtout par temps chaud ; une ombre partielle ou un film horticole atténue cette amertume. Les récoltes plus tardives sont plus douces au goût que celles de plein été. S'il fait froid, la chicorée rouge devient plus croquante et sa couleur s'intensifie. Pour obtenir des feuilles centrales de chicorées frisées pâles et sucrées, couvrez le cœur d'une assiette 10 jours avant la récolte, sur feuilles sèches.

**SEMIS ET PLANTATION.** Semez en place ou en godets avec repiquage au bout de 3-4 semaines, à la mi-printemps pour la récolte d'été, et jusqu'au milieu de l'été pour la récolte d'automne et de début d'hiver. Éclaircissez ou espacez à 25-35 cm en tous sens, suivant la taille de la variété.

**ENTRETIEN.** Arrosez régulièrement, surtout par temps sec. Ces plantes sont à peu près sans problème, surveillez cependant les limaces, qui adorent la chicorée.

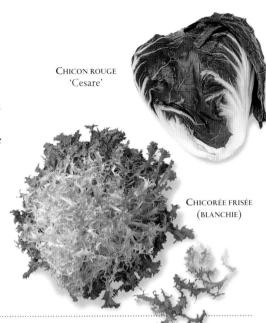

CHICON ROUGE 'Cesare'

CHICORÉE FRISÉE (BLANCHIE)

# AUTRES LÉGUMES-FEUILLES

Les plantes à petites feuilles se cultivent bien à partir de semis. Certaines ont une saveur assez âcre, d'autres plus fade. Il est plus facile de cultiver l'épinard pour ses jeunes pousses que de l'amener à pleine maturité car soit il monte en graine, soit il est infesté de ravageurs. Testez plusieurs espèces pour trouver vos préférées. Semez à différentes périodes pour récolter toute l'année. Il existe des mélanges de graines tout prêts. Les variétés d'hiver sont les plus poivrées. Quelques feuilles suffiront à relever une laitue du commerce. Toutes ces plantes apprécient le sol riche en humus d'un carré potager bien tenu, mais pousseront presque partout, même en bacs. Dans une terre légère et par temps chaud, elles fleuriront plus vite. Suivez les instructions portées sur les emballages. Arrosez régulièrement et appliquez un engrais riche en azote si les plantes ont besoin d'un coup de fouet. Elles sont consommables dès 3 semaines et la récolte continuera aussi longtemps que vous préleverez des feuilles, ce qui les empêche d'arriver à maturité. Éliminez les feuilles atteintes de la maladie des taches foliaires. Protégez-les aussi des oiseaux. Si les altises attaquent la roquette, semez les nouvelles graines ailleurs.

ÉPINARD

MÂCHE

ROQUETTE

# BETTE ÉPINARD ET BETTE À CARDE

On utilise souvent ces légumes en cuisine à la place des épinards. Ils supportent des températures plus élevées, sont plus faciles à cultiver et montent moins en graine. On appelle aussi la bette épinard "bette à tondre". La poirée à carde rouge est très spectaculaire dans un potager. Les larges côtes blanches de la bette cuisent plus longtemps que les feuilles et se consomment souvent à part.

**SEMIS ET PLANTATION.** Semez au printemps. Resemez la bette épinard entre le milieu et la fin d'été. Semez en place en rangs espacés de 38 cm pour la bette épinard, 45 cm pour la bette, éclaircissez rapidement à 30 cm. Vous pouvez aussi semer en godets et repiquer à 30 cm de distance.

**ENTRETIEN.** Paillez après la plantation. Arrosez régulièrement et appliquez un engrais riche en azote pendant la croissance si elle s'avère lente. Éliminez toute feuille atteinte de la maladie des taches foliaires. Les oiseaux mangent parfois les feuilles en hiver quand la nourriture se fait rare.

**RÉCOLTE.** Commencez à cueillir au bout de 8-12 semaines. La récolte dure des mois, tant que vous coupez des feuilles régulièrement.

BETTE ÉPINARD

POIRÉE À CARDE ROUGE

VOIR AUSSI : Éclaircir et transplanter, p. 243

# CULTURES FRAGILES

Dans les régions chaudes aux étés plutôt longs, les légumes-fruits poussent à l'extérieur, mais sous les climats tempérés frais, seules les tomates sont cultivées sans serre. Une serre chauffée ou une serre de multiplication s'impose pour faire pousser les jeunes plants. Si vous les cultivez en serre ou dans un patio abrité et ensoleillé, tous se plairont en conteneurs.

Le sac de culture est pratique, il permet d'employer chaque année du compost frais, non porteur de maladies. Si les cultures sont restées saines, vous pouvez réemployer le compost utilisé en l'ajoutant au silo à compost ou en l'étalant en paillis sur les plantes ornementales, mais pas sur d'autres légumes et surtout pas sur les pommes de terre.

## PIMENTS ET POIVRONS

Les buissons des petits piments garniront avantageusement les bacs du patio. Dans les régions fraîches, cultivez-les sous abri jusqu'à la fructification, sortez-les pour la décoration en été, et rentrez-les quand les jours raccourcissent. Vous pourriez faire la même chose pour les poivrons, mais ils sont plus lourds à déplacer et les tiges risquent de casser. Les poivrons ont besoin de 21° C sous une plaque de verre ou de polyéthylène. Il faudra parfois chauffer la serre jusqu'en été.
**SEMIS ET PLANTATION.** Si vous ne pouvez pas donner aux plantes la bonne température au départ, achetez-les en fin de printemps. Pour obtenir vos propres plants, semez en fin d'hiver ou début de printemps, à 1-2 cm de profondeur, en bacs à 18-21°C. Repiquez-les un par un dans des pots de 8 cm quand ils atteignent 5 cm de haut. Dès l'apparition des fleurs, plantez-les par deux en sac de culture ou individuellement dans des pots de 20-25 cm.
**ENTRETIEN.** Ne sortez jamais les plants tant qu'il y a un risque de gel. Tuteurez les plants de plus de 60 cm de haut. Maintenez l'humidité de la serre par un arrosage ou une brumisation régulière. Appliquez un engrais complet toutes les deux semaines. En serre, surveillez les araignées rouges et le mildiou.

Si les fruits cessent de mûrir quand le temps refroidit, déterrez la plante et suspendez-la la tête en bas dans un endroit chaud.

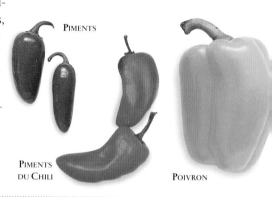

PIMENTS

PIMENTS DU CHILI

POIVRON

## CONCOMBRES

Le concombre de serre, semblable à celui vendu en supermarché, est une plante exigeante. À l'extérieur, le concombre "épineux" est plus facile à cultiver et moins sujet aux infestations que celui de serre. Les variétés modernes ne sont pas amères. Certains ont une peau rugueuse et poilue, à éplucher. Chaque plant donne environ 15 fruits, entre la fin de l'été et la mi-automne.
**SEMIS ET PLANTATION.** Du milieu à la fin de printemps, semez 2-3 graines en pots de 8 cm à 20°C, éclaircissez. Plantez dehors en début d'été, par 2 en sac de culture ou espacés de 45 cm dans un sol bien fumé, en créant une petite butte pour éviter la pourriture, de préférence sous film horticole ou cloche.
**ENTRETIEN.** Pincez la pousse à 6 feuilles pour une plante buissonnante, et paillez (paille ou plastique) pour garder les fruits propres. Palissez les grimpantes sur des bambous ou des cordes. Utilisez un système d'arrosage apportant une humidité constante. Lors de la fructification, enrichissez régulièrement d'un engrais pour tomates.

## AUBERGINES

Sous climats frais, les aubergines nécessitent une serre chauffée, surtout quand elles sont jeunes. Leur croissance est ralentie en dessous de 20° C, l'idéal se situant entre 25 et 30°C. Les variétés naines, parfaites sur un site ensoleillé en été, seront protégées d'un film horticole pour les nuits froides.
**SEMIS ET PLANTATION.** En fin d'hiver ou début de printemps, semez à 1-2 cm de profondeur, en bacs à 18-21°C. À la taille de 5 cm, repiquez individuellement dans des pots de 8 cm. Aux premières fleurs, plantez-les par 3 en sac de culture ou dans des pots de 20 cm pour les variétés naines. Pincez l'extrémité de la pousse à 38 cm de haut.
**ENTRETIEN.** Comme les poivrons (*voir ci-dessus*), mais utilisez un engrais pour

tomates plutôt qu'un engrais complet. Pour avoir de grosses aubergines, ne laissez que 4 à 6 fruits sur un plant. Sous abri, surveillez les ravageurs de serre et le mildiou.

**RÉCOLTER LES AUBERGINES** △
*L'aubergine est mûre quand le fruit entier est coloré et la peau ferme et brillante. Si elle perd de son éclat ou se ride, la chair sera amère. Coupez la tige à 2,5 cm au moins du fruit.*

AUBERGINE

**VOIR AUSSI :** Semer, p. 244

# TOMATES

S'il existe des variétés de tomates de tailles, de formes et de couleurs diverses, c'est d'abord leur degré de rusticité et leur port qui détermineront votre choix. La plupart des tomates buissonnantes n'ont pas besoin de support mais offrent un choix moindre que les variétés rampantes qui doivent leur surnom de tomates "cordon" à leur tige unique tuteurée. Dans ces deux groupes, certaines variétés se cultivent en extérieur sous climats frais, sans protection à partir d'une certaine taille. Sous abri, on passera d'un rendement de 2 à 4 kilos.

**SITE ET SOL.** Avant de planter en pleine terre, ajoutez à la terre des matières organiques et un engrais complet, car les tomates sont très sensibles aux carences nutritionnelles. Sous abri vitré, utilisez des sacs de culture ou des pots de 25 cm, garnis de terreau de rempotage frais.

**SEMIS ET PLANTATION.** Les jeunes plants se trouvent facilement en jardineries. Si vous avez une serre, achetez-les tôt pour choisir les plus beaux, ou semez à 2 cm de profondeur en terrines ou caissettes compartimentées. Vous pouvez démarrer les plants à cultiver en serre en semant à 15-18°C. Les variétés d'extérieur seront prêtes à être endurcies et replantées au bout d'environ 8 semaines, calculez donc la date de semis pour arriver à une période où le risque de gel est écarté. Empotez dans des pots de 8 cm au stade de 2-3 feuilles et plantez à la formation des fleurs. Un film horticole sur les jeunes plants en extérieur pendant une à deux semaines les aidera à bien démarrer. Plantez les tomates de serre par 3 en sac de culture ou une par pot. À l'extérieur, espacez les cordons de 45 cm, les naines de 30 cm et les buissonnantes de 60 cm.

**ENTRETIEN.** Paillez les plants en extérieur si le sol est chaud. Un paillis de plastique sous les buissonnantes garde propres les fruits de la base. Le plastique blanc réfléchit aussi le soleil et concourt au mûrissement. Ne laissez jamais les plantes se dessécher. Un arrosage régulier évite à la peau de durcir, un mûrissement inégal et le craquèlement des fruits (voir p. 304). En périodes chaudes un sac de culture demande parfois jusqu'à 9 litres par jour. Dès la première grappe de petits fruits issue des fleurs, appliquez chaque semaine un engrais pour tomates riche en potasse ou un engrais organique liquide équivalent. Les cordons ont besoin d'un support, soit des bambous, soit des ficelles accrochées aux chevrons de la serre. Il faut aussi les pincer pour ne garder qu'une tige verticale. Surveillez les mouches blanches (voir p. 299) qui seront écartées par une contre-culture d'œillets d'Inde.

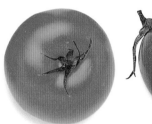

**TOMATE COMMUNE**

**TOMATE PRUNE**

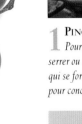

**TOMATES-CERISES**

**TOMATE JAUNE**

**TOMATE STRIÉE**

## CULTIVER DES TOMATES "CORDON"

**1 PINCER LES POUSSES LATÉRALES**
*Pour faire grimper les tomates, liez-les à un bambou sans serrer ou à une ficelle suspendue. Éliminez toutes les pousses qui se forment à la jonction des feuilles et de la tige principale pour concentrer la sève dans les fruits.*

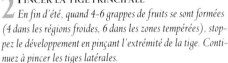

**2 PINCER LA TIGE PRINCIPALE**
*En fin d'été, quand 4-6 grappes de fruits se sont formées (4 dans les régions froides, 6 dans les zones tempérées), stoppez le développement en pinçant l'extrémité de la tige. Continuez à pincer les tiges latérales.*

### ASTUCES

• Dans un petit espace, les naines buissonnantes et les rampantes sont parfaites en pots de 25 cm ou même en suspensions (voir p. 177). Les tomates-cerises les plus rustiques donnent une bonne petite récolte et n'ont presque jamais de carence en bore.

• Sous climats frais, les derniers fruits de la saison ne mûrissent pas totalement : cueillez les tomates vertes et posez-les sur un rebord de fenêtre au soleil, la compagnie d'une banane mûre les aidera à se colorer et mûrir.

**AMÉLIORER LE MÛRISSEMENT** △
*Sous climats frais, les derniers fruits en "cordon" mûriront mieux détachés de leur support, étalés sur un lit de paille propre avec la chaleur additionnelle d'un tunnel. Les racines restent en terre pour nourrir la plante.*

**VOIR AUSSI :** Semer, pp. 244-245

# COMMENT CULTIVER LES ARBRES FRUITIERS

La culture des fruitiers est l'un des plus grands plaisirs, pour la beauté de leurs branches chargées de fleurs au printemps, puis pour le plaisir gourmand des fruits mûrs. Dans un grand jardin, vous les rassemblerez en verger, sinon vous les planterez parmi les plantes ornementales. Vous aurez plaisir à cueillir les fraises des bois en bordure de plate-bande ou le raisin sur la vigne ombrageant une pergola. Il est délicat de tailler les jeunes arbres. En termes de décoration, le seul inconvénient des arbres fruitiers est la nécessité de les protéger des oiseaux. Les protecteurs des animaux sont contre les filets invisibles qui prennent au piège les oiseaux dans leurs mailles.

## ORGANISER UN VERGER

Les fruitiers présentés dans ces pages sont des plantes permanentes – arbres, arbustes et vivaces – voués à rester en place pendant des années. Dans un grand verger, des carrés de buissonnants comme les cassissiers (voir p.269), des rangées palissées de framboisiers (voir p. 270) et des parterres de fraisiers (voir p. 272) assureront de savoureuses et généreuses récoltes. Le regroupement de ces petits fruits vous simplifiera le travail, surtout en matières d'arrosage et de fertilisation, et de protection contre le vent et les ravageurs, comme les cages à fruits. Vous aurez peut-être aussi la place pour quelques arbres fruitiers, soit plusieurs espèces, soit des variétés qui se récoltent à différentes périodes dont vous profiterez le plus longtemps possible. N'oubliez pas cependant que, dans de nombreuses variétés, il faut planter les arbres par deux car ils ne peuvent pas s'autoféconder. Le deuxième ne doit pas obligatoirement être de la même variété mais doit au moins fleurir à la même époque, d'où une récolte simultanée. Dans un espace trop limité pour des standards, il existe plusieurs façons de contourner le problème (voir ci-dessous).

### ASTUCES

• Pour la pollinisation, le 2ᵉ arbre n'a pas forcément la même taille ou port que le 1ᵉʳ, il peut être nain ou plus petit, en cordon ou en espalier.

• Si le 2ᵉ arbre n'est pas dans votre jardin, votre voisin peut avoir une variété compatible.

• Beaucoup de pommiers sauvages pollinisent les variétés greffées, renseignez-vous auprès d'un spécialiste.

• Il y a des arbres "parents" : deux variétés compatibles greffées sur un seul tronc.

## SITE ET CLIMAT

Si dans les régions froides les jardiniers peuvent envier ceux de régions plus privilégiées, les jalouser pour tous les légumes et fleurs fragiles qu'ils cultivent sans souci, ils se consoleront avec les fruits les plus fins qui ne prospèrent que grâce à des hivers froids et des étés ni trop longs ni trop brûlants. Cette exigence de froid, indispensable à la récolte, s'exprime avec précision en nombre d'heures en dessous d'une température donnée. Le jardinier du nord a le droit d'ignorer cet avertissement. Il concentrera alors son activité sur ses parcelles les plus ensoleillées et abritées pour obtenir de beaux fruits bien mûrs ou il essaiera des fruits admettant des conditions limites comme les pêches ou le raisin. Amener à maturité ne serait-ce qu'une petite récolte procure une merveilleuse sensation de réussite.

**BEAU ET UTILE** ▷
*Un poirier adulte en espalier constitue un écran de séparation entre deux coins du jardin et un bel arrière-plan pour une plate-bande herbacée.*

△ **AVANTAGE DU NOMBRE**
*Les fraisiers regroupés en parterre sont plus faciles à soigner, fertiliser et arroser. Cela simplifie aussi la mise en place de cloches pour les protéger.*

△ **DES PÊCHES PARFAITES**
*Aussi tentantes que soient les pêches et nectarines, tenez compte de vos conditions locales pour ces fruits de climats tempérés chauds. Il leur faut des hivers froids mais aussi beaucoup de soleil et de chaleur pour donner de beaux fruits juteux.*

VOIR AUSSI : Protéger les cultures, p. 240 ; Les fruits rouges, pp. 268-271

# DANS DE PETITS ESPACES

Bien sûr vous n'obtiendrez pas une trop grosse récolte, mais avec une bonne planification et un peu d'imagination vous mangerez vos propres fruits, même dans un jardin de poche. De nombreux arbres fruitiers sont assez décoratifs pour être planté au centre d'une pelouse à la place d'un ornemental. Vous devez cependant penser aux exigences de la pollinisation (*voir ci-contre* Organiser un verger). Pour habiller des murs ou des pergolas, remplacez les grimpantes traditionnelles par une vigne ou un fruitier à baies, un loganberry par exemple.

Dans un espace très réduit, beaucoup de fruits sont cultivables en bacs. Les jardins de ville sont petits mais souvent bien abrités, un pêcher nain en pot vous offrira des fruits succulents. Les fraises, à gros fruits ou fraises des bois (*voir p. 272*), sont des variétés classiques de bacs. Pour plus de permanence et moins d'entretien, les cassissiers sont parfaits (*voir p. 269*), ces buissons décoratifs sont très jolis en fruits et ont un très beau feuillage d'automne. Choisissez toujours des bacs d'un diamètre minimum de 30 cm. Utilisez un mélange à base de terreau de feuilles. Placez dans un endroit ensoleillé, arrosez et fertilisez régulièrement.

**FRAISIER DES BOIS** △
*Le fraisier des bois est idéal pour la culture en pot sur une terrasse, il porte de petits fruits parfumés tout l'été. Cultivez dans un mélange à base de terreau de feuilles, arrosez et fertilisez régulièrement. Remplacez la plante et le terreau après deux ans.*

# TAILLE ET FORME DES ARBRES

Les plus expérimentés des jardiniers seront ravis de laisser les premiers soins des fruitiers aux experts. Les pépinières spécialisées ont les moyens et le savoir-faire pour greffer les fruitiers sur les porte-greffe et pour leur apporter les soins qui réduiront considérablement l'intervalle entre le moment de l'achat et celui de la première récolte. Sans parler du fait qu'ils vous éviteront de prendre les premières décisions délicates de taille. Pour la plupart des jardiniers tout cela mérite le surplus de dépense que représente l'achat d'un arbre un peu plus âgé mais bien formé. On greffe les arbres fruitiers sur des porte-greffe de variétés différentes pour obtenir des arbres plus ou moins grands. Pour certains, comme le porte-greffe de prunier 'Pixy', vous pouvez évaluer le résultat. Pour les porte-greffe de pommiers comme 'M9' et 'M27' faites-vous conseiller dans votre choix. Commencez par estimer l'espace dont vous disposez. Les tiges et demi-tiges font des arbres relativement grands sur de hauts troncs dégagés, les buissons ont un tronc bas. La forme buissonnante et sa forme dérivée, la pyramide, ont l'avantage de convenir à beaucoup de fruitiers. En outre, plus l'arbre est petit, plus la cueillette, la vaporisation et la taille seront faciles. Les arbres qui poussent à plat le long de murs, clôtures ou fils tendus ont plusieurs intérêts. Ils demandent moins d'espace, et allient l'utile à l'esthétique. Une rangée de cordons, par exemple, constitue un très bel écran pour diviser le jardin. Une bonne pépinière propose des éventails, espaliers et cordons de pommiers, poiriers, cerisiers, pêchers préformés. Ces ports exigent plus de soins à la taille et au palissage que les arbres et les buissonnants. Estimez bien le temps que vous êtes disposé à leur accorder.

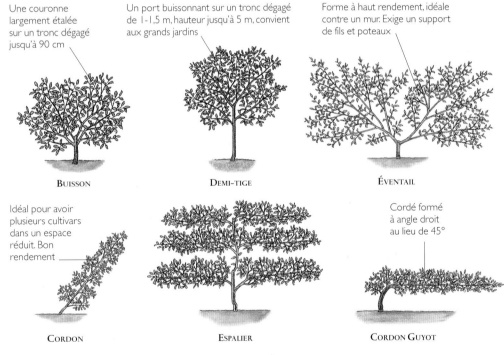

Une couronne largement étalée sur un tronc dégagé jusqu'à 90 cm

**BUISSON**

Un port buissonnant sur un tronc dégagé de 1-1,5 m, hauteur jusqu'à 5 m, convient aux grands jardins

**DEMI-TIGE**

Forme à haut rendement, idéale contre un mur. Exige un support de fils et poteaux

**ÉVENTAIL**

Idéal pour avoir plusieurs cultivars dans un espace réduit. Bon rendement

**CORDON**

**ESPALIER**

Cordé formé à angle droit au lieu de 45°

**CORDON GUYOT**

Forme réduite à 1,5-2 m, productive, facile à former et à entretenir

**PYRAMIDE**

**PYRAMIDE NAINE**

## FORMES DES ARBRES

Il existe plusieurs possibilités de formation pour de nombreux fruitiers. Toutes ces formes ont été créées pour correspondre aux ports naturels des arbres et à la taille des jardins. Tout arbre fruitier nécessite une taille, à un stade ou un autre. Étudiez les modes de fructification et de croissance pour ne pas éliminer des branches qui porteraient la prochaine récolte.

VOIR AUSSI : Les jardinières et les massifs, pp. 166-183 ; Les arbres fruitiers, pp. 262-267

# COMMENT PLANTER LES ARBRES FRUITIERS

Préparez le sol au moins deux mois avant la plantation. Éliminez toutes les mauvaises herbes et fertilisez le sol en y incorporant de copieuses quantités de matières organiques. Si vous projetez de palisser des arbustes tels que mûriers ou framboisiers, ou de planter des arbres en cordon ou en éventail, installez auparavant les supports et fils (voir p. 109). Pour les buissons et petits fruits, appliquez un engrais universel avant de planter. Tous les fruitiers exigent des paillis de matières organiques à intervalles réguliers. Trouvez un pépiniériste qui vous fournira des plantes certifiées sans maladie et qui saura vous guider dans votre choix.

## BIEN ACHETER

Les fruitiers sont là pour de longues années, aussi ne prenez pas le risque d'acheter de vieux sujets. Adressez-vous à l'expert fruitier d'une bonne jardinerie. L'étendue de la gamme de variétés offertes vous donnera des idées et vous pourrez demander tous les renseignements nécessaires sans avoir à écorcher des noms latins.

### PENSE-BÊTE

**FAITES-VOUS BIEN CONSEILLER**

Taille et forme des végétaux, périodes de récolte, exigences de pollinisation, adaptation à votre jardin, sensibilité aux maladies… listez toutes les questions essentielles. Si une association de jardinage locale s'intéresse aux fruitiers, elle sera du meilleur conseil.

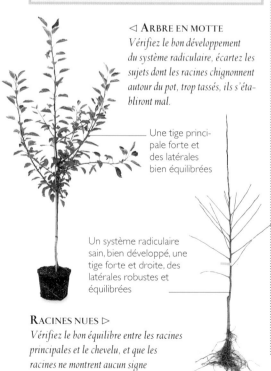

◁ **ARBRE EN MOTTE**
*Vérifiez le bon développement du système radiculaire, écartez les sujets dont les racines chignonnent autour du pot, trop tassés, ils s'établiront mal.*

Une tige principale forte et des latérales bien équilibrées

Un système radiculaire sain, bien développé, une tige forte et droite, des latérales robustes et équilibrées

**RACINES NUES** ▷
*Vérifiez le bon équilibre entre les racines principales et le chevelu, et que les racines ne montrent aucun signe de dessèchement.*

## PLANTER UN ARBRE FRUITIER

Les arbres en motte se plantent en toutes saisons pourvu que le sol ne soit ni sec, ni détrempé, ni gelé. Plantez les arbres à racines nues pendant la dormance, entre la fin de l'automne et le début du printemps. Faites tremper les racines avant la plantation. Si les conditions ne sont pas favorables, mettez les arbres en jauge et arrosez en attendant une amélioration. La hauteur du tuteur dépend de la forme. En pyramide, les arbres nécessitent un tuteur permanent, de la taille de la hauteur finale. Les buissons et les tiges demandent un tuteur court, juste en dessous des branches inférieures. Il peut être simple, ou double, situé alors de chaque côté de la motte de racines. Enlevez-les quand l'arbre est enraciné. Dans une pelouse, décollez le gazon autour de l'arbre.

### COMMENT PLANTER UN ARBRE À RACINES NUES

Enfoncez un piquet dans le trou à 60 cm de profondeur, il sera à 45 cm après la plantation

**1 CREUSER LE TROU**
*Creusez un trou plus large d'un tiers que les racines. Enfoncez le tuteur, déporté de 7 cm du centre pour les pyramides, d'un côté ou de l'autre des racines pour les tiges ou les buissons. Il doit être au moins à 60 cm sous le niveau du sol.*

**2 FORMER UNE BUTTE À LA BASE**
*Créez une petite butte au fond du trou et placez l'arbre au centre. Placez un bambou en travers du trou pour vérifier le niveau du sol. Après la plantation, il ne doit pas dépasser la marque de terre sur la tige.*

**3 PLANTER ET TASSER**
*Étalez les racines de façon homogène sur la butte. Remplissez progressivement le trou de terre en tassant doucement avec le pied pour que l'arbre s'installe bien et qu'il n'y ait pas de poches d'air entre les racines.*

**4 FIXER LE SUPPORT**
*Fixez un lien à boucle et tampon entre le sommet du tuteur et l'arbre, le tampon évitant le frottement entre la tige et le tuteur (voir encadré). Réglez-le au bon espacement. Protégez l'arbre d'un filet.*

Voir aussi : Les tuteurs, p. 193 ; Les arbres, p. 195 ; Les arbres fruitiers, pp. 264-267

# PLANTER DES ARBRES FRUITIERS FORMÉS

Avant de planter de jeunes plants en cordons, éventails et espaliers, tendez des fils horizontaux, soit entre des poteaux en béton de 2 m de haut, soit sur des crochets, à 10-15 cm de distance du mur ou de la clôture. Pour les supports en diagonales, fixez des bambous aux fils à 45° d'angle (*à droite*) et attachez-y les tiges principales des cordons ou éventails après la plantation. Assurez-vous lorsque vous plantez que le bourrelet de greffe – un renflement à la base du tronc – n'est pas enterré. Plantez à 23 cm de la base du mur ou de la clôture, avec une inclinaison vers le support.

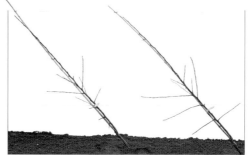

△ **SOUTENIR LES CORDONS**
*Formez les cordons sur des supports constitués de fils tendus entre de solides poteaux, ou sur des fils maintenus par des crochets à 10-15 cm d'un mur ou d'une clôture, de façon à ce que l'air circule. Installez trois étages de fils à 30 cm de distance, le plus bas à 75 cm du sol.*

△ **FIXER LE TUTEUR**
*Fixez le bambou aux fils horizontaux à un angle de 45°, fermement attaché avec un lien métallique enrobé de plastique.*

△ **LIER LA TIGE**
*Liez au bambou les tiges principales du cordon ou de l'éventail avec une ficelle, sans serrer pour que l'écorce ne frotte pas contre le fil.*

# PLANTER LES ARBUSTES FRUITIERS

Les buissons fruitiers, comme les groseilliers et les cassissiers, se plantent comme les arbres fruitiers mais sans tuteurs. La meilleure saison est l'automne mais on peut les planter tout l'hiver, si la terre et le temps s'y prêtent. Si possible, achetez des plantes garanties sans maladies. Lors de la plantation, maniez délicatement les arbustes pour ne pas abîmer les bourgeons. Après la plantation, rabattez toutes les tiges du cassissier (*voir p. 269*). Pour les groseilles et groseilles à maquereaux, taillez en fin d'hiver les pousses latérales placées à moins de 10 cm du sol pour créer un tronc court. Rabattez les autres tiges de moitié au-dessus d'un œil dirigé vers l'extérieur.

**COMMENT LES PLANTER**

**1 CREUSER LE TROU**
*Creusez un trou assez large pour y étaler largement les racines. Posez une baguette en travers pour vérifier que le niveau du sol ne dépasse pas la marque terreuse portée par la tige. Au besoin, corrigez la profondeur.*

**2 REMPLIR ET TASSER**
*Remettez la terre en place par couches, tassez doucement du pied entre chaque couche pour éliminer les poches d'air éventuelles entre les racines. Puis ratissez pour niveler. Au printemps, appliquez un paillis de fumier bien décomposé.*

# PLANTER LES FRUITIERS À CANNES

Les fruitiers à cannes – framboisiers, mûriers et leurs hybrides – demandent un support permanent. Les piquets et fils constituent une méthode simple qui économise l'espace. Pour les framboisiers, tendez des fils horizontaux à 75 cm, 1 m et 1,6 m au-dessus du sol entre deux solides poteaux, ou sur une rangée de quatre ou cinq. Pour les mûriers et hybrides, plantez deux poteaux de 2,5 m de haut, enterrés à 60 cm de profondeur, avec quatre fils horizontaux espacés de 30 cm, le plus bas à 90 cm du sol. Plantez comme les framboisiers, entre l'hiver et le début de printemps. Espacez les cultivars vigoureux de 4-5 m, les moins vigoureux de 2,5 m. Après la plantation, rabattez à 23 cm du sol.

**COMMENT LES PLANTER**

**1 PLANTER LES CANNES**
*En automne et début d'hiver, préparez une tranchée de 5-8 cm de profondeur, dans un sol bien fumé. Plantez les cannes à 38-45 cm de distance, en rangées espacées de 2 m. Étalez les racines de façon homogène et remblayez.*

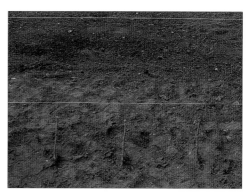

**2 TAILLER LES CANNES**
*Tassez doucement la terre autour des tiges en les gardant bien verticales. Rabattez-les toutes au-dessus d'un œil à 25 cm environ au-dessus du sol. Ratissez légèrement. Appliquez un paillis de fumier bien décomposé au printemps.*

VOIR AUSSI : Les arbustes fruitiers, pp. 268-271

# COMMENT TAILLER LES ARBRES FRUITIERS

La taille des arbres fruitiers a trois objectifs fondamentaux : orienter la tige principale pour créer ou entretenir la forme désirée avec une structure solide, assainir et équilibrer le bois fructifère et la croissance, et le développement de sa santé et éliminer le bois mort, malade ou abîmé, les branches transversales qui frottent sur l'écorce et la blessent et celles en surnombre qui font écran à l'air et à la lumière au cœur de la frondaison. La taille courante se pratique pendant la dormance d'hiver ou en été, par exemple pour les pruniers, cerisiers et pêchers.

## ANATOMIE D'UN ARBRE FRUITIER

La taille et la formation des arbres fruitiers consistent à couper différents types de pousses, branches vieilles ou nouvelles, rameaux de croissance et bois fructifère. Le but de la taille est d'influencer la direction des pousses afin d'aboutir à un équilibre entre la pousse et le bois fructifère : il est donc essentiel de distinguer les bourgeons à fruits de ceux qui portent les pousses qui allongeront les branches et créeront la silhouette de l'arbre.

Il est également important de savoir où pratiquer la taille pour induire la formation de bourgeons à fruits et de connaître la réaction de la plante en cas de taille sévère. Tailler peu ou modérément une jeune pousse sur une flèche entraîne la production de bourgeons à fruits plus bas sur la même pousse.

### NOMS DES PARTIES
Les différents types de pousses sur un arbre fruitier portent des noms précis. Il est plus facile de comprendre les techniques de taille en connaissant les termes les plus simples.

◁ **ŒIL À BOIS**
*Ces yeux sont étroits, pointus et collés à la tige. Ils produisent de nouvelles pousses ayant un potentiel de fructification.*

◁ **BOURGEON À FRUIT**
*Ici un pommier. Ces bourgeons sont plus gros et arrondis que les yeux à bois. Ils contiennent les fleurs de la saison suivante.*

La flèche à l'extrémité de la branche est la partie qui s'allongera au fil de la croissance

Les latérales poussent sur les branches principales. Les sous-latérales poussent à partir des latérales

**BOURRELET DE GREFFE** ▷
*Point où le cultivar à fruits, le scion, est greffé sur le porte-greffe. Il forme un léger renflement à la base du tronc.*

Le porte-greffe fournit le système radiculaire au scion. Il influe sur la vigueur et peut avoir un effet nanifiant

△ **DARD**
*Les poiriers et la plupart des pommiers portent les fruits sur des rameaux courts qui se forment en bouquets sur les branches latérales.*

## TAILLER UNE POUSSE FAIBLE

Plus on taille sévèrement une pousse faible, plus vigoureux seront les rameaux qui en résulteront. Rabattez sévèrement une nouvelle pousse robuste pour créer la silhouette de l'arbre. Les années suivantes la taille de ces pousses sera plus modérée pour les inciter à produire des bourgeons à fruit.

**TAILLER À UN ŒIL** ▷
*Approchez le sécateur du côté opposé à l'œil choisi, la lame la plus étroite le plus près possible de l'œil. Coupez en biseau, pente dirigée vers l'extérieur, à peu près à 5 mm de l'œil.*

### TAILLER UN RAMEAU FAIBLE
Après une taille légère, un rameau faible forme des bourgeons à fruits mais ne pousse plus. La taille modérée encourage à la fois la croissance de la pousse et la formation de bourgeons à fruits. La taille sévère favorise la croissance aux dépens des bourgeons à fruit.

Rabattre l'extrémité de 2,5-5 cm limite le développement de la pousse mais produit de beaux bourgeons à fruit

Couper 10 cm favorise à la fois la croissance de la pousse et la production de bourgeons à fruit

Une taille sévère a encouragé deux yeux à bois à se développer en rameaux au lieu de bourgeons à fruits mais deux tiges robustes remplaceront le vieux bois

TAILLE LÉGÈRE                TAILLE MODÉRÉE                TAILLE SÉVÈRE

**PENSE-BÊTE**

### TROUVEZ L'ÉQUILIBRE
On entretient la taille et la silhouette d'un fruitier en taillant sévèrement les pousses faibles et légèrement les robustes. La sévérité de la taille variera en fonction du manque de nouvelles pousses robustes ou d'une croissance vigoureuse avec une fructification médiocre, et du vieux bois à remplacer.

VOIR AUSSI : Les pommiers et les poiriers, pp. 264-265

# TAILLER UNE POUSSE ROBUSTE

Taillez sévèrement pour stimuler la croissance des jeunes arbres, ou sur les sujets plus âgés pour entraîner le remplacement d'une branche éliminée pour cause de maladie ou d'improductivité, ou pour produire une pousse qui équilibre la charpente. Après une taille sévère, le système radiculaire a moins de bourgeons à nourrir, chaque œil à bois a donc un fort potentiel de croissance et produit de nouvelles pousses robustes. À l'inverse, pas de taille ou une taille légère réduit la ration alimentaire de chaque bourgeon, la repousse est donc limitée. Si la taille est trop légère, on risque la production d'une multitude de petits fruits qui épuise l'arbre aux dépens d'une nouvelle pousse qui pourrait porter des fruits. L'équilibre est à l'ordre du jour.

## TAILLER UN RAMEAU ROBUSTE

L'absence de taille ou la simple élimination de l'extrémité sur un rameau robuste encourage la formation de bourgeons à fruits. La taille modérée favorise la ramification mais réduit le nombre de bourgeons à fruits. La taille sévère produit des pousses encore plus robustes au détriment des bourgeons à fruits.

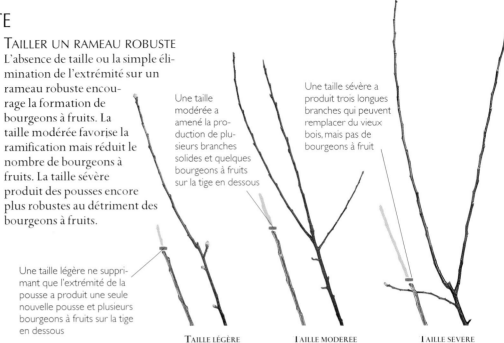

Une taille modérée a amené la production de plusieurs branches solides et quelques bourgeons à fruits sur la tige en dessous

Une taille sévère a produit trois longues branches qui peuvent remplacer du vieux bois, mais pas de bourgeons à fruit

Une taille légère ne supprimant que l'extrémité de la pousse a produit une seule nouvelle pousse et plusieurs bourgeons à fruits sur la tige en dessous

TAILLE LÉGÈRE    TAILLE MODÉRÉE    TAILLE SÉVÈRE

---

# TAILLE D'HIVER ET ÉCLAIRCISSAGE DES DARDS

Cette taille n'est pratiquée que sur les poiriers et les pommiers portant des dards, elle accentue leur port naturel. On ne l'utilise pas pour les autres fruitiers ni pour les pommiers à rameaux couronnés (demandez conseil à votre pépiniériste pour ces variétés). Elle consiste à raccourcir les latérales pour stimuler les rameaux fruitiers. Les sous-latérales sont raccourcies à tour de rôle pour produire des dards. On taille les flèches pour encourager la croissance de latérales. Au bout de quelques années on éclaircit les dards en surnombre en éliminant les plus vieux et les plus enchevêtrés.

## ÉCLAIRCISSAGE DES DARDS

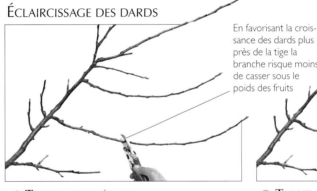

En favorisant la croissance des dards plus près de la tige la branche risque moins de casser sous le poids des fruits

**1 TAILLER LES LATÉRALES**
*Cette taille stimule la formation de dards près de la tige. En biseau, rabattez les latérales longues à 5-6 yeux et les latérales faibles à 2-3 yeux.*

**2 TAILLER LES FLÈCHES**
*Taillez la flèche à un œil, entre un quart et un tiers de sa pousse de l'année. Si elle est très vigoureuse, taillez juste la pointe.*

---

# TAILLE D'ÉTÉ

On taille les pruniers et les cerisiers en été, car la taille d'hiver les rend vulnérables à la maladie du plomb parasitaire *(voir p. 297)*. Cette taille ne suit pas de règle précise, contrairement à celle des poiriers et des pommiers à dards. Elle consiste simplement à éclaircir les pousses surnuméraires pour que le soleil atteigne les fruits. Vous devez aussi tailler en été tous les fruitiers, y compris les pommiers et les poiriers, spécialement formés et palissés en éventail, espalier ou cordon. La suppression des longues tiges à feuilles, surtout celles qui s'écartent du support, permet de conserver

la silhouette de l'arbre, de concentrer la sève et l'ensoleillement sur les fruits en cours de maturation et de stimuler le développement des boutons floraux de l'année suivante. Toutes les pousses longues de 15-22 cm sont rabattues à 5 cm quand leur tiers inférieur se lignifie. Les pousses se développent en début d'été, et la repousse issue de la taille précédente peut se rabattre à 2 cm. La période de taille peut s'étaler sur deux ou trois semaines ou plus. Rappelez-vous que l'objectif est de conserver la silhouette et de laisser le soleil mûrir les fruits.

Si on laisse pousser les latérales sans contrôle, elles gâchent la silhouette et font de l'ombre aux fruits

△ **AVANT**
*De nouvelles latérales ont poussé sur cet espalier, à la verticale. Si elles ne sont pas rabattues, la silhouette sera perdue.*

△ **APRÈS**
*La restauration de la silhouette est visible et les fruits auront plus de soleil. La taille d'été stimule aussi les futurs bourgeons à fruits.*

VOIR AUSSI : Les arbustes fruitiers, pp. 266-269

# POIRIERS ET POMMIERS

La meilleure saison de plantation se situe pendant la dormance. Plantez les pommiers entre l'automne et la fin de l'hiver. Les plantations de fin d'hiver nécessitent un arrosage pendant la première saison de croissance. Mais plantez les poiriers en automne, quand le sol est encore chaud, au plus tard en milieu d'hiver. Ils entrent en crois-sance très tôt au printemps, les plantations d'automne garantissent des racines bien développées avant la sortie des pousses. Ils ont besoin d'arrosage par les étés chauds et secs, surtout les premières années. Un paillis de fumier ou de compost bien décomposé favorise la rétention d'eau et réduit les risques de carences en oligo-éléments.

## POIRIERS

Les poiriers se plaisent dans les mêmes conditions que les pommiers, mais ils ont besoin d'une chaleur plus constante pour une belle récolte. On laisse les poiriers en forme libre ou on les palisse en cordons, éventails ou espaliers. Une pyramide naine, la plus compacte, doit être plantée à une distance de 1,2 m sur un porte-greffe "Quince C", 1,5 m sur un "Quince A". Superbe floraison, feuillage argenté, écorce noueuse et fruits appétissants, le poirier a tous les charmes. Cultivé en ornemental, il produira bien sans taille importante. Mais pour des récoltes conséquentes, la pyramide, une forme dérivée du buisson, est recommandée, avec une taille régulière. Pour former une pyramide naine, prenez un arbre de 2-3 ans, avec des latérales à angle droit. Le premier été, taillez les nouvelles pousses sur toutes les latérales à 5-6 feuilles, rabattez les sous-latérales à 3 feuilles. L'hiver suivant, taillez la flèche pour laisser 25 cm de nouvelle pousse, coupez à un œil sur le côté opposé à la taille précédente. Les années suivantes, alternez : un œil d'un côté, un œil de l'autre. Quand l'arbre atteint la taille requise, rabattez la flèche à un œil en fin de printemps, sur la nouvelle pousse. Paillez tous les ans en début de printemps et fertilisez comme les pommiers. Pour une bonne dose d'azote, ajoutez du nitrate d'ammonium à un taux de 35 g/m². Eclaircissez les fruits après la chute naturelle en milieu d'été. Laissez-en un par bouquet si la production est généreuse, deux si elle est plus maigre. Les poires se divisent en cultivars de début, milieu et fin de saison. La période de cueillette est importante, surtout pour les cultivars tardifs. Si le fruit reste trop long-temps sur l'arbre, le cœur brunit. Soulevez une poire en la tournant doucement, elle est mûre si elle se détache sans forcer. Cueillez les cultivars hâtifs juste avant la pleine maturité, les plus tardifs à pleine maturité. Les poires sont sujettes à la cheimatobie *(voir Chenilles, p. 298)*, au feu bacté-rien *(p. 301)*, à la tavelure *(p. 304)* et à la moniliose *(p. 304)*.

---

### PENSE-BÊTE

#### POUR DE BONNES RÉCOLTES

Pour une bonne pollinisation, plantez deux cultivars. Certains demandent deux pollinisateurs, demandez à votre fournisseur. Les poiriers fleurissent entre mi- et fin printemps. Le gel peut abîmer les premières fleurs, choisissez donc l'endroit le plus chaud et le plus abrité du jardin.

---

### TAILLER UNE PYRAMIDE ÉTABLIE

Une fois la forme établie, la taille d'entretien se fait entre le milieu et la fin de l'été, quand la base des pousses s'est lignifiée. La taille d'hiver est destinée à raccourcir la flèche et, avec l'âge, à éclaircir les dards pour les garder vigoureux et productifs.

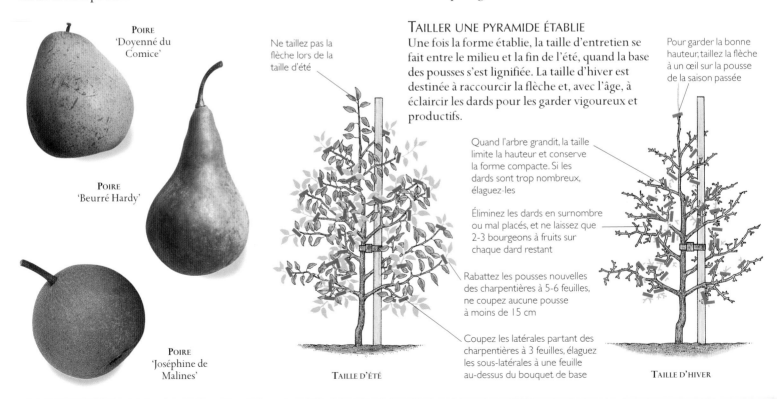

POIRE 'Doyenné du Comice'

POIRE 'Beurré Hardy'

POIRE 'Joséphine de Malines'

Ne taillez pas la flèche lors de la taille d'été

Pour garder la bonne hauteur, taillez la flèche à un œil sur la pousse de la saison passée

Quand l'arbre grandit, la taille limite la hauteur et conserve la forme compacte. Si les dards sont trop nombreux, élaguez-les

Éliminez les dards en surnombre ou mal placés, et ne laissez que 2-3 bourgeons à fruits sur chaque dard restant

Rabattez les pousses nouvelles des charpentières à 5-6 feuilles, ne coupez aucune pousse à moins de 15 cm

Coupez les latérales partant des charpentières à 3 feuilles, élaguez les sous-latérales à une feuille au-dessus du bouquet de base

TAILLE D'ÉTÉ

TAILLE D'HIVER

VOIR AUSSI : Les arbres fruitiers, p. 259-260

# POMMIERS

Les pommiers se plaisent dans un sol modérément fertile et bien drainé. Ils ont besoin d'un endroit ensoleillé et abrité et d'un pollinisateur compatible (*voir p. 258*). Faites-vous conseiller à l'achat. Les nombreuses variétés de pommes, à consommer crues ou cuites, arrivent à maturité du milieu de l'été à la fin de l'hiver, certaines peuvent se conserver jusqu'au milieu du printemps. Si les étés sont frais et courts, choisissez des cultivars à maturation précoce, et si des gelées tardives sont à craindre, choisissez ceux à floraison tardive pour préserver les fleurs. Le choix du porte-greffe dépend de la taille d'arbre désirée et de la nature du sol. Il en existe une large gamme mais dans la plupart des cas, 'M9' est conseillé pour les arbres nains, 'M26' pour des arbres un peu plus grands et

'MM106' pour une taille moyenne. La robustesse du porte-greffe compensera un sol pauvre. On peut former les pommiers en cordons, éventails, espaliers ou sous différentes formes libres. Une demi-tige au tronc dégagé fait un beau sujet ornemental et donnera de beaux fruits en se contentant d'une taille basique (enlever les branches mortes ou malades), mais pour obtenir de superbes récoltes, la forme buisson est incomparable. Plantez les porte-greffe nanifiants à 2 m d'intervalle, et les 'MM106' à 3,5-5,5 m. Paillez à chaque début de printemps. Quand l'arbre atteint l'âge de floraison, appliquez 105-140 g/m² d'engrais universel à chaque printemps. Si la croissance est médiocre, ajoutez du nitrate d'ammonium à un dosage de 35 g/m². En début d'été,

**POMME DESSERT**
'George Cave'

**POMME À CUIRE**
'Bramley'

éliminez le fruit central de chaque bouquet, recommencez en milieu d'été pour ne laisser que le plus beau fruit. Les pommiers sont sujets aux carpocapses (*voir p. 298*), aux araignées rouges des fruitiers (*p. 301*), à la tavelure (*p. 304*), moniliose (*p. 304*), au chancre (*p. 300*) et au mildiou (*p. 296*).

## TAILLER UN POMMIER EN BUISSON

Le but est de créer un buisson au centre dégagé, avec 8-10 charpentières rayonnant à partir du sommet d'un tronc de 60-75 cm. Prenez un scion de deux ans avec au moins 3-4 latérales robustes et bien placées. Après la première taille de formation, les tailles diffèrent pour les pommiers à dards ou à rameaux couronnés. Vérifiez le mode de fructification de la variété avant de planter. Pour orienter la pousse, taillez toujours à un œil pointant dans la direction souhaitée.

**TAILLE DE FORMATION, HIVER ▷**
*Rabattez la flèche juste au-dessus de 3-4 solides latérales. Rabattez celles-ci des deux tiers, à un œil tourné vers le haut pour les horizontales, à un œil dirigé vers l'extérieur pour les verticales.*

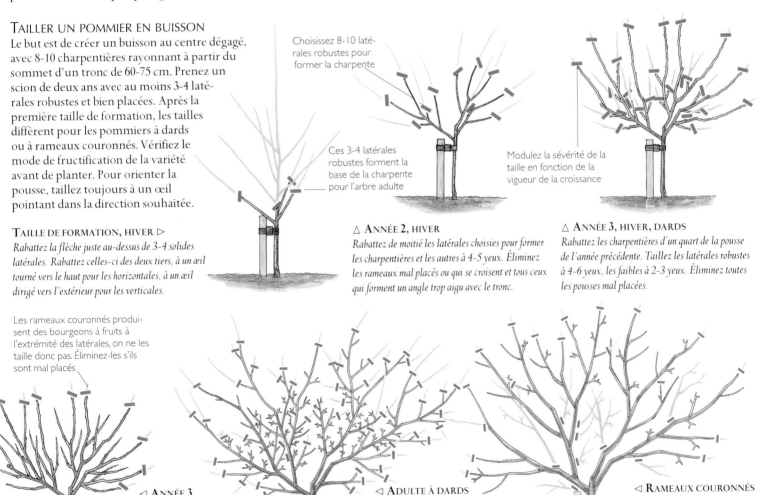

Choisissez 8-10 latérales robustes pour former la charpente

Ces 3-4 latérales robustes forment la base de la charpente pour l'arbre adulte

Modulez la sévérité de la taille en fonction de la vigueur de la croissance

△ **ANNÉE 2, HIVER**
*Rabattez de moitié les latérales choisies pour former les charpentières et les autres à 4-5 yeux. Éliminez les rameaux mal placés ou qui se croisent et tous ceux qui forment un angle trop aigu avec le tronc.*

△ **ANNÉE 3, HIVER, DARDS**
*Rabattez les charpentières d'un quart de la pousse de l'année précédente. Taillez les latérales robustes à 4-6 yeux, les faibles à 2-3 yeux. Éliminez toutes les pousses mal placées.*

Les rameaux couronnés produisent des bourgeons à fruits à l'extrémité des latérales, on ne les taille donc pas. Éliminez-les s'ils sont mal placés

◁ **ANNÉE 3, RAMEAUX COURONNÉS**
*Rabattez les charpentières d'un quart de la pousse de l'année précédente. Ne taillez pas les latérales sauf si elles sont mal placées ou croisées.*

◁ **ADULTE À DARDS**
*Rabattez les latérales faibles de moitié et les robustes au maximum d'un quart de leur longueur. Taillez les autres nouvelles pousses à 4-6 yeux, au dernier sur les pousses plus fortes. Éclaircissez ou supprimez les dards vieillis ou en surnombre.*

◁ **RAMEAUX COURONNÉS**
*Sur le sujet adulte, rabattez le bois fructifère le plus vieux à une jeune pousse ou à un œil basal pour encourager une pousse de remplacement. Élaguez les pointes des charpentières.*

VOIR AUSSI : Les arbres fruitiers, pp. 262-263

# FRUITS À NOYAUX

Pruniers et cerisiers produisent d'excellents fruits, qui font souvent en premier le régal des oiseaux. Le prunier se plante à la fin de l'automne. Si vous en plantez plusieurs, il faut prévoir 4 m entre eux. Sinon, choisissez une variété autofertile. Formés en buisson, ils devront être taillés régulièrement, à l'automne. Le cerisier est un arbre qui peut atteindre une hauteur de 4 m. Votre choix se portera ici aussi sur une variété autofertile. La culture du pêcher est plus délicate. Il a besoin de chaleur, de lumière et d'un sol humide. Alors, dans les régions à été frais, vous planterez pêchers et nectarines à proximité d'un mur.

## PRUNIERS

Les prunes, reines-claudes et prunes de Damas se cultivent dans un sol modérément fertile, bien drainé, au soleil et à l'abri. Ces arbres fleurissent tôt au printemps, une bonne fructification nécessite donc un site à l'abri du gel. Dans les régions fraîches, choisissez des variétés traditionnelles rustiques comme 'Victoria'. Si les fruits n'ont pas mûris pleinement, vous pourrez les utiliser en cuisine. Sous climat doux, essayez les prunes à dessert. De nombreux pruniers, dont 'Victoria', sont autofertiles, certains ont besoin d'un pollinisateur. On forme les pruniers en buissons, pyramides ou éventails. Le buisson est une forme compacte qui nécessite une taille régulière. Les porte-greffe 'Pixy' (nanifiant) ou 'St Julien A' produisent des arbres petits ou moyens. Plantez-les à 4 m de distance, en fin d'automne, jamais au-delà du milieu de l'hiver, car ils entrent tôt en croissance. Paillez tous les ans en début de printemps et appliquez un engrais universel et un engrais riche en azote au stade de la floraison, comme pour les poiriers. En été, après la chute naturelle, éclaircissez les fruits restants à 7-10 cm, pour obtenir une meilleure qualité de fruit et limiter les risques de branches cassées. Les pruniers craignent les oiseaux (voir p. 307), mais aussi la cheimatobie (Chenilles, p. 298), le chancre (p. 300) et la moniliose (p. 304).

**PRUNE**
'Marjorie's Seedling'

**PRUNE**
'Coe's Golden Drop'

**PRUNE**
'Victoria'

**PRUNE DE DAMAS**
'Merryweather'

**REINE-CLAUDE**
'Cambrige Gage'

△ **PRUNIER EN FRUIT**
*Les arbres de la famille des pruniers ne fructifient pas sur des dards mais à la base des rameaux d'un an et tout le long des rameaux de deux ans et plus. La taille doit en tenir compte.*

## TAILLER UN PRUNIER EN BUISSON

L'objectif est un tronc dégagé d'au moins 75 cm. Supprimez en début d'été les pousses faibles, mortes, abîmées, croisées ou improductives. Taillez-les au point d'origine ou à une pousse de remplacement.

Rabattez les sous-latérales de moitié, à un œil dont la direction produira une couronne équilibrée et dégagée au centre

Pour conserver une couronne ouverte et équilibrée, supprimez toute nouvelle pousse trop vigoureuse, et celles qui se dirigent vers le centre ou qui frottent contre les charpentières

Sur les cultivars qui s'étalent naturellement comme 'Victoria', taillez aux yeux qui sont tournés vers le ciel. Les branches horizontales s'affaisseraient et pourraient se briser sous le poids des fruits

Coupez les latérales aux yeux tournés vers l'extérieur, ou aux yeux tournés vers le ciel sur les branches horizontales

◁ **ANNÉE 1,**
**DÉBUT DE PRINTEMPS**
*Rabattez 3-4 latérales bien espacées de deux tiers. Coupez la flèche au niveau de la plus haute des latérales choisies, environ à 90 cm du sol. Taillez les latérales inférieures à 2 yeux, pincez la pousse qui en sortira à deux feuilles pendant toute la saison.*

◁ **ANNÉE 2,**
**DÉBUT DE PRINTEMPS**
*Sur chaque latérale, rabattez 2-3 sous-latérales de moitié. Supprimez toute pousse faible, mal placée ou en angle trop aigu. Supprimez les latérales basses qui ont été taillées et pincées l'année précédente. Si des rameaux bas apparaissent, coupez-les.*

◁ **ANNÉE 3**
*Attendez le printemps ou le début d'été pour tailler. Rabattez d'un quart les flèches faibles ou poussant à l'horizontale, en coupant à un œil orienté dans une direction qui équilibre la charpente.*

VOIR AUSSI : Les arbres fruitiers, pp. 260-263

# CERISIERS

Les cerisiers acides produisent des fruits même dans les régions fraîches. Sous climats doux, ou dans un site abrité et ensoleillé, vous profiterez des cerises sucrées, malgré la concurrence des oiseaux. Plantez les cerisiers dans un sol modérément fertile, bien drainé et à l'abri, les acides supportent la mi-ombre. La plupart des acides et quelques sucrés sont autofertiles, généralement greffés sur le porte-greffe 'Colt' sur lequel un arbre formé en buisson atteindra 4 m de haut. Peu de jardins disposent d'espace pour deux ou trois arbres de cette dimension qui se pollinisent, préférez donc les autofertiles, 'Stella' sucré, 'Morello' acide. On taille souvent les cerisiers en buisson ou en éventail. Les cerisiers sucrés fructifient à la base des pousses de l'année et tout le long du bois plus ancien, ils sont sont parfaits en buissons formés et taillés comme les pruniers. Les cerisiers acides fructifient sur les pousses de l'année précédente, la taille doit donc éliminer chaque année du bois fructifère qui sera remplacé par du bois de l'année. Paillez en début de printemps, appliquez aussi du nitrate d'ammonium à 35 g/m$^2$ aux cerisiers acides, les cerisiers sucrés n'en ont besoin que si la croissance est médiocre. Arrosez régulièrement en périodes sèches. L'éclaircissage des fruits s'impose rarement. Les problèmes courants sont les oiseaux *(voir p. 307)*, les cheimatobies *(Chenilles, p. 298)*, le chancre bactérien *(p. 300)* et la moniliose *(p. 304)*.

CERISES SUCRÉES

CERISES ACIDES

Rabattez d'un quart les tiges ayant fructifié au-dessus d'un nœud de pousse de remplacement

Rabattez à une pousse latérale ou à une feuille les rameaux verticaux qui menacent d'encombrer le centre

Supprimez les pousses dirigées vers le sol sur les branches inférieures

## TAILLER UN CERISIER ACIDE EN BUISSON

Même taille de formation que le prunier en buisson, au printemps. Le cerisier acide fructifie sur les pousses de l'année précédente. Une fois enraciné, taillez après la récolte. Sur un arbre plus âgé, coupez tous les ans au printemps une ou deux branches pour stimuler la repousse.

# PÊCHERS ET NECTARINIERS

À moins d'une situation très favorable, les pêches et nectarines ont du mal à mûrir dans les régions aux étés frais, le mieux étant alors la formation en éventail sur un mur large de 5 m. Une autre solution est la forme naine dans un grand bac, mis sous abri l'hiver. Si vous disposez d'un mur adéquat, le mieux est d'acheter un éventail préformé et de le planter en début d'hiver. Il devra présenter deux branches latérales à 40° d'angle. Chacune doit avoir deux pousses bien espacées sur le dessus et une en dessous. Pendant la croissance, attachez-les sur des bambous liés aux fils de fer pour former la charpente. Pour former les rameaux secondaires,

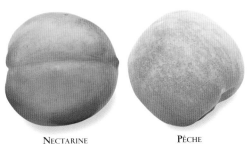

NECTARINE          PÊCHE

rabattez les bras principaux d'un tiers en début de printemps. Pincez tous les rameaux indésirables à une feuille. Sur un éventail installé, il faut éclaircir les pousses latérales et les organes à fruits pour optimiser l'exposition au soleil d'une petite récolte. Laissez une latérale sur chaque pousse florale, sous les fleurs, et pincez toutes les autres pousses à une feuille. Taillez la pointe de cette latérale quand elle atteint 45 cm de long. Après la fructification, coupez chaque pousse qui a fructifié à sa pousse de remplacement et palissez. Les pêches craignent la cloque du pêcher *(voir p. 297)*, les nématodes des racines noueuses *(p. 309)* et le chancre *(p. 300)*.

ÉCLAIRCIR LES FRUITS ▷
*Quand les fruits atteignent la taille d'une noix et que la première chute naturelle a eu lieu, éclaircissez à nouveau à un fruit tous les 15-22 cm. Enveloppez les fruits dans une mousseline pour les protéger des oiseaux pendant la maturation.*

## ÉCLAIRCIR LES POUSSES

1 AVANT L'ÉCLAIRCISSAGE
*Si toutes les pousses groupées sur ce bras se développent, elles surchargeront l'éventail avec trop de petits fruits médiocres et leur masqueront le soleil.*

2 APRÈS L'ÉCLAIRCISSAGE
*Pincez les pousses superflues à leur point d'origine pour ne laisser que des pousses distantes de 10-15 cm. Supprimez toutes celles qui se dirigent vers le mur.*

VOIR AUSSI : Les arbres fruitiers, p. 261

# GROSEILLES, CASSIS ET MYRTILLES

Ce sont des arbustes de climats frais, qui ne supportent pas la chaleur. Tous supportent un peu d'ombre durant la journée. Il est judicieux de rassembler groseilliers et cassissiers et de les soigner ensemble. Les uns et les autres ont besoin de fumier à chaque printemps et de la protection d'un grillage contre les oiseaux qui en adorent les bourgeons et les fruits. Les myrtilles demandent des conditions très différentes. Si votre sol a le taux d'acidité qui leur convient, vous l'avez sûrement chaulé pour d'autres cultures et ils n'y vivront pas. Vous pouvez alors intégrer ces arbustes gracieux dans des massifs d'ornementales ou les cultiver en pots.

## GROSEILLIERS À MAQUEREAU

Ces arbustes aiment les étés frais. En cas d'étés chauds, offrez-leur une ombre légère. Abritez-les car les jeunes pousses sont cassantes. Enfouissez du fumier bien décomposé longtemps avant de planter et achetez des plants certifiés sans maladies. Plantez-les à 1,2-1,5 m de distance en automne ou en hiver. En fin d'hiver rabattez les tiges principales de moitié, supprimez les tiges inférieures pour former un tronc court, de 15 cm. L'hiver suivant, rabattez les nouvelles pousses de moitié à un œil orienté vers l'extérieur. Taillez à un œil les pousses se dirigeant vers l'intérieur ou vers le sol. Ils n'ont pas besoin ensuite de taille régulière, sauf s'ils s'étalent trop, il faut alors supprimer les branches très basses. Quand l'arbuste vieillit, les fruits sont plus petits et plus difficiles à cueillir dans l'enchevêtrement des branches épineuses. Vous pouvez alors éliminer une ou deux vieilles branches entières (voir ci-dessous). À chaque printemps, appliquez un paillis de fumier bien décomposé, un engrais universel et 35 g de sulfate de potassium par arbuste. Enlevez les feuilles portant des signes de mildiou ou de taches foliaires. Éliminez les chenilles, probablement des larves de tenthrèdes (voir p. 298).

GROSEILLES
À MAQUEREAU BLANCHES

GROSEILLES
À MAQUEREAU ROUGES

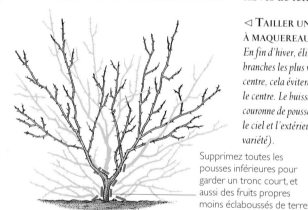

◁ TAILLER UN GROSEILLIER
À MAQUEREAU
*En fin d'hiver, éliminez les pousses et branches les plus vieilles qui vont vers le centre, cela évitera la surcharge et dégagera le centre. Le buisson taillé doit présenter une couronne de pousses régulières, pointées vers le ciel et l'extérieur (en fonction de la variété).*

Supprimez toutes les pousses inférieures pour garder un tronc court, et aussi des fruits propres moins éclaboussés de terre

Le bois de trois ans est brun plus foncé avec des dards. Plus le bois vieillit, moins il produit de fruits

Le bois de la 2ᵉ année fructifie, il est souple et brun clair

La dernière pousse de la saison a une écorce vert-jaune pâle, les bourgeons à fruits ne se forment que la 2ᵉ année

◁ RAMEAUX FRUCTIFÈRES
*Les branches chargées de fruits mettent 3 ans à se former. La 1ʳᵉ année, la pousse sort, la 2ᵉ elle porte des fruits, la 3ᵉ le bois fonce et commence à produire de nouvelles pousses latérales qui fructifieront l'année suivante.*

## GROSEILLIERS

La croissance et la fructification des groseilliers sont très proches de celles du groseillier à maquereau, sans les épines. Ils font des buissons plus grands, plus érigés. La vraie différence tient dans la dose de soleil nécessaire à la maturation des fruits, d'où une taille annuelle pour laisser passer les rayons. Enfouissez une bonne quantité de fumier bien décomposé avant de planter. Achetez les jeunes plants chez un pépiniériste sérieux, il n'existe pas de normes de certification pour les maladies des groseilliers. Plantez-les à 1,2-1,5 m de distance. Les deux années suivantes, taillez comme les groseilliers à maquereau (voir ci-dessus). Après l'établissement, taillez après la fructification ou en automne ou hiver. Épointez toutes les branches principales, à un œil, et rabattez toutes les latérales à un œil de la branche. Chaque printemps, appliquez un paillis de fumier bien décomposé, un engrais universel et 35 g de sulfate de potassium par arbuste. Arrosez en périodes sèches quand les fruits grossissent, mais pas pendant la maturation, ils se craquelleraient. Méfiez-vous des chenilles, généralement des cheimatobies (voir p. 298) et supprimez toutes les feuilles avec des traces de mildiou ou des taches foliaires.

GROSEILLES

VOIR AUSSI : La chaux, p. 238

# CASSISSIERS

Bien que de la même famille que le gro-seillier, le cassissier est très différent au niveau de la croissance et de la fructification. Au lieu d'un tronc unique, les pousses du cassissier partent en touffe du ras du sol. Arrivé à la taille adulte, il faut éclaircir les pousses chaque année pour éviter que les fruits ne soient à l'ombre et étouffés. Les fruits viennent sur le bois de la saison précé-dente, ce sont donc les plus vieilles pousses qu'il faut supprimer. Vous obtiendrez la pre-mière récolte au bout de deux ans, elle sera d'abord modeste mais atteindra ensuite 5 kg par plant. Avant de planter, enfouissez une

CASSIS

bonne quantité de fumier bien décomposé. Achetez vos plants chez un pépiniériste sérieux qui les certifie sans virus. Plantez-les à une profondeur supérieure à celle de leur pot d'origine, espacés de 1,2-1,5 m, en automne ou en hiver. Rabattez toutes les tiges à envi-

ron 8 cm du sol, à un œil ; cela peut paraître radical mais c'est efficace pour la croissance. Les deux hivers suivants, ne supprimez que les pousses chétives ou dirigées vers le sol. Par la suite, taillez chaque année avant la fin de l'hiver comme indiqué ci-dessous. Chaque printemps, appliquez un paillis de fumier bien décomposé, un engrais univer-sel et 35 g de sulfate de potassium par buis-son. Arrosez par temps sec mais pas pendant la maturation des fruits, leur peau craque-rait. Les seuls problèmes majeurs sont la cheimatobie *(voir p. 298)* et plus rarement le phytopte du cassissier *(voir p. 302)*.

**TAILLER UN CASSISSIER ▷**
*Une fois le buisson établi, la taille d'hiver consiste à éliminer les tiges proches du sol et à rabattre les latérales au point où elles partent des charpentières. Veillez à supprimer le vieux bois, les branches qui balaient le sol et celles qui se croisent au milieu et créent un surnombre.*

**ÉCLAIRCIR LE CENTRE ▷**
*Coupez à la base une tige sur deux ou trois. Choisissez les plus vieilles et/ou les moins productives (celles qui ont le moins de jeunes latérales). Utilisez un ébrancheur pour une coupe nette et propre.*

**◁ BRANCHE TROP BASSE**
*Rabattez toutes les tiges qui s'étalent vers le sol. Une fois chargées de fruits, elles balaieront le sol et les fruits seront salis ou dévorés par les souris et autres ravageurs*

# MYRTILLIERS

Parent du *Vaccinium* ornemental et d'arbustes sauvages des marais ou des landes, le myr-tillier ne prospère que dans un sol humide et acide, idéalement tourbeux. Les myrtilliers les plus agréables à cultiver sont les variétés de buissons érigés qui font des arbustes équi-librés de taille moyenne, pleins de charme. Dans une terre appropriée, ils se mêlent joli-ment aux rhododendrons et aux bruyères, mais attention aux oiseaux. Si votre sol n'est pas assez acide, simulez les conditions de prédilection du myrtillier en emplissant un grand bac de terreau pour espèces acido-philes que vous arroserez régulièrement en veillant à ce qu'i ne se dessèche jamais. Utili-sez toujours une eau non calcaire, l'eau de pluie est idéale. La culture en bac facilite la pose d'un filet de protection contre les oiseaux. À chaque printemps, appliquez un paillis de fumier bien décomposé ou incor-

porez de la poudre d'os dans le compost. Le myrtillier ne nécessite pas une taille régu-lière mais un éclaircissage d'hiver lui fera du bien s'il devient trop grand ou trop touffu. Dans les conditions adéquates, le myrtillier a généralement peu de problèmes, mise à part une chlorose due au calcaire *(voir jaunissement des feuilles, p. 296)* ;

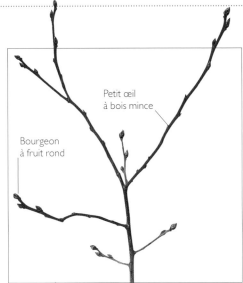

Petit œil
à bois mince

Bourgeon
à fruit rond

MYRTILLES

**◁ RÉCOLTES**
*La maturité des fruits est pro-gressive, vous ferez donc plu-sieurs cueillettes et n'aurez pas de problème d'excédents comme pour certains autres fruits.*

**△ COMMENT TAILLER**
*Une taille judicieuse profite au sujet adulte. Les bourgeons à fruits sont bien différenciés, ce qui facilite l'identification des branches moins productives à supprimer.*

**VOIR AUSSI** : Les jardinières et les massifs, pp. 166-183

# FRAMBOISES ET MÛRES

Les framboisiers, mûriers et hybrides sont des cultures de climats tempérés, avec une préférence pour les étés sans canicule et avec beaucoup d'humidité. Ils sont sujets aux viroses. Achetez des plants certifiés sans virus et ne les plantez pas à un endroit où il y a déjà eu des fruitiers à cannes. Ils aiment un sol légèrement acide, avec un pH proche de 6. Au-dessus du pH 7, ils risquent un jaunissement sur les bords et entre les nervures des feuilles (*voir p. 296*). Dans ce cas, vaporisez de l'extrait d'algues liquide ou traitez avec du fer et du manganèse. Équipez-vous de gants résistants pour tailler et conduire les framboisiers et les variétés épineuses de mûriers.

## FRAMBOISIERS

Les framboisiers poussent en longues tiges minces (cannes) que l'on taille après la première fructification. Ils doivent être palissés dans un site abrité et ensoleillé pour une bonne maturation. Il faut aussi les protéger des oiseaux. Les cannes des variétés non remontantes poussent en un an et fructifient l'année suivante en début d'été, on les rabat alors et on attache en place les jeunes cannes qui ont poussé dans l'année (*voir ci-dessous*). Sur les variétés remontantes, la croissance des cannes et la fructification ont lieu dans la même saison, avec une récolte à partir de la fin d'été suivie d'un rabattage. Ne laissez pas les non remontants fructifier la première année, pincez toutes les fleurs naissantes. Ils offriront une belle récolte l'année suivante. Avant de planter (*voir p. 261*), installez les supports et préparez une planche d'au

FRAMBOISES

moins 90 cm de large pour les rangées en incorporant une bonne dose de fumier bien décomposé ou de compost. Les framboisiers aiment un sol fertile, humide mais bien drainé. Chaque printemps, appliquez un paillis de fumier bien décomposé ou de terreau de feuilles et un engrais universel, en débordant de 60 cm de chaque côté du rang comptez 100 à 140 g/m². Désherbez et arrosez régulièrement. Pour des rangées ordonnées, supprimez les drageons qui apparaissent à plus de 20 cm hors du rang principal. Chaque année après la fructification, rabattez après avoir cueilli les derniers fruits et attachez les nouvelles cannes au fil de leur croissance. Surveillez le moindre signe de vers des framboises (*voir p. 305*), de botrytis (*p. 305*) et de viroses (*p. 305*).

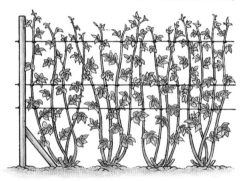

◁ **SUPPORTS POUR FRAMBOISIERS**
*Tendez des fils de fer entre des poteaux (illustration du haut) comme indiqué p. 261. Une autre solution simple consiste à guider les cannes sur du fil de nylon entre des poteaux (vue du haut, ci-dessus). Tendez le fil de nylon en boucle 45 cm au-dessus du sol entre deux poteaux de 2 m, passez un deuxième fil à 1,2 m. Reliez les fils parallèles entre eux à intervalles réguliers pour maintenir les cannes en place.*

△ **PREMIÈRE SAISON APRÈS LA PLANTATION**
*Au printemps, les nouvelles cannes poussent en bouquets au ras du sol, autour de la tige originelle. Rabattez-les pour un espacement régulier et fixez-les au support au fur et à mesure de leur croissance. En milieu d'été, coupez à la base les vieilles cannes d'origine.*

## TAILLER ET CONDUIRE LES FRAMBOISIERS NON REMONTANTS

**1 APRÈS FRUCTIFICATION**
*Rabattez à la base toutes les cannes qui ont porté des fruits juste après la cueillette. Laissez les nouvelles cannes tendres qui n'ont pas encore fructifié.*

**2 ESPACEMENT**
*Attachez sur les fils les nouvelles cannes, espacées de 10 cm. On voit ici un entrelacs continu mais vous pouvez les fixer individuellement. Formez des nœuds en huit pour que les cannes ne frottent pas contre les fils.*

**3 TAILLER LES POINTES**
*À la fin de la saison de croissance, recourbez les cannes qui dépassent des fils pour qu'elles ne battent pas au vent. Au printemps, avant la reprise de croissance, taillez toutes les cannes à un œil sain, environ 15 cm au-dessus du fil supérieur.*

VOIR AUSSI : Les fruitiers à cannes, p. 261

# MÛRIERS ET HYBRIDES

Les mûriers et leurs hybrides, tels que loganberries, boysenberries et tayberries, fructifient en fin d'été sur de longues tiges minces (cannes) produites l'année précédente. Les cultivars sans épines sont moins vigoureux que les épineux mais sont plus faciles, du moins plus agréables, à conduire et à cueillir. Ils demandent les mêmes conditions de culture que les framboisiers, préparez donc le terrain et soignez-les de la même façon. Installez des supports, espacés de 30 cm, comme indiqué p. 261. Plantez pendant l'hiver. Si la température ou la terre sont très froides et humides, retardez la plantation jusqu'en fin d'hiver ou début de printemps. Certaines variétés sont plus sensibles au froid que d'autres et peuvent mourir dans des régions très

froides, demandez donc conseil à votre pépiniériste. Les méthodes de palissage varient (voir ci-dessous) mais toutes visent à séparer les cannes fructifères de l'année de celles en cours de croissance qui fructifieront l'année suivante. Dès leur formation, les fruits doivent être protégés des oiseaux. Après la cueillette, rabattez au niveau du sol les cannes ayant fructifié. Liez au support les cannes qui se sont développées au cours de la saison pour les maintenir. En début d'été, taillez les extrémités des cannes grillées par le gel. Cueillez régulièrement, en gardant la partie centrale du fruit.

Les mûres et hybrides craignent le ver des framboises (voir p. 305), le botrytis (p. 305) et les viroses (p. 305).

MÛRES DE CULTURE

TAYBERRIES

LOGANBERRIES

△ **LIER LES NOUVELLES POUSSES**
*On achète les mûriers et hybrides, comme les framboisiers, en tige simple (canne), à planter en hiver ou début de printemps. Rabattez la tige originelle dès qu'elle se trouve entourée de nouvelles pousses.*

Rabattez à 10-13 cm du sol

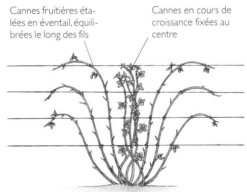

Cannes fruitières étalées en éventail, équilibrées le long des fils

Cannes en cours de croissance fixées au centre

△ **PALISSAGE EN ÉVENTAIL**
*Idéal tant pour les cultivars moins vigoureux que pour les cannes bien rigides. Les cannes fruitières sont écartées et fixées le long des fils de part et d'autre de l'axe central. Les nouvelles cannes sont fixées au centre au fil de leur croissance puis courbées et liées après la taille des anciennes.*

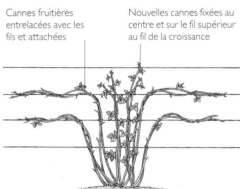

Cannes fruitières entrelacées avec les fils et attachées

Nouvelles cannes fixées au centre et sur le fil supérieur au fil de la croissance

△ **PALISSAGE EN GUIRLANDE**
*Les cannes fruitières des cultivars vigoureux présentent beaucoup de cannes souples sont entrelacées lâchement avec les fils inférieurs et fixées, les nouvelles au centre et si nécessaire sur le fil supérieur. Quand les vieilles cannes sont taillées, les nouvelles sont réparties sur les fils du bas.*

△ **PALISSAGE EN GUIRLANDE**
*Faites un nœud en huit avec une ficelle souple pour fixer fermement la canne au fil de fer (ce qui est plus facile avec le cultivar sans épines 'Oregon Thornless'). Espacez les cannes de façon homogène le long du support pour que chacune ait sa ration de soleil et pour une bonne circulation de l'air.*

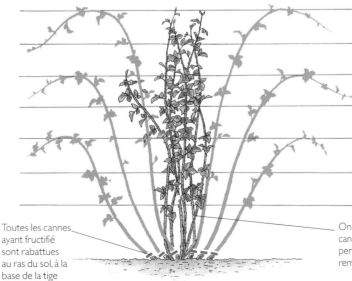

Toutes les cannes ayant fructifié sont rabattues au ras du sol, à la base de la tige

◁ **TAILLER APRÈS LA FRUCTIFICATION**
*Une fois l'arbuste établi, la taille annuelle se pratique immédiatement après la récolte. Ici, les nouvelles cannes ont été séparées des anciennes et liées ensemble. Rabattez à la base toutes les cannes ayant fructifié. Palissez selon la technique choisie. Fixez-les au fur et à mesure de leur croissance.*

On peut lier les nouvelles cannes en botte lâche pendant la taille et les remettre en place après

VOIR AUSSI : Les tuteurs, pp. 108-109 ; Les fruitiers à cannes, p. 261

# FRAISES, RHUBARBE ET RAISIN

Un carré de fraisiers est l'un des plus purs délices de l'été, ce qui vaut bien une certaine somme de soins si l'on veut satisfaire de grosses gourmandises. Si vous ne vous êtes pas engagé dans la voie de la culture alimentaire à grande échelle, quelques plants en pots seront une jolie décoration et les fraises des bois courront avec entrain et élégance en bordure d'une plate-bande. La rhubarbe est aussi une splendide vivace même si son besoin régulier de fumure incite à la mettre un peu à l'écart ou à côté du compost. La vigne est aussi très décorative, ce qui compense les récoltes peu abondantes dans les régions fraîches.

## FRAISIERS

Il existe trois types de fraisiers : les non remontants avec une production de 2-3 semaines en été, les remontants qui fructifient en été et à nouveau en automne et les fraises des bois qui offrent une succession de petits fruits parfumés. On cultive souvent celles-ci en ornementales pour former de très jolies bordures. Les variétés très productives, elles sont plus faciles à soigner regroupées dans un carré ou en conteneurs. Achetez des plants certifiés sans virus en fin d'été et début d'automne pour une récolte l'été suivant. Leur durée de vie est de quatre ans ou plus. Les fraisiers se plaisent dans un endroit chaud et ensoleillé, dans une terre fertile, de préférence légèrement acide, humide mais bien drainée, bien fumée ou enrichie d'un bon compost. En parterres, plantez-les espacés de 45 cm, en rangées légèrement surélevées distantes de 75 cm, le collet du plant au niveau du sol. Dans un sol sableux ou calcaire, appliquez un engrais universel avant de planter. Désherbez et arrosez régulièrement. Protégez les fleurs des gelées nocturnes avec un film horticole, relevez-le pendant la journée pour la pollinisation. Protégez les fruits des oiseaux et du contact avec la terre pour leur éviter la pourriture et les limaces. Éliminez les stolons, ces tiges rampantes sur lesquelles se développent de nouvelles plantes, ils détournent la sève des fruits. Ce mode de reproduction est cependant utile pour élever vos propres plants (*à droite*), simple et idéal pour perpétuer une variété que vous aimez. Cueillez tous les deux jours à la période de maturité, avec les tiges. Après la récolte, nettoyez les stolons en excès, les mauvaises herbes, la paille et l'ancien feuillage. Appliquez un engrais universel.

NON REMONTANTES PRÉCOCES

FRAISES DES BOIS

△ **PAILLIS DE PLASTIQUE**
*La plantation sur plastique, à travers des fentes en croix, limite les mauvaises herbes, conserve l'humidité du sol et favorise une récolte précoce en le chauffant. De plus, les fruits restent propres.*

△ **ÉLIMINER LES STOLONS**
*Supprimez les stolons en excès en les pinçant délicatement au ras du pied mère. Si vous les laissez, ils détournent la sève des fruits en maturation, ce qui diminue le rendement.*

△ **GARDER DES FRUITS PROPRES**
*Le paillage est de tradition pour garder des fruits propres, il existe aussi des collerettes. Étalez une couche épaisse de paille entre les plants quand ils fleurissent ou à la formation des fruits.*

## CULTIVER VOS PROPRES PLANTS DE FRAISIERS

**1** **DES PLANTS SANS VIRUS**
*Plantez un ou deux plants certifiés sains. Enlevez toutes les fleurs. Dès que les stolons se forment, étalez-les autour du pied mère. Laissez-les s'enraciner dans la terre ou guidez-les dans de petits pots enterrés.*

**2** **SÉPARER LES STOLONS ENRACINÉS**
*Une fois qu'il s'est enraciné et a fait de nouvelles pousses, soulevez la plantule ou le pot et séparez le stolon du pied mère. Transplantez dans un sol bien préparé ou dans un pot plus grand pour un repiquage ultérieur.*

VOIR AUSSI : La rotation des cultures, p. 237-239

# RHUBARBE

La rhubarbe est une vivace très rustique et sans problème, qui, dans de bonnes conditions, peut être productive pendant vingt ans. Culture de climat tempéré, elle ne prospère pas sous un climat chaud. Elle accepte différents types de sol, pourvu qu'ils soient fertiles et bien drainés. Les plants dormants, appelés couronnes, s'achètent en automne ou en hiver. Avant de planter, préparez le sol en enfouissant une dose copieuse de fumier bien décomposé ou de compost de jardin. Plantez les couronnes entre l'automne et le printemps, espacées de 75-90 cm. Paillez en couche épaisse tous les ans à l'automne ou au début du printemps. Appliquez un engrais riche en azote : 45 à 55 g par plant au démarrage, puis 110 g à l'âge adulte. Arrosez abondamment en période sèche. Éliminez toutes les hampes florales. Divisez les plants (*ci-dessus à droite*) quand ils sont surchargés. Pour obtenir des tiges forcées, plus tendres et plus précoces d'environ trois semaines que les autres, couvrez en fin

RHUBARBE

d'hiver les souches dormantes d'une couche de paille propre et sèche de 10 cm d'épaisseur. Recouvrez d'un pot de forçage ou d'un seau de 45 cm de haut. Surveillez les signes de pourriture du collet (*voir p. 304*). La rhubarbe est aussi sensible au pourridié (*p. 301*).

## DIVISER LA RHUBARBE

### 1 DÉGAGER LA COURONNE

*Quand les feuilles sont fanées à l'automne, soulevez ou dégagez la couronne. Tranchez-la à la bêche, en prenant soin de ne pas abîmer les yeux. Vérifiez que chaque éclat possède un œil sain au moins.*

### 2 REPLANTER LES ÉCLATS

*Préparez le sol en incorporant du fumier. Replantez les éclats tous les 75-90 cm, la couronne juste au-dessus du sol. Tassez doucement, arrosez et ratissez pour niveler le sol autour de la plante.*

◁ **RÉCOLTER LA RHUBARBE**
*Cueillez les pétioles au printemps et en début d'été. Prenez la tige bien en main et tournez-la doucement en tirant. Ne récoltez pas ou très peu la première année pour que la plante s'établisse bien. Cueillez ensuite sans réserve jusqu'au début et milieu d'été.*

# RAISINS

Dans les régions viticoles chaudes on peut cultiver la vigne sur un support de poteaux et de fils de fer qui laisse circuler l'air, mais dans les régions plus fraîches un mur abrité et ensoleillé, avec des fils tous les 30 cm, aidera le raisin à mûrir. Achetez une jeune vigne (généralement un cep de deux ou trois ans) en fin d'automne ou début d'hiver et plantez-la contre le mur comme n'importe quelle grimpante (*voir p. 110*). Quand la tige centrale atteint le fil supérieur, rabattez-la et gardez cette hauteur. Chaque année des

branches latérales horizontales apparaissent, à attacher aux fils. Après la fructification, rabattez-les sévèrement près de la tige centrale qui deviendra de plus en plus noueuse. Arrosez par temps sec, un peu moins pendant la maturation des fruits. Appliquez un engrais pour tomates toutes les 2-3 semaines pendant la croissance des pousses, arrêtez quand les fruits commencent à mûrir. Taillez en été (*voir ci-dessous*). Le raisin est sujet au mildiou (*voir p. 296*) et à la pourriture grise comme les fraises (*p. 305*).

MUSCAT BLANC

RAISIN NOIR

Attachez la flèche à l'horizontale en milieu d'hiver, puis à la verticale au débourrement au printemps

**TAILLE D'ÉTÉ** ▷
*Une fois toutes les latérales fixées, le but est de contrôler la croissance des jeunes pousses vigoureuses, de concentrer la sève dans quelques-unes, de sélectionner les grappes. Taillez les latérales sans bouquets de fleurs à 5-6 feuilles, celles avec fleurs à 2 feuilles. S'il y a beaucoup de grappes de fruits, éclaircissez-les à 30 cm. Pincez les sous-latérales à une feuille.*

**TAILLE D'HIVER** ▷
*En milieu d'hiver, rabattez toutes les latérales à un œil s'il paraît robuste, sinon à deux yeux. Là où la tige centrale est très noueuse et surchargée de pousses, coupez le bois le plus ancien à la scie égoïne. Rabattez la tige centrale à un œil juste sous le sommet du palissage. Détachez-la et fixez-la à l'horizontale pour favoriser une croissance régulière à ce niveau.*

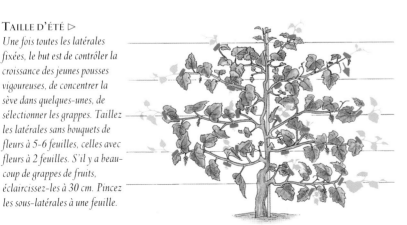

VOIR AUSSI : Les palissades, pp. 108-109 ; Le terrain, pp. 142-143 ; Le potager, pp. 236-237

# COMMENT ENTRETENIR SON JARDIN

## COMMENT OBTENIR LE MEILLEUR DE SON JARDIN

Une fois votre jardin bien établi, vous aurez à cœur de le maintenir dans le plus bel état. Vous aurez besoin de quelques outils de base, de petit matériel et d'un endroit pour les ranger. Si vous avez la place, l'abri de jardin est la solution idéale, mais ce n'est pas la seule.

Par ailleurs, l'entretien engendre un gros volume de déchets végétaux que vous pourrez recycler pour produire des engrais organiques. Si vous envisagez de multiplier vos plantes ou de cultiver des plantes fragiles, il vous faudra les protéger sous un châssis ou une serre.

### RANGER LES OUTILS

Très vite, vous serez équipé d'un grand nombre d'outils utiles au jardin, quelle que soit sa taille. Si le jardin dispose déjà d'un abri, il y a de fortes chances qu'il serve à ranger vos outils. Dans le cas contraire, envisagez bien toutes les solutions avant l'achat de votre abri.

Les petits jardins n'offrent pas toujours l'espace nécessaire pour une telle construction. Les outils pourront être entreposés dans le garage, dans la maison ou le jardin d'hiver ou encore dans un coffre d'extérieur étanche. Pensez surtout à ménager un accès facile et rapide à vos outils. Dans le cas d'un abri, vous aurez le choix entre des modèles de formes et de tailles différentes. Votre choix dépendra essentiellement des outils à entreposer qui peuvent aller du petit outillage à la tondeuse à gazon et aux bicyclettes.

**UN ABRI BIEN RANGÉ ▷**
*Non seulement vos outils et votre matériel seront plus faciles à trouver bien rangés dans l'abri mais vous y gagnerez aussi en place. Pensez à pendre les grands outils munis de manches sur des clous ou des crochets et à ranger les plus petits sur des étagères ou dans des boîtes et des tiroirs étiquetés.*

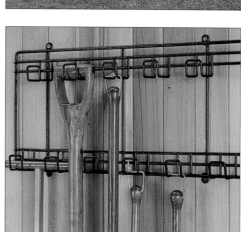

△ **UN ÉLÉMENT DU DÉCOR À PART ENTIÈRE**
*Un abri n'est pas seulement fonctionnel mais doit aussi être choisi comme un élément du décor à part entière qui s'intégrera au style du jardin. On pourra couvrir ses murs de grimpantes qui adouciront ses lignes tout en offrant leurs couleurs au fil des saisons. L'entrée de l'abri devra toujours être dégagée pour faciliter l'accès et le transport au jardin du matériel entreposé.*

◁ **UN PORTANT DE JARDIN**
*Pour plus de rangement et de sécurité, fixer un portant métallique dans l'abri. Il est toujours dangereux de laisser les râteaux et les fourches par terre, au milieu de fils de fer, de câbles et d'autres outils.*

**VOIR AUSSI :** Les rangements, pp. 276-277 ; L'outillage, pp. 278-281

# RECYCLER LES DÉCHETS VÉGÉTAUX

Un jardin suscite de nombreux déchets végétaux comme l'herbe, les résidus de coupe ou les feuilles mortes en automne. Ces déchets sont des matières organiques : il serait dommage de les jeter alors qu'ils peuvent être recyclés sur le tas de compost ou dans un silo à vers avec les déchets de cuisine, offrant un terreau de jardin fertile et riche que l'on mélangera à la terre pour enrichir le sol. Le terreau de feuilles est un paillis très nutritif qui enrichira le sol une fois répandu autour des plantes. Laissez aux déchets végétaux tout le temps nécessaire à leur décomposition avant de les utiliser. Ce processus est parfois très lent, selon la période de l'année et le matériau, mais le résultat vaut l'attente. Si vous avez la place, il est préférable d'avoir deux tas, le premier à utiliser après décomposition, l'autre pour lui laisser le temps de se décomposer. Vous disposerez ainsi d'une réserve permanente et ferez des économies.

**LE COMPOST MAISON** ▷
*Différents modèles de silos et de coffrages sont disponibles dans le commerce. Toutefois, rien ne vous empêche de récupérer les planches d'une ancienne clôture, de vieux poteaux de bois ou un ancien grillage pour maintenir votre compost.*

# PROTÉGER LES PLANTES

Sous les climats chauds, les jardiniers n'ont pas le souci de protéger leurs plantes du gel mais dans les régions plus froides, la question est cruciale pour la culture de plantes fragiles, d'espèces exotiques ou encore la multiplication de ses propres plantes à partir de semis ou de boutures. Une grande variété de rustiques résistera aux températures basses de l'hiver sans protection particulière. Quant aux espèces semi-rustiques et aux gélives, elles devront être cultivées sous verre pendant une bonne partie de l'hiver.

Un châssis offre la protection la plus simple quand on a peu de plantes à protéger. Si vous souhaitez protéger beaucoup de plantes ou créer un espace d'exposition, il vous faut une serre. Le chauffage de la serre est réglable pour répondre aux besoins spécifiques de certaines espèces.

◁ **UN MARIAGE RÉUSSI**
*Cette modeste serre en bois constitue un élément décoratif du jardin à part entière tout en offrant un environnement protecteur aux jeunes plants et aux gélives.*

▽ **UNE TOUCHE D'EXOTISME**
*La serre est l'endroit idéal pour cultiver des plantes exotiques exigeant des conditions de culture particulières, notamment dans le cas des gélives. Certaines plantes surnommées "plantes-cruches" se cachent parmi ces plantes carnivores : elles avalent les insectes tombés dans la cruche.*

**UN TABLEAU COLORÉ** ▷
*Une partie de la serre peut être réservée à la présentation harmonieuse de plantes fleuries qui ne prospèrent qu'à l'abri du gel, dans un environnement sec ou selon des conditions particulières.*

**VOIR AUSSI :** Le compost, p. 236 et pp. 282-283 ; Les serres, p. 241 ; Les châssis et les serres, pp. 284-287

# COMMENT RANGER ET ENTREPOSER

Que ce soit dans le jardin, la maison ou au garage, il vous faudra trouver un espace pour entreposer les outils et le matériel nécessaire à l'entretien. Selon votre budget et la place dont vous disposez, vous pourrez y consacrer un petit coin de jardin ou un abri plus grand fabriqué sur mesure. Quel que soit votre choix, l'espace de rangement doit être protégé de la pluie et de l'humidité et facilement accessible quand vous travaillez à l'extérieur. Dans l'idéal, il doit s'intégrer harmonieusement à l'environnement. On pourra cacher le petit matériel dans une banquette de jardin. Les abris, plus imposants, seront peints ou décorés de grimpantes multicolores.

## RANGER LES OUTILS

Dans la plupart des petits jardins, un abri n'aurait pas sa place. Dans ce cas, une simple réserve pour l'outillage manuel suffit. Prévoyez un espace dans la maison, le jardin d'hiver ou le garage pour un coffre à outils ou une étagère. Si ce n'est pas possible à l'intérieur, optez pour un coffre extérieur étanche.

Certains bancs coffres disposent de compartiments de rangements spacieux sous le siège. Le mieux est d'adosser le banc contre un mur près de la porte du jardin. Le siège se relève, découvrant un bel espace pour ranger les transplantoirs, les petites fourches, les chaussures, les gants, les pots, les plateaux et le petit matériel. Une fois le jardinage terminé, vous n'aurez plus qu'à refermer et à vous asseoir pour apprécier le résultat.

◁ **BANC DE RANGEMENT**
*Ce banc en pin conjugue esthétique et pratique. Teint, il s'intégrera à l'ensemble du jardin.*

## LES DIFFÉRENTS MODÈLES D'ABRIS

La plupart des abris ont un toit à pente double ou à pente simple. Certains abris en béton ont un toit plat. Si vous envisagez d'installer un établi sur un côté de l'abri, optez plutôt pour un toit à pente double qui offre une meilleure hauteur de plafond. Choisissez une couverture bitumée épaisse. Les abris sont construits en fibre de verre, en métal traité contre la rouille, en béton ou en bois. Les trois premiers dureront plus long-temps mais ont moins de charme que le bois. Le cèdre offre une plus grande longévité mais reste d'un prix élevé. Les bois tendres sont moins coûteux ; assurez-vous cependant que le bois a été traité sous pression.

■ Les avant-toits devront dépasser d'au moins 5 cm de chaque côté de l'abri.
■ Les planches du bardage devront être parfaitement jointes pour ne pas laisser passer la lumière.
■ Les gouttières sont proposées en option mais sont faciles à installer.

**CHOISIR UN ABRI DE JARDIN EN BOIS ▷**
*Comparez des modèles déjà montés avant de décider du meilleur abri pour vous. Assurez-vous qu'il est assez spacieux, qu'il répond à vos besoins et qu'il est bâti dans un bois de bonne qualité.*

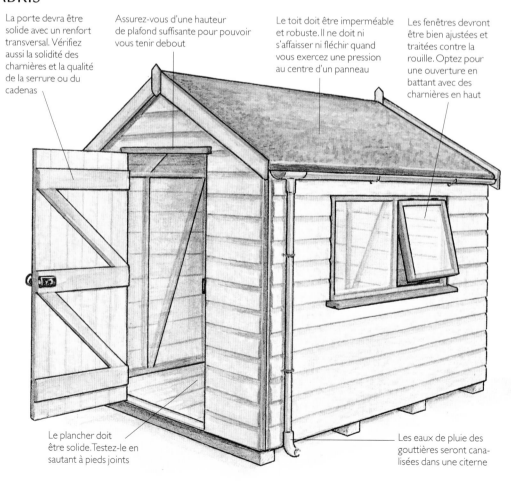

La porte devra être solide avec un renfort transversal. Vérifiez aussi la solidité des charnières et la qualité de la serrure ou du cadenas

Assurez-vous d'une hauteur de plafond suffisante pour pouvoir vous tenir debout

Le toit doit être imperméable et robuste. Il ne doit ni s'affaisser ni fléchir quand vous exercez une pression au centre d'un panneau

Les fenêtres devront être bien ajustées et traitées contre la rouille. Optez pour une ouverture en battant avec des charnières en haut

Le plancher doit être solide. Testez-le en sautant à pieds joints

Les eaux de pluie des gouttières seront canalisées dans une citerne

**VOIR AUSSI :** Les rangements, p. 274 ; L'outillage, pp. 278-281

# INSTALLER SON ABRI DE JARDIN

Dans un grand jardin, vous n'aurez certainement que l'embarras du choix et trouverez l'emplacement idéal à la fois pratique et discret. Pour rentrer et sortir aussi facilement que possible la brouette, la tondeuse ou les autres outils encombrants, une allée pavée ou un revêtement solide est préférable au gazon. Dans l'idéal, vous devez pouvoir ouvrir largement portes et fenêtres.

Dans les petits jardins, vos possibilités se limiteront à un emplacement près de la maison ou au fond du jardin. Pensez à diminuer l'impact d'un abri trop voyant en le dissimulant avec des plantes ou en choisissant une couleur qui se fonde dans le paysage.

**INTÉGRER UN ABRI AU JARDIN ▷**
*Il existe différents camouflages pour que l'abri soit moins voyant. Dans un petit jardin, où l'abri perturbe parfois le regard, on atténuera sa présence par une couleur harmonieuse ou en le recouvrant de grimpantes.*

Cet abri a été peint avec un mélange de peinture et de traitement protecteur spécial bois puis recouvert de grimpantes

Les fleurs du jardin rappellent la couleur de l'abri pour mieux l'intégrer au décor

L'accès à l'abri doit toujours être dégagé. Une allée permet en outre d'éviter une usure excessive de la pelouse

Devant la maison, les buissons et les jardinières du patio détournent l'abri du regard

---

### PENSE-BÊTE

Les grands abris et les serres doivent être construits sur une dalle en béton. Creusez une tranchée de 25 cm de profondeur correspondant au périmètre du bâtiment. Remblayez le fond sur une épaisseur de 15 cm que vous recouvrirez ensuite d'une couche de 10 cm de béton. Les petits abris seront posés sur un matériel hydrofuge ou des poutres traitées sous pression.

---

# QUEL USAGE POUR VOTRE ABRI ?

L'abri est souvent utilisé pour ranger aussi bien les fourches et les bêches que les bicyclettes ou les jeux de plein air. Essayez de rationaliser au mieux l'espace disponible. En l'équipant d'étagères, de boîtes et de crochets, vous simplifierez le rangement et disposerez d'un espace plus dégagé. Gardez les outils les plus employés comme le sécateur ou le transplantoir à portée de main, près de l'entrée, et les autres outils et le matériel encombrant dans le fond.

Si vous envisagez de travailler dans l'abri, pour la multiplication des plantes ou de petits travaux de menuiserie, installez de préférence l'établi le long d'un mur de sorte qu'il reçoive la lumière naturelle. Dans un abri à toit en pente simple où la fenêtre est du côté le plus élevé, installez plutôt l'établi sous la fenêtre et rangez vos outils du côté le plus bas. Vous pouvez aussi profiter de l'espace sous l'établi.

Quel que soit l'usage réservé à votre abri, vous économiserez du temps, de l'argent et de la fatigue en l'entretenant avec soin. Vérifiez régulièrement les fuites éventuelles qui pourraient provoquer la rouille de vos outils et retraitez les abris en bois si nécessaire.

### ASTUCES

• Conservez tous les engrais chimiques et les pesticides hors de portée des enfants, de préférence dans un placard fermé à clef.

• Tapissez les abris en bois de papier isolant imperméable (disponible chez tous les fournisseurs de matériaux de constructions) pour réduire les risques de moisissure.

• Installez l'électricité si vous envisagez de travailler régulièrement dans l'abri après la tombée de la nuit.

• Devant la recrudescence de vol de matériel de jardin, fermez toujours l'abri à clef ou avec un cadenas le soir.

**VOIR AUSSI :** Le béton, pp. 60-61 ; Les rangements, p. 274 ; L'outillage, pp. 278-281

# L'OUTILLAGE ET L'ÉQUIPEMENT

Bien des tâches indispensables pour garder au jardin son plus bel aspect seront plus faciles avec les outils et l'équipement adaptés. Pour les petits jardins, un équipement de base (fourche, bêche, transplantoir, binette, sécateur et arrosoir) sera suffisant. Pour les grandes superficies, prévoyez des cisailles, un râteau, un tuyau d'arrosage, une brouette et quelques articles tels que gants, tuteurs et liens. Si vous envisagez de multiplier vos plantes, vous aurez besoin d'une série de pots, terrines et étiquettes. Vos outils seront de bonne qualité et bien entretenus.

## LES BINETTES

Idéales pour le désherbage et l'aération du sol, certaines serviront aussi à tracer des sillons. La ratissoire à pousser, outil polyvalent, se manie d'avant en arrière, la lame parallèle au sol. D'autres binettes s'enfonceront en profondeur dans le sol. Leur manche devra être suffisamment long pour préserver un confort de travail en station debout et éviter le mal de dos.

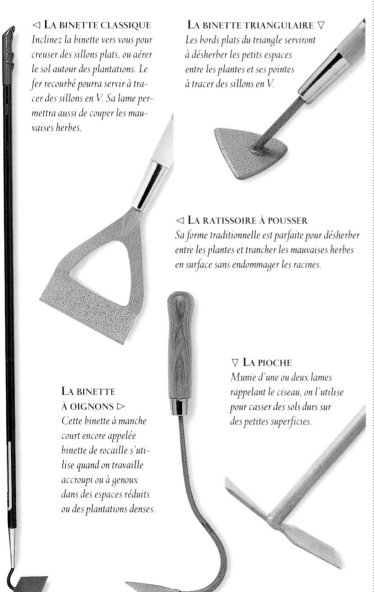

◁ **LA BINETTE CLASSIQUE**
*Inclinez la binette vers vous pour creuser des sillons plats, ou aérer le sol autour des plantations. Le fer recourbé pourra servir à tracer des sillons en V. Sa lame permettra aussi de couper les mauvaises herbes.*

**LA BINETTE TRIANGULAIRE** ▽
*Les bords plats du triangle serviront à désherber les petits espaces entre les plantes et ses pointes à tracer des sillons en V.*

◁ **LA RATISSOIRE À POUSSER**
*Sa forme traditionnelle est parfaite pour désherber entre les plantes et trancher les mauvaises herbes en surface sans endommager les racines.*

▽ **LA PIOCHE**
*Munie d'une ou deux lames rappelant le ciseau, on l'utilise pour casser des sols durs sur des petites superficies.*

**LA BINETTE À OIGNONS** ▷
*Cette binette à manche court encore appelée binette de rocaille s'utilise quand on travaille accroupi ou à genoux dans des espaces réduits ou des plantations denses.*

## LES FOURCHES ET LES BÊCHES

Bêches et fourches sont indispensables à toute culture. Les fourches sont plus adaptées pour arracher les plantes à tubercules et transporter le fumier ou le compost. Les bêches sont nécessaires pour retourner le terrain et creuser les trous destinés aux plantations. Les transplantoirs et les fourches à fleur sont parfaits pour les surfaces réduites.

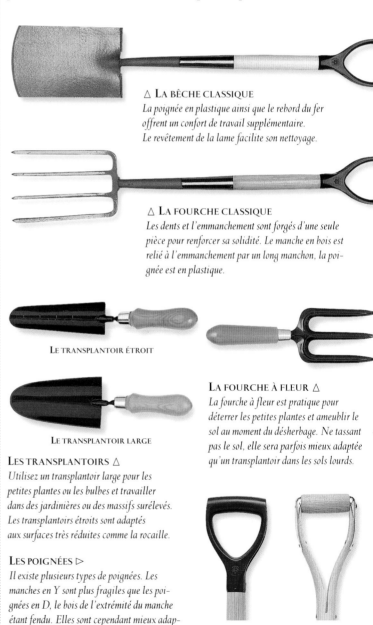

△ **LA BÊCHE CLASSIQUE**
*La poignée en plastique ainsi que le rebord du fer offrent un confort de travail supplémentaire. Le revêtement de la lame facilite son nettoyage.*

△ **LA FOURCHE CLASSIQUE**
*Les dents et l'emmanchement sont forgés d'une seule pièce pour renforcer sa solidité. Le manche en bois est relié à l'emmanchement par un long manchon, la poignée est en plastique.*

**LE TRANSPLANTOIR ÉTROIT**

**LA FOURCHE À FLEUR** △
*La fourche à fleur est pratique pour déterrer les petites plantes et ameublir le sol au moment du désherbage. Ne tassant pas le sol, elle sera parfois mieux adaptée qu'un transplantoir dans les sols lourds.*

**LE TRANSPLANTOIR LARGE**

**LES TRANSPLANTOIRS** △
*Utilisez un transplantoir large pour les petites plantes ou les bulbes et travailler dans des jardinières ou des massifs surélevés. Les transplantoirs étroits sont adaptés aux surfaces très réduites comme la rocaille.*

**LES POIGNÉES** ▷
*Il existe plusieurs types de poignées. Les manches en Y sont plus fragiles que les poignées en D, le bois de l'extrémité du manche étant fendu. Elles sont cependant mieux adaptées aux mains larges.*

**POIGNÉE EN D**    **POIGNÉE EN Y**

**VOIR AUSSI :** Le terrain, pp.142-143 ; Les rangements, p. 274 ; L'outillage, pp. 278-28 ; Les mauvaises herbes, pp.288-289

# LES RÂTEAUX

Il existe deux grandes familles de râteaux : les râteaux de jardin et les râteaux à gazon. Les râteaux de jardin servent à égaliser et à niveler le sol avant de planter. Les râteaux à gazon servent à ramasser les feuilles et les débris végétaux tombés dans l'herbe et à scarifier la pelouse en automne.

**LE RÂTEAU DE JARDIN ▷**
*Avec sa solide tête métallique d'une seule pièce à dents courtes, larges et arrondies, il convient parfaitement aux tâches routinières comme la préparation du sol, le ratissage des débris végétaux et à l'entretien du jardin en général.*

**◁ LE BALAI À GAZON**
*Sa tête légère possède de fines tiges métalliques rondes et flexibles, parfaites pour enlever les feuilles mortes, les mousses et autres débris de la pelouse. Un ratissage énergique contribuera à une meilleure aération.*

**LE RÂTEAU FANEUR ▽**
*Pour enlever les feuilles mortes et autres végétaux dans la pelouse, il possède de longues tiges plates en métal ou en plastique, et une tête légère qui n'abîmera pas le nouveau gazon.*

# LES OUTILS DE TAILLE ET DE COUPE

Un couteau de jardinier multi-usage sera d'une aide précieuse pour les boutures, la récolte de certains légumes, couper de la ficelle, et certains travaux de taille légère. Pour les tailles plus sévères, il vous faudra un sécateur, un sécateur à deux mains ou un échenilloir, ou encore une scie à élaguer. Les cisailles serviront pour la taille des haies et des buissons. Quels que soient les travaux de coupe ou de taille, il est indispensable de disposer de l'outil adapté à la tâche. Les lames devront être aussi propres et affûtées que possible. Essuyez les lames des outils de coupe après chaque utilisation avec un chiffon imbibé d'huile ou de la paille de fer pour enlever toutes traces de sève, puis graissez légèrement les lames. Vérifiez régulièrement la tension des cisailles de jardin pour une coupe bien nette. Pour affûter les outils de taille, démontez les lames émoussées ou abîmées puis aiguisez-les ou remplacez-les.

**LE SÉCATEUR À LAME CROISSANTE ▷**
*On l'utilise pour tailler les tiges d'environ 1 cm de diamètre et les jeunes boutures. Il fonctionne comme des ciseaux.*

**LE COUTEAU △ DE JARDINIER**
*Ce couteau multi-usage est indispensable pour tous les travaux de coupe à l'exception des tailles sévères.*

**△ LA SCIE À BÛCHES**
*Elle permet de couper rapidement de grosses branches mais est trop large pour les espaces très réduits.*

**◁ LE SÉCATEUR À DEUX MAINS ET LAMES CROISSANTES**
*Il permet de tailler des branches trop hautes ou trop grosses pour un sécateur.*

**SCIE À ÉLAGUER CLASSIQUE**

**COUTEAU -SCIE**

**△ LES SCIES À ÉLAGUER**
*Les scies à petites lames comme celles-ci sont idéales pour les endroits difficiles d'accès. Leurs lames sont droites ou incurvées.*

**◁ L'ÉCHENILLOIR**
*Utilisez-le pour couper des branches de 2,5 cm de diamètre hors de portée depuis le sol. Abaissez la branche avec le crochet.*

**◁ LA CISAILLE À HAIE**
*Ses lames droites sont équilibrées au centre, l'une d'elles présente une encoche pour maintenir les rameaux.*

**VOIR AUSSI :** Les tondeuse, pp. 82-83 ; Scarifier, p. 85 ; Les tailles et les coupes, p. 156 ; Les rangements, p. 274 ; Les outils, p. 281

# L'ÉQUIPEMENT POUR ARROSER

Certaines plantes pousseront volontiers dans le jardin sans demander d'autre arrosage que la pluie. En revanche, il sera nécessaire d'arroser les jeunes plantes, notamment dans les régions sèches. Les plantes cultivées en pot, en jardinières et en serres exigeront un apport d'eau régulier. La méthode la plus simple est d'utiliser un arrosoir, en métal ou en plastique, qui présente généralement un diffuseur finement perforé appelé pomme d'arrosoir au bout de la goulotte. Remplissez l'arrosoir avec l'eau de la citerne, au robinet extérieur ou au robinet de la cuisine. Si votre jardin est grand, il vous faudra un tuyau d'arrosage. Dans ce cas, un robinet d'extérieur est indispensable. Vides, les tuyaux peuvent être rigides ou plats. Rangés, ces derniers prendront moins de place sur un dévidoir. Les pulvérisateurs servent à vaporiser les plantes et à diffuser les pesticides et les engrais. Les arroseurs sont une bonne solution pour les pelouses et les plates-bandes.

## CHOISIR UNE POMME D'ARROSOIR

- Utilisez une pomme d'arrosoir fine pour les graines et les semis. Son jet diffus n'abîme pas les graines et ne détrempe pas le sol.
- Pour un meilleur établissement des plantes, une pomme à trous plus gros assurera un débit plus rapide.
- Les pommes d'arrosoir en cuivre sont plus chères que celles en plastique mais plus résistantes. La diffusion est souvent plus fine.
- Une rampe d'épandage adaptée sur l'arrosoir est plus précise pour l'application d'un désherbant.

**LE DÉVIDOIR ▷**
*Muni d'une anse ou de roulettes, il est plus facile à déplacer. Vérifiez que le tuyau est assez long pour atteindre tous les recoins du jardin.*

**△ LE PISTOLET D'ARROSAGE**
*Un pistolet réglable peut être adapté au bout du tuyau pour l'arrosage de grandes plantations. Réglez la buse pour un jet concentré ou diffus.*

**LE PULVÉRISATEUR À DOS ▷**
*Pour vaporiser des surfaces importantes, choisissez un pulvérisateur à dos. Le jet est activé par le levier.*

**▽ L'ARROSOIR DE SERRE**
*Sa longue goulotte permet d'atteindre les plantes en fond de tablette. Sa pomme réversible assure un jet fin ou dru.*

**L'ARROSOIR EN PLASTIQUE ▷**
*Il est plus léger que l'arrosoir traditionnel en métal mais tout aussi résistant. Choisissez un modèle offrant une bonne prise en main.*

**LA CITERNE ▷**
*Pour récupérer et stocker l'eau de pluie des gouttières de la maison ou de la serre, installez une citerne dans un coin facile d'accès. Elle devra être équipée d'un robinet et d'un couvercle qui la protège des débris végétaux. Il est parfois nécessaire de surélever la citerne sur des briques pour adapter la hauteur du robinet à l'arrosoir.*

# LES BROUETTES

Au jardin, il faut parfois déplacer des plantes encombrantes ou lourdes, de la terre, du compost ou autres matériaux. Le moyen le plus pratique est d'utiliser une brouette. Il existe des modèles en plastique ou en métal (plus résistants). Les brouettes traditionnelles sont moins stables sur des sols fraîchement retournés ou des terrains accidentés que les brouettes à roue sphérique. Les brouettes de chantier, équipées d'une roue à pneu pour amortir la charge, sont mieux adaptées aux gros travaux. Ne surchargez jamais une brouette. Répartissez la charge pour que le gros du poids soit à l'avant.

**△ BROUETTE À ROUE SPHÉRIQUE**
*Pour les terrains accidentés ou des charges lourdes, les brouettes à roue sphérique ou à roue à pneu seront plus faciles à manœuvrer. Celle-ci est équipée d'une cuve en plastique qui pour être légère, peut aussi se fendre.*

**△ BROUETTE TRADITIONNELLE**
*Ce modèle de brouette est équipé d'une roue unique mais solide et d'une cuve peu profonde, un peu cependant à l'avant pour augmenter sa capacité. Le métal galvanisé est plus cher que le plastique mais il résistera longtemps avant les premières traces de rouille.*

VOIR AUSSI : L'arrosage, p. 84 et p. 152 ; Les rangements, p. 274 ; Les désherbants, p. 290

# AUTRES OUTILS ET ÉQUIPEMENTS

Les autres outils et équipements nécessaires dépendent de vos activités au jardin. Si vous disposez d'une serre où vous cultivez des plantes, pots, soucoupes, plateaux, caissettes et étiquettes seront alors indispensables. À l'extérieur, tuteurs, liens, sacs, gants et tamis vous faciliteront la tâche. Les plantoirs et les déplantoirs servent à semer et à mettre en terre : un plantoir est un outil de la forme d'un crayon servant à préparer les trous des plantations. Un déplantoir est une petite spatule pour déterrer les boutures.

**LES POTS ET LES TERRINES ▷**
*Il en existe de toutes formes et de toutes tailles. Les plus grands, décoratifs, sont parfaits pour les spécimens. Leur place variera dans le jardin. En terre cuite ou en plastique, les petits pots et les terrines, plus basses, conviennent parfaitement aux boutures et aux jeunes plants. La terre cuite étant poreuse, le terreau aura tendance à sécher plus rapidement.*

**◁ LES CAISSETTES ET LES SYSTÈMES MODULAIRES.** *Destinés aux semis en godet individuel et aux boutures, leur base rigide contient un module flexible constitué de godets en plastique que l'on remplit de terreau. On pourra ainsi repiquer les boutures et les jeunes plants sans endommager les racines.*

**LES TUTEURS ▷**
*Certaines vivaces demandent à être tuteurées pour se développer pleinement. Les supports en anneau conviennent mieux aux plantes en touffes alors que les tuteurs à bras reliés conviennent mieux aux espèces plus grandes.*

SUPPORT EN ANNEAU

TUTEUR À BRAS RELIÉS

Canne de bambou

Piquet de rosier

Tuteur en bambou vert

Tuteur fin

△ **LE TAMIS MÉTALLIQUE**
*Les tamis servent à séparer les cailloux et autres matériaux grossiers de la terre ou du terreau avant de semer ou de planter. Les modèles en métal sont plus résistants que les modèles en plastique.*

△ **LES GANTS DE JARDIN**
*Les gants en tissu ou en cuir vous éviteront de vous salir les mains tout en les protégeant des épines. Certains sont même doublés de vinyle pour un meilleur confort et une meilleure protection.*

PANIER DE JARDINAGE

**LES SACS DE JARDIN ▷**
*Un panier de jardinage est pratique pour porter les fleurs ou les fruits après la cueillette. Les bâches et les sacs en plastiques serviront à transporter des débris légers mais volumineux comme les branches coupées des haies. Les sacs devront être munis de solides poignées.*

BÂCHE ET SAC DE JARDIN

## L'ENTRETIEN DES OUTILS

• Enlevez les restes de terre et les débris végétaux immédiatement après usage.
• Après le nettoyage, essuyez toutes les parties métalliques avec un chiffon gras pour les protéger de la rouille.
• Entreposez-les en ordre dans un endroit sec tel qu'un abri de jardin : pensez à ne jamais laisser vos outils sous la pluie.
• Démontez et affûtez régulièrement les lames des outils de taille et de coupe.
• Soignez tout particulièrement le graissage des outils qui ne serviront pas en hiver avant de les ranger.

**LES LIENS △**
*Utilisez des liens en plastique pour attacher les plantes aux tuteurs. Le lien ne doit pas comprimer la tige.*

△ **ÉTIQUETTES ET REPÈRES.** *De nombreux modèles d'étiquettes et de repères sont proposés pour le jardin. Ils devront être résistants, imperméables et suffisamment grands pour comporter toutes les informations nécessaires.*

**LES TUTEURS ▷**
*Les rosiers classiques exigent des tuteurs solides. Les cannes de bambou ou les piquets de bois conviennent à toutes les autres plantes à tige unique.*

**VOIR AUSSI :** Les tuteurs, pp. 108-109 et p. 154 ; Les semis, p. 162 ; Les rangements, p. 274

# LE COMPOST DE JARDIN

Produire vous-même votre compost de jardin est un excellent moyen de recycler déchets du jardin et de la cuisine pour les transformer en engrais organique. Ce compost améliore l'aération du sol et facilite la rétention de l'eau et des substances nutritives. Le compostage est un processus parfois très lent qui demande de la patience. La présence de vers de terre dans les déchets accélère cependant la décomposition et améliore la qualité du produit fini. On peut aussi recycler les feuilles mortes pour en faire un terreau ou les ajouter au tas de compost.

## LE TAS DE COMPOST

Un bon compost est fait à partir d'un mélange de matières "humides" (débris végétaux tendres et feuillus) et de matières "sèches" (paille, écorce, etc.). On peut y ajouter n'importe quel type de déchet végétal, mais ni aliments cuisinés (ils attirent les rats) ni mauvaises herbes vivaces ou tiges ligneuses (sauf broyées). On peut aussi composter du fumier animal (sauf déjections canines ou félines). Le compost doit faire au moins 1 m³ pour atteindre une température élevée propice à la croissance des bactéries. Il faut près de trois mois pour que le compost arrive à maturité en été, un peu plus par saison froide. On accélérera le processus en le remuant régulièrement. Ce compost ne doit être utilisé que lorsqu'il est parfaitement décomposé ; il doit être noirâtre, friable et dégager une bonne odeur d'humus.

◁ **COUCHES DE COMPOST**
*Commencez par une couche de brindilles puis procédez par couches de 10 à 15 cm en épandant un peu de fumier sur chaque couche.*

## LES VERS DE TERRE

Les vers de terres sont extrêmement utiles au jardin dans la mesure où ils décomposent rapidement la matière organique grâce à leur système digestif. On pourra les incorporer dans le tas de compost ou dans un silo prévu à cet effet. Les silos à vers sont conçus pour tirer parti du déplacement des vers qui remontent du bas vers le haut du silo, permettant ainsi de récupérer la couche de compost du bas arrivée à maturité. Les vers se nourrissent essentiellement des matières végétales des déchets de cuisine ou de jardin, à condition de ne pas surcharger le silo. Couvrez le silo en hiver car ils préfèrent la chaleur.

### ASTUCES

• Installez le silo en situation abritée et ensoleillée. La température idéale pour les vers se situe entre 20 et 24°.

• Pensez à bien amalgamer les différents types de déchets.

• N'ajoutez jamais plus de quelques centimètres de déchets à la fois.

• Attendez que les vers aient digéré la couche précédente avant d'ajouter la suivante.

• Épandez de petites quantités de fumier animal ou de compost en cours de décomposition sur chaque nouvelle couche. Le fumier peut être adjoint seul.

## LE TERREAU DE FEUILLES

De tous les déchets végétaux ce sont les feuilles qui se décomposent le plus lentement, leur décomposition étant provoquée par des champignons et non des bactéries. Il est donc préférable de les composter à part. Le terreau de feuilles obtenu au bout d'un an ou plus, une fois la décomposition arrivée à maturité, vaut bien cette longue attente. Il servira le plus souvent de paillis ou de compost mais peut aussi être utilisé pour les rempotages et les semis.

Choisissez un coin inoccupé du jardin, très lumineux, où le compost n'aura pas à être déplacé. Fabriquez une cage toute simple avec du grillage et des piquets. N'oubliez pas de tasser les feuilles chaque fois que vous en rajouterez. Arrosez légèrement pendant les périodes chaudes et sèches.

2 **LES FINITIONS**
*Fixer solidement les deux extrémités du grillage au dernier piquet à l'aide d'agrafes et d'un marteau. Il est préférable de porter des gants pour ne pas s'entailler les mains avec le bord du grillage.*

1 **LA FIXATION DU GRILLAGE**
*Pour la cage, il vous faut quatre piquets de bois plantés à 30 cm de profondeur et une bonne longueur de grillage. Si vous l'installez devant une clôture ou un mur, agrafez d'abord le grillage sur deux des piquets. Sinon, fixez le grillage une fois les piquets enfoncés.*

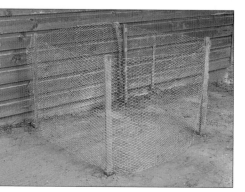

3 **LA CAGE**
*La cage du terreau de feuilles sera carrée et suffisamment basse et large pour un accès facile au centre. Il vous faudra en effet composter les feuilles soient en les piétinant, soit en les tassant avec un râteau, un balai ou tout autre outil.*

VOIR AUSSI : Le paillis, p. 152 ; Le compost, p. 236 ; Les déchets, p. 275

# FABRIQUER UN SILO À COMPOST

Il est toujours possible d'entasser le compost en vrac cependant un silo gardera l'humidité et les couches seront plus nettes. Les silos en plastique ou en lattes de bois que l'on trouve dans le commerce ne sont adaptés qu'à de petites quantités de compost. Vous pourrez construire vous-même un silo plus grand à partir de matériaux recyclés comme des vieux poteaux et du grillage, des briques ou d'anciens fûts en plastique ou en bois. Un silo à compost en bois est assez facile à réaliser *(voir ci-dessous)*. Les lattes frontales coulissantes faciliteront le retrait du compost arrivé à maturité. Si vous avez la place, envisagez l'installation de deux silos, le deuxième relaiera le premier, une fois que ce dernier sera plein.

## OUTILS ET MATÉRIAUX

- 4 montants hauts de 1 m et de section 5 × 10 cm.
- 19 lattes de 1 m pour les côtés.
- De gros clous.
- Un gabarit en bois de 1 cm de large pour l'espacement.
- 2 lattes de 75 cm pour les doubles montants.
- 2 petits morceaux de bois.
- 5 lattes de 75 cm de long pour le panneau frontal.
- Un revêtement protecteur pour le bois.
- Du fil de nylon épais.

LE SILO,
PRÊT À L'UTILISATION

## LA CONSTRUCTION DU SILO

### 1 LES CÔTÉS
Posez deux montants en parallèle sur le sol, espacés de 75 cm. Réservez quatre clous par latte. Clouez solidement la première latte latérale à 8 cm de l'extrémité des montants.

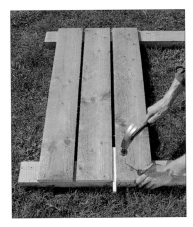

### 2 FINITION DES CÔTÉS
Clouez 5 autres lattes latérales sur les montants, en utilisant le gabarit pour espacer les lattes de 1 cm. Elles doivent être parallèles les unes des autres et à angle droit avec les montants. Répétez l'opération pour le côté opposé.

### 3 L'ARRIÈRE
Posez les deux côtés debout l'un en face de l'autre, à 75 cm de distance, à angle droit avec un mur. Stabilisez temporairement les deux côtés en clouant deux piquets de bois sur le haut. Clouez les six lattes du panneau arrière.

### 4 LE PANNEAU FRONTAL
Enlevez les piquets stabilisateurs et tournez le silo pour mettre l'arrière face au mur. Ne fixez qu'une seule latte latérale sur les montants, toujours à 8 cm du bas.

### 5 FIXATION DES DOUBLES MONTANTS
Doublez chaque montant frontal avec un deuxième montant en vous assurant que les lattes coulissent facilement entre les deux. Fixez ces doubles montants avec des clous puis clouez un petit morceau de bois au bas des montants en guise d'arrêt.

### 6 PLACEMENT DES LATTES FRONTALES
Essayez chaque latte frontale pour vérifier qu'elle coulisse bien entre les montants. Recoupez les lattes si nécessaire.

### 7 LE REVÊTEMENT
Recouvrez tout le silo y compris les arêtes et les lattes frontales avec un revêtement protecteur à base aqueuse, puis laissez sécher.

### 8 LA FINITION
Mettez les lattes frontales en place. Enfin, attachez les montants avec de la corde ou du fil de nylon épais pour bien les maintenir au moment de remplir le silo.

VOIR AUSSI : Les déchets, p. 275

# CHÂSSIS ET SERRES

Dans les régions froides, seules les plantes rustiques résisteront en extérieur au moment des gelées. La culture de plantes semi-rustiques et gélives est cependant envisageable à condition de les protéger, ce qui implique de les cultiver sous verre, sous châssis ou dans une serre. Pour certaines espèces tropicales, il sera nécessaire de maintenir un niveau minimal adéquat de température et d'humidité. Les châssis et les serres conviendront aussi parfaitement à la culture des boutures, des semis et des jeunes plants.

## LA CULTURE SOUS CHÂSSIS

Les châssis pourront être utilisés toute l'année pour cultiver une grande variété de végétaux. Au printemps, on les utilisera pour forcer les plantes cultivées en serre. En hiver, ils protégeront les espèces qui fleurissent en hiver, les semis des annuelles rustiques plantés à l'automne et les plantes alpines sensibles aux climats humides. Leur cadre est en bois ou en métal. Ils sont équipés d'une vitre ou d'un plastique transparent sur le dessus et parfois sur les côtés. Le couvercle est soit ouvrant, soit coulissant, parfois même amovible pour un meilleur accès.

### ASTUCES

• Dans l'idéal, le châssis mesurera au moins 120 cm × 60 cm, ou plus selon votre espace disponible.

• Pour les plantes en pots et les semis des grands végétaux, augmentez la hauteur du châssis en le surélevant sur des briques.

◁ **UN CHÂSSIS LÉGER ET BON MARCHÉ**
*Les panneaux de plastique transparents coulissants offrent aux plantes plus de lumière et d'air pendant la journée. Ses montants en aluminium lui assurent une bonne durée de vie.*

◁ **LES CHÂSSIS EN BOIS**
*Les châssis traditionnels en bois conservent bien la chaleur. Avant de planter directement dans le châssis, étalez dans le fond une couche épaisse de drainage faite de débris de terre ou de gravier. Ajoutez ensuite 15 cm d'une bonne terre de jardin ou de terreau. On peut aussi y cultiver les plantes en pots individuels ou en plateaux.*

△ **LES CHÂSSIS COULISSANTS**
*Leur vitre coulissante offrant une bonne circulation de l'air, ces châssis ne sont pas aussi sensibles aux coups de vent que les châssis ouvrants. Ils laisseront malgré tout passer les pluies battantes.*

△ **LES CHÂSSIS OUVRANTS**
*On les entrouvre par temps chaud pour une bonne ventilation mais ils ne résistent pas toujours aux coups de vent. On retirera complètement la vitre pour le forçage des plantes.*

## POURQUOI UNE SERRE ?

Si vous avez l'espace et le budget nécessaires, n'hésitez pas à investir dans une serre. Vous pourrez y accomplir les tâches routinières par tous les temps et diversifierez considérablement les espèces que vous souhaitez cultiver. Une serre froide allongera la période de croissance des rustiques et des semi-rustiques. Une serre chauffée permettra de cultiver une bien plus grande variété de plantes, y compris des espèces gélives, tout en offrant un environnement adapté pour multiplier vos plantations. La structure en elle-même constitue un élément décoratif du jardin.

◁ **MULTIPLIER VOS PLANTES**
*En utilisant la serre pour multiplier vos propres plantes de jardin ou cultiver de nouvelles plantes à partir de semis, vous économiserez non seulement de l'argent à long terme, mais leur culture vous apportera aussi beaucoup de plaisir et de satisfaction.*

**VOIR AUSSI :** La protection, p. 275 et pp. 240-241

# CHOISIR UNE SERRE

De nombreux modèles de serres sont disponibles dans le commerce, de la serre classique à la serre adossée. Certaines répondent à des besoins spécifiques, comme les serres alpines, d'autres seront choisies pour leur forme décorative, serres polygonales ou en dôme, par exemple. Choisissez la serre la mieux adaptée à votre jardin en fonction de vos besoins.

■ La serre traditionnelle *(en bas à droite)* ou la serre hollandaise seront choisies à des fins fonctionnelles comme la culture des plantes de plates-bandes ou la multiplication. Les côtés de la serre hollandaise sont inclinés pour tirer le meilleur parti de la lumière.

■ Les serres aux lignes élégantes mettront en valeur les plantes tropicales et semi-tropicales. Certains modèles proposent des gradins au centre.

■ La serre adossée *(ci-dessous)* est idéale pour garder la chaleur et créer une pièce jardin.

■ Les serres alpines sont conçues pour protéger les plantes alpines des pluies hivernales. Non chauffées, on ne les ferme que par temps très froid.

## LES CRITÈRES DE SÉLECTION

Devant la diversité de serres disponibles sur le marché, il est préférable de bien recenser vos besoins avant l'achat. Les critères les plus importants sont la rigidité, l'accès, la hauteur et la ventilation. Le soubassement et la structure seront suffisamment solides pour supporter des vents violents. Les portes devront faire au moins 60 cm de largeur. La hauteur sous gouttières fera 1,35 m minimum. Les panneaux aérateurs du toit sont souvent insuffisants : la surface ouvrante doit être égale à un sixième de la surface au sol.

### △ CADRE MÉTALLIQUE
*Les cadres en profilés d'aluminium sont légers, très résistants et demandent peu d'entretien.*

### △ CADRE EN BOIS
*Pour un décor plus traditionnel et un minimum d'entretien, un bois dur et résistant comme le cèdre est l'option idéale.*

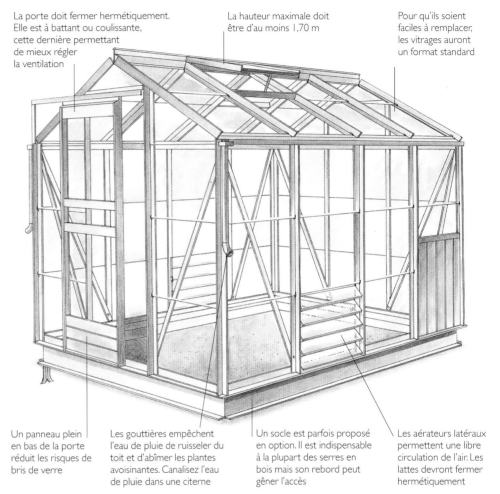

La porte doit fermer hermétiquement. Elle est à battant ou coulissante, cette dernière permettant de mieux régler la ventilation

La hauteur maximale doit être d'au moins 1,70 m

Pour qu'ils soient faciles à remplacer, les vitrages auront un format standard

Un panneau plein en bas de la porte réduit les risques de bris de verre

Les gouttières empêchent l'eau de pluie de ruisseler du toit et d'abîmer les plantes avoisinantes. Canalisez l'eau de pluie dans une citerne

Un socle est parfois proposé en option. Il est indispensable à la plupart des serres en bois mais son rebord peut gêner l'accès

Les aérateurs latéraux permettent une libre circulation de l'air. Les lattes devront fermer hermétiquement

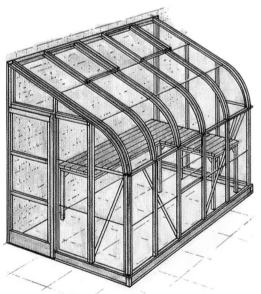

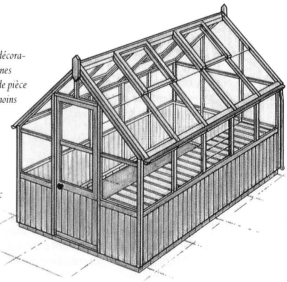

### ◁ LA SERRE ADOSSÉE
*Pour un espace restreint ou quand la serre est surtout décorative, la serre adossée offre la solution parfaite. Certaines s'apparentent à des jardins d'hiver et servent parfois de pièce jardin. Jouxtant la maison, il est aussi plus facile et moins coûteux d'y installer l'électricité et le chauffage. Le mur mitoyen aidera à maintenir la chaleur et procurera une isolation supplémentaire.*

### LA SERRE CLASSIQUE ▷
*C'est une structure indépendante aux côtés droits avec un toit à pente double qui laisse beaucoup d'espace pour les plantations et une belle hauteur de plafond. La serre classique est idéale pour cultiver les plantes de plates-bandes et les boutures et garantit un espace rationnel au meilleur prix.*

VOIR AUSSI : Les serres, p. 241 ; La protection, p. 275

# CHOIX DE L'EMPLACEMENT

Avant d'installer une serre, prenez le temps de choisir l'emplacement idéal. Une serre indépendante demande un espace dégagé et bien éclairé à l'abri des vents forts. En l'absence de protection naturelle, construisez un brise-vent. L'orientation de la serre dépend de son utilisation. Si vous l'utilisez surtout en été, orientez-la sur un axe nord-sud. Pour cultiver les jeunes plants au printemps et les espèces tendres à protéger du froid, la lumière fournie par une orientation est-ouest l'éclairera la majeure partie de la journée.

La serre sera montée sur des fondations solides, en briques ou en béton, et préparées à l'avance aux mesures exactes comme pour l'abri de jardin (voir p. 277).

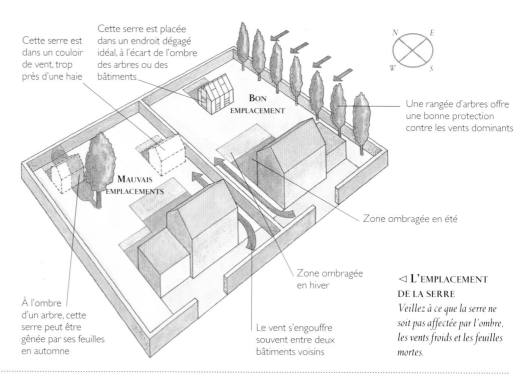

Cette serre est dans un couloir de vent, trop près d'une haie

Cette serre est placée dans un endroit dégagé idéal, à l'écart de l'ombre des arbres ou des bâtiments

BON EMPLACEMENT

Une rangée d'arbres offre une bonne protection contre les vents dominants

MAUVAIS EMPLACEMENTS

Zone ombragée en été

À l'ombre d'un arbre, cette serre peut être gênée par ses feuilles en automne

Zone ombragée en hiver

Le vent s'engouffre souvent entre deux bâtiments voisins

◁ L'EMPLACEMENT DE LA SERRE
*Veillez à ce que la serre ne soit pas affectée par l'ombre, les vents froids et les feuilles mortes.*

# L'ENVIRONNEMENT IDÉAL

Votre serre est comme une oasis dans le jardin, un lieu où vous maîtrisez l'environnement. Ce n'est plus aux plantes de s'adapter au milieu ambiant, c'est à vous de modifier ce milieu pour y cultiver les plantes de votre choix.

Parvenir à un équilibre du milieu est cependant essentiel. L'isolation nécessaire pour maintenir la chaleur et empêcher les courants d'air va de pair avec une ventilation optimum. Certaines plantes exigent de l'humidité. Elle sera fournie par des humidificateurs ou en arrosant le sol à l'arrosoir ou au tuyau. Pour une serre chaude, optez pour un chauffage économique, efficace et fiable. En été, l'ombrage (*voir ci-contre*) est essentiel pour prévenir le dessèchement des plantes. En cas de luminosité faible, une lampe de croissance peut s'avérer nécessaire.

## POURQUOI

### POURQUOI CHAUFFER LA SERRE ?

Le chauffage de la serre offre un choix de cultures plus variées et plus intéressantes que dans une serre froide ou un châssis comme par exemple des gélives qui, sans chauffage, ne résisteraient pas à l'hiver dans les régions froides. Il crée aussi les conditions idéales à la propagation de nouvelles plantes par semis et par boutures tôt dans la saison.

LA LAMPE DE CROISSANCE ▷
*Sa lumière supplémentaire stimule et favorise la croissance des plantes quand la luminosité est plus faible. Installez-la si possible juste au-dessus des plantes.*

△ L'ALARME ANTIGEL
*Si vous cultivez des plantes tendres, elle signalera les coupures de courant et les pannes de chauffage ainsi que les chutes brutales de températures.*

LES SYSTÈMES D'ARROSAGE
*Les systèmes d'irrigation automatiques font appel à un réservoir qui alimente les plantes par capillarité grâce à un revêtement en dessous ou par micro irrigation à l'aide de petits tuyaux reliés aux pots individuels.*

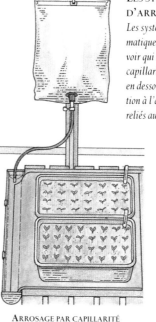

ARROSAGE PAR CAPILLARITÉ

MICRO IRRIGATION

VOIR AUSSI : Le béton, pp. 60-61 ; La protection, p. 275 ; Les abris, p. 277 ; Les serres, p. 285

# L'AGENCEMENT DE LA SERRE

À l'usage, vous réaliserez vite qu'une bonne organisation est essentielle. Les éléments nécessaires à un bon environnement doivent être accessibles et placés rationnellement. Il vous faudra des tablettes sur lesquelles travailler ainsi que des étagères ou des équerres pour les paniers suspendus afin de tirer le meilleur parti de l'espace. Les plantes appréciant l'ombre seront placées sous les tablettes.

◁ **TABLETTES FIXES**
*Souvent fournies à la livraison, elles seront installées pendant le montage de la serre.*

◁ **TABLETTES D'APPOINT**
*Amovibles, ces tablettes sont d'un usage plus souple.*

◁ **TABLETTES LATTÉES**
*Ces lattes de bois élégantes favorisent la circulation de l'air parmi les plantes mais ne conviennent pas à l'arrosage par capillarité.*

**UNE SERRE BIEN AGENCÉE** ▷
*Il est plus facile de travailler dans un cadre bien rangé où l'espace est rationalisé. L'agencement rationnel de cette serre adossée permet de tirer le meilleur parti de l'espace disponible.*

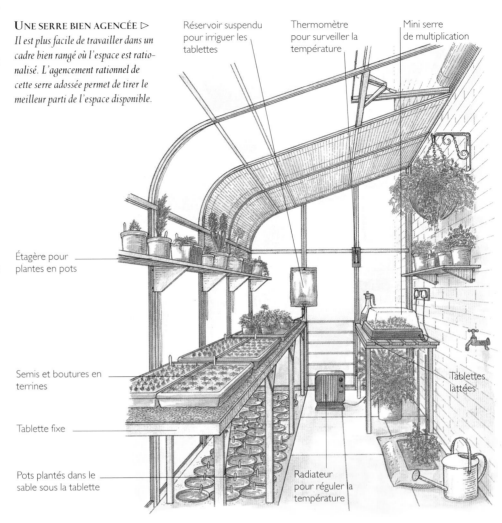

Réservoir suspendu pour irriguer les tablettes

Thermomètre pour surveiller la température

Mini serre de multiplication

Étagère pour plantes en pots

Semis et boutures en terrines

Tablette fixe

Pots plantés dans le sable sous la tablette

Radiateur pour réguler la température

Tablettes lattées

# OMBRAGE ET VENTILATION

En été, vous devrez protéger votre serre d'un soleil trop chaud en l'ombrageant soit avec des stores à enrouleur, un badigeon, ou une combrière en plastique. Laissez néanmoins passer assez de lumière pour ne pas bloquer la croissance de vos plantes. Retirez les ombrages à la fin de l'été.

Une bonne aération est essentielle, même en hiver. Vérifiez que la serre est équipée d'aérateurs. Sur le toit, la grande ouverture des ouvrants à 45° permet une circulation optimale tout en protégeant des bourrasques de vent. Il faut aussi pouvoir les bloquer pour éviter la casse. Les aérateurs persiennés laissent passer l'air juste au niveau du sol. Les ouvrants et les aérateurs persiennés pourront être équipés d'une ouverture automatique. La ventilation mécanique reste une alternative possible.

△ **OUVERTURE AUTOMATIQUE.** *L'ouvrant s'ouvre quand la température atteint un certain degré.*

△ **OUVRANTS**
*Généralement intégrés au toit, ils doivent s'ouvrir en grand et être bien fixés.*

△ **L'OMBRAGE**
*Un blanc à ombrer appliqué sur les façades extérieures de la serre au début de la saison chaude empêchera des pics de chaleur tout en préservant la luminosité. Ce badigeon s'enlève à l'eau, à la fin de l'été.*

△ **OMBRIÈRE SOUPLE**
*Ce voile d'ombrage en plastique sera coupé sur mesure pour protéger les plantes de la serre.*

△ **STORE À ENROULEUR**
*Un store résistant permet de gérer facilement l'ombrage de la serre.*

△ **AÉRATEUR PERSIENNÉ**
*Installé sur les côtés, au niveau du sol, il favorise l'aération statique.*

**VOIR AUSSI :** Multiplier les plantes, pp. 162-163 ; La protection, p. 275 ; Les serres, p. 285

# MAUVAISES HERBES, PLANTES PARASITES ET RAVAGEURS

## LES MAUVAISES HERBES DU JARDIN

Si certaines personnes aiment désherber le jardin, pour la plupart d'entre nous c'est une véritable corvée. Impossible pourtant d'ignorer les mauvaises herbes si l'on veut des plantes saines dans un jardin sain. Il y a différentes façons de lutter contre ces dernières, que l'on classe en deux grandes catégories : les adventices annuelles et les adventices vivaces.

Les annuelles sont opportunistes. Elles grènent et se ressèment dans le moindre espace libre entre les plantes et les fleurs. Éliminez leurs graines avant qu'elles fleurissent, elles cesseront de proliférer. Les vivaces tiennent parfois des années dans le sol, s'insinuant non seulement autour mais dans les racines des plantes d'ornement.

### QUESTION DE POINT DE VUE

Une herbe est dite "mauvaise" parce qu'elle pousse en un lieu où, à nos yeux, elle est indésirable. On considérait autrefois les plantes et les fleurs sauvages comme des mauvaises herbes tandis que l'on recherchait les variétés cultivées de jardin. La diversité des plantes que nous cultivons et nos motivations sont aujourd'hui plus larges. Nous apprécions désormais de nombreuses plantes sauvages. Certains jardiniers appliquent le terme de "mauvaises herbes" aux plantes potentiellement envahissantes. Ils y rangeront certaines plantes cultivées comme le bugle couvre-sol.

### POURQUOI LES TRAITER

Le plus informel des prés parsemés de fleurs sauvages doit être traité pour ne pas laisser les adventices l'envahir. Le plus souvent, ces dernières prolifèrent rapidement, entamant une compétition avec les plantes cultivées pour les aliments nutritifs, l'eau, et la lumière dont elles sortent généralement victorieuses. Les plantes étouffées par les adventices seront petites et chétives, elles ne donneront ni les fleurs ni la récolte attendues et seront en outre plus vulnérables aux ravageurs et aux maladies abrités par les mauvaises herbes. Nettoyez le terrain avant la plantation, même si toutes les graines d'annuelles ne seront pas éliminées.

### POURQUOI

**POURQUOI LES MAUVAISES GRAINES SONT-ELLES SI PROLIFIQUES ?**

La plupart sont des plantes originaires d'une région donnée qui ont eu tout le temps de s'adapter au sol et au climat. Elles ont développé des stratégies de survie jusque dans des conditions extrêmes pouvant influer sur leur habitat naturel comme la sécheresse. C'est pourquoi elles abondent et se régénèrent si vite dans les conditions les plus difficiles.

△ **ALCHEMILLA MOLLIS**
*L'alchémille est un exemple classique de plante de jardin à la fois utile et décorative parfois incontrôlable si l'on n'élimine pas ses graines abondantes.*

◁ **PLATE-BANDE FORMELLE**
*Les mauvaises herbes défigureront le parfait tableau d'une plate-bande et pomperont l'eau du sol. Des plantations serrées limiteront les espaces colonisables.*

△ **LE PLAISIR DES YEUX**
*Un sol appauvri et un fauchage régulier favoriseront la prolifération de fleurs sauvages dans un pré.*

VOIR AUSSI : Les pelouses, p. 75 ; Les mauvaises herbes, p. 87 ; Les effets naturels, p. 89.

# LES MAUVAISES HERBES UTILES

Les prés et les haies disparaissant du paysage rural, le jardinier peut cependant rétablir l'équilibre en faveur de la flore locale en réservant des espaces moins entretenus dans son jardin. On laissera le lierre pousser en broussailles et donner ses fruits ; planté près d'un mur, il ne pourrait plus autant offrir ses ressources alimentaires ni servir de nids aux oiseaux. Certaines fleurs sauvages annuelles sont à la fois très décoratives et bénéfiques pour la flore. Il est facile de les empêcher de grener en abondance. En outre, beaucoup d'insectes montrent une nette préférence pour les plantes indigènes. Conservez une touffe de mauvaises herbes dans un lieu à l'écart où elles ne gêneront pas. Ce buisson attirera peut-être des nuisibles comme les papillons voraces et les papillons de nuit, loin des plantes plus précieuses, ce qui limitera les dégâts.

**LE LIERRE ▷**
*Les oiseaux préfèrent souvent les plantes de jardin ordinaires comme le lierre à des variétés plus rares.*

**◁ LE COQUELICOT**
*La culture des champs dans les régions rurales fait remonter les graines des coquelicots en surface qui vont alors germer. Gardez-les pour leur couleur mais aussi pour attirer les syrphes et les oiseaux mangeurs d'insectes.*

**DE L'ENGRAIS POUR LE SOL ▷**
*Certaines mauvaises herbes comme cette lupuline et d'autres espèces de trèfle enrichissent la terre du jardin par un apport d'azote dans leurs racines. On pourra les planter et s'en servir comme engrais vert. (voir p. 239).*

# MESURES PRÉVENTIVES

Bien nettoyer le terrain avant les plantations est un des facteurs clefs pour empêcher l'apparition des mauvaises herbes. Il sera ensuite plus facile de les éliminer par un désherbage manuel, ce qui limitera ou supprimera le besoin de faire appel à des désherbants chimiques. Les amateurs de produits biologiques attachent beaucoup d'importance aux mesures préventives. Le principe de base de la plupart de ces mesures est de priver les adventices de lumière ; sans lumière, elles ne peuvent tout simplement plus pousser. On pourra supprimer la lumière grâce à un paillis de matières organiques appliqué généreusement, à une bonne couche de gravier, ou encore à un revêtement géotextile (*ci-dessous*), qui empêche les graines de se ressemer dans la terre. Des plantations serrées, notamment avec des rampantes et des couvre-sol, créent également un tapis opaque. Les couvre-sol à croissance rapide seront d'une aide précieuse dans un jardin récent, surtout dans les coins à problèmes. Assurez-vous cependant que la plante couvre-sol choisie ne deviendra pas une adventice elle-même. Des plantes comme la Vinca Major, la grande pervenche, peuvent rapidement devenir un problème. Les vivaces en touffe sont plus faciles à maîtriser dans une composition. Plantées serrées, on pourra toujours les déterrer et les diviser. Les espèces herbacées sont appréciées au moment de planter les bulbes de printemps. En poussant, leur feuillage couvrira les espaces laissés par les feuilles flétries des bulbes.

# LES BONS OUTILS

L'application d'un désherbant chimique demande quelques outils (*voir p. 290*). Pour le désherbage manuel en revanche, une bonne fourche à fleur qui ne pliera pas est le plus utile ; en ameublissant le sol avant de désherber, vous augmentez vos chances de ne pas laisser de racines dans le sol. Il existe des outils spéciaux pour le désherbage des pelouses et des dalles, mais un vieux couteau de cuisine fait aussi bien l'affaire. Quand aux géotextiles, on les trouve de plus en plus facilement dans le commerce.

**△ UNE AMIE FIDÈLE**
*Une fourche à fleur de qualité garantit des années de bons et loyaux services. Les modèles à moraillon et manche séparés de la tête sont plus solides. En main, le bois est plus chaud et plus agréable.*

**LE GÉOTEXTILE ▷**
*Ce matériau poreux est un amalgame de matières textiles. Il est généralement proposé en rouleaux de différentes largeurs.*

**VOIR AUSSI :** Les couvre-sol, p. 75 ; Le sol, p. 78 ; Les pelouses, p. 88

# LUTTER CONTRE LES MAUVAISES HERBES DU JARDIN

Avant d'entreprendre l'élimination des mauvaises herbes, il vous faut décider si vous souhaitez utiliser un désherbant chimique. Bien souvent, on ne peut l'éviter qu'au prix de longues heures de désherbage manuel. Les désherbants chimiques épargnent du temps et de la fatigue, et sont parfois la seule solution pour traiter des terrains laissés à l'abandon. Pour lutter efficacement, vous devez adapter la méthode aux types d'adventices auxquelles vous êtes confronté, annuelles ou vivaces. Apprendre à reconnaître les espèces les plus courantes sera à terme un gain de temps.

## LES DÉSHERBANTS CHIMIQUES

On trouvera de nombreux désherbants dans le commerce agissant de différentes façons. Cependant, ils n'empêchent pas la germination. Vous devez d'abord définir le type d'action souhaité puis choisir le désherbant approprié. N'hésitez pas à demander conseil à un spécialiste.

**Les désherbants par contact direct** détruisent toutes les parties de la plante qu'ils touchent. On les emploie souvent pour les allées et les dallages. Ils détruisent entièrement les annuelles mais seulement la partie aérienne des adventices vivaces qui font généralement des rejets à partir des racines. Les désherbants par contact direct n'affectent pas le sol.

**Les désherbants systémiques**, pulvérisés ou appliqués avec un tampon spécial sur les feuilles et les tiges, sont absorbés jusqu'aux racines, détruisant ainsi l'adventice. On les appelle parfois désherbants par translocation puisqu'ils passent dans toutes les parties de la plante. Les herbicides systémiques éradiquent les adventices annuelles et vivaces bien que pour ces dernières, une seule application soit parfois insuffisante. Ces désherbants ne nuisent pas aux plantes voisines à condition que le produit chimique ne les touche pas pendant l'application et qu'ils ne soient pas versés directement dans le sol.

**Les désherbants agissant sur le sol** sont absorbés par les racines et remontent dans la plante pour la détruire. Appelés aussi désherbants totaux, ils sont très utiles pour nettoyer les sols infestés et restent souvent actifs plusieurs mois. Respectez le délai indiqué par le fabricant avant les plantations.

**Les désherbants sélectifs** éliminent généralement les espèces à feuilles larges en préservant les graminées. On les emploie surtout dans les pelouses.

### L'APPLICATION DES DÉSHERBANTS CHIMIQUES

Les méthodes d'application diffèrent selon l'ampleur du problème. Dans un petit jardin, notamment pour les adventices isolées dans les parterres, les pelouses ou les allées, les tampons ou les mélanges en bombes sont parfaits. Pour de grandes superficies, à moins d'utiliser un herbicide en granulés agissant sur le sol, vous devrez certainement procéder au mélange des substances chimiques diluées. La sécurité est alors essentielle. Un arrosoir à pomme fine ou muni d'une rampe d'épandage n'est pas idéal sauf sur le gravier, dans les allées, les terrains non cultivés ou le gazon, car vous ne maîtriserez ni la quantité ni la direction du jet. Un pulvérisateur à pompe vaut l'investissement, surtout pour les grands jardins. Il facilite l'orientation du désherbant à l'endroit souhaité. Cette précision est indispensable pour l'élimination des adventices entre vos plantes de jardin, ces dernières pouvant être endommagées voire détruites en cas d'éclaboussement et de débordement. L'astuce est de couvrir les plantes cultivées avec des sacs plastiques ou des sacs poubelles pendant la pulvérisation. N'oubliez pas de porter des gants pour retirer les sacs que vous jetterez hors de portée des enfants, ni de vous laver les mains.

## PRIORITÉ À LA SÉCURITÉ

Le pouvoir corrosif et toxique des produits chimiques implique de les employer avec une extrême prudence.

▨ Choisissez le produit adapté à la tâche. Lisez bien l'étiquette avant l'achat.

▨ Suivez attentivement les instructions du fabricant, respectez notamment les doses des produits dilués.

▨ Conservez à part le matériel relatif aux produits chimiques. Rincez soigneusement après usage.

▨ Lavez-vous les mains après utilisation.

▨ Ne conservez jamais les mélanges non utilisés. Lisez attentivement les étiquettes avant l'achat si vous n'êtes pas relié au tout-à-l'égout. Ne jetez jamais de désherbant pur ou dilué dans les canalisations. Jetez les vieux produits à la décharge publique ou téléphonez à la mairie. Jetez les petites quantités dans des zones hors de passage.

▨ Conservez les produits dans leur emballage d'origine, hors de portée des enfants et des animaux, dans un placard fermé à clé. Garantissez la lisibilité des modes d'emploi en renforçant les étiquettes avec du scotch.

## PENSE-BÊTE

### NE TRAITEZ JAMAIS QUAND IL VENTE

Choisissez une journée sans vent sous peine d'affecter les plantes voisines ainsi que les insectes alentours bénéfiques au jardin. Le vent pourrait aussi retourner l'herbicide sur vos vêtements et votre visage. Lisez attentivement les instructions en cas de contact avec la peau avant de procéder au mélange et à la pulvérisation. Vous saurez ainsi réagir immédiatement en cas d'incident.

△ **PRODUITS CHIMIQUES ET SÉCURITÉ**
*Les produits seront conservés au frais, hors de la lumière, ce qui évitera aux étiquettes de moisir et de se décolorer. On fermera le placard à clef pour tenir les produits hors de portée des enfants et l'on vérifiera régulièrement leurs dates de péremption.*

VOIR AUSSI : Les mauvaises herbes, p. 87 ; Les abris, p. 277

# LES ALTERNATIVES AUX PRODUITS CHIMIQUES

Il y a plus de méthodes pour lutter contre les adventices annuelles sans désherbants chimiques que contre les vivaces. Les annuelles s'arrachent facilement à la main ou par sarclage, mais on peut aussi les enfouir dans le sol, les étouffer ou les brûler. Les adventices annuelles poussent, fleurissent, forment des graines et meurent dans la même année, mais leurs graines sont déposées continuellement par le vent ou les animaux. Leur croissance rapide produit parfois plusieurs générations en une seule saison. Si l'hiver est tempéré, les adventices qui germent en automne, le mouron des oiseaux notamment, résisteront au point de vous gêner toute l'année. Elles poussent le plus souvent dans les terrains cultivés comme les carrés de légumes où le sol retourné fréquemment s'expose à de nouvelles graines. S'il est possible de faire appel aux herbicides chimiques pour nettoyer les surfaces infestées, il est tout aussi facile d'enfouir les annuelles dans le sol ou de les broyer mécaniquement à condition qu'elles n'aient pas grenées (dans ce cas, il faudra les arracher et les détruire). On interviendra sur les plantations par sarclage et par arrachage manuel. Le problème se complique pour les jeunes plants et les boutures étouffés par ces adventices qui poussent plus vite qu'eux. Au lieu de biner sans relâche entre les jeunes cultures, certains maraîchers recouvrent le sol de film plastique ou d'un tapis synthétique pour empêcher l'apparition de mauvaises herbes ; la plantation se fait par entailles comme dans le géotextile. Cette méthode est efficace à condition de prévoir une bonne réserve d'eau. Ces procédés protègent de la pluie tout en conservant l'humidité. Il faudra donc arroser avant la pose de la protection. Il sera difficile de distinguer les jeunes adventices au milieu des fleurs annuelles cultivées par semis. Il est donc conseillé de les semer par rangées plutôt qu'à la volée. Un petit chalumeau de jardin est l'outil idéal pour brûler les adventices annuelles des endroits où le désherbage manuel est difficile. Son emploi est bien entendu exclu si la base de l'aménagement paysager est en plastique ou en géotextile.

## PENSE-BÊTE

### N'ATTENDEZ PAS LES GRAINES POUR DÉSHERBER

Si le temps ou le courage vous manque pour une séance complète de désherbage, il sera toujours utile de couper ou de pincer les têtes pour les empêcher de grainer et de se multiplier. Cette technique finira par affaiblir considérablement les adventices annuelles. Prenez cette habitude et vous vous faciliterez la tâche à long terme.

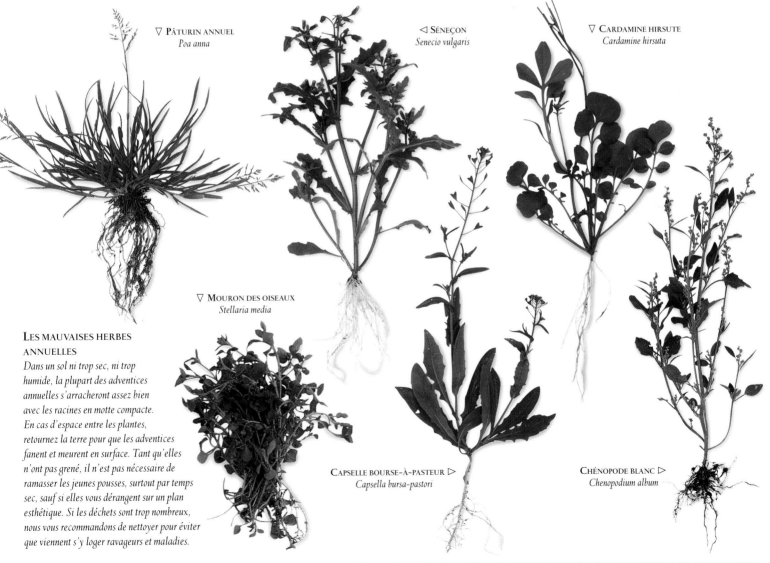

▽ **PÂTURIN ANNUEL**
*Poa anna*

◁ **SÉNEÇON**
*Senecio vulgaris*

▽ **CARDAMINE HIRSUTE**
*Cardamine hirsuta*

▽ **MOURON DES OISEAUX**
*Stellaria media*

**LES MAUVAISES HERBES ANNUELLES**
*Dans un sol ni trop sec, ni trop humide, la plupart des adventices annuelles s'arracheront assez bien avec les racines en motte compacte. En cas d'espace entre les plantes, retournez la terre pour que les adventices fanent et meurent en surface. Tant qu'elles n'ont pas grené, il n'est pas nécessaire de ramasser les jeunes pousses, surtout par temps sec, sauf si elles vous dérangent sur un plan esthétique. Si les déchets sont trop nombreux, nous vous recommandons de nettoyer pour éviter que viennent s'y loger ravageurs et maladies.*

**CAPSELLE BOURSE-À-PASTEUR** ▷
*Capsella bursa-pastori*

**CHÉNOPODE BLANC** ▷
*Chenopodium album*

**VOIR AUSSI :** Les mauvaises herbes, p. 87 et pp. 292-293 ; Semer, p. 243

# LES MAUVAISES HERBES VIVACES

Si certaines adventices vivaces sont des plantes de jardin importées redevenues sauvages, comme la renouée du Japon, la plupart sont des plantes originaires des champs et des bois qui se délectent de la bonne terre et de l'absence relative de compétition. Si vous êtes prêt à y consacrer du temps et que le sol est bien nettoyé avant les plantations, alors vous pourrez éliminer ou limiter la présence des intruses par un désherbage manuel. Autre alternative, un désherbage par translocation qui n'élimine que l'adventice et ne tient pas dans le sol, sera d'une aide précieuse. Cependant, les adventices vivaces qui envahissent le sol posent un sérieux problème.

## LUTTER CONTRE LA PROLIFÉRATION DES MAUVAISES HERBES VIVACES

Si vous décidez de vous attaquer à une zone infestée d'adventices vivaces, sachez qu'il faut du temps et de l'organisation pour s'en débarrasser. En outre, il est presque impossible d'éliminer à la main celles qui s'incrustent solidement au milieu et entre les plantes. Pour les herbacées feuillues, on appliquera un désherbant systémique (le glyphosate est le plus courant). Sur les vivaces au système radiculaire développé, il faudra parfois renouveler l'opération. Le milieu de l'été est la période la plus propice pour son application, lorsqu'elles sont en pleine période de croissance. Vérifiez cependant la phase active sur les étiquettes et laissez au désherbant le temps de faire son travail. Si vous n'attendez pas qu'elles soient suffisamment flétries, vous prenez le risque que l'herbicide n'ait pas atteint les racines.

Si l'infestation est telle qu'il y a plus de mauvaises herbes que de plantes d'ornement, il est préférable d'arracher plantes et fleurs et de traiter toute la zone, notam-

△ FICAIRE
*Ranunculus ficaria*

▽ CHIENDENT
*Elymus repens*

▷ PRÊLE
*Equisetum arvense*

◁ LISERON DES HAIES
*Calystegia sepium*

◁ GRANDE ORTIE
*Urtica dioica*

△ LISERON DES CHAMPS
*Convolvulus arvensis*

◁ HERBE-AUX-GOUTTEUX
*Aegopodium podagraria*

VOIR AUSSI : Les mauvaises herbes, p. 87 et pp. 288-291

ment si des mauvaises herbes à tiges ligneuses comme les ronces et les jeunes pousses d'arbres ont envahi le lieu. Dans ce cas, un désherbant agissant sur le sol comme le sulfamate d'ammonium est nécessaire. Ne replantez pas les ornementales sans passer soigneusement au jet leurs racines afin de supprimer tout fragment éventuel de racine.

Le nettoyage des sols infestés par les mauvaises herbes vivaces sans herbicides chimiques est un défi. Le moindre morceau de racine doit être sarclé à la main. Les broyeurs mécaniques sont à bannir car ils fragmentent les racines, multipliant ainsi les adventices. La solution, si vous êtes prêt à attendre un an avant d'utiliser cette partie du jardin, est d'étouffer le sol avec un matériau hermétique tel qu'un film plastique noir, un vieux tapis, ou une couche épaisse de journaux ou de cartons tassés avec des briques. Il faudra aussi enfoncer des barrières en plastique à 45 cm de profondeur minimum tout autour du jardin si des adventices comme l'herbe-aux-goutteux prolifèrent chez le voisin.

## POURQUOI

### POURQUOI NE PAS ÉLIMINER LES MAUVAISES HERBES EN HIVER ?

Beaucoup d'adventices vivaces sont des plantes à feuillage persistant et bien que les paisibles mois d'hiver semblent la saison idéale pour l'application du désherbant, le traitement ne sera pas efficace. Les plantes sont peut-être feuillues mais elles ne poussent pas (ou très lentement), les désherbants systémiques ne passant pas dans la plante, ils ne rempliront pas leur office.

△ RENOUÉE DU JAPON
*Fallopia japonica*

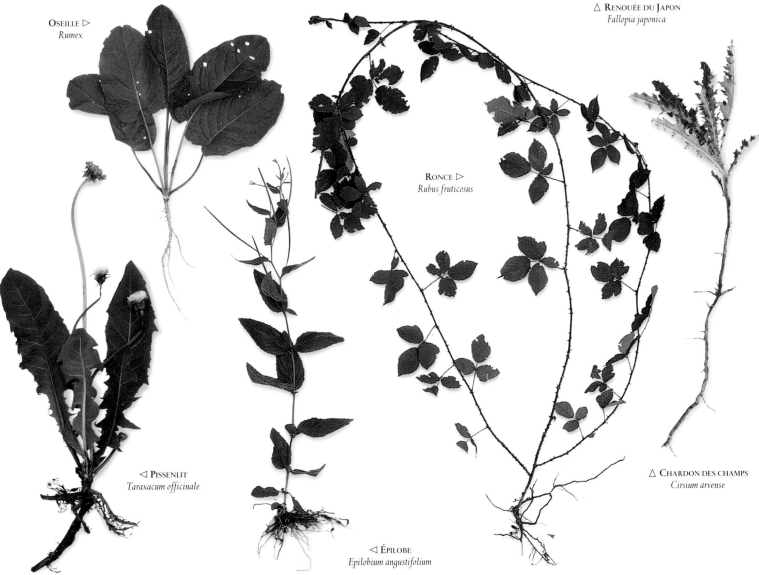

OSEILLE ▷
*Rumex*

◁ PISSENLIT
*Taraxacum officinale*

◁ ÉPILOBE
*Epilobium angustifolium*

RONCE ▷
*Rubus fruticosus*

△ CHARDON DES CHAMPS
*Cirsium arvense*

VOIR AUSSI : Les mauvaises herbes, p. 87 et pp. 288-291

# MALADIES ET RAVAGEURS

En matière de maladies et de ravageurs, mieux vaut prévenir que guérir. De bonnes méthodes de jardinage donneront des plantes saines et robustes moins sensibles aux attaques. Dès l'achat, traquez les signes révélateurs tels que des feuilles perforées, la présence de champignons, ou des tiges abîmées qui n'ont pas été traitées. Vous éviterez ainsi de futurs problèmes au jardin. Plantez avec soin en arrosant régulièrement au début. Vos plantes s'établiront plus facilement et y gagneront de la vigueur. Un apport d'engrais et un désherbage réguliers augmenteront leurs chances d'absorber l'eau et les éléments nutritifs dont elles ont besoin pour rester saines et faire fi des problèmes.

## LA LUTTE NATURELLE

Le terme de lutte naturelle réfère autant à un état d'esprit qu'à une approche pratique. Au lieu de recourir systématiquement aux produits chimiques, les jardiniers qui la pratiquent essaient d'abord tous les moyens naturels possibles. Ils choisissent des variétés résistantes, éloignent les ravageurs en couvrant les plantes, ou au contraire les attirent. Ils éliminent les pousses malades ou infestées pour éviter la contamination, mettent les zones affectées en quarantaine, lavent les outils, les bottes (jusqu'à la brouette), et reconnaissent qu'il vaut mieux ne pas cultiver les plantes à problèmes récurrents. Un bon diagnostic est essentiel. Le même type de symptômes peut indiquer un ravageur, une maladie ou encore un problème facile à traiter comme une simple carence du sol en minéraux. Un diagnostic précis vous épargnera du temps et, surtout, épargnera vos plantes.

### PENSE-BÊTE

#### FAUT-IL TOUJOURS INTERVENIR ?

Évaluez toujours l'ampleur du problème avant de pulvériser. A-t-on atteint un stade nuisible pour la plante ? Comme nous, des plantes saines se remettront facilement seules de petites affections. L'emploi excessif de produits chimiques amène parfois à renforcer les organismes qu'ils sont censés combattre.

## PIÈGES, CLÔTURES ET INSECTIFUGES

Les jardiniers biologiques s'efforcent tout particulièrement d'empêcher les animaux nuisibles d'approcher les plantes, exploitant parfois les déchets végétaux avec créativité. En nettoyant autour des plantes, ils suppriment les cachettes où pourraient se tapir les ravageurs et les organismes pathogènes tout en alimentant le tas de compost. Les résidus d'épineux éloignent les chats des semis. Empilées, les branches mortes abritent les hérissons. Dans le potager, certaines clôtures éloignent les oiseaux, les cerfs et les lapins tout en créant des "zones anti-mouches" contre les insectes ailés. On peut aussi perturber les ravageurs ou les éloigner par l'odeur forte de plantes compagnes comme la rue, l'herbe-aux-chats ou l'ail. Les bandes de glu dissuadent les ravageurs de grimper dans les arbres et les pots. Des soucoupes d'eau sous les pieds de l'établi repoussent les cloportes et les fourmis. Certains pièges servent toute l'année dans la lutte des nuisibles comme les limaces et les escargots (p. 298) ou sur des périodes d'attaques spécifiques. En surveillant ses pièges, on pourra lutter rapidement et efficacement dès les premiers signes de l'ennemi.

## LA LUTTE BIOLOGIQUE

Les méthodes biologiques sont relativement récentes dans la lutte contre certains ravageurs et indirectement contre les maladies qu'ils propagent. Il existe de minuscules organismes vivants que l'on introduit dans les plantes ou dans le sol. Ils propagent des maladies parmi les ravageurs ou sont de petits prédateurs ou des parasites qui ont besoin d'un hôte à un certain stade de leur développement, les tuant ensuite sans aucun scrupule.

Si nous n'avons pas recours à cette lutte biologique pour l'ensemble du jardin, c'est que la plupart de ces animaux demandent la chaleur d'un bel été ou d'une serre et meurent sous les régions froides, épargnant alors les nuisibles.

La solution à une lutte biologique efficace est de choisir la méthode adaptée à votre problème, si elle existe, et de suivre le mode d'emploi à la lettre. Ces organismes ne survivront pas à un traitement ou à une application inopportune, ni à un milieu inapproprié. Ils sont en outre relativement chers comparés aux armes chimiques. Une erreur est alors non seulement une perte de temps et de fatigue mais aussi d'argent.

◁ LE PIÈGE
À PERCE-OREILLES
*Les perce-oreilles nuisibles aux fleurs remontent sur le piquet pour s'endormir dans la chaleur de la paille de ce pot retourné. Attrapez-les ou déplacez-les où ils ne feront pas de mal.*

LE PIÈGE ANTI-GUÊPE ▷
*Celle qui pique attaque aussi les fruits mûrs. Protégez vos cultures et éliminez une menace pour les enfants avec ce piège à bière. Le couvercle en papier est troué de la taille d'une guêpe.*

VOIR AUSSI : Les problèmes, p. 241

# LES PRÉDATEURS NATURELS

Sans pucerons, pas de coccinelles pour les manger. Sans escargots, pas de grives dans nos jardins pour les écraser et s'en nourrir. Sans chenilles, adieu beaux papillons ! Un jardin trop protégé des ravageurs et des mauvaises herbes perdrait vite de son charme pour une grande partie de la faune qui non seulement réjouit le jardinier mais lui vient en aide. Il aurait pour résultat des cultures non pollinisées et des plantes exposées, s'il n'y avait une armée de prédateurs pour les défendre en cas d'attaque. Plantez des fleurs colorées pour attirer les abeilles, les papillons et des larves de chrysopes et de syrphes, si précieuses dans cette lutte. Une touffe d'orties dans un coin du jardin offrira un abri apprécié, évitant à certains nuisibles d'attaquer vos plantes. Surtout, ne faites jamais de mal aux scarabées, aux grenouilles, crapauds et hérissons qui happent les insectes ni aux vers de terre qui recyclent les déchets végétaux où les maladies pourraient se propager.

ARAIGNÉE     SYRPHE     SCOLOPENDRE

△ **LES AMIS DU JARDIN**
*Toutes les araignées sont les bienvenues. Ce qui est grand et rapide est souvent un prédateur, contrairement aux indolents grignoteurs de plantes. Le mille-pattes (p. 311), à ne pas confondre avec la serviable scolopendre, fait exception. Pour se protéger, le syrphe ressemble à la guêpe mais ne pique pas.*

△ **UNE LARVE DE COCCINELLE**
*À l'état larvaire, la coccinelle passe pour le vilain petit canard du jardin. C'est pourtant à ce stade qu'elle est le plus utile, se nourrissant des pucerons du rosier et des pucerons noirs.*

# LE TRAITEMENT CHIMIQUE

Dans les pages qui suivent, nous avons choisi de citer les produits non par leur marque, qui change constamment, mais par les principes actifs mentionnés sur les étiquettes : le bifenthrine par exemple est un insecticide polyvalent présent dans de nombreux produits.

N'utilisez jamais un insecticide générique s'il existe un produit spécifique adapté à votre problème, vous protégerez ainsi les insectes utiles. Certains fongicides sont plus efficaces que d'autres pour certaines maladies mais aussi pour certaines plantes. Encore une fois, vérifiez que le produit utilisé pour vos fruits et légumes est approprié. Vérifiez aussi que vous pourrez respecter le délai indiqué avant de procéder à la récolte.

## QUEL PRODUIT POUR QUELLE ACTION ?

La plupart des insecticides agissent soit directement sur le ravageur, par contact ou parce que ce dernier a avalé un appât empoisonné, soit indirectement en intoxiquant la plante, tuant le ravageur qui la mange. Les fongicides agissent de façon similaire, soit par contact, tuant les pousses en surfaces et empêchant de nouvelles spores de se développer, soit par une action systémique, véhiculés dans la plante pour éliminer l'infection.

Les produits chimiques dilués agissant sur le sol pour traiter les racines seront appliqués généreusement pour détremper la terre

Les ravageurs nichés dans la terre ne seront pas affectés par les insecticides systémiques appliqués sur le feuillage. Il faudra traiter le sol

Les insecticides systémiques qui intoxiquent la plante servent pour les nuisibles qui profitent des feuilles enroulées et d'une croissance déformée pour se protéger d'une vaporisation directe

Les vaporisateurs de contact agissent sur les ravageurs et les organismes pathogènes (champignons et bactéries) des feuilles et des tiges

N'oubliez pas de vaporiser en dessous des feuilles, où les ravageurs ont tendance à se regrouper

Les poudres utilisées sur le feuillage conviennent aussi dans les rangs de semis

Les appâts empoisonnés, de couleur insolite pour éloigner les oiseaux et les animaux domestiques, préservent des limaces, fourmis et rongeurs

# LES PRODUITS CHIMIQUES ET LA SÉCURITÉ

Utiliser un produit chimique de jardin nécessite d'être averti des problèmes de sécurité. En outre, la loi vous oblige à respecter les mentions légales portées sur l'étiquette. Vous trouverez quelques règles de bon sens à la page 290 et ci-dessus. Si vous êtes concerné par la sécurité relative aux produits chimiques en général, n'oubliez pas les remèdes dits "naturels" utilisés par les jardiniers biologiques : les savons insecticides par exemple, parfaits contre les pucerons ou le pyrèthre, dérivé d'un parent du chrysanthème, et la roténone. Attention : ces deux derniers ne sont pas sélectifs et nuiront aux animaux utiles.

△ **VAPORISER EN TOUTE SÉCURITÉ**
*Portez des gants en caoutchouc pour une application minutieuse. Travaillez au crépuscule pour ne pas nuire aux insectes ailés utiles. N'utilisez jamais de produits chimiques pour les plantes de bassin ou vous détruiriez un équilibre écologique fragile.*

VOIR AUSSI : La sécurité, p. 290

# FEUILLES DÉCOLORÉES OU ABÎMÉES

Certaines taches sont dues à des maladies et des carences nutritives. Les petites moisissures ne causeront de vrais dégâts que sur une plante déjà chétive cultivée dans un milieu inapproprié, mal entretenue ou souffrant d'un autre type de problèmes. Il faudra alors redoubler d'attention et luttez contre les autres anomalies, maladies ou parasites qui l'affaiblissent. Bien des problèmes foliaires peuvent être résolus en s'attaquant tôt au problème et en enlevant les feuilles malades pour empêcher toute propagation. Ne compostez jamais des végétaux infestés ou malades. Brûlez-les ou jetez-les à la poubelle.

## FEUILLES TACHÉES, DÉCOLORÉES OU FLÉTRIES

**LES TACHES FOLIAIRES D'ORIGINE BACTÉRIENNE.** Les taches noires ou marron, rondes ou anguleuses qui ne présentent pas de points foncés (*comme pour* la maladie des taches foliaires, *ci-dessous*) mais sont souvent entourées d'un halo jaune, signalent parfois une infection bactérienne. Elles sont difficiles à éliminer.

▪ Brûlez les feuilles malades. N'arrosez pas la plante par le haut, les éclaboussures pouvant propager l'infection. Si la plante est trop faible pour reprendre, déterrez-la et brûlez-la. Les traitements par le sol ne sont pas efficaces.

**LE JAUNISSEMENT DES FEUILLES (CHLOROSE)** Les symptômes de carences en certains minéraux, dont le bore et le magnésium, sont très caractéristiques mais quand une plante est bien entretenue, le jaunissement peut venir d'un manque d'azote, de phosphate ou de fer. Dans ce cas, surtout pour les plantes appréciant des conditions acides poussant en sol alcalin, il s'agit de la chlorose induite par le calcaire.

▪ Faites un apport d'engrais générique équilibré ou analysez le sol (*p. 238*) pour plus de précision. Si vous pensez que le jaunissement est dû à un sol alcalin ou calcaire, choisissez des produits riches en fer.

**LE MILDIOU.** Il existe deux types de mildiou, les deux produisant des moisissures blanches à la surface des feuilles, souvent accompagnées d'un jaunissement et d'une déformation à l'extrémité des pousses. Les taches du mildiou à taches blanches sont farineuses tandis que les champignons du mildiou à taches duveteuses s'apparentent à un duvet grisâtre ou mauve, généralement sous les feuilles.

▪ Détruisez les feuilles malades. Le choix du fongicide dépend de la plante, vérifiez l'étiquette. Les climats humides et secs favorisent le mildiou à taches blanches. Arrosez régulièrement les plantes malades, par le bas. L'humidité et l'air stagnant favorisent le mildiou à taches duveteuses. Vérifiez que la plante n'est pas surchargée. Nettoyez rapidement les adventices et les débris.

**LA MALADIE DES TACHES FOLIAIRES.** Des taches concentriques qui confluent, parfois couvertes d'infimes pustules noires, indiquent souvent une attaque de champignons propagée parfois par des feuilles pourries ou des déchets autour de la plante.

▪ Pour une petite infection, jetez les feuilles malades. Dans les cas plus graves, le fongicide choisi dépendra de la plante. Étudiez les éti-quettes et demandez conseil.

**LES PHYTOPTES.** Ces minuscules parasites sécrètent des substances qui affaiblissent la plante et perturbent sa croissance. Ils se manifestent par des excroissances, des taches duveteuses ou des zones décolorées sur les feuilles. Leurs bords cloqués ou enroulés en sont d'autres symptômes, ainsi que des bourgeons déformés et boursouflés. Ils apparaissent souvent sur des plantes à tiges ligneuses et sont généralement inoffensifs, quelle que soit l'ampleur de l'attaque. Enlevez les feuilles atteintes sur les petites plantes.

**LES ARAIGNÉES ROUGES DE SERRE.** Des feuilles au vert terni et une légère décoloration sont les premiers signes de ces acariens de serre. Les feuilles virent ensuite au jaune pâle et une fine toile apparaît. Vus à la loupe, en été, ce sont de petits animaux vert jaunâtre avec deux plaques noires derrière la tête à côté de deux globules. Ces acariens virent au rouge en automne et en hiver.

▪ Plusieurs insecticides, y compris des solutions savonneuses, sont efficaces appliqués plusieurs fois à fond. Les prédateurs offrent aussi une solution biologique mais seront détruits par les insecticides. On ne peut donc pas combiner les deux méthodes. Les arai-

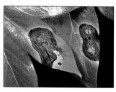

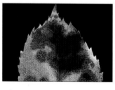

△ **MALADIE DES TACHES FOLIAIRES**

△ **TACHE NOIRE DU ROSIER**

Le tissu entre les feuilles reste vert au début

◁ **ROUILLE SUR UNE FEUILLE DE ROSIER**

△ **VIRUS DE LA MOSAÏQUE DU CONCOMBRE SUR UNE FEUILLE DE COURGE**

Taches farineuses sur la surface extérieure de la feuille

△ **MILDIOU À TACHES BLANCHES**

**VOIR AUSSI :** Les insectes, p. 299 ; Les haricots, p. 306 ; Le mildiou, p. 307

gnées rouges prolifèrent dans les milieux chauds, secs, et mal aérés. Aérez la serre et vaporisez régulièrement les plantes.

**LA CLOQUE DES FEUILLES.** Les pêchers, les peupliers et dans une moindre mesure les *Prunus* développent parfois une cloque du pêcher. Les feuilles se déforment, se plissent, cloquent et s'enroulent. Elles tombent et sont généralement suivies de feuilles saines. Les grands arbres sains supportent le plus souvent cette moisissure inesthétique (un arrosage régulier stimulera l'apparition de feuilles saines). Attaqués année après année, les arbres du verger finiront cependant par perdre de leur vigueur.

■ L'application d'un fongicide à base de cuivre avant la chute des feuilles en automne, puis renouvelée plusieurs fois en hiver, éliminera ce champignon. Couvrir les arbres de films plastiques du milieu de l'hiver au printemps est une méthode efficace qui empêchera l'apparition de nouvelles spores.

**LES CICADELLES.** Ces parasites qui sucent la sève causent des ponctuations grossières décolorées sur les feuilles qui finissent par affaiblir la plante conjointement à une perte de chlorophylle. Ils touchent le plus souvent mûriers, sauges, menthes, phlomis, pruniers, rosiers et hêtres. Ils sautent quand ils sont dérangés.

■ La plupart des produits contre les pucerons viendront à bout d'une attaque sévère.

**LES MINEUSES DES FEUILLES.** Les larves de différents insectes creusent des tunnels dans les feuilles, produisant des méandres et des plaques virant généralement au blanc ou au beige. La mineuse du céleri, qui attaque aussi le persil, confère aux plantes un goût amer.

■ Les arbres et les arbustes comme le houx et le lilas résistent généralement à leur attaque. En taillant les haies de troènes et de hêtres, on éliminera le problème. Supprimez les feuilles malades des vivaces et des légumes. En cas d'attaque sévère, les produits à base de malathion et de diméthoate sont assez efficaces.

**LA CARENCE EN MAGNÉSIUM.** Un manque de magnésium dans le sol provoque une décoloration entre les nervures.

■ Fertilisez le sol et pulvérisez le feuillage avec une solution à base de sulfate de magnésium.

**LES TACHES NOIRES DU ROSIER.** Des taches ou des plaques violacé foncé sur les feuilles de rosiers conjointement à un jaunissement des feuilles indiquent la présence de taches noires, dues à un champignon très résistant. Éliminez les feuilles malades ou coupez toute la tige. Brûlez-les ou jetez-les.

■ Il existe différents produits pour traiter les cas sévères ou récalcitrants. Plusieurs vaporisations sont parfois nécessaires. Si les taches noires reviennent chaque année, optez pour des rosiers plus résistants.

**LES ROUILLES.** Les rouilles sont des champignons développant des pustules, des stries ou des plaques orangées à marron, favorisées par l'humidité.

■ Supprimez les feuilles malades et améliorez la circulation d'air autour de la plante et entre les tiges en supprimant les matériaux morts. En général la plante repart. Sinon, vaporisez avec un fongicide adapté. Évitez l'emploi excessif d'engrais riches en azote comme les granulés de fumier de poulet. Les mauves et les épilobes sont des vecteurs de rouille réputés. Il est préférable de ne pas les cultiver si vous êtes confronté à ce problème et d'arracher celles qui se ressèment spontanément. *Voir aussi* La rouille du poireau, *p. 306.*

**LES BRÛLURES.** La chaleur, la sécheresse mais aussi le gel ou la vaporisation accidentelle de désherbant par contact donnent parfois aux feuilles un aspect brûlé et flétri.

■ Il n'existe aucun traitement sinon rabattre les tiges malades jusqu'aux feuilles saines et prendre les mesures qui s'imposent à l'avenir. Si le temps a été relativement clément, l'aspect brûlé provient peut-être d'une carence en potassium : analysez le sol *(p. 238)*. *Voir aussi* Le feu bactérien, *p. 301.*

**LE PLOMB PARASITAIRE.** Les cerisiers et les pruniers sont les plus sensibles à ce champignon qui produit des reflets argentés sur les feuilles. Les branches malades portent une tache centrale noire. Ce champignon pénètre par les blessures dues au froid et à l'humidité. Les pruniers et les cerisiers seront donc taillés en été pour laisser aux entailles le temps de cicatriser avant le développement des champignons. Le plomb est une maladie grave, difficile à traiter. Seuls les arbres robustes et peu affectés reprendront.

■ Rabattez les rameaux malades jusqu'au bois sain, lavez les outils et rabattez à nouveau de 15 cm. Cela ne signifie pas que l'arbre va reprendre. Brûlez les résidus de coupe. Certains pruniers sont très résistants.

**LES VIROSES.** Des feuilles marbrées, striées, mouchetées, tachetées, sont le signe de ce virus qui donne aussi des plantes déformées et rabougries et des stries sur les pétales des fleurs *(voir p. 303)*. Le virus de la mosaïque du concombre est l'un des plus courants causant des tâches foliaires. Il touche de nombreuses plantes y compris les courges.

■ Il n'y a pas de traitement pour les viroses qui s'avèrent parfois très nuisibles et se propagent rapidement par manipulation, par les suceurs de sève, par les nématodes présents dans le sol et même les adventices. Des mesures immédiates sont essentielles. Déterrez et détruisez les plantes malades et l'herbe autour d'elles, puis lavez soigneusement vos mains et vos outils. Ne replantez pas la même plante sur le même site. Optez pour des cultivars résistants aux viroses et des plantes certifiées sans virus. Luttez contre les pucerons qui propagent les viroses et contre les adventices qui sont des vecteurs potentiels.

△ CLOQUE DU PÊCHER

△ ARAIGNÉES ROUGES      △ CARENCE EN MAGNÉSIUM      △ VIROSE SUR FEUILLES DE PÉTUNIA      △ PUCERONS

VOIR AUSSI : Les insectes, p. 299 ; Les parasites, p. 301

# FEUILLES RONGÉES ET ENVAHIES PAR LES RAVAGEURS

Une feuille perforée est généralement, mais pas toujours, le résultat d'une attaque de ravageurs. Inspectez la plante, y compris sous les feuilles, vous y trouverez souvent le ou les coupables. La présence de petits insectes n'est parfois que l'aspect visible du problème, en particulier quand ils sécrètent des substances poisseuses ou tissent leur toile. En l'absence d'insectes, observez bien les trous, notamment si vous n'avez pas examiné la plante récemment. Un anneau brun de tissu mort autour du trou, surtout si la feuille est tachetée, indique souvent la présence d'une maladie, un phénomène connu sous le nom de trou de mine, dont l'origine n'est pas forcément un ravageur (*voir* Feuilles tachées, *p. 296*).

## FEUILLES PERFORÉES

LES CHENILLES. Les larves des papillons diurnes et nocturnes présentent toujours trois paires de pattes avant et deux à cinq paires de pattes arrière pour s'agripper. Certaines sont des mineuses de feuilles *(p. 297)*, d'autres vivent dans le sol *(p. 310)*, la plupart vivent et se nourrissent en surface dont certaines dans leur cocon de soie.

▪ Une petite infestation peut être nettoyée à la main, insectes et chrysalides. (Portez des gants. Les chenilles velues peuvent causer des démangeaisons). Sur les arbres et arbustes, on rabattra des rameaux entiers. Dans les cas plus graves, vaporisez avec du pyrèthre ou du bifenthrine. Le *Bacillus thuringiensis* est aussi un moyen de lutte biologique efficace. Des bandes de glu sur le tronc des arbres fruitiers en automne empêcheront les femelles aptères des cheimatobies de grimper pondre leurs œufs *(p. 307)*.

LES ALTISES OU PUCES DE TERRE. Ces petits insectes brillants, noirs rayés de jaune, de bleu métal, ou de brun jaunâtre, grignotent la feuille en surface de sorte que les trous ne traversent pas toujours le tissu. Le fin lambeau qui reste vire au brun et sèche. Ils sont parfois fatals pour les jeunes plantes.

▪ Poudrez avec de la roténone ou de la poudre de lindane.

LES MÉGACHILES. Presque tous les trous au bord des feuilles de rosiers, de wisterias et d'epimediums en particulier sont l'œuvre des mégachiles, de précieux pollinisateurs. Il travaille un par un, à faire leur nid. La lutte n'est pas nécessaire.

LES LAPINS. Feuillage, pousses tendres, écorce : tout attire les lapins. Cependant une défoliation récurrente des herbacées et des cultures feuillues est un vrai souci pour le jardinier.

▪ Posez un grillage avec des mailles d'un maximum de 2,5 cm de largeur sur une hauteur de 1,2 m à 30 cm de profondeur dans le sol. Cette solution est envisageable autour du jardin et des carrés du potager mais inesthétique pour les parterres et les plantes individuelles. Un paillis d'écorce protégera les arbres. L'idéal, quoique le plus fastidieux, sera de clôturer entièrement le jardin.

LES LARVES DE TENTHRÈDES. Les tenthrèdes se distinguent des chenilles par leur plus grand nombre de pattes arrière (*voir à gauche*). Elles peuvent défolier entièrement une plante. Les ancolies, les aruncus, les sceaux de Salomon, les groseilliers et les cassissiers sont particulièrement vulnérables.

▪ Nettoyez à la main ou traitez avec un pesticide biologique comme la roténone ou le pyrèthre qui préserve les fruits.

LES LIMACES ET LES ESCARGOTS. Les limaces et les escargots sont les plus susceptibles d'abîmer vos feuilles par temps humide. Ils sortent la nuit et se nourrissent voracement du feuillage.

▪ Certains granulés sont normalement inoffensifs pour les animaux domestiques, beaucoup de jardiniers sont pourtant réticents. Les produits à base de sulfate d'aluminium sont moins toxiques. Les pièges sont très efficaces : posez dans la terre un demi-pamplemousse ou une pomme de terre vidés, un pichet de lait ou de bière. Les limaces évitent de passer sur certaines surfaces : protégez vos plantes en les entourant d'une couche de sable, d'aiguilles de pin ou de son. On trouve aussi des bandes de cuivre dans le commerce pour entourer les bacs. Les escargots se ramasseront à la main à la lumière d'une torche, les limaces se laissent moins facilement saisir. Il existe aussi une méthode biologique par le sol *(p. 309)*.

LES GALÉRUQUES DU NÉNUPHAR. Les adultes comme les larves creusent des sillons dans la feuille du nénuphar. Ces lignes grisâtres entraînent une moisissure. Les galéruques adultes se nourrissent des fleurs. On bannira la lutte chimique à cause de l'équilibre aquatique.

▪ Nettoyez à la main ou enlevez les feuilles très touchées. Si elles sont inaccessibles, un nettoyage au jet puissant délogera peut-être assez d'insectes pour remédier au problème.

△ ATTAQUES DE CHEIMATOBIES

△ PASSAGE D'UNE LIMACE

De minuscules trous sur la surface de la feuille

△ ATTAQUES D'ALTISES

VOIR AUSSI : Les brassicacées, pp. 248-249, Les fruits, p. 304 ; Les légumes, pp. 306-307

# INSECTES SUR LES FEUILLES

**LES PUCERONS.** Les pucerons (*voir aussi* Fleurs, *p. 302*) parmi lesquels les pucerons de rosier et les pucerons noirs attaquent pratiquement toutes les plantes, provoquant une perte de vigueur et une croissance déformée à l'extrémité des pousses où ils s'agglutinent pour sucer la sève, l'occasion pour eux de propager des viroses.
▨ On peut les déloger avec un jet d'eau puissant en cas de petite attaque. De nombreux produits détruisent les pucerons. Si possible, optez pour une méthode biologique ou du pyrimicarbe pour préserver les insectes utiles. Parmi les insecticides biologiques, on trouve la roténone, le pyrèthre (tous deux non-sélectifs) et les solutions savonneuses insecticides. Encouragez les prédateurs naturels en variant les espèces cultivées. Certaines seront cultivées sous un film horticole (*p. 240*). En hiver, une couche d'huile de goudron détruira les œufs qui passent l'hiver dans les arbres fruitiers.

**LES CRIOCÈRES DU LIS.** Ces petits scarabées rouges très caractéristiques apprécient les lis et les fritillaires. Les adultes comme les larves dévorent les plantes. Enlevez les adultes et leurs larves, rouge orangé, couvertes d'excréments noirs et détruisez-les. Les produits à base de bifenthrine font partie des solutions efficaces.

**LES COCHENILLES.** Ces insectes légèrement bombés infestent les feuilles et les tiges (*p. 301*), suçant la sève à l'abri d'une carapace de cire, généralement brune ou blanc grisâtre qui les protège des insecticides. On les enlèvera des feuilles lisses et des tiges avec un chiffon humide. Sur d'autres plantes, ils seront plus durs à déloger. Pour les plantes de jardin, la période la plus propice au traitement va du début au milieu de l'été, quand les nymphes viennent d'éclore, et toute l'année pour les plantes sous verre, où l'on renouvellera le traitement plusieurs fois.
▨ Un produit à base de malathion fera l'affaire bien qu'une solution savonneuse soit préférable pour les plantes d'intérieur. N'oubliez pas de bien vaporiser le dessous des feuilles. Une couche d'huile de goudron en hiver empêchera les cochenilles de passer l'hiver sur l'arbre.

**LE THRIPS.** Des reflets argentés sont les premiers signes visibles du thrips. Un examen plus minutieux laissera apparaître des insectes de 2 mm de long, souvent noirs avec des taches blanches faisant penser à des anneaux. Leurs ailes, souvent plissées, sont bordées de duvet. Les jeunes nymphes sont jaune crème. Les thrips propagent les viroses. Il faut les éliminer.
▨ Parmi les nombreux produits proposés, choisissez le plus adapté à vos plantes. Le pyrèthre offre une alternative biologique.

**LES PSYLLES.** Certaines plantes sont la proie de ces insectes suceurs de sève qui provoquent une déformation du pédoncule. Les nymphes ont un aspect mou et plat. Les adultes ressemblent à des pucerons ailés. Ils attaquent les pommiers, les poiriers, le buis ou les baies. Une taille des plantes adultes éliminera ces ravageurs mais ils ralentiront la croissance des jeunes plantes.
▨ On protégera les pommiers avec une solution d'huile de goudron en hiver. On traitera les pommiers et les plantes affectées avec un insecticide.

**LES OTIORRHYNQUES (ADULTES).** Caractérisé par ses entailles laissées sur le bord des feuilles, l'otiorrhynque sort à la nuit tombée. On le débusquera à la torche. Les adultes se nourrissent du feuillage sans nuire à la plante outre mesure. Les larves cependant (*p. 311*) causent d'énormes dégâts aux racines et aux bulbes, surtout pour les plantes cultivées en bacs.
▨ Retirez et détruisez systématiquement les otiorrhynques. Veillez à ne pas propager le problème sur vos nouvelles plantes. Entourez les pots avec des bandes de glu pour empêcher les adultes de grimper. On traitera les larves dans le sol chimiquement ou biologiquement.

**LES ALEURODES OU MOUCHES BLANCHES.** Ces insectes suceurs de sève aux ailes blanches s'envolent en nuée quand on les dérange. Leurs nymphes plates (stade immature) ressemblent à des écailles. Elles recouvrent la plante d'un miellat poisseux qui attire souvent la fumagine.
▨ Le pyrèthre et les solutions savonneuses ainsi que de nombreux insecticides agissent sur les aleurodes. Il est essentiel de bien traiter sous les feuilles pour une efficacité optimale. Pour d'obscures raisons, peut-être à cause de leur odeur, il semble que les soucis dissuadent les aleurodes. L'*encarsia*, une guêpe parasite, est un moyen de lutte biologique dans les serres, du milieu du printemps au milieu de l'automne. On l'applique dès l'apparition des adultes sur les pièges gluants.

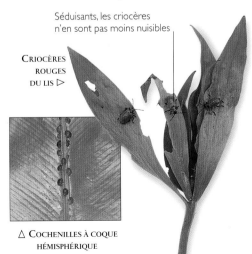

Entailles irrégulières sur le bord de la feuille par un charançon des vignes adulte

Séduisants, les criocères n'en sont pas moins nuisibles

CRIOCÈRES ROUGES DU LIS ▷

△ ATTAQUE DE CHARANÇON

△ CHENILLE DE PAPILLON LAQUAIS

△ COCHENILLES À COQUE HÉMISPHÉRIQUE

△ PUCERONS NOIRS DES HARICOTS

VOIR AUSSI : Les feuilles, p. 297 ; Les légumes, p. 306

# LES TIGES

Les tiges contiennent des vaisseaux qui amènent l'eau et les éléments nutritifs. Il suffit qu'elles soient abîmées, obstruées en un point, pour produire des effets secondaires en amont ou en aval. Les tiges, surtout les ligneuses, forment la charpente de la plante. Leur mauvais état entraînera une faiblesse structurale. Dans le cas des arbres, les risques peuvent être considérables pour la sécurité. Vérifiez toujours les attaches des arbres et des ligneuses rampantes et desserrez-les si nécessaire pour éviter les blessures par frottements, points d'entrée des maladies. En cas de problèmes graves sur des grands arbres, notamment près de bâtiments, prenez conseil auprès d'un arboriculteur.

## LES MALADIES

**LA FONTE DES BOUTURES.** Des boutures qui pourrissent au lieu de s'établir sont généralement victimes de mauvaises conditions de culture ou d'hygiène.

■ Prenez les mêmes mesures que pour la fonte des semis. Au moment des boutures, utilisez une poudre d'hormones d'enracinement additionnée d'un fongicide.

**LES CHANCRES.** Il existe plusieurs types de chancres. Un des plus graves affecte les arbres. L'écorce se boursoufle ou se creuse, elle durcit, allant parfois jusqu'à se fendre et suinter. On observe parfois des renflements sur les branches. Ces champignons pénètrent par les blessures. Si le chancre encercle la branche, le rameau supérieur meurt. Plus la maladie est proche de la base, plus c'est dangereux.

■ Les branches malades doivent être taillées, en hiver pour les pommiers, les poiriers et les arbres ornementaux à larges feuilles, en été pour les fruits à noyau (en particulier les pruniers et les cerisiers), et les conifères. Rabattez jusqu'au bois sain et essayez d'améliorer les conditions de culture. Les traitements pour pommiers contre la gale et le mildiou les protégeront en partie contre le chancre. Un traitement à base de cuivre protégera les arbres à fruits à noyau. Sur les grandes branches ou les troncs, rabattez les branches récemment atteintes jusqu'au bois sain sans toutefois mettre en péril la stabilité de l'arbre. Badigeonnez l'entaille avec un cicatrisant. Certains arbres fruitiers résistent aux chancres.

**LA MALADIE DU CORAIL.** Ce champignon colonise d'abord le bois mort mais l'infection se propage ensuite sur la plante saine. Il n'y a pas de traitement chimique.

■ Élaguez sans attendre les rameaux présentant des pustules rose orangé, en prenant soin de rabattre jusqu'au bois sain. Débarrasser vous des bois morts ou malades pour éviter l'installation du champignon.

**LA FONTE DES SEMIS.** Les plantules qui s'affaissent et noircissent sont attaquées par une moisissure qui se propage rapidement par les plateaux, en général à cause de mauvaises conditions de culture. Un terreau détrempé, des plantes trop serrées, du matériel ou de l'eau sales, et un air stagnant favorisent cette maladie.

■ Au moment des semis, utilisez de nouveaux plateaux et de nouveaux pots, de l'eau du robinet plutôt que de l'eau de pluie, et un terreau frais, stérilisé au lieu de celui du jardin. Semez en rangs réguliers et espacés, éclaircissez les plants si nécessaire et maintenez une bonne aération et une bonne luminosité. On pourra arroser le terreau d'un fongicide à base de cuivre avant de semer.

**LE DÉPÉRISSEMENT DÛ À LA TAILLE.** Le dépérissement des plantes à tiges ligneuses provient le plus souvent d'une erreur de taille, laissant des moignons qui meurent de pourrissement et contaminent la tige. Le dépérissement sur des plantes non taillées qui peut partir de l'extrémité des pousses, du pied, ou au milieu du tronc, est parfois la conséquence d'un affaiblissement des racines dû à un manque d'eau ou une mauvaise plantation empêchant les racines de s'enfoncer dans le sol. Un dépérissement peut aussi indiquer une affection fongique comme certains flétrissements, le plomb parasitaire et l'anthracnose, en particulier en cas de formation de plaques sombres en creux.

△ CHANCRE DU POMMIER ET DU POIRIER

△ POURRIDIÉ

△ MALADIE DU CORAIL

△ DÉPÉRISSEMENT DÛ À UNE MAUVAISE TAILLE

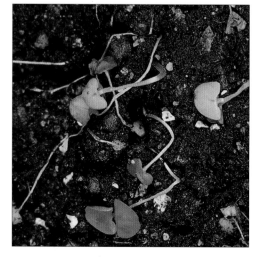

△ FONTE DE SEMIS

**VOIR AUSSI :** Les feuilles, p. 297 ; Les légumes, p. 306 ; Les problèmes, p. 308

# LES PARASITES ET LES RAVAGEURS DES TIGES

■ Rabattez toutes les branches malades et détruisez-les. Redoublez de soins pour la plante atteinte.

**LE FEU BACTÉRIEN.** Celui-ci doit son nom à ses branches malades qui semblent avoir pris feu à la base. Cette maladie grave affecte les pommiers, les poiriers, les cotonéasters et les arbres et arbustes de leur famille, généralement à la floraison. Des plaques sombres en creux apparaissent sur les tiges souvent suintantes. La face interne de l'écorce présente une décoloration rouille.

■ Rabattez tous les rameaux malades jusqu'au bois sain ; désinfectez les outils de taille puis rabattez à nouveau de 15 cm. Renettoyez soigneusement les outils. Si la plante est petite ou très affectée, il est préférable de la déplanter.

**LE POURRIDIÉ.** On vérifiera que toute plante ligneuse qui dépérit petit à petit sans raison apparente n'est pas atteinte du pourridié, un parasite extrêmement nocif qui se propage dans le sol. Très difficile à éradiquer au jardin. Un mycélium blanc se développe à partir de la base du tronc ou des racines et remonte entre l'écorce et le bois, dégageant une odeur de champignons. Des structures noires, ressemblant à des racines rampantes, se développent dans le sol tandis que des champignons vénéneux de couleur miel apparaissent parfois en surface ou sur le tronc.

■ Déracinez et détruisez les sujets atteints, en déterrant le système radiculaire le plus profond possible. Un pépiniériste vous conseillera sur les plantes résistant à ce champignon qui sont malheureusement peu nombreuses.

**LE FLÉTRISSEMENT.** Le flétrissement du feuillage suivi par un dépérissement des tiges est dû à des champignons qui bloquent le système vasculaire de la plante. Il ne se traite pas. Le flétrissement n'affecte souvent qu'une partie de la plante, ce qui le distingue de la sécheresse. De plus, les plantes ne reprennent pas après l'arrosage.

■ Avec les clématites et les pivoines, toutes deux sujettes au flétrissement, opérez une taille sévère des tiges affectées, jusqu'au sol si nécessaire ou en dessous. La plante fera peut-être des rejets à la base. Pour les autres cas, déracinez et détruisez les plantes et jetez la terre entourant leurs racines. Ne replantez pas le même type de plante sur le même site.

**LES CICADELLES ÉCUMEUSES.** La mousse blanche autour de la tige qui recouvre parfois la fleur offre un abri aux larves des aphrophores, ces insectes vert jaunâtre suceurs de sève. Inesthétique, leur présence n'est que temporaire et rarement importante au point d'être traitée. On peut les enlever à la main ou supprimer les pousses malades.

**LES CERFS.** Les cerfs apprécient pratiquement toutes les plantes, qu'ils dévorent presque entièrement. Les mâles arrachent même l'écorce des arbres avec leurs bois.

■ Les répulsifs éloignent rarement longtemps les cerfs. Gardez-les pour les plantes qui attirent le plus ces curieux animaux. Le répit temporaire qu'ils fournissent laissera à la plante le temps de s'établir. Regardez dans le voisinage quelles plantes semblent être épargnées et pourraient convenir à votre jardin. Seule une clôture d'au moins 2 m de haut les empêchera de nuire.

**LES ARAIGNÉES ROUGES DES ARBRES FRUITIERS.** Différentes de l'araignée rouge de serre, elles vivent sur les pommiers et les pruniers, pondant des œufs qui passent l'hiver dans les fissures en dessous des branches, si nombreux que l'écorce prend une teinte rougeâtre.

■ En principe, il n'est pas nécessaire de traiter les araignées rouges des arbres fruitiers. Si les feuilles ternissent en été et qu'un grand nombre d'acariens s'agglutinent en dessous, traitez chimiquement avec du bifenthrine.

**LES COCHENILLES FARINEUSES.** Les plantes de serre, notamment les cactées et les plantes grasses, sont parfois envahies à l'aisselle des feuilles et dans leurs fissures par ces insectes blanc rosé ou gris au corps mou qui sécrètent une substance floconneuse blanche et recouvrent la plante d'un miellat poisseux.

■ Il existe un moyen de lutte biologique efficace seulement pendant les périodes très chaudes de l'été. Le reste du temps, on optera pour un insecticide adapté ou une solution savonneuse.

**LES COCHENILLES.** Si les cochenilles envahissent couramment les plantes *(p. 299)*, certains types s'agglutinent sur les tiges suçant la sève à l'abri sous leur carapace. Les cochenilles aux carapaces en forme de coquille de moule comptent parmi celles qui envahissent communément les plantes de jardin : leur coque gris brun en forme de moule recouvre les tiges, en particulier celles des pommiers, des pommiers sauvages, des bruyères, des cotonéasters, des céanothes et du buis. Les plantes sévèrement touchées perdent de la vigueur.

■ Une couche d'huile de goudron protégera les arbres fruitiers et les arbustes. Vaporisez les plantes infestées avec un produit à base de malathion au début de l'été.

△ COCHENILLES À COQUE EN FORME DE MOULE

△ CICADELLES ÉCUMEUSES

△ COCHENILLES FARINEUSES

DÉGÂTS CAUSÉS ▷ PAR LES CERFS

Les cerfs ne sont même pas découragés par les épineux comme les rosiers

VOIR AUSSI : Les feuilles, p. 296

# LES FLEURS

Des fleurs abîmées ou malades viendront gâcher une composition que vous préparez depuis des mois. Les parasites peuvent aussi détruire les cultures à l'état embryonnaire. Les fleurs ouvertes comme les boutons en souffriront. La floraison est le stade du développement où les plantes sont les plus fragiles, notamment dans le cas de floraison précoce et de gelées tardives. L'emplacement et la protection des plantes à floraison précoce sont essentiels. L'absence de fleurs peut être due à des boutons malades ou aux adventices qui disputent aux plantes les éléments nutritifs. Des engrais riches en potasse comme les engrais pour rosiers et tomates stimuleront la floraison.

## LES PROBLÈMES DES FLEURS ET DES BOURGEONS

**LES PUCERONS.** Les pucerons attaquent les fleurs des rosiers, des lupins, des dahlias, des chèvrefeuilles, des bégonias, des nénuphars, des chrysanthèmes et des cinéraires.
▓ Pour le traitement, voir p. 299. Un jet d'eau puissant délogera les pucerons agglutinés sur les nénuphars, les produits chimiques étant bannis dans les étangs.

**LES PHYTOPTES DU CASSISSIER.** Cet acarien qui attaque les cassissiers vit dans les feuilles et les boutons, provoquant des boursouflures.
▓ Enlevez les boutons anormalement gros en hiver (essayez d'en écraser un sous l'ongle de votre pouce : vous verrez apparaître de microscopiques insectes blancs). Si les plantes sont très affectées et que les boutons gonflent à nouveau, remplacez l'arbuste malade. Les cultivars 'Foxendown' et 'Farleigh' sont très résistants.

**LES OISEAUX.** D'ores et déjà nuisibles quand ils détachent ou picorent les fruits non protégés, ils le sont encore plus quand ils privent la plante de ses boutons. Les moineaux s'attaquent aux crocus et aux primevères, les bouvreuils arrachent tous les boutons floraux des arbres fruitiers, éliminant toute chance de fruit. Les boutons de forsythia sont parfois attaqués, attirant les oiseaux quand la nourriture se fait rare.

On pourra facilement recouvrir d'un filet les arbustes fruitiers ou ceux aux formes régulières. Quand c'est impossible ou que le filet gâche le tableau offert par les fleurs, le sifflement du vent dans la bande dévidée d'une vieille cassette est très efficace. Les insectifuges ne sont pas très actifs.

**LA STÉRILITÉ DES BULBES.** Lorsque les bulbes produisent des feuilles saines mais ne donnent pas de boutons ou des boutons secs qui contiennent peu de pétales, il faut intensifier les soins. Ils manquent parfois d'eau ou d'éléments nutritifs (*voir* Sécheresse des boutons, *ci-contre*), notamment si les touffes sont surchargées ou que leurs feuilles ont été coupées trop tôt après la floraison l'année précédente, empêchant alors le bulbe de constituer ses réserves. Les pousses stériles sont aussi un phénomène fréquent sur les rosiers. Le rameau semble parfaitement normal mais ne donne pas de boutons.
▓ Divisez les touffes surchargées des bulbes et

replantez-les dans un sol fertilisé, ou faites un apport d'engrais foliaire. Arrosez-les pendant la sécheresse. Laissez les fleurs flétrir naturellement sans les attacher. Taillez les rameaux des rosiers de moitié au-dessus d'une feuille. Une pousse latérale devrait se développer.

**LA MONILIOSE.** Les fleurs des *Malus* et des *Prunus*, ornementaux et fruitiers, et parfois celles des amélanchiers, flétrissent mais restent sur le rameau, permettant à ce champignon de se propager sur les feuilles adjacentes. Des pustules de la taille d'une tête d'épingle apparaissent, entraînant un dépérissement.
▓ Protégez les fleurs en vaporisant avec de l'oxychlorure de cuivre avant la floraison. S'il est trop tard, élaguez et détruisez les fleurs atteintes par l'infection.

**LES PUNAISES.** Ces insectes verts aux longues pattes provoquent un développement irrégulier des fleurs et criblent les feuilles de petits trous à l'extrémité des pousses. Elles injectent une salive toxique dans la plante tout en suçant la sève, endommageant les tissus. Les fuschias, les chrysanthèmes, et les dahlias et nombre

△ PUCERONS DES ROSIERS

△ CÉTOINES DORÉS

△ BOTRYTIS

Une décoloration parfois bordée d'un anneau noir marque les pétales

△ DÉGÂTS CAUSÉS PAR LE GEL

VOIR AUSSI : Les feuilles, p. 296 ; Les tiges, p. 301

d'arbustes populaires comme les buddleias, les hydrangeas, les forsythias et les caryopteris sont les plus fragiles.

■ Il existe des traitements chimiques.

#### LES DÉGÂTS PROVOQUÉS PAR LE FROID.
Le gel, des vents froids, secs et rigoureux provoquent des brûlures sur les boutons et les fleurs. Au moment du dégel, les pétales ramollissent tandis que le vent les dessèche. Les plantes exposées au soleil du matin après les gelées de la nuit sont particulièrement vulnérables.

■ Choisissez avec soin l'emplacement des espèces fragiles ou à floraison précoce. Un film horticole protégera vos plantes. Les filets de protection et les haies sont de meilleurs protecteurs que les écrans solides (*voir* Les brûlures, *p. 297*).

#### LA SÉCHERESSE ET LA CHUTE DES BOUTONS.
Les boutons formés qui tombent ou qui flétrissent et sèchent avant de s'ouvrir sont souvent le résultat d'un climat sec au moment de la formation des boutons qui remonte parfois à l'été de l'année précédente. Les plantes en jardinières sont particulièrement fragiles.

■ Arrosez toujours pendant les périodes de sécheresse. Un paillis empêchera aussi la terre de se dessécher complètement.

#### LES PERCE-OREILLES.
Des pétales de fleurs dévorés, notamment ceux des clématites, des dahlias et des chrysanthèmes sont souvent l'œuvre des forficules. Ces derniers se nourrissant la nuit, seule une inspection nocturne vous le confirmera.

■ Il existe des traitements chimiques cependant les pince-oreilles sont faciles à attraper. Ils aiment les cachettes douillettes et

chaudes. Suspendez un pot de fleur empli de paille au bout d'une canne près de vos plantes (*p. 294*). Les pince-oreilles iront se nicher dans la paille en grimpant le long du piquet. Détruisez-les ou déplacez-les loin de vos plantes.

#### LA POURRITURE GRISE.
Sur les pétales, ce champignon, encore appelé botrytis, produits des tâches "fantômes" (une moucheture blanche ou marron clair) qui détruit parfois la plante petit à petit sans que se développe le duvet blanc gris habituel (*p. 305*). Les spores se propagent rapidement par la pluie ou les éclaboussures et demeurent dans le sol ou dans la plante morte.

■ Il est essentiel de détruire rapidement les parties infectées, de rabattre jusqu'aux parties saines et de nettoyer les débris sur la plante et autour. Il existe plusieurs fongicides pour les attaques importantes.

#### LES CÉTOINES DORÉES.
Ces petits coléoptères vert bronze métallique qui se nourrissent des fleurs du jardin proviennent souvent des cultures voisines du jardin comme le colza. Ils ne sont pas nuisibles pour les plantes et seront tolérés. Ils sont toutefois nuisibles quand on les ramène dans la maison via les bouquets de fleurs coupées. Laissez les fleurs quelques heures dans un abri ou au garage, les insectes s'en iront.

#### LA PROLIFÉRATION ET LA FASCIATION.
Ces deux états liés à des problèmes antérieurs sur les boutons conduisent à une forme curieuse de la fleur congestionnée sur une plante parfaitement saine. La fasciation se traduit aussi par des tiges et des feuilles déformées. Avec la prolifération, la tige florale poursuit sa croissance ce qui donne des fleurs à deux ou trois étages. Les deux sont inoffensifs et étonnants sur les cas isolés. Quand les plantes sont touchées d'une année sur l'autre, on le doit peut-être à un virus. Il faut les supprimer.

#### LE "BUD BLAST" DU RHODODENDRON.
Les rhododendrons sont sujets à la sécheresse des boutons (*voir ci-dessus à gauche*). Dans le cas de ce champignon propagé par les cicadelles, les boutons sont couverts de minuscules filaments noirs.

■ Difficile à éliminer, on peut limiter les dégâts en supprimant les boutons malades.

#### LA MALADIE DES BOUTONS DE ROSIERS.
Les boutons grossissent et semblent sur le point de s'ouvrir, puis les pétales flétrissent et pourrissent. En général, seules quelques fleurs sont affectées. Ceci est dû à la pluie suivie du soleil qui brille sur les gouttelettes et provoque une brûlure de la surface externe des pétales, empêchant la fleur de s'ouvrir.

■ Cette maladie ne peut ni se traiter ni être prévenue. N'arrosez pas les roses par le haut les jours très ensoleillés. Supprimez les fleurs affectées pour empêcher la propagation sur les boutons sains et le dépérissement de la plante (*voir p. 300*). Si tous les boutons sont touchés, rabattez jusqu'à une feuille saine pour stimuler une nouvelle pousse.

#### LES VIROSES.
Les viroses attaquant les fleurs causent parfois une moucheture ou une marbrure caractéristique sur les pétales, plus pâle sur les couleurs foncées et brillante sur les couleurs pâles. Ces viroses sont peut-être séduisantes mais elles se propagent et sont nuisibles.

■ L'absence de traitement contraint à détruire la plante.

#### LE THRIPS 'OCCIDENTALIS' DES FLEURS.
Le thrips occidentalis (*voir aussi p. 299*) est attiré par les plantes d'intérieur, de serre et de jardin d'hiver comme les gloxinias, les streptocarpus, les violettes africaines et les pelargoniums, entraînant d'abord une pâle moucheture des pétales des fleurs puis une détérioration des boutons et des plantes. Il propage aussi les viroses.

■ Si l'invasion est limitée, on pourra lutter biologiquement. Le thrips se nichant dans les boutons et à l'intérieur des feuilles, les vaporisations sont peu efficaces. Inspectez les plantes à l'achat pour éviter de véhiculer ces insectes gênants.

△ DÉGÂTS DUS AU PINCE-OREILLE

▽ STÉRILITÉ DES BULBES

△ "BUD BLAST" DU RHODODENDRON

VOIR AUSSI : Les feuilles, pp. 296-p. 297 ; Les insectes, p. 299 ; Les légumes, p. 307

# LES FRUITS ET LES LÉGUMES-FRUITS

Les dégâts causés sur les jeunes fruits et les fruits murs enlèvent parfois toute leur raison d'être à certaines plantes. Identifiez bien la cause réelle du problème : souvent, les fruits pourrissent uniquement à cause d'une peau craquelée par le gel ou par une gale. Les pince-oreilles sont souvent accusés de coloniser le fruit par les

trous laissés par les guêpes. Bien des insectes sont attirés par la forte teneur en sucre des fruits mûrs. Les pièges et les leurres sont parfois très efficaces. Les tomates ont leurs problèmes propres, cependant, cultivées sous verre, elles et d'autres cultures deviennent la proie d'insectes de serre, attirés non par la plante mais par la chaleur de cet abri.

## LES ARBRES FRUITIERS

**CARENCE EN CALCIUM.** Ce problème des pommes se traduit par de petites taches brunes sur la peau et dans la chair du fruit, altérant sa saveur. Cette carence est induite par un manque de calcium dans le sol ou par un sol trop sec qui empêche l'arbre de l'absorber. (Une carence en bore provoque les mêmes symptômes sur les poires, p. 308.)
■ Un paillis et un arrosage régulier sont deux mesures de prévention. On peut vaporiser les fruits avec une solution au nitrate de calcium néanmoins nocif pour certaines variétés. Lire attentivement les instructions.

**LA MONILIOSE.** Ce champignon forme des anneaux caractéristiques de pustules blanches qui propagent les spores sur les autres fruits en éclatant.
■ Détruisez vite les fruits malades. Lorsqu'un fruit malade s'est momifié sur l'arbre, coupez le rameau qui le soutient. Le champignon pénètre le plus souvent par les blessures laissées par les coups de bec des oiseaux et les guêpes. Des mesures prises à leur encontre limiteront la moniliose.

**LES CARPOCAPSES.** C'est aux chenilles de ces papillons que l'on doit des pommes véreuses. L'excrétion qu'elles laissent autour de l'œil de la pomme est très caractéristique et rappelle la sciure. Les dégâts

dans le fruit sont parfois considérables.
■ Agissez avant que la chenille entre dans le fruit. Posez des pièges à phéromones pour attraper les adultes et les empêcher de pondre, puis utilisez un insecticide, en observant la durée du traitement. Sur les pommiers isolés, un piège peut suffire à attraper assez de papillons pour limiter les dégâts.

**LES CÉCIDOMYIES DES POIRETTES.** De jeunes fruits qui noircissent indiquent la présence de cette petite larve blanc orangé qui se nourrit dans le fruit. Elle peut ruiner des récoltes entières.
■ Vaporisez les arbres en boutons (juste avant la floraison). Une autre solution, non chimique, est de cueillir les fruits malades pour empêcher les larves de poursuivre leur développement dans le sol à la chute des fruits, générant de nouvelles cécidomyies l'année suivante.

**LA TAVELURE.** Des tâches dures apparaissent sur les poires et les pommes fruits et d'ornement. En cas d'attaque sévère, le fruit déformé se craquelle, offrant ses points de faiblesse aux champignons. Les feuilles sont aussi marquées de taches gris brun.
■ Ratissez et jetez les feuilles mortes, rabattez et brûlez les rameaux attaqués pour empêcher le champignon de passer l'hiver sur l'arbre. Vaporisez avec un fongicide. Il existe des variétés résistantes.

**LE CRAQUÈLEMENT DES FRUITS.** On tolérera les fentes calleuses des pommes et des poires. Le craquèlement des fruits à chair tendre et à peau fine comme les prunes, le raisin et les tomates peut aller jusqu'à ruiner le fruit. Ce phénomène est dû à un arrosage irrégulier : un excès d'eau après la sécheresse cause un regain de croissance qui entraîne la rupture du fruit.
■ Arrosez régulièrement les arbres et surfacez le sol humide avec un paillis pour limiter la sécheresse.

**LES GUÊPES.** Les guêpes abîment les fruits murs, laissant des trous engendrant d'autres problèmes comme la moniliose ou une invasion de pince-oreilles.
■ Si vous avez une sélection de fruits choisis, protégez-les dans une mousseline, ou fabriquez un piège à guêpes. Remplissez un pot de bière ou enduisez-le d'une couche de sirop ou de confiture. Couvrez avec un couvercle en papier, percez un trou de la taille d'une guêpe. Suspendez ce piège à une branche (p. 294). Localisé, le nid peut être traité chimiquement. Il est néanmoins plus prudent d'informer les autorités compétentes.

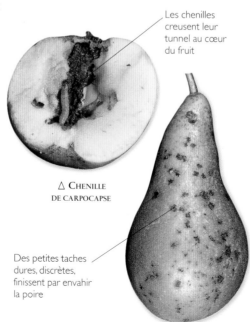

Les chenilles creusent leur tunnel au cœur du fruit

△ CHENILLE DE CARPOCAPSE

Des petites taches dures, discrètes, finissent par envahir la poire

△ MONILIOSE

△ TAVELURE DE LA POIRE

**VOIR AUSSI :** Les feuilles, p. 297 ; Les tiges, p. 300 ; Les fleurs, p. 302

# LES BAIES

**L'OÏDIUM DES GROSEILLES À MAQUEREAU.** Des taches de moisissures blanc grisâtre apparaissent sur le fruit. En cas d'attaques sévères, l'extrémité des pousses est déformée. Les fruits virent au brun à la cuisson mais restent comestibles.

■ Des plantes étouffées et fragiles favorisent son développement. Élaguez bien les arbustes et n'abusez pas de l'azote. Certaines variétés sont plus résistantes. Rabattez les branches malades et vaporisez avec un fongicide.

**LA POURRITURE GRISE DES FRAISES.** Un duvet de moisissure grise recouvre les fruits qui ramollissent. L'humidité favorise ce champignon qui pénètre souvent par les blessures laissées par d'autres nuisibles. Il demeure dans le sol.

■ Conservez les fruits lavés sur une paille (*p. 272*) et triez-les régulièrement. N'arrosez pas par le haut. Vaporisez avec un fongicide à la floraison pour les protéger. Détruisez vite les fruits abîmés.

**LES VERS DES FRAMBOISES.** Les fruits sèchent au niveau du pédoncule des framboises, des cassis et des hybrides, phénomène dû aux larves.

■ Vaporisez à la roténone lorsque les femelles viennent de pondre. La durée du traitement varie selon le fruit.

*Autres problèmes des baies : les larves de tenthrèdes (feuilles dévorées des groseilliers), p. 298 ; les phytoptes des cassissiers, p. 302*

Desséchement à la base causé par une larve

△ POURRITURE GRISE DES FRAMBOISES

△ FRAMBOISES ATTAQUÉES PAR LES VERS

# LES TOMATES, POIVRONS, COURGETTES ET CONCOMBRES

**LA NÉCROSE APICALE.** Ce problème touche les tomates et les poivrons. Des taches noires apparaissent à la base des fruits en maturation qui tombent et pourrissent. Il ne s'agit pas d'une maladie mais le sol trop sec autour des racines les empêche d'absorber le calcium.

■ Un arrosage régulier sauvera le reste de la récolte (jetez les fruits malades) et empêchera une carence récurrente. Les plantes cultivées dans les petits bacs sont plus sensibles, la terre ou le terreau séchant plus vite. Les petites tomates cerises sont moins sujettes à cette carence.

**LE MILDIOU DE LA TOMATE.** Des taches noires se développent sur les feuilles qui sèchent et s'enroulent. Parfois, les tiges noircissent. Une décoloration brune apparaît sur les fruits qui se ratatinent (*ci-dessous à gauche*) et pourrissent. Détruisez les plantes malades et vérifiez les cultures voisines de pommes de terre, c'est le même champignon que celui du mildiou de la pomme de terre (*voir p. 309*).

■ Plusieurs fongicides agissent en prévention sur toutes ces cultures. On peut traiter les tomates avec des mélanges à base de cuivre, acceptables pour certains jardiniers biologiques.

**LA MATURATION IRRÉGULIÈRE DES TOMATES.** La maturation irrégulière des tomates se classe en deux catégories. La peau se tanne formant un anneau vert et régulier à la base de la tige. C'est le résultat du "greenback". Certaines variétés y sont plus sensibles que d'autres. On n'en connaît pas la cause exacte.

La chair affectée commence à pourrir

La peau des tomates se tanne quand le fruit pourrit

△ MILDIOU DE LA TOMATE

■ En protégeant les fruits du soleil direct (laissez suffisamment de feuilles), en ventilant la serre et en apportant aux plantes assez de potasse et de phosphate, on préviendra le "greenback". Une maturation irrégulière peut aussi être le symptôme de soins inappropriés, le plus souvent d'une carence en potassium exacerbée par un arrosage impropre ou irrégulier et des températures élevées. On prendra les mêmes mesures préventives que pour le "greenback".

**LES VIROSES.** Toutes ces cultures sont sensibles aux viroses (*pp. 297 et 303*), notamment aux virus de la mosaïque qui entraînent une marbrure des feuilles et parfois des feuilles enroulées, déformées ou rabougries.

■ Il n'y a pas de traitement. Les plantes malades seront détruites immédiatement et les autres à la fin de la saison. Il existe beaucoup de variétés résistantes. Luttez contre les pucerons et les insectes suceurs de sève qui propagent les viroses. Certaines se transmettent par manipulation.

*Autres problèmes des tomates, poivrons et concombres : la pourriture grise (les courgettes y sont très sensibles) ; le craquèlement des fruits (tomates).*

△ LA NÉCROSE APICALE

VOIR AUSSI : La protection, p. 240 ; Les serres, p. 241

# LES LÉGUMES

Si vous n'êtes pas contre les traitements chimiques pour les plantes d'ornement, vous hésitez peut-être à les appliquer sur vos cultures potagères. Utilisés convenablement, les produits proposés aux jardiniers n'induisent aucun risque direct. Nous sommes tous inquiets cependant des résidus chimiques dans nos aliments. Pièges, leurres, insecticides naturels, variétés résistantes, rotation des cultures et présence de prédateurs : voilà tout l'arsenal du jardinier biologique. N'oubliez pas qu'en traitant chimiquement, vous risquez aussi de tuer des insectes bénéfiques, précieux contre les nuisibles et pour la pollinisation. Vous limiterez ce risque en vaporisant en fin de soirée.

## POIS ET HARICOTS

**L'ANTHRACNOSE DU HARICOT.** Chez les haricots, ce champignon entraîne de longues traces marron sur les tiges qui se fissurent, les nervures des feuilles se teintent de rouge et sont suivies par un flétrissement des feuilles et des taches brun rougeâtre et parfois, par un dépôt gluant rosé sur les gousses, par temps humide.

**LES TACHES FOLIAIRES D'ORIGINE BACTÉRIENNE DES HARICOTS.** Souvent petites et anguleuses, ces taches *(p. 296)* sont bordées d'un halo jaune. Les feuilles jaunissent rapidement. Des taches grises délavées se forment sur les gousses.
▧ Enlevez les feuilles malades. N'arrosez pas par le haut. Détruisez les plantes atteintes à la fin de la saison. Certaines variétés sont plus résistantes.

**LES MOUCHES DES SEMIS DU HARICOT.** Les plantules sont dévorées par les larves blanches de cette mouche. Regardez si les feuilles et les tiges sont abîmées ainsi que les rameaux, les pousses sont peut-être mutilées aux extrémités. Les plantes qui résistent donneront mais en retard.
▧ En prévention, semez en pots ou en plateaux, évitez de repiquer quand le sol est froid et humide. Fertilisez en automne, pas au printemps car la fraîcheur attire les mouches. Si vous semez directement, traitez les trous des semis avec une poudre de lindane.

**LES PUCERONS NOIRS DES HARICOTS.** Une invasion de ces aphides communément appelés pucerons noirs ruinera les cultures des haricots blancs.
▧ Au début de l'attaque, arrosez au jet et vaporisez avec des insecticides biologiques. Dans les cas graves, utilisez un produit chimique comme du pyrimicarbe inoffensif pour les autres insectes.

**LES CHARANÇONS DES POIS ET DES HARICOTS.** Ces insectes qui font de larges entailles au bord des feuilles n'envahissent pas les gousses, faisant peu de véritables dégâts. Il existe des traitements chimiques.

**L'ANTHRACNOSE DU POIS.** Des taches jaunes ou brunes, en creux, se développent sur les feuilles, les tiges et les gousses, couvertes de spores noires de la taille d'une tête d'épingle. Ils demeurent dans le sol.
▧ Nettoyez parfaitement le site après la récolte et plantez les pois de l'année suivante sur un nouveau site.

**LA TORDEUSE DU POIS.** Le papillon pond ses œufs dans les fleurs du pois. Les chenilles, blanches à tête marron, vivent dans les gousses et se nourrissent des pois.
▧ Les variétés qui fleurissent avant le début de l'été et à partir de la fin de l'été vous éviteront ce problème. On vaporisera aussi une semaine après la floraison avec du bifenthrine pour tuer les nouvelles larves.

*Autres problèmes des pois et des haricots : le thrips du pois (gousses argentées ; on traitera en cas d'attaque sévère), p. 299 ; la rouille (pustules brun foncé sous les feuilles des haricots), p. 297*

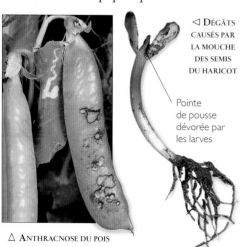

◁ DÉGÂTS CAUSÉS PAR LA MOUCHE DES SEMIS DU HARICOT

Pointe de pousse dévorée par les larves

△ ANTHRACNOSE DU POIS

## LÉGUMES À FEUILLES

**CARENCE EN BORE.** Les feuilles sont déformées et les tiges des brassicacées se fissurent.
▧ Voir *p. 308* pour le traitement.

**LA MOUCHE DU CHOU.** Ces vers dévorent tous les brassicacées, les plantes à tubercules domestiques de cette famille et les fleurs y compris les giroflées. Si les plantes adultes supportent ce fléau, les plantules ne résistent pas.
▧ Saupoudrez les jeunes plants d'un insecticide ou protégez-les sous un film horticole, ou en les entourant d'une collerette *(p. 249)*.

**LES ALEURODES DU CHOU.** Ces petits insectes blancs ailés s'agglutinent sous les feuilles, et s'envolent quand on les dérange. Les nymphes, plates, ovales, rappelant des écailles, apparaissent également sous les feuilles. Les feuilles sont couvertes d'un miellat poisseux qui à son tour attire la fumagine.

## LA FAMILLE DES OIGNONS

**LA ROUILLE DU POIREAU**
Des pustules orange vif sur les poireaux indiquent une rouille *(p. 297)* qui n'affecte parfois que les feuilles extérieures. On pourra donc manger les légumes.
▧ Détruisez toutes les plantes malades et tous les déchets à la récolte. Changez de site pour les prochaines cultures. Optez pour des cultivars résistants, espacez les poireaux et n'abusez pas des engrais azotés qui ramollissent et affaiblissent les feuilles. Ne cultivez pas les poireaux derrière des légumineuses quand le sol est riche en azote.

**LA MOUCHE DE L'OIGNON.** Ces larves, très proches de la mouche des semis du haricot,

**VOIR AUSSI :** Les maladies, p. 297 et p. 305 ; Les fleurs, p. 302 ; Les problèmes, pp. 308-309

■ Les petites invasions sont supportables. Si les feuilles sont très abîmées, vaporisez avec une solution savonneuse insecticide ou traitez chimiquement. Plusieurs traitements à plusieurs semaines d'intervalles sont parfois nécessaires.

**LES CHENILLES.** La noctuelle du chou et la piéride du chou en particulier sont attirées par tous les brassicacées pour pondre leurs œufs. Les larves peuvent ruiner les cultures.
■ Le pyrèthre ou le *Bacillus thurigiensis* sont des alternatives biologiques. Un film horticole protégera aussi les cultures.

**LES PUCERONS CENDRÉS DU CHOU.** Ces pucerons cendrés qui s'agglutinent sous les feuilles, entraînent des taches jaunes sur la face externe des feuilles. Agglutinés à l'extrémité des pousses, ils provoquent une croissance déformée.
■ Les solutions savonneuses insecticides agiront au début de l'attaque. Les plantes très infestées, surtout les jeunes, seront traitées chimiquement. Parmi ces traitements, le pyrimicarbe est inoffensif pour les autres insectes.

**CARENCE EN MOLYBDÈNE.** Des feuilles rabougries, marbrées de jaune, notamment celles des plantules, signalent une carence du sol en molybdène.
■ De nombreuses préparations peuvent intégrer cet élément. Cette carence est fréquente dans les sols acides que l'on pourra chauler pour y remédier.

**LES PIGEONS.** Quand la pitance se fait rare en hiver, les pigeons dévorent les feuilles des crucifères jusqu'à la nervure centrale.
■ La meilleure solution reste la pose d'un filet, les dispositifs effrayants n'ont qu'un effet temporaire.

**LA MONTÉE EN GRAINES PRÉMATURÉE.** Des graines qui montent trop tôt ou une floraison précoce sont parfois dues à un printemps humide et froid ou à un été sec. On ne peut ni le prévoir ni l'empêcher. Des variétés précoces monteront en graines plus facilement. Les laitues à couper résistent mieux que les laitues pommées. Les bettes épinards et les cardes monteront moins facilement en graines que les épinards.

**LE MILDIOU DU CHOU.** Des pustules blanches se développent sur les feuilles des crucifères, le plus souvent en dessous, tandis que des taches jaunes nécrosent la face extérieure. Les pustules sont parfois disposées en anneaux concentriques. L'humidité et le froid favorisent ce champignon. Il n'y a pas de traitement possible. Certaines variétés résistent bien au mildiou du chou.

*Autres problèmes des légumes : l'hernie du chou, p. 308, les altises, p. 298*

Chenille de la grande piéride du chou

▽ CHENILLES DE NOCTUELLE ET DE PIÉRIDE DU CHOU

La chenille de la noctuelle est soit jaune brun soit verte comme celle lovée au-dessus d'elle

Chenille de la petite piéride du chou

△ NYMPHES D'ALEURODES

△ PUCERONS CENDRÉS DU CHOU

se nourrissent des jeunes racines des oignons, des poireaux, des échalotes et de l'ail, entraînant le dépérissement des jeunes plantes ; une deuxième génération de larves à la fin de l'été se niche dans les bulbes.
■ Les oignons à repiquer sont plus résistants que les oignons cultivés en place. Il n'y a pas de traitement. La culture sous film horticole empêchera la ponte.

**LES POURRITURES.** Plusieurs types de pourritures affectent les oignons, en place ou en conservation.
■ Le mildiou à tâches duveteuses *(p. 296)* se traite. La pourriture blanche ne se traite pas. Les plantes malades seront détruites ainsi que la terre autour. Suivant l'infec-

tion, ne cultivez pas d'oignons au même endroit pendant au moins huit ans. La pourriture du collet affecte parfois les oignons tard dans la saison quand les feuilles flétrissent, et se propage généralement dans les bulbes en conservation. Les plants ou les graines d'origine douteuse véhiculent parfois l'infection. Traitez à la plantation avec une poudre fongicide pour prévenir la pourriture du collet. Évitez les engrais azotés. Les oignons blancs sont plus résistants.

*Autres problèmes des oignons : l'anguillule, p. 309 ; les mouches des semis de haricot, p. 306*

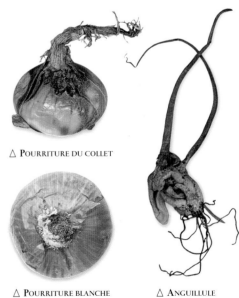

△ POURRITURE DU COLLET

△ POURRITURE BLANCHE

△ ANGUILLULE DE L'OIGNON

**VOIR AUSSI :** La chaux, p. 238 ; Les oignons, p. 250

# LES PROBLÈMES DANS LE SOL ET EN SURFACE

Les problèmes à la base de la plante sont sérieux et doivent être identifiés rapidement. Il n'existe parfois aucun traitement. Vous pouvez cependant circonscrire le problème et protéger les plantes voisines. Les dégâts sur les racines étant invisibles, on ne remarque le problème que lorsque la partie aérienne est affectée, ce qui rend le diagnostic plus difficile.

La seule réponse sera parfois de déterrer la plante et de dégager les racines pour mieux les examiner, ce qui peut l'abîmer ou retarder sa croissance. Les légumes-racines et les tubercules ne repartiront pas une fois déplantés. Néanmoins, en sacrifiant quelques plantes, vous apprendrez parfois comment sauver le reste de la récolte.

## MALADIES ET ANOMALIES

**LA CARENCE EN BORE.** Les légumes-racines sont sujets à cette carence (*p. 306*). Les racines présentent une texture anormalement dure, se fendent. Quand on les coupe, on observe une décoloration brune généralement en cercles concentriques (les carottes virent parfois au gris). Quand les radis ne se décolorent pas, leur chair devient fibreuse.

▪ Fertilisez avec du borax en granulées avant les plantations et les semis. Pour les sols secs et légers ou ceux qui ont été chaulés, mieux vaut renouveler cet apport chaque année. Les matières organiques neutralisent les sols alcalins mais n'utilisez pas de compost de champignons trop calcaire.

**L'HERNIE DU CHOU.** Les brassicacées, y compris les rutabagas, sont particulièrement sujets à ce champignon présent dans le sol qui provoque un renflement des racines et interrompt la croissance. Les giroflées y sont parfois sensibles. Très difficile à éradiquer, il se propage facilement dans les bottes, les outils et la brouette. Il préfère les sols acides et détrempés.

▪ Déterrez et brûlez vite les plantes malades avant qu'elles relâchent les spores dans la terre en se fendillant. Rincez bottes et outils. Si vous devez cultiver des crucifères sur un sol qui a été infesté, chaulez et améliorez le drainage. Sélectionnez bien les jeunes plants ou cultivez les vôtres. Imbibez les racines d'un fongicide adapté avant la plantation. Certaines variétés résistent à l'hernie du chou. Une rotation des cultures est essentielle pour l'empêcher de s'installer.

**LES POURRITURES DE LA COURONNE, DU COLLET ET DES RACINES.** De nombreux champignons, y compris ceux responsables du flétrissement (*p. 301*) attaquent la base des herbacées, provoquant un noircissement et un dépérissement. Les racines pourrissent à leur tour. Le phytophtora est un des pires. Les plants atteints sont détrempés. Les tiges de la rhubarbe en fleurs pourrissent pratiquement toujours en flétrissant, infectant la couronne. Les panais et les carottes sont sensibles au rhizoctone violet qui recouvre les racines de filaments mauves. Le didymella est une pourriture de la tige basale qui attaque les tomates et parfois les aubergines, développant des plaques en creux marron foncé allant souvent de pair avec des racines blanches partant de la tige juste au-dessus du sol. Enfin, les vieilles feuilles jaunissent et les fruits pourrissent, eux aussi.

▪ Supprimez vite les tiges infectées, rabattez tous les tissus atteints à la base de la plante et nettoyez le sol. Dans les cas graves, la plante est perdue. Jetez la plante avec la motte et sa terre pour tenter d'éliminer ce fléau. Détruisez toutes les cultures affectées et cultivez d'autres plantes sur le site l'année suivante. Ne laissez pas de débris s'accumuler autour de la plante. Ne réutilisez pas le vieux compost en sacs de culture par exemple, remplacez le sol des plates-bandes de la serre tous les deux ou trois ans. Supprimez les tiges de la rhubarbe avant la floraison. Achetez des graines de légumes traitées avec un fongicide. Bannissez l'engrais froid pour les laitues qui les sensibilise à ce fléau.

**L'ARROSAGE IRRÉGULIER.** L'arrosage par à coups entraîne des regains de croissance et des ralentissements qui déforment les légumes-racines, leur craquèlement offrant ensuite des points d'entrée aux

ARROSAGE IRRÉGULIER ▷

Les racines pourries et rabougries de ce plant de pois empêchent la plante de puiser les éléments nutritifs

La chair de la carotte s'est fendue suite à une alimentation en eau trop importante après une longue période de sécheresse

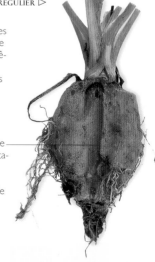

△ HERNIE DU CHOU
(JEUNE PLANTE)

△ GALLE DE LA POMME DE TERRE

△ POURRITURE DU COLLET
ET DES RACINES

VOIR AUSSI : La chaux, p. 238 ; La terre et les bulbes, pp. 310-311

infections. Arrosez toujours régulièrement. Favorisez la rétention d'eau dans un sol léger en l'enrichissant de matières organiques lourdes. Un paillage sera également bénéfique.

**LE CHANCRE DU PANAIS.** Des plaques brun orangé à noires se développent sur le collet infecté par ce champignon impossible à traiter.

■ Semez tardivement, en rangs serrés pour obtenir des panais à petites racines. Assurez un bon drainage et chaulez les sols acides. Essayez en sarclant de ne pas causer de blessures qui laisseraient entrer le champignon.

**LE MILDIOU DE LA POMME DE TERRE.** Le même organisme pathogène que celui du mildiou de la tomate (p. 305) attaque les pommes de terre, encouragé par une atmosphère chaude et humide et facilement propagé par la pluie. Par temps humide, on observe des taches brunes sur les feuilles, généralement bordées d'un feutrage blanc, avant leur flétrissement. Lorsqu'elle gagne les tiges, le haut de la plante dépérit. Le mildiou attaquera finalement les tubercules, provoquant des taches sombres, en creux, et une décoloration de la chair qui devient visqueuse.

■ La bouillie bordelaise fait partie des traitements à base de cuivre pour le feuillage. On l'applique dès l'apparition de l'infection ou avant des conditions favorables au mildiou (étés chauds et humides). Si vous êtes contre une vaporisation, détruisez la partie aérienne de la plante malade et récoltez les pommes de terre quelques semaines plus tard. Il est toujours possible de récolter les légumes au début. Buttez bien les pommes de terre pour protéger les tubercules. Optez pour des variétés résistantes.

**LA GALLE COMMUNE.** La peau est couverte de plaques dures, en relief, qui n'empêchent pas de consommer la chair. La galle est due à un champignon fréquent dans les sols légers et sableux, facilement secs, notamment quand ils ont été chaulés ou gazonnés.

■ Enrichissez de matières organiques et arrosez régulièrement. Plusieurs variétés y résistent bien.

# LES RAVAGEURS

**LA MOUCHE DE LA CAROTTE.** Les larves jaune crème et fines de cette mouche infestent les racines des carottes et parfois des panais, du céleri et du persil. On peut empêcher la ponte en repoussant les femelles chimiquement ou par d'autres stratégies.

■ Les carottes semées tardivement et récoltées tôt échapperont à deux périodes de pontes. On peut aussi protéger les plantes avec un film horticole ou, comme ces mouches volent bas, entourer le carré d'un filet de 60 cm (p. 241). Dégagez vite les débris, l'odeur des feuilles écrasées attire les mouches. Certaines variétés sont plus résistantes.

**LES NÉMATODES DORÉS DE LA POMME DE TERRE.** Les nématodes empêchent les racines d'assimiler l'eau et les éléments nutritifs. En général un petit groupe de plantes commence à jaunir et meurt, puis l'infection se propage. Les petits kystes blancs ou jaunes abritant les œufs sont visibles à l'œil nu. Il n'y a pas de traitement.

■ Détruisez les plantes malades. Il existe des variétés résistantes. La rotation des cultures est essentielle pour empêcher l'invasion des nématodes mais ne débarrassera pas les sites très infestés. Attendez huit ans pour replanter des pommes de terre ou des tomates sur le site.

**LES PUCERONS DES RACINES.** Des plantes à croissance ralentie qui ont tendance à flétrir sont peut-être attaquées autour des racines par ces suceurs de sève bleuâtres ou blancs qui diffèrent selon les plantes.

■ Tous se traitent avec différents insecticides, y compris le pyrimicarbe spécial puceron, dilué pour renforcer le sol en l'arrosant. Une rotation des cultures préviendra l'établissement des pucerons. Les laitues y sont particulièrement sensibles. Optez pour des variétés résistantes.

**LES NÉMATODES DES RACINES NOUEUSES.** Ces créatures microscopiques empêchent les racines d'absorber l'eau et les aliments nécessaires. La plante perd de sa vigueur. Les feuilles jaunissent. Surtout présents dans les serres, on les trouve aussi dans les sols légers et sableux. Les racines présentent des nœuds et des renflements qu'on ne confondra pas avec les nodules des racines des pois et des haricots qui fixent l'azote.

■ Il n'y a pas de traitement chimique efficace. Détruisez les plantes malades, ainsi que la motte des racines et la terre autour.

**LES LIMACES.** Les limaces mangent parfois les légumes-racines et sont particulièrement friandes de pommes de terre.

■ Les pièges à limace sont moins efficaces dans le sol (p. 298). On pourra arroser avec une solution biologique. De couleur caramel, ronds comme des pois, les œufs seront ramenés à la surface où ils sécheront grâce à un bon entretien des cultures, sarclage, etc. Pour différencier les œufs de limace avec certains granulés d'engrais à libération lente pour plantes en pots, écrasez-les sous vos doigts.

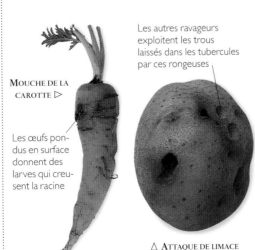

MOUCHE DE LA CAROTTE ▷

Les œufs pondus en surface donnent des larves qui creusent la racine

Les autres ravageurs exploitent les trous laissés dans les tubercules par ces rongeuses

△ ATTAQUE DE LIMACE

△ PUCERONS DES RACINES

VOIR AUSSI : La chaux, p. 238 ; La terre et les bulbes, pp. 310-311

# LA TERRE ET LES BULBES

Quand ils infestent le sol, certains ravageurs peuvent devenir inquiétants même si, comme les fourmis et les cloportes, leur présence est seulement désagréable et qu'ils ne se nourrissent pas de racines. Dans le potager, la rotation des cultures est essentielle pour empêcher ravageurs et maladies d'envahir les plantes. Ceci est vrai pour les problèmes décrits *pp. 308-309* comme pour les ravageurs décrits ici. Il est difficile d'éradiquer les ravageurs souterrains, car ils peuvent se déplacer dans le sol après avoir rendu une zone stérile. Beaucoup sont encore à l'état larvaire, certains traitements sont donc destinés à empêcher les femelles adultes de pondre près des plantes.

## LES RAVAGEURS VISIBLES DANS LE SOL

**LES FOURMIS.** On ne luttera contre les fourmis que si elles deviennent vraiment gênantes. Elles ne mangent pas les plantes mais creusent parfois leurs nids dans et autour des racines. Cette perturbation dans le sol peut ralentir la croissance, notamment quand de jeunes fourmis "exploitent" les pucerons pour leur miellat, repoussant leurs prédateurs pour protéger leur réserve. Il ne sert à rien de les tuer une par une. Éliminez le nid.
▩ Il existe de nombreuses préparations dans le commerce y compris des poudres et des appâts empoisonnés. Les jardiniers biologiques utilisent parfois du pyrèthre bien qu'il puisse nuire à d'autres insectes bénéfiques.

**LES VERS BLANCS.** Les vers blancs sont enroulés en forme de C quand ils se montrent, ce qui aide à leur identification. Ces larves de divers coléoptères sont munies de trois paires de pattes avant. Elles dévorent les racines, entraînant un flétrissement soudain de la plante. Dans les parterres, si le problème est rapidement identifié, il sera facile de les déterrer et de les écraser. Invi-sibles dans la pelouse, ils provoquent de grandes plaques jaunes. Les pelouses retournées par les renards, les blaireaux, les freux, les pies, ou les corbeaux grands amateurs de vers blancs, confirment généralement leur présence.
▩ Il n'existe à ce jour aucune méthode chimique ou biologique proposée aux jardiniers amateurs. Bien entretenue, la pelouse n'en aura que plus de vigueur et tolérera mieux ce fléau.

**LES VERS GRIS.** Les vers gris causent les mêmes dégâts que les taupins, se nourris-sant des racines des plantules juste en dessous du niveau du sol ou des légumes-racines. Ils sortent la nuit pour ronger le feuillage. Étant les larves de divers papillons, ils peuvent être très différents les uns des autres. Souvent seul ou par deux, en dénichant les coupables et en les écra-sant, votre problème sera peut-être résolu.
▩ Saupoudrez d'insecticide les trous des plantations et les rangs comme pour les taupins pour les protéger des jeunes larves. Les vers adultes résistent aux traitements chimiques.

**LES VERS PLATS.** Les vers plats ou plathel-minthes sont un fléau pour les jardiniers car ils chassent les vers de terre qui jouent un rôle si important pour la bonne santé du sol. Certaines régions sont cependant plus touchées que d'autres. Ces vers ressemblent à des sangsues mais sont complètement lisses, contrairement à celles-ci dont le corps présente de fines rayures et sont munies d'une ventouse.
▩ Il n'existe aucun traitement chimique. Comme pour les charançons, veillez à ne pas introduire de plathelminthes dans votre jardin en plantant de nouvelles plantes. Inspectez soigneusement les mottes à la fois pour les vers et pour leurs œufs à la coquille noire et brillante. En immergeant les mottes dans l'eau pendant quelques heures, vous ferez sortir les vers de leurs trous.

**LES LARVES DE TIPULES.** Elles envahissent le plus souvent la pelouse. Elles se nourris-sent des racines de l'herbe, sous le sol, entraînant le développement de plaques marron. Les larves tubulaires, brun grisâtre des tipules ou faucheux qui pondent à la fin de l'été, mesurent parfois jusqu'à 4,5 cm de long, sans tête proéminente.
▩ On les traite comme pour les vers blancs. On peut aussi faire remonter les larves de tipules en surface pour les ramasser ensuite en couvrant la pelouse d'une bâche de plastique noire ou après de fortes pluies ou un bon arrosage.

**LES MYRIAPODES.** Les myriapodes se nourrissent essentiellement de matières en décomposition dans le sol mais nuisent parfois aux jeunes plants et sont un vrai fléau quand ils s'attaquent aux fraisiers.

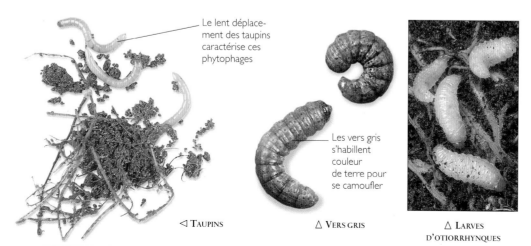

Le lent déplace-ment des taupins caractérise ces phytophages

Les vers gris s'habillent couleur de terre pour se camoufler

◁ TAUPINS

△ VERS GRIS

△ LARVES D'OTIORRHYNQUES

VOIR AUSSI : Les problèmes, pp. 308-309

Étalez une couche de paille sous les plants pour protéger les fraisiers et traitez les rangs de semis avec de la poudre de lindane. Ceux que vous trouverez dans les pommes de terre ne sont pas les vrais coupables. Ils s'infiltrent par les trous laissés par les limaces. Vous résoudrez le problème en traitant les limaces. Ne confondez pas les myriapodes, mille-pattes et autres congénères qui possèdent deux paires de pattes par segment avec les centipèdes (p. 295), myriapodes utiles qui ne possèdent qu'une paire de pattes par segments et sont de précieux prédateurs.

### LES LARVES D'OTIORRHYNQUES.

Les otiorrhynques adultes se repèrent à leurs entailles caractéristiques dans les feuilles (p. 299). Ils sont cependant inoffensifs comparés aux dégâts que leurs larves causent aux racines, dans le sol. Ces larves blanches et dodues à tête brune ne sont souvent visibles qu'une fois la plante sortie de son conteneur. Si vous en débusquez une, détruisez-la et nettoyez soigneusement les racines pour dénicher les autres. Inspectez toutes les autres plantes de même provenance. Les mottes des plantes cultivées en conteneurs contiennent parfois des granulés d'engrais à libération lente que l'on peut confondre avec les larves d'otiorrhynques. En cas de doute, essayez de les écraser sous vos doigts. Vous ferez la différence. Une fois les otiorrhynques dans le jardin, il est difficile de s'en débarrasser. À l'extérieur, ils ne feront pas forcément beaucoup de dégâts sur une

plante en particulier mais en conteneurs, ils s'avèrent parfois dévastateurs. Toute plante qui donnera des signes de faiblesse devra être déterrée et passée en revue.
■ Traitez avec un produit à base de carbuforan ou de diazinon liquide ou déjà mélangé au compost. Il existe aussi des moyens de lutte biologique efficaces pour les conteneurs et les petites surfaces au sol léger et humide, en situation chaude. Détruisez systématiquement les adultes. Une seule femelle peut pondre des centaines d'œufs tout au long de l'été.

### LES TAUPINS.

On trouve fréquemment des larves de taupins dans la terre des plantations qui étaient auparavant recouvertes d'herbe. Le problème disparaît généralement au bout de quelques années quand on continue de cultiver le sol. Les taupins apprécient toutes les racines mais nuisent essentiellement aux jeunes plants, se nourrissant de leurs racines tendres et aux légumes-racines dans lesquels ils creusent des tunnels. Munies de trois paires de pattes arrière, ces larves atteignant parfois 2,5 cm de long ont un corps formé de segments brun orangé.
■ Si vous repérez des taupins dans la terre, évitez si possible la culture des pommes de terre et des carottes pendant quelques années. Sinon, cultivez des variétés précoces et récolter tout de suite les légumes à maturité. On protégera les rangs des jeunes plants avec de la poudre de lindane.

### LES CLOPORTES.

Les cloportes ne sont pas très nuisibles sinon pour les jeunes plants, dans les espaces restreints qu'ils peuvent coloniser, leur activité perturbant alors la terre autour des racines.
■ Si les cloportes s'avèrent gênants dans la serre, un bon nettoyage de printemps sera l'occasion d'enlever tous les débris et autres matières dans lesquels ils se cachent et les encouragera à aller voir ailleurs. Des soucoupes d'eau au pied des tablettes et de l'établi de la serre les dissuaderont de grimper.

## LES BULBES ET LES CORMES

### LA MOUCHE DU NARCISSE.

De la famille du taon, ces larves se nourrissent du cœur des bulbes des narcissus (jonquilles) et des hippeastrums (amaryllis).
■ Il n'y a pas de traitement chimique mais on pourra protéger les précieux bulbes de printemps après la floraison en tassant le sol autour du bulbe et en couvrant avec un film horticole pour empêcher la mouche de pondre à la base de la plante. Laissez la protection en place jusqu'au milieu du printemps. Les bulbes plantés à l'ombre ou sur des sites ventés sont moins vulnérables.

### LES NÉMATODES DES BULBES.

Si certains nématodes se nourrissent des racines (p. 309), d'autres attaquent les bulbes des narcisses et des oignons, entraînant une croissance rabougrie. La coupe transversale d'un narcisse laisse apparaître des anneaux bruns.
■ Achetez toujours des plants d'oignons et des bulbes de narcisses auprès de revendeurs fiables. Une rotation des cultures devrait débarrasser les oignons des anguillules. Les anguillules des narcisses sont plus difficiles à éradiquer et peuvent ruiner des plantations naturalisées. Il n'y a cependant pas d'autre solution que de déterrer les bulbes et les détruire.

### LES SOURIS ET AUTRES RONGEURS.

Les bulbes de crocus sont aussi appréciés des souris que les graines des pois, des haricots et du maïs que les souris vont repérer avant même qu'elles aient eu le temps de germer. Des pousses rongées à l'extrémité, jonchant le sol autour des crocus et des cultures, sont un scénario classique.
■ Il existe plusieurs types de pièges moins cruels que le piège classique cependant une souris peut parcourir des distances de plus d'un kilomètre. S'en débarrasser est une vraie corvée. Les souris repèrent moins facilement les bulbes de crocus quand le sol est bien tassé au dessus. Un grillage posé sur le sol est parfois dissuasif à condition que les mailles soient fines.

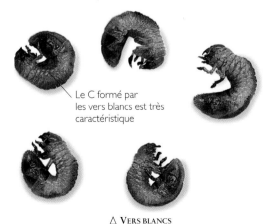

Le C formé par les vers blancs est très caractéristique

△ VERS BLANCS

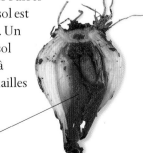

Le cœur du bulbe est rongé et détruit par les larves de la mouche du bulbe

△ MOUCHE DU NARCISSE

VOIR AUSSI : Les problèmes, pp. 308-309

# PARTIE III

# UN BEAU JARDIN TOUTE L'ANNÉE

# BEAU TOUTE L'ANNÉE (1)

## PLANTES STRUCTURELLES

*SASA VEITCHII*

✳✳✳ ↕ 1-2 m ↔ indéfinie

Ce bambou robuste porte des tiges verticales aux feuilles marginées de blanc. Convient aux sites très ombragés, mais plantez-le en pot pour limiter son développement.

*SAMBUCUS NIGRA* 'GUINCHO PURPLE'

✳✳✳ ↕ ↔ 6 m

Ce sureau caduc à feuilles foncées est à croissance rapide. Ses corymbes plats de fleurs blanches qui paraissent en début d'été sont suivis de baies rondes luisantes. Adéquat pour structurer un jardin sauvage.

*BETULA PENDULA* 'TRISTIS'

✳✳✳ ↕ 25 m ↔ 10 m

Les bouleaux argentés sont des arbres à l'écorce singulière, en écailles, exhibant au printemps des chatons jaune brun et en automne un feuillage panaché. Chez le 'Tristis', l'écorce reste blanche en dessous.

*BERBERIS THUNBERGII* 'RED PILLAR'

✳✳✳ ↕ ↔ 1,5 m

Arbuste caduc à feuillage dense. Excellent en haie grâce à ses feuilles rouge pourpre. Son port s'étale à mesure qu'il grandit. Pour une belle parure automnale, placez-le au soleil.

*COTINUS COGGYGRIA* 'NOTCUTT'S VARIETY'

✳✳✳ ↕ ↔ 5 m

Arbuste caduc buissonnant aux fleurs estivales rose violacé et plumeuses donnant à cet arbre dit à perruque une texture caractéristique. Ses feuilles rouge pourpre offrent de beaux contrastes de couleurs.

*CRYPTOMERIA JAPONICA*

✳✳✳ ↕ jusqu'à 25 m ↔ 6 m

Ce cèdre du Japon à port conique est apprécié pour son écorce rouge et ses cônes décoratifs. Il tolère diverses conditions et ne requiert guère d'élagage pour conserver sa forme.

*PHORMIUM* 'BRONZE BABY'

✳✳ ↕ ↔ 60-80 cm

Excellent en bord de mer et en grands pots, ce lin de Nouvelle-Zélande constitue un beau point de mire avec ses feuilles en glaive persistantes. 'Bronze Baby' est une variété naine aux feuilles parées de bronze.

FATSIA JAPONICA
✼ ✼ ↕ ↔ 1,5 m-4 m

Cet arbuste persistant convient en pot ou en mixed-border dans une cour, un jardin de ville abrités. On apprécie ses grandes feuilles brillantes et ses fleurs d'automne. Confère une structure à un coin ombragé.

ACER NEGUNDO 'FLAMINGO'
✼ ✼ ✼ ↕ 15 m ↔ 10 m

Cet érable caduc, à croissance relativement rapide, se couvre de grandes feuilles multicolores au printemps. Il apprécie le soleil. Des élagages fréquents limiteront son développement.

AUCUBA JAPONICA 'CROTONIFOLIA'
✼ ✼ ✼ ↕ ↔ 3 m

Cet arbuste persistant et robuste est idéal pour les sites difficiles, ombre dense, zones polluées et endroits exposés aux embruns. 'Crotonifolia' s'orne de baies rouges à l'automne.

PRUNUS PENDULA 'PENDULA RUBRA'
✼ ✼ ✼ ↕ ↔ 8 m

Ravissant cerisier pleureur. Dès le printemps, ses branches grêles se parent de fleurs rose foncé qui précèdent les feuilles. Celles-ci, caduques, virent au jaune à l'automne.

MALUX × ROBUSTA 'RED SENTINEL'
✼ ✼ ✼ ↕ ↔ 7 m

L'un des pommiers sauvages cultivés tant pour ses fleurs parfumées que pour ses fruits d'automne persistants, rouge sombre brillant à maturité. Excellent spécimen pour les petits jardins.

## AUTRES POMMIERS SAUVAGES

MALUS BACCATA VAR. MANDSCHURICA
Arbre à port rond, aux fleurs parfumées au printemps

M. FLORIBUNDA
Variété populaire et fiable ; fleurs roses printanières

M. HUPEHENSIS
Vigoureux ; fleurs blanches parfumées au printemps

M. 'JOHN DOWNIE'
Pommes comestibles à l'automne ; fleurs blanches au printemps

M. × MOERLANDSII 'PROFUSION'
Somptueuses fleurs rouge foncé

M. TORINGO 'PROFESSOR SPRENGER'
Floraison blanche printanière

M × ZUMI 'GOLDEN HORNET'
Petits fruits jaunes persistant tout l'hiver ; grosses fleurs blanches veinées de rose à la fin du printemps

# BEAU TOUTE L'ANNÉE (2)

## AUTRES PLANTES STRUCTURELLES

*LIGUSTRUM OBTUSIFOLIUM*

✻✻✻ ↕ 3 m ↔ 4 m

Utilisé couramment en haie, ce troène peut aussi être cultivé en arbuste buissonnant. Ses fleurs qui ont parfois une odeur déplaisante sont suivies de baies rondes noires. Convient aux sols crayeux.

*YUCCA GLORIOSA*

✻✻ ↕ ↔ 2 m

Avec ses feuilles persistantes en glaive, ce yucca est une excellente espèce architecturale pour un grand pot en plein soleil. Il fleurit en fin d'été et tout l'automne.

*SKIMMIA JAPONICA* 'BRONZE KNIGHT'

✻✻✻ ↕ ↔ jusqu'à 6 m

Idéal pour une bordure d'arbustes, ce persistant porte des bourgeons rouge sombre en hiver et des feuilles brillantes toute l'année. Il préfère l'ombre, mais tolère toutes les conditions.

*COTONEASTER FRIGIDUS* 'CORNUBIA'

✻✻✻ ↕ ↔ 6 m

Ce vigoureux arbuste semi-persistant est idéal en haie. L'été, il se pare de fleurs blanches qui se changent en grappes de baies rouge vif. Certaines feuilles virent au bronze en automne. Bien rabattre pour régénérer.

*TAXUS BACCATA* 'REPENS AUREA'

✻✻✻ ↕ ↔ 1-1,5 m

Les ifs tolèrent des conditions difficiles, y compris les sols secs et les régions polluées. Ce cultivar a des feuilles bordées d'or, des pousses jaunes et des baies rouges en automne. En haie ou en isolé.

*ACER PALMATUM* VAR. *DISSECTUM*
GROUPE DES DISSECTUM ATROPURPUREUM

✻✻✻ ↕ 2 m ↔ 3 m

Cet arable du Japon est un petit arbuste caduc à port rond aux feuilles rouge pourpre finement découpées virant à l'or en automne. Abritez-le du soleil.

**PYRACANTHA 'MOHAVE'**
❀❀ ↕ 4 m ↔ 5 m

Ou buisson ardent, à cause de ses grosses baies rouge orangé de longue durée. Cet épineux robuste peut être cultivé en isolé ou en massif. Facile à obtenir. Excellente barrière pour décourager les intrus.

**SORBUS SARGENTIANA**
❀❀❀ ↕↔ 10 m

Les feuilles et fleurs ornementales de cet alisier sont un atout dans un petit jardin. À port érigé, il tolère la pollution et apprécie les sols humides bien drainés.

❀❀❀ ↕↔ 6 m

Les aubépines sont de bons spécimens s'adaptant à la plupart des situations, y compris les sites côtiers ou venteux. Cette espèce exhibe à la fin du printemps des fleurs blanches suivies de baies rouge orangé.

**ILEX AQUIFOLIUM 'PYRAMIDALIS AUREOMARGINATA'**
❀❀❀ ↕ 6 m ↔ 5 m

De préférence au soleil, ce houx forme un arbuste ou arbrisseau aux feuilles vertes frangées d'or. Il se couvre de baies rouge vif à l'automne.

**PYRUS SALICIFOLIA 'PENDULA'**
❀❀❀ ↕ 5 m ↔ 4 m

Ce poirier pleureur ressemble à un petit saule avec ses minces feuilles gris-vert et ses gracieuses branches pendantes. Il supporte la pollution et il ornera joliment une petite pelouse.

## AUTRES HOUX

*ILEX × ALTACLERENSIS 'BELGICA AUREA'*
Arbuste vertical aux feuilles marginées de jaune

*I × ALTACLERENSIS 'LAWSONIANA'*
Arbuste compact aux feuilles mouchetées de jaune

*I. AQUAFOLIUM*
Houx commun; convient en haie

*I. AQUAFOLIUM 'FEROX ARGENTEA'*
Croissance lente; feuilles très épineuses, bordées de crème

*I. AQUAFOLIUM 'MME BRIOT'*
Grand arbuste, excellent coupe-vent; feuilles vert lustré à larges bordures dorées; baies rouge vif de l'automne à l'hiver

*I. CORNUTA 'BURFORDII'*
Port rond; profusion de baies noires à l'automne

*I. CRENATA 'CONVEXA'*
Arbuste dense et trapu; baies noires à l'automne

*I. MESERVEAE 'BLUE PRINCESS'*
Feuillage vert bleuté vernissé

**SEMIARUNDINARIA FASTUOSA**
❀❀❀ ↕ 7 m ↔ 2 m

Ce grand bambou à port érigé est parfait pour donner de la hauteur à un décor, en isolé ou dans un jardin boisé. Ses jeunes cannes sont rayées de brun-pourpre. Risque d'être envahissant.

**CORDYLINE AUSTRALIS 'VARIEGATA'**
❀ ↕ 3-10 m ↔ 1-4 m

Ce simili-palmier de la Nouvelle-Zélande est somptueux avec ses longues feuilles épineuses rayées de crème. Très joli dans une cour ou une serre froide. Le rentrer en hiver dans les régions à risque de gelée.

# PLANTE À FLORAISON LONGUE

| SOLEIL | SOLEIL OU OMBRE |
|---|---|

### CERASTIUM TOMENTOSUM
✿✿✿ ↕ 5-8 cm ↔ indéfinie

Cette plante aussi appelée oreille de souris convient dans les sites secs et ensoleillés : mur de jardin, rocaille ou en couvre-sol. S'orne à la fin du printemps d'une profusion de fleurs.

### ANTHEMIS 'GRALLAGH GOLD'
✿✿✿ ↕ ↔ 60-90 cm

Les marguerites jaunes sont superbes dans une mixed-border. Elles s'épanouissent tout l'été ; coupées, elles tiennent longtemps. Rabattez bien ce cultivar après la floraison pour préserver sa vigueur.

### AJUTA REPTANS 'BRAUNHERZ'
✿✿✿ ↕ 15 cm ↔ 60-90 cm

Ce bugle rampant est une vivace persistante appréciée comme couvre-sol facile et coloré en sites ombragés. Il tolère la plupart des sols tant qu'ils sont humides. Fleurit du printemps à l'été.

### CAMPANULA CARPATICA 'BRESSINGHAM WHITE'
✿✿✿ ↕ jusqu'à 15 cm ↔ jusqu'à 60 cm

Cette campanule qui s'étend lentement exhibe de grandes fleurs en coupe de l'été à l'automne. Idéal dans une bordure ou sur un mur ensoleillé.

### ALCHEMILLA MOLLIS
✿✿✿ ↕ 60 cm ↔ 75 cm

Bon couvre-sol, le manteau de Notre-Dame est aussi ravissant en bouquet. Utile à l'ombre, mais elle s'essème librement et risque d'envahir. La floraison estivale est prolongée.

### VINCA MINOR 'ARGENTEOVARIEGATA'
✿✿✿ ↕ 10-20 cm ↔ indéfinie

Cette pervenche s'épanouit au soleil de la mi-printemps à l'automne parmi des feuilles marginées de crème. Beau couvre-sol, à rabattre au début du printemps pour l'empêcher de tout envahir. Tolère la mi-ombre.

**PERSICARIA AMPLEXICAULIS 'FIRETAIL'**
✿ ✿ ✿ ‡ ↔ 1,2 m

Elle aime les sols humides et, dans l'idéal, les jardins aquatiques. En été et en début d'automne, ses fleurs émergent en épis dressés au-dessus de touffes de feuilles. Convient en plein soleil ou à mi-ombre.

**PHYGELIUS X RECTUS 'MOONRAKER'**
✿ ✿ ‡ ↔ 1, 5 m

Cet arbuste vertical persistant fleurit longtemps en été et en automne. Risque de s'étendre beaucoup grâce à ses drageons. Cultivé le plus souvent en vivace de bordure dans les régions à gelée.

**TIARELLA WHERRYI**
✿ ✿ ✿ ‡ jusqu'à 20 cm ↔ jusqu'à 15 cm

Les tiarelles préfèrent les sites humides et ombragés bien qu'elles soient tolérantes. Cette espèce à croissance lente fleurit au printemps. Bon couvre-sol sous les arbres et arbustes.

**GERANIUM MACRORRHIZUM 'BEVAN'S VARIETY'**
✿ ✿ ✿ ‡ 50 cm ↔ 60 cm

Bon couvre-sol d'ombre, ce géranium présente de petites fleurs et des feuilles odorantes qui roussissent à l'automne. Bon pour un jardin boisé ou sauvage.

**SYMPHYTUM CAUCASIUM 'GOLDSMITH'**
✿ ✿ ✿ ‡ ↔ 60 cm

Le consoude est un bon couvre-sol d'ombre à cause de ses feuilles panachées. Ses bourgeons rouges cèdent la place au printemps à des fleurs en cymes bleu pâle, crème ou roses. Convient en haie.

**NEPETA 'SIX HILLS GIANT'**
✿ ✿ ✿ ‡ jusqu'à 90 cm ↔ 60 cm

Des masses d'épis floraux ornent tout l'été cette plante vigoureuse dont le parfum attire les chats. Idéale en mixed-border d'herbacées.

## AUTRES GÉRANIUMS

G. 'ANN FOLKARD'
*Fleurs magenta en continu de la mi-été à l'automne*

G. CLARKEI 'KASHMIR WHITE'
*Grandes fleurs blanches veinées de rose tout l'été*

G. HIMALAYENSE
*Fleurs bleues jusqu'à l'automne, à profusion en début d'été*

G. NODOSUM
*Bon couvre-sol en site sec ombragé; fleurs rose violacé de la fin du printemps à l'automne*

G. x OXONIANUM 'WARGRAVE PINK'
*Vigoureux; fleurs rose saumon vif du printemps à l'automne*

G. PSILOSTEMON
*Fleurs magenta vif tout l'été*

G. SANGUINEUM 'ALBUM'
*Fleurs blanc pur tout l'été*

G. SANGUINEUM VAR. STRIATUM
*Compact; profusion de fleurs roses tout l'été*

**EUPHORBIA PALUSTRIS**
✿ ✿ ✿ ‡ ↔ 90 cm

Vivace robuste à feuilles minces virant au jaune et à l'orange à l'automne. Elle apprécie le soleil et un sol toujours humide. Jolie près de l'eau. Rabattre au printemps pour garder compact.

**LAMIUM ORVALA**
✿ ✿ ✿ ‡ jusqu'à 60 cm ↔ 30 cm

Les feuilles dentées de cette ortie blanche en touffes mettent en valeur ses épis floraux qui apparaissent à partir de la fin du printemps et tout l'été. Bon couvre-sol.

# DU FEUILLAGE EN TOUTE SAISON (1)

## À LA VERTICALE

*HUMULUS LUPULUS* 'AUREUS'
❄❄❄ ↕↔ 6 m
Ce houblon grimpant vigoureux est une version à feuilles dorées brillantes de celui que l'on brasse. Ses petites fleurs estivales sont éclipsées par ses grandes feuilles, plus colorées en plein soleil.

*HEDERA HELIX* 'ANNE MARIE'
❄❄ ↕↔ 1, 2 m
Cette grimpante sarmenteuse est estimée pour son feuillage gris-vert bordé de crème. Elle résiste mal au gel. Mieux vaut la cultiver contre un mur abrité et ensoleillé. Ne nécessite aucun support.

*ACTINIDIA KOLOMIKTA*
❄❄❄ ↕↔ 5 m ou plus
Cette grimpante volubile arbore, au début de l'été, des fleurs blanches parfumées. Jeunes, ses feuilles caduques vert sombre sont teintées de pourpre, puis virent au blanc et au rose. À planter contre un mur.

## MASSIFS ET PARTERRES

*ASPLENIUM SCOLOPENDRIUM*, GROUPE CRISPUM
❄❄❄ ↕ 45-70 cm ↔ 60 cm
Cette famille de fougères préfère les sites humides et ombragés, tel un jardin boisé. Leurs longues feuilles très plissées confèrent un aspect saisissant à un parterre de feuillages mêlés.

### AUTRES FOUGÈRES

ADIANTUM PEDATUM
*Frondes caduques en forme d'arêtes de poisson sur des pédoncules grêles*
ASPLENUM TRICHOMANES
*Frondes persistantes à pédoncules noirs, minces, divisées par paires. D'apparence délicate, mais robuste*
DRYOPTERIS AFFINIS
*Frondes semi-persistantes, vert vif, profondément divisées. En forme de volant. Tolère les sols alcalins*
ONYCHUM JAPONICUM
*Frondes vert vif, finement divisées sur des pédoncules minces. Pousses élégantes formant des touffes denses*
POLYPODIUM CAMBRICUM
*Les frondes restent vertes et fraîches tard dans l'hiver*
POLYSTICHUM SETIFERUM, GROUPE DIVILOBUM
*Frondes d'un vert dense, finement divisées. Pour un sol bien drainé*
WOODSIA POLYSTICHOIDES
*Frondes vert pâle, très divisées ; forme de petites touffes. Idéal pour les murs et les fentes de roche*

*ELAEAGNUS × EBBINGEI* 'GILT EDGE'
❄❄❄ ↕↔ 4 m
Cet arbuste persistant, à port rond ou étalé, pousse bien en site exposé. À ses fleurs automnales insignifiantes succèdent des baies. Il préfère le plein soleil et tolère un sol assez sec.

*ARTEMISIA* 'POWIS CASTLE'
❄❄ ↕ 60 cm ↔ 90 cm
Le feuillage plumeux de cet arbuste persistant donne une magnifique toile de fond dans un parterre d'herbacées. Faites des boutures en automne au cas où les plants en extérieur meurent si l'hiver est rigoureux.

*RHEUM PALMATUM* 'BOWLES' CRIMSON'
❄❄❄ ↕ jusqu'à 2, 5 m ↔ jusqu'à 1,8 m
Cette rhubarbe ornementale a de grandes feuilles majestueuses ; ses fleurs rouge sombre paraissent en début d'été. À placer de préférence près de l'eau ou dans un jardin boisé, car il lui faut un sol profond et humide.

*CYNARA CARDUNCULUS*
✽✽✽ ↕ 1,5 m ↔ 1,2 m

Le cardon est une grande vivace élégante, comparable au chardon, qui s'impose par sa présence dans une mixed-border. L'automne, ses capitules sont violets. Ravissantes fleurs coupées, fraîches ou sèches.

*ATRIPLEX HORTENSIS* VAR. *RUBRA*
✽ ↕ 1,2 m ↔ 30 cm

Cette annuelle comparable à l'épinard est cultivée pour son feuillage rouge sang et violacé, saisissant en contraste avec le gris ou l'argenté dans un parterre estival. Ses épis floraux sont d'un rouge profond.

*FOENICULUM VULGARE* 'PURPUREUM'
✽✽✽ ↕ 1,8 m ↔ 45 cm

Ce fenouil vivace à tiges grêles arbore un feuillage bronze-pourpre, finement découpé, sentant l'anis. Des capitules plats de minuscules fleurs jaunes apparaissent en été. Exige un sol bien drainé en plein soleil.

*MELISSA OFFICINALIS* 'AUREA'
✽✽✽ ↕ 60-120 cm ↔ 30-45 cm

Cette vivace qui tolère la sécheresse est plus connue sous le nom de citronnelle à cause de l'odeur émanant de ses feuilles quand on les broie. Rabattre en début d'été pour susciter une nouvelle croissance.

*STACHYS BYZANTINA* 'SILVER CARPET'
✽✽✽ ↕ 45 cm ↔ 60 cm

Cet arbuste non florissant présente des rosettes d'épaisses feuilles ridées gris argenté. Vulnérable au mildiou. À placer dans un site ensoleillé. Convient en couvre-sol ou en haie basse.

# DU FEUILLAGE EN TOUTE SAISON (2)

## AUTRES MASSIFS ET PARTERRES

### BRACHYGLOTTIS 'SUNSHINE'
✳✳✳ ↕ 1,5 m ↔ 2 m

Cet arbuste buissonnant affiche un feuillage persistant à revers feutré et bord festonné. Des capitules jaune vif en marguerite se détachent sur cette toile de fond de l'été à l'automne. Parfait pour les sites côtiers.

### HOSTA 'GOLDEN TIARA'
✳✳✳ ↕ 30 cm ↔ 50 cm

Les funkias conviennent aux sites humides, ombragés, mais leur joli feuillage a besoin d'être protégé des limaces et des escargots. Des épis floraux pourpre intense apparaissent en été chez ce cultivar.

### AUTRES FUNKIA

*H 'BLUE ANGEL'*
*Feuilles vert bleuté de 40 cm ; fleurs blanches*

*H 'CRISPULA'*
*Feuilles vert profond marginées irrégulièrement de blanc*

*H 'FORTUNEI' var. AUREOMARGINATA*
*Feuilles à veines profondes et lisières jaunes*

*H 'FRANCEE'*
*Feuilles bleu-vert très plissées, marginées de jaune-vert*

*H 'GOLD STANDARD'*
*Feuilles jaune-vert ; fleurs bleu lavande en été*

*H PLANTAGINEA, var. GRANDIFLORA*
*Feuilles ondulées ; fleurs parfumées en fin d'été*

*H 'SUM AND SUBSTANCE'*
*Feuilles jaunes à vert jaune. Soleil ou mi-ombre*

*H. VENUSTA*
*Feuilles vert foncé ; fleurs violettes en été et automne*

*H. 'ZOUNDS'*
*Feuilles épaisses dorées*

### GUNNERA MANICATA
✳✳✳ ↕ 1,25 m ↔ 3-4 m

Cette grande vivace est appréciée pour ses immenses feuilles se déployant jusqu'à 2 m en largeur. Elle requiert un sol humide et de la place, tel le bord d'une mare ou d'un ruisseau. À protéger du gel.

### BALLOTA PSEUDODICTAMNUS
✳✳✳ ↕ 45 cm ↔ 60 cm

Arbuste persistant aux feuilles vert-gris jaunâtre tolérant les sols les plus secs. Fleurit à la fin du printemps. Bon couvre-sol dans une plate-bande. Rabattre au printemps pour qu'il reste buissonnant.

### ORIGANUM VULGARE 'AUREUM'
✳✳✳ ↕ 30-90 cm ↔ 30 cm

La marjolaine dorée forme des tapis denses de feuilles jaunes parfumées. Des fleurs roses émergent en bouquets en fin d'été. Belle contribution ornementale dans un parterre d'herbes aromatiques.

### CAREX ELATA 'AUREA'
✳✳✳ ↕ 70 cm ↔ 45 cm

Cette laiche élevée vivace forme une touffe de feuilles arquées comme de l'herbe. Elle fleurit à la fin du printemps, mais on l'apprécie surtout pour son riche feuillage jaune. À planter au soleil ou mi-ombre.

### PACHYSANDRA PROCUMBENS
✳✳✳ ↕ 20 cm ↔ indéfinie

Cultivée surtout pour son feuillage luxuriant d'une belle texture, cette vivace semi-persistante est un joli couvre-sol, idéal dans un coin ombragé du jardin. Rabattre chaque année pour la garder ordonnée.

## EN POTS

### SALVIA OFFICINALIS 'TRICOLOR'
✳✳✳ ↕ 80 cm ↔ 1 m

Version décorative de la sauge à feuilles aromatiques gris-vert teintées de crème et rose à pourpre. Ces couleurs se remarquent mieux au soleil. Des fleurs lilas apparaissent en milieu d'été.

### SEMPERVIVUM TECTORUM
✳✳✳ ↕ 15 cm ↔ 50 cm

Les rosettes de cette joubarbe commune forment des tapis persistants de feuilles à pointe épineuse. Elles meurent après avoir produit des fleurs rouge pourpre, mais de nouvelles rosettes suivent.

### HEDERA HELIX 'SPETCHLEY'
✳✳✳ ↕ ↔ 15 cm

Il s'agit d'un lierre très compact, doté de très petites feuilles vert foncé. À cultiver en intérieur ou dans une jardinière mixte. Convient aussi en couvre-sol persistant.

### OSMUNDA REGALIS
✳✳✳ ↕ 2 m ↔ 4 m

Cette fougère royale caduque convient aux sols humides. À ses frondes vert vif, jusqu'à 1 m de long, s'ajoutent en été d'autres frondes distinctes, brunes, terminées en glands. Maintenir les racines humides.

### AEONIUM 'ZWARTKOP'
❁ ↕ ↔ jusqu'à 2 m

De somptueuses rosettes de feuilles charnues ornent les pousses basales de cette plante grasse. À la fin du printemps, des fleurs jaunes surgissent au centre de ces rosettes. À cultiver en pots et à rentrer l'hiver.

### LYSIMACHIA NUMMULARIA 'AUREA'
✳✳✳ ↕ jusqu'à 5 cm ↔ indéfinie

Plus connue sous le nom d'herbe aux écus, cette vivace à feuilles jaunes, très vigoureuse, forme un tapis de feuillage. Ses fleurs en coupe jaune intense apparaissent au printemps.

### HELICHRYSUM PETIOLARE 'LIMELIGHT'
✳ ↕ 50 cm ↔ 2 m ou plus

Excellente en pot. Les feuilles citron vert vif de cet arbuste se détachent magnifiquement en arrière-plan avec des tons profonds, violets ou bleu foncé. Souvent cultivée en annuelle semi-résistante.

### SENECIO CINERARIA 'SILVER DUST'
✳✳ ↕ ↔ 30 cm

Arbuste persistant aux feuilles duveteuses gris-blanc. Des fleurs moutarde apparaissent la deuxième année si la plante passe l'hiver. À planter dans un coin chaud et ensoleillé.

# EN HIVER ET AU DÉBUT DU PRINTEMPS (1)

| MURS | MASSIFS ET PARTERRES |
| --- | --- |

### JASMINUM NUDIFLORUM
✳✳✳ ↕↔ 3 m

Les petites fleurs de ce jasmin d'hiver caduc apportent de jolies taches de couleurs durant toute la morte saison. On peut le cultiver en espalier sur un mur, même au nord. Rabattre après la floraison.

### CLEMATIS ARMANDII
✳✳ ↕ 3-5 m ↔ 2-3 m

Cette grimpante vigoureuse conserve ses feuilles vertes luisantes tout l'hiver; fleurit abondamment au printemps. Abritez-la en la plaçant contre un mur ensoleillé. Élagage: groupe 1.

### GARRYA ELLIPTICA
✳✳ ↕↔ 4 m

Cet arbuste vigoureux exhibe en hiver de longs chatons gris semblables à des pompons. Cette espèce peut être mâle ou femelle; les chatons sont plus beaux chez les mâles. Idéal contre un mur.

### ERANTHIS HYEMALIS
✳✳✳ ↕ 5-8 m ↔ 5 cm

Les helléborines d'hiver préfèrent un site boisé et humide. Pour garantir la floraison, évitez que la terre sèche durant l'été. Elles composent un beau tapis fleuri hivernal sous des arbres caducs.

### SALIX ACUTIFOLIA 'BLUE STREAK'
✳✳✳ ↕ 10 cm ↔ 12 m

Ce saule mince à port arqué est apprécié pour ses rameaux colorés en hiver. Rabattre tous les ans pour intensifier ses couleurs et limiter son développement.

### LONICERA × PURPUSII 'WINTER BEAUTY'
✳✳✳ ↕ 2 m ↔ 2,5 m

Ce chèvrefeuille forme un arbuste, caduc ou semi-persistant. Il présente des fleurs blanches très parfumées à anthère jaune tout l'hiver et au début du printemps.

### CORNUS MAS
✳✳✳ ↕↔ 5 m

Le cornouiller est un arbuste caduc dont les branches nues se parent de fleurs l'hiver. À l'automne, ses feuilles vert foncé virent au rouge pourpre. Plantez-le en arrière d'une bordure. Tolère la plupart des sites.

## AUTRES CORNOUILLERS

**C. ALBA 'AUREA'**
*Rameaux rouge foncé en hiver; feuilles jaunes*

**C. ALBA 'ELEGANTISSIMA'**
*Rameaux rouges en hiver; feuilles vert-de-gris à marge en partie blanche*

**C. ALBA 'SPAETHI'**
*Rameaux rouges en hiver; feuilles panachées d'or.*

**C. 'ASCONA'**
*Rameaux d'hiver pourpres; fleurs vertes; belle parure automnale*

**C. MAS 'AUREA'**
*Fleurs jaunes en fin d'hiver; feuilles jaunes virant au vert à maturité*

**C. MAS 'VARIEGATA'**
*Arbuste compact; profusion de fleurs jaunes en fin d'hiver suivies de baies rouges; feuilles à marge blanche*

**C. STOLONIFERA 'FLAVIRAMEA'**
*Arbuste vigoureux; rameaux vert-jaune en hiver; fleurs blanches à la fin du printemps. Les feuilles roussissent à l'automne*

*BERGENIA × SCHMIDTII*

✲✲✲ ↕ 30 cm ↔ 60 cm

Cette vivace robuste forme des rosettes de feuilles cireuses et exhibe ses fleurs à la fin de l'hiver. Bon couvre-sol pour un site humide à mi-ombre ; elle risque d'attirer limaces et escargots.

*CYCLAMEN COUM* F. *ALBISSIMUM*

✲✲✲ ↕ 5-8 cm ↔ 10 cm

Cette vivace prospère dans un site bien drainé, à mi-ombre. En hiver et au début du printemps, ses fleurs blanches, rouge carmin à la base se dressent au-dessus de feuilles en forme de cœur tachetées d'argent.

*VIBURNUM × BODNANTENSE* 'DAWN'

✲✲✲ ↕ 3 m ↔ 2 m

De la fin de l'automne au printemps, les branches de cet arbuste caduc portent des grappes de fleurs rose foncé, très parfumées, virant au blanc rosé à maturité. Les jeunes feuilles sont couleur bronze, puis vertes.

*SARCOCOCCA HOOKERIANA* VAR. *DIGYNA* 'PURPLE STEM'

✲✲✲ ↕ 1,5 m ↔ 2 m

Un arbuste peu exigeant aux fleurs blanches hivernales très parfumées, suivies de baies noires. Les jeunes rameaux sont rose-pourpre.

*MAHONIA AQUIFOLIUM*

✲✲✲ ↕ 1 m ↔ 1,5 m

Ce mahonia à feuilles de houx est un arbuste robuste qui s'adapte à divers sites. On l'apprécie pour son feuillage persistant luisant et épineux virant au violacé en hiver. Des fleurs jaunes suivent au printemps.

# EN HIVER ET AU DÉBUT DU PRINTEMPS (2)

## AUTRES MASSIFS ET PARTERRES

## TERRE ACIDE

### CORNUS SANGUINEA 'WINTER BEAUTY'
✽✽✽ ↕ 3 m ↔ 2,5 m

Ce cultivar du cornouiller commun est un arbuste à port érigé aux jeunes rameaux de couleur éclatante, appréciable durant les mois froids. Rabattre au printemps pour entretenir de belles teintes automnales.

### GALANTHUS 'ATKINSII'
✽✽✽ ↕ 20 cm ↔ 8 cm

Ce perce-neige se pare à la fin de l'hiver et en début de printemps de clochettes blanches dressées sur des tiges grêles. Peut être naturalisé sous des arbres, sous des arbustes dans une mixed-border ou une pelouse.

### HELLEBORUS ARGUTIFOLIUS
✽✽✽ ↕ jusqu'à 1,2 m ↔ 90 cm

Cette vivace est à son avantage en groupe et à mi-ombre dans un sol riche. À la fin de l'hiver et au début du printemps, ses fleurs vert pomme se dressent sur des tiges solides parmi des feuilles à l'aspect de cuir.

### HAMAMELIS × INTERMEDIA 'JELENA'
✽✽✽ ↕↔ 4 m

Au début et en milieu d'hiver, cette espèce caduque arbore sur ses rameaux nus des bouquets de fleurs arachnéennes. Le feuillage vire au rouge orangé en automne. Tolère les sols crayeux.

### CHIMONANTHUS PRAECOX 'GRANDIFLORUS'
✽✽✽ ↕ 4 m ↔ 3 m

Ce chimonanthe est un arbuste buissonnant à croissance lente, aux fleurs d'hiver cireuses et odorantes portées par les rameaux nus avant les feuilles. Plein soleil et sol riche. N'élaguer que pour limiter la taille.

### ERICA CARNEA 'SPRINGWOOD WHITE'
✽✽✽ ↕ 20-25 cm ↔ 55 cm

Cette bruyère persistante et parfumée aux feuilles en aiguilles forme un sous-arbrisseau à port étalé. Ses fleurs en clochette blanc pur apparaissent en fin d'hiver et se prolongent au printemps. Robuste et fiable.

### PIERIS JAPONICA 'FIRECREST'
✽✽ ↕ 4 m ↔ 2 m

Les nouvelles feuilles de cet arbuste persistant sont rouge vif avant de virer au vert sombre ; elles craignent le gel. Des grappes de fleurs en clochette paraissent au bout des rameaux à la fin de l'hiver et au printemps.

## EN POTS

**NARCISSUS 'GRAND SOLEIL D'OR'**
✳✳ ↕ 45 cm

Cette plante à bulbe exhibe au début du printemps des grappes de fleurs à pétales d'or au cœur orange sur des tiges uniques. En plante d'intérieur, plantez les bulbes au début de l'automne. Ravissant en bancs.

**BRASSICA OLERACEA**
✳✳✳ ↕↔ 45 cm

Ces choux ornementaux conviennent aussi bien en pots qu'en plates-bandes mêlées. On les cultive annuellement à partir de semis pour leurs têtes rondes, lâches, aux feuillages colorés et panachés.

**VIOLA, SÉRIE FAMA**
✳✳✳ ↕ 16-23 cm ↔ 23-30 cm

Ces pensées sont parfaites en hiver et au printemps à cause de leur floraison prolongée ; il en existe une multitude de couleurs. Excellentes aussi en massifs. Coupez les fleurs fanées pour prolonger la saison.

**CAMELIA 'FRANCIE L'**
✳✳✳ ↕ 5 m ↔ 6 m

Ce camélia convient contre un mur ou en pot. Il se pare de grandes fleurs semi-doubles à la fin de l'hiver jusqu'au printemps. Il est robuste, mais ses bourgeons craignent le gel.

**IRIS 'J.S DIJT'**
✳✳✳ ↕ 10-15 cm

De nombreux iris ont une floraison courte, mais celui-ci se prolonge. Ses fleurs parfumées surgissent de touffes de feuilles étroites à la fin de l'hiver et au début printemps. Nécessite un gravier bien drainé.

**PRIMULA JOKER (SÉRIE)**
✳ ↕ 8-10 cm ↔ 20 cm

Ces primevères ont un cœur jaune crème. Leurs pétales sont bleus, rouges, roses, jaunes ou bicolores. Apportez régulièrement de l'engrais pendant la floraison. Jolie fleur d'appartement temporaire.

# AU PRINTEMPS (1)

| MURS | BORDURES ET PARTERRES AU SOLEIL OU À MI-OMBRE |
|---|---|

### CHAENOMELES × SUPERBA 'NICOLINE'
✻ ✻ ✻ ↕ 1,5 m ↔ 2 m

Ce cognassier florissant produit une foison de fleurs écarlates ornant ses branches épineuses dès le début du printemps. À planter en espalier contre un mur ou au bord de l'eau. Le soleil améliore la floraison.

### MAGNOLIA × SOULANGEANA 'LENNEI ALBA'
✻ ✻ ✻ ↕ ↔ 6 m

Cet arbre exhibe de la mi-printemps à l'entrée de l'été de somptueuses fleurs campanulées parfumées. Il tolère les sols très argileux. Il est aussi très beau en isolé sur une pelouse.

### CAMELIA JAPONICA 'COQUETTII'
✻ ✻ ✻ ↕ 9 m ↔ 8 m

Au printemps, les branches inclinées de cet arbuste à croissance lente se parent d'une profusion de fleurs rouge profond. Une composante élégante dans une bordure ou un jardin boisé. Tout aussi joli en pot.

### CLEMATIS ALPINA 'FRANCES RIVIS'
✻ ✻ ✻ ↕ 2-3 m ↔ 1,5 m

Clématite délicate qui fleurit au printemps et se pare en fin d'été d'akènes plumeux. Cette grimpante préfère un site ensoleillé et abrité et un sol bien drainé. Élagage : groupe 1.

## AUTRES CLÉMATITES

C. ALPINA 'PINK FLAMINGO'
*Produit en abondance des fleurs rose pâle, semi-doubles, du printemps au début de l'été. Élagage : groupe 1*

C. ARMANDII 'APPLE BLOSSOM'
*Fleurs printanières blanc rosé. Élagage : groupe 1*

C. CIRRHOSA
*Clématite persistante ; fleurs crème à partir de la fin de l'hiver, suivies d'akènes. Élagage : groupe 1*

C. MACROPETALA 'MARKHAM'S PINK'
*Fleurs rose bonbon du printemps au début de l'été suivies d'akènes argentés. Élagage : groupe 1*

C. MONTANA F. GRANDIFLORA
*Très vigoureuse. Idéal pour couvrir un grand mur sans intérêt ; profusion de grosses fleurs blanches au printemps. Élagage : groupe 1*

C. MONTANA 'ELIZABETH'
*Fleurs rose pâle parfumées au printemps. Élagage : groupe 1*

C. MONTANA 'TETRAROSE'
*Fleurs rose satiné dès le printemps. Élagage : groupe 1*

### MUSCARI ARMENIACUM 'BLUE SPIKE'
✻ ✻ ✻ ↕ 20 cm ↔ 5 cm

Cette vivace à bulbe est une plante vigoureuse qui s'étale facilement. Il faut parfois l'empêcher d'envahir. Ses épis floraux jaillissent au printemps au milieu de feuilles charnues.

### CHIONODOXA FORBESII 'PINK GEANT'
✻ ✻ ✻ ↕ 10-20 cm ↔ 3 cm

La gloire des neiges est une vivace à bulbe résistant aux limaces dont les fleurs en étoile coiffent au début du printemps des touffes de feuilles érigées. Sous des arbres caducs, elle devrait se naturaliser sans peine.

### CROCUS TOMMASINIANUS
✻ ✻ ✻ ↕ 8-10 cm ↔ 2,5 cm

Cette vivace à bulbe se couvre de petites fleurs à pétales minces de la fin de l'hiver au printemps. À planter en bancs sous les arbres ou sur le devant d'une bordure.

*CHOISYA* 'AZTEC PEARL'

❄❄❄ ↕↔ 2,5 m

Ils sont appréciés pour leurs feuilles persistantes et leurs fleurs printanières en étoile. Excellent et facile d'entretien dans une bordure d'arbustes. Les fleurs réapparaissent parfois en automne.

*SALIX HELVETICA*

❄❄❄ ↕ 60 cm ↔ 40 cm

Ce saule suisse est un arbre gracieux aux minces feuilles vert-de-gris. Au début du printemps, des chatons gris-argent jaillissent de ses petits bourgeons dorés. Convient dans une bordure d'arbustes.

## AUTRES SAULES

*SALIX BABYLONICA* 'TORTUOSA'
*Croissance rapide; chatons jaune-vert au printemps; ses rameaux distordus lui confèrent un attrait structurel en hiver*

*S. CAPREA* 'KILMARNOCK'
*Pleureur; convient aux petits jardins; chatons printaniers gris*

*S. DAPHNOIDES*
*Chatons gris soyeux au printemps; jeunes rameaux pourpres*

*S. ELAEAGNOS*
*Chatons verts au printemps; rameaux gris virant au rouge jaune*

*S. EXIGUA*
*Pousse en terre sablonneuse; chatons gris-jaune au printemps*

*S. GRACILISTYLA* 'MELANOSTACHYS'
*Arbuste buissonnant; chatons noirs à anthères rouges au printemps*

*S. HASTATA* 'WEHRHANHNI'
*Port buissonnant; chatons gris argenté au printemps*

*S. PURPUREA* 'NANA'
*Compact, convient en haie; chatons printaniers vert argenté*

*OSMANTHUS* × *BURKWOODII*

❄❄❄ ↕↔ 3m

Cet arbuste persistant dense à port rond convient bien en haie; on peut lui donner différentes formes. Ses fleurs blanches tubulaires, parfumées, paraissent de la mi-printemps jusqu'à la venue de l'été.

*KERRIA JAPONICA* 'PLENIFLORA

❄❄❄ ↕↔ 3 m

Cet arbuste très vigoureux porte des doubles fleurs jaunes de la mi-printemps jusqu'à l'été. De culture facile, bien que ses longs rameaux verts aient souvent besoin d'un support. Convient aussi en jardin boisé.

*FRITILLARIA MELEAGRIS*

❄❄❄ ↕ jusqu'à 30 cm ↔ 5-8 cm

Les fleurs pendantes de cette plante à bulbes apparaissent au printemps ou en début d'été dans des tons pourpres, violacés ou blancs. Ces œufs de vanneau peuvent être naturalisés dans l'herbe.

# AU PRINTEMPS (2)

## AUTRES MASSIFS ET PARTERRES AU SOLEIL OU À MI-OMBRE

## MASSIFS À L'OMBRE

*FORSYTHIA × INTERMEDIA 'ARNOLD GIANT'*
✾✾✾ ↕↔ 1,5 m

Cet arbuste est apprécié pour ses fleurs printanières d'un jaune profond qui paraissent au début ou à la mi-printemps avant les feuilles. Comme tous les forsythias, ce cultivar peut aussi faire office de haie.

*ERYSIMUM ALLIONII*
✾✾✾ ↕ 50-60 cm ↔ jusqu'à 30 cm

Cette giroflée orange vif à l'odeur épicée est idéale pour le devant d'une bordure ensoleillée ou un parterre surélevé. Les fleurs printanières apparaissent la deuxième année. Vivace de courte durée.

*DORONICUM ORIENTALE 'FRÜHLINGSPRACHT'*
✾✾✾ ↕ jusqu'à 40 cm ↔ 90 cm

Cette marguerite jaune double apporte une touche de couleur vive dans une bordure. Elle s'épanouit à la mi-printemps, ses capitules se dressant sur des tiges minces. Belles fleurs coupées.

*TULIPA 'KEES NELIS'*
✾✾✾ ↕ 25 à 40 cm

Les fleurs simples de cette tulipe printanière sont rouge sang marginé de jaune orangé. Belles en massif, elles le sont aussi coupées. Mieux vaut les planter en groupes.

### AUTRES TULIPES

*T. 'ANCILLA'*
Fleurs printanières rose pâle à gorge rouge

*T. CLUSIANA VAR. CHRYSANTHA*
Grappes de fleurs jaunes dès le début du printemps

*T. 'KEIZERSKROON'*
Fleurs écarlates à large lisière jaune. Mi-printemps

*T. LINIFOLIA*
À port étalé; fleurs rouges en coupe dès le début du printemps

*T. 'PRINCESS IRENE'*
Curieuses fleurs pourpres et orange; mi-printemps

*T. TARDA*
Grappes de fleurs jaunes printanières aux pointes de pétales blancs

*T. TURKESTANICA*
Grappes de fleurs printanières jaunes en étoile (jusqu'à 12)

*T. 'ZAMPA'*
Fleurs printanières jaune primevère à base bronze et verte; feuilles marquées de marron-bleu sombre

*ANEMONE BLANDA 'WHITE SPLENDOUR'*
✾✾✾ ↕↔ 15 cm

Les tubulaires de cette vivace buissonnante produisent des feuilles dentées et de grandes fleurs blanches printanières teintées de rose en dessous. Elle se naturalise bien et forme vite de grandes touffes.

*EPIDEMIUM × VERSICOLOR 'SULPHUREUM'*
✾✾✾ ↕ 30 cm ↔ 1 m

Cette vivace tolère les sols relativement secs et forme des touffes de feuilles persistantes divisées, aux fleurs jaune foncé à la mi-printemps jusqu'à l'été. Également recommandée en couvre-sol.

*ERYTHRONIUM DENS-CANIS*
✳ ✳ ✳ ↕ 10-15 cm ↔ 10 cm
Cette dent de chien violette est une vivace à bulbe
convenant sous des arbres caducs ou en rocaille.
Fleurs printanières blanches, roses ou lilas aux pétales
retroussés. Les bulbes stockés doivent rester humides.

*BRUNNERA MACROPHYLLA* 'DAWNSON WHITE'
✳ ✳ ✳ ↕ 45 cm ↔ 60 cm
Parfaite en couvre-sol dans un jardin boisé ou une
bordure ombragée, cette vivace est appréciée pour
son feuillage marginé de blanc et ses fleurs printanières bleu vif, comparables aux myosotis.

*RIBES SANGUINEUM* 'BROCKLEBANKII'
✳ ✳ ✳ ↕ ↔ 1, 2 m
Ce cassis à fleurs, nanti de feuilles jaunes, est un
arbuste caduc, sans épines, qui exhibe au printemps
des fleurs tubulaires rose pâle suivies de baies noires.
Les feuilles pâlissent légèrement en été.

*PULMONARIA SACCHARATA*
✳ ✳ ✳ ↕ 30 cm ↔ 60 cm
Ce pulmonaire arbore des fleurs rouge-violet ou violettes de la fin de l'hiver à la fin du printemps sur une
toile de fond de feuilles tachetées de blanc. Parmi les
premières vivaces à fleurir, elle attire les abeilles.

*SCILLA SIBERICA*
✳ ✳ ✳ ↕ 10-20 cm ↔ 5 cm
Cette scille des bois est appréciée pour ses fleurs
printanières globulaires d'un bleu profond. À planter
sous les arbres ou à naturaliser dans l'herbe. Il est
inutile de les arroser après la floraison.

*PRIMULA VULGAIS* SSP. *SIBTHORPII*
✳ ✳ ✳ ↕ 20 cm ↔ 35 cm
Les fleurs printanières de cette primevère à cœur
jaune varient du rose au pourpre en passant par le
rouge et le blanc. Excellente en lisière de bordure ou
sous des arbres ou des arbustes.

*OMPHALODES CAPPADOCICIA* 'CHERRY INGRAM'
✳ ✳ ✳ ↕ jusqu'à 25 cm ↔ jusqu'à 40 cm
Cette vivace comparable au myosotis arbore des
fleurs bleu profond jaillissant de feuilles persistantes.
Cultivez-la dans un jardin boisé ou en couvre-sol
dans une bordure ombragée.

*HYACINTHOIDES HISPANICA*
✳ ✳ ✳ ↕ 40 cm ↔ 10 cm
Cette jacinthe espagnole est une vivace bulbeuse
vigoureuse qui convient aux jardins boisés ou sous
de grands arbustes. Les fleurs en clochette émergent
de touffes de feuilles en lanière au printemps.

# AU PRINTEMPS (3)

## SOL ACIDE

## EN POTS

*RHODODENDRON* 'BEETHOVEN'
✻✻✻ ↕ ↔ 1,3 m

Cette azalée naine persistante qui fleurit au printemps prospère à mi-ombre. Ses magnifiques fleurs présentent une marque mauve intense à l'intérieur de chaque pétale ; elles craignent les gelées tardives.

*RHODODENDRON* 'CECILE'
✻✻✻ ↕ 2,2 m

Cette azalée caduque vigoureuse se pare entre la mi- et la fin du printemps de fleurs en trompette, les bourgeons s'ouvrant sur des grappes d'inflorescences rose saumon. Un grand arbuste requérant de la place.

### AUTRES RHODODENDRONS

R. 'HINOMAYO'
*Azalée naine, dense, persistante ; fleurs roses dès la mi-printemps*

R. LUTEUM
*Grande azalée caduque ; fleurs jaunes odorantes jusqu'à l'été*

R 'MAY DAY'
*Persistant tapissant ; fleurs écarlates à la mi-printemps*

R 'MRS G. W LEAK'
*Grand arbuste pour un sol argileux ; fleurs roses au printemps*

R. 'NARCISSIFLORUM'
*Compacte ; fleurs jaunes parfumées ; feuilles bronze en automne*

R 'STRAWBERRY ICE'
*Arbuste moyen, plein soleil ; fleurs rose pâle au printemps*

R 'SUSAN'
*Arbuste compact, vigoureux, tolérant la pollution ; leurs mauves à la mi-printemps virant au blanc*

R YAKUSHMANUM
*Persistant populaire, taille moyenne ; fleurs roses au printemps*

*ARABIS CAUCASICA* 'VARIEGATA'
✻✻✻ ↕ 15 cm ↔ 50 cm ou plus

Les fleurs printanières parfumées de cette vivace se détachent sur des feuilles vertes aux marges jaune pâle. Prospère aussi dans une rocaille, en couvre-sol ; a besoin d'une terre ensoleillée, à drainage rapide.

*BELLIS PERENNIS*, SÉRIE TASSO
✻✻✻ ↕ ↔ 5-20 cm

Cultivar de la pâquerette commune, à doubles fleurs aux pétales pennés roses, blancs ou rouges. On le cultive souvent en massifs au printemps, mais elle pousse aussi en pots en plein soleil ou à mi-ombre.

*NARCISSUS* 'EMPRESS OF IRELAND'
✻✻✻ ↕ 40 cm

L'une des plus grandes jonquilles en trompette, 'Empress of Ireland' arbore au printemps des fleurs blanc crème portant une seule trompette par tige. Également très jolie dans une bordure d'arbustes.

*RHODODENDRON* 'IROHAYAMA'
✻✻✻ ↕ ↔ 60 cm

Cette azalée naine persistante et compacte présente des petites feuilles et des bouquets de fleurs printanières blanches bordées de lilas. Elle apprécie le soleil. Convient aussi en plantation en masse.

*HYACINTHUS ORIENTALIS* 'BLUE JACKET'
✻✻✻ ↕ 20-30 cm ↔ 8 cm

Les jacinthes apportent de belles couleurs au printemps, en pots ou en massifs ; elles requièrent peu de soins. Les fleurs cireuses, parfumées, du 'Blue Jacket' vont du marine intense au bleu-pourpre.

## JARDINS AQUATIQUES

*PRIMULA PULVERULENTA* 'BARTLEY STRAIN'
✿ ✿ ✿ ‡ jusqu'à 1 m ↔ 60 cm
Primevère candélabre à verticilles de fleurs tubulaires
rose coquillage à œil rouge sur des tiges verticales.
Jusqu'au début de l'été. Elle préfère un sol humide en
permanence, à l'ombre, près d'un point d'eau.

*PRIMULA PROLIFERA*
✿ ✿ ✿ ‡ ↔ 60 cm
Les hampes florales printanières de cette primevère
en candélabre varient du blanc crème au jaune doré.
Les feuilles basales forment une rosette. À cultiver
dans un jardin aquatique ou boisé, en sol humide.

*HOUTTUYNIA CORDATA* 'CHAMELEON'
✿ ✿ ✿ ‡ jusqu'à 15-30 cm ou plus ↔ indéfini
Intégrez-les dans une bordure en site humide ou
près d'une mare. 'Chameleon' est apprécié pour son
panache de feuilles vertes, jaune pâle et rouges.
Limaces et escargots en sont amateurs.

*CALTHA PALUSTRIS*
✿ ✿ ✿ ‡ 10-40 cm ↔ 45 cm
Également connue sous le nom de souci d'eau, cette
espèce préfère le bord de l'eau bien qu'elle puisse survivre en parterre si elle est maintenue à l'humidité.
Fleurs jaune vif comme le bouton d'or.

*LYSICHITON CAMTSCHATCENSIS*
✿ ✿ ✿ ‡ ↔ 75 cm
Persistante aquatique marginale appréciée pour ses
feuilles vertes luisantes et ses spathes d'un blanc très
pur, généralement pointues, qui apparaissent dès le
début du printemps et exhalent un parfum musqué.

# DE LA FIN DU PRINTEMPS AU DÉBUT DE L'ÉTÉ (1)

## MURS ENSOLEILLÉS

### CALLISTEMON VIMINALIS 'ROSE OPAL'
❊ ↕ 1,5-2 m ↔ 1,5-4 m

Cette callistème présente des épis floraux en forme de rince-bouteilles à partir de la fin du printemps, composés d'une myriade de fleurs minuscules à long estamine. À planter au pied d'un mur chaud et ensoleillé.

### ABUTILON VITIFOLIUM VAR. ALBUM
❊ ❊ ↕ 5 m ↔ 2,5 m

Arbuste caduc à croissance rapide convenant à un site ensoleillé, abrité et bien drainé. Il s'orne en début d'été de belles fleurs blanches à longues tiges. Élaguer en fin d'hiver ou au début du printemps.

### FREMONTODENDRON 'PACIFIC SUNSET'
❊ ❊ ↕ ↔ 2 m

Arbuste persistant pour le fond d'une bordure abritée ou un mur ensoleillé. Affiche de grandes fleurs jaunes en soucoupe dès le début du printemps. Rameaux et feuilles peuvent provoquer des irritations cutanées.

### WISTERIA SINENSIS 'ALBA'
❊ ❊ ❊ ↕ 9 m ou plus

Cette glycine chinoise est une vigoureuse grimpante qui s'enroulera autour d'un bon support ou d'un arbre. Très longues frondes de fleurs blanches parfumées, de la fin du printemps au début de l'été.

### SOLANUM CRISPUM 'GLASNEVIN'
❊ ❊ ↕ 6 m

Cette grimpante vigoureuse est idéale pour couvrir rapidement un mur ou une remise. Elle se pare de fleurs bleu-pourpre décoratives du début de l'été jusqu'à l'automne ; des baies blanc jaune leur succèdent.

## MURS AU SOLEIL OU À MI-OMBRE

### JASMINUM HUMILE
❊ ❊ ↕ 2,5 m, parfois jusqu'à 4 m ↔ 3 m

Parfumé, ce jasmin forme un arbuste buissonnant apprécié pour ses délicates fleurs jaunes à partir de la fin du printemps et ses feuilles vertes brillantes. Taillez-le à l'automne, après la floraison.

### ROSA 'MME GRÉGOIRE STAECHELIN'
❊ ❊ ❊ ↕ jusqu'à 6 m ↔ 4m

Rose grimpante vigoureuse à tiges arquées offrant une garniture de feuilles vert foncé en toile de fond à des roses doubles, teintées de rouge. Début d'été. Viennent ensuite de grosses baies rondes rouges.

### AUTRES ROSIERS

*R. BANKSIAE*
*Grimpante sans épines, à protéger du gel. Rosettes de fleurs doubles blanches au parfum de violette à la fin du printemps*

*R. BANKSIAE 'LUTEA'*
*Grimpante sans épines nécessitant un mur abrité ; fleurs doubles jaunes à la fin du printemps*

*R. CITY OF YORK*
*Grimpante. Grappes de fleurs blanc crème, semi-doubles, parfumées. Début d'été*

*R. 'GRANDIFLORA'*
*Rosier vigoureux à port érigé. Fleurs simples blanc crème à étamines jaunes, en coupe ou plates, parfumées. Début d'été*

*R. 'MAIGOLD'*
*Grimpante robuste ; fleurs parfumées, jaune bronze. Début d'été, mais refleurit parfois à l'automne*

*R. XANTHINA 'CANARY BIRD'*
*Arbuste retombant ; fleurs simples, au parfum musqué. Fin du printemps, mais refleurit parfois plus tard dans la saison*

*CLEMATIS* 'WILLIAM KENNETT'
✳✳✳ ↕ 2-3 m ↔ 1 m

En début d'été, cette grimpante caduque se pare de grandes fleurs simples bleu-lavande pâle à anthère rouge foncé qui apparaissent sur les rameaux poussés l'année précédente. Élagage : Groupe 2.

*LATHYRUS GRANDIFLORUS*
✳✳✳ ↕ 1,5 m

Ce pois de senteur persistant, soutenu, grimpera sur un mur ou des arbustes. Au début de l'été, ses fleurs rose-pourpre ou rouges, comparables à des pois, vous offriront un splendide spectacle.

*LONICERA JAPONICA* 'HALLIANA'
✳✳✳ ↕ 10 m

Ravissante grimpante volubile, ce chèvrefeuille japonais très vigoureux arbore, de la fin du printemps à la fin de l'été, des fleurs blanc pur, parfumées, qui, virent au jaune foncé, suivies de baies bleu-noir.

*AKEBIA QUINATA*
✳✳✳ ↕ 10 m

Ses jolies feuilles qui, en hiver, se teintent de pourpre, font de cette akébie à cinq feuilles une belle grimpante, même sans ses fleurs printanières, brun-pourpre au parfum de vanille. Elle est très robuste.

*HYDRANGEA ANOMALA* SSP. *PETIOLARIS*
✳✳✳ ↕ 15 m

Cette hydrangea grimpante se cramponne sur son support à l'aide de racines aériennes. Fleurit au début de l'été, ses feuilles jaunissent en automne. À abriter du froid et des vents desséchants ; lent à s'établir.

# DE LA FIN DU PRINTEMPS AU DÉBUT DE L'ÉTÉ (2)

## MASSIFS ET PARTERRES CHAUDS ET SECS

### HELIANTHEMUM 'FIRE DRAGON'
✲✲✲ ‡ 20-30 cm ↔ 30 cm

Cet arbuste à port étalé, grand amateur de soleil, est idéal en rocaille ou dans un parterre surélevé. Ses fleurs éclatantes se déploient de la fin du printemps jusqu'en été. Facile à entretenir.

### LOBULARIA MARITIMA 'LITTLE DORRIT'
✲✲✲ ‡ jusqu'à 10 cm ↔ 20-30 cm

La plupart des cultivars de l'alysse forment de beaux massifs dès le début de l'été. Ils poussent bien à peu près n'importe où, y compris dans les fentes entre les dalles. Cette variété a des fleurs blanches.

### ARMERIA MARITIMA 'VINDICTIVE'
✲✲✲ ‡ jusqu'à 20 cm ↔ jusqu'à 30 cm

Ce cultivar de l'armérie se couvre d'une profusion de capitules roses de la fin du printemps à l'été ; ses tiges sont raides et érigées. Il forme des touffes et préfère un site dégagé, sec et ensoleillé. Convient à la rocaille.

### CYTISUS 'PORLOCK'
✲✲ ‡ ↔ 3 m

Ce faux ébénier est un arbuste vigoureux, semi-persistant. Ses fleurs printanières tardives comparables à celles du pois sont très parfumées. Suivent des cosses duveteuses. Tolère tous les sols sauf crayeux.

### LINUM NARBONENSE
✲✲✲ (limite) ‡ 30-60 cm ↔ 45 cm

Les fleurs en soucoupe de cette vivace méditerranéenne se succèdent durant la première moitié de l'été. Elle préfère le plein soleil et a besoin de protection contre l'humidité de l'hiver. Idéale en rocaille.

### CISTUS × CYPRIUS
✲✲ ‡ ↔ 1 m

Grappes de fleurs blanches dès le début de l'été. Chaque floraison ne dure qu'un jour, mais elle est vite remplacée. La ciste ne convient pas aux terres très crayeuses, mais pousse facilement en pot.

### IRIS 'SILVERADO'
✲✲ ‡ 1 m

Les grandes fleurs chiffonnées de ce grand iris à barbe d'un bleu argenté pâle apparaissent à partir de la mi-printemps. Larges feuilles en éventail. Convient en mixed-border ou en bordure d'herbacées.

## AUTRES IRIS

*I. BUCHARICA*
À croissance rapide ; jusqu'à six fleurs blanches à jaune doré par tige. Milieu et fin de printemps

*I. 'EARLY LIGHT'*
Iris à barbe parfumé ; fleurs jaunes et crème teintées de citron. Milieu et fin de printemps

*I. FOETIDISSIMA*
Fleurs pourpres sans grand intérêt en début d'été suivies de jolies capsules en automne

*I. GRAMINEA*
Fleurs violet-pourpre intense à l'arôme de prune parmi des feuilles vert vif. Fin printemps et début d'été

*I. INNOMINATA*
Iris de la côte Pacifique, sans barbe ; en début d'été, ses fleurs vont du jaune vif au crème et du pourpre au bleu pâle

*I. PALLIDA 'VARIEGATA'*
Grandes fleurs bleu clair parfumées à la fin du printemps et au début d'été ; feuilles vert vif à bandes jaunes

## MASSIFS ET PARTERRES AU SOLEIL OU À MI-OMBRE

*CEANOTHUS 'CONCHA'*
✿✿ ↕↔ 3 m

À la fin du printemps, les bourgeons rouge pourpre de cet arbuste persistant s'ouvrent en une profusion de fleurs bleu foncé. Ses cultivars atteignent deux fois leur taille normale en espalier contre un mur.

*ERYSIMUM 'JOHN CODRINGTON'*
✿✿✿ ↕ 25 cm ↔ 30 cm

Grâce à ses fleurs printanières tardives, cette giroflée vivace persistante ajoute de la couleur à une bordure ou à un parterre surélevé en plein soleil. Tout aussi belle contre un mur ; taillez après la floraison.

*DIANTHUS 'PIKE'S PINK'*
✿✿✿ ↕ 15 cm ↔ 20 cm

Un œillet rose pour une rocaille, un parterre surélevé bien drainé ou une bordure. Ses fleurs doubles, rose pâle qui sentent le clou de girofle, s'épanouissent au début de l'été.

*POTENTILLA 'WILLIAMS ROLLISON'*
✿✿✿ ↕ jusqu'à 45 cm ↔ 60 cm

Cette vivace en touffes se pare tout l'été de fleurs semi-doubles vermillon. Elle est utile pour apporter longtemps de la couleur dans une mixed-border.

*EXOCHORDA GIRALDII VAR. WILSONII*
✿✿✿ ↕↔ 3 m

Sur une terre bien drainée, ce joli arbuste florissant requiert peu d'entretien. Ses feuilles jeunes sont vert rosé, puis vert pâle à maturité. Il exhibe une profusion de fleurs blanches à la fin du printemps.

*ROSA 'CHARLES DE MILLS'*
✿✿✿ ↕↔ 1,2 m ou plus

Cet arbuste dense à port arqué, sans épines, a un feuillage vert franc ; il peut constituer une haie. Les bourgeons roses, au début de l'été, s'ouvrent en fleurs doubles, parfumées, couleur de mûre.

*LABURNUM × WATERERI 'VOSSII'*
✿✿✿ ↕↔ 8 m

Ce cytise à port étalé est apprécié pour ses racèmes de fleurs jaune bouton d'or qui prolifèrent à la fin du printemps. Ne convient pas à un jardin familial car toutes ses parties sont toxiques.

## AUTRES ROSIERS ARBUSTIFS

R. 'BLANCHE DOUBLE DE COUBERT'
*Port dense, étalé ; fleurs blanches parfumées semi-doubles à étamine jaune, du début de l'été à l'automne*

R. 'BUFF BEAUTY'
*Port arrondi ; grosses grappes de fleurs doubles, abricot, légèrement parfumées, dès le début de l'été*

R. 'CONSTANCE SPRY'
*Port arqué. Apte à grimper s'il est soutenu. Fleurs roses doubles au parfum de myrrhe dès le début de l'été*

R. GLAUCA
*Espèce vigoureuse, à fleurs simples, rouge rosé, à étamine dorée dès le début de l'été ; fruits rouges à l'automne*

R. GRAHAM THOMAS
*Port arqué ; fleurs jaunes doubles et parfumées du début de l'été à l'automne*

R. 'WILLIAM LOBB'
*Tiges arquées épineuses qui risquent de nécessiter un support ; doubles fleurs parfumées, pourpres à gris-lavande dès le début de l'été*

# DE LA FIN DU PRINTEMPS AU DÉBUT DE L'ÉTÉ (3)

## AUTRES MASSIFS ET PARTERRES AU SOLEIL OU À MI-OMBRE

*WEIGELA 'LOOYMANSII AUREA'*
✳ ✳ ✳ ↕ ↔ 1,5 m

Cet arbuste caduc à port étalé et à croissance lente convient à un site semi-ombragé. Il fleurit à la fin du printemps ou au début de l'été. Convient en fond de bordure ; taillez-le sans éliminer les vieux rameaux.

*CENTAUREA CYANUS*
✳ ✳ ✳ ↕ 20-80 cm ↔ 15 cm

Annuelle à port érigé, ce bleuet exhibe de la fin du printemps au milieu de l'été des capitules bleu foncé qui attirent abeilles et papillons. À planter en plein soleil dans une terre bien drainée.

*THALICTUM AQUILEGIFOLIUM*
✳ ✳ ✳ ↕ jusqu'à 1 m ↔ 45 cm

Pour jardin sauvage ou boisé. Ce pigamon à fleurs d'ancolie, vivace, à port dressé, produit des panicules légères de fleurs roses, lilas et blanc verdâtre en pompons et à étamines soyeuses.

*COREOPSIS GRANDIFLORA 'SUNRAY'*
✳ ✳ ✳ ↕ 50-75 cm ↔ 45 cm

Les fleurs doubles d'un jaune profond de cette annuelle illumineront une bordure ensoleillée. Ces capitules portés par de longues tiges attirent les abeilles. Coupées, elles sont splendides.

*SALVIA × SYLVESTRIS 'BLAUHÜGEL'*
✳ ✳ ✳ ↕ 50 cm ↔ 45 cm

Cette vivace forme des touffes de feuilles oblongues, ridées. De longs épis de fleurs bleu vif surviennent au début de l'été, apportant des touches de couleurs éclatantes dans un massif.

*PAENIA LACTIFLORA 'DUCHESSE DE NEMOURS'*
✳ ✳ ✳ ↕ ↔ 70-80 cm

Cette pivoine vivace est appréciée pour ses grandes fleurs parfumées en début d'été. Soutenez ces fleurs et ne déplacez pas la plante jusqu'à ce qu'elle soit enracinée.

*CAMASSIA LEICHTLINII*
✳ ✳ ✳ ↕ 60-130 cm ↔ 10 cm

Bulbeuse pour prairie ou bordure de fleurs sauvages. Ses fleurs blanc crème en étoile apparaissent à la fin du printemps ; quand elles se fanent, leurs segments s'entortillent. La terre ne doit jamais être détrempée.

*SYRINGA VULGARIS 'MRS EDWARD HARDING'*
✳ ✳ ✳ ↕ ↔ 7 m

Les fleurs en thryses pyramidaux mauves et parfumées de ce lilas commun buissonnant apparaissent à la fin du printemps et au début de l'été. Pour bordure ou seul en site ensoleillé. Ne requiert que des tailles légères.

*DELPHINIUM* 'BLUE BEES'
✳✳✳ ↕ 1,7 m ↔ jusqu'à 75 cm

Vivaces traditionnelles dans les jardins à l'anglaise. Leurs grandes tiges fleuries nécessitent un support en cas de vent. Rabattez au niveau du sol en automne. Elles s'épanouissent du début à la fin de l'été.

*ROSA* JUST JOEY
✳✳✳ ↕ 75 cm ↔ 70 cm

Un rosier buissonnant à grosses fleurs et au port étalé. Il exhibe des fleurs rondes, doubles, parfumées, rose cuivre à pétales ondulés au bord, du début de l'été jusqu'à l'automne.

## AUTRES ROSIERS BUISSONS

R. INTRIGUE
*Buisson compact, à grappes de fleurs doubles rouge sombre. Du début de l'été à l'automne*

R. 'PRINCESSE DE MONACO'
*Buisson vigoureux à grandes fleurs blanches, parfumées, du début de l'été à l'automne*

R. REMEMBER ME
*Buisson à grosses fleurs ; gerbes de fleurs orange cuivré, du début de l'été à l'automne ; feuilles luisantes*

R. SUPER STAR
*Buisson à grandes fleurs ; doubles fleurs rouge pâle, arrondies, légèrement parfumées. Du début de l'été à l'automne*

R. 'THE QUEEN ELIZABETH'
*Buisson vigoureux à grappes florales de fleurs roses, doubles, rondes sur de longues tiges, du début de l'été à l'automne*

R. VALENCIA
*Buisson à grandes fleurs, à port étalé ; fleurs jaune ambre doubles et parfumées. Du début de l'été à l'automne*

*PHILADELPHUS* 'VIRGINAL'
✳✳✳ ↕ 3 m ou plus ↔ 2,5 m

Ce seringat est apprécié pour ses fleurs orangées et parfumées, qui s'épanouissent durant la première moitié de l'été. Il s'établit facilement dans une bordure d'arbustes ou un jardin boisé. Excellent écran.

*DEUTZIA GRACILIS*
✳✳✳ ↕ ↔ 1 m

Arbuste buissonnant à feuilles vert vif. Convient en bordure ou en isolé. Il s'orne de multiples fleurs blanches en étoile, parfumées du printemps au début de l'été. Il préfère un site ensoleillé.

*ANCHUSA AZUREA* 'LODDON ROYALIST'
✳✳✳ ↕ 90 cm ↔ 60 cm

Les fleurs bleu intense de cette vivace robuste apparaissent en début d'été. Elle ne devrait pas nécessiter de support, mais coupez les fleurs fanées après la première floraison pour qu'elle s'épanouisse à nouveau.

# DE LA FIN DU PRINTEMPS AU DÉBUT DE L'ÉTÉ (4)

| AUTRES MASSIFS ET PARTERRES AU SOLEIL OU À MI-OMBRE | OMBRE |
|---|---|

### SPIRAEA 'ARGUTA'
✳ ✳ ✳ ↕ ↔ 2,5 m

Cet arbuste mince au port arqué forme un buisson dense et arrondi qui se pare au printemps de fleurs blanc pur en menus corymbes. Il apprécie le plein soleil. Élaguez-le après la floraison.

### ALLIUM HOLLANDICUM 'PURPLE SENSATION'
✳ ✳ ✳ ↕ 1 m ↔ 7 cm

Ce cultivar ornemental à bulbe de la famille de l'oignon aime le soleil et fait grand effet dans une bordure. Ces inflorescences rondes composées d'innombrables fleurs en étoile apparaissent au début de l'été.

### LUZULA NIVEA
✳ ✳ ✳ ↕ jusqu'à 60 cm ↔ 45 cm

Cette vivace persistante à feuilles graminiformes est idéale en couvre-sol tant à l'ombre que dans un site humide. Elle se pare de panicules lâches de fleurs blanc-brun étincelantes à partir du début de l'été.

### GLADIOLUS CALLIANTHUS
✳ ↕ 70-100 cm ↔ 5 cm

En été, ce glaïeul d'Abyssinie se pare d'hampes florales parfumées qui s'arquent gracieusement en longs tubes minces. Joli en fleurs coupées. À planter en groupes pour maximiser l'effet. Ne tolère pas les hivers froids.

### TROLLIUS PUMILUS
✳ ✳ ✳ ↕ jusqu'à 30 cm ↔ 20 cm

Cette vivace jaune aux jolies feuilles basales, brillantes et dentées, exhibe à la fin du printemps des fleurs en coupe comparables aux boutons d'or. Aime une terre lourde et humide, comme dans un jardin aquatique.

### NIGELLA DAMASCENA 'PERSIAN JEWELS'
✳ ✳ ✳ ↕ jusqu'à 40 cm ↔ jusqu'à 23 cm

Aux somptueuses fleurs estivales de cette vivace à tiges grêles, également appelée Cheveux de Vénus, succèdent des capsules vertes qui, séchées, font de beaux bouquets. Plantez-la en devant d'une bordure.

### KOLWITZIA AMABILIS 'PINK CLOUD'
✳ ✳ ✳ ↕ 3 m ↔ 4 m

Ce cultivar produit des masses de fleurs roses en clochettes à partir de la fin du printemps. Ses fleurs ont une gorge tachetée de jaune. C'est un arbuste caduc qui convient à une bordure ensoleillée.

### MYOSOTIS SYLVATICA 'VICTORIA ROSE'
✳ ✳ ✳ ↕ jusqu'à 25 cm ↔ jusqu'à 15 cm

Ce cultivar bisannuel du myosotis commun se couvre de grosses fleurs rose vif au printemps jusqu'en début d'été. Vigoureux, à port dressé, il convient bien à un massif printanier. Attention aux limaces !

*SMILACINA RACEMOSA*
✿ ✿ ✿ ↕ jusqu'à 90 cm ↔ 60 cm
Bonne vivace pour une bordure ombragée ou un
jardin boisé. Elle se pare de fleurs blanc crème parfois
teinté de vert, de la mi-printemps au début de l'été.
Ses feuilles jaunissent en automne.

*DICENTRA SPECTABILIS*
✿ ✿ ✿ ↕ jusqu'à 1,2 m ↔ 45 cm
Plus connue sous le nom de cœur de Marie à cause de
la forme de ses fleurs pendantes qui apparaissent à la
fin du printemps, cette vivace est idéale dans un jardin
boisé. Tolère un peu de soleil si la terre reste humide.

*CONVALLARIA MAJALIS*
✿ ✿ ✿ ↕ 23 cm ↔ 30 cm
Le muguet est une vivace aux grappes arquées de
petites clochettes blanches, cireuses, très parfumées
surgissant à la fin du printemps. C'est un bon
couvre-sol pour une bordure humide et ombragée.

*DIGITALIS PURPUREA*, GROUPE EXCELSIOR
✿ ✿ ✿ ↕ 1-2 m ↔ 60 cm
Cultivars aux tons pastel du gant de Notre-Dame,
s'ornant au début de l'été d'épis floraux jaune
crème, blancs, pourpres ou roses. Superbes fleurs
coupées. À cultiver en semis chaque année.

*POLEMONIUM CAERULEUM*
✿ ✿ ✿ ↕ 30-90 cm ↔ 30 cm
La valériane grecque est une vivace appréciée pour ses
fleurs estivales précoces. Elle pousse dans l'herbe et
préfère les sols humides et bien drainés. Enlevez régulièrement les fleurs fanées pour qu'elle refleurisse.

*POLYGONATUM × HYBRIDUM*
✿ ✿ ✿ ↕ jusqu'à 1 m ↔ 30 cm
Le sceau de Salomon est une vivace pour sol humide
à l'ombre ou à mi-ombre. Ses feuilles jaunissent à
l'automne ; fin printemps, ses fleurs verdâtres pendent à des tiges arquées, suivies par des baies noires.

*AQUILEGIA* 'MAGPIE'
✿ ✿ ✿ ↕ 60 cm ↔ 45 cm
Une ancolie vivace au joli feuillage comparable à la
fougère et aux saisissantes fleurs noires, pourpre foncé
et blanches, dès la fin du printemps. Facile à cultiver
à mi-ombre ou au soleil si le sol reste humide.

# DE LA FIN DU PRINTEMPS AU DÉBUT DE L'ÉTÉ (5)

## EN POTS

*PETUNIA* 'PURPLE WAVE'
❋ ↕ 45 cm ↔ 30-90 cm
Une excellente plante pour un panier suspendu.
'Purple Wave' s'orne de fleurs magenta vif et s'étale
facilement. Elle est vulnérable à la pluie ; plantez-la
dans un endroit abrité. Convient aussi en couvre-sol.

*LOBELIA* ' COLOUR CASCADE'
❋ ↕ 10-23 cm ↔ 10-15 cm
Cette vivace rampante est excellente en mélange
dans un pot ou un panier suspendu. Elle ne requiert
guère d'attention et fleurit tout l'été dans des tons
rouge, pourpre, bleu, rose et blanc.

*NEMESIA STRUMOSA* 'KLM'
❋ ↕ 18-30 cm ↔ 10-16 cm
Ses fleurs à deux lèvres contrastées sont bleues et
blanches à gorge jaune. Elles colorent joliment un
massif estival. Ravissantes en fleurs coupées.

*MATTHIOLA INCANA*, SÉRIE CINDERELLA
❋ ❋ ❋ ↕ 20-25 cm ↔ jusqu'à 25 cm
Plus connues sous le nom de giroflées, ces fleurs
de massifs printaniers et estivaux exhibent des fleurs
doubles dans toute une variété de couleurs,
y compris rouge, rose, pourpre et blanc.

## AUTRES PÉTUNIAS

P. SÉRIE CARPET
*Fleurs simples en forme de trompette évasée, blanches ou dans
des nuances de rose, rouge, pourpre, jaune ou orange*

P. SÉRIE DADDY
*Grandes fleurs à grosses veines dans des tons pastel à rose
foncé, pourpre et bleu lavande*

P. SÉRIE MIRAGE
*Fleurs blanches ou dans des nuances de bleu, rose, rouge ou pour-
pre, dont certaines à pétales veinés ou rayés ; tolère l'humidité*

P. SÉRIE SUPERCASCADE
*Floraisons à répétition sur une longue période ; grosses inflores-
cences blanches, bleues, roses et rouges*

P. SÉRIE SURFINIA
*Grosses fleurs dans des nuances de blanc, rose, magenta, rouge,
bleu-lavande ou bleu ; vigoureuse et résistante aux intempéries ;
idéale pour paniers suspendus*

P. RACE ULTRA
*Grandes fleurs en étoile dans des tons de bleu, rose et rouge ;
résistante aux intempéries*

*IMPATIENS*, GROUPE SUPER ELFIN
❀ ↕ jusqu'à 25 cm ↔ jusqu'à 60 cm
Elles orneront tout l'été vos pots. Ces cultivars
annuels existent dans toute une gamme de couleurs, y compris pastel et en diverses nuances de
pourpre, orange, rose et rouge.

*DIANTHUS*, SÉRIE IDEAL 'CHERRY PICOTEE'
❋ ❋ ❋ ↕ 20-35 cm ↔ 23 cm
Cet œillet de couleur vive arbore, dès le début
de l'été, des fleurs écarlates contrastant avec leurs
franges blanches. Coupez cette annuelle ou bisannuelle pour encourager de nouvelles floraisons.

## JARDINS AQUATIQUES

*APONOGETON DISTACHYOS*
❋ ❋ ↕ 1,2 m

Les petites fleurs blanches parfumées de cette vivace aquatique se dressent au-dessus de feuilles flottantes, vert vif, au printemps et à l'automne. À cultiver dans la terre au fond d'une mare au soleil.

*DARMERA PELTATA*
❋ ❋ ❋ ↕ jusqu'à 2 m ↔ 1 m ou plus

Les grandes feuilles rondes de cette peltiphylle vivace apparaissent en touffes après les panicules printanières tardives en forme de parapluie. Plantez-la dans une terre humide au sol ou à mi-ombre.

*HYDROCHARIS MORSUS-RANAE*
❋ ❋ ❋ ↔ indéfinie

Semblable à un petit nénuphar, il présente des feuilles plates flottantes ou immergées. Au début de l'été, il exhibe des fleurs blanches comme du papier, à trois pétales. Préfère l'eau peu profonde en plein soleil.

*CALLA PALUSTRIS*
❋ ❋ ❋ ↕ 25 cm ↔ 60 cm

Cette calla des marais est idéale pour adoucir les bords d'une mare. Porte des feuilles vert foncé luisantes et exhibe en été de splendides spathes blanches auxquelles succèdent en automne des baies rouges.

*RANUNCULUS LINGUA* 'GRANDIFLORUS'
❋ ❋ ❋ ↕ 1, 5 m ↔ indéfinie

Cette grande renoncule vivace s'orne dès le début de l'été de grands boutons d'or jaune vif. Cultivez-la dans une mare ou en bordure d'un ruisseau. Sa croissance doit être restreinte par un solide panier.

*ORONTIUM AQUATICUM*
❋ ❋ ❋ ↕ 30-45 cm ↔ 60-75 cm

Cultivez-le en terre humide et profonde au bord d'une mare en lui laissant de la place pour s'étaler. Le soleil est propice aux feuilles. Des spadices jaune vif se dressent au-dessus de l'eau dès la fin du printemps.

*VERONICA BECCABUNGA*
❋ ❋ ❋ ↕ 10 cm ↔ indéfinie

Vivace aquatique persistante baptisée cresson de cheval. Porte des feuilles et des tiges rampantes charnues. Ses fleurs bleues se dressent sur des tiges verticales. Plantez-la au soleil en terre humide.

*ZANTEDESCHIA ELLIOTTIANA*
❋ ↕ 60-90 cm ↔ 20 cm

Cet arum doré exhibe des fleurs jaune d'or dressées sur de longues tiges au début de l'été. Les feuilles érigées en forme de cœur vert foncé sont maculées de taches blanches. Poussent en plein soleil au bord d'une mare.

# EN PLEIN ÉTÉ (1)

## MURS AU SOLEIL

*PASSIFLORA CAERULEA* 'CONSTANCE ELLIOT'
✽✽ ↕ 10 m ou plus
Cette fleur de la passion est une grimpante à croissance rapide aux tiges minces et au feuillage vert foncé.
En été et en automne, elle se pare de fleurs blanches
parfumées. Convient à un mur abrité ou un treillis.

*RHODOCHITON ATROSANGUINEUS*
❀ ↕ jusqu'à 3 m ou plus
Les fleurs et le feuillage en forme de cœur de cette
grimpante à tiges grêles sont attrayants . Les fleurs
apparaissent en été. À cultiver en annuelle dans les
climats froids. Excellente aussi pour les pergolas.

*TROPAEOLUM SPECIOSUM*
✽✽ ↕ jusqu'à 3 m
Cette capucine est une mince grimpante vivace affi-
chant de l'été à l'automne, des fleurs écarlates, en épe-
rons, auxquelles succèdent des baies bleues. Tâchez
de maintenir les racines et le bas des tiges à l'ombre.

*IPOMEA PURPUREA*
❀ ↕ 2-3 m
Cette ipomée commune est une grimpante volubile
à belles fleurs estivales en trompette bleu-pourpre,
magenta ou blanches. À cultiver en annuelles à l'abri
des brises froides.

*THUNBERGIA ALATA*
❀ ↕ jusqu'à 2,5 m
Cette grimpante arbore des cœurs noirs entourés
de pétales orange ; elle fleurit à profusion de l'été
à l'automne. Souvent cultivée en annuelle, on peut
en garnir un obélisque.

*TRACHELOSPERMUM JASMINOIDES*
✽✽ ↕ 9m
Variété de jasmin en étoile grimpante, ligneuse et persistante dont les feuilles vert sombre virent au rouge
bronze en automne. Son feuillage très luisant met en
valeur ses fleurs estivales blanc pur, très parfumées.

*LATHYRUS ODORATUS* 'BIJOU'
✽✽✽ ↕↔ jusqu'à 45 cm
Ce cultivar du pois de senteur est une grimpante
annuelle buissonnante à fleurs estivales roses,
bleues, rouges ou blanches, légèrement parfumées.
Elles sont jolies coupées, ce qui favorise la floraison.

*ECCREMOCARPUS SCABER* ANGEL HYBRIDS
✽✽ ↕ 3-5 m
Ce groupe coloré d'espèces d'origine chilienne est
composé de grimpantes persistantes à croissance
rapide. Leurs fleurs tubulaires rouges, roses, orange
ou jaunes durent tout l'été. Nécessitent un support.

## MURS À MI-OMBRE

*ROSA* 'SEAGULL'
✳ ✳ ✳ ↕ jusqu'à 6 m ↔ 4 m

Cette rose liane arbore en été une profusion de fleurs blanches à cœur jaune sur des tiges arquées. À port rampant, elle peut aussi orner pergolas, barrières ou arbres.

*CLEMATIS* 'HAGLEY HYBRID'
✳ ✳ ✳ ↕ 2 m ↔ 1 m

Cette grimpante vigoureuse produit d'assez grosses fleurs estivales roses ou mauves sur les rameaux de l'année en cours. Elle tolère un site ensoleillé mais ses fleurs perdront de leur éclat. Élagage : groupe 3.

### AUTRES CLÉMATITES

C. 'DR RUPPEL'
*Grosses fleurs roses estivales. Élagage : groupe 2*

C. 'JACKMANNI'
*Fleurs pourpre foncé à partir de la mi-été Élagage : groupe 3.*

C. 'NELLY MOSER'
*Fleurs estivales mauve rosé. Élagage : groupe 2*

C. 'ROUGE CARDINAL'
*Pousse en plein soleil ; fleurs veloutées vermillon, au milieu de l'été. Élagage : groupe 3*

C. 'ROYALTY'
*Fleurs mauve-pourpre dès le milieu de l'été, d'abord semi-doubles, puis simples. Élagage : groupe 2*

C. 'STAR OF INDIA'
*Grandes fleurs bleu-pourpre au cœur de l'été. Élagage : groupe 3*

*FALLOPIA BALDSCHUANICA*
✳ ✳ ✳ ↕ 12 m

Cette grimpante caduque volubile, aussi nommée renouée de Bouktara, est une plante utile en couvre-sol. Vigoureuse, elle arbore une profusion de grappes de minuscules fleurs blanc rosé de l'été à l'automne.

*JASMINUM OFFICINALE* 'ARGENTEOVARIEGATUM'
✳ ✳ ↕ 12 m

Cette robuste grimpante affiche des grappes de fleurs blanches très parfumées de l'été jusqu'au début de l'automne. Elle s'enroule autour d'un support, y compris arbustes et arbres.

## PARTERRES CHAUDS ET SECS

*LAVANDULA ANGUSTIFOLIA* 'LODDON PINK'
✳ ✳ ✳ ↕ 45 cm ↔ 60 cm

Ce cultivar compact de la lavande, dite lavande anglaise, est un arbuste buissonnant arborant à la mi-été des épis denses de fleurs rose doux et parfumées. Agréable en fleurs séchées. Peut être taillé en une bordure classique.

*THYMUS SERPYLLUM* 'ANNIE HALL'
✳ ✳ ✳ ↕ 25 cm ↔ 45 cm

Une herbe rampante, persistante, à croissance lente, parfumée, que l'on peut aussi planter dans les fentes des murs ou entre les dalles de sorte qu'elles exhalent sa senteur quand on la piétine. Fleurit en été.

*JOVIBARBA HIRTA*
✳ ✳ ✳ ↕ 15 cm ↔ jusqu'à 30 cm

Cette succulente fleurissante à rosettes de feuilles souvent teintées de rouge est facile à cultiver et convient à un jardin de rocaille, un mur ou une fente. Des bouquets de fleurs brun jaunâtre pâle apparaissent en été.

# EN PLEIN ÉTÉ (2)

## AUTRES MASSIFS ET PARTERRES CHAUDS ET SECS

*DICTAMNUS ALBUS*
✳ ✳ ✳ • ↕ 40-90 cm ↔ 60 cm

Ce buisson ardent, ou plante à gaz, forme des touffes de feuilles luisantes à l'arôme citronné, ornées de longues tiges de fleurs à cinq pétales en début de l'été. Une vivace pour bordure sèche, ensoleillée et bien drainée.

*ACANTHUS HIRSUTUS*
✳ ✳ ✳ ↕ 15-35 cm ↔ 30 cm

Une excellente plante structurelle à touffes de feuilles vert foncé et épis de fleurs blanc verdâtre ou jaune pâle, de la fin du printemps au milieu de l'été. Rabattre au sol après la floraison.

*LAVATERA* 'BREDON SPRINGS'
✳ ✳ ✳ ↕↔ 2 m

Excellent pour sa couleur en fin d'été, cet arbuste vigoureux se pare longtemps de splendides fleurs roses teintées de mauve. À planter contre un mur ensoleillé dans les zones où les gelées risquent d'être importantes.

*CLARKIA PULCHELLA* DOUBLE MIXED
✳ ✳ ✳ ↕ 30 cm ↔ 20 cm

Ces annuelles affichent tout l'été au bout de tiges grêles des fleurs doubles blanches, violettes ou roses, qui sont très belles coupées. Elles conviennent à la plupart des sols bien drainés en plein soleil.

*OSTEOSPERMUM* 'WHIRLIGIG PINK'
✳ ↕↔ 60 cm

Cette vivace est appréciée pour ses marguerites aux ligules pincées. Elle s'épanouit de la fin du printemps à l'automne, dans un site abrité et ensoleillé. À cultiver en annuelle ou à protéger en hiver.

*PHLOMIS ITALICA*
✳ ✳ ↕ 30 cm ↔ 60 cm

Cet arbuste persistant à port érigé arbore à la mi-été des fleurs à capuchon rose-lilas au-dessus de touffes de feuilles grises feutrées comparables à la sauge. Il a besoin de beaucoup de soleil et excelle en groupes.

## MASSIFS ET PARTERRES AU SOLEIL OU À MI-OMBRE

*LIMONIUM PLATYPHYLLUM*
✳✳✳ ↕ 60 cm ou plus ↔ 45 cm
Ce statice est une vivace qui affiche durant la deuxième moitié de l'été de hautes tiges fines et ramifiées portant des épis floraux. Tolère les conditions du littoral et les sols pauvres, sablonneux ou caillouteux.

*VERBENA BONARIENSIS*
✳✳ ↕ jusqu'à 2 m ↔ 45 cm
Les grandes tiges minces et ramifiées de cette vivace soutiennent des grappes denses de minuscules fleurs pourpre-lilas parfumées de la mi-été à l'automne. Dans un sol sec, alcalin, elle se ressème volontiers.

*INDIGOFERA POTANINII*
✳✳✳ ↕ 2 m ↔ 2,5 m
Cet arbuste à port étalé est apprécié pour ses feuilles vert-de-gris et les petites fleurs roses pareilles aux pois dont elle se pare tout l'été jusqu'au début de l'automne. À planter dans un sol humide, mais bien drainé.

*GENISTA TINCTORIA*
✳✳✳ ↕ 60-90 cm ↔ 1 m
Le genêt des teinturiers est un arbuste caduc à port dressé portant des fleurs jaune d'or en grappes au printemps et en été. À cultiver dans un sol léger, bien drainé, au soleil. Protéger de l'humidité en hiver.

*ERYNGIUM GIGANTEUM*
✳✳✳ ↕ 90 cm ↔ 30 cm
Une impressionnante plante structurelle à feuilles épineuses et capitules entourés de bractées argentées, très belles coupées et séchées. À protéger de l'humidité en hiver. Les limaces l'apprécient beaucoup.

*POTENTILLA FRUTOCOSA* 'GOLDFINGER'
✳✳✳ ↕ 1 m ↔ 1,5 m
Cet arbuste caduc, compact et buissonnant, exhibe de grandes fleurs jaune vif de la fin du printemps au milieu de l'automne. Une plante commode, facile à entretenir.

*VERBASCUM CHAIXII* 'ALBUM'
✳✳✳ ↕ 90 cm ↔ 45 cm
Les tiges de cette vivace arborent des fleurs blanches à partir de la fin de l'été. Excellente en fond de mixed-border, elle préfère les sols secs et pauvres. Les tiges ont besoin d'un support si la terre est riche.

*HYDRANGEA MACROPHYLLA* 'BLUE BONNET'
✳✳✳ ↕ 2 m ↔ 2,5 m
Cet arbuste caduc se pare de capitules ronds comme des boules à partir de la mi-été. Ses fleurs sont bleues ou roses selon l'acidité de la terre ; plus le sol est acide, plus le bleu est prononcé.

# EN PLEIN ÉTÉ (3)

## AUTRES MASSIFS ET PARTERRES AU SOLEIL OU À MI-OMBRE

*PENSTEMON DIGITALIS* 'HUSKER RED'
❀❀❀ ↕ 50-75 cm ↔ 30 cm

Les splendides jeunes feuilles rouge violacé de cette vivace aussi appelée galane contrastent avec les fleurs blanches teintées de rose qui l'ornent tout l'été. Rabattez-la au printemps pour qu'elle reste compacte.

*SCABIOSA* BUTTERFLY BLUE
❀❀❀ ↕↔ 40 cm

La scabieuse attire abeilles et papillons. Cette vivace convient dans un jardin à l'anglaise. Ses fleurs bleu-lavande apparaissent au milieu et à la fin de l'été. Elles sont jolies coupées.

*GYPSOPHILA ELEGANS* 'ROSEA'
❀❀❀ ↕ jusqu'à 60 cm ↔ 30 cm

Des fleurs délicates en étoile rose pâle parent l'été ses grandes tiges minces, ramifiées. Jolies coupées, elles sont très appréciées des fleuristes.

*LOBELIA SPECIOSA* 'FAN SCARLET'
❀❀❀ ↕ 50-60 cm ↔ jusqu'à 23 cm

Les épis floraux écarlates de cette lobelia vivace apportent des taches de couleur vive à une bordure estivale. Elle exhibe ses fleurs à pétales étroits de l'été à l'automne et préfère la terre humide.

*BUDDLEJA DAVIDII* 'HARLEQUIN'
❀❀❀ ↕ 3 m ↔ 5 m

Cet arbuste caduc à croissance rapide fleurit longtemps de l'été à l'automne. Il est plus connu sous le nom d'arbre à papillons car ses fleurs attirent ces insectes. Ce cultivar a des feuilles panachées.

*ALCEA ROSEA*
❀❀❀ ↕ 1,5 m ↔ jusqu'à 60 cm

Cette rose trémière est une vivace à port érigé appréciée pour sa structure estivale ; elle produit de grands épis floraux qui nécessitent généralement un support. Elle orne souvent les jardins à l'anglaise.

*ROSA* ABRAHAM DARBY
❀❀❀ ↕↔ 1,5 m

Ce rosier arbustif vigoureux a un port buissonnant. Il porte de grandes feuilles vert profond ainsi que des fleurs doubles, parfumées, abricot de l'été à l'automne. À cultiver en mixed-border ou avec d'autres rosiers arbustifs.

### AUTRES ROSIERS

R. DUBLIN BAY
*Grimpant parfumé que l'on peut élaguer pour former un arbuste ; fleurs rouge vif de l'été à l'automne*

R. MARGARET MERRIL
*Buissonnant à grappes de fleurs parfumées rose pâle à blanc*

R. x ODORATA 'MUTABILIS'
*Arbuste que l'on peut faire pousser en espalier ; fleurs roses parfumées, estivales, ornant des tiges rouge violacé*

R. 'ROSERAIE DE L'HAŸ'
*Arbuste vigoureux au port dense ; fleurs doubles, rouge pourpre profond, très parfumées de l'été à l'automne*

R. ROYAL WILLIAM
*Buisson à grandes fleurs rouge cramoisi, odorantes, soit isolées, soit en grappes lâches, de l'été à l'automne*

R. SILVER JUBILEE
*Buisson à grandes fleurs doubles roses*

R. WARM WISHES
*Fleurs parfumées, rose-pêche, tout l'été*

*ASTRANTIA MAJOR* 'HADSPEN BLOOD'
✳✳✳ ↕ 30-90 cm ↔ 45 cm

Les feuilles vertes dentées et découpées de cette vivace constituent une belle toile de fond pour ses longues tiges dressées de fleurs rouge rubis en été. On peut sécher ces capitules pour confectionner des bouquets.

*PHLOX PANICULA* 'STARFIRE'
✳✳✳ ↕ 90 cm ↔ 60-100 cm

Ce spectaculaire phlox vivace exhibe de l'été à l'automne des fleurs parfumées, d'un rouge cramoisi profond. Il a besoin d'arrosages réguliers et d'engrais s'il est en plein soleil.

*ALSTROEMERIA AUREA*
✳✳ ↕ 1 m ↔ 45 cm

Si on ne la restreint pas, elle s'étend superbement dans une mixed-border en fleurissant l'été. Idéale aussi en pots et en fleurs coupées. Préfère une terre légèrement humide et doit être protégée du froid l'hiver.

*TROPAELUM MAJUS* 'EMPRESS OF INDIA'
✳ ↕ jusqu'à 30 cm ↔ 45 cm

Durant sa longue période de floraison, de l'été à l'automne, cette capucine naine annuelle se pare d'innombrables fleurs veloutées. Fleurs et feuilles sont comestibles et ajoutent de belles couleurs aux salades.

*MONARDA* 'PRÄRIENACHT'
✳✳✳ ↕ 90 cm ↔ 45 cm

La monarde est vivace, aromatique, parfaite pour une bordure estivale ; ses longues tiges de fleurs aux tons vifs durent longtemps et attirent les abeilles. Elle est vulnérable au mildiou si on ne l'arrose pas souvent.

*COSMOS SULPHUREUS*, SÉRIE LADYBIRD
❀ ↕ 30-40 cm ↔ 20 cm

Une plante fiable pour une bordure ou un pot de fleurs vives estivales. Coupez régulièrement les fleurs fanées pour encourager d'autres floraisons, mais laissez-en quelques-unes pour qu'elle s'essème.

# EN PLEIN ÉTÉ (4)

| AUTRES MASSIFS ET PARTERRES AU SOLEIL OU À MI-OMBRE | À L'OMBRE |
|---|---|

### HEMEROCALLIS 'STAFFORD'
✽✽✽ ↕ 70 cm ↔ 30 cm

Ce lis d'un jour insolite exhibe des fleurs écarlates en étoile, et non pas jaunes, au cœur de l'été. Une vivace spectaculaire dans une mixed-border. Elle apprécie une terre bien drainée.

### OENOTHERA PERENNIS
✽✽✽ ↕ ↔ 20 cm ou plus

Cette onagre vivace est appréciée pour ses fleurs jaunes estivales en entonnoir qui se ferment la nuit. C'est une plante vigoureuse qui tolère les terres caillouteuses.

### NICOTIANA 'HAVANA APPLE BLOSSOM'
✽ ↕ 30-35 cm ↔ 30-40 cm

Les tabacs sont excellents en tant qu'annuelles estivales en massifs, leurs fleurs restant ouvertes tant à l'ombre qu'au soleil. Ce cultivar est assez compact ; mieux vaut le placer au premier plan en bordure.

### BAPTISIA AUSTRALIS
✽✽✽ ↕ 1,5 m ↔ 60 cm

Un massif sec et ensoleillé conviendrait à cette vivace à port érigé. Dès le début de l'été, elle se pare de fleurs de pois bleu foncé suivies de grosses gousses. Les fleurs sont souvent tachetées de blanc ou de crème.

### FILIPENDULA PALMATA 'RUBRA'
✽✽✽ ↕ 1,2 m ↔ 60 cm

Des grappes plumeuses de fleurs rouge-rosé apparaissent en milieu d'été sur des tiges uniques dominant des touffes de feuilles divisées. Cette vivace apprécie l'humidité et conviendra à un jardin aquatique.

### LYCHNIS CHALCEDONICA
✽✽✽ ↕ 0,9 -1, 2 m ↔ 30 cm

Cultivez cette vivace rigide dans une terre humide et fertile. Coupez les fleurs fanées pour prolonger tout l'été ses inflorescences rouge en étoile. Convient en mixed-border avec un support. S'essème volontiers.

### VERONICA SPICATA SSP. INCANA
✽✽✽ ↕ ↔ 30 cm

Cette vivace tapissante aux feuilles argentées et veloutées se pare de jolis épis de fleurs en étoile bleu-violet. Elle est belle en mixed-border, dans une bordure d'herbacées au soleil, ou encore en rocaille.

### LIGULARIA 'THE ROCKET'
✽✽✽ ↕ 1,8 m ↔ 1 m

Cette grande vivace produit en début et en fin d'été de longues tiges fines ornées de masses d'inflorescences jaunes. Elle aime l'humidité. À placer dans une bordure ombragée ou un jardin aquatique.

## PLANTES EN POTS

**CIMICIFUGA SIMPLEX, GROUPE ATROPURPUREA**
❋❋❋ ↕ 1-1,2 m ↔ 60 cm

Ces vivaces en touffes arborent de grandes tiges dressées ou arquées de fleurs en rince-bouteilles jusqu'à l'automne. Elles ont besoin d'humidité et bénéficient d'un abri ou de supports contre les vents forts.

**ARGYRANTHEMUM GRACILE 'CHELSEA GIRL'**
❋ ↕ ↔ 60 cm

Dans les régions où il ne gèle pas, elle fleurit presque continuellement ; c'est une remarquable vivace pour bordures et pots. Les fleurs en marguerite de 'Chelsea Girl' sont blanches à cœur jaune.

**DIASCIA 'SALMON SUPREME'**
❋❋ ↕ 15 cm ↔ jusqu'à 50 cm

Une vivace fiable en pot aux fleurs abricot clair qui s'épanouit longtemps pendant l'été et l'automne. Placez-la au soleil et encouragez la floraison en éliminant les fleurs fanées et en apportant régulièrement de l'engrais.

**BIDENS FERULIFOLIA 'GOLDEN GODDESS'**
❋❋ ↕ jusqu'à 30 cm ↔ indéfinie

Le port étalé et traînant de cette vivace convient bien à un panier ou à un pot suspendu où les tiges peuvent retomber. Des capitules jaunes semblables à des marguerites l'ornent du milieu de l'été jusqu'à l'automne.

**HEUCHERA 'LEUCHTKÄFER'**
❋❋❋ ↕ 75 cm ↔ 30 cm

Elle présente un excellent feuillage en touffes vert foncé. Au début de l'été, des fleurs rouges parfumées, attirant les abeilles, couronnent ses longues tiges. Parfaite en couvre-sol ou en mixed-border.

**LANTANA CAMARA 'RADIATION'**
❊ ↕ ↔ 1-2 m

Cet arbuste est apprécié en pots à cause de ces grappes de fleurs vives. La floraison se prolonge de la fin du printemps à la fin de l'automne. Dans les climats froids, elle a besoin de protection en hiver.

**LILIUM 'STAR GAZER'**
❋❋❋ ↕ 1,1,5 m

Ce lis vigoureux, facile à cultiver et amoureux du soleil, est excellent en pot ; il est aussi très beau en vase. Les fleurs rouges en étoile, inodores, aux pétales marginés de blanc, apparaissent au cœur de l'été.

# EN PLEIN ÉTÉ (5)

## AUTRES PLANTES EN POTS

*FELICIA AMELLOIDES* 'READ'S WHITE'
❀ ↕ ↔ 30-60 cm

On les cultive pour leurs fleurs bleues en marguerite qui durent de l'été à l'automne. Cette variété blanche deviendra buissonnante si l'on pince régulièrement les pointes de croissance. À protéger du gel.

*BEGONIA,* SÉRIE NON STOP
❀ ↕ ↔ 30 cm

Les doubles fleurs de ce bégonia tubéreux existent dans toute une gamme de couleurs, ce qui en fait d'excellents ornements au jardin durant tout l'été. Elles ont besoin de lumière ; évitez-leur le plein soleil.

*AGAPANTHUS* 'BLUE GIANT'
✳ ✳ ✳ ↕ 1,2 m ↔ 60 cm

Les capitules spectaculaires de cette vivace apparaissent dès le milieu de l'été au bout de longues tiges émergeant de touffes de feuilles en lanières. Elles sont jolies coupées. Paillez en hiver dans les régions froides.

*VERBENA × HYBRIDA* 'NOVALIS'
✳ ↕ jusqu'à 25 cm ↔ 30-50 cm

Cette verveine vivace buissonnante affiche de l'été à l'automne des fleurs roses, bleu intense et écarlates. Elle convient en pots dans un site ensoleillé et peut aussi être utile en lisière de parterre. À protéger l'hiver.

*DIMORPHOTHECA PLUVIALIS*
✳ ↕ jusqu'à 40 cm ↔ 15-30 cm

Une jolie annuelle à port érigé se parant en été de fleurs blanches qui se referment par mauvais temps ; elle a besoin de soleil. Ces fleurs ont un cœur brun-violet et sont d'un bleu-violet. Coupez les fleurs fanées régulièrement.

*FUCHSIA* 'PRESIDENT MARGARET SLATER'
✳ ↕ 30-45 cm ↔ 45-75 cm

Ce joli fuchsia fleurit tout l'été et l'automne. C'est un bon arbuste traînant pour un panier suspendu. Maintenez-le humide et évitez-lui le plein soleil. À protéger l'hiver.

*PLATYCODON GRANDIFLORUS*
✳ ✳ ✳ ↕ jusqu'à 60 cm ↔ 30 cm

Au cours de la moitié de l'été, les grappes de bourgeons globuleux de cette vivace s'ouvrent pour donner des fleurs en clochettes. Très jolies coupées, elles conviennent aussi en pots et en lisière d'un parterre.

*HELIOTROPIUM ARBORESCENS* 'MARINE'
✳ ↕ jusqu'à 45 cm ↔ 30-45 cm

Les héliotropes sont des arbustes à vie courte appréciés pour leurs capitules légèrement aplatis et parfumés qui apparaissent au printemps. Ce cultivar est assez compact. Excellent en pots ou en massif estival.

# JARDINS AQUATIQUES

## NUPHAR LUTEA
✳✳✳ ↔ 2 m

En été, cette plante aquatique arbore des fleurs globuleuses jaune vif au-dessus d'un tapis de feuilles flottantes, brillantes, à port étalé. L'odeur de ces fleurs n'est pas toujours agréable.

## NYMPHAEA 'JAMES BRYDON'
✳✳✳ ↔ 0,9-1,2 m

Les feuilles rondes, vert bronze de ce lotus mettent en valeur ses fleurs estivales rose vif. Cultivez-le en eaux paisibles au soleil et apportez un engrais aquatique pendant la croissance.

### AUTRES NÉNUPHARS

*NYMPHAEA 'BLUE BEAUTY'*
Fleurs estivales bleues, parfumées, en forme d'étoile ; feuilles à marges ondulées ; les pousses sont sensibles au gel

*N. 'CAROLINIANA NIVEA'*
Fleurs parfumées blanc ivoire en étoile à étamine jaune ; feuilles vert pâle ; très rustique

*N. 'FROEBELLI'*
Fleurs rouge bordeaux en coupe, puis en étoile, à étamine rouge orangé. Feuilles vert pâle. Très rustique

*N. 'GLADSTONEANA'*
Fleurs blanches estivales en étoile ; feuilles vert foncé rondes, à marges ondulées. Très rustique

*N. 'ODORATA SULPHUREA GRANDIFLORA'*
Très grandes fleurs en étoile d'un jaune vif intense légèrement au-dessus de l'eau ; feuilles vert foncé marbrées. Très rustique

*N. 'PYGMAEA HELVOLA'*
Fleurs jaune vif, légèrement parfumées ; feuilles très bigarrées, marquées de violet ; supporte tout sauf le gel intense

## RODGERSIA PINNATA 'SUPERBA'
✳✳✳ ↕ jusqu'à 1,2 m ↔ 75 cm

Cultivez cette vivace près de l'eau, au bord d'un bois ou dans un jardin aquatique. Ces feuilles sont luisantes, vert foncé, mais bronze violacé quand elles sont jeunes. Du milieu à la fin de l'été, elle s'orne de fleurs rose vif.

## BUTOMUS UMBELLATUS
✳✳✳ ↕ jusqu'à 1,5 m ↔ 45 cm

Vivace décorative aux fleurs parfumées et délicates à partir de la mi-été. Plantez-la en plein soleil dans une eau peu profonde ou dans un jardin aquatique. Ses feuilles deviennent bronze violacé en s'allongeant.

## SAGITTARIA LATIFOLIA
✳✳✳ ↕ 45-90 cm ↔ 90 cm

Excellente plante au bord d'une mare sauvage car ses tubercules attirent les oiseaux. Elle fleurit en été. Rabattre les pousses qui s'étendent en fin d'été.

## MIMULUS LUTEUS
✳✳✳ ↕ 30 cm ↔ jusqu'à 60 cm

Le mimule jaune est une vivace vigoureuse à port étalé qui s'essème volontiers. Elle convient à une bordure humide ou un jardin aquatique, mais on peut aussi la cultiver dans l'eau jusqu'à 7 cm de profondeur.

## GLYCERIA MAXIMA VAR. VARIEGATA
✳✳✳ ↕ 80 cm ↔ indéfinie

Cette robuste plante aquatique est appréciée pour son feuillage à bandes crème, vert et blanc. Elle s'étale facilement dans l'eau jusqu'à 15 cm de profondeur, tapissant joliment une grande mare.

# DE LA FIN DE L'ÉTÉ AU DÉBUT DE L'AUTOMNE (1)

## MURS AU SOLEIL

## MURS À L'OMBRE

*MAGNOLIA GRANDIFLORA* 'GOLIATH'
✳ ✳ ↕ 6-18 m ↔ jusqu'à 15 m

Un magnolia persistant somptueux aux grandes feuilles, légèrement tordues ; ses fleurs, dès la fin de l'été, font jusqu'à 30 cm de diamètre. Peut grimper en espalier contre un mur chaud ; il tolère un sol sec.

*CAMPSIS × TAGLIABUANA* 'MME GALEN'
✳ ✳ ↕ 10 m ou plus

Cette grimpante ligneuse est vigoureuse avec ses longues tiges de petites feuilles et ses fleurs en trompette orangé qui apparaissent de la fin de l'été à l'automne. Il peut prendre deux ou trois ans pour s'établir.

*LAPAGERIA ROSEA VAR. ALBIFLORA*
✳ ✳ ↕ 5 m

Appréciée pour les ravissantes fleurs allongées qu'elle exhibe de l'été à la fin de l'automne, cette grimpante volubile persistante se plaît contre un mur protégé. Paillez-la en hiver.

*CLEMATIS* 'PAUL FARGES'
✳ ✳ ✳ ↕ 7-9 m ↔ 3 m

Cette vigoureuse grimpante caduque exhibe une profusion de petites fleurs du milieu de l'été à l'automne. Elles apparaissent sur les pousses de l'année en cours. Élagage : groupe 3.

### AUTRES CLÉMATITES

C. 'ALBA LUXURIANS'
*Petites fleurs blanches à partir de la mi-été. Élagage : groupe 3*
C. 'BILL MACKENZIE'
*Fleurs jaunes en lanterne à profusion à partir de la mi-été. Élagage : groupe 3*
C. 'ETOILE VIOLETTE'
*Petites fleurs violet-pourpre pendantes jusqu'à la fin de l'automne. Élagage : groupe 3*
C. FLAMMULA
*Fleurs blanches en étoile jusqu'à l'automne. Élagage : groupe 3*
C. 'PERLE D'AZUR'
*Inflorescences bleu ciel à partir de la mi-été. Élagage : groupe 3*
C. 'POLISH SPIRIT'
*Fleurs bleu-violet profond à partir de la mi-été. Élagage : groupe 3*
C. REHDERIANA
*Fleurs jaunes parfumées jusqu'à la fin de l'automne. Élagage : groupe 3*
C. VITICELLA 'PURPUREA PLENA ELEGANS'
*Fleurs mauve-pourpre jusqu'à la fin de l'automne. Élagage : groupe 3*

*CELASTRUS ORBICULATUS*
✳ ✳ ✳ ↕ 14 m

Plantez cette grimpante caduque au pied d'un mur, d'une pergola ou d'un arbre. Mêlez mâles et femelles : les fleurs vertes estivales sont ainsi suivies de baies jaunes qui se fendent pour révéler des graines roses.

*BERBERIDOPSIS CORALLINA*
✳ ✳ ↕ 5 m

Cette grimpante ligneuse persistante s'épanouit de l'été au début de l'automne ; certaines fleurs pendent, d'autres forment des grappes. Laissez-la s'enrouler sur un support, à mi-ombre. Protégez-la l'hiver.

## BORDURES ET PARTERRES CHAUDS ET SECS

### ECHINOPS RITRO
✳ ✳ ✳ ↕ jusqu'à 60 cm ↔ 45 cm

L'échinope boule azurée est facile à cultiver et pousse dans presque n'importe quelle terre. À la fin de l'été, cette espèce vivace se pare de capitules ronds, bleu métallique ; elles sont belles tant coupées que séchées.

### PEROVSKIA 'BLUE SPIRE'
✳ ✳ ✳ ↕ 1,2 m ↔ 1 m

Les hautes tiges gris-blanc de cet arbuste portent une abondance de fleurs à la fin de l'été et au début de l'automne. Plantez-la dans une mixed-border. Rabattez sévèrement au printemps pour rendre la floraison compacte.

### CROSCOMIA 'BRESSINGHAM BLAZE'
✳ ✳ ↕ 75-90 cm ↔ 8 cm

Les épis de fleurs rouge orangé vif en forme d'entonnoirs de cette vivace apportent des touches de couleurs chaleureuses en lisière d'une mixed-border. Elle s'épanouit à la fin de l'été et fait de belles fleurs coupées.

### ZAUSCHNERIA CALIFORNICA 'DUBLIN'
✳ ✳ ✳ ↕ jusqu'à 25 cm ↔ jusqu'à 30 cm

Aussi connue sous le nom de fuchsia de Californie, cette vivace caduque arbore longtemps des fleurs rouge vif en forme d'entonnoir à partir de la fin de l'été. Excellente en touches de couleur en fin de saison.

### SEDUM SPECTABILE 'ICEBERG'
✳ ✳ ✳ ↕ ↔ jusqu'à 60 cm

Au début de l'automne, cette vivace à fleurs charnues arbore des panicules plates de fleurs blanches. Cultivez-la dans une mixed-border ou une rocaille ; elle attire des insectes bénéfiques et tolère la mi-ombre.

### TAMARIX RAMOSISSIMA 'PINK CASCADE'
✳ ✳ ✳ ↕ ↔ 5 m

Cet arbuste a des rameaux rouge-brun, arqués et se couvre de fleurs d'un rose intense sur ses nouvelles pousses en fin d'été et au début de l'automne. Recommandé pour un jardin exposé sur le littoral.

# DE LA FIN DE L'ÉTÉ AU DÉBUT DE L'AUTOMNE (2)

## MASSIFS CHAUDS ET SECS

## MASSIFS ET PARTERRES AU SOLEIL OU À MI-OMBRE

*GAILLARDIA PULCHELLA* 'RED PLUME'
✽✽✽ ↕↔ 30 cm
De l'été à l'automne, cette annuelle à port dressé
arbore des capitules doubles. Les gaillardes ont une
période de floraison prolongée ; elles sont aussi très
belles coupées. Éliminez les fleurs fanées.

*ECHINACEA PURPUREA*
✽✽✽ ↕ jusqu'à 1,5 m ↔ 45 cm
Aussi connue sous le nom de rudbeckie pourpre,
cette vivace présente dès le milieu de l'été des marguerites à fleuron conique volumineux. Elle est très
appréciée en mixed-borders et bordures d'herbacées.

*TRADESCANTIA* × *ANDERSONIANA*
'KARMINGLUT'
✽✽✽ ↕↔ 40-60 cm
De l'été à l'automne, les fleurs rouge carmin de cette
vivace apparaissent au milieu de touffes de feuilles.
Rabattez-la après la floraison pour un nouvel essor.

*GAURA LINDHEIMERI*
✽✽✽ ↕ jusqu'à 1,5 m ↔ 90 cm
Cette vivace gracieuse, buissonnante, formant des
touffes, porte des tiges minces et des fleurs en étoile
qui s'ouvrent à la fin du printemps jusqu'au début
de l'automne. Elle ne convient pas aux sols très secs.

*RUDBECKIA HIRTA* 'BECKY MIXED'
✽✽✽ ↕ jusqu'à 25 cm ↔ 30-45 cm
Cette rudbeckie naine est généralement cultivée en
annuelle dans des bordures ou des massifs estivaux.
Ses fleurs abondantes en été et au début de l'automne font de beaux bouquets.

*CARYOPTERIS* × *CLANDONENSIS*
'WORCESTER GOLD'
✽✽✽ ↕ 1 m ↔ 1,5 m
Cet arbuste caduc s'orne de fleurs d'un jaune chaud
et de fleurs aromatiques bleu lavande en fin d'été et en
début d'automne. Prospérera contre un mur au soleil.

*GALTONIA VIRIDIFLORA*
✽✽ ↕ jusqu'à 1 m ↔ 10 cm
Cette vivace bulbeuse à larges feuilles très longues
et lancéolées exhibe des grappes de fleurs compactes
vers la fin de l'été. Heureuse dans une bordure ensoleillée, il faudra la protéger des gels intenses.

*CERATOSTIGMA WILLMOTTIANUM*
✽✽✽ ↕ 1 m ↔ 1,5 m
Cet arbuste caduc à port étalé est apprécié pour ses
jolies fleurs bleues et la couleur de ses feuilles en
automne. À placer de préférence dans un endroit abrité
et ensoleillé ; bon couvre-sol pour une mixed-border.

*LEYCESTERIA FORMOSA*
❊❊❊ ↕↔ 2 m

Le chèvrefeuille de l'Himalaya est un arbuste buissonnant. Ses fleurs pourpre et blanc apparaissent en été et
au début de l'automne, suivies de baies rouge pourpre.
Élaguez-le copieusement au printemps.

*ASTER AMELLUS* 'VEILCHENKÖNIGIN'
❊❊❊ ↕ 30-60 cm ↔ 45 cm

On trouve des asters dans la plupart des jardins. Ce
cultivar violet-pourpre (aussi appelé 'Violet Queen')
préfère un site dégagé, ensoleillé et bien drainé. En fin
d'automne, après la floraison, rabattez-le et paillez.

## AUTRES ASTERS

A. x FRIKARTII 'MÖNCH'
*Tolère la pollution atmosphérique ; s'orne de capitules bleu
lavande à cœur jaune orangé durant une longue période dès la
fin de l'été*

A. LATERIFLORUS 'HORIZONTALIS'
*Branches très étalées ; capitules blancs teintés de rose à cœur
rose foncé, de la mi-été à la mi-automne*

A. 'LITTLE CARLOW'
*Grosses grappes de capitules bleu-violet à cœur jaune, au
début de l'automne ; excellentes en fleurs coupées et séchées*

A. NOVAE-ANGLIAE 'ANDENKEN AN ALMA PÖTSCHKE'
*Port vigoureux à tiges robustes ; gerbes de capitules rose
saumon vif à cœur jaune à la fin de l'été*

A. NOVI-BELGII 'CARNIVAL'
*Capitules rose intense à cœur jaune en fin d'été*

A. NOVI-BELGII 'LITTLE PINK BEAUTY'
*Capitules semi-doubles, rose pâle, en fin d'été*

A. NOVI-BELGII 'MARIE BALLARD'
*Capitules bleu pâle, doubles, en fin d'été*

*HELIANTHUS DECAPETALUS*
'TRIOMPHE DE GAND'
❊❊❊ ↕ jusqu'à 2 m ↔ 1,2 m

Ce cultivar vivace du tournesol classique exhibe
de grands capitules. Il lui faut beaucoup de soleil ; les
tiges ont besoin de support pour ne pas se casser.

*HEBE* 'PURPLE QUEEN'
❊ ↕↔ 1,5 m

La véronique arbustive est un arbuste persistant très
adaptable. Ce cultivar arbore en fin d'été des grandes
fleurs au milieu de feuilles vert foncé. Convient en
pots. Dans les climats froids, il faut la protéger du gel.

*ANEMONE* × *HYBRIDA* 'SEPTEMBER CHARM'
❊❊❊ ↕ 60-90 cm ↔ 40 cm

Au milieu et en fin d'été, cette vivace au port érigé
porte des tiges fleuries et ramifiées. Cultivez-la dans
une terre humide et fertile en paillant au printemps et
en fin d'automne dans les régions froides.

# DE LA FIN DE L'ÉTÉ AU DÉBUT DE L'AUTOMNE (3)

## AUTRES MASSIFS ET PARTERRES AU SOLEIL OU À MI-OMBRE

### NERINE BOWDENII 'MARK FENWICK'
✸✸✸ ↕ 45 cm ↔ 8 cm

Cette vivace bulbeuse arbore à l'automne des grappes lâches de fleurs roses dressées sur des tiges vert foncé. Plantez les bulbes au début du printemps dans une terre bien drainée, au soleil. Arrosez copieusement.

### PHYSALIS ALKEKENGI
✸✸✸ ↕ 60-75 cm ↔ 90 cm

La lanterne japonaise est une vivace vigoureuse, à port étalé exhibant des fleurs en clochette à la mi-été. Appréciée pour ses calices rouges fins en forme de lanternes entourant les baies.

### HELENIUM 'BUTTERPAT'
✸✸✸ ↕ 90 cm ↔ 60 cm

Note de couleur dans une bordure fleurie, cette vivace à port érigé exhibe dès la mi-été des capitules d'un jaune intense au cœur brun-jaune. Elles attirent les abeilles et conviennent en fleurs coupées. .

### SOLIDAGO 'GOLDENMOSA'
✸✸✸ ↕ jusqu'à 75 cm ↔ 45 cm

Appelée aussi verge d'or à cause des hauts capitules jaune vif dont elle se pare de la fin de l'été à l'automne, cette vivace buissonnante convient aux jardins naturels parce que ses fleurs attirent abeilles et papillons.

### ACONITUM CARMICHAELII 'ARENDSII'
✸✸✸ ↕ jusqu'à 1,2 m ↔ 30 cm

Le coqueluchon est une bonne vivace à port érigé arborant en automne des fleurs bleu intense, ravissantes en bouquets. Idéal en jardin boisé ou en mixed-border. Requiert peut-être des supports.

### ANGELICA GIGAS
✸✸✸ ↕ 1-2 m ↔ 1, 2 m

Cette vivace éphémère est appréciée pour ses fleurs spectaculaires dréssées sur de longues tiges de la fin de l'été au début de l'automne. À planter à l'ombre ou à mi-ombre. À distinguer de l'angélique comestible.

### PHYSOSTEGIA VIRGINIANA 'VIVID'
✸✸✸ ↕ 30-60 cm ↔ 30 cm

Cette plante docile affiche des épis floraux insolites qui, tordus ou pliés, conservent cette position. Ce cultivar est une vivace formant des touffes fleurissant dès le milieu de l'été. Jolies en fleurs coupées.

### HIBISCUS SYRIACUS 'DIANA'
✸✸✸ ↕ 3 m ↔ 2 m

Ce remarquable arbuste caduc exhibe des fleurs particulièrement grandes, jusqu'à 12 cm de diamètre, de la fin de l'été à la mi-automne. Il lui faut un été chaud pour bien s'épanouir.

## PARTERRES À L'OMBRE | PLANTES EN POTS

### LIRIOPE MUSCARI
✿✿✿ ↕ 30 cm ↔ 45 cm

Vivace persistante à longues feuilles pointues. En automne, elle se pare de fleurs pourpre vif, suivies de baies noires. C'est un bon couvre-sol ; elle tolère les sites secs.

### FUCHSIA MAGELLANICA
✿✿ ↕ jusqu'à 3 m ↔ 2-3 m

Ce fuchsia arbustif à port érigé donne tout l'été des fleurs rouges et pourpres à long tube rouge. Il admet toutes sortes de sites, mais préfère la mi-ombre. La terre ne doit pas être trop sèche.

### GENTIANA ASCLEPIADEA
✿✿✿ ↕ 60-90 cm ↔ 45 cm

La gentiane à feuilles d'asclepiade fait bel effet avec des fougères et des herbes amatrices d'ombre. C'est une vivace formant des touffes ; elle arbore des fleurs bleues en trompette la deuxième moitié de l'été.

### CEANOTHUS × PALLIDUS 'PERLE ROSE'
✿✿✿ ↕↔ 1,5 m

Variété rose de l'arbuste traditionnellement bleu. Caduc et buissonnant, il fleurit de la mi-été jusqu'à l'automne. Plantez-le dans un parterre d'arbustes ou contre un mur ensoleillé. Élaguez-le chaque année.

### HYDRANGEA PANICULATA 'UNIQUE'
✿✿✿ ↕ 3-7 m ↔ 2,5 m

Cet arbuste vigoureux affiche à la fin de l'été et au début de l'automne de gros cônes de fleurs blanches, très beaux séchés. C'est une espèce volumineuse à cultiver en isolé ou dans une grande bordure.

### PELARGONIUMS À FEUILLES PARFUMÉES

P. 'AROMA'
Petites feuilles gris-vert, au parfum suave ; fleurs blanches

P. 'ATOMIC SNOWFLAKE'
Grandes feuilles jaunes panachées à l'odeur citronnée

P. 'ATTAR OF ROSES'
Feuilles au parfum de rose ; grappes de fleurs mauves en été

P. 'CLORINDA'
Feuilles lobées au parfum de cèdre ; grappes de fleurs roses

P. CRISPUM 'VARIEGATUM'
Feuilles marginées de crème, à l'arôme citronné ; fleurs mauve pâle en été

P. 'FAIR ELLEN'
Feuilles profondément lobées, très épicées ; fleurs rose pourpre

P. 'FILICIFOLUM'
Feuilles comme la fougère au parfum de myrrhe ; fleurs mauve pâle

P. 'FRAGRANS'
Feuillage gris-vert à l'odeur de pin ; fleurs blanches en été

P. 'LADY PLYMOUTH'
Feuilles bordées d'argent au parfum d'eucalyptus ; fleurs rose lavande en été

P. 'MABEL GREY'
Feuilles au parfum très citronné ; fleurs pourpres en été

P. 'OLD SPICE'
Feuilles à l'odeur épicée ; fleurs blanches tout l'été

P. 'PRINCE OF ORANGE'
Petites feuilles au parfum d'orange ; grappes de fleurs mauves

P. 'ROYAL OAK'
Feuilles au parfum épicé semblables aux feuilles de chêne ; grappes de fleurs mauves l'été

P. TOMENTOSUM
Feuilles à l'odeur de menthe ; fleurs blanches et tiges traînantes

### PELARGONIUM 'GRAVEOLENS'
❀ ↕ 45-60 cm ↔ 20-40 cm

Les feuilles de cette vivace vigoureuse dégagent un puissant arôme citronné ; elle se pare de fleurs mauve pâle en été. Convient en lisière de bordure.

# EN AUTOMNE ET EN HIVER (1)

| MURS | MASSIFS ET PARTERRES |
|---|---|

*COTONEASTER HORIZONTALIS*

✳✳✳ ↕ 1 m ↔ 1,5 m

Arbuste au port rigide qui pousse à plat contre un mur ensoleillé. Les abeilles apprécient ses petites fleurs printanières ; en automne, les oiseaux dévorent ses baies. Les feuilles virent au rouge avant de tomber.

*VIBURNUM OPULUS* 'XANTHOCARPUM'

✳✳✳ ↕ 5 m ↔ 4 m

Cette viorne orbier à baies jaunes est un arbuste caduc qui exhibe en été de superbes corymbes blancs. Ses feuilles virent au rouge avant de tomber. Elle exige de la place.

*GAULTHERIA PROCUMBENS*

✳✳✳ ↕ 15 cm ↔ jusqu'à 1 m ou plus

Arbuste persistant rampant, idéal en couvre-sol, à feuilles cireuses virant peu à peu au rouge à mesure que le froid s'intensifie. Ses fleurs blanc rosé estivales sont suivies de baies. Ne convient pas en sol alcalin.

*CLEMATIS TANGUTICA*

✳✳✳ ↕ 5-6 m ↔ 2-3 m

Une grimpante volubile à fleurs jaunes en clochette, du milieu de l'été à l'automne. Ses akènes persistent tout l'hiver au milieu de tiges grises spectrales. Demande à être soutenue. Élagage : groupe 3.

*RUBUS COCKBURNIANUS*

✳✳✳ ↕ ↔ 2,5 m

Cette ronce ornementale est caduque ; elle porte des rameaux rouges teintés de blanc. En été, elle a des fleurs violet foncé, suivies de baies non comestibles. Rabattez-la au printemps pour maximiser ses couleurs hivernales.

*PARTHENOCISSUS QUINQUEFOLIA*

✳✳✳ ↕ jusqu'à 15 m, voire plus

Cette vigne vierge est ravissante sur un grand mur sans intérêt où elle grimpera sans support. Ses feuilles se parent de rouge vif en automne. Ne la laissez pas envahir vos gouttières.

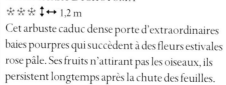

*CALLICARPA DICHOTOMA*

✳✳✳ ↕ ↔ 1,2 m

Cet arbuste caduc dense porte d'extraordinaires baies pourpres qui succèdent à des fleurs estivales rose pâle. Ses fruits n'attirant pas les oiseaux, ils persistent longtemps après la chute des feuilles.

*COLCHICUM* 'WATERLILY'

✳✳✳ ↕ 12 cm ↔ 10 cm

Ce crocus d'automne est du plus bel effet si ses cormes bulbeuses sont plantées en bancs sous des arbres caducs. Ses curieuses fleurs doubles, plumeuses sont rose-lilas. Convient aussi en pots.

*IRIS UNGUICULARIS* 'MARY BARNARD'
✽ ✽ ✽ ↕ 30 cm

Vivace persistante à port très bas se dotant au cœur de l'hiver de fleurs odorantes presque sans tiges. Elle forme vite des touffes dans un site abrité et ensoleillé. Évitez les endroits infestés par les limaces.

*CHRYSANTHEMUM* 'SALMON FAIRIE'
✽ ✽ ✽ ↕ 30-60 cm ↔ jusqu'à 60 cm

Un superbe chrysanthème, apprécié des fleuristes, à capitules rose saumon en pompons, de 4 cm de diamètre, en fin d'automne. Apportez un engrais liquide équilibré chaque semaine.

## AUTRES CHRYSANTHÈMES

C. 'BRONZE FAIRY'
*Cultivar court, jusqu'à 60 cm de haut ; en automne, capitules en pompons dans des tons riches de saison*

C. 'GEORGE GRIFFITHS'
*Capitules rouge intense à pétales retroussés, en automne*

C. 'MADELEINE'
*Gerbes de capitules roses à pétales retroussés, en automne*

C. 'PENNINE ALFIE'
*Gerbes de capitules bronze clair en automne ; tous les chrysanthèmes 'Pennine' sont magnifiques au jardin*

C. 'SALMON MARGARET'
*Gerbes de capitules rose-pêche à pétales retroussés, en automne*

C. 'YVONNE ARNAULT'
*Capitules rouge pourpre jusqu'à 14 cm de diamètre à pétales retroussés, en automne*

*FOTHERGILLA GARDENII*
✽ ✽ ✽ ↕ ↔ 1 m

Un arbuste buissonnant, dense, arborant des épis de fleurs parfumées, blanc pur au début du printemps. Il n'apprécie pas les sols alcalins. Remarquable pour ses vibrantes nuances automnales.

*RUSCUS ACULEATUS*
✽ ✽ ↕ 75 cm ↔ 1 m

Plantés en groupes, les fragons composent un couvre-sol persistant, épineux, buissonnant qui prospère à l'ombre et au sec. Des baies rouge vif ornent les plants femelles de l'automne à l'hiver.

*CORNUS* 'EDDIE'S WHITE WONDER'
✽ ✽ ✽ ↕ 6 m ↔ 5 m

Ravissant presque toute l'année, ce petit arbre caduc à port étalé affiche à l'automne un feuillage orange, rouge et pourpre ; au printemps, il porte des fleurs sans intérêt auréolées de bractées crème. Nécessite le soleil.

# EN AUTOMNE ET EN HIVER (2)

## AUTRES MASSIFS ET PARTERRES

*BERGENIA* 'BALLAWLEY'
✳✳✳ ↕ 60 cm ↔ 45-60 cm

Vivace appréciée pour ses teintes de fin de saison
en couvre-sol quand ses feuilles virent au bronze-
pourpre. Des fleurs cramoisies apparaissent en milieu
et fin de printemps. Un site abrité est préférable.

*SYMPHORICARPOS × DOORENBOSII*
'WHITE HEDGE'
✳✳✳ ↕ 1,5 m ↔ indéfinie

Cette symphorine est un arbuste caduc qui convient
dans la plupart des régions. Pour un jardin de ville car
elle tolère la pollution. Convient aussi en haie libre.

*CROCUS SPECIOSUS* 'OXONIAN'
✳✳✳ ↕ 10-15 cm ↔ 5 cm

Plantez-le en bancs en fin d'été pour une magnifique
floraison automnale ; ses fleurs sont mauve-violet
à base violet foncé. Il préfère les sols ensoleillés, bien
drainés et pas trop riches.

*MAHONIA × MEDIA* 'BUCKLAND'
✳✳✳ ↕ jusqu'à 5 m ↔ jusqu'à 4 m

Cet arbuste persistant est apprécié pour son feuillage
épineux et ses fleurs parfumées, jaune vif, portées
par des tiges arquées de la fin de l'automne à la fin de
l'hiver. Facile à cultiver ; forme une barrière efficace.

## AUTRES ROSES POUR LEURS BAIES

R. 'FRU DAGMAR HASTRUP'
*Petit arbuste ; grandes fleurs simples, roses, estivales ; énormes
baies rouge tomate en automne*

R. MOYESII
*Grand rosier à port arqué ; fleurs roses ou écarlates en été ;
grosses baies en forme de bonbonne à l'automne*

R. PIMPINELLIFLORA
*Arbuste épineux à port étalé ; fleurs blanches au début de l'été ;
baies rondes noir-pourpre en automne*

R. PRIMULA
*Grand rosier ; fleurs printanières rose pâle ; baies brun bordeaux*

R. ROXBURGHII
*Arbuste à port raide ; curieuses baies épineuses en automne*

R. 'SCHARLACHGLUT'
*Peut pousser en espalier ; baies automnales écarlates*

R. 'SCHNEEZWERG'
*Buisson dense ; fleurs blanches, plates, parfumées de l'été à l'au-
tomne, suivies de baies rouge orangé en forme de tomates*

*ROSA RUGOSA*
✳✳✳ ↕ ↔ 1-2,5 m

Ce rosier japonais a des tiges très épineuses ; il est parfait
en haie protectrice. On l'apprécie pour ses baies rouge
vif, charnues, en automne et en hiver. Ses fleurs rouge
pourpre et son feuillage inhabituel prolongent sa saison.

## SOL ACIDE

*EUONYMUS OXYPHYLLUS*
❄❄❄ ↕ 2,5 m ou plus ↔ 2,5 m
Ses resplendissantes feuilles automnales distinguent ce fusain caduc du persistant bien connu. Recommandé en bordure d'arbustes ou en isolé.

### AUTRES FUSAINS

E. ALATUS
*Feuilles vert foncé virant au rouge vif en automne ; baies sphériques, rouge pourpre, à l'automne ; arbuste caduc*

E. BUNGEANUS
*Feuillage vert pâle virant au jaune et au rose à l'automne ; baies hivernales blanc jaune ; arbuste caduc gracieux*

E. EUROPAEUS 'RED CASCADE'
*Feuillage virant au rouge à l'automne ; baies rouges à l'automne et en hiver ; arbuste caduc conique*

E. FORTUNEI 'EMERALD 'N GOLD'
*Feuilles vert vif à larges marges jaune vif teintées de rose en hiver ; arbuste compact et persistant*

E. FORTUNEI 'SILVER QUEEN'
*Feuilles vert foncé à marge blanche se teintant de rose à l'automne ; arbuste persistant buissonnant à port érigé*

E. VERRUCOSUS
*Feuillage tournant au rouge et jaune en automne ; baies rouges profondément lobées, teintées de jaune dès l'automne ; arbuste caduc à port rond*

*DISANTHUS CERCIDIFOLIUS*
❄❄❄ ↕↔ 3 m
Cet arbuste caduc à port rond est apprécié pour ses belles couleurs automnales, ses feuilles se parant simultanément de jaune , d'orange, de rouge et de pourpre. Plantez-le en isolé pour maximiser l'effet.

*VACCINIUM ANGUSTIFOLIUM* VAR. *LAEVIFOLIUM*
❄❄❄ ↕↔ 10-60 cm
Ce mûrier buissonnant est un arbuste caduc à port étalé qui se couvre de fleurs blanches au printemps. Il est apprécié pour ses baies bleu-noir comestibles. Belles couleurs automnales.

*CALLUNA VULGARIS* 'ANNEMARIE'
❄❄❄ ↕ 50 cm ↔ 60 cm
De la mi-été à la fin de l'automne, cette bruyère forme de longs épis floraux, très élégants coupés. Toutes les bruyères font de bons couvre-sol ; rabattez au printemps pour une belle floraison l'année suivante.

# PARTIE IV

# ENTRETENIR SON JARDIN AU FIL DES SAISONS

# COMMENT UTILISER CETTE PARTIE

Tous les jardins, même ceux qui demandent peu d'entretien, nécessitent certains soins tout au long de l'année afin que les plantes soient saines et que la végétation s'épanouisse. Quand vous pensez aux tâches qui vous attendent, souvenez-vous que, plutôt que des corvées, ce sont autant d'occasions de profiter de votre jardin.

Travailler parmi vos plantes vous permettra d'être proche d'elles, d'apprécier les textures du feuillage, l'épanouissement d'une toute petite fleur, les pépiements des oiseaux dans les haies ou un doux parfum flottant dans l'air. Que vous désherbiez un parterre ou plantiez un arbre, prenez le temps de regarder autour de vous les fruits de votre labeur ainsi que les changements qui s'opèrent dans le jardin d'une saison à l'autre.

### QUE FAUT-IL FAIRE À QUEL MOMENT ?

Pour vous permettre de déterminer sans peine ce qu'il convient d'entreprendre au jardin à chaque période de l'année, cette partie se compose de listes résumant les chapitres antérieurs. Des projets individuels vous sont suggérés ci-contre. Les inventaires saison par saison sont de brefs rappels des travaux que vous devrez accomplir au fil de l'année. Servez-vous de l'index des saisons (*voir à droite*) pour trouver une saison et la liste des activités appropriées.

---

### TAILLER LES GRIMPANTES

▨ Si une grimpante dépasse l'espace qui lui est imparti sur la maison ou un mur, c'est au printemps qu'il faut l'élaguer.

▨ Rabattez les rameaux trop longs avec un sécateur en coupant juste au-dessus d'un bourgeon pointant vers le haut ou le bas.

▨ Coupez des longueurs irrégulières en fonction de la charpente désirée pour une apparence naturelle.

**RABATTAGE DU LIERRE**

---

### UTILISER LES INVENTAIRES SAISONNIERS

La plupart des saisons sont divisées en tranches d'un mois, par exemple "Début du printemps", "Cœur du printemps" et "Fin du printemps", le calendrier du jardinier dépendant non pas de la période de l'année, mais des conditions de croissance. Il existe toutefois une catégorie baptisée "À tout moment" pour les tâches qui ne sont pas saisonnières, tel le nettoyage des outils.

▨ Au sein de chaque saison, les activités sont subdivisées en colonnes correspondant à différentes parties du jardin, par exemple "Herbes" ou "Parterres et massifs" afin de vous rappeler les parties du jardin susceptibles de requérir votre attention.

▨ Durant les saisons les plus tranquilles, l'hiver surtout, vous ne trouverez aucun inventaire pour certaines parties du jardin s'il n'y a pas grand-chose à y faire pendant cette période.

▨ Les tâches sont allouées à la saison, ou à la partie de saison, où il est préférable de les accomplir. Certaines peuvent être effectuées à différentes périodes ; elles sont indiquées en conséquence.

▨ Pour vous aider à privilégier les tâches essentielles, elles sont mentionnées en priorité et en gras en haut de chaque colonne. Vous y trouverez les activités qui risquent de poser des problèmes plus tard si elles n'ont pas été effectuées au moment recommandé, arroser une nouvelle pelouse par exemple, ainsi que d'autres qui ne peuvent se faire à une autre période, le bouturage par exemple.

▨ Sachez toutefois que ces listes ont un caractère indicatif ; ce ne sont pas des règles incontournables. Si vous vivez dans un climat chaud, s'il fait particulièrement doux, vous pourrez entamer certaines tâches plus tôt et les finir plus tard. Par temps froid, vous serez peut-être contraint de les retarder. Tout jardin est unique : son site (exposé ou abrité) et le type de terre (humide, sèche, lourde ou légère) affectent la croissance des espèces ainsi que le calendrier de vos activités.

### INFORMATIONS COMPLÉMENTAIRES

▨ Les renvois se rapportent à des données plus détaillées sur la tâche à accomplir figurant dans les chapitres correspondant du livre.

▨ Les listes comportent aussi des "astuces" en encadrés comportant des informations (*voir à gauche*), des idées ou encore des listes de plantes.

---

# DES PROJETS À TOUT MOMENT DE L'ANNÉE

En plus des activités liées aux saisons ou aux plantes (*voir pages suivantes*), il y a d'autres travaux, généralement exceptionnels, qui concernent le jardin dans son ensemble (*voir ci-dessous*) et que l'on peut effectuer à tout moment, quand la terre n'est ni gelée ni détrempée. Certains sont nécessaires pour organiser l'espace et le rendre plus fonctionnel : daller les allées, par exemple, ou bâtir une remise. La plupart peuvent être entrepris quand cela vous chante pour le simple plaisir de mieux profiter du jardin. Avant de vous engager dans un projet quelconque, passez un peu de temps à planifier les opérations. Comment la nouvelle structure s'intégrera-t-elle dans l'espace végétal ? Avez-vous tous les outils et matériaux à disposition ? Combien de temps cela prendra-t-il ? Aurez-vous besoin d'aide ? Certaines plantes doivent-elles être préparées à l'avance ?

## ALLÉES ET DALLAGE

▪ **Installez une terrasse** (*voir pp. 56-59*) pour établir un lien entre la maison et le jardin et disposer d'un espace de vie en plein air.

▪ **Créez une allée**, un passage ou une surface en dur, en béton ou en gravier (*voir pp. 60-63*). Pour adoucir les lignes, insérez (*voir p. 63 et 72*) des zones d'herbes basses, robustes ou des plantes alpines.

▪ **Installez une plate-forme** en bois pour en faire une terrasse, un salon de plein air ou un passage (*voir pp. 64-65*). Conservez-la dans sa teinte naturelle pour laisser le bois se patiner ou peignez-la de couleur vive.

▪ **Construisez une allée** en la garnissant d'un dallage de briques, de pierres irrégulières, ou encore de matériaux meubles, tels des copeaux d'écorce (*voir pp. 66-67*).

▪ **Installez quelques marches** pour créer un point de mire ou relier différents niveaux du jardin (*voir pp. 68-69*).

▪ **Étendez les possibilités du jardin** en installant un éclairage (*voir pp. 70-71*) pour en profiter la nuit ou mettre en valeur vos plantes.

▪ **Égayez la terrasse** en y introduisant des plantes en pots, une fontaine, un barbecue ou du mobilier de jardin (*voir pp. 72-73*).

MODÈLES DE DALLES

## LIMITES ET SÉPARATIONS

▪ **Dressez une barrière** en mélèze par exemple (*voir p. 94*) ou en pieux (*voir p. 95*) pour clore ou subdiviser le jardin. Peignez-la avec un produit conservateur dans des tons naturels ou des couleurs vives.

▪ **Disposez un treillis** pour soutenir des plantes (*voir p. 95*), vous permettre de garnir murs et bâtiments ou bien comme séparation entre différentes parties du jardin.

▪ **Créez un portique** pour attirer le regard le long d'une allée. Achetez-le en kit (*voir p. 99*) ou construisez-le vous-même.

▪ **Construisez une pergola** où faire grimper des plantes pour un refuge aussi charmant qu'ombragé. Procurez-vous un kit (*voir p. 101*), bâtissez-en une simple en bois brut ou en poteaux rustiques ou faites appel à un professionnel.

## PARTERRES ET MASSIFS

▪ **Créez un massif de gravier**, site idéal pour les espèces alpines et tolérant la sécheresse, qui ajoutera une note attrayante au cadre de votre jardin (*voir p. 132*). Vous pouvez aussi y planter des herbes (*voir p. 229*).

▪ **Installez un nouveau parterre** pour agrandir l'espace planté (*voir p. 145*).

## POTS ET MASSIFS SURÉLEVÉS

▪ **Égayez vos fenêtres** – posez des supports contre le mur pour ajouter une note de couleur ou une touche de verdure grâce à une jardinière (*voir p. 166*).

▪ **Confectionnez une jardinière** ou un bac en bois – un bon moyen d'avoir des conteneurs originaux sans dépenser trop (*voir p. 171*).

▪ **Construisez un massif surélevé** en briques ou avec des traverses (*voir p. 181*). Vous pouvez les remplir de plantes nécessitant des conditions spéciales, des azalées et des bruyères s'épanouissant en une terre acide par exemple, ou bien des espèces petites qu'on apprécie mieux de près, des variétés alpines par exemple.

▪ **Personnalisez vos conteneurs** en les décorant (*voir pp. 169-170*), ou en vieillissant des bacs en terre cuite pour leur donner un aspect patiné (*voir p. 171*).

## LE JARDIN AQUATIQUE

▪ **Construisez une mare** en utilisant un bassin préformé (*voir p. 201 et p 206*) ou une bâche souple (*voir p. 201-203*). Ce sera un beau point de mire dans le jardin ; elle attirera les oiseaux et augmentera le nombre de plantes que vous pourrez cultiver. Si elle est assez grande, vous pourrez y mettre quelques poissons rouges.

▪ **Introduisez le bruit de l'eau** qui coule en installant une fontaine – dans une mare ou une pièce d'eau (*voir pp. 208-209*), sur un mur ou au niveau du sol (*voir pp. 212-213*). Pour une composition originale, recyclez un vieux lavabo ou un arrosoir, par exemple.

UNE PIÈCE D'EAU
DANS
UN TONNEAU

▪ **Créez un marécage** (*voir pp. 204-205*) pour réaliser un nouveau site de plantation ou pour agrandir un plan d'eau existant.

▪ **Adaptez des conteneurs**, tels qu'un tonneau en bois ou des pots en terre pour en faire des plans d'eau miniatures (*voir p. 207*).

## LES HERBES

▪ **Faites d'un jardin d'herbes aromatiques** un élément décoratif (*voir p. 224*) ou plus simplement une annexe de la cuisine (*voir p. 226*).

## LE POTAGER ET LE VERGER

▪ **Prévoyez un potager**, un espace pour les fruitiers, en tenant compte des périodes de semis, des rendements, des besoins de la terre (*voir pp. 234-237*) pour une récolte toute l'année. Ensuite, délimitez et préparez votre carré de légumes au moins un mois avant de semer ou de planter.

## LE PETIT BÂTI

▪ **Construisez une remise à outils** (*voir p. 276*), un abri de jardin (*voir pp. 276-277*) ou une serre (*voir p. 286*). Si vous souhaitez cultiver des plantes fragiles dans un climat froid ou faire vos semis vous-même, une serre vous sera très précieuse.

▪ **Fabriquez un silo à compost** (*voir p. 283*), rassemblez un tas de feuilles à décomposer ou élevez vos propres vers pour recycler les déchets du jardin en compost, ce qui enrichira votre terre à peu de frais.

# AU DÉBUT DU PRINTEMPS

## PELOUSES

### TÂCHES ESSENTIELLES

■ **Contrôlez les mousses dans la pelouse** si nécessaire *(voir p. 87)*.

■ **Coupez l'herbe de prairie** avant que les plantes fleurissantes aient trop grandi *(voir p. 89)*.

■ **Semez en pots des graines d'herbes** et espèces similaires pour créer une pelouse non-gazonnante *(voir p. 88 et p. 162)*.

### SEMER ET PLANTER

■ **Disposez des mottes de gazon pour une nouvelle pelouse** *(voir p. 77 et pp. 80-81)* dès que le temps le permet pour que l'herbe ait le temps de s'établir avant l'été. Arrosez régulièrement.

■ **Préparez la terre et le site** *(voir p. 78)* pour les semis printaniers de graines d'herbes.

■ Dans les climats chauds, **plantez stolons ou touffes** pour une nouvelle pelouse *(voir p. 81)*. Arrosez régulièrement.

■ **Plantez des éclats d'herbes racinés** *(voir p. 231)* afin de créer une pelouse non-gazonnante *(voir p. 88)*.

### SOINS RÉGULIERS

■ **Commencez à tondre les pelouses** dès que le temps le permet, selon les intervalles appropriés au type d'herbe *(voir p. 82)* en plaçant la lame de la tondeuse en position haute.

■ **Nettoyez les bordures de la pelouse** en les recoupant *(voir p. 83)*.

■ **Taillez les pelouses non-gazonnantes** en éliminant les pousses mortes ou grêles *(voir p. 88)*.

## LIMITES ET SÉPARATIONS

### TÂCHES ESSENTIELLES

■ **Plantez les rosiers grimpants** ou lianes à racines nues contre les murs, barrières ou arbres *(voir p. 110)* avant qu'ils commencent à grandir.

■ **Élaguer les clématites des groupes 2 et 3** *(p. 114)*.

### PLANTER

■ **Plantez les arbustes** en espalier contre les murs, barrières ou arbres *(voir p. 110)*. Orientez les rameaux selon la forme voulue *(voir p. 113)*.

■ **Plantez les clématites** contre les murs, les barrières ou les arbres ; attachez les tiges selon la forme voulue *(voir p. 111)*.

■ **Plantez les haies** *(voir p. 120)*.

### SOINS RÉGULIERS

■ **Apportez de l'engrais aux grimpantes** et arbustes en espalier et paillez-les. Employez un fertilisant universel et suivez les instructions. Les roses grimpantes et lianes apprécient l'engrais et prospèrent si on leur fournit un produit spécial rosiers.

■ **Donnez de l'engrais et paillez** les haies pour les préparer à un élagage régénérateur à la mi-printemps *(voir p. 121)*.

### ÉLAGAGE ET ORIENTATION

■ **Élaguez les grimpantes et arbustes** en espalier fleurissant sur les rameaux de l'année en cours *(voir pp. 112-113)*. Notamment bignones *(Campsis)*, *Lapageria*, *Solanum crispum* et le jasmin de Madagascar, parmi les grimpantes ; les érables, forsythias, lavatères, perovskias et *Spiraea japonica*, chez les arbustes.

■ **Rajeunissez les grimpantes persistantes** si nécessaire avant qu'elles commencent à grandir *(voir p. 115)*.

■ **Élaguez les haies** si elles incluent des plantes telles que *Fuschia magellanica* et *Lonicera nitida* *(voir tableau, p. 117 et p. 121)*.

### TAILLER LES GRIMPANTES

■ **Les grimpantes qui ornent les murs** de la maison risquent de causer des dommages si on les laisse envahir les gouttières, les encadrements de fenêtre, ou se glisser sous les tuiles ou les ardoises du toit.

■ **Si une grimpante dépasse** l'espace qui lui est alloué sur la maison ou n'importe quel mur, c'est au printemps qu'il faut la tailler.

■ **Rabattez les rameaux trop longs** avec un sécateur en coupant juste au-dessus d'un bourgeon pointant vers le haut ou le bas.

RABATTRE LE LIERRE

■ **Taillez les rameaux à des longueurs irrégulières** selon la forme souhaitée pour un aspect plus naturel.

## PARTERRES ET MASSIFS

### TÂCHES ESSENTIELLES

▪ **Divisez les pivoines** avant qu'elles commencent à grandir. Utilisez un couteau pour couper les racines tendres et charnues en sections comportant chacune 2 à 3 bourgeons en prenant soin de ne pas les abîmer. Pralinez les coupes avec un fongicide et replantez les fragments afin que les bourgeons soient juste au-dessus de la surface du sol (*voir aussi p. 135*).

▪ **Rabattez les herbes fragiles** et les bambous au sol avant qu'ils repoussent, mais après que le risque de gel soit passé.

▪ **Arrosez régulièrement les jeunes plants**, s'il fait sec (*voir p. 152*).

▪ **Élaguez les arbustes caducs** établis qui fleurissent sur les rameaux de l'année en cours (*voir p. 158*).

▪ **Finissez d'élaguer les rosiers buissons**, y compris les Modernes et les rosiers anciens Chine, Bourbon et Portland (*voir p. 161*).

### PLANTER

▪ **Plantez les vivaces rustiques** (*voir p. 148*), les plantes à bulbe fleurissant en été (*voir p. 149*), les herbes (*voir p. 140*) et les arbustes, hormis ceux en conteneurs (*voir p. 150*). Achetez de bonnes plantes saines (*voir pp. 146-147*) pour de meilleurs résultats. Taillez un peu après la plantation (*voir p. 151*) et étayez si nécessaire (*voir p. 150*).

▪ **Plantez les rosiers à racines nues** (*voir p. 151*). Achetez de bonnes plantes saines (*voir p. 147*) pour optimiser les résultats. Taillez un peu les rosiers après la plantation (*voir p. 151*).

▪ **Préparez les sols légers, sablonneux** pour la plantation en incorporant des matières organiques bien décomposées à la fourche afin d'aider la terre à retenir l'humidité (*voir p. 142*).

### SOINS RÉGULIERS

▪ **Apportez de l'engrais aux parterres de gravier** s'ils n'ont pas donné grand-chose l'année précédente (*voir p. 133*).

▪ **Nettoyez les parterres de gravier** : renouvelez la fumure en surface et supprimez toutes les tiges mortes ou endommagées (*voir p. 133*).

▪ **Coupez les fleurs fanées** des espèces fleurissant au printemps, comme les camélias (*voir p. 158*), les bulbeuses et les plantes alpines, dès qu'elles se flétrissent. Laissez le feuillage des plantes à bulbe dépérir naturellement.

▪ **Apportez de l'engrais et paillez** les rosiers après l'élagage. Mieux vaut utiliser un fertilisant spécial.

▪ **Paillez parterres et bordures**, si cela n'a pas été fait en automne (*voir p. 153*).

▪ **Apportez de l'engrais à action lente** avant que les plantes commencent à grandir (*voir p. 153*).

### ÉLAGAGE ET ORIENTATION

▪ **Effectuez l'élagage initial formatif** (*voir p. 157*) et régénérateur (*voir p. 159*) des arbres caducs.

▪ **Élaguez** les hybrides d'hydrangea et les arbustes à cannes fleurissant en été, comme le chèvrefeuille de l'Himalaya (*Leycestera formosa*) et *Kerria japonica* (*voir p. 159*).

▪ **Élaguez les cornouillers** (Cornus) cultivés pour leurs rameaux hivernaux et les arbustes tels que les *Cotinus* au jeune feuillage vif (*voir p. 159*).

### SEMIS

▪ **Semez en plein air** (*voir p. 149 et p. 163*) les annuelles rustiques.

▪ **Semez à l'intérieur** les annuelles délicates et semi-résistantes et les vivaces (*voir p. 162*).

▪ **Divisez les vivaces** (*voir p. 163*).

▪ **Prélevez des boutures** en vert sur les arbustes (*voir p. 165*).

▪ **Marcottez les arbustes** (*voir p. 165*).

## POTS ET MASSIFS SURÉLEVÉS

### TÂCHES ESSENTIELLES

▪ **Arrosez les plantes en pots** si nécessaire. Vérifiez régulièrement (*voir p. 178*), même si le temps est humide.

▪ **Pincez, élaguez** les plantes telles que chrysanthèmes et fuchsias en pots (*voir p. 173 et encadré p. 381*).

### PLANTER

▪ **Planter en pots** (*voir p. 176*) arbustes, rosiers buissons et miniatures, vivaces rustiques, annuelles et bisannuelles résistantes, bulbeuses à floraison estivale et alpines à floraison printanière.

▪ **Rabattez sévèrement** les plantes vigoureuses ou envahissantes dans les parterres surélevés.

### SOINS RÉGULIERS

▪ **Apportez de l'engrais ou renouvelez le terreau** de tout parterre surélevé établi, fumez ou paillez (*voir p. 183*). Remplacez les plantes fatiguées ou malades.

▪ **Rempotez ou fumez** en surface les grimpantes établies de manière permanente, arbustes, bulbeuses et alpines en pots, hormis les printanières. Taillez les racines si nécessaire (*voir p. 179*).

PRIMROSE

# AU DÉBUT DU PRINTEMPS

| ARBRES ORNEMENTAUX | JARDIN AQUATIQUE | HERBES |
| --- | --- | --- |

## TÂCHES ESSENTIELLES

■ **Finissez d'écimer et de rabattre** les arbres (*voir p. 197*).

## PLANTER

■ **Préparez le sol** (*voir p. 192 et pp. 142-143*) pour planter à la mi-printemps les arbres persistants à racines en mottes, ceux à racines nues ou ceux ayant grandi en conteneurs.

■ **Plantez les arbres à racines nues** (*voir p. 194*) d'espèces caduques rustiques. Quand vous comblez le trou, veillez à ce qu'il n'y ait pas de poches d'air entre les racines en secouant doucement la tige verticalement.

## SOINS RÉGULIERS

■ **Fumer en surface ou rempoter** les arbres en conteneurs avant qu'ils commencent à grandir. Pour fumer, remplacez les 5 cm supérieurs avec du terreau mélangé avec un engrais à action lente. Arrosez bien et paillez avec du gravier ou des copeaux d'écorce.

■ **Surveillez** l'apparition de drageons et de surgeons émanant du tronc ou des racines et supprimez-les avant qu'ils grandissent et abîment l'arbre (*voir p. 197*).

TOPIAIRE

## SOINS RÉGULIERS

■ **Éclaircissez les plantes oxygénantes** en éliminant les vieilles tiges en prévision de la période de croissance.

---

### NETTOYAGE DES POMPES À EAU

■ **Pourquoi faut-il nettoyer la pompe ?** Toute pompe est munie d'un filtre destiné à empêcher les débris provenant de la mare d'y pénétrer. Si le filtre se bouche, l'eau ne passera plus, la pompe risque d'être surmenée et de tomber en panne.

■ **Quand faut-il nettoyer la pompe ?** Tout dépend du modèle : suivez les instructions du mode d'emploi. Certaines doivent être nettoyées une fois par semaine en été. Il est également recommandé de les faire réviser annuellement.

■ **Comment s'y prend-on ?** Avant toute chose, débranchez la pompe. Sortez-la de l'eau et détachez le filtre. Lavez les filtres réutilisables à grande eau et remplacez les jetables.

---

## TÂCHES ESSENTIELLES

■ **Préparez le sol** (*voir p. 228*) pour planter au printemps des herbes aimant l'humidité.

## SOINS RÉGULIERS

■ **Dépiquez les herbes envahissantes** plantées dans des conteneurs enfouis (*voir p. 231*), divisez-les et rempotez-les dans de la terre, du terreau ou un mélange des deux.

■ **Supprimez les vieilles tiges** des herbes vivaces, en climat froid.

■ **Jetez ou replantez** dehors les herbes mises en pots pour être utilisées en hiver.

■ **Fumez en surface ou rempotez** les herbes vivaces ayant grandi en conteneur. Pour fumer, remplacez 2,5 à 5 cm de terreau en surface. Arrosez bien et paillez avec du gravier ou des petits cailloux.

## ÉLAGAGE ET ORIENTATION

■ **Rabattez sévèrement** les herbes arbustives pour encourager de nouvelles pousses buissonnantes.

## SEMIS

■ **Semez en plein air** (*voir p. 149 et 163*) les graines d'herbes annuelles rustiques, tels le cerfeuil, la coriandre et l'aneth.

■ **Semez à l'intérieur** (*voir p. 162*) les herbes annuelles fragiles ou semi-résistantes comme le basilic.

■ **Rajeunissez les herbes arbustives** fatiguées en les buttant et en les marcottant (*voir p. 231*).

■ **Divisez les grandes herbes arbustives** ou en touffes (*voir p. 231*), si cela n'a pas été fait en automne.

## POTAGER ET VERGER

### TÂCHES ESSENTIELLES

▪ **Arrosez les légumes** et les fruitiers plantés récemment (*voir encadré, p. 236*).

▪ **Incorporez l'engrais vert** semé l'automne précédent (*voir p. 239*).

▪ **Achevez de faire germer les pommes de terre** à semence en vue de la plantation (*voir p. 252*).

▪ **Plantez les pommes de terre nouvelles** (*voir p. 252*).

▪ **Finissez de planter les fruitiers** à racines nues et à tiges (*voir p. 260-261*).

▪ **Protégez les cultures plantées ou semées** récemment du gel en climat froid à l'aide de cloches ; pour les fraisiers, employez du papier journal.

### SEMER ET PLANTER

▪ **Semez à l'intérieur en pots** (*voir p. 244*) des légumes tels que :
Aubergines, piments et poivrons (*voir p. 256*)
Brocoli (*voir p. 248*)
Tomates de serre (*voir p. 257*)
Salades (*voir p. 255*), en châssis froid
Chou brocoli (*voir p. 248*), en châssis froid

▪ **Semez dehors les légumes résistants** (*voir p. 242*), sous cloches dans les climats froids. Notamment :
Betterave (*voir p. 251*)

SEMER DES GRAINES EN POT

Oignons et ciboule (*voir p. 250*)
Brocoli (*voir p. 248*)
Carottes précoces (*voir p. 251*)
Salades rustiques (*voir p. 255*)
Pois rustiques, sous un filet pour les protéger des oiseaux et des souris (*voir p. 247*)
Poireaux (*voir p. 251*)
Panais (*voir p. 251*)
Salades en feuilles (*voir p. 255*)
Bette à couper et poirée (*voir p. 255*)
Ciboule (*voir p. 250*)
Chou brocoli (*voir p. 248*)
Chou frisé d'été (*voir p. 248*)
Radis d'été (*voir p. 249*)
Oignons blancs (*voir p. 250*)

▪ **Semez les graines de plantes engrais vert** pour occuper temporairement les planches vides durant la saison de croissance (*voir p. 239*)

▪ **Protégez les légumes dehors du gel**, si nécessaire, en les plaçant sous cloches (*voir p. 240*)

▪ **Plantez les petits bulbes** d'oignons et d'échalotes (*voir p. 250*)

▪ **Plantez la rhubarbe** (voir p. 273)

### SOINS RÉGULIERS

▪ *Apportez de l'engrais aux planches de légumes* (*voir p. 239*) en retournant bien la terre à la fourche et désherbez en prévision des plantations ou semis.

▪ **Réchauffez la terre** dans les régions froides en plaçant des cloches (*voir p. 240*) ou des tunnels en prévision des semis.

▪ **Donnez de l'engrais aux fruitiers**, aux fruitiers à tiges, aux fraisiers et à la rhubarbe (*voir pp. 264-273*).

▪ **Dressez des supports** (*voir p. 247*) pour les pois et les haricots à rames.

### ÉLAGAGE ET ORIENTATION

▪ **Taillez les jeunes pruniers** (*voir p. 266*) et les cerisiers à griottes (*voir p. 269*) une fois que les bourgeons ont apparu.

▪ **Élaguez les pointes des tiges** des framboisiers, groseilliers et autres hybrides à baies avant le début de la croissance (*voir p. 270*).

▪ **Rattachez les tiges terminales de la vigne** quand les bourgeons apparaissent (*voir p. 273*).

### RÉCOLTES

▪ **Ramassez les légumes d'hiver**, tels que :
Betterave (*voir p. 251*)
Brocoli (*voir p. 248*)
Pousses de chou frisé (*voir p. 248*)
Poireaux (*voir p. 251*)
Panais (*voir p. 251*)
Bette à couper (*voir p. 255*)
Chou brocoli (*voir p. 248*)
Pousses de navet (*voir p. 249*)
Choux d'hiver (*voir p. 249*)
Salades d'hiver (*voir p. 255*)

---

### PLANTES ENGRAIS VERT

Semez-les dans des planches inoccupées pour empêcher la terre de sécher et d'enfermer les éléments nutritifs. Optez pour des variétés à croissance rapide au printemps et en été que l'on enfouit avant la floraison et des espèces rustiques pour occuper la terre durant l'hiver.

SEMIS DE PRINTEMPS ET D'ÉTÉ
Lupin
Bourrache
Trèfle Incarnat
Moutarde
*Phacelia tanacetifolia*
Colza

SEMIS D'AUTOMNE
Lupin
Consoude
Seigle
Fève à cheval d'hiver
Ivraie d'hiver

# AU CŒUR DU PRINTEMPS

## PELOUSES

### TÂCHES ESSENTIELLES

▪ **Arrosez les nouveaux gazons** *(voir p. 84)* régulièrement par temps sec.

▪ **Semez un nouveau gazon** *(voir p. 77 et p. 79)* dans une terre humide et préparée afin que l'herbe ait le temps de prendre racine avant l'été. Arrosez régulièrement.

SEMER DU GAZON EN FORMANT UNE BORDURE NETTE

### SEMER ET PLANTER

▪ **Plantez stolons et touffes** pour un nouveau gazon dans les climats chauds *(voir p. 81)*.

▪ **Préparez la terre et le site** *(voir p. 78)* pour planter des semis en fin de printemps afin de créer une pelouse non-gazonnante.

### SOINS RÉGULIERS

▪ **Tondez les pelouses** aux intervalles convenant au type d'herbe *(voir p. 82)* ; réglez la lame de la tondeuse au plus haut. Coupez les bordures *(voir p. 83)*

▪ **Réparez les zones endommagées des pelouses** *(voir p. 86)* et ressemez si nécessaire.

## TAPISSERIE VIVANTE

Si votre pelouse ne sert pas beaucoup, pourquoi ne pas la rendre plus décorative en y plantant diverses espèces tapissantes pour former un patchwork de textures et de couleurs contrastées ?

▪ **Délimitez une zone** en optant pour une forme simple : un échiquier est facile à planter et fait bel effet. Essayez aussi des bandes ou des tourbillons, mais évitez toute composition trop complexe, risquant de faire désordre ! Plantez des petites variétés pour constituer une pelouse non-gazonnante *(voir p. 88)*.

▪ **Sont recommandés** les menthes ou les thyms rampants, *Soleirolia soleirolii*, ainsi que les cultivars verts ou noirs de l'*Ophiopogon planiscapus*. Assurez-vous que vous choisissez des plantes poussant à peu près au même rythme pour un effet équilibré.

▪ **Recourez à des dalles ou des planches** de bois en échiquier en alternant des carrés de camomille, d'herbes, voir un mélange « prairie » afin d'obtenir une pelouse non-gazonnante plus résistante.

## LIMITES ET SÉPARATIONS

### PLANTER

▪ **Plantez des arbustes ou des grimpantes**, clématites comprises, contre les murs, barrières ou arbres *(voir pp. 110-111)*. Orientez les tiges *(voir p. 113)*. Plantez les haies *(voir p. 120)*.

### ÉLAGAGE ET ORIENTATION

▪ **Taillez les grimpantes persistantes** et les arbustes en espalier *(voir pp. 112-113)* quand le danger de gel est passé.

▪ **Rajeunissez les grimpantes persistantes** *(voir p. 115)* et les haies si nécessaire *(voir p. 121)*. Donnez de l'engrais et paillez ensuite.

▪ **Élaguez les haies fleurissantes persistantes** *(voir tableau p. 117 et p. 121)*.

## UNE NOUVELLE GRIMPANTE

▪ **De nombreuses grimpantes** s'enracinent à partir de leurs rameaux pour produire un nouveau plant. Certaines, comme les lierres, ont des racines aériennes *(voir p. 108)*.

▪ **La mi-printemps** ou l'automne sont les meilleurs moments pour cultiver une nouvelle plante.

▪ **Choisissez une longue tige** basse et fixez-la au sol (marcottage). Aidez-la à s'enraciner en l'entaillant là où elle touche la terre. Enfouissez-la sur 15 cm. Arrosez régulièrement jusqu'à ce que de nouvelles pousses apparaissent, généralement au bout d'un an. Dépiquez la tige, détachez la plante et mettez-la en pot.

MARCOTTAGE D'UNE POUSSE D'HYDRANGEA GRIMPANT

| MASSIFS ET PARTERRES | | POTS ET MASSIFS SURÉLEVÉS |

## TÂCHES ESSENTIELLES

▪ **Arrosez régulièrement les nouveaux plants** par temps sec *(voir p. 152)*.

▪ **Finissez les élagages initiaux** *(voir p. 157)* et régénérateurs *(voir p. 159)* des arbustes caducs avant qu'ils commencent leur croissance.

▪ **Achevez d'élaguer** les hybrides d'hydrangea *(voir p. 159)*.

## PLANTER

▪ **Plantez les vivaces rustiques** *(voir p. 148)*, les bulbeuses fleurissant en été *(voir p. 149)*, les graminées *(voir p. 140)* ainsi que les arbustes persistants ou en conteneurs *(voir p. 150)*. Achetez des plantes saines *(voir pp. 146-147)* pour optimiser les résultats. Élaguez les arbustes après la plantation et soutenez-les si nécessaire *(voir p. 150)*.

## SOINS RÉGULIERS

▪ **Donnez de l'engrais aux parterres de gravier** s'ils n'ont pas donné grand-chose l'année précédente *(voir p. 133)*.

▪ **Nettoyez les parterres de gravier** : renouvelez le gravier et éliminez les tiges mortes ou endommagées *(voir p. 133)*.

▪ **Éclaircissez les vivaces** en touffes tant qu'elles sont encore petites pour obtenir des fleurs plus grandes et plus belles plus tard dans la saison *(voir p. 154)*.

▪ **Coupez les fleurs fanées** des plantes printanières, comme les camélias *(voir p. 158)*, les bulbeuses et les alpines dès qu'elles se flétrissent. Laissez le feuillage des bulbeuses dépérir naturellement.

▪ **Paillez parterres et bordures**, si cela n'a pas été fait en automne *(voir pp. 152-153)*.

▪ **Apportez un fertilisant à action lente** avant que les plantes commencent à grandir *(voir p. 153)*.

▪ **Étayez les vivaces et les bisannuelles** qui risquent de piquer du nez à maturité *(voir p. 154)*.

## ÉLAGAGE ET ORIENTATION

▪ **Taillez les arbustes persistants**, tant établis que récemment plantés *(voir p. 157 et p. 158)*. Attendez que le risque de gel soit passé pour minimiser les dommages des jeunes pousses.

CAMELLIA JAPONICA 'ALEXANDER HUNTER'

▪ **Élaguez les arbustes à cannes** qui fleurissent en été, comme le chèvrefeuille de l'Himalaya (*Leycestera formosa*) et *Kerria japonica* *(voir p. 159)*.

▪ **Taillez légèrement les buissons de lavande** pour éviter qu'ils deviennent épars et tout en longueur *(voir p. 155)*.

## SEMIS

▪ **Semez en plein air** *(voir p. 149 et p. 163)* les annuelles rustiques.

▪ **Divisez les pavots orientaux** s'ils sont assez volumineux *(voir p. 135 et p. 163)*.

▪ **Faites des boutures en bois vert** des arbustes *(voir p. 165)*.

▪ **Marcottez les arbustes** *(voir p. 165)*.

## TÂCHES ESSENTIELLES

▪ **Pincez, élaguez** les plantes telles que coleus, fuchsias et chrysanthèmes en pots *(voir p. 173 et encadré p. 381)*.

▪ **Arrosez les plantes en pots** si nécessaire. Vérifiez régulièrement *(voir p. 178)*, même si le temps est humide.

## PLANTER

▪ **Plantez en conteneurs** *(voir p. 176)* grimpantes, arbustes, roses buissons ou miniatures, vivaces rustiques, annuelles et bisannuelles rustiques, bulbeuses d'été et cactées.

## SOINS RÉGULIERS

▪ **Coupez les fleurs fanées** *(voir p. 178)* et conservez la forme des plantes en éliminant tout feuillage fatigué, malade ou trop long.

▪ **Rempotez ou fumez en surface** les grimpantes, arbustes plantés en permanence ainsi que les alpines en pots à moins qu'ils fleurissent au printemps. Taillez les racines si nécessaire *(voir p. 179)*.

▪ **Donnez de l'engrais et renouvelez le terreau** de tout parterre surélevé établi ; fumez en surface ou paillez *(voir p. 183)*. Remplacez les plantes malades ou fatiguées.

▪ **Désherbez régulièrement** les parterres surélevés.

▪ **Jetez ou plantez en pleine terre** les bulbes qui ont poussé en pots.

## ÉLAGAGE ET ORIENTATION

▪ **Taillez régulièrement** les topiaires et les arbustes *(voir p. 178)*.

▪ **Taillez les plantes ligneuses** dans les massifs surélevés une fois que le risque de gel est passé *(voir pp. 156-161)*.

▪ **Taillez légèrement les buissons de lavande** pour éviter qu'ils deviennent épars et tout en longueur *(voir p. 155)*.

# AU CŒUR DU PRINTEMPS

| ARBRES ORNEMENTAUX | JARDIN AQUATIQUE | HERBES |
| --- | --- | --- |

## PLANTER

▪ **Préparez le sol** *(voir p. 192 et pp. 142-143)* pour les plantations de fin printemps des arbres à racines en mottes persistants ou des persistants rustiques à racines nues, grandis en conteneurs.

▪ **Plantez les arbres persistants à racines en mottes** *(voir p. 195)*.

CYPRÈS LEYLAND
À RACINES EN MOTTE

## SOINS RÉGULIERS

▪ **Si vous employez des fertilisants artificiels**, c'est le moment d'en donner aux arbres, en liquide ou en granulés *(voir p. 197)*.

▪ **Vérifiez que les attaches** et les supports des arbres *(voir p. 193)* sont toujours en place.

▪ **Surveillez les drageons** et les surgeons émanant du tronc ou des racines ; éliminez-les avant qu'ils soient trop grands et abîment la charpente de l'arbre *(voir p. 197)*.

## TÂCHES ESSENTIELLES

▪ **Divisez les plantes trop denses**, hormis les nénuphars, juste après le début de croissance pour les rajeunir *(voir p. 223)*. Les plantes à maturité peuvent être multipliées par division.

DIVISIONS DE L'ACORE GRAMINÉE
*(Acorus gramineus)*

## PLANTER

▪ **Plantez** *(voir pp. 220-221)* toutes les plantes aquatiques.

## SOINS RÉGULIERS

▪ **Éclaircissez les plantes oxygénantes** en éliminant les vieilles tiges en prévision de la saison de croissance *(voir p. 223)*.

## TÂCHES ESSENTIELLES

▪ **Transplantez les jeunes plants** d'herbes bisannuelles comme l'angélique et le cumin *(voir p. 149)* dans leur emplacement définitif.

▪ **Taillez la lavande** *(voir p. 232)* une fois que le danger de gel est passé.

## PLANTER

▪ **Plantez les herbes arbustives** et vivaces grandies en pots dans des parterres, dans les fentes des dalles, en pots ou en paniers suspendus *(voir pp. 228-231)*.

▪ **Plantez des boutures racinées** ou des petites plantes entre les dalles *(voir p. 229)*.

▪ **Plantez des divisions d'herbes** *(voir p. 231)* pour créer une pelouse non-gazonnante *(voir p. 88)*.

## SOINS RÉGULIERS

▪ **Dépiquez les herbes envahissantes** plantées en conteneurs enfouis *(voir p. 231)*, divisez-les et replantez dans de la terre, du terreau ou un mélange des deux.

## SEMIS

▪ **Semez en plein air** *(voir p. 149 et p. 163)* des herbes annuelles rustiques.

▪ **Rajeunissez les herbes arbustives** fatiguées en les buttant et en les marcottant *(voir p. 231)*.

## POTAGER ET VERGER

### MULTIPLICATION DES HERBES

Il existe plusieurs méthodes relativement simples pour cultiver vos propres herbes (*voir ci-dessous*).

Toutes les annuelles et bisannuelles, et dans les climats froids, la plupart des vivaces fragiles, doivent être cultivées à partir de semis.

#### DIVISION
Ciboulette, fenouil, estragon, raifort, mélisse, livèche, menthe, origan, oseille, thym.

#### BUTTAGE/MARCOTTAGE
Artemisia, santoline, lavande, romarin, sauge, thym, sarriette.

SAUGE PANACHÉE
(*Salvia Officinalis* 'Tricolor')

#### BOUTURAGE
Hysope, mélisse, menthe, origan, romarin, sauge, thym.

#### SEMIS
Angélique, basilic, bourrache, cumin, cerfeuil, coriandre, aneth, hysope, persil, marjolaine.

### TÂCHES ESSENTIELLES
▓ **Arrosez les légumes et fruitiers** récemment plantés si nécessaire (*voir encadré p. 236*).

▓ **Plantez les pommes de terre nouvelles** (*voir p. 252*).

### SEMER ET PLANTER
▓ **Semez les graines de plantes engrais vert** pour couvrir temporairement les planches vides durant la saison de croissance (*voir p. 239*).

▓ **Plantez les légumes grandis en pots**. Si nécessaire, protégez les plants du gel à l'aide de cloches ou d'un tunnel (*voir p. 240*).

▓ **Semez à l'intérieur en pots** (*voir p. 244*) les légumes tels que :
Frisée et chicorée (*voir p. 255*)
Haricots verts (*voir p. 246*)
Laitue (*voir p. 255*)
Haricots d'Espagne (*voir p. 247*)
Chou brocoli (*voir p. 248*)
Citrouilles, potirons, courges et courgettes (*voir p. 253*)
Concombres (*voir p. 256*)
Maïs (*voir p. 253*)
Tomates (*voir p. 257*)

▓ **Semez en plein air** (*voir p. 242*) et sous cloches en climat froid les légumes tels que :
Betterave (*voir p. 251*)
Brocoli (*voir p. 248*)
Carottes précoces (*voir p. 251*)
Salades résistantes (*voir p. 255*)
Poireaux (*voir p. 251*)
Panais (*voir p. 251*)
Pois (sous un filet pour les protéger des oiseaux et des souris) (*voir p. 247*).
Chou rouge (*voir p. 249*)
Salades en feuilles (*voir p. 255*)
Ciboule (*voir p. 250*)
Radis d'été (*voir p. 249*)
Bette à couper et poirée (*voir p. 255*)
Chou brocoli (*voir p. 248*)
Navets d'été, sous cloches (*voir p. 249*)
Petits oignons (*voir p. 250*).

▓ **Plantez des gousses d'ail** ou les plants démarrés plus tôt en modules (*voir p. 250*).

▓ **Plantez la rhubarbe** (*voir p. 273*).

### SOINS RÉGULIERS
▓ **Donnez de l'engrais aux planches de légumes** (*voir p. 239*) et incorporez-le à la fourche ; désherbez en prévision des semis et plantations.

▓ **Incorporez l'engrais vert** semé à l'automne précédent ou au début du printemps (*voir p. 239*).

▓ **Réchauffez la terre** dans les régions plus froides en disposant des cloches (*voir p. 240*) ou un tunnel en préparation des semis.

▓ **Paillez les légumes et les fruitiers**, tant que le sol est chaud et humide (*voir p. 239*).

▓ **Dressez des tuteurs** (*voir p. 247*) pour les pois et les haricots à rames. Soutenez les jeunes plants de pois en plantant tout autour des supports solides, branchus, récupérés des élagages (*voir p. 246*).

▓ **Donnez de l'engrais aux fruitiers buissonnants** (*voir pp. 268-269*).

▓ **Vérifiez les attaches et les tuteurs** (*voir p. 193*) des fruitiers et éliminez-les ou relâchez-les si nécessaire pour éviter qu'ils frottent et endommagent l'écorce.

### ÉLAGAGE ET ORIENTATION
▓ **Éclaircissez les pousses latérales** des pêchers (*voir p. 267*).

▓ **Rabattez les cassis** et les autres fruitiers à tiges hybrides après la plantation d'hiver (*voir p. 271*).

### RÉCOLTE
▓ **Cueillez les légumes divers et les primeurs**, comme :
Brocoli (*voir p. 248*)
Poireaux (*voir p. 251*)
Bette à couper (*voir p. 255*)
Choux de printemps (*voir p. 249*)
Ciboule (*voir p. 250*)
Chou brocoli (*voir p. 248*)
Laitue d'hiver (*voir p. 255*)

▓ **Ramassez les premiers fruits, comme** :
Rhubarbe forcée (*voir p. 173*).

# À LA FIN DU PRINTEMPS

## PELOUSES

### TÂCHES ESSENTIELLES

▨ **Arrosez les nouveaux gazons** (*voir p. 84*) régulièrement par temps sec afin qu'ils s'établissent bien.

### SEMER ET PLANTER

▨ **Plantez stolons et touffes** en prévision d'une nouvelle pelouse dans les climats chauds (*voir p. 81*).

▨ **Plantez les jeunes plants** pour une pelouse non-gazonnante (*voir p. 88*).

### SOINS RÉGULIERS

▨ **Commencez à tondre le jeune gazon** une fois que l'herbe atteint 5 cm (*voir p. 79, p. 80 et p. 82*). Réglez la lame de la tondeuse à la hauteur maximale. Taillez les bordures (*voir p. 83*).

▨ **Apportez de l'engrais** pour gazon aux pelouses de graminées (*voir p. 84*) et un engrais universel aux pelouses non-gazonnantes (*voir p. 88*).

## LIMITES ET SÉPARATIONS

### TÂCHES ESSENTIELLES

▨ **Surveillez les parasites et les maladies** tels que pucerons et tâches noires ; prenez des mesures pour les empêcher de proliférer (*voir p. 111*).

### PLANTER

▨ **Plantez des arbustes ou grimpantes**, y compris clématites, contre les murs, les barrières et les arbres (*voir pp. 110-111*). Dirigez les tiges selon l'orientation souhaitée, en éventail par exemple (*voir p. 113*).

▨ **Plantez les haies** (*voir p. 120*).

### SOINS RÉGULIERS

▨ **Coupez les fleurs fanées** pour prolonger la floraison.

### ÉLAGAGE ET ORIENTATION

▨ **Faites monter les grimpantes** (*voir pp. 108-109*) et les rosiers (*voir p. 115*) sur des supports à mesure qu'ils grandissent. Vérifiez les anciens liens.

▨ **Éclaircissez la clématite devenue envahissante du groupe 1** (*voir p. 114*).

▨ **Élaguez les haies de buis**, *Forsythia × intermedia*, et cyprès Leyland (*voir tab. p. 117 et p. 121*).

▨ **Élaguez les arbustes d'aubépine et de troène** récemment plantés pour leur donner une forme (*voir p. 120*).

---

#### VAINCRE LES PUCERONS

LARVE DE COCCINELLE

▨ **Écrasez les pucerons** en frottant les tiges affectées entre vos doigts.

▨ **Chassez-les** d'un coup de jet puissant ou en les aspergeant avec une solution insecticide.

▨ **Utilisez des pesticides** permettant aux prédateurs des pucerons comme les larves de coccinelle de faire leur travail.

## MASSIFS ET PARTERRES

### TÂCHES ESSENTIELLES

▨ **Achevez de planter** les bulbes fleurissant en été (*voir p. 149*), les arbustes poussés en conteneurs et tous les persistants (*voir p. 150*) ainsi que les herbes (*voir pp. 146-147*). Achetez des plants sains (*voir pp. 146-147*) pour optimiser les résultats. Élaguez les arbustes pour leur donner une forme après la plantation (*voir p. 151*) et étayez-les si nécessaire (*voir p. 150*).

▨ **Achevez de pailler** les parterres et bordures si cela n'a pas été fait en automne (*voir pp. 152-153*), sur une terre humide ; arrosez au préalable si nécessaire.

▨ **Arrosez les plantes** si nécessaire (*voir p. 152*).

▨ **Étayez les vivaces et les bisannuelles** qui risquent de piquer du nez à maturité avant

SUPPORT EN CANNES ET FICELLE

qu'elles soient trop grandes pour être soutenues sans gâcher leur apparence (*voir p. 154*).

▨ **Achevez d'élaguer les arbustes à cannes** fleurissant au printemps, comme le chèvrefeuille de l'Himalaya (*Leycestera formosa*) et le *Kerria japonica* (*voir p. 159*).

▨ **Finissez d'éclaircir les vivaces en touffes** tant qu'elles sont encore petites pour avoir des fleurs plus belles et plus grandes plus tard dans la saison *(voir p. 154)*.

▨ **Semez en plein air** *(voir p. 149 et p. 163)* les annuelles résistantes, semi-résistantes et fragiles fleurissant en milieu et fin d'été.

## PLANTER

▨ **Plantez les vivaces** *(voir p. 148)*. Achetez des plantes saines *(voir p. 146)* pour optimiser les résultats.

▨ **Plantez les espèces vendues en touffes** (plants à racines vigoureuses en mottes disponibles par correspondance ou chez les pépiniéristes) d'annuelles et bisannuelles rustiques, pour des floraisons précoces dans le jardin.

## SOINS RÉGULIERS

▨ **Nettoyez les parterres de gravier** : rénover la fumure de surface et supprimez les tiges mortes ou endommagées *(voir p. 133)*.

▨ **Coupez les fleurs fanées** des bulbes, vivaces *(voir p. 155)*, des plantes alpines et des arbustes fleurissants, comme les rhododendrons *(voir p. 158)* dès qu'elles se flétrissent. Laissez le feuillage des bulbeuses dépérir naturellement.

▨ **Dépiquez les tulipes** une fois que les feuilles jaunissent et se fanent, et stockez-les dans un endroit sec et chaud dans un sac en papier (et non en plastique) durant l'été, ou jetez-les.

▨ **Apportez de l'engrais aux plantes en parterres de gravier** si elles n'ont pas donné grand-chose l'année précédente *(voir p. 133)*.

▨ **Apportez de l'engrais** à toutes les plantes nécessitant un coup de pouce *(voir p. 153)*.

▨ **Pincez les pointes** des pousses des rameaux latéraux fleurissants des vivaces qui en produisent, telles que dahlias, chrysanthèmes et marguerites de Saint-Michel, afin de multiplier les fleurs *(voir p. 154)*.

## ÉLAGAGE ET ORIENTATION

▨ **Taillez les arbustes caducs** établis qui fleurissent sur les rameaux de l'année en cours *(voir p. 158)*.

ÉLAGUER LA SANTOLINE

▨ **Élaguez les buissons persistants**, nouveaux *(voir p. 157)* et établis *(voir p. 158)*, une fois que le risque de gel est passé.

## SEMIS

▨ **Plantez les jeunes plants** d'annuelles fragiles semés plus tôt dans l'année.

▨ **Semez les graines de bisannuelles** en rangs dans un parterre libre ou en couches *(voir p. 149)*.

▨ **Faites des boutures** en bois tendre d'arbustes et de vivaces ; et des boutures en bois vert d'arbustes *(voir p. 165 et p. 381)*.

▨ **Marcottez des arbustes** *(voir p. 165)*.

## TÂCHES ESSENTIELLES

▨ **Arrosez les plantes en pots** si nécessaire. Vérifiez-les régulièrement *(voir p. 178)*, même si le temps est humide.

▨ **Achevez de rempoter** ou de fumer en surface les grimpantes installées en permanence, les arbustes, les alpines en pots, à moins qu'ils fleurissent au printemps. Taillez les racines si nécessaire *(voir p. 179)*.

▨ **Finissez de donner de l'engrais ou de rénover** le terreau des massifs surélevés établis ; fumez en surface ou paillez *(voir p. 183)*. Remplacez les plantes fatiguées ou malades.

▨ **Pincez, taillez** les plantes telles que coleus, fuchsias et chrysanthèmes en pots *(voir p. 173 et encadré p. 381)*.

▨ **Achevez d'élaguer** les plantes ligneuses en parterres surélevés, une fois que le risque de gel est passé *(voir p. 196)*.

## PLANTER

▨ **Plantez en pots** *(voir p. 176)* grimpantes, arbustes, rosiers buissons et miniatures, vivaces, annuelles et bisannuelles rustiques, cactées et succulentes.

## SOINS RÉGULIERS

▨ **Coupez régulièrement les fleurs fanées** et maintenez les plantes en forme en éliminant le feuillage fatigué, malade ou tout en longueur *(voir p. 178)*.

▨ **Désherbez régulièrement** les parterres surélevés.

▨ **Dépiquez et divisez** les vivaces dans les massifs surélevés en conservant les pousses saines et en jetant les parties vieilles et abîmées *(voir p. 155)*.

▨ **Jetez ou replantez** les bulbeuses grandies en conteneurs.

## ÉLAGAGE ET ORIENTATION

▨ **Taillez légèrement** mais régulièrement topiaires et arbustes sur tige *(voir p. 178)*.

# À LA FIN DU PRINTEMPS

| ARBRES ORNEMENTAUX | JARDIN AQUATIQUE | HERBES |
|---|---|---|

## ARBRES ORNEMENTAUX

### TÂCHES ESSENTIELLES

▪ **Arrosez si nécessaire**, notamment les arbres plantés au cours des 2-3 dernières années. Une bonne ration d'eau de temps en temps vaut mieux que des arrosages fréquents, mais légers *(voir p. 197)*.

### PLANTER

▪ **Plantez** les arbres poussés en conteneurs, les persistants résistants à racines nues ou les arbres persistants à racines en mottes.

### SOINS RÉGULIERS

▪ **Dans les climats froids ou frais**, sortez les arbres fragiles, comme les agrumes, en pots *(voir p. 195)* de leurs abris d'hiver pour les mettre au jardin durant l'été.

▪ **Paillez** avec des matières organiques comme des copeaux d'écorce autour des arbres *(voir p. 197)*.

PRUNUS 'KANZAN' (CERISIER)
EN FLEUR

▪ **Vérifiez les attaches et les supports** des arbres *(voir p. 193)* et retirez-les ou relâchez-les si nécessaire pour éviter qu'ils frottent et endommagent l'écorce.

▪ **Vérifiez que les protections des arbres** *(voir p. 195)* soient toujours en place.

▪ **Surveillez les drageons et les surgeons** émanant du tronc ou des racines ; éliminez-les avant qu'ils soient trop grands et abîment l'arbre *(voir p. 197)*.

## JARDIN AQUATIQUE

### TÂCHES ESSENTIELLES

▪ **Divisez les plantes trop denses**, y compris les nénuphars, peu après qu'elles aient commencé à croître pour les régénérer *(voir p. 223)*. Les plantes à maturité peuvent être divisées pour donner plusieurs plants nouveaux.

DIVISER UN ROSEAU AROMATIQUE
*(Acorus Calamus)*

### PLANTER

▪ **Plantez** *(voir pp. 220-221)* toutes les plantes aquatiques.

### SOINS RÉGULIERS

▪ **Éclaircissez les plantes oxygénantes** en éliminant les vieilles tiges en prévision de la saison de croissance *(voir p. 223)*.

▪ **Apportez de l'engrais pour la première fois** de la saison aux nénuphars et autres plantes ayant grandi en conteneurs *(voir p. 222)*.

▪ **Rabattez ou éclaircissez** (par division, *voir p. 223*) les plantes de bordures trop denses ou trop en longueur.

▪ **Nettoyez les plans d'eau négligés**, si nécessaire. Siphonnez l'essentiel de l'eau ; retirez les plantes poussant en pots ; transvasez les plantes flottantes et les poissons dans des récipients. Écopez la vase ; nettoyez la bâche et réparez-la si nécessaire, puis replantez et remplissez à nouveau le plan d'eau.

## HERBES

### TÂCHES ESSENTIELLES

▪ **Finissez de semer en plein air** *(voir p. 149 et p. 163)* les herbes annuelles rustiques.

▪ **Semez en plein air** *(voir p. 149 et p. 163)* les herbes annuelles semi-résistantes et fragiles.

### PLANTER

▪ **Préparez le sol** *(voir p. 228 et pp. 142-143)* pour les plantations estivales d'herbes appréciant l'humidité.

▪ **Plantez les herbes arbustives et vivaces** poussées en conteneurs dans des bordures, dans les fentes des dalles, ou bien en pots ou en paniers suspendus *(voir pp. 228-231)*.

▪ **Plantez** des boutures racinées ou des petits plants entre les dallages *(voir p. 229)*.

▪ **Plantez des éclats racinés d'herbes** *(voir p. 231)* pour créer une pelouse non gazonnante *(voir p. 88)*.

### SOINS RÉGULIERS

▪ **Transportez les herbes délicates** en pots hors de leurs abris hivernaux dans le jardin *(voir p. 195)* pour l'été.

▪ **Arrosez les herbes** en pots.

### SEMIS

▪ **Régénérez les herbes arbustives** fatiguées par buttage et marcottage *(voir p. 231)*.

▪ **Plantez** les jeunes plants d'herbes annuelles fragiles semés plus tôt dans l'année.

▪ **Semez les herbes bisannuelles**, comme l'angélique et le cumin, en rangs dans une planche disponible de terre ou en couches *(voir p. 149)*.

### RÉCOLTE

▪ **Coupez les tiges d'angélique** afin de les cristalliser *(voir p. 232)*.

## POTAGER ET VERGER

### TÂCHES ESSENTIELLES

▪ **Arrosez les légumes et les fruitiers** plantés récemment si nécessaire *(voir encadré p. 236)*.

▪ **Protégez vos cultures** de la mouche de la carotte en dressant une barrière autour de la planche *(voir p. 241)* avant que la première génération de mouches ponde ses œufs.

▪ **Plantez les pommes de terre à semence** *(voir p. 252)*.

▪ **Achevez de planter l'ail** démarré plus tôt en modules *(voir p. 250)*.

▪ **Dépiquez les plants de pommes de terre** précoces pour empêcher les tubercules de verdir *(voir p. 252)*.

▪ **Éclaircissez les fructules de pêche** pour obtenir plus tard des fruits de bonne taille *(voir p. 267)*.

### SEMER ET PLANTER

▪ **Semez les plantes engrais vert** pour occuper temporairement les planches vides pendant la période de croissance *(voir p. 239)*.

▪ **Semez à l'intérieur en pots** *(voir p. 244)* les légumes tels que :

Chou frisé d'automne et d'hiver *(voir p. 248)*
Betterave *(voir p. 251)*
Brocoli *(voir p. 248)*
Scarole et salade frisée *(voir p. 255)*
Haricots verts *(voir p. 246)*
Poireaux *(voir p. 251)*
Laitue *(voir p. 255)*
Carottes *(voir p. 251)*
Pois, sous un filet pour les protéger des oiseaux et des souris *(voir p. 247)*
Citrouilles, potirons, courges et courgettes *(voir p. 253)*
Chou rouge *(voir p. 249)*
Haricots d'Espagne *(voir p. 247)*
Salades en feuilles *(voir p. 255)*
Ciboule *(voir p. 250)*
Bette à couper et poirée *(voir p. 255)*
Chou brocoli *(voir p. 248)*
Radis d'été *(voir p. 249)*
Navets d'été, sous cloches *(voir p. 249)*
Choux d'hiver, à utiliser frais *(voir p. 249)*
Petits oignons *(voir p. 250)*

▪ **Transplantez en plein air les jeunes plants :**

Aubergines, piments, poivrons *(voir p. 256)*
Haricots verts *(voir p. 246)*
Rhubarbe *(voir p. 273)*
Haricots d'Espagne *(voir p. 247)*
Maïs *(voir p. 253)*
Tomates, sous cloches ou verre *(voir p. 257)*

### SOINS RÉGULIERS

▪ **Donnez de l'engrais** aux planches de légumes *(voir p. 239)* ; incorporez-le à la fourche et désherbez en vue des plantations et des semis.

▪ **Incorporez l'engrais vert** semé l'automne précédent, ou plus tôt au printemps *(voir p. 239)*.

▪ **Paillez les légumes et les fruitiers** pendant que la terre est chaude et humide *(voir p. 239)*.

▪ **Fertilisez les fruitiers buissonnants** *(voir pp. 268-269)*.

▪ **Supprimez les fleurs des fraisiers** plantés tard *(voir p. 272)*.

---

### OMBRAGER LA SERRE

▪ **En été, une serre peut être très chaude** : les plantes risquent de se faner ou de brûler.

▪ **Dès que le temps se réchauffe,** ombragez-la.

▪ **Pour ce faire, optez pour un store,** un treillis en plastique ou un lavis.

▪ **Un lavis est bon marché,** mais il faudra le nettoyer à la fin de l'été quand la lumière sera moins intense.

---

### ÉLAGAGE ET ORIENTATION

▪ **Rabattez les bourgeons terminaux des poiriers** *(voir p. 264)*.

▪ **Taillez les cerisiers à griottes** les plus vieux pour encourager l'essor de nouvelles branches porteuses *(voir p. 267)*.

▪ **Attachez les cannes** des framboisiers, des mûriers et autres hybrides à baies *(voir p. 271)* à des supports.

### RÉCOLTE

▪ **Cueillez les légumes d'hiver et les primeurs** tels que :

Brocoli *(voir p. 248)*
Poireaux *(voir p. 251)*
Salades en feuilles *(voir p. 255)*
Bette à couper *(voir p. 255)*
Choux de printemps *(voir p. 249)*
Ciboule *(voir p. 250)*
Chou brocoli *(voir p. 248)*
Radis d'été *(voir p. 249)*
Laitue d'hiver *(voir p. 255)*

▪ **Cueillez les fruits précoces,** comme :
Rhubarbe forcée *(voir p. 273)*

---

### PIÈGES COLLANTS

▪ **Quels insectes se font prendre ?**
Mouches blanches, thrips, moucherons.

▪ **Comment fonctionnent-ils ?**
Leur couleur vive attire les insectes qui adhérent à une colle ne séchant pas.

SUSPENDRE UN PIÈGE COLLANT

# AU DÉBUT DE L'ÉTÉ

## PELOUSES

### TÂCHES ESSENTIELLES

▪ **Arrosez régulièrement les nouveaux gazons** (*voir p. 84*) par temps sec afin qu'ils s'établissent bien.

### SEMER ET PLANTER

▪ **Plantez stolons ou touffes** en vue d'une nouvelle pelouse dans les climats chauds (*voir p. 81*).

### SOINS RÉGULIERS

▪ **Tondez les pelouses** à intervalles appropriés selon la variété d'herbe (*voir p. 82*). Vous pouvez régler la lame de la tondeuse plus bas. Taillez les bords (*voir p. 83*).

▪ **Apportez de l'engrais** à la pelouse si cela n'a pas été fait à la fin du printemps (*voir p. 84*).

▪ **Surveillez les mauvaises herbes** et supprimez-les (*voir p. 87*).

▪ **Tondez les prairies** fleurissant au printemps une fois que les fleurs ont monté en graine pour l'année suivante.

## LIMITES ET SÉPARATIONS

### TÂCHES ESSENTIELLES

▪ **Surveillez parasites et maladies**, tels que pucerons et tâches noires (*voir p. 111*).

▪ **Élaguez grimpantes et arbustes** en espalier fleurissant sur les rameaux de l'année précédente aussitôt après la floraison (*voir pp. 112-113*).

▪ **Arrosez si nécessaire**, surtout les jeunes plantes et les cultures récentes.

▪ **Taillez les rosiers lianes** aussitôt après la floraison (*voir p. 115*).

### SOINS RÉGULIERS

▪ **Supprimez les fleurs fanées** pour prolonger la floraison à moins que vous ne vouliez conserver les graines.

### ÉLAGAGE ET ORIENTATION

▪ **Dirigez les grimpantes** (*voir pp. 108-109*) et les rosiers (*voir p. 115*). Éliminez toute branche morte ou malade et vérifiez les attaches.

ATTACHER UNE CLÉMATITE

▪ **Éclaircissez les clématites du groupe 1** ; élaguez celles du groupe 3 (*voir p. 114*).

▪ **Taillez les haies** si elles comportent des plantes comme *Berberis* × *stenophylla* (*voir tableau p. 117 et p. 121*).

## PARTERRES ET MASSIFS

### TÂCHES ESSENTIELLES

▪ **Arrosez les plantes** nouvelles et établies si nécessaire (*voir p. 152*).

▪ **Donnez de l'engrais supplémentaire** aux plantes qui en ont besoin (*voir p. 153*).

▪ **Achevez de pincer les vivaces** produisant des pousses latérales fleurissantes afin d'augmenter le nombre de fleurs (*voir p. 154*).

▪ **Finissez de semer** (*voir p. 149 et p. 163*) les annuelles délicates et semi-résistantes.

▪ **Étayez les vivaces et les bisannuelles** qui risquent de piquer du nez à maturité avant qu'elles soient trop grandes pour l'être sans gâcher leur apparence (*voir p. 154*).

### PLANTER

▪ **Plantez les bulbeuses fleurissant à l'automne** (*voir p. 149*). Achetez des bulbes sains (*voir p. 146*) pour optimiser les résultats.

### SOINS RÉGULIERS

▪ **Dépiquez les tulipes** une fois que leurs feuilles ont jauni et dépéri, et stockez-les dans un endroit chaud et sec pendant l'été ; ou jetez-les.

▪ **Coupez les fleurs fanées des bulbeuses**, des vivaces (*voir p. 155*), des annuelles et des bisannuelles, des alpines, des rosiers et des buissons fleurissants, comme les rhododendrons (*voir p. 158*), dès qu'elles se flétrissent. Laissez le feuillage des bulbes dépérir naturellement.

### ÉLAGAGE ET ORIENTATION

▪ **Taillez les arbustes caducs** qui fleurissent sur les rameaux de l'année précédente (*voir p. 158*).

### SEMIS

▪ **Semez des graines de bisannuelles** en rangs ou en couches (*voir p. 149*).

▪ **Récoltez les graines** des vivaces à floraison précoce dès qu'elles sont mûres (*voir p. 155*) et semez-les (*voir p. 162*) aussitôt.

## POTS ET MASSIFS SURÉLEVÉS

■ **Divisez les vivaces** à floraison printanière *(voir p. 163)* une fois que les fleurs sont fanées.

■ **Faites des boutures molles** d'arbustes *(voir p. 165)*, des boutures en bois vert d'arbustes et des boutures molles de vivaces.

### BOUTURAGE DES VIVACES

■ **Quand faut-il bouturer ?** Dès que les plantes produisent des pousses qui conviennent.

■ **Quelles sont les meilleures pousses ?** Celles qui sont saines, robustes, provenant de l'année en cours, aux feuilles peu espacées, et encore flexibles (bois souple).

MAINTENIR LES BOUTURES À L'HUMIDITÉ

■ **Comment couper ?** Choisissez 8-13 cm en haut d'une tige et coupez juste en dessous d'une ramification de feuilles.

■ **Comment préparer une bouture ?** Éliminez toutes les feuilles sauf les 2 ou 3 supérieures ; ne laissez aucun chicot, n'enlevez pas la pointe terminale. Insérez les boutures dans des pots de terreau et traitez-les comme les boutures d'arbustes *(voir p. 165)*.

### TÂCHES ESSENTIELLES

■ **Arrosez régulièrement** les plantes en pots. Vérifiez chaque jour *(voir p. 178)*.

■ **Arrosez les massifs surélevés** si nécessaire *(voir p. 183)*.

■ **Pincez, taillez les plantes** tels que coleus, fuchsias et chrysanthèmes en pots *(voir p. 173 et encadré ci-dessous)*.

### PINCER-TAILLER

■ **Pourquoi ?** Pour faire d'une plante arbustive une plante à tige (n'ayant qu'une seule tige et une cime comme un arbre) ou lui donner une forme simple, ou encore, la rendre buissonnante.

■ **Quand ?** Dès que la plante commence à grandir jusqu'à deux mois avant la floraison, ou pour une variété cultivée pour son feuillage jusqu'à la fin de la saison de croissance.

■ **Comment ?** Pincez les pointes des pousses jeunes et tendres entre le pouce et l'index pour donner une forme à la plante et l'encourager à devenir dense.

■ **Quelles formes peut-on choisir ?** Sur tige, en boule, en cône, en pilier, en éventail, par exemple.

■ **La plante fleurira-t-elle ?** Les fleurs devraient toutes s'épanouir en même temps, 6 à 8 semaines après la dernière taille.

### PLANTER

■ **Planter en pots** les grimpantes caduques résistantes, les rosiers buissons et miniatures, les vivaces, les annuelles et bisannuelles, les alpines d'été, les cactées et les succulentes.

### SOINS RÉGULIERS

■ **Fertilisez les plantes en pots** 6-8 semaines après la plantation *(voir p. 178)* à intervalles réguliers si vous ne leur avez pas donné d'engrais à action lente. Mieux vaut utiliser un produit foliaire ou liquide.

■ **Coupez régulièrement les fleurs fanées** et conservez la forme des plantes en éliminant le feuillage fatigué, malade ou tout en longueur *(voir p. 178)*.

■ **Désherbez** régulièrement les massifs surélevés.

■ **Dépiquez les bulbeuses** fleurissant de bonne heure, une fois leurs feuilles mortes pour les stocker l'été. Nettoyez les bulbes ; mettez-les à sécher sur un plateau ; stockez-les dans un sac en papier (pas en plastique).

### ÉLAGAGE ET ORIENTATION

■ **Taillez légèrement**, mais régulièrement les topiaires et les arbustes à tige *(voir p. 178)*.

■ **Attachez les grimpantes** à des supports (cannes ou treillis) à mesure qu'elles grandissent *(voir pp. 108-109)*. Soutenez les grandes annuelles et vivaces en pots avant

SOUTENIR UNE SALPIGLOSSIS

qu'elles piquent du nez ; le mieux est de passer une ficelle autour des cannes. En poussant, la plante dissimulera ses supports.

# AU DÉBUT DE L'ÉTÉ

| ARBRES ORNEMENTAUX | JARDIN AQUATIQUE | HERBES |
| --- | --- | --- |

## ARBRES ORNEMENTAUX

### TÂCHES ESSENTIELLES

▨ **Arrosez si nécessaire**, notamment les arbres plantés au cours des 2-3 dernières années. Mieux vaut une bonne ration d'eau de temps en temps que des arrosages fréquents, mais légers (*voir p. 197*).

ARROSOIR EN ACIER GALVANISÉ

### SOINS RÉGULIERS

▨ **Surveillez les drageons et les surgeons** émanant du tronc ou des racines ; éliminez-les avant qu'elles deviennent trop grandes et gâchent la charpente (*voir p. 197*).

### ÉLAGAGE ET ORIENTATION

▨ **Taillez les arbres caducs** fleurissant au printemps si nécessaire (*voir p. 196*).

## JARDIN AQUATIQUE

### TÂCHES ESSENTIELLES

▨ **Divisez les plantes trop denses** peu après le début de la croissance pour les rajeunir (*voir p. 223*). Les plantes à maturité peuvent aussi être divisées pour donner plusieurs nouveaux plants.

▨ **Éliminez les conferves** à intervalles réguliers (*voir p. 222*).

▨ **Éclaircissez à intervalles réguliers** les plantes flottantes, les oxygénantes et les lenticules (*voir p. 222*).

### PLANTER

▨ **Plantez** (*voir p. 220-221*) toutes les plantes aquatiques.

### SOINS RÉGULIERS

▨ **Éliminez régulièrement** les fleurs fanées et le feuillage dépéri pour éviter de polluer l'eau (*voir p. 222*).

---

### UN PLAN D'EAU SAIN

▨ **Éliminez les fleurs fanées** et le feuillage dépéri rapidement avant qu'ils pourrissent et souillent l'eau.

▨ **Contrôlez les algues**, comme les conferves, en les éliminant à intervalles réguliers pendant l'été.

▨ **Si le niveau de l'eau baisse** par temps chaud, plantes et poissons risquent de souffrir d'un manque d'oxygène. Rajoutez de l'eau avec un tuyau d'arrosage à débit lent.

▨ **Si les plantes couvrent** plus de la moitié de la surface, éclaircissez-les ou rabattez-les pour permettre à la lumière du soleil de pénétrer dans l'eau.

▨ **N'oubliez pas de nettoyer les pompes** – à la cadence recommandée par le fabricant. Un filtre bouché risque de les endommager.

▨ **Ne nourrissez pas trop les poissons.** Leurs aliments se décomposent et polluent l'eau ; les algues proliféreront.

---

## HERBES

### TÂCHES ESSENTIELLES

▨ **Arrosez et donnez de l'engrais** aux herbes en pots.

▨ **Finissez de semer** (*p. 149 et p. 163*) les herbes annuelles délicates et semi-résistantes.

### PLANTER

▨ **Plantez des herbes poussées en pots** dans des parterres (*voir pp. 228-231*).

▨ **Plantez des boutures racinées** ou des petits plants entre des dalles (*voir p. 229*).

### SOINS RÉGULIERS

▨ **Cueillez régulièrement les herbes** et coupez les fleurs fanées.

▨ **Paillez les herbes** aimant l'humidité avec des matières organiques après une pluie ou un arrosage copieux.

### SEMIS

▨ **Semez des herbes** utilisées régulièrement comme le basilic et le persil (*voir p. 243*) en plein air par étapes toutes les 2-4 semaines.

▨ **Semez des graines de bisannuelles** en rangs ou en couches (*voir p. 149*).

### RÉCOLTE

▨ **Cueillez brins et fleurs** à maturité pour les sécher, les congeler ou en faire des infusions (*voir p. 233*).

MENTHE

▨ **Coupez des brins d'angélique** afin de les cristalliser (*voir p. 232*).

## POTAGER ET VERGER

### TÂCHES ESSENTIELLES

▨ **Arrosez les cultures** en plein air selon les besoins et régulièrement toute plante en sac, en pot ou en serre afin de leur garantir une bonne croissance *(voir encadré p. 236)*.

▨ **Achevez de pailler** autour des plantations, arrosez bien la terre au préalable *(voir p. 236)*.

▨ **Apportez régulièrement de l'engrais** aux légumes en pots et en sacs, les plantations en serre, y compris les tomates *(voir p. 257)*.

PAILLER AVEC DU FUMIER BIEN DÉCOMPOSÉ

▨ **Buttez les plants de pommes de terre** pour empêcher les tubercules de verdir *(voir p. 252)*.

▨ **Éclaircissez les fruits des pommiers et des pruniers** *(voir p. 265)* ainsi que des pêchers *(voir p. 267)*.

▨ **Taillez la vigne** *(voir p. 273)* régulièrement pour éviter les rameaux emmêlés. Étayez-les.

### SEMER ET PLANTER

▨ **Semez des plantes engrais vert** pour occuper temporairement les planches vides durant la saison de croissance *(voir p. 239)*.

▨ **Semez en plein air les légumes d'été** *(voir p. 142)* par étapes successives afin de prolonger la récolte, ainsi que les graines des légumes d'hiver tels que :

Betterave *(voir p. 251)*
Brocoli *(voir p. 248)*
Scarole et salade frisée *(voir p. 255)*

Haricots verts *(voir p. 246)*
Laitue, dans la fraîcheur de la soirée *(voir p. 255)*
Carottes *(voir p. 251)*
Haricots d'Espagne *(voir p. 247)*
Pois, sous un filet pour les protéger des oiseaux et des souris *(voir p. 247)*
Citrouilles, potirons, courges et courgettes *(voir p. 253)*
Salades en feuilles *(voir p. 255)*
Ciboule *(voir p. 250)*
Radis d'été *(voir p. 249)*
Petits oignons *(voir p. 250)*

▨ **Plantez en plein air les brassicacées d'hiver**, les légumes poussés en pots et les variétés délicates.

▨ **Plantez en plein air les jeunes plants de :**

Aubergines, piments et poivrons *(voir p. 256)*
Chou frisé *(voir p. 248)*
Poireaux *(voir p. 251)*
Concombres *(voir p. 256)*
Chou brocoli *(voir p. 248)*
Maïs *(voir p. 253)*
Tomates *(voir p. 257)*

### SOINS RÉGULIERS

▨ **Paillez les cultures de légumes et les fruitiers** une fois que le sol est chaud et humide *(voir p. 339)*.

▨ **Arrosez le compost** par temps sec pour qu'il reste humide et se décompose.

▨ **Incorporez l'engrais vert** semé plus tôt avant qu'il fleurisse *(voir p. 239)*.

▨ **Donnez un coup de pouce aux légumes** avec un engrais riche en azote, si nécessaire *(voir p. 239)*.

▨ **Pincez les pousses latérales des tomates** *(voir p. 252)* pour que les plants grandissent en hauteur et qu'il soit plus aisé de récolter les tomates. Attachez les tiges à des cannes.

▨ **Pincez les fleurs** des framboisiers d'été la première année pour donner aux plants le temps et l'énergie de s'établir *(voir p. 270)*.

▨ **Posez un filet sur les fraisiers** pour protéger les fruits mûrissants des ravageurs *(voir p. 272)*. Éliminez les stolons en trop. Placez de la paille sous les fruits pour qu'ils restent propres.

### ÉLAGAGE ET ORIENTATION

▨ **Taillez les fruitiers** à noyaux de forme classique *(voir p. 263)*.

▨ **Élaguez les nouveaux poiriers** *(voir p. 264)*.

▨ **Élaguez les pruniers** et cerisiers à bigarreaux *(voir p. 266)* par temps chaud et sec.

▨ **Attachez les tiges des framboisiers** à des supports et coupez les plus faibles *(voir p. 270)*.

▨ **Liez les tiges des mûriers** et des hybrides à baies à des supports *(voir p. 271)*.

### SEMIS

▨ **Plantez les stolons racinés** d'une sélection de fraisiers *(voir p. 272)*.

### RÉCOLTE

▨ **Cueillez les légumes tels que :**

Betterave *(voir p. 251)*
Carottes précoces *(voir p. 251)*
Pommes de terre nouvelles *(voir p. 251)*
Laitue *(voir p. 255)*
Pois *(voir p. 247)*
Salades en feuilles *(voir p. 255)*
Bettes à couper et poirée *(voir p. 250)*
Ciboule *(voir p. 250)*
Chou frisé d'été *(voir p. 248)*
Radis d'été *(voir p. 249)*
Navets d'été *(voir p. 249)*

▨ **Cueillez les premiers fruits :**

Groseilles provenant des éclaircissages, pour la cuisine *(voir p. 268)*
Rhubarbe *(voir p. 273)*
Fraises *(voir p. 272)*

# AU CŒUR DE L'ÉTÉ

| PELOUSES | LIMITES ET SÉPARATIONS | PARTERRES ET MASSIFS |
|---|---|---|

## PELOUSES

### TÂCHES ESSENTIELLES

■ **Arrosez les nouvelles pelouses** *(voir p. 84)* régulièrement par temps sec.

### SEMER ET PLANTER

■ **Plantez des bulbes dans l'herbe** qui fleuriront à l'automne *(voir p. 89)* dès que vous en trouvez dans le commerce. Plantés frais, ils prospéreront davantage.

### SOINS RÉGULIERS

■ **Tondez le gazon** aux intervalles appropriés à la variété d'herbe *(voir p. 82)*. Vous pouvez abaisser la lame de la tondeuse. Taillez les bordures *(voir p. 83)*.

■ **Une fois que les bulbeuses printanières** ont dépéri *(voir p. 82)*, tondez pour la première fois les herbes longues.

DÉTERRER DES MAUVAISES HERBES VIVACES

■ **Surveillez les mauvaises herbes** *(voir p. 87)*.

## LIMITES ET SÉPARATIONS

### TÂCHES ESSENTIELLES

■ **Arrosez si nécessaire**, surtout les jeunes plants et les espèces récemment plantées.

■ **Surveillez les parasites et les maladies**, tels que pucerons et taches noires, et prenez des mesures pour enrayer le mal *(voir p. 111)*.

■ **Élaguez les grimpantes et arbustes** à espalier s'ils fleurissent sur les rameaux de l'année précédente, aussitôt après la floraison *(voir pp. 112-113)*.

■ **Taillez les arbustes à espalier** dont la sève suinte facilement, comme le *Prunus (voir p. 112)* et les cognassiers à fleurs *(voir p. 113)*.

■ **Taillez les rosiers lianes** aussitôt après la floraison *(voir p. 115)*.

### SOINS RÉGULIERS

■ **Coupez les fleurs fanées**, si nécessaire, pour prolonger la floraison à moins que vous ne vouliez récolter les graines.

■ **Apportez de l'engrais** aux rosiers grimpants et lianes ; mieux vaut utiliser un produit spécial.

### ÉLAGAGE ET ORIENTATION

■ **Dirigez les grimpantes** *(voir pp. 108-109)* et les rosiers *(voir p. 115)* à l'aide de supports à mesure qu'ils grandissent. Éliminez toute branche morte ou malade et vérifiez les liens.

■ **Élaguez les haies classiques**, si elles comportent des espèces telles que *Berberis thunbergii*, charme ou if *(voir tableau, p. 117 et p. 121)*.

## PARTERRES ET MASSIFS

### TÂCHES ESSENTIELLES

■ **Arrosez les plantes** si nécessaire *(voir p. 152)*.

■ **Achevez de dépiquer les tulipes** une fois que leurs feuilles jaunissent et se décolorent ; stockez-les dans un endroit chaud et sec pendant l'été ; ou jetez-les.

■ **Finissez de planter les bulbeuses** d'automne *(voir p. 149)*. Achetez des bulbes sains *(voir p. 146)* pour optimiser les résultats.

ROSIER BUISSON À GRAPPES DE FLEURS, ROSA 'PLAYBOY'

■ **Apportez de l'engrais et paillez** les rosiers. Mieux vaut utiliser un fertilisant spécial.

### SOINS RÉGULIERS

■ **Coupez les fleurs fanées** des bulbeuses, des vivaces *(voir p. 155)*, des annuelles et des bisannuelles, des plantes alpines, des rosiers et des arbustes fleurissants dès que les fleurs dépérissent. Laissez le feuillage des plantes à bulbes mourir naturellement.

### ÉLAGAGE ET ORIENTATION

■ **Taillez les arbustes caducs** établis qui fleurissent sur les rameaux de l'année précédente *(voir p. 158)*.

## POTS ET MASSIFS SURÉLEVÉS

### SEMIS

▪ **Semez les graines de bisannuelles** en rangs dans un parterre libre ou en couches (*voir p. 149*).

▪ **Récoltez les graines** des vivaces à floraison précoce (*voir p. 155*) et des annuelles et bisannuelles (*en haut de la page suivante*) à mesure qu'elles mûrissent.

▪ **Semez les graines de vivaces** immédiatement (*voir p. 162*) et stockez celles des annuelles et des bisannuelles pour les semer en automne ou au printemps (*voir pp. 162-163*).

▪ **Divisez les vivaces** qui fleurissent en début d'été (*voir p. 163*), une fois les fleurs fanées.

▪ **Faites des boutures** à bois souple d'arbustes (*voir p. 164*).

▪ **Faites des boutures molles** de vivaces (*voir p. 165 et p. 381*).

### CONSEILS D'ARROSAGE

▪ **Mieux vaut arroser** de bonne heure le matin ou en début de soirée afin de minimiser l'évaporation.

▪ **Arrosez copieusement** ou pas du tout. Il est préférable de bien s'occuper d'une partie du jardin que d'arroser vaguement l'ensemble, ce qui risque de faire monter les racines à la surface, auquel cas elles pourraient brûler.

▪ **Si les plantes ont besoin d'eau** pendant la journée, évitez de mouiller les feuilles car elles brûleraient sous l'ardeur du soleil. Arrosez plutôt la terre ou le terreau.

▪ **Appliquez un épais paillis** pour conserver l'humidité du sol, mais assurez-vous que la terre est bien mouillée d'abord.

▪ **S'il y a pénurie d'eau**, arrosez de préférence les jeunes plants et les plantes en pots.

### TÂCHES ESSENTIELLES

▪ **Arrosez les plantes en pots** régulièrement ; vérifiez-les chaque jour (*voir p. 178*).

▪ **Arrosez les massifs surélevés** si nécessaire (*voir p. 183*).

▪ **Pincez, taillez les plantes** tels que le coleus en pots (*voir p. 173 et encadré p. 381*).

### PLANTER

▪ **Plantez en pots** (*voir p. 176*) les grimpantes caduques résistantes, les vivaces, les annuelles, et les bisannuelles, les bulbeuses d'automne et les alpines.

### SOINS RÉGULIERS

▪ **Coupez régulièrement les fleurs fanées** et entretenez la forme de vos plantes en éliminant le feuillage fatigué, malade ou tout en longueur (*voir p. 178*).

▪ **Désherbez régulièrement** les parterres surélevés.

▪ **Apportez de l'engrais aux plantes en pots** entre 6-8 semaines après la plantation (*voir p. 178*) à intervalles réguliers si vous n'avez pas recouru à un fertilisant à action lente. Les produits foliaires ou liquides sont préférables.

▪ **Dépiquez les bulbes** fleurissant au printemps une fois que le feuillage a dépéri ; stockez-les pour l'été. Nettoyez les bulbes, disposez-les sur un plateau pour qu'ils sèchent ; rangez-les dans un sac en papier (et non en plastique).

### ÉLAGAGE ET ORIENTATION

▪ **Taillez légèrement** les topiaires et les arbres à tige (*voir p. 178*).

▪ **Attachez les grimpantes** à des supports (cannes ou treillis) à mesure qu'elles grandissent (*voir pp. 108-109*).

### SAUVEZ DES PLANTES EN POTS AYANT SÉCHÉ

▪ **Trempez le pot** dans une grande cuvette d'eau pour bien humidifier le terreau.

▪ **Une fois que la terre** est mouillée en surface, sortez le pot et placez-le à l'ombre jusqu'à ce que la plante soit remise.

TREMPER UN PANIER AYANT SÉCHÉ

▪ **Coupez toutes les feuilles** ou fleurs flétries avant de remettre le pot à sa place.

# AU CŒUR DE L'ÉTÉ

| ARBRES ORNEMENTAUX | JARDIN AQUATIQUE | HERBES |
|---|---|---|

### TÂCHES ESSENTIELLES

▪ **Élaguez les cerisiers**, les pêchers, les pruniers et les abricotiers à fleurs (*Prunus*), si nécessaire *(voir p. 196)* pour minimiser les risques de plomb parasitaire et autres maladies.

▪ **Arrosez si nécessaire**, surtout les arbres plantés au cours des 2-3 dernières années. Quelques arrosoirs pleins valent mieux que de vagues rations fréquentes *(voir p. 197)*.

### SOINS RÉGULIERS

▪ **Surveillez les drageons et les surgeons** émanant du tronc ou des racines ; éliminez-les avant qu'elles soient trop grandes et gâchent l'apparence de l'arbre *(voir p. 197)*.

### RÉCOLTE

▪ **Cueillez les fruits et les noix** comestibles quand ils sont mûrs *(voir p. 197)*.

### TÂCHES ESSENTIELLES

▪ **Supprimez régulièrement les fleurs fanées** et le feuillage dépéri pour éviter de polluer l'eau *(voir p. 222)*.

▪ **Éliminez les conferves** à intervalles réguliers *(voir p. 222)*.

▪ **Éclaircissez les plantes flottantes**, oxygénantes et les lenticules à intervalles réguliers *(voir p. 222)*.

### PLANTER

▪ **Plantez** *(voir pp. 220-221)* des plantes oxygénantes, de bordure, de marais et d'eau profonde.

### SOINS RÉGULIERS

▪ **Apportez de l'engrais** aux nénuphars et autres plantes en pots *(voir p. 222)*.

### TÂCHES ESSENTIELLES

▪ **Arrosez et donnez de l'engrais** aux herbes en pots.

DES ÉTAGES D'HERBES EN POTS

▪ **Récoltez les graines** des annuelles et des bisannuelles dès qu'elles sont mûres. Nettoyez-les et stockez-les dans des sacs en papier et dans un endroit obscur, frais et sec.

▪ **Achevez de semer** les graines des herbes bisannuelles, comme l'angélique et le cumin, en rangs dans un parterre vide ou en couches *(voir p. 149)*.

### SOINS RÉGULIERS

▪ **Cueillez et coupez** régulièrement les fleurs fanées.

### SEMIS

▪ **Faites des boutures** d'herbes vivaces et bisannuelles *(voir encadré p. 381)*.

▪ **Semez par étapes** les herbes utilisées régulièrement comme le basilic et le persil *(voir aussi p. 243)* en plein air toutes les 2-4 semaines.

### RÉCOLTE

▪ **Cueillez brins et fleurs** à mesure qu'ils mûrissent afin de les sécher, de les congeler ou d'en faire des infusions *(voir p. 233)*.

## POTAGER ET VERGER

### TÂCHES ESSENTIELLES

▪ **Arrosez les cultures** en plein air selon les besoins et régulièrement toutes les plantes en sac, pot, ou en serre afin qu'elles poussent bien *(voir encadré p. 236)*.

▪ **Mouillez le sol de la serre** et augmentez la ventilation par temps chaud pour empêcher les cultures d'avoir trop chaud et décourager l'araignée rouge *(voir p. 296)*.

▪ **Donnez régulièrement de l'engrais** aux légumes en pots ou en sacs, et aux cultures de serre, y compris les tomates *(voir p. 257)* selon les besoins.

▪ **Ombragez les jeunes plants de tomates** *(voir p. 255)* par temps chaud.

▪ **Éclaircissez les poiriers et les pommiers** *(voir p. 264)*.

▪ **Élaguez la vigne** *(voir p. 273)* pour empêcher les rameaux de s'entremêler. Attachez-les sur des supports.

### SEMIS ET PLANTATIONS

▪ **Semez les plantes engrais vert** pour couvrir temporairement les espaces délaissés durant la saison de croissance *(voir p. 239)*.

▪ **Semez en plein air les légumes d'été** *(voir p. 142)* par étapes afin de prolonger la récolte, ainsi que les légumes d'hiver comme :

Betterave *(voir p. 251)*
Carottes *(voir p. 251)*
Scarole et frisée *(voir p. 255)*
Laitue, dans la fraîcheur de la soirée *(voir p. 255)*
Pois, sous un filet pour les protéger des oiseaux et des souris *(voir p. 247)*
Salades en feuilles *(voir p. 255)*
Ciboule *(voir p. 250)*
Maïs *(voir p. 253)*
Bette à couper *(voir p. 255)*
Radis d'été *(voir p. 249)*
Petits oignons *(voir p. 250)*
Navets d'hiver *(voir p. 249)*

▪ **Plantez en plein air** les brassicacées d'hiver, les légumes poussés en pots et les légumes délicats.

▪ **Plantez les jeunes plants de :**

Chou frisé d'automne et d'hiver *(voir p. 248)*
Poireaux *(voir p. 251)*
Laitue *(voir p. 255)*
Chou brocoli *(voir p. 248)*
Chou d'hiver, à stocker *(voir p. 249)*

### SOINS RÉGULIERS

▪ **Arrosez le compost** par temps sec pour qu'il reste humide et se décompose.

▪ **Incorporez les engrais verts** semés plus tôt avant qu'ils fleurissent *(voir p. 239)*.

▪ **Donnez un coup de pouce** aux légumes à l'aide d'un engrais riche en azote, si nécessaire *(voir p. 239)*.

▪ **Enveloppez les pêches** qui mûrissent, sans serrer, dans de la mousseline pour éloigner les oiseaux *(voir p. 267)*.

▪ **Éliminez les stolons** en excès des fraisiers *(voir p. 272)*. Placez de la paille sous les fruits pour qu'ils restent propres. Nettoyez les plants qui ont fini de donner des fruits.

▪ **Rassemblez et brûlez** les fruits pourris tombés des arbres et des buissons pour empêcher les maladies de se propager.

ÉLAGUER
UN PRUNIER
*(Prunus)*

### ÉLAGAGE ET ORIENTATION

▪ **Taillez les arbres fruitiers** à noyaux de forme classique *(voir p. 263)*.

▪ **Éliminez les tiges** initiales des nouveaux framboisiers *(voir p. 270)*.

▪ **Attachez les tiges des mûriers** et hybrides à baies à des supports *(voir p. 271)*.

▪ **Pincez les pousses** latérales des tomates *(voir p. 252)* pour que les plants grandissent en hauteur et pour faciliter la cueillette. Attachez les tiges à des cannes.

### SEMIS

▪ **Plantez les stolons** racinés de fraisiers sélectionnés *(voir p. 272)*.

### RÉCOLTE

▪ **Cueillez les légumes suivants :**

Betterave *(voir p. 251)*
Brocoli *(voir p. 248)*
Scarole et frisée *(voir p. 255)*
Carottes précoces *(voir p. 251)*
Pommes de terre nouvelles *(voir p. 252)*
Haricots verts *(voir p. 246)*
Ail *(voir p. 250)*
Tomates de serre *(voir p. 257)*
Poireaux *(voir p. 251)*
Laitue *(voir p. 251)*
Pois *(voir p. 247)*
Citrouilles, potirons, courges et courgettes *(voir p. 253)*
Haricots d'Espagne *(voir p. 247)*
Salades en feuilles *(voir p. 255)*
Échalotes *(voir p. 250)*
Bette à couper et poirée *(voir p. 255)*
Ciboule *(voir p. 250)*
Choux d'été *(voir p. 249)*
Chou frisé d'été *(voir p. 248)*
Radis d'été *(voir p. 249)*
Navets d'été *(voir p. 249)*
Maïs *(voir p. 253)*

▪ **Cueillez les fruits suivants :**

Cassis *(voir p. 269)*
Myrtilles *(voir p. 269)*
Groseilles *(voir p. 268)*
Cerises bigarreaux *(voir p. 267)*
Pêches *(voir p. 267)*
Groseilles rouges *(p. 268)*
Rhubarbe *(voir p. 273)*
Framboises d'été *(voir p. 270)*
Fraises *(voir p. 272)*

# À LA FIN DE L'ÉTÉ

| PELOUSES | LIMITES ET SÉPARATIONS | MASSIFS ET PARTERRES |
| --- | --- | --- |

### TÂCHES ESSENTIELLES

▪ **Arrosez les nouvelles pelouses** (*voir p. 84*) régulièrement par temps sec.

▪ **Achevez de planter les bulbes** dans le gazon en prévision d'une floraison l'automne prochain (*voir p. 89*) ; dès qu'on en trouve dans le commerce.

### SEMER ET PLANTER

▪ **Préparez le sol et le site** (*voir p. 78*) pour semer en automne de l'herbe en graines ou pour poser des mottes de gazon.

▪ **Préparez le sol et le site** (*voir p. 78*) pour la plantation en automne d'une pelouse non gazonnante.

### SOINS RÉGULIERS

▪ **Tondez les pelouses** aux intervalles appropriés au type d'herbe (*voir p. 82*) ; vous pouvez baisser la lame de la tondeuse. Taillez les bordures (*voir p. 83*).

▪ **Apportez de l'engrais** spécial gazon (*voir p. 84*).

▪ **Surveillez les mauvaises herbes** et contrôlez-les (*voir p. 87*).

▪ **Taillez légèrement les pelouses** non gazonnantes pour éliminer les pousses mortes ou trop longues (*voir p. 88*), si cela n'a pas été fait au printemps.

### TÂCHES ESSENTIELLES

▪ **Arrosez si nécessaire**, surtout les jeunes plants et les espèces plantées récemment.

▪ **Surveillez les parasites et les maladies**, tels que pucerons et taches noires et prenez des mesures pour enrayer le mal (*voir p. 111*).

▪ **Élaguez les grimpantes et les arbustes** en espalier établis fleurissant sur les rameaux de l'année précédente, aussitôt après la floraison (*voir pp. 112-113*).

▪ **Taillez les rosiers lianes** aussitôt après la floraison (*voir p. 115*).

### SOINS RÉGULIERS

▪ **Coupez les fleurs fanées** des plantes, selon les besoins, pour prolonger la floraison

CLÉMATITE 'ROUGE CARDINAL'

à moins que vous ne vouliez conserver les graines.

### ÉLAGAGE ET ORIENTATION

▪ **Étayez grimpantes** (*voir pp. 108-109*) et rosiers (*voir p. 115*) à mesure qu'ils grandissent. Supprimez les tiges mortes ou malades et vérifiez que les attaches ne sont pas trop serrées.

▪ **Taillez les glycines établies** (*voir p. 111*).

▪ **Élaguez les haies classiques** si elles comportent des espèces telles que bouleaux, charmes ou houx (*voir tableau p. 117 et p. 121*).

▪ **Taillez les buissons** de troène et d'aubépine plantés l'hiver précédent pour leur donner une bonne forme (*voir p. 120*).

### TÂCHES ESSENTIELLES

▪ **Arrosez les plantes** nouvelles et établies selon les besoins (*voir p. 152*).

### PLANTER

▪ **Plantez les bulbeuses** de printemps (*voir p. 149*), y compris les tulipes (*voir p. 137*). Achetez des bulbes sains (*voir p. 146*) pour optimiser les résultats.

▪ **Préparez la terre** des parterres et bordures, hormis les sols légers et sablonneux, pour améliorer leur état et faire en sorte qu'ils soient prêts pour les plantations (*voir pp. 142-143*), ou pour bonifier une planche (*voir p. 150*).

### SOINS RÉGULIERS

▪ **Coupez les fleurs fanées** des bulbeuses, vivaces (*voir p. 155*), annuelles et bisannuelles, des plantes alpines, des rosiers et des arbustes fleurissants dès que les fleurs se fanent. Laissez le feuillage des bulbeuses dépérir naturellement.

### ÉLAGAGE ET ORIENTATION

▪ **Taillez les arbustes** caducs fleurissant sur les rameaux de l'année précédente (*voir p. 158*).

▪ **Élaguez les rosiers** les plus anciens une fois qu'ils ont fleuri (*voir p. 161*).

### SEMIS

▪ **Récoltez les graines** des vivaces à floraison estivale (*voir p. 155*) ainsi que les annuelles et les bisannuelles dès qu'elles sont mûres. Stockez-les pour les semer en automne ou au printemps (*voir pp. 162-163*).

▪ **Faites des boutures** semi-aoûtées d'arbustes (*voir p. 164*).

▪ **Faites des boutures** molles de vivaces (*voir p. 165 et p. 381*).

## DES LIS À PARTIR DE BULBILLES

▓ **Qu'est-ce qu'une bulbille ?** Certains lis tels que *Lilium bulbiferum, L. leichlinii, sargentiae, L. chalcedonicum* et *L × testacum* produisent ce qui ressemble à de petites baies foncées à la base de leurs feuilles, qui offrent un moyen aisé, bien que lent, de cultiver de nouveaux nénuphars.

▓ **Comment les récolter ?** Si les bulbilles sont mûres, elles devraient être faciles à cueillir.

▓ **Comment les faire pousser ?** Traitez-les comme des graines de grandes vivaces et semez-les en pots (*voir p. 162*) ou en plateaux.

RÉCUPÉRER DES BULBILLES DE LIS

▓ **Quand faut-il les planter ?** Plantez l'ensemble des « jeunes plants » à l'automne suivant.

CACTÉES ET PLANTES GRASSES

## TÂCHES ESSENTIELLES

▓ **Arrosez les pots régulièrement** ; vérifiez-les chaque jour (*voir p. 178*).

▓ **Ravivez les pots** d'été en remplaçant les plantes fatiguées par des fleurs tardives telles qu'asters, anémones du Japon et pensées.

▓ **Arrosez les massifs surélevés** si nécessaire (*voir p. 183*).

▓ **Pincez, taillez** les plantes en pots tel le coleus (*voir p. 173 et encadré p. 381*).

## PLANTER

▓ **Plantez en pots** (voir p. 176) les grimpantes caduques rustiques et les alpines à floraison automnale.

## SOINS RÉGULIERS

▓ **Donnez de l'engrais** aux plantes en pots 6-8 semaines après la plantation (*voir p. 178*) à intervalles réguliers si vous n'avez pas eu recours à un engrais à action lente. Mieux vaut utiliser un produit foliaire ou liquide.

▓ **Coupez régulièrement les fleurs fanées** et entretenez la forme des plantes en éliminant le feuillage fatigué, malade ou trop long (*voir p. 178*).

▓ **Désherbez régulièrement** les massifs surélevés.

## ÉLAGAGE ET ORIENTATION

▓ **Faites une ultime coupe légère** aux topiaires et arbustes à tige (*voir p. 178*).

▓ **Attachez les grimpantes** à des supports (cannes ou treillis) à mesure qu'elles grandissent (*voir pp 108-109*).

## TÂCHES ESSENTIELLES

▓ **Arrosez si nécessaire**, surtout les arbres plantés les 2-3 dernières années. Une bonne ration de temps en temps vaut mieux que des arrosages fréquents, mais légers (*voir p. 197*).

## SOINS RÉGULIERS

▓ **Surveillez les drageons** et surgeons émanant du tronc et des racines et supprimez-les avant qu'ils deviennent trop grands et gâchent l'arbre (*voir p. 197*).

## ÉLAGAGE ET FORMATION

▓ **Taillez les arbres persistants** si nécessaire (*voir p. 196*). Ne rabattez pas trop les conifères ; la plupart ne repartent pas à partir de rameaux anciens.

## RÉCOLTE

▓ **Cueillez les fruits et les noix** comestibles quand ils sont mûrs (*voir p. 197*).

# À LA FIN DE L'ÉTÉ

| JARDIN AQUATIQUE | HERBES |

## TÂCHES ESSENTIELLES

▓ **Finissez de planter** *(voir p. 220-221)* les espèces d'eau profonde.

NÉNUPHAR (NYMPHAEA 'FIRECREST')

## SOINS RÉGULIERS

▓ **Supprimez les dernières fleurs fanées,** le feuillage dépéri, les conferves, les flottantes et les lenticules pour éviter de polluer l'eau *(voir p. 222)*.

▓ **Éclaircissez les plantes** oxygénantes à intervalles réguliers *(voir p. 222)*.

## TÂCHES ESSENTIELLES

▓ **Arrosez et donnez de l'engrais** aux herbes en pots.

▓ **Récupérez les graines** des herbes annuelles et bisannuelles dès qu'elles sont mûres. Nettoyez-les et stockez-les dans des sacs en papier dans un endroit frais, sec et obscur.

▓ **Achevez de faire des boutures** d'herbes annuelles et bisannuelles *(voir encadré p. 381)*.

## PLANTER

▓ **Prenez des pousses** racinées d'herbes ayant été buttées et marcottées ; rempotez-les ou replantez-les dans des fentes entre des dalles *(voir p. 229)*.

## SOINS RÉGULIERS

▓ **Cueillez des fleurs** et éliminez régulièrement les fanées.

## RÉCOLTE

▓ **Récoltez brins et fleurs** dès qu'ils sont à maturité pour les sécher, les congeler ou pour faire des infusions *(voir p. 233)*.

## TAILLES D'ENTRETIEN

▓ **Cueillez feuilles et brins** régulièrement durant toute la saison de croissance pour que les plantes restent nettes et vigoureuses.

▓ **Coupez les fleurs** des plantes cultivées pour leur feuillage afin d'encourager l'apparition de nouvelles pousses robustes.

▓ **Éliminez les inflorescences** des herbes arbustives dès qu'elles se fanent pour empêcher la plante de gaspiller de l'énergie en produisant des graines.

▓ **Ayez l'œil** sur les rameaux tout verts dans le cas d'herbes panachées ; si on ne les supprime pas, la plante finira par devenir verte.

▓ **Les herbes bisannuelles** dureront plus longtemps si on en cueille régulièrement tout en éliminant les fleurs fanées.

**BASILIC VERT**

## POTAGER ET VERGER

### TÂCHES ESSENTIELLES

▪ **Arrosez les cultures** en plein air si nécessaire, et régulièrement toute plante en sac, en pot, ou en serre pour qu'elles poussent bien (*voir encadré p. 236*).

▪ **Mouillez le sol** de la serre et augmentez la ventilation par temps chaud pour empêcher les plantes d'avoir trop chaud et décourager l'araignée rouge (*voir p. 296*).

▪ **Nettoyez le lavis** dans la serre si vous en avez mis. Ne le laissez pas en place à l'automne car la luminosité risque d'être trop faible.

▪ **Désherbez régulièrement** les légumes en pots et en sacs, ainsi que les plantes de serre, y compris les tomates (*voir p. 257*), selon les besoins.

▪ **Ombragez vos jeunes plants de salades** (*voir p. 255*) en plein air s'il fait chaud.

▪ **Achevez d'élaguer** les nouveaux poiriers et ceux établis, taillés en pyramide (*voir p. 264*).

▪ **Finissez de tailler** les arbres à noyaux de forme classique (*voir p. 263*) ; ainsi que les pommiers (*voir p. 263*).

▪ **Élaguez les cerisiers** à griottes après la floraison (*voir p. 267*).

▪ **Continuez à tailler** régulièrement la vigne (*voir p. 273*) pour éviter que les rameaux s'entremêlent ; liez-les à des supports.

### SEMER ET PLANTER

▪ **Semez des plantes engrais vert** pour occuper temporairement la terre délaissée durant la saison de croissance (*voir p. 239*).

▪ **Semez les légumes d'été en plein air** (*p. 142*) par étapes pour prolonger la récolte ainsi que les graines de légumes d'hiver tels que :

Oignons et ciboule (*voir p. 250*)
Salades en feuilles (*voir p. 255*)
Bette à couper (*voir p. 255*)
Chou de printemps (*voir p. 249*)

Radis d'été (*voir p. 249*)
Petits oignons (*voir p. 250*)
Navets d'hiver (*voir p. 249*)

▪ **Plantez en plein air** les brassicacées, les légumes délicats et ceux plantés en pots.

▪ **Plantez les plants de fraisier** (*voir p. 272*). Apportez de l'engrais avant la plantation dans les sols sablonneux ou crayeux.

### SOINS RÉGULIERS

▪ **Incorporez l'engrais vert** semé plus tôt avant qu'il fleurisse (*voir p. 239*).

▪ **Arrosez le compost** par temps sec pour qu'il reste humide et se décompose.

COUCHES DE COMPOST EN CONTENEUR

▪ **Donnez un coup de pouce** aux légumes en leur apportant de l'engrais azoté si nécessaire (*voir p. 239*).

▪ **Pincez le haut des plants de tomates** (*voir p. 252*) pour encourager les dernières à mûrir.

▪ **Nettoyez les plants** de fraisiers qui ont fini de donner des fruits (*voir p. 272*).

▪ **Ramassez et brûlez** les fruits pourris tombés sous les arbres et les buissons pour empêcher la propagation de maladies.

### ÉLAGAGE ET ORIENTATION

▪ **Rabattez les tiges** de framboisiers donnant des fruits en été, après récolte, et attachez les tiges les plus robustes à des supports (*voir p. 270*).

### SEMIS

▪ *Enracinez les stolons* de fraisiers de plantes sélectionnées (*voir p. 272*).

### RÉCOLTE

▪ **Cueillez les légumes suivants :**

Aubergines, piments et poivrons (*voir p. 256*)
Betterave (*voir p. 251*)
Oignons (*voir p. 250*)
Brocoli (*voir p. 248*)
Scarole et frisée (*voir p. 255*)
Haricots verts (*voir p. 246*)
Ail (*voir p. 250*)
Laitue (*voir p. 255*)
Carottes (*voir p. 251*)
Pommes de terre (*voir p. 252*)
Pois (*voir p. 247*)
Citrouilles, potirons, courges et courgettes (*voir p. 253*)
Concombres (*voir p. 256*)
Haricots verts (*voir p. 247*)
Salades en feuille (*voir p. 255*)
Échalotes (*voir p. 250*)
Bette à couper et poirée (*voir p. 255*)
Ciboule (*voir p. 250*)
Radis d'été (*voir p. 249*)
Maïs (*voir p. 253*)
Tomates (*voir p. 257*)

▪ **Cueillez les fruits suivants :**

Cerises à griottes (*voir p. 267*)
Pommes (*voir p. 265*)
Mûres et hybrides à baies (*voir p. 271*)
Myrtilles (*voir p. 269*)
Framboises (*voir p. 270*)
Pêches (*voir p. 267*)
Prunes (*voir p. 266*)
Fraises (*voir p. 272*)

# AU DÉBUT DE L'AUTOMNE

| PELOUSES | LIMITES ET SÉPARATIONS | PARTERRES ET MASSIFS |
| --- | --- | --- |

## PELOUSES

### TÂCHES ESSENTIELLES

▪ Plantez des pousses racinées d'herbes but-tées (*voir p. 231*) afin de créer une pelouse non-gazonnante (*voir p. 88*).

### TÂCHES ESSENTIELLES

▪ **Plantez dans l'herbe des bulbes** qui fleu-riront au printemps (*voir p. 89*).

### SEMER ET PLANTER

▪ **Disposez du gazon** en mottes pour une nouvelle pelouse (*voir p. 77 et pp 80-81*) si cela n'a pas été fait au printemps et quand le temps se rafraîchit.

▪ **Semez des graines** pour un nouveau gazon (*voir p. 77 et p. 79*) si cela n'a pas été fait au printemps et quand le sol est humide.

### SOINS RÉGULIERS

▪ **Tondez les pelouses** aux intervalles appropriés selon le type d'herbe (*voir p. 82*). Placez la lame en position haute. Taillez les bordures (*voir p. 83*).

▪ **Scarifiez, aérez et fumez** en surface les pelouses d'herbes pour les maintenir en bon état (*voir p. 85*).

▪ **Apportez de l'engrais spécial gazon** si cela n'a pas été fait à la fin de l'été (*voir p. 84*).

## LIMITES ET SÉPARATIONS

### PLANTER

▪ **Plantez les arbustes** en espalier et les grimpantes au pied des murs, barrières ou arbres (*voir p. 110*), les clématites comprises (*voir p. 111*). Dirigez les tiges selon la forme souhaitée (*voir p. 111 et p. 113*).

▪ **Plantez les haies** d'arbres et arbustes ayant grandi en pots (*voir p. 120*).

### SOINS RÉGULIERS

▪ **Coupez les fleurs fanées** pour prolonger la floraison.

### ÉLAGAGE ET ORIENTATION

▪ **Vérifiez les supports** des grimpantes, des arbustes en espalier et des rosiers et changez-les si nécessaire ; achevez de lier les tiges vagabondes ; vérifiez les anciennes attaches (*voir pp. 108-109*).

▪ **Élaguez les rosiers** grimpants après la floraison (*voir p. 115*).

▪ **Taillez les haies** persistantes, comme le cyprès Lawson, *Lonicera nitida* et *Thuja plicata* (*voir tableau p. 117 et p. 121*).

---

### VÉRIFIEZ LES ATTACHES

▪ **Pourquoi faut-il le faire ?** À mesure que les tiges grandissent et épaississent, les anciens liens mordent l'écorce et pro-voquent des blessures pouvant aller jus-qu'à tuer ces tiges ; elles donnent accès à la maladie ou affaiblissent les rameaux. Vérifiez les liens lorsque vous élaguez.

TIGE ENDOMMAGÉE PAR UNE ATTACHE

---

## PARTERRES ET MASSIFS

### TÂCHES ESSENTIELLES

▪ **Arrosez les plantes** nouvelles et établies si nécessaire (*voir p. 152*).

▪ **Divisez les pivoines** (*voir p. 135*) avant que la terre soit trop froide. Avec un couteau, cou-pez les racines charnues en éclats comportant chacun 2 ou 3 bourgeons. Veillez à ne pas abîmer les racines. Pralinez les coupes avec un fongicide et replantez les fragments en plaçant les bourgeons juste au-dessus de la surface.

▪ **Achevez de faire des boutures** semi-aoûtées d'arbustes (*voir p. 164*).

▪ **Finissez de faire des boutures** molles de vivaces (*voir p. 165 et p. 381*).

### PLANTER

▪ **Plantez des bulbeuses** à floraison printanière (*voir p. 149*), y compris tulipes, jonquilles et lis (*voir p. 137*).

▪ **Préparez la terre des bordures**, sauf les sols légers et sablonneux, en vue de planta-tions futures (*voir pp. 142-143*) ou pour la bonifier (*voir p. 150*).

▪ **Plantez des vivaces** (*voir p. 148*) ainsi que les arbustes à racines en mottes ou ayant poussé en pots (*voir p. 150*). Achetez des plantes saines (*voir p. 146*) pour optimiser les résultats. Procédez à l'élagage initial des arbustes après la plantation (*voir p. 151*) et étayez-les si nécessaire (*voir p. 150*).

### SOINS RÉGULIERS

▪ **Coupez les fleurs fanées** des plantes tardives, en particulier les vivaces (*voir p. 155*), les annuelles et les bisannuelles.

▪ **Paillez bordures et parterres**, si cela n'a pas été fait au printemps (*voir pp. 152-153*). Assurez-vous que la terre est humide ; arrosez si nécessaire au préalable.

▪ **Rabattez les vivaces** en éliminant les tiges mourantes, hormis dans les régions froides (*voir p. 155*). Supprimez les annuelles et bisan-nuelles mortes ou mourantes.

▪ **Dépiquez les rhizomes de bégonias, de dahlias et de glaïeuls** afin de les stocker pour l'hiver (*voir p. 397*).

## POTS ET MASSIFS SURÉLEVÉS

ASTER

### ÉLAGAGE ET ORIENTATION

▨ **Taillez les grands rosiers** buissons pour empêcher les vents d'hiver de les secouer au risque de déloger les racines *(voir p. 160)*.

### SEMIS

▨ **Transplantez les jeunes plants** de bisannuelles dans leur emplacement définitif *(voir p. 149)*.

▨ **Récoltez les graines de vivaces d'été** *(voir p. 155)*, des annuelles et des bisannuelles à mesure qu'elles mûrissent. Stockez-les en prévision de semis au printemps ou à l'automne *(voir pp. 162-163)*.

▨ **Semez en plein air** *(voir p. 149 et p. 163)* les annuelles rustiques pour qu'elles fleurissent de bonne heure l'année suivante. Dans les régions froides, protégez les jeunes plants pendant l'hiver sous une cloche ou un tunnel.

▨ **Divisez les vivaces** *(voir p. 163)*, hormis dans les régions à hivers rigoureux.

▨ **Plantez les boutures** d'arbustes racinées prélevées l'année précédente *(voir p. 164)*, qu'elles soient à bois mûr ou semi-mûr, ou cultivez-les en pots.

### TÂCHES ESSENTIELLES

▨ **Arrosez les plantes en pots** si nécessaire ; vérifiez-les régulièrement *(voir p. 178)*.

▨ **Apportez une ultime ration d'engrais** aux plantes en pots avant la fin de la saison de croissance *(voir p. 178)* si vous n'avez pas eu recours à un engrais à action lente.

▨ **Pincez, taillez les plantes** telles que le coleus en pots *(voir p. 273 et encadré p. 381)*.

### PLANTER

▨ **Plantez en pots** *(voir p. 176)* les grimpantes, arbustes et bulbeuses de printemps résistants en prévision de l'année suivante.

▨ **Plantez des plantes en pots** pour l'hiver : petits conifères, arbustes et grimpantes persistants et bulbes de printemps. Ajoutez des pensées d'hiver pour des touches de couleurs vives.

### SOINS RÉGULIERS

▨ **Coupez régulièrement les fleurs fanées** pour prolonger la floraison et conservez la forme des plantes en éliminant les feuillages fatigués, malades ou tout en longueur *(voir p. 178)*.

▨ **Rempotez ou fumez** en surface les grimpantes printanières et les alpines en pots ; taillez les racines si nécessaire *(voir p. 179)*.

▨ **Procédez à l'ultime désherbage** des parterres surélevés.

▨ **Dépiquez et divisez** les vivaces des massifs surélevés en conservant les jeunes tiges saines et en jetant les vieux rameaux fatigués, si cela n'a pas été fait au printemps *(voir p. 155)*.

### ÉLAGAGE ET ORIENTATION

▨ **Attachez les grimpantes** à des supports tels que cannes ou treillis *(voir pp. 108-109)*.

### SEMIS

▨ **Semez des graines d'annuelles** rustiques en pots, en plateaux ou en modules *(voir p. 162)* pour les planter au printemps suivant.

▨ **Marcottez les arbustes** *(voir p. 165)*.

---

### STOCKER LES GRAINES

▨ **Assurez-vous que les graines** sont sèches avant de les stocker ; sinon, elles risquent de pourrir. Pour les récolter au jardin, choisissez un jour ensoleillé et disposez-les sur un plateau afin qu'elles sèchent dans un endroit sec et aéré.

STOCKER DES GRAINES
DANS DES BOÎTES
DE PELLICULES.

▨ **Nettoyez les graines** en les séparant de la balle ; tamisez.

▨ **Placez les graines** dans des sacs en papier ; ou encore dans des boîtes pour pellicules de film. N'oubliez pas de les étiqueter en indiquant le nom de la variété et la date.

▨ **Stockez les graines** dans un endroit frais, sec et obscur, ou au fond du réfrigérateur jusqu'à un an.

# AU DÉBUT DE L'AUTOMNE

| ARBRES ORNEMENTAUX | JARDIN AQUATIQUE | HERBES |
|---|---|---|

## PLANTER

▓ **Préparez la terre** *(voir p. 192 et pp. 142-143)* afin de planter à la mi-automne des arbres grandis en pots, à racines nues, ou des arbres à racines en mottes persistants.

INCORPORER DES MATIÈRES ORGANIQUES À LA FOURCHE

## SOINS RÉGULIERS

▓ **Ayez l'œil sur les drageons** et surgeons émanant du tronc ou des racines ; éliminez-les avant qu'ils deviennent trop grands et gâchent l'arbre *(voir p. 197)*.

▓ **Ramassez les fruits**, les feuilles et autres débris tombés des arbres et mettez-les au compost. Brûlez les fruits pourris pour éviter la propagation de maladies.

## RÉCOLTE

▓ **Cueillez les fruits et les noix** comestibles quand ils sont mûrs *(voir p. 197)*.

## TÂCHES ESSENTIELLES

▓ **Placez un filet** sur les plans d'eau pour empêcher les feuilles d'y tomber et ramassez régulièrement celles-ci *(voir p. 222)*.

FEUILLES D'ÉRABLE
*(Acer Saccharinum)*

## SOINS RÉGULIERS

▓ **Rajeunissez les plantes** de bordures et de marais en les divisant, si cela n'a pas été fait au printemps *(voir p. 223)*.

▓ **Éclaircissez les plantes** oxygénantes en éliminant les tiges en excès ainsi que les débris qui risquent de pourrir en hiver *(voir p. 223)*.

## TÂCHES ESSENTIELLES

▓ **Prélevez des pousses** racinées des herbes buttées et marcottées *(voir p. 231)* ; rempotez-les, replantez-les ou insérez-les dans des fentes *(voir p. 229)*.

## SOINS RÉGULIERS

▓ **Mettez en pots** pour l'hiver les herbes d'utilisation fréquente, telles que menthe et ciboulette *(voir p. 231)*.

▓ **Semez des graines** *(voir p. 149 et p. 163)* en plein air d'herbes annuelles résistantes pour un départ précoce au printemps suivant. Dans les régions froides, protégez les jeunes plants l'hiver sous des cloches ou un tunnel.

▓ **Divisez les grandes herbes** arbustives ou en touffes après la floraison *(voir p. 231)*, si cela n'a pas été fait au printemps.

## POTAGER ET VERGER

### TÂCHES ESSENTIELLES

■ **Arrosez les cultures** en plein air si nécessaire, et régulièrement toute plante en sac, en pot ou en serre *(voir encadré p. 236)*.

■ **Donnez régulièrement de l'engrais** aux tomates pour éviter les maladies et afin qu'elles se développent *(voir p. 257)*.

### SEMER ET PLANTER

■ **Bêcher les planches à légumes** *(voir p. 239 et pp. 142-143)* pour enrichir et préparer la terre.

■ **Semez des plantes engrais vert** pour occuper la terre vide pendant l'hiver et incorporez celles qui ont été semées plus tôt avant qu'elles fleurissent *(voir p. 239)*.

■ **Plantez des gousses d'ail** ou des plants en modules dans une terre bien drainée *(voir p. 255)*.

■ **Semez à l'intérieur des graines de légumes**, tels que :
Laitue d'hiver *(voir p. 255)*
Salades en feuilles, comme la roquette
Bette à couper *(voir p. 255)*
Radis d'été *(voir p. 249)*

■ **Semez en plein air des graines de légumes résistants**, tels que :
Pois précoces *(voir p. 247)*
Salades en feuilles *(voir p. 255)*
Radis d'été *(voir p. 249)*
Laitue d'hiver, sous cloches *(voir p. 255)*

■ **Plantez les fruitiers à tige** ou buissonnants et les arbres fruitiers grandis en pots *(voir pp. 260-261)*, hormis les pruniers.

■ **Plantez fraisiers** *(voir p. 272)* et rhubarbe *(voir p. 273)*.

### SOINS RÉGULIERS

■ **Couchez les rangées de plants de tomates** sur des lits de paille ou ramassez les fruits et disposez-les sur un bord de fenêtre pour qu'ils mûrissent plus vite *(voir p. 257)*.

■ **Buttez les choux d'hiver** *(voir p. 249)* et les choux brocoli *(voir p. 248)* et éliminez les feuilles abîmées. Étayez les grands brocolis.

■ **Nettoyez les plants de fraisiers** qui ont fini de donner des fruits *(voir p. 272)*.

■ **Paillez la rhubarbe** si cela n'a pas été fait au printemps *(voir p. 273)*.

■ **Ramassez et brûlez les fruits pourris** tombés sous les arbres et les buissons pour éviter la propagation de maladies.

■ **Vérifiez les attaches et les supports** *(voir p. 193)* des arbres fruitiers ; retirez-les ou desserrez-les si nécessaire pour ne pas abîmer l'écorce.

### ÉLAGAGE ET ORIENTATION

■ **Rabattez les cassis** à la plantation *(voir p. 261)* juste au-dessus du niveau du sol.

■ **Élaguez les groseilliers** rouges établis *(voir p. 268)*.

■ **Taillez les tiges** des framboisiers d'été après les fruits et attachez les tiges les plus robustes à des supports *(voir p. 270)*. Faites-en de même pour les mûres et les hybrides à baies *(voir p. 271)*.

### SEMIS

■ **Divisez les plants de rhubarbe** à maturité en segments (voir p. 273), une fois que les feuilles dépérissent.

### RÉCOLTE

■ **Ramassez les légumes suivants :**
Aubergines, piments et poivrons *(voir p. 256)*
Chou frisé d'automne *(voir p. 248)*
Betterave *(voir p. 251)*
Oignons *(voir p. 250)*
Scarole et frisée *(voir p. 255)*
Brocoli *(voir p. 248)*
Haricots verts *(voir p. 246)*
Poireaux *(voir p. 251)*
Laitue *(voir p. 255)*
Carottes *(voir p. 251)*
Pommes de terre *(voir p. 252)*
Pois *(voir p. 247)*
Citrouilles, potirons, courges *(voir p. 253)*
Concombres *(voir p. 256)*
Haricots d'Espagne *(voir p. 247)*
Salades en feuilles *(voir p. 255)*
Bette à couper et poirée *(voir p. 255)*
Ciboule *(voir p. 257)*
Radis d'été *(voir p. 249)*
Maïs *(voir p. 253)*

Tomates *(voir p. 257)*
Petits oignons *(voir p. 250)*

■ **Ramassez les fruits suivants :**
Pommes *(voir p. 265)*
Framboises d'automne *(voir p. 270)*
Poires *(voir p. 264)*
Fraisiers alpins et d'automne *(voir p. 272)*
Prunes *(voir p. 266)*

### RÉCOLTER LES LÉGUMES

■ **Racines comestibles :** Laissez-les en terre ou placez-les en couches dans des cageots dans du sable un peu humide.

■ **Pois et haricots :** Suspendez les plantes déracinées, comme les haricots verts, à l'envers pour qu'elles sèchent ; puis écossez-les et stockez les graines dans des récipients hermétiques.

■ **Citrouilles et courges :** laissez-les mûrir dans un endroit chaud et sec exposé au soleil, une étagère de serre par exemple, pendant quelques semaines.

■ **Choux et oignons :** Suspendez dans des sacs en filet ou placez-les sur des planches en bois ou dans des cageots, dans un endroit frais, sec, à l'abri du gel.

STOCKER LES OIGNONS

# AU CŒUR DE L'AUTOMNE

| PELOUSES | LIMITES ET SÉPARATIONS | MASSIFS ET PARTERRES |
|---|---|---|

## PELOUSES

### TÂCHES ESSENTIELLES

▪ **Plantez des bulbes dans l'herbe** pour une floraison printanière (*voir p. 89*) ; dès que vous en trouvez dans le commerce.

### SEMER ET PLANTER

▪ **Posez du gazon en mottes** pour une nouvelle pelouse (*voir p. 77 et pp. 80-81*), si cela n'a pas été fait au printemps.

### SOINS RÉGULIERS

▪ **Tondez la pelouse** aux intervalles appropriés selon le type d'herbe (*voir p. 82*) ; réglez la lame au plus haut. Taillez les bordures (*voir p. 83*).

▪ **Ramassez les feuilles mortes** jonchant la pelouse au balai ou au râteau ; mettez-en au compost dans un récipient en grillage ou dans des sacs en plastique noirs.

▪ **Réparez les endroits endommagés** de la pelouse (*voir p. 86*) et ressemez ou remettez du gazon en mottes si nécessaire.

---

### SILO À VERS

Voici quelques conseils pour que les vers se développent dans leur silo.

▪ **Les vers de terre ont horreur de l'acidité** : ne mettez pas trop d'agrumes en une seule fois et ajoutez un peu de calcium sec de temps en temps pour que le mélange reste alcalin.

▪ **Si le compost semble trop mouillé**, ajoutez une couche de papier journal déchiré.

▪ **N'oubliez pas de déverser régulièrement le liquide** qui s'accumule au fond du conteneur avant qu'il noie le compost et les vers. C'est un bon engrais liquide dilué avec de l'eau.

▪ **Enveloppez le silo** dans un matériau isolant pendant l'hiver (*voir p. 282*) dans les climats froids afin que les vers aient assez chaud et demeurent actifs.

---

## LIMITES ET SÉPARATIONS

### PLANTER

▪ **Plantez arbustes et grimpantes** au pied des murs, barrières et arbres (*voir p. 110*).

**VIGNE VIERGE**
(*Parthenocissus tricuspidata* 'Veitchii')

Orientez les tiges selon la forme souhaitée (*voir p. 111 et p. 113*).

▪ **Plantez les clématites contre les murs**, barrières ou arbres ; orientez les tiges selon la forme souhaitée (*voir p. 120*).

### ÉLAGAGE ET ORIENTATION

▪ **Taillez les rosiers grimpants** après la floraison (*voir p. 115*).

▪ **Rabattez les clématites du groupe 3** ayant dépassé l'espace imparti (*voir p. 114*).

▪ **Taillez les haies fleurissantes**, comme le *Cotonéaster lacteus*, l'escallonia et l'aubépine (*voir tableau p. 117 et p. 121*).

---

## MASSIFS ET PARTERRES

### PLANTER

▪ **Plantez les bulbeuses printanières** (*voir p. 149*), y compris les tulipes et les jonquilles (*voir p. 137*).

▪ **Préparez la terre** des bordures et des parterres, hormis les sols légers et sablonneux, pour améliorer son état et la préparer aux futures plantations (*voir pp. 142-143*) ou pour bonifier le sol (*voir p. 150*).

▪ **Plantez les vivaces** (*voir p. 148*) et les arbustes à racines en mottes et poussés en conteneurs (*voir p. 150*). Arrosez bien les racines de chaque plant avant de planter ; faites tremper le pot dans un seau au moins une heure.

**ARROSER UN HEUCHÈRE AVANT DE LE PLANTER**

### SOINS RÉGULIERS

▪ **Coupez les fleurs fanées** des plantes tardives, notamment les vivaces (*voir p. 155*).

▪ **Renouvelez la fumure ou le paillis** des parterres de gravier établis (*voir p. 133*).

▪ **Déterrez les rhizomes de bégonias**, de dahlias et de glaïeuls pour les mettre à l'abri l'hiver. Rabattez le feuillage et éliminez l'excès de terre et tout matériau mort ou dépéri ; laissez-les sécher quelques semaines sur un plateau, puis empaquetezles, sans serrer les racines en bas, dans de la vermiculite. Gardez au sec, à l'abri du gel. N'oubliez pas de les étiqueter !

▪ **Coupez les vivaces** pour éliminer les tiges mortes ou désordonnées, hormis dans les régions froides *(voir p. 155)*. Enlevez les annuelles et les bisannuelles mortes ou dépéries.

▪ **Rabattez les herbes et les bambous** au sol à moins qu'elles soient délicates ou décoratives en hiver. Stockez les cannes de bambous coupées pour en faire des tuteurs l'année suivante.

## ÉLAGAGE ET ORIENTATION

▪ **Effectuez une taille initiale** *(voir p. 157)* ou régénératrice *(voir p. 159)* des arbustes caducs.

▪ **Rabattez les grands rosiers buissons** pour empêcher les vents d'hiver de les secouer et de déloger leurs racines *(voir p. 160)*.

## SEMIS

▪ **Plantez les jeunes plants** de bisannuelles dans leur emplacement définitif *(voir p. 149)*.

▪ **Récoltez les graines** des vivaces tardives *(voir p. 155)* à mesure qu'elles mûrissent. Semez-les immédiatement ou stockez-les pour les semer l'année suivante *(voir pp. 162-163)*.

▪ **Semez en plein air** *(p. 149 et p. 163)* les annuelles résistantes pour une floraison précoce à l'année prochaine. Dans les régions froides, protégez les jeunes pousses l'hiver au moyen de cloches ou d'un tunnel.

▪ **Divisez les vivaces** *(voir p. 163)*, hormis dans les régions où l'hiver est rigoureux.

▪ **Marcottez les arbustes** *(voir p. 165)*.

## TÂCHES ESSENTIELLES

▪ **Arrosez les plantes en pots** si nécessaire ; vérifiez-les régulièrement *(voir p. 178)*.

## PLANTER

▪ **Plantez en pots pour l'hiver** des petits conifères, des arbustes et des grimpantes persistantes, ainsi que des bulbeuses fleurissant au printemps. Ajoutez quelques pensées d'hiver pour donner de la couleur.

PLANTATION HIVERNALE DE GENÉVRIER ET DE GAULTHÉ

## SOINS RÉGULIERS

▪ **Coupez les fleurs fanées** et supprimez les feuillages fatigués, malades ou tout en longueur *(voir p. 178)* pour que les plantes conservent une belle forme.

▪ **Rempotez ou fumez** en surface les grimpantes printanières et les alpines en pots ; taillez les racines si nécessaire *(voir p. 179)*.

▪ **Renouvelez le paillis** des massifs surélevés établis *(voir p. 183)*.

▪ **Dépiquez et divisez les vivaces** dans les massifs surélevés en conservant les nouvelles tiges saines et en éliminant les vieux rameaux fatigués *(voir p. 155)*, si cela n'a pas été fait au printemps.

▪ **Protégez les plantes fragiles en pots** *(voir p. 179)* et dans les massifs surélevés *(voir p. 183)* du froid de l'hiver, si nécessaire.

## TÂCHES ESSENTIELLES

▪ **Vérifiez les attaches et les supports** des arbres *(voir p. 193)* et éliminez ou relâchez-les si nécessaire pour éviter qu'ils frottent et endommagent l'écorce.

## PLANTER

▪ **Préparez le sol** *(voir p. 192 et pp. 142-143)* pour les plantations de fin d'automne d'arbres poussés en conteneurs.

▪ **Plantez les arbres persistants à racines** en mottes *(voir p. 195)*, hormis dans les régions froides.

## SOINS RÉGULIERS

▪ **Paillez les arbres établis** avec une couche de 5-8 cm de fumier ou de compost bien décomposé. Maintenez le paillis à l'écart du tronc, mais paillez sur 3-4 m de diamètre ou jusqu'au bord du dais d'un jeune arbre.

▪ **Vérifiez que les protections des arbres** *(voir p. 195)* sont toujours en place.

▪ **Surveillez les drageons** et surgeons au niveau du tronc et des racines ; supprimez-les avant qu'ils aient le temps de grandir et de gâcher l'apparence de l'arbre *(voir p. 197)*.

▪ **Mettez à l'abri pour l'hiver** les arbres fragiles en pots avant les premières gelées dans les climats froids.

▪ **Ramassez les fruits**, les feuilles et autres débris tombés des arbres et mettez-les au compost. Brûlez les fruits pourris pour empêcher la propagation de maladies.

## RÉCOLTE

▪ **Cueillez les fruits et les noix** comestibles quand ils sont mûrs *(voir p. 197)*.

# AU CŒUR DE L'AUTOMNE

| JARDIN AQUATIQUE | JARDIN POTAGER |
|---|---|

## TÂCHES ESSENTIELLES

▓ **Ramassez les feuilles mortes** régulière-ment sur les filets couvrant les plans d'eau (*voir p. 222*).

▓ **Protégez les plans d'eau en conteneurs** (*voir p. 207*) du froid de l'hiver en les mettant à l'abri ou en les enfouissant dans le sol.

▓ **Dépiquez les plantes fragiles** et semi-résistantes dans les climats froids pour les mettre à l'abri pendant l'hiver (*voir p. 222*).

## SOINS RÉGULIERS

▓ **Éclaircissez les plantes oxygénantes** en éliminant les tiges en excès et les débris susceptibles de pourrir pendant l'hiver (*voir p. 223*).

▓ **Rabattez ou éclaircissez** (*par division, voir p. 223*) les plantes de bordure trop denses ou trop longues et enlevez tout matériau pourri de l'eau.

---

## SEMER SES PROPRES HERBES

▓ **Plantez en plein air** les petits plants d'herbes bisannuelles dans leur empla-cement définitif (*voir p. 149*).

▓ **Semez en plein air** (*voir p. 149 et p. 163*) les herbes annuelles rustiques pour qu'elles démarrent tôt l'année suivante. Dans les régions froides, protégez les jeunes plants au moyen de cloches ou d'un tunnel.

---

## TÂCHES ESSENTIELLES

▓ **Couvrez les cultures fragiles** et les racines comestibles en terre avec des cloches (*voir p. 89*) pour les protéger durant l'hiver dans les climats froids.

## SEMER ET PLANTER

▓ **Planter des gousses d'ail** ou des plants cultivés en modules dans un sol bien drainé (*voir p. 255*).

▓ **Semez des plantes engrais vert** pour occuper la terre délaissée pendant l'hiver (*voir p. 239*).

BÊCHER UN LIT EN PROFONDEUR

▓ **Bêchez les planches de légumes** (*voir p. 239 et pp. 142-143*) pour enrichir et conditionner la terre.

▓ **Semez les légumes résistants**, tolérant l'hiver (*voir p. 242*) en plein air, notamment :
Salades en feuilles, sous cloches (*voir p. 255*)
Radis d'été, sous cloches ou tunnel (*voir p. 249*)
Laitue d'hiver, sous cloches ou tunnel (*voir p. 257*)

▓ **Plantez les fruitiers à tiges** ou buisson-nants et les fruitiers grandis en conteneurs (*voir pp. 260-261*), sauf les pruniers.

▓ **Plantez la rhubarbe** (*voir p. 273*).

## SOINS RÉGULIERS

▓ **Rassemblez et brûlez** les fruits pourris tombés des arbres ou des buissons afin d'empêcher la prolifération de maladies.

---

▓ **Vérifiez les attaches et les supports** (*voir p. 193*) des fruitiers ; supprimez-les ou desserrez-les si nécessaire pour éviter d'abîmer l'écorce.

▓ **Nettoyez les plants de fraisiers** qui ne donnent plus de fruits (*voir p. 272*).

▓ **Paillez la rhubarbe**, si cela n'a pas été fait au printemps (*voir p. 273*).

## ÉLAGAGE ET ORIENTATION

▓ **Rabattez les cassis** au moment de la planta-tion (*voir p. 261*) à un bourgeon solide par tige.

▓ **Élaguez les groseilliers rouges** (*voir p. 268*).

## SEMIS

▓ **Divisez les plants de rhubarbe** à maturité pour obtenir plusieurs nouveaux lots (*voir p. 273*), une fois que les feuilles sont mortes.

## RÉCOLTE

▓ **Récoltez les légumes suivants :**
Aubergines, piments et poivrons (*voir p. 256*)
Chou frisé d'automne (*voir p. 248*)
Betterave (*voir p. 251*)
Oignons (*voir p. 250*)
Scarole et frisée (*voir p. 255*)
Pois (*voir p. 247*)
Poireaux (*voir p. 251*)
Laitue (*voir p. 255*)
Carottes (*voir p. 251*)
Pommes de terre (*voir p. 252*)
Panais (*voir p. 251*)
Chou rouge (*voir p. 249*)
Concombres (*voir p. 256*)
Ciboule (*voir p. 250*)
Tomates (*voir p. 257*)
Petits oignons (*voir p. 250*)
Navets d'hiver (*voir p. 249*)

▓ **Ramassez les fruits suivants :**
Pommes (*voir p. 265*)
Framboises d'automne (*voir p. 270*)
Poires (*voir p. 264*)

▓ **Coupez les cimes des plants** de pommes de terre deux semaines avant de les récolter (*voir p. 252*).

# À LA FIN DE L'AUTOMNE

## PELOUSES

### TÂCHES ESSENTIELLES

▪ **Finissez de planter les bulbes** dans l'herbe pour une floraison printanière *(voir p. 89)*, dès que vous trouvez des bulbes dans le commerce.

▪ **Tondez les pelouses** pour la dernière fois avant le début de l'hiver ; placez la lame de la tondeuse au plus haut *(voir p. 82)*. Taillez les bordures *(voir p. 83)*.

### SEMER ET PLANTER

▪ **Posez le gazon en mottes** pour une nouvelle pelouse *(voir p. 77 et p. 80-81)*.

### SOINS RÉGULIERS

▪ **Ramassez les feuilles mortes** jonchant la pelouse avec un balai ou un râteau ; mettez-les au compost dans un conteneur en grillage ou dans des sacs en plastique noirs.

▪ **Tondez les prairies à floraison** estivale une fois que les plantes ont monté en graine pour l'année suivante *(voir p. 89)*.

## LIMITES ET SÉPARATIONS

### TÂCHES ESSENTIELLES

▪ **Apportez de l'engrais et paillez** les haies caduques pour les préparations à l'élagage rénovateur du milieu de l'hiver *(voir p. 121)*.

### PLANTER

▪ **Plantez arbustes ou grimpantes** au pied des murs, des barrières, des arbres *(voir p. 110)*, y compris les clématites *(voir p. 111)*. Orientez les branches selon la forme souhaitée, par exemple en éventail *(voir p. 111 et p. 113)*.

PLANTER UNE CLÉMATITE AU PIED D'UN MUR

▪ **Plantez les rosiers grimpants** ou lianes à racines nues au pied des murs, des barrières ou des arbres *(voir p. 110)*.

▪ **Plantez les haies.**

### ÉLAGAGE ET ORIENTATION

▪ **Taillez les rosiers grimpants** après la floraison *(voir p. 115)*.

▪ **Rabattez les clématites du groupe 3** ayant dépassé l'espace imparti *(voir p. 114)*.

▪ **Taillez les haies** si elles incluent des plantes telles que buis et *Cotonéaster lacteus (voir tableau, p. 117 et p. 121)*.

## PARTERRES ET MASSIFS

### TÂCHES ESSENTIELLES

▪ **Achevez de planter les bulbes** fleurissant au printemps *(voir p. 149)*, y compris les tulipes et les jonquilles *(voir p. 137)*.

▪ **Finissez de pailler** les parterres et bordures, si cela n'a pas été fait au printemps *(voir pp. 152-153)*, avant que la terre soit trop froide.

▪ **Achevez de planter en plein air** les jeunes plants de bisannuelles dans leur emplacement définitif *(voir p. 149)*.

▪ **Finissez de semer en plein air** *(voir p. 149)* les annuelles résistantes, pour une floraison précoce l'année suivante. Dans les régions froides, protégez les jeunes plants en hiver au moyen de cloches ou de tunnels.

### PLANTER

▪ **Préparez la terre des parterres** ou des bordures, hormis les sols légers et sablonneux, pour améliorer leur état et les préparer en vue des plantations *(voir pp. 142-143)* ou pour bonifier le sol *(voir p. 150)*.

▪ **Plantez les vivaces** *(voir p. 148)* et les arbustes, hormis les persistants et les conteneurisées *(voir p. 150)*. Achetez des plantes saines *(voir pp. 146-147)* pour optimiser les résultats. Élaguez les arbustes après la plantation *(voir p. 151)* et étayez-les si nécessaire *(voir p. 150)*.

▪ **Plantez les rosiers à racines nues** *(voir p. 151)*, hormis dans les régions froides. Achetez des plantes saines *(voir p. 147)*. Élaguez les rosiers après la plantation *(voir p. 151)*.

### SOINS RÉGULIERS

▪ **Rabattez les herbes et les bambous** au sol à moins qu'ils soient délicats ou décoratifs l'hiver. Stockez les cannes de bambou pour en faire des tuteurs l'année suivante.

▪ **Taillez les vivaces** pour éliminer les tiges mourantes ou désordonnées, hormis dans les régions froides *(voir p. 155)*. Supprimez les annuelles et les bisannuelles mortes ou dépéries.

*(suite page suivante)*

# À LA FIN DE L'AUTOMNE

| PARTERRES ET MASSIFS (suite) | POTS ET MASSIFS SURÉLEVÉS | ARBRES ORNEMENTAUX |
| --- | --- | --- |

## ÉLAGAGE ET ORIENTATION

■ **Effectuez l'élagage initial** (*voir p. 157*) et les tailles régénératrices (*voir p. 159*) des arbustes caducs.

■ **Rabattez les grands rosiers** buissonnants pour empêcher les vents d'hiver de les secouer et de déloger les racines (*voir p. 160*).

## SEMIS

■ **Récoltez les graines des vivaces tardives** (*voir p. 155*) quand elles sont mûres. Semez-les immédiatement ou conservez-les pour des semis l'année suivante (*voir pp. 162-163*).

■ **Divisez les vivaces** (*voir p. 163*), hormis dans les régions à hivers rigoureux.

■ **Faites des boutures en bois dur** (*p. 164*).

■ **Marcottez des arbustes** (*voir p. 165*).

---

### BOUTURES DE RACINES

Certaines vivaces sont faciles à multiplier à partir de fragments de leurs racines charnues. À cette saison, essayez de faire des boutures à partir de racines de pavots orientaux, de chardons (*Eryngium*) et de molènes (*verbascum*).

■ **Dépiquez une plante saine** et enlevez délicatement la terre autour des racines. Cherchez des racines d'épaisseur moyenne ; coupez-les près de la plante. Ne prélevez pas plus d'un tiers des racines ; replantez le spécimen.

■ **Coupez les racines** en fragments de 8 cm de long. Pour savoir dans quel sens orienter les éclats, faites une entaille en biais au niveau de la pointe inférieure et horizontale en haut de chaque morceau.

■ **Remplissez un pot de terreau** spécial boutures et insérez les boutures verticalement afin que le côté horizontal soit au niveau de la surface. Ajoutez du gros sable ou des gravillons et étiquetez.

■ **Conservez-les** dans un endroit abrité et un peu humide jusqu'à ce que de nouvelles pousses et racines apparaissent au printemps. Laissez pousser, puis plantez à l'automne pour une floraison l'année suivante.

---

## TÂCHES ESSENTIELLES

■ **Arrosez les plantes en pots** si nécessaire ; vérifiez régulièrement (*voir p. 178*).

■ **Assurez-vous que les pots en céramique ou en terre cuite** contenant des plantes résistantes soient posés sur des briques ou des "pieds" pour éviter les dégâts du gel (*voir p. 169*) dans les climats froids. Groupez les pots ensemble dans un endroit abrité.

ISOLER UN POT AVEC DE LA TOILE DE JUTE

■ **Protégez les plantes fragiles en pots** (*voir p. 179*) et dans les massifs surélevés (*voir p. 183*) contre le froid hivernal, si nécessaire.

■ **Protégez les alpines** dans les massifs surélevés de l'humidité en hiver (*voir p. 183*).

## SOINS RÉGULIERS

■ **Dépiquez et divisez les vivaces** en massifs surélevés en conservant les tiges saines et en éliminant les vieux rameaux fatigués (*voir p. 155*), si cela n'a pas été fait au printemps.

■ **Dépiquez les bulbeuses** à floraison estivale une fois que le feuillage dépérit et mettez-les à l'abri pour l'hiver. Nettoyez les bulbes, disposez-les à sécher sur un plateau, puis stockez-les dans un sac en papier (et non en plastique).

---

## TÂCHES ESSENTIELLES

■ **Mettez les arbres fragiles en pots** à l'abri pour l'hiver dans les climats froids.

## SOINS RÉGULIERS

■ **Surveillez les drageons** et les surgeons émanant du tronc ou des racines ; supprimez-les avant qu'ils aient grandi et gâchent l'arbre (*voir p. 197*).

■ **Ramassez fruits**, feuilles et autres débris tombés des arbres ; mettez-les au compost. Brûlez tous les fruits pourris pour empêcher la propagation de maladies.

## PLANTER

■ **Préparez le sol** (*voir p. 192 et pp. 142-143*) pour les plantations hivernales d'arbres caducs à racines en mottes ou résistants, poussés en pots.

■ **Plantez les arbres à racines nues** (*voir p. 194*) d'espèces caduques résistantes, hormis dans les régions froides. Quand vous comblez le trou, assurez-vous qu'il n'y a pas de poches d'air entre les racines en secouant doucement la tige verticalement.

## RÉCOLTE

■ **Cueillez les fruits et les noix** comestibles quand ils sont mûrs (*voir p. 197*).

| JARDIN AQUATIQUE | HERBES | POTAGER ET VERGER |
| --- | --- | --- |

## TÂCHES ESSENTIELLES

■ **Protégez les plans d'eau en conteneurs** (*voir p. 207*) du froid de l'hiver en les vidant, en les rentrant à l'abri ou en les enfouissant dans le sol.

■ **Paillez les plantes de marais** et les plantes de bordures aimant l'humidité (*voir p. 222*) pour les protéger du froid intense qui les tuerait.

■ **Enlevez les feuilles amoncelées** sur le filet protégeant vos plans d'eau (*voir p. 222*).

## SOINS RÉGULIERS

■ **Éclaircissez les plantes oxygénantes** en éliminant les tiges en excès et les débris risquant de pourrir l'hiver (*voir p. 223*).

■ **Rabattez ou éclaircissez** (*par division, voir p. 223*) les plantes de bordures trop denses ou tout en longueur et éliminez de l'eau les matériaux susceptibles de pourrir.

---

### NETTOYAGE DE FIN DE SAISON

■ **Nettoyez et huilez vos outils** avant de les ranger pour l'hiver (*voir p. 281*) pour les empêcher de rouiller.

■ **Nettoyez les pots vides** pour vous débarrasser de toute maladie ou parasite susceptible d'infester le compost frais ou de nouveaux plants. Frottez les pots et les plateaux à fond avec un désinfectant d'horticulture ou de l'eau de javel.

FROTTER DES POTS AVEC UN DÉTERGENT

---

## TÂCHES ESSENTIELLES

■ **Mettez à l'abri les herbes fragiles** ou semi-résistantes en pots (*voir p. 230*) pour l'hiver dans les climats froids avant les premières gelées.

■ **Finissez de planter en plein air** les jeunes plants de bisannuelles dans leur emplacement définitif (*voir p. 149*).

■ **Achevez de semer en plein air** (*voir p. 149 et p. 163*) les herbes annuelles résistantes pour un départ précoce l'année suivante. Dans les régions froides, protégez les jeunes plants de l'hiver au moyen de cloches ou d'un tunnel.

## SOINS RÉGULIERS

■ **Coupez les vieilles tiges** des herbes vivaces, dans les climats doux.

■ **Éliminez les feuilles mortes** et autres débris des persistants à croissance lente pour éviter les affections fongiques.

---

## TÂCHES ESSENTIELLES

■ **Couvrez les cultures fragiles** et les racines comestibles en terre au moyen de cloches (*voir p. 89*) ou d'un tunnel pour les protéger l'hiver dans les régions froides.

## SEMER ET PLANTER

■ **Bêchez les planches de légumes** (*voir p. 230 et pp. 143-145*) pour préparer la terre.

■ **Semez de l'engrais vert pour l'hiver** (*p. 239*).

■ **Semez des légumes résistants en plein air**, comme des petits pois rustiques, sous un filet (*voir p. 247*).

■ **Plantez des gousses d'ail** ou les plants cultivés en modules dans une terre bien drainée.

■ **Plantez des fruitiers à racines nues** (*voir pp. 261-262*), des fruitiers à tiges et buissonnants ainsi que des fruitiers ayant grandi en conteneurs (*voir p. 260-261*) et de la vigne, en début d'hiver (*voir p. 273*).

## SOINS RÉGULIERS

■ **Paillez la rhubarbe**, si cela n'a pas été fait au printemps (*voir p. 273*).

■ **Ramassez et brûlez les fruits et les noix** pourris tombés des arbres pour empêcher la prolifération de maladies.

## ÉLAGAGE ET ORIENTATION

■ **Rabattez les cassis** au moment de la plantation (*voir p. 261*). Taillez les groseilliers (*voir p. 268*).

■ **Attachez les pointes des tiges** des framboisiers d'été pour éviter les ravages de l'hiver (*voir p. 270*).

## RÉCOLTE

■ **Cueillez les légumes suivants :** Choux (*voir p. 249*), scarole et frisée (*voir p. 255*), pois primeurs (*voir p. 247*), poireaux (*voir p. 251*), laitue (*voir p. 255*), pommes de terre (*voir p. 252*), panais (*voir p. 251*), salades en feuilles (*voir p. 255*), bette à couper et poirée (*voir p. 255*), ciboule (*voir p. 257*), radis d'été (*voir p. 249*), petits oignons (*voir p. 250*), navets d'hiver (*voir p. 249*).

■ **Cueillez les pommes** (*voir p. 265*).

# AU DÉBUT ET AU CŒUR DE L'HIVER

| LIMITES ET SÉPARATIONS | PARTERRES ET MASSIFS | ARBRES ORNEMENTAUX |
|---|---|---|

## TÂCHES ESSENTIELLES

▪ **Achevez de planter les rosiers** grimpants et lianes contre les murs, les barrières ou les arbres (*voir p. 110*) avant qu'il fasse trop froid.

## PLANTER

▪ **Plantez les haies** (*voir p. 120*).

## ÉLAGAGE ET ORIENTATION

▪ **Rénovez les grimpantes** et les haies caduques, si nécessaire (*voir p. 115 et p. 121*).

▪ **Taillez les vignes et les arbustes** en espalier, cultivés pour leur feuillage (*voir pp. 112-113*).

ELAEGNUS PUNGENS 'MACULATA'

▪ **Taillez la glycine en milieu d'hiver** (*voir p. 111*).

▪ **Taillez les haies fleurissantes** de *Cotonéaster lacteus*, aubépine, prunellier et épine noir.

▪ **Élaguez les jeunes aubépines et troènes** pour leur donner une bonne forme (*voir p. 120*).

## TÂCHES ESSENTIELLES

▪ **Achevez de planter les rosiers à racines nues** (*voir p. 151*), hormis dans les régions froides, en début d'hiver. Achetez des plantes saines (*voir p. 147*). Procédez au premier élagage des rosiers après la plantation (*voir p. 151*).

## PLANTER

▪ **Plantez les arbustes en pots** (*voir p. 150*). Achetez des plantes saines pour optimiser les résultats (*voir p. 147*). Élaguez-les après la plantation (*voir p. 151*) et étayez-les si nécessaire (*voir p. 150*).

## SOINS RÉGULIERS

▪ **Rabattez les herbes** et les bambous au ras du sol en début d'hiver à moins qu'ils soient fragiles ou décoratifs l'hiver. Stockez les cannes de bambou pour en faire des tuteurs l'année suivante.

▪ **Dans les sols légers, sablonneux,** épandez une couche épaisse (8-13 cm) de matières organiques décomposées et attendez le début du printemps pour l'incorporer.

## ÉLAGAGE ET ORIENTATION

▪ **Effectuez les élagages initiaux** (*voir p. 157*) et rénovateurs (*voir p. 159*) des arbres caducs.

## SEMIS

▪ **Divisez les vivaces** (*voir p. 163*), hormis dans les régions à hivers rigoureux.

▪ **Faites des boutures** en bois dur d'arbustes (*voir p. 164*).

## TÂCHES ESSENTIELLES

▪ **Empêchez la neige de peser** sur les branches des conifères en l'enlevant immédiatement ou en attachant l'arbre avec de la ficelle afin de lui conserver sa forme.

▪ **Élaguez les jeunes arbres** pour leur donner une forme (*voir p. 196*).

HOUX
(*Ilex ×
Altaclerensis*)

## PLANTER

▪ **Plantez les arbres à racines nues résistants** (*voir p. 194*), hormis dans les régions froides.

▪ **Plantez les arbres caducs à racines en mottes** (*voir p. 195*). Quand vous comblez le trou, assurez-vous qu'il n'y a pas de poches d'air entre les racines en secouant doucement la tige verticalement.

| JARDIN AQUATIQUE | POTAGER |
|---|---|

## TÂCHES ESSENTIELLES

▪ **Par temps très froid**, n'oubliez pas de protéger la surface de vos plans d'eau du gel *(voir p. 222)*, surtout si vous avez des poissons.

## TÂCHES ESSENTIELLES

▪ **Achevez de planter la vigne** en début d'hiver et taillez-la pour lui donner sa forme *(voir p. 273)*.

▪ **Taillez la vigne** *(voir p. 273)*.

## SEMER ET PLANTER

▪ **Semez les graines de légumes** résistants à l'intérieur *(voir p. 244)* au milieu de l'hiver.

▪ **Plantez des fruitiers**, hormis les poiriers, et les fruitiers à tiges *(voir p. 260-261)*.

▪ **Plantez les fruitiers buissonnants**, si la terre et le temps le permettent *(voir p. 261)*.

▪ **Plantez de la rhubarbe** *(voir p. 273)*.

▪ **Plantez des échalotes à repiquer** *(voir p. 250)*.

## SOINS RÉGULIERS

▪ **Couvrez le tas de compost** avec un vieux tapis ou une bâche en plastique pour qu'il reste chaud et actif pendant l'hiver.

## ÉLAGAGE ET ORIENTATION

▪ **Rabattez les cassis** au moment de la plantation *(voir p. 261)* ; élaguez les cassis et les groseilliers rouges établis *(voir p. 268)*.

▪ **Taillez les fruitiers**, comme les pommiers et les poiriers *(voir pp. 262-263)*.

▪ **Rabattez les mûriers** et les hybrides à baies après la plantation *(voir p. 271)*. Éclaircissez les myrtilles si nécessaire *(voir p. 269)*.

## RÉCOLTE

▪ **Cueillez les légumes d'hiver suivants :**
Betterave (feuilles de) *(p. 251)*
Scarole et frisée *(voir p. 255)*
Poireaux *(voir p. 251)*
Panais *(voir p. 251)*
Chou rouge *(voir p. 249)*
Salades en feuilles *(voir p. 255)*
Bette à couper et poirée *(voir p. 255)*
Petits oignons *(voir p. 250)*
Choux d'hiver *(voir p. 249)*

Chou frisé d'hiver *(voir p. 248)*
Laitue d'hiver *(voir p. 255)*
Navets d'hiver *(voir p. 249)*

## PRÉVOIR POUR L'ANNÉE À VENIR

▪ **Profitez de vos longues soirées d'hiver** pour commander des catalogues de graines et en dressant une liste des cultures à acheter pour semer l'année suivante.

▪ **Planifiez votre potager** pour l'année prochaine en prenant en compte, pour chaque culture, le terrain occupé et la durée d'implantation, afin de déterminer vos achats de graines.

GROSSES GRAINES

GRAINES PLATES

GRAINES FINES

▪ **Si vous avez récupéré des graines**, prévoyez de les semer en plus grande quantité que les graines achetées dans le commerce.

# À LA FIN DE L'HIVER

| PELOUSES | LIMITES ET SÉPARATIONS | PARTERRES ET MASSIFS |
|---|---|---|

## SEMER ET PLANTER

■ **Préparez la terre et le site** *(voir p. 78)* avant de poser du gazon en mottes ou de planter des herbes divisées pour une pelouse non-gazonnante au début du printemps, ou encore, dans les climats chauds, de planter de l'herbe en stolons ou en touffes.

## SOINS RÉGULIERS

■ **Nettoyez et faites réviser** les tondeuses et autre équipement.

### LES CHIENS AU JARDIN

■ **Évitez que des taches jaunes** apparaissent sur la pelouse, là où un chien a fait ses besoins en jetant un seau d'eau dessus aussitôt après si possible.

■ **Protégez les troncs des arbres** en les entourant à la base d'une « collerette » de paille piquante.

## TÂCHES ESSENTIELLES

■ **Achevez de tailler** la vigne et les arbustes en espalier cultivés pour leur feuillage *(voir pp. 112-113)*.

LIERRE (HEDERA HELIX 'GOLDHEART')

■ **Élaguez les cognassiers fleurissants** *(voir p. 113)*.

## PLANTER

■ **Plantez les haies** *(voir p. 120)*.

## ÉLAGAGE ET ORIENTATION

■ **Taillez les grimpantes** et les arbustes en espalier fleurissant sur les rameaux de l'année en cours *(voir pp. 112-113)*.

■ **Éclaircissez les clématites trop envahissantes du groupe 1** ; élaguez celles des groupes 2 et 3 *(voir p. 114)*.

■ **Régénérez les grimpantes caduques** *(voir p. 115)*.

■ **Vérifiez les supports** et renouvelez-les si nécessaire *(voir pp. 109 et 115)*.

■ **Taillez les haies fleurissantes**, comme le *Cotoneaster lacteus*, l'aubépine, le prunellier et l'épine noire *(voir tableau, p. 117 et p. 121)*.

## TÂCHES ESSENTIELLES

■ **Achevez de planter** les arbustes en pots et conteneurisés *(voir p. 150)*. Élaguez-les après la plantation *(voir p. 151)* et étayez-les si nécessaire.

## SOINS RÉGULIERS

■ **Rabattez les herbes** résistantes et les bambous laissés en terre l'hiver avant qu'ils commencent à grandir.

■ **Sur les sols légers, sablonneux**, épandez une couche épaisse (8-13 cm) de matières organiques bien décomposées que vous incorporerez au début du printemps.

## ÉLAGAGE ET ORIENTATION

■ **Taillez les arbres caducs** pour leur donner une forme *(voir p. 157)* ou pour les régénérer *(voir p. 159)*.

■ **Élaguez les arbres caducs** établis fleurissant sur les nouvelles pousses *(voir p. 158)*.

■ **Taillez les rosiers buissons**, y compris les Modernes, et les rosiers anciens China, Bourbon et Portland *(voir p. 161)*, dans les climats doux.

## SEMIS

■ **Semez à l'intérieur** les annuelles et les vivaces délicates ou semi-résistantes *(voir p. 162)*.

■ **Divisez les vivaces** *(voir p. 163)*, hormis dans les régions à hivers rigoureux.

ACONITE D'HIVER (ERANTHIS HYEMALIS)

| ARBRES ORNEMENTAUX | POTAGER |
|---|---|

## ARBRES ORNEMENTAUX

### TÂCHES ESSENTIELLES

▨ **Achevez de planter** les arbres caducs à racines en mottes *(voir p. 195)*.

▨ **Empêchez la neige de peser** sur les branches des conifères en retirant immédiatement ou en attachant l'arbre avec de la ficelle pour préserver sa forme.

### PLANTER

▨ **Préparez la terre** *(p. 192 et pp. 142-143)* pour les plantations en début de printemps d'arbres grandis en pots ou de caducs résistants à racines nues.

▨ **Plantez les arbres à racines nues** *(voir p. 194)* d'espèces caduques résistantes, hormis dans les régions froides, quand les conditions sont favorables. Lorsque vous comblez le trou, veillez à éliminer les poches d'air autour des racines en secouant doucement la tige verticalement.

### ÉLAGAGE ET ORIENTATION

▨ **Taillez les arbres caducs** fleurissant en fin d'été, hormis les cerisiers, les pruniers, les pêchers et les abricotiers *(Prunus)* si nécessaire *(voir p. 196)*.

▨ **Écimez et taillez les arbres** *(voir p. 197)*.

## POTAGER

### TÂCHES ESSENTIELLES

▨ **Faites germer les pommes de terre précoces** pour les préparer à la plantation *(voir p. 252)*.

▨ **Achevez de planter les fruitiers buissonnants** *(voir p. 261)*, si la terre et le temps le permettent.

▨ **Plantez les pêchers** *(voir p. 260)*.

▨ **Finissez d'élaguer les fruitiers** *(voir pp. 262-265)*, tels que poiriers et pommiers.

SEMER DES GRAINES DE LÉGUMES

▨ **Forcez la rhubarbe pour une récolte** en début de printemps *(voir p. 273)*.

### SEMER ET PLANTER

▨ **Semez les graines de légumes fragiles en pots à l'intérieur** *(voir p. 244)*, tels que :
Aubergines, piments, poivrons *(voir p. 256)*
Tomates de serre *(voir p. 257)*

▨ **Semez les légumes résistants en plein air** *(voir p. 242)*, sous cloches dans les régions froides. Notamment :
Poireaux *(voir p. 251)*.

▨ **Plantez les fruitiers et les fruitiers à tiges** *(voir p. 260-261)*, hormis les poiriers et les pruniers.

▨ **Plantez la rhubarbe** *(voir p. 273)*.

### SOINS RÉGULIERS

▨ **Réchauffez la terre** dans les régions froides en disposant des cloches *(voir p. 240)* ou du tunnel en prévision des semis.

### ÉLAGAGE ET ORIENTATION

▨ **Rabattez les cassis** au moment de la plantation *(voir p. 261)*.

▨ **Élaguez les groseilliers** rouges et les groseilliers blancs *(voir p. 261 et p. 268)*.

▨ **Taillez les tiges** des framboisiers d'automne *(voir p. 270)*.

### RÉCOLTE

▨ **Cueillez les légumes d'hiver suivants :**
Betterave (feuilles de) *(voir p. 251)*
Brocoli *(voir p. 248)*
Poireaux *(voir p. 251)*
Panais *(voir p. 251)*
Bette à couper et poirée *(voir p. 255)*
Pousses de brocoli *(voir p. 248)*
Petits oignons *(voir p. 250)*
Choux d'hiver *(voir p. 249)*
Chou frisé d'hiver *(voir p. 248)*
Laitues d'hiver *(voir p. 255)*

# À TOUT MOMENT DE L'ANNÉE

| GARDER LE JARDIN SAIN | PELOUSES | LIMITES ET SÉPARATIONS |

▨ **Veillez à ce que les plantes** ne manquent pas d'eau. Mieux vaut donner une bonne ration d'eau aux plantes qui en ont besoin (herbacées, plantes plantées récemment ou ayant poussé en pots) que d'arroser légèrement tout le jardin *(voir p. 280)*.

▨ **Apportez à vos plantes l'engrais** qui convient afin qu'elles restent saines et résistent aux parasites et aux maladies.

▨ **Surveillez d'éventuels signes de maladies ou de parasites.** Si vous agissez promptement *(voir pp. 294-311)*, le problème sera plus facile à contrôler. N'oubliez pas que tous les insectes ne sont pas des parasites.

ESCARGOT
DE JARDIN

▨ **Désherbez régulièrement** les parties cultivées pour éviter que les mauvaises herbes privent vos plantes d'eau et d'éléments nutritifs *(voir pp. 288-293)*. Couvrez une zone de terre en jachère d'un paillis *(voir pp. 152-153)* ou semez-y de l'engrais vert *(voir p. 239 et p. 371)* afin qu'elle ne devienne pas un germoir pour mauvaises herbes qui s'étendront au reste du jardin.

## INSECTES BÉNÉFIQUES

▨ **Pourquoi sont-ils utiles ?** Certains insectes du jardin se nourrissent d'autres insectes qui attaquent vos plantes ; ils contribuent aussi à la pollinisation des plantes et multiplient ainsi fleurs et fruits.

▨ **Qui sont-ils ?** Abeilles, syrphe, coccinelles (larves et adultes).

▨ **Comment les soutenir ?** Ménagez quelques zones de copeaux de bois pour qu'ils puissent y trouver refuge. Évitez l'usage de pesticides, ou choisissez-en un qui ne porte pas préjudice à l'environnement et employez-le au crépuscule quand ces insectes sont moins actifs.

## SEMER ET PLANTER

▨ **Planifiez l'installation d'une pelouse** en prenant en compte le site, sa forme et la variété d'herbes *(voir pp. 76-77)*. Si nécessaire, installez un drain *(voir p. 79)*.

## SOINS RÉGULIERS

▨ **Nivelez les pelouses** en éliminant creux et bosses *(voir p. 87)*, hormis en période de sécheresse ou de froid intense.

## PLANTER

▨ **Plantez les rosiers grimpants** et lianes poussés en conteneurs, au pied des murs, barrières ou des arbres *(voir p. 110)*, hormis en période de sécheresse ou de froid intense.

▨ **Empêchez les bambous** de tout envahir en construisant une barrière souterraine *(voir p. 118)*.

▨ **Plantez des grimpantes** pour garnir un portique *(voir p. 99)* ou une pergola.

## ÉLAGAGE ET ORIENTATION

▨ **Taillez les rameaux morts**, malades ou endommagés et les pousses en réversion des espèces panachées *(voir p. 112)*, si nécessaire.

▨ **Élaguez les haies cultivées** pour leurs baies ou leurs fruits dès que ceux-ci ont disparu *(voir p. 117 et p. 119)*.

## PROTÉGER LE BOIS

▨ **Pourquoi ?** Appliquer un produit conservateur sur le bois tous les 3-4 ans prolongera sa durée. Non traités, la plupart des bois tendres pourrissent au bout de quelques années, surtout s'ils sont en contact avec le sol.

▨ **Quand faut-il le faire ?** L'automne et l'hiver sont préférables parce que les structures telles que barrières, treillis, portiques et pergolas sont plus faciles à atteindre quand les plantes sont à l'état dormant.

▨ **Faut-il préparer le bois ?** Avant d'appliquer le produit conservateur, assurez-vous que le bois n'est pas taché de terre ou de débris et qu'il est parfaitement sec.

PEINDRE UN TREILLIS
AVEC UN CONSERVATEUR

## BORDURES ET PARTERRES

### PLANTER

▪ **Délimitez un nouveau parterre** *(voir p. 145)* et préparez bien la terre *(voir pp. 142-145)* avant de planter. Si nécessaire, vous pouvez y planter des plantes poussées en pots peu après ; dans le cas de la plupart des espèces, une saison est préférable pour la plantation *(voir pp. 369-405)*.

▪ **Plantez des arbustes grandis en pots** *(voir p. 150)*, hormis en période de sécheresse, de froid intense ou si le sol est détrempé. Achetez des plantes saines *(voir p. 147)* pour optimiser les résultats. Taillez-les au moment de la plantation *(voir p. 151)* et étayez-les si nécessaire *(voir p. 150)*.

### SOINS RÉGULIERS

▪ **Ne vous laissez pas envahir** par les mauvaises herbes en désherbant bien avant de planter *(voir pp. 144-145)*. Désherber régulièrement les massifs *(voir p. 152)*.

SUPPRIMER UN DRAGEON DE ROSIER

▪ **Éliminez les drageons** de rosiers dès qu'ils apparaissent *(voir p. 160)*.

### ÉLAGAGE ET ORIENTATION

▪ **Éliminez toutes les pousses vertes** en réversion des plantes panachées dès qu'elles apparaissent *(voir p. 157)*.

## POTS ET PARTERRES SURÉLEVÉS

### PLANTER

▪ **Dans les murets des parterres surélevés**, plantez des variétés alpines *(voir p. 183)*, hormis en période de sécheresse, de froid ou d'humidité intense.

### SOINS RÉGULIERS

▪ **Préparez les pots en bois** en les traitant avec un produit conservateur *(voir p. 169)*.

---

#### ARROSAGE DES PLANTES EN POTS

▪ **Par temps chaud**, le terreau sèche à l'intérieur des pots et les plantes se fanent très vite ; arrosez deux fois par jour si nécessaire, le matin et le soir.

▪ **Par temps froid**, le terreau en pot doit plutôt être sec, mais il faudra tout de même arroser plus durant les redoux.

▪ **Arrosez copieusement** en trempant le terreau jusqu'à ce que l'eau s'écoule au fond du pot.

---

## ARBRES ORNEMENTAUX

### PLANTER

▪ **Plantez les arbres grandis en pots** *(voir p. 194)*, hormis en période de sécheresse, de froid intense ou si la terre est détrempée.

### SOINS RÉGULIERS

▪ **Paillez si nécessaire** avec des matières organiques, telles que des copeaux d'écorce, quand le sol est humide.

▪ **Contrôler les mauvaises herbes** autour des arbres *(voir p. 197)* afin qu'elles ne privent pas les racines d'eau et de nutriments.

# À TOUT MOMENT DE L'ANNÉE

| HERBES | POTAGER | ENTRETIEN GÉNÉRAL |
| --- | --- | --- |

## PLANTER

■ **Plantez des herbes arbustives** ou vivaces grandies en pots dans vos parterres, en pots ou dans des paniers suspendus (*voir pp. 228-231*), hormis en

ROMARIN

période de sécheresse, de froid intense ou si la terre est détrempée.

■ **Créez un jardin de gravier** où planter des herbes (*voir p. 229*) ou construisez des parterres surélevés.

## PLANTER

■ **Incorporez de la chaux dans la terre** (*voir p. 238*) si nécessaire au moins une fois par mois avant de planter des légumes.

■ **Préparez la terre** au moins deux mois avant de planter des fruitiers (*voir p. 260*).

■ **Plantez les fruitiers grandis en pots** (*voir p. 260*), hormis en période de gel, de sécheresse ou si la terre est détrempée.

## SOINS RÉGULIERS

■ Désherbez régulièrement pour empêcher les mauvaises herbes d'envahir les cultures (*voir pp. 288-293*).

### ARCHE VÉGÉTALE

■ **Créez une arche de verdure** à partir de pommiers tiges (taillés pour obtenir une tige unique avec de courts dards fruitiers).

■ **Plantez deux pommiers tiges** de part et d'autre de l'allée. Ils doivent être de la même variété pour grandir au même rythme.

■ **Orientez les pointes des tiges** pour qu'elles se rejoignent lorsque l'arbre atteint 2 mètres de hauteur. Penchez les tiges de chaque arbre l'une vers l'autre pendant qu'elles sont encore souples et reliez-le avec un fil de fer solide, sans serrer.

■ **Ajustez le fil de fer** chaque saison jusqu'à ce que les tiges s'entrecroisent, puis enlevez-le.

## STRUCTURES

■ **Traitez à nouveau les abris en bois,** les remises à outils et les châssis froids avec un produit conservateur, et réparez-les si besoin est.

■ **Nettoyez les vitres des serres** afin que les plantes à l'intérieur reçoivent un maximum de lumière.

### DES OUTILS SANS ROUILLE

■ **Vos outils de jardin** fonctionneront mieux et dureront plus longtemps si vous les nettoyez et les huilez régulièrement (*voir p. 279*).

■ **Nettoyez les petits outils** en les frottant avec un chiffon huilé ou une poignée de sable imprégné d'huile.

PLONGER UNE FOURCHE DANS DU SABLE IMPRÉGNÉ D'HUILE

■ **Nettoyez les grands outils** en les plongeant à plusieurs reprises dans un seau de sable où vous aurez ajouté un peu d'huile.

# GLOSSAIRE

**Acide** (sol) Sol au pH inférieur à 7. Voir aussi *alcalin* et *neutre*.

**Alcalin** (sol) Sol au pH supérieur à 7. Voir aussi *acide* et *neutre*.

**Annuelle** Plante dont le cycle végétatif (germination, floraison, formation des graines, mort) se déroule au cours de la même année.

**Biologique** Se dit d'une technique de jardinage proscrivant l'utilisation de produits chimiques de synthèse ou de matières non-organiques.

**Bisannuelle** Plante qui produit des feuilles la première année après la germination, et fleurit, grène et meurt la seconde année. Voir aussi *annuelle* et *vivace*.

**Brassicacées** De la *famille* des choux.

**Butter** Former une petite butte de terre autour du pied de la plante pour favoriser la formation de racines à la base des tiges, ou pour blanchir les tiges, ou pour lui donner une meilleure assise contre le vent.

**Châssis froid** Structure non chauffée composée d'un cadre en brique, métal, bois ou plastique et d'un ouvrant rabattable ou amovible en verre ou en plastique transparent. Elle est utilisée pour protéger les graines et plantes du froid.

**Cloche** Petite structure mobile en plastique transparent, verre ou film horticole tendu sur un support. Elle est utilisée pour réchauffer le sol et/ou protéger les cultures de pleine terre.

**Compost** Matière *organique* issue de la décomposition des plantes ou autres matières organiques. Elle est utilisée comme amendement ou *paillis*. Voir aussi *terreau de rempotage*.

**Couche arable** Couche superficielle du sol, généralement la plus fertile. Voir aussi *sous-sol*.

**Cultivar** (abrév. cv) Variation au sein d'une *espèce*, issue d'une sélection ou produite artificiellement pour une spécificité, fleur ou feuillage, port ou couleur (par exemple *Helianthus altorubens* 'Monarch'). Souvent appelée *variété* dans le langage courant.

**Division** Méthode de multiplication des plantes consistant à les diviser en plusieurs portions, chacune pourvue de racines et d'au moins un bourgeon.

**Dormance** Interruption de la croissance de la plante, généralement en hiver.

**Drageon** Pousse émise sur les racines ou une tige souterraine de la plante, ou sous le point de greffe d'un *porte-greffe*.

**Endurcir** Acclimater progressivement des plantes cultivées à l'abri aux conditions extérieures.

**Espèce** Groupe de plantes qui se multiplient naturellement en conservant des caractéristiques similaires (par ex. *Helianthus debilis*). Dans la classification, cette catégorie se situe entre le *genre* et la *forme*, la *sous-espèce* et la *variété*.

**Famille** Groupe de plusieurs genres ayant des caractéristiques communes. Par exemple *Bellis* et *Helianthus* appartiennent à la famille des marguerites, les Composées.

**Forme** (abrév. f.), **Sous-espèce** (abrév. ssp.), **Variété** (abrév. var.) Variation apparue spontanément au sein d'une *espèce*. Par exemple *Helianthus debilis* ssp. *cucumeriflorius* est une variation de *Helianthus debilis*, plus courte sur tige avec de plus grandes fleurs.

**Genre** Ensemble d'espèces présentant des caractères communs (par ex. *Helianthus*) ; niveau de classification entre la famille et l'espèce.

**Greffer** Unir artificiellement un fragment d'une plante sur une autre. Voir aussi *porte-greffe* et *scion*.

**Gélive** (ou tendre) Se dit d'une plante qui ne supporte pas le gel. Voir aussi *rustique*.

**Herbacée** Se dit d'une plante non-ligneuse dont les parties aériennes meurent à la fin de la saison de végétation.

**Humus** Produit chimiquement complexe de la décomposition de matière organique en surface du sol.

**Hybride** Plante issue du croisement de plantes mère génétiquement différentes. Indiquée par le symbole "×" dans le nom latin (par ex. *Helianthus × multiflorus*).

**Monter en graines** Produire des fleurs et grener prématurément.

**Neutre** (sol) Sol ayant un pH de 7. Voir aussi *acide* et *alcalin*.

**Organique** Se dit d'un composé à base de carbone issu de la décomposition d'organismes animaux ou végétaux.

**Paillis** Matériau appliqué en couche sur la surface du sol pour supprimer les mauvaises herbes, conserver l'humidité ou apporter une isolation aux racines. Peut aussi être constitué de matière *organique* pour enrichir le sol.

**pH** Degré d'acidité ou d'alcalinité du sol, mesuré sur une échelle de 1 à 14. Voir aussi *acide*, *alcalin* et *neutre*.

**Pincer** Sectionner l'extrémité en croissance d'une plante pour stimuler la pousse de latérales à la base de la tige ou la formation de boutons floraux.

**Poche de gel** Endroit, souvent dans un creux ou le long d'une structure solide où s'accumule l'air froid et où les gelées risquent d'être plus rigoureuses et/ou prolongées.

**Porte-greffe** Plante qui fournit le système radiculaire à une plante *greffée*.

**Pépinière** Terrain où l'on fait germer des graines ou pousser de jeunes végétaux avant de les repiquer dans leur site définitif.

**Repiquer** Transférer les jeunes plants de leur lieu de germination dans un pot ou une *pépinière*.

**Rustique** Se dit d'une plante apte à supporter toute l'année les différences de conditions climatiques, y compris le gel. Voir aussi *gélive*.

**Scion** Jeune arbre greffé dans sa première année.

**Serre de multiplication (mini-)** Structure offrant un environnement protégé pour la culture des jeunes plants et l'enracinement des boutures.

**Sillon** Rigole étroite et droite dans laquelle on sème ou on repique des plants.

**Sous-espèce** (abrév. ssp.) Voir *forme*.

**Sous-sol** Couche de sol située sous la *couche arable*. Elle est moins fertile, de texture et de structures plus médiocres.

**Standard** Arbre dont le tronc est dénudé sur une hauteur d'au moins 2 m sous la ramure, ou arbuste taillé pour développer une tige centrale.

**Stérile** Se dit d'une pousse qui ne produit pas de fleur.

**Surfacer** Recouvrir la surface du sol avec du *compost*, des éléments décoratifs drainants (graviers ou éclats de pierre) ou de la terre fraîche.

**Systémique** Se dit d'un pesticide ou d'un fongicide appliqué sur le sol ou sur le feuillage puis absorbé par la plante et véhiculé par la sève.

**Terreau de rempotage** Mélange de terreau de feuilles, de sable, du substitut de tourbe (ou de tourbe) et éléments nutritifs en proportions variées. Il est utilisé pour cultiver les plantes en pot. Les mélanges non terreux sont généralement composés de tourbe (ou d'un substitut) et d'éléments nutritifs, ils ne contiennent pas de terreau de feuilles.

**Variété** (abrév. v.) Voir *forme*.

**Vivace** S'applique à une plante qui vit trois saisons ou plus. Ce terme est utilisé pour les plantes *herbacées* et ligneuses (arbres et arbustes).

**Volée** Technique de semis qui consiste à éparpiller les graines au hasard plutôt qu'en *sillons*.

# INDEX

# REMERCIEMENTS

**Photographies supplémentaires**
Peter Anderson

**Illustrations**
Gill Tomblin, pages 50, 51, 52 ; Karen Gavin, illustrations
d'éclairages, page 71

**Crédits photographiques**
L'éditeur remercie toutes les personnes et sociétés
qui ont aimablement autorisé la reproduction de leurs
photographies.

(Référencement : a = au-dessus ; c = centre ; b = bas ;
l = gauche ; r = droite ; t = haut )
1 **Garden Picture Library:** John Glover c
2 **Clive Nichols:** Anthony Noel
5 **Scotts of Stow**
6 **Garden Picture Library:** Juliette Wade
8–9 **Garden Picture Library:** Clay Perry
10 **Marianne Majerus: Designer:** Jon Baillie bl;
**Steve Wooster:** Designer: Anthony Paul c
11 **Jerry Harpur:** tl, bc;
**Clive Nichols:** Designer: Keeyla Meadows bl
12 **Garden Picture Library:** Ron Sutherland tr;
**Jerry Harpur:** bl; **Steve Wooster:** Designer: Piet Oudolf c
13 **Jerry Harpur:** Designer: Christopher Masson tr;
**Anne Hyde:** br; **Clive Nichols:** Clive & Jane Nichols bl;
**Steve Wooster:** Hannah Deschar Gallery c
14 **Jerry Harpur:** cl, c
15 **Jerry Harpur:** bl
14–15 **Jonathan Buckley:** Designer Penny Smith
16 **Elizabeth Whiting & Associates:** bl
17 **Garden Picture Library:** Michael Howes b
**Elizabeth Whiting & Associates:** tl
16–17 **Clive Nichols:** Clive & Jane Nichols
18 **Greenworld Pictures Inc.:** Mick Hales bl
19 **Garden Picture Library:** Eric Crichton bl;
**Jerry Harpur:** br; **Marianne Majerus:** tr
18–19 **John Glover**
20 **Andrew Lawson:** bl
21 **John Glover:** br; **Jerry Harpur:** bc
20–21 **Andrew Lawson**
22 **Garden Picture Library:** Ron Sutherland bl;
**Clive Nichols:** The Priory, Kemerton, Worcs c
23 **Garden Picture Library:** Steven Wooster b
24 **Garden Picture Library:** Eric Crichton tc;
John Baker bc; Ron Sutherland br
24 **Jerry Harpur:** tr;
**Clive Nichols:** Designer: Vic Shanley bl
25 **Garden Picture Library:** Rowan Isaac bc; **Andrew
Lawson:** tc, tr, br; **Steve Wooster:** tl
26 **Derek Fell:** tl; **John Glover:** bc; **Jerry Harpur:** tc; **Anne
Hyde:** tr; **Andrew Lawson:** York Gate, Leeds bl;
**Steve Wooster:** br
27 **John Glover:** br; **Andrew Lawson:** tr; Designer: Ryl
Nowell, Wilderness Farm bl; **Clive Nichols:** tl; Designer:
Anthony Noel bc; **Steve Wooster:** tc
28 **Garden Picture Library:** Gary Rogers br; John Baker bc;
**The Interior Archive:** Herbert YPMA tr;
**Elizabeth Whiting & Associates:** tc, bl
29 **Garden Picture Library:** Jerry Pavia tl; Rex Butcher bl;
**Andrew Lawson:** tc; Designer: Lynden Miller cra; **Elizabeth
Whiting & Associates:** bc, br
30 **Garden Picture Library:** Marijke Heuff bc; Tommy
Candler bl; **John Glover:** Bosvigo 968 tc; **Andrew Lawson:**
Designer: Sir Miles Warren tr; **Marianne Majerus:** tl;
**Elizabeth Whiting & Associates:** br
31 **Jonathan Buckley:** cr; **Garden Picture Library:** Steven
Wooster bc; **Jerry Harpur:** bl; **Anne Hyde:** tl; **Andrew
Lawson:** tc, tr; **Elizabeth Whiting & Associates:** br
32 **Garden Picture Library:** Marie O'Hara bl; **John Glover:**
tr, bc; **Marianne Majerus:** Design: Lesley Rosser br; **Steve
Wooster:** tc

33 **Garden Picture Library:** Ron Sutherland bc; **John
Glover:** tr; **Clive Nichols:** Andrew & Karla Newell tl;
Lambeth Horticultural Society bl; Little Coopers, Hampshire
br; **Steve Wooster:** tc
34 **Garden Picture Library:** Juliette Wade tc; **John Glover:**
tr; **Jerry Harpur:** bl; **Clive Nichols:** Paula Rainey Crofts br;
**Derek St Romaine:** bc
35 **Emap Active:** tr, bc; **Garden Picture Library:** John Miller
tc; **Jerry Harpur:** bl; **Elizabeth Whiting & Associates:** tl
36 **Garden Picture Library:** Brian Carter tr; Gary Rogers tc;
Steven Wooster bl; **John Glover:** bc; **Clive Nichols:** br
37 **Garden Picture Library:** Lamontagne bc; Mel Watson tr;
**John Glover:** tl, tc; **Andrew Lawson:** Designer: Penelope
Hobhouse br; **Derek St Romaine:** bl
38 **Clive Nichols:** tr, br; Chenies Manor, Bucks bl;
**Steve Wooster:** bc
39 **Anne Hyde:** tl, bl
40 **Jerry Harpur:** The Priory, Hatfield Peverel, Essex tc;
**Clive Nichols:** Parnham House, Dorset bc; The Anchorage,
Kent br; **Steve Wooster:** tr
41 **Jerry Harpur:** br; Design: Edwina Von Gal bl; **Andrew
Lawson:** tl, bc; **Clive Nichols:** Bassibones Farm, Bucks tc;
Designer: Elisabeth Woodhouse tr
42 **Jerry Harpur:** Neil Diboll, Wisconsin bc; **Clive Nichols:**
Chenies Manor, Bucks tr
43 **Garden Picture Library:** Vaughan Fleming br; **Andrew
Lawson:** tr; **Clive Nichols:** Designer: Anthony Noel bc;
Designer: Jill Billington tl
44 **Jerry Harpur:** c; **Clive Nichols:** Designer: Sarah
Hammond bl
46 **Jerry Harpur:** Designer: Simon Fraser c; **Anne Hyde:** bl
47 **Andrew Lawson:** Designer: Penelope Hobhouse cl;
**Clive Nichols:** Designer: Jill Billington bc
48 **John Glover:** bc; **Jerry Harpur:** crb; Diana Ross,
London tr
49 **Andrew Lawson:** tc, c
50 **Andrew Lawson:** tr, br
51 **Andrew Lawson:** tr
52 **Andrew Lawson:** tr, cla, clb, bl, br
53 **Andrew Lawson:** tl, cl, bl
54–55 **Garden Picture Library:** Janet Sorrell
61 **Jerry Harpur:** br
63 **Clive Nichols:** bc
65 **Garden Picture Library:** Ron Sutherland br
70 **Emap Active:** cl
71 **Clive Nichols:** Garden & Security lighting cr;
**Clive Nichols:** Andrew & Karla Newell cr
73 **Clive Nichols:** cr
74 **Eric Crichton Photos:** c; **Garden Picture Library:**
Brigitte Thomas bc; **Clive Nichols:** Hilary Macpherson br
75 **Garden Picture Library:** Brian Carter cra; JS Sira bl;
Juliette Wade tc; **Jerry Harpur:** Designer: Wesley & Susan
Dixon cr; **Clive Nichols:** Bassibones Farm, Bucks br
76 **John Glover:** br; **Jerry Harpur:** P. Hickman, Thames
Ditton bl; **Andrew Lawson:** clb
81 **Garden Picture Library:** Jacqui Hurst bl; Jane Legate clb;
**Clive Nichols:** White Windows, Hampshire cr
82 **Garden Picture Library:** Howard Rice bl
87 **Garden Picture Library:** Chris Burrows bcr
88 **John Glover:** bl; **Garden Picture Library:**
John Glover bc
89 **Eric Crichton Photos:** tr
90 **Steve Wooster:** bl
92 **Garden Picture Library:** Howard Rice br
95 **Eric Crichton Photos:** bl
96 **Jerry Harpur:** br
97 **John Glover:** c
98 **Garden Picture Library:** Howard Rice c
100 **John Glover:** bl; **Jerry Harpur:** bc
103 **Steve Wooster:** tr, cr
106 **Garden Picture Library:** Mayer/Le Scanff tr
122 **Garden Picture Library:** Gil Hanly bl
139 **Garden Picture Library:** Howard Rice bcl

172 **Garden Picture Library:** Steven Wooster cr
174 **Garden Picture Library:** Juliette Wade bl
176 **Jo Whitworth:** br
180 **Garden Picture Library:** Brian Carter bl; Gary Rogers c;
**J S Sira:** br
181 **Andrew Lawson:** bc
183 **Garden Picture Library:** Ann Kelley cl
184 **Eric Crichton Photos:** bc; **Jerry Harpur:** cr
186 **Steve Wooster:** bc
187 **Steve Wooster:** tc
189 **Garden Picture Library:** Stephen Jury bc;
**Steve Wooster:** tr
190 **Steve Wooster:** c
195 **Andrew Lawson:** c
224 **Eric Crichton Photos:** bl
228 **Garden Picture Library:** John Glover c
232 **Neil Campbell-sharp:** br
274 **Garden Picture Library:** John Glover bl;
**Scotts of Stow:** bc
275 **John Glover:** bc
276 **Scotts of Stow:** ac
280 **Garden Picture Library:** Howard Rice crb
292 **Oxford Scientific Films:** Colin Milkins cl
295 **Holt Studios International:** Nigel Cattlin bl
296 **Holt Studios International:** Nigel Cattlin clb, bl, bcr
297 **Holt Studios International:** Nigel Cattlin bcl, bcr, bcrr
299 **The Garden Magazine:** Tim Sandell bcl; **Holt Studios
International:** Nigel Cattlin br, bcl
300 **Holt Studios International:** Nigel Cattlin br
301 **A-Z Botanical Collection:** bcr;
**RHS Wisley:** J. Maynard abc
302 **Heather Angel:** br; **Holt Studios International:**
Nigel Cattlin bcl
304 **Holt Studios International:** Nigel Cattlin bl, bcl, bcr
305 **Holt Studios International:** Nigel Cattlin bl, br
306 **Holt Studios International:** Nigel Cattlin bl;
**RHS Wisley:** K.M. Harris bcl
307 **Holt Studios International:** Nigel Cattlin c;
**RHS Wisley:** crb; A.J. Halstead br; P. Becker cr
308 **Holt Studios International:** Nigel Cattlin bl, bcl, bcr
310 **The Garden Magazine:** Tim Sandell bl; **Holt Studios
International:** Nigel Cattlin bcr; **RHS Wisley:** P. Becker bcl
311 **The Garden Magazine:** Tim Sandell br
312–313 **Garden Picture Library:** Clive Nichols
362 **Garden Picture Library:** JS Sira br
364–365 **Garden Picture Library:** Juliette Wade
**Couverture : Jerry Harpur:** back acr